Werner Bests korrespondance med Auswärtiges Amt
og andre tyske akter vedrørende besættelsen
af Danmark 1942-1945

Die Korrespondenz von Werner Best mit dem
Auswärtigen Amt und andere Akten zur
Besetzung von Dänemark 1942-1945

Danish Humanist Texts and Studies

Volume 43

Edited by Erland Kolding Nielsen

THE ROYAL LIBRARY · COPENHAGEN

Werner Bests korrespondance med Auswärtiges Amt og andre tyske akter vedrørende besættelsen af Danmark 1942-1945

Udgivet af
John T. Lauridsen

Under medvirken af
Jakob K. Meile

BIND 3:

Maj – august 1943

DET KONGELIGE BIBLIOTEK
&
SELSKABET FOR UDGIVELSE AF KILDER TIL DANSK HISTORIE

I kommission hos Museum Tusculanum Press

KØBENHAVN 2012

*Werner Bests korrespondance med Auswärtiges Amt
og andre tyske akter vedrørende besættelsen af Danmark 1942-1945
Udgivet af John T. Lauridsen under medvirken af Jakob K. Meile*

© 2012 Det Kongelige Bibliotek & Selskabet for Udgivelse af Kilder til dansk Historie

Tilsynsførende:	Knud J.V. Jespersen & Aage Trommer
Oversættelse:	Johannes Wendland, LanguageWire A/s
Layout & sats:	Forlagsbureauet/Ole Klitgaard (†)
Reproduktioner:	Fotografisk Atelier, Det Kongelige Bibliotek

Bogen er sat med Adobe Garamond Pro
og trykt på 115g Scandia 2000 Smooth Ivory
Dette papir overholder de i ISO 9706:1994
fastsatte krav til langtidsholdbart papir.

Printed in Denmark by Special-Trykkeriet Viborg A/s

ISBN (værket)	978-87-7023-296-8
ISBN (dette bind)	978-87-7023-299-9
ISSN (DHTS)	0105 8746

Udgivet med støtte fra
Carlsbergfondet
Oticon Fonden
Kulturministeriets Forskningspulje
Det Kongelige Bibliotek

I kommission hos
Museum Tusculanum Press
University of Copenhagen
Njalsgade 126
DK-2300 Copenhagen S
www.mtp.dk

Die Korrespondenz von Werner Best mit dem Auswärtigen Amt und andere Akten zur Besetzung von Dänemark 1942-1945

Herausgegeben von
John T. Lauridsen

Unter der Mitarbeit von
Jakob K. Meile

BAND 3:

Mai – August 1943

Königliche Bibliothek
&
Gesellschaft für die Herausgabe von Quellen
zur dänischen Geschichte

In Kommission bei Museum Tusculanum Press

Kopenhagen 2012

*Die Korrespondenz von Werner Best mit dem Auswärtigen Amt und andere Akten zur Besetzung von Dänemark 1942-1945
Herausgegeben von Dr. phil. John T. Lauridsen
unter der Mitarbeit von M.A. Jakob K. Meile*

© 2012 Königliche Bibliothek & Gesellschaft für die
Herausgabe von Quellen zur dänischen Geschichte

Herausgeberbeirat: Prof., Dr. phil. Knud J.V. Jespersen &
                               Rektor i. R., Dr. phil. Aage Trommer
Übersetzung: M.A. Johannes Wendland, LanguageWire A/s
Layout & Satz: Forlagsbureauet/M.A. Ole Klitgaard (†)
Repro: Fotografisk Atelier, Det Kongelige Bibliotek

Das Werk wurde in der Adobe Garamond Pro gesetzt
und auf 115g Scandia 2000 Smooth Ivory gedruckt.
Dieses Papier erfüllt die Anforderungen an
Nachhaltigkeit nach ISO 9706:1994.

Printed in Denmark by Special-Trykkeriet Viborg A/s

ISBN (ges. Werk)   978-87-7023-296-8
ISBN (dieser Band) 978-87-7023-299-9
ISSN (DHTS)   0105 8746

Herausgegeben mit Unterstützung von
Carlsbergfondet
Oticon Fonden
Forschungspool des Dänischen Kulturministeriums
Königliche Bibliothek

In Kommission bei
Museum Tusculanum Press
University of Copenhagen
Njalsgade 126
DK-2300 Copenhagen S
www.mtp.dk

Indhold

Maj 1943 9

Juni 1943 111

Juli 1943 235

August 1943 321

Inhalt

Mai 1943 9

Juni 1943 111

Juli 1943 235

August 1943 321

MAJ 1943

1. Politische Informationen für die deutschen Dienststellen in Dänemark 1. Mai 1943

På toppen af sin succes postulerede Best et fald i sabotageaktiviteten i Danmark, og han tilskrev det dels politiarbejdet, dansk som tysk, dels den danske regerings og uudtalt den rigsbefuldmægtigedes politik i forhold til offentligheden. Den politik skulle have skabt en afvisende holdning til sabotagen i befolkningen.

Best synes med hensyn til sabotagen ikke at være i samklang med sin foresatte. Ribbentrop havde udtrykt en anden opfattelse blot tre uger tidligere. Se Paul Otto Schmidts optegnelse 10. april 1943.

Det har ikke været muligt at lokalisere et fuldstændigt eksemplar af *Politische Informationen* 1. maj 1943. Det eksemplar, der skulle være i Centralkartoteket, er blevet udlånt til (Troels) Hoff og ikke leveret tilbage. Derfor er kun afsnittet om sabotagen til rådighed.[1] Det er blevet skrevet af i AA.

Kilde: PA/AA R 61.119 (uddrag). RA, Centralkartoteket, pk. 680 (kun en låneseddel).

Abschrift Pol. VI
Der Bevollmächtigte des Reiches in Dänemark *Kopenhagen, den 1. Mai 1943*

Politische Informationen
für die deutschen Dienststellen in Dänemark.

[...]

Sabotageakte in Dänemark

Die Sabotagehandlungen in Dänemark haben in letzter Zeit in Zahl und Bedeutung merklich nachgelassen. Dies mag einerseits darauf zurückzuführen sein, daß die dänische Polizei in Zusammenarbeit mit den deutschen Exekutivorganen erneut eine Anzahl von Tätern festnehmen konnte. Andererseits haben aber auch zweifellos der Aufruf des Arbeitsausschusses des Reichstages und die systematischen Presseveröffentlichungen über die Sabotageakte ihren Eindruck nicht verfehlt und in der Bevölkerung eine ablehnende Stimmung gegen die Sabotage geschaffen, zumal wiederholt darauf hingewiesen worden ist, daß beschädigtes oder vernichtetes deutsches Wehrmachtgut von der dänischen Regierung aus dänischen Beständen in natura ersetzt wird.

Auffällig ist, daß ein großer Teil der Sabotageakte der letzten Zeit sich gegen Betriebe richtete, die entweder gar nicht oder nur zu einem ganz geringen Anteil für deutsche Aufträge arbeiten. Auch bei den Sabotageversuchen an Eisenbahnverkehrsanlagen waren nach den Umständen der Einzelfälle meistens deutsche Wehrmachtsinteressen nicht gefährdet.[2] Es zeigt sich dadurch immer deutlicher, daß es den Saboteuren nicht allein darauf ankommt, die deutsche Wehrkraft zu schädigen, sondern daß ihre Absicht offenbar dahin geht, einerseits die dänische Bevölkerung zu beunruhigen und andererseits

---

1 En ide om indholdet giver givetvis afsnittet "Politische Lage" i Der Fürsorgeoffizier der Waffen-SS in Dänemark: Tätigkeitsbericht für Monat April 1943, 1. Mai 1943, s. 5f. (RA, Danica 465, Moskva: Osobyj Archiv, 1372/3/135/8). Situationen blev beskrevet i lyse farver, den var totalt rolig, og befolkningen havde været roligere 9. april end tidligere år. Betydningen af Danmarks eksport til Tyskland blev påpeget, foruden eksporten til Finland og Norge, der også var en indirekte dansk støtte til Tyskland. Sabotagen var gået lidt tilbage, men der måtte fortsat regnes med en vis sabotage.
2 Det var Forstmanns konstatering i månedsberetningen 31. marts 1943.

deutsche Maßnahmen, die die gesamte Bevölkerung treffen, herauszufordern.³ Eine entsprechende Auswertung dieser Feststellungen in der Tagespresse und in Zeitschriften ist in die Wege geleitet.

Über die Tätergruppen, die im Monat April gefaßt worden sind, kann zur Zeit folgendes mitgeteilt werden:

1.) In Esbjerg hat die dänische Polizei am 1.4.1943 und den folgenden Tagen insgesamt 5 jugendliche Personen festgenommen, die für beinahe alle Sabotagefälle in Esbjerg verantwortlich sind. Es handelt sich um Lehrlinge aus guten Familien, die sich seit Beginn des Jahres 1943 öfter über die Sabotagefälle im Lande unterhalten hatten. Es blieb jedoch bei solchen allgemeinen Redensarten, bis sie durch Zufall vor einem Kino mit dem Kommunisten Eigil Larsen bekannt wurden. Larsen war bereits vor längerer Zeit aus dem Kommunistenlager Horserød entwichen. Er ist als einer der maßgeblichen kommunistischen Saboteure erkannt. Es gelang ihm, die jetzt festgenommenen Jugendlichen zur Ausführung von Sabotageakten zu veranlassen. Die Täter haben Kabelleitungen der Wehrmacht durchschnitten und Brandstiftungen an Eisenbahnwagen, die mit Stroh und Heu für die Wehrmacht beladen waren, verübt. Sie haben aber auch unter Verwendung von selbst hergestellten Sprengstoffen einige Eisenbahnanschläge durchgeführt. Ferner haben sie eine Fabrik und eine Autowerkstätte in Brand gesteckt, wobei sehr erheblicher Sachschaden entstand.

Insgesamt sind durch diese Festnahme bisher 20 Sabotagefälle in Esbjerg aufgeklärt worden.⁴

2.) In Aarhus hat die dänische Polizei Anfang April d.J. 4 jugendliche Personen festgenommen, die den Brand der dortigen Stadionhalle verursacht haben, bei dem 500 Betten aus Wehrmachtsbeständen verbrannten. Sie haben die gemeinsame Ausführung der Brandstiftung geplant. Zwei der Jugendlichen haben dann den Brand angelegt. Wie bekannt, hat dieser Fall zu – nach einigen Tagen wieder aufgehobenen – einschneidenden Maßnahmen gegenüber der Bevölkerung (Ausgehverbot usw.) geführt.

Die Polizei versucht jetzt auf Grund dieser Festnahmen eine Aufklärung weitere Sabotagefälle in Aarhus zu erreichen.⁵

3.) In Aalborg nahm die dänische Polizei Ende März 4 Jugendliche fest, die geständig sind, einen deutschen Kraftwagen in Brand gesteckt zu haben.

Anfang April sind dann noch 4 junge Leute festgenommen worden, die sich nachweislich an Sabotageakten beteiligt haben. Es handelt sich um eine jugendliche Gruppe, die in den gleichen Gedankengängen befangen war, wie der bekannte frühere "Churchill-Club" und die spätere "Danske Frihedsliga" in Aalborg. Die Täter haben bisher eine Brandstiftung im Deutschen Wehrmachtsheim in Aalborg sowie das Einschlagen von Fensterscheiben deutschfreundlicher Geschäfte und das Mit-

---

3 Denne opfattelse byggede på Bests erfaringer fra Frankrig, hvor militærforvaltningen i slutningen af 1941 var nået til samme konklusion (Meyer 1997, s. 58 og samme 2000, s. 72, jfr. også Best: Erindringen aus dem besetzten Frankreich 1940-1942, 1951, s. 23f. (BArch, B 120/359 og RA, Bests arkiv, pk. 10). Forstmann videregav Bests opfattelse 31. maj 1943. Trykt nedenfor.
4 Se Bests indberetning til AA 30. april.
5 Se Bests indberetning til AA 30. april.

wirken bei anti-deutscher Propaganda zugegeben.[6]

Die Polizei setzt die Ermittlung dieser Sache fort.

4.) In Randers/Mitteljütland hat die dänische Polizei kürzlich 5 Jugendliche festgenommen, die am 19.4.1943 einen Personenkraftwagen der Wehrmacht in Brand gesteckt haben.[7] Ob sie noch weitere Sabotageakte verübt haben, wird zur Zeit noch untersucht.

5.) In Kopenhagen sind am 10.4.1943 und den darauffolgenden Tagen auf Grund nachrichtendienstlicher Vorbereitung der Exekutive des Reichsbevollmächtigten 10 Personen verhaftet worden, die Sabotageakte vorbereitet und durchgeführt haben. Es handelt sich um Lehrlinge des Schiffskonstruktionsbüros der Werft Burmeister & Wain, um einen Arbeiter und den Leiter des Konstruktionsbüros dieser Firma sowie um einen Studenten. Diese Gruppe stand in Verbindung mit den 5 jungen Dänen, die am 10.3.1943 nach dem mißglückten Anschlag auf das dänische Minensuchboot "Söridderen" nach Schweden flüchteten. Durch die Vernehmung der 10 Verhafteten konnte nachgewiesen werden, daß die 5 Flüchtlinge ebenfalls an Sabotageakten teilgenommen bezw. solche vorbereitet hatten.[8]

Die Ermittlungen sind noch nicht abgeschlossen. Es ist möglich, daß sie zur Aufdeckung weiterer Sabotagegruppen führen.

[...]

2. Werner Best an das Auswärtige Amt 3. Mai 1943

CdO, Kurt Daluege, havde været i København og med WB Dänemark drøftet den politibataljon, som var forlagt til Danmark. Daluege havde fundet, at bataljonen udelukkende skulle stå under den rigsbefuldmægtigede og kun efter dennes ordre skulle stilles til rådighed for WB Dänemark. Det havde WB Dänemark erklæret sig indforstået med, politibataljonen ville heller ikke blive inkluderet i hans alarmplaner. Best foreslog, at AA indhentede en bekræftelse af aftalen, og at OKW blev underrettet.

Daluege var en bekendt af og tidligere kollega til Best til 1936. De stod på samme side i forhold til værnemagten, og Best havde givetvis givet ham sin mening om kommandoforholdene i denne sag. I hvert fald var de i bedste samklang (Yahil 1967, s. 123).

For AAs reaktion se Wagner til Ritter 17. maj 1943.

Kilde: PA/AA R 29.566. RA, pk. 202, 229 og 438a.

Telegramm

Kopenhagen, den	3. Mai 1943	20.20 Uhr
Ankunft, den	3. Mai 1943	21.00 Uhr

Nr. 507 vom 3.5.[43.]

---

6 Se Bests indberetning til AA 30. april.
7 Se Bests indberetning til AA 30. april.
8 Se Bests indberetning til AA 30. april.

Im Anschluß an mein Telegramm Nr. 487⁹ von 27.4.43 berichte ich, daß gelegentlich der Durchreise des Chefs der Ordnungspolizei Generalobersten Daluege von Oslo nach Berlin hier eine Besprechung zwischen ihm und dem Befehlshaber der deutschen Truppen in Dänemark General von Hanneken über das hierher zu verlegende Polizei-Bataillon stattgefunden hat. Der Chef der Ordnungspolizei bestand darauf, daß das Polizeibataillon ausschließlich dem Reichsbevollmächtigten unterstehe und nur von ihm nach eigenem Ermessen dem Befehlshaber zum Kampfeinsatz zur Verfügung gestellt werden soll, der Befehlshaber hat sich damit einverstanden erklärt und abschließend festgestellt, daß er das Polizei-Bataillon nicht in seine Alarmpläne aufnehmen sondern, daß er abwarten werde, bis ihm das Bataillon gegebenenfalls vom Reichsbevollmächtigten als zusätzliche Kampfkraft zur Verfügung gestellt werde. Ich schlage vor, beim Chef der Ordnungspolizei (Oberst Petersdorf) eine Bestätigung dieser Abmachung einzuholen und das OKW entsprechend zu unterrichten.

Dr. Best

3. Karl Schnurre an Werner Best 3. Mai 1943

Hermed fik Best svar på, hvor danske officerer, der ville melde sig til værnemagten, skulle henvende sig: Det skulle ske til WB Dänemark.

    Det lod Best sig dog ikke nøje med. Se telegram nr. 511, 4. maj og telegram nr. 574, 13. maj 1943.
    Kilde: PA/AA R 29.566. RA, pk. 202.

Telegramm

Sonderzug, den	3. Mai 1943	21.50 Uhr
Ankunft, den	3. Mai 1943	22.50 Uhr

Nr. 599 vom 3.5.[43.]   Geheimvermerk für geheime Reichssachen.

1.) Telko
2.) Diplogerma Kopenhagen

Auf Drahtbericht Nr. 409[10] vom 9.4.

    OKW mitteilt, daß Meldungen dänischer Offiziere zum Dienst in der deutschen Wehrmacht beim Befehlshaber der deutschen Truppen in Dänemark, als der hierfür zuständigen Stelle, zu erfolgen haben.

Schnurre

Vermerk:
Unter Nr. 601 an Diplogerma Kopenhagen weitergeleitet.
Berlin, 3.5.1943
Pers. Ch. Tel.

---

9 Inl. I. Trykt ovenfor.
10 bei Pol I M. Bests telegram nr. 491, 9. april 1943, trykt ovenfor.

4. Hans Clausen Korff an Werner Best 3. Mai 1943

Det danske finansministerium havde udarbejdet et udkast til krigskonjunkturskat, som Korff fuldt ud kunne tilslutte sig. Imidlertid stødte udkastet på betydelig modstand hos regeringspartierne, efter hvad Korff havde fået oplyst. Han fandt det derfor formålstjenligt, at gesandtskabet støttede Finansministeriets udkast. Denne henstilling skulle Ebner bringe videre til Best.

Der foreligger ikke yderligere om Korffs initiativ, men det er et vidnesbyrd om, at han trods længere tids beskæftigelse med danske finansielle forhold endnu ikke havde fået fuld forståelse for, hvor meget mere begrænset den tyske indflydelse var på danske anliggender end den tilsvarende norske. Han havde ikke taget Ebners ord – gengivet 8. april – til sig om, at det ikke kunne komme på tale direkte at gribe ind i den danske stats finansielle anliggender.

Dette initiativ blev heller ikke omtalt, da Korff 5. maj skrev til Breyhan om betydningen af de finansielle stillinger i Oslo og København.

Kilde: RA, Danica 201, pk. 81A (gennemslag).

III/2194/43 *Kopenhagen, den 3. Mai 1943*

Vorlage für den Herrn Reichsbevollmächtigten über Herrn Ministerialdirigent Dr. Ebner.

Betr.: Kriegskonjunktursteuer.

Das dänische Finanzministerium hat den Entwurf einer Kriegskonjunktursteuer fertiggestellt, durch die alle Steuerpflichtigen mit einem steuerpflichtigen Einkommen über 10.000 Kr. einer Mehreinkommensteuer unterworfen werden, wenn ihr Einkommen den Durchschnitt der 3 höchsten Einkommen der Steuerjahre 1936-1940 übersteigt. Die Steuer beträgt bei einem Mehreinkommen von über 5.000 Kr. bis 20.000 Kr. 20 v.H. und steigt nach einem durchgestaffelten Tarif auf 40 v. H. für Mehreinkommen über 300.000 Kr.

Der Entwurf erfaßt grundsätzlich alle Mehreinkommen und zählt die Fälle auf, die nicht als steuerpflichtiges Mehreinkommen zu gelten haben, z.B. Mehreinkommen durch Aufrücken in eine höhere Gehaltsstufe. Außerdem enthält der Entwurf die Bestimmung, daß die Kriegskonjunktursteuer bei der Ermittlung des steuerpflichtigen Einkommens im nächsten Jahr nicht abgezogen werden kann.

Der Entwurf liegt zurzeit den Regierungsparteien zur Stellungnahme vor und stößt dort nach Mitteilungen von Generaldirektor Korst, die durch Pressemeldungen bestätigt werden, auf erhebliche Widerstände. Insbesondere besteht das Bestreben, die Steuer auf bestimmte Mehrgewinne, die im besonderen Masse kriegsbedingt sind, zu beschränken und außerdem die Abzugsfähigkeit bei der Berechnung des nächstjährigen Steuereinkommens zu erreichen.

Wenn diese Wünsche der politischen Parteien durchdringen, besteht die Gefahr, daß die Kriegskonjunktursteuer einseitig die Gewerbetreibenden trifft, die mit der Wehrmacht zusammenarbeiten. Ein solch abgeändertes Gesetz würde die Zusammenarbeit der Gewerbetreibenden und Unternehmer mit der Wehrmacht beeinträchtigen und damit die deutschen Interessen schädigen. Außerdem erscheint eine solche Einschränkung der Kriegskonjunktursteuer sachlich als unberechtigt, da so gut wie alle heutigen Unternehmer-Gewinne auf der gegenwärtigen Kriegskonjunktur beruhen die eben die

Geldflüssigkeit mit allen ihren Folgen nach sich gezogen hat. Die Notwendigkeit der Abschöpfung überschüssiger Kaufkraft gilt für alle überhöhten Gewinne ohne Rücksicht auf deren Herkunft.

Die Zulassung der Abzugsfähigkeit der Kriegskonjunktursteuer würde die großen Mehrgewinne begünstigen und die Wirkung der Steuer gerade bei diesen Einkünften stark abschwächen. Der Steuerpflichtige erzielt dann nämlich im nächsten Jahr eine Senkung der Einkommensteuer und der nächstjährigen Mehreinkommensteuer. Es besteht sogar die Möglichkeit, daß einzelne Steuerpflichtige im kommenden Jahr der Mehreinkommensteuer ganz entgehen, wenn sie die diesjährige Mehreinkommensteuer von ihrem nächstjährigen Gewinn abziehen könnten.

Ich bitte daher, den durchaus zweckmäßigen Entwurf des Finanzministeriums zu unterstützen.

Korff

2.) W.V. 15. Mai.

5. Eberhard von Thadden an Werner Best 4. Mai 1943

Best blev spurgt om sin stilling til, at bl.a. Aage H. Andersen fik besøg af en repræsentant fra Antikomintern med henblik på anvendelsen af 200 eksemplarer af det dansksprogede hefte *Jødespørgsmålet*.

Best svarede 17. maj 1943.

Kilde: RA, pk. 219. Lauridsen 2008a, nr. 80.

Auswärtiges Amt   *Berlin, den 4. Mai 1943*
Inl. IIa

An den Bevollmächtigten des Reichs in Dänemark
    in Kopenhagen

Regierungsrat Dr. Denner von der Antikomintern, Herausgeber der Korrespondenz "Judenfrage" beabsichtigt, für einige Tage nach Dänemark zu reisen, um dort mit Aage Andersen und anderen dänischen im antijüdischen Kampf stehenden Persönlichkeiten Fühlung zu nehmen, sowie mit der Gesandtschaft und den vorgenannten Persönlichkeiten die Frage des zweckmäßigsten Einsatzes der 200 in dänischer Sprache verlegten Exemplare der "Judenfrage" in Dänemark zu besprechen.

Es darf um Stellungnahme gebeten werden, ob dort gegen die Reise Bedenken bestehen.

Im Auftrag
gez. v. **Thadden**

6. Werner Best an das Auswärtige Amt 4. Mai 1943

Best gjorde AA opmærksom på, at SS hidtil havde haft monopol på hvervningen af frivillige i Danmark, også officerer. For at forbygge senere stridigheder ville Best gerne have afklaret, om danske officerer skulle henvende sig hos WB Dänemark eller det hidtidige SS-meldested.

    Se for sagens videre forløb Nordlands notits til Ribbentrop 10. juni 1943.
    Kilde: PA/AA R 29.566. RA, pk. 202.

T e l e g r a m m

Kopenhagen, den	4. Mai 1943	19.30 Uhr
Ankunft, den	4. Mai 1943	20.00 Uhr

Nr. 511 vom 4.5.43.

Auf das dortige Telegr. Nr. 601[11] vom 3.5.1943 mache ich darauf aufmerksam, daß bisher die Waffen-SS das Monopol für die Werbung von Freiwilligen in Dänemark – auch von dänischen Offizieren – für sich in Anspruch genommen hat. Um späteren Auseinandersetzungen vorzubeugen, bitte ich um Klärung, ob dänische Offiziere sich zum Dienst in der deutschen Wehrmacht beim Befehlshaber der deutschen Truppen in Dänemark oder bei der hiesigen Erfassungsstelle der Waffen-SS melden und zu welcher Truppe sie in Marsch gesetzt werden sollen.

Dr. Best

7. Eberhard von Thadden an Werner Best 4. Mai 1943

Med sit telegram af 15. april 1943 havde Best anbefalet lukning af *Kamptegnet*, og indstillingen var blevet fulgt. Da så en af bladets medarbejdere, Carsten Cohrt, dukkede op i Berlin for at modtage lovet understøttelse, blev Best atter bedt om en indstilling.

    Se Bets telegram til AA 17. maj og Thadden til Best 28. maj 1943 (von Thaddens memorandum 30. april 1943, Yahil 1967, s. 97f.).
    Kilde: PA/AA R 100.864. RA, pk. 224. Lauridsen 2008a, nr. 81.

Durchdruck als Konzept (R'Schrift 1b.) Ko.
Auswärtiges Amt   *Berlin, den 4. Mai 1943*
Inl. II A

An den Bevollmächtigten des Reichs in Dänemark
    Kopenhagen

Regierungsrat Dr. Denner – Antikomintern – und Herr Carsten Cohrt, Mitarbeiter der Zeitung Kamptegnet sprachen heute im Auswärtigen Amt in folgender Angelegenheit vor.[12]

---

11 Pol I M (Fuschl 599). Trykt ovenfor.
12 Carsten Cohrt var en af de fåtallige danske nazister, der over en lang årrække næsten udelukkende vir-

Die Antikomintern hat Herrn Cohrt bereits seit langer Zeit eine monatliche zu zahlende Unterstützung von RM 400.- zugesagt. Eine Auszahlung des Betrages konnte jedoch nur von August bis Dezember 1941 erfolgen und ist seitdem angeblich wegen Rücksendung der mit Devisengenehmigung eingezahlten Beträge durch dänische Stellen nicht mehr zur Auszahlung gekommen. Die Herren baten durch Vermittlung des Auswärtigen Amtes Wege zu finden, die Überweisung des Betrages durchzuführen.

Bevor in der Angelegenheit weitere Schritte unternommen werden, darf um Stellungnahme gebeten werden, ob die Gesandtschaft die von der Antikomintern zugesagte Unterstützung des Herrn Cohrt für wünschenswert hält und ob Bedenken dagegen bestehen, Herrn Cohrt die Beitrage monatlich oder in Form einer einmaligen größeren Summe durch Vermittlung der Gesandtschaft zur Auszahlung bringen zu lassen.

Im Auftrag
gez. v. Thadden

8. Rüstungsstab Dänemark: Lagebericht 4. Mai 1943

Forstmann fremsendte endnu en optimistisk situationsmelding. Bl.a. var fabriksvagterne blevet bevæbnet, eksporten af transformatorer var kommet i gang i større stil, der var indført flæskeforbrugskort, men ikke egentlig rationering af flæsk, og endelig faldt antallet af arbejdsløse fortsat (Jensen 1971, s. 213f.).

Kilde: BArch, Freiburg, RW 27/8. RA, Danica 1000, T-77, sp. 696, KTB/Rü Stab Dänemark 2. Vierteljahr 1943.

Abteilung Wehrwirtschaft *Kopenhagen, den 4.5.1943*
im Rü Stab Dänemark Geheim
Gr. Ia Az. 66d 1 Nr. 2252/43g

Bezug: OKW Az. 1 e 24 Wi Amt Z 1/II Nr. 1143/43 geh. v. 20.2.43

An den Wehrwirtschaftsstab im Oberkommando der Wehrmacht
  Berlin W 62
  Kurfürstenstr. 63/69

Abt. Wwi im Rü Stab Dänemark übersendet in der Anlage Lagebericht gemäß o.a. Bezugsverfügung.

gez. **Forstmann**

Abteilung Wehrwirtschaft *Kopenhagen, den 4.5.1943*
im Rü Stab Dänemark Geheim!
Gr. Ia Az. 66d 1 Nr. 2252/43g

kede som antisemitter, også efter *Kamptegnets* lukning. Han fulgte med Aage H. Andersen til Centralkontoret for Racespørgsmål og havde i besættelsens sidste måneder ansættelse ved Efterretningstjenesten (E.T.) (Bak 2003, s. 460f.).

Vordringliches
Der Werkschutz bei den mit deutschen Rüstungsaufträgen belegten dänischen Betrieben wird zur Bekämpfung und Verhinderung von Sabotageakten mit größter Beschleunigung weiter aufgebaut und vervollständigt. Die dän. Polizei hat im Einvernehmen mit der Abt. Wwi die Bewaffnung der Wachmannschaften verfügt, obgleich die meisten Firmeninhaber hiermit nicht einverstanden waren. Der Werkschutz untersteht der dän. Polizei und wird laufend von ihr kontrolliert. Die Ausbildung der Wächter mit Schußwaffen erfordert Zeit, weil es sich meist um ungediente Leute handelt.

Der Abtransport von in Dänemark gefertigten Imbert-Generatoren hat in erheblichem Masse zugenommen. Im Januar und Februar sind 1.000 Generatoren nach Riga, Reval, Kowno, Minsk, Shitomir und Warschau zum Versand gekommen, im April wurden 1.200 Imbert-Generatoren per Schiff nach Helsingfors verladen. Die Durchführung des Abtransportes ist Aufgabe des Transportoffiziers der Abt. Wwi und umfaßt die Beschaffung des Transportraumes und der Verpackung sowie den Schutz der Generatoren vor Sabotage während der Lagerung im Hafen. Verpackungsmaterial wie Holz, Verschläge, Nägel usw. mußten seitens der Abt. Wwi gestellt werden, da die Lieferfirmen General-Motors und Ford-Comp. nicht mehr über genügendes eigenes Material verfügten.

Am 10.5.43 wird in Dänemark eine Fleischverbraucherkarte eingeführt. Wie in Deutschland ist damit ein Kundenlistenzwang verbunden, um der dän. Regierung eine Kontrollmöglichkeit über die Höhe des Verbrauchs und der Einkäufe von Fleisch zu geben. Eine Rationierung auf eine bestimmte Quote des Verbrauchs ist nicht erfolgt. Für die Angehörigen der Wehrmacht sin Fleischeinkaufsmarken vorgesehen, deren Höhe noch nicht festliegt.[13]

Die Kohlenlieferungen im Monat April verschlechterten sich. Geliefert wurden 200.738 t Kohle (davon 37.000 t für die dän. Staatsbahn) und 63.900 t Koks. (Im Vormonat 240.000 t Kohle und 65.812 t Koks). Die Brennstofflage ist deshalb unbefriedigend.

1a. Aufträge der Besatzungstruppe
Von der Abt. Wwi im Rü Stab Dänemark wurde im Monat April 43 die Rohstoffsicherung der Fertigungs- und Bauaufträge sowie der Wareneinkäufe der Besatzungstruppe in Dänemark, soweit hierzu Eisen, Stahl, NE-Metalle sowie Kautschuk benötigt wurden, in Höhe von 2,807 Mill. RM durchgeführt.

Aufgetretene Schwierigkeiten bei der Beschaffung von Baubeschlägen und Röhren konnten durch Verhandlungen mit dem dän. Außenministerium behoben werden.

1c. Holzversorgung
Für Aufträge der Besatzungstruppe in Dänemark sind im Monat April von der Abt. Wwi Bedarfsbescheinigungen über 8.552 cbm Nadelholz für die vorschußweise Freigabe aus den Beständen der dänischen Wirtschaft ausgestellt worden.

---

13 Se Rü Stab Dänemarks situationsberetning 21. maj 1943.

Der Verbrauch der einzelnen Wehrmachtteile war: Heer 656 cbm, Kriegsmarine 550 cbm, Luftwaffe 2.030 cbm, Festungs-Pionierstab 31 140 cbm, OT und Sonderbaustab 5.176 cbm.

Für das 2. Jahresquartal wurde mit Vfg. OKW vom 30.3.43 für die Besatzungstruppe in Dänemark ein Holzkontingent von 30.000 cbm bereitgestellt.

5. Arbeitseinsatz

Die Zahl der Arbeitslosen betrug Ende März 1943 40.378. Es ist ein Rückgang gegenüber dem Vormonat von 15.126 zu verzeichnen. Die Gesamtzahl der in Norwegen eingesetzten dän. Arbeiter betrug 9.679, Zugang im Monat März 249. Finnland ohne Zugang.

Für Aufträge des Neubauamtes der Luftwaffe sind z.Zt. in Dänemark 6.549, für die des Festungspionierstabes 31 und der OT 12.562 dän. Arbeiter und Angestellte eingesetzt.

Dem Reich wurden im Monat März 2.304 Arbeitskräfte zugeführt, davon für Rü 462, für Bergbau 1, für Verkehr 406, für Land- und Forstwirtschaft 6, für Bau 904 und für die sonstige Wirtschaft 525.

6. Verkehrslage

Der Fährebetrieb verlief im Monat April normal. Am 30.4.43 ist die schwedische Fähre Kopenhagen-Malmö auf eine Mine gelaufen und auf Strand gesetzt worden, dadurch Ausfall von ca. 14 Tagen im Fährenbetrieb bis zum Einsatz einer dän. Fähre.

Auf der Strecke Warnemünde-Gedser liefen – wie im Vormonat – nur 2 Fähren. Der Rückstau, der durch den Ausfall der 2 Fähren bedingt ist, wird durch Umleitung über Flensburg behoben.

Der Verkehr auf der Strecke Nyborg-Korsör war normal.

Für den Nachschub nach Finnland und Schweden werden ab 1.5.43 nur noch 60 Wagen gestellt, 30 für Norwegen und 30 für Finnland. Die Waggonforderung für Zwecke der deutschen Wehrmacht wurde voll erfüllt, für den zivilen Sektor zur Hälfte.

Die dänische Schiffahrt war tonnagemäßig in folgender Rangfolge eingesetzt:
1.) Kohlenfahrt von Deutschland nach Dänemark
2.) Deutsche Küsten-Kohlenfahrt
3.) Innerdänische Fahrt

Für die OT wurden vom 1.1-30.4.43 61.000 to Zement, davon 12.000 to mit dän. Tonnage, und 51.000 to Kies, davon 6.000 to mit dän. Tonnage, per Schiff befördert.

7a. Ernährungslage

Die Frühjahrssaaten sind gut aufgelaufen, ihr Stand ist als gut zu bezeichnen. Die im März-Lagebericht erwähnte Prämie von d.Kr. 30,- für den vermehrten Anbau von Weizen gelangt zur Auszahlung.

Viehzählung:

Schweine: 13.2.43   1.721.000 Stück
            27.3.43   1.874.000 – durch Zugang an Mastschweinen
Rindvieh: 2.1.43   2.760.000 –
            27.3.43   2.824.000 – durch Zugang von Kühen u. Jungvieh
Pferde: 11.6.42   585.000 –
            27.3.43   545.000 – hierin sind die Fohlengeburten nicht enthalten. Sie schwankten zwischen 40-50.000 pro Jahr, sodaß der Pferdebestand der gleiche geblieben ist.
Hühner: 21.3.42   5.908.000 –
            27.3.42   6.418.000 –

Wertmäßig wurden im Monat März 43 aus den Lebensmittelbeständen des Landes entnommen:
    für die deutschen Truppen in Dänemark: d.Kr. 2.797.646,48
    für die deutschen Truppen in Norwegen: d.Kr. 4.881.594,27

9. Curt von Ulrich: Vermerk 5. Mai 1943

På baggrund af Paul Kansteins henvendelse til Rudolf Brandt vedrørende optagelse af to danske nazister, grev F.M. Knuth og Ejnar Jørgensen, i SS, svarede Ulrich, at Germanische Leitstelle var uden andel i, at de var blevet optaget som straffede personer. Knuth var straks blevet returneret, da oplysningerne om ham forelå, mens Jørgensens sag i SS var blevet promoveret ad andre kanaler. Dog var også han nu fritaget for tjeneste i Waffen-SS.

    Berger fik kopi af notatet, og Ulrich kom med den sure bemærkning, at han havde givet Kanstein besked om, at han kunne henvende sig direkte til Ulrich en anden gang.

    Brandt skrev 12. maj til Kanstein, at han efter Bergers svar på forespørgslen 5. maj ikke mente, at sagen skulle videre til Himmler.

    Kilde: BArch, NS 19/3473. RA, pk. 443.

Der Reichsführer-SS   *Bln.-Wilmersdorf 1, d. 5.5.43*
SS-Hauptamt, Amtsgr. D   Hohenzollerndamm 31
Germanische Leitstelle
Dr. R/Ni. –Az.: 2a10d

Betr.:   Brief SS-Brigadef. Kanstein vom 12.4.43 – II L – an SS-Ostubaf. Dr. Brandt
Bezug: wie vor und Schrb. RF-SS Persönl. Stab vom 23.4.43, Tgb. Nr. 31/37/43 Bra/Bn.
Anlg.: 1 (Schrb. SS-Brigadef. Kanstein v. 12.4.43)

I. Vermerk:
Zu beiliegendem Brief von SS-Brigadeführer Kanstein vom 12.4.43[14] darf ich wie folgt Stellung nehmen:
1.) Graf Knut wurde seinerzeit tatsächlich in die Waffen-SS eingestellt, da das Untersu-

---

14 Trykt ovenfor.

chungsverfahren, welches die dänische Regierung gegen ihn eingeleitet hatte, nicht bekannt war. Nachdem mir SS-Brigadeführer Kanstein die Umstände mitteilte, habe ich Knut sofort aus der Waffen-SS entlassen und nach Dänemark zurücktransportiert, wo er dann im gerichtlichen Verfahren bestraft wurde.

2.) Der politische Leiter Jörgensen kam seinerzeit, da er zu 3 Monaten Gefängnis wegen politischer Demonstration verurteilt war, nach Deutschland. Eine Rückfrage bei SS-Brigadeführer Kanstein ergab, daß die Einstellung des Jörgensen in die Waffen-SS nicht notwendig sei. Jörgensen ist dann auf Drängen von Sturmbannführer Wodschow durch das SS-Führungshauptamt als Untersturmführer doch eingestellt worden, ohne daß die hiesige Genehmigung hierzu vorlag. Jörgensen ist jetzt Reichstagsmitglied und aus der Waffen-SS entlassen.

3.) Wegen der beabsichtigten Meldung eines Aage H. Andersen ist hier nichts bekannt. Im übrigen habe ich SS-Brigadeführer Kanstein sehr gebeten, künftighin solche Briefe uns direkt zuzustellen.

II. An den Chef des SS-Hauptamtes m.d.B. um Kenntnisnahme.
D
I.V.
Ulrich

10. Eberhard von Thadden: Notiz 5. Maj 1943

Von Thadden fremsendte Bests memorandum af 24. april om jødespørgsmålet til Ribbentrop, idet han forkastede Bests forslag om at give de i Danmark boende statsløse jøder deres tyske statsborgerskab tilbage for derved at udskille dem fra danske statsborgere. Thadden bad om Ribbentrops beslutning og fik 13. maj det svar, at han kunne forelægge dokumenterne på ny 4 uger senere (Yahil 1967, s. 83).

Kilde: PA/AA R 100.864. LAK, Best-sagen (afskrift). Lauridsen 2008a, nr. 82.

Durchdruck
Leg. Rat v. Thadden   zu Inl. II 1142 g

Der Bevollmächtigte des Reiches in Dänemark hat auf das Telegramm des Herrn Botschafters von Rintelen vom 19.4.1943 Nr. 482[15] über die Judenfrage in Dänemark den anliegenden Bericht vorgelegt.

Der Vorbericht des Bevollmächtigten vom 13.1.1943[16] ist beigefügt. Aufgrund dieses Berichtes hatte sich der Herr RAM – vergl. Aufzeichnung des Büro RAM vom 1.2.1943 – damit einverstanden erklärt, daß in Dänemark nicht sofort eine umfassende Judengesetzgebung durchgeführt wird, sondern zunächst vorbereitende Maßnahmen getroffen werden.

15 Trykt ovenfor.
16 Trykt ovenfor.

Zu Ziffer 3 des Berichtes vom 24.4.[17] weist Gruppe Inl. II daraufhin, daß die Ausbürgerung aller Juden ehemals deutscher Staatsangehörigkeit durch die 11. V.O. zum Reichsbürgergesetz vom 25.11.1941 erfolgt ist. Ein Widerruf oder eine Nichtigkeitserklärung der Ausbürgerung der in Dänemark lebenden Juden ehemals deutscher Staatsangehörigkeit wäre daher nur durch völlige oder teilweise Aufhebung dieser Verordnung möglich. Dies erscheint im Interesse einer einheitlichen Behandlung der Judenfrage unerwünscht, auch bedürfte es einer sorgfältigen Prüfung, ob eine teilweise Aufhebung rechtlich überhaupt möglich wäre.

Hiermit über den Herrn Staatssekretär dem Büro RAM vorgelegt.

Berlin, den 5. Mai 1943

gez. **Wagner**[18]

11. Werner Best an das Auswärtige Amt 5. Mai 1943

Lokomotivfabrikken Frichs var klar til at bygge nye lokomotiver, derfor var der fra både dansk og tysk side bestilt 10 lokomotiver. Fra de tyske banemyndigheder var det blevet krævet, at lokomotiverne til dem skulle bygges først, da materialerne dertil var leveret. Det havde fået generaldirektør P. Knutzen til personligt at henvende sig til Best for at få de danske lokomotiver bygget først. Begrundelsen var, at der til den danske ordre kun manglede få materialer, mens der til den tyske manglede flere dele. Yderligere ville der med de danske lokomotivers levering kunne tilbagegives lånte tyske lokomotiver. Best indstillede, at det blev drøftet med de involverede, om ikke lokomotiverne for dansk regning kunne bygges først (Knutzen 1948, s. 127).

AA sendte 7. maj Bests telegram videre til RVM og fik svar 21. maj 1943.

Kilde: BArch, R 901 67.511.

Telegramm

Kopenhagen, den	4. Mai 1943	19.47 Uhr
Ankunft, den	5. Mai 1943	09.20 Uhr

Nr. 512 vom 5.5.[43.]

Die Firma Frichs in Aarhus, die einzige Lokomotivfabrik in Dänemark, hat vor kurzem einen Auftrag für Rechnung der dänischen Staatsbahnen abgewickelt. Infolgedessen kann die Kapazität von Frichs neu belegt werden. Von dänischer Seite hat die Firma Aufträge zur Herstellung von 10 Lokomotiven der Reihe "E" und von deutscher Seite einen Auftrag zur Herstellung von 10 Lokomotiven der Reihe 44 erhalten. Gleichzeitig ist der Firma vom Reichsbahnzentralamt über den Bahnbevollmächtigten in Kopenhagen folgendes Telegramm zugestellt worden:

"Deutsche Lok bei Frichs müssen, da Material zur Verfügung gestellt, vorgezogen werden."

Gen. Direktor Knutzen hat sich persönlich an mich gewandt und um meine Unter-

---

17 Trykt ovenfor.
18 Von Thaddens navn er overstreget og med pen er skrevet Wagner i stedet.

stützung dafür gebeten, daß dem Bau der dänischen Reihe zunächst der Vorzug gegeben würde.[19] Für diesen Wunsch sprechen die folgenden Gründe:

1.) Für den Bau der dänischen Reihe "E" sind sämtliche Rohmaterialien vorhanden. Es fehlen lediglich die Radsätze, die in Deutschland in Auftrag gegeben sind.

Für den Bau der deutschen Reihe 44 sind die Rohmaterialien nicht ganz vorhanden. Es fehlen u.a. Pufferbohlen, Mantelbleche, die nach Mitteilung von Krupp Ende April zum Versand kommen sollten. Ferner fehlt noch ein Teil der Feuerbüchsen und Stehbolzen.

2.) Der Bau der dänischen Reihe würde bedeuten, daß für jede fertiggestellte neue dänische Lok eine von der Reichsbahn den dänischen Staatsbahnen mietweise zur Verfügung gestellt deutsche Lok zurückgegeben wird. Im übrigen ist der Betrieb einer deutschen Lok in Dänemark nicht so effektiv wie der Betrieb derselben Maschine in Deutschland, da das dänische Personal naturgemäß nicht so gut mit dem Betrieb vertraut ist und sämtliche Reparaturen in Deutschland ausgeführt werden müssen. Nach Mitteilung von Gen. Dir. Knutzen beträgt der Ausfall der deutschen Lok 32-30 v.H. – Da Frichs – entgegen der Annahme von Krupp, welcher Firma der Bau der Reihe 44 übertragen ist – noch nicht mit den Arbeiten an der deutschen Reihe begonnen hat, halte ich es für im deutschen Interesse liegend, wenn dem Bau der dänischen Reihe der Vorzug gegeben wird. Es kann diesseits im Einvernehmen mit den Staatsbahnen der Vermittlungsvorschlag gemacht werden, daß der Bau der dänischen Reihe mit zunächst nur 6 Loks begonnen wird, die nach Meinung der Staatsbahnen im Herbst d.Js. fertiggestellt sind, sodaß unmittelbar nach Ablieferung der ersten dänischen Lok mit der Fertigung der deutschen Lok begonnen werden kann, da die deutsche Reihe im Anschluß an die 6 dänischen Lok aufgelegt werden sind. Hierbei müßte allerdings sichergestellt werden, daß in der Lieferung der Radsätze keine weitere Verzögerung eintritt.

Ich bitte, im Einvernehmen mit den zuständigen Ressorts zu prüfen, ob nicht bei Berücksichtigung der darstellten Umstände mit dem Bau der dänischen Reihe vorab begonnen werden darf.

Der mir zugeteilte Bahnbevollmächtigte hat die deutsche Reichsbahn – Zentralamt – von dem dänischen Wunsch unterrichtet.

Dr. Best

12. Werner Best an das Auswärtige Amt 5. Mai 1943

Færøerne havde været besat af England siden 12. april 1940. I Danmark stod man magtesløse i den situation, og det var en overraskelse for Best, at englænderne tillod lokalvalget. Han ilede med at indberette til Berlin, at valget ingen betydning havde, og at de politiske forhold på øerne var helt anderledes end i Danmark.

Kilde: PA/AA R 29.566. RA, pk. 202.

---

19 Knutzen var hos Best 2. maj 1943 (Bests kalenderoptegnelser anf. dato).

Telegramm

Kopenhagen, den   5. Mai 1943   18.50 Uhr
Ankunft, den   5. Mai 1943   19.30 Uhr

Nr. 523 vom 5.5.[43.]

Über das Ergebnis der am 3. Mai auf den Färöern abgehaltenen Wahlen zum dänischen Folketing hat die dänische Regierung keine anderen Nachrichten als die in der hiesigen Tagespresse veröffentlichten Meldungen aus Stockholm. Hiernach ist der Separatist Thorstein Petersen mit 3.452 Stimmen des sogenannten Folkeflok gegen 2.308 Stimmen der Zusammenarbeitspartei und 1.385 Stimmen der Sozialdemokraten gewählt.
   Dazu ist zu bemerken:
1.) Die von den Engländern erlaubte Wahl ist ohne jede Verbindung mit dem übrigen Dänemark erfolgt. Als Rechtsgrundlage genügte die durch Presse und Rundfunk bekannt gewordene für ganz Dänemark geltende Anordnung. Über Zeitpunkt und Durchführung der Wahlen auf den Färöern konnte der dortige Amtmann ohne Rückfrage in Kopenhagen entscheiden.
2.) Die politischen Parteien auf den Färöern sind nicht dieselben, wie im übrigen Dänemark. Über den genauen gegenwärtigen Stand ist das Außenministerium nicht unterrichtet. Bekannt ist nur, daß die Sozialdemokraten und die Zusammenarbeitspartei für den Zusammenhalt mit dem übrigen Dänemark sind. Während die Separatisten sich aus dem Folkeflok, der alten Selbständigkeitspartei und den Nationalisten zusammenzusetzen scheinen.
3.) Die Separatisten haben zwar das Mandat erobert, die absolute Majorität der abgegebenen Stimmen liegt aber bei der Zusammenarbeitspartei und den Sozialdemokraten.
4.) Der Separatismus ist nichts Neues. Eine Selbständigkeitspartei hat es auch früher gegeben, auch ein Abgeordneter dieser Partei hat die Färöer des öfteren im Folketing vertreten. Die dänische Regierung mißt diesem Wahlergebnis daher keine besondere Bedeutung bei.
5.) Der neu gewählte Abgeordnete Thorstein Petersen befindet sich auf den Färöern und wird sein Mandat ebensowenig ausüben können wie sein Vorgänger.

                                         Dr. Best

13. Werner Best an Heinrich Himmler 5. Maj 1943

Det var en tilfreds Best, der udarbejdede og videresendte sin første halvårsrapport om situationen i Danmark til både relevante tjenestesteder i Danmark og Berlin og til SS.
   Kilde: RA, Danica 1069, sp. 6, nr. 7213. RA, pk. 443.

SS-Gruppenführer Dr. Werner Best   *Kopenhagen, den 5.5.1943.*
Bevollmächtigter des Reiches in Dänemark

An den Reichsführer-SS Heinrich Himmler,
    Berlin SW 11,
    Prinz Albrechtstr. 8.

Reichsführer,
In Anlage übersende ich Ihnen meinen ersten Halbjahresbericht über Dänemark, den ich unter dem 5.5.1943 – 6 Monate nach Übernahme meines hiesigen Amtes – dem Reichsaußenminister erstattet habe.[20]

Ich bitte wiederum aus den bekannten Gründen den Reichsaußenminister nicht erfahren zu lassen, daß Sie den Bericht erhalten haben.[21]

Heil Hitler!
[sign. Werner Best]

14. Werner Best an das Auswärtige Amt 5. Mai 1943

Med halvårsberetningen om udviklingen i Danmark ville Best dokumentere sin politiks rigtighed både i hovedlinjerne og detaljerne over for de foresatte i Berlin. Uden at omtale sin teori om oversigtsforvaltning havde han med et par hundrede medarbejdere styret Danmark, så der angiveligt var mere roligt end i Tyskland. Fremtidsudsigterne fremstillede han i lyse farver (Herbert 1996, s. 341f.).

Tidligere emner blev taget op igen og fremsatte vurderinger og påstande blev her gentaget. Her gives den hidtil mest omfattende kritik af DNSAP og dets ledelse, en kritik der skulle retfærdiggøre, at der blev satset til anden side, selv om Schalburgkorpset ikke blev nævnt med et ord. Til gengæld var behandlingen af de erhvervsmæssige forhold og leverancer til Tyskland fyldig, ganske enkelt fordi den var ny. Bests fremstilling af disse forhold er omstridt. Er de udtryk for kendsgerninger (Joachim Lund, Mogens R. Nissen) eller var Best en mytemager (Ole Brandenborg Jensen)? Der henvises til indledningen.

Kilde: PA/AA R 101.040. RA, pk. 225. To uddrag trykt som PKB,13, nr. 400 hhv. EUHK, nr. 95.

Der Bevollmächtigte des Reiches in Dänemark   *Kopenhagen, den 5.5.1943.*
P/Tgb. 199/43.   Geheime Reichssache.
                                                 4. Ausfertigung.

B e r i c h t
über die Entwicklung der Lage in Dänemark vom 5.11.1942 bis 5.5.1943.

I. Die Aufgabe
In der Besprechung im Führerhauptquartier am 27.10.1942 wurde die Aufgabe des neuen Reichsbevollmächtigten in Dänemark, der nicht mehr Gesandter sein soll, etwa wie folgt umrissen:
1.) Veranlassung der Bildung einer neuen dänischen Regierung, die
   a.) legal,
   b.) gefügig,
   c.) ohne wirklichen politischen Rückhalt in der dänischen Bevölkerung sein solle.

---

20 Halvårsberetningen er trykt selvstændigt som det følgende dokument.
21 Se Bests telegram til Himmler 3. april 1943.

2.) Aufrechterhaltung der dänischen Leistungen für das Reich,
3.) Aufrechterhaltung der Ordnung im Lande ohne vermehrten Einsatz deutscher Kräfte,
4.) Vorbereitung der Möglichkeit, zu gegebener Zeit das endgültige Verhältnis Dänemarks zum Reiche durch Verträge mit einer legalen dänischen Regierung zu regeln.

Ferner gab der Reichsaußenminister dem neuen Reichsbevollmächtigten die Instruktion, möglichst zu veranlassen, daß der bisherige dänische Außenminister Erik von Scavenius als Staatsminister die Leitung der neu zu bildenden dänischen Regierung übernehme.

II. Die politische Entwicklung
1.) Die Regierungsneubildung
Der neue Reichsbevollmächtigte forderte nach seinem Eintreffen in Kopenhagen am 5.11.1942 noch am gleichen Tage den Rücktritt des Staatsministers Vilhelm Buhl und seiner Regierung. Diese Forderung wurde unverzüglich erfüllt.

Die neue Regierung, die am 9.11.1942 mit dem Einverständnis des Reichsbevollmächtigten unter dem Vorsitz den zum Staatsminister ernannten Außenministers von Scavenius gebildet wurde, umfaßt 5 Fachminister und 7 von dem "Sammlungsparteien" gestellte Minister (3 von der Sozialdemokratischen Partei, 2 von der Venstre-Partei, 1 von der Radikalen Venstre-Partei, 1 von der Konservativen Partei). Die Regierung wurde vom Kronprinz-Regenten ernannt und erhielt die verfassungsmäßig erforderliche Zustimmung des Reichstages.

Nachdem die Regierung Scavenius ein halbes Jahr die Regierungsgeschäfte geführt hat, kann festgestellt werden:

a.) Die Regierung ist nicht nur legal gebildet worden, sondern es sind durch die Mitarbeit in ihr und mit ihr alle verfassungsmäßigen und politischen Faktoren Dänemarks – Staatsoberhaupt, Reichstag und die großen politischen Parteien – in die Verantwortung für die von dieser Regierung geführten Politik einbezogen worden.

b.) Die Regierung hat sich in der Zusammenarbeit mit dem Reichsbevollmächtigten stets als loyal und fügsam erwiesen, was der Überzeugung aller Minister entspringt, daß nur diese Politik "realistisch" und im Interesse Dänemarks gelegen sei; die Außenpolitik, Gesetzgebung, Verwaltung und Wirtschaft Dänemarks werden von der Behörde des Reichsbevollmächtigten umfassend und sorgfältig kontrolliert, wofür die dänischen Behörden in korrektester Weise alle erforderliche Hilfe leisten.

c.) Die Regierung hat in der dänischen Bevölkerung keinen wirklichen politischen Rückhalt, sondern wird stimmungsmäßig abgelehnt, weil sie von den Deutschen "oktroiert" wurde und weil der Staatsminister von Scavenius als Deutschenfreund und als "undemokratisch," "diktatorisch," "zynisch" und "junkerhaft" in weiten Kreisen verhaßt ist; dennoch gehorcht die Bevölkerung, weil die Regierung auf Grund der geltenden Gesetze regiert.

2.) Die Waffenkrise
Kurz nach ihrer Bildung geriet die Regierung Scavenius in ihre erste politische Krise, als der Befehlshaber der deutschen Truppen in Dänemark am 20.11.1942 dem Staatsminister den (mit Recht als Forderung verstandenen) "Vorschlag" machte, alle Waffen, Gerä-

te und Ausrüstungsstücke des dänischen Heeres, soweit sie nicht für Ausbildungszwecke benützt würden, an die deutsche Wehrmacht abzugeben.[22] Es bestand die Gefahr, daß die Parteien aus der Befürchtung, daß das dänische Restheer aufgelöst werden sollte, der Regierung die Gefolgschaft versagten, was verfassungsmäßig den Rücktritt der Regierung zur Folge gehabt hätte. Der Reichsbevollmächtigte legte der Regierung nahe, einen für sie tragbaren Gegenvorschlag zu machen. Auf der Grundlage dieses Gegenvorschlages wurde am 4.12.42 zwischen dem Befehlshaber der deutschen Truppen in Dänemark und dem Chef des Dänischen Generalstabes eine Vereinbarung abgeschlossen, nach der das dänische Heer gegen die Zusage späterer Rückerstattung an die deutsche Wehrmacht ablieferte:[23]

- 60.000 Gewehre 1889 mit Seitengewehren
- 943 leichte Maschinengewehre
- 20 Minenwerfer 81 mm
- 30 Mill. Schuß 8-mm-Munition
- 12.000 Schuß Minenwerfermunition 81 mm
- 15.000 Paar Marschstiefel
- 15.000 Mäntel (schwarz)
- 15.000 Koppel mit Seitengewehrtaschen und je 2 Patronentaschen,
- 300 Geschirre, und zwar 150 für Sattel- und 150 für Handpferde
- 6.000 wollene Decken.

(Hinsichtlich des Restheeres – zur Zeit 3.500 Mann – sind im April 1943 von dem Reichsbevollmächtigten durch Übermittlung einer Mitteilung der Reichsregierung noch die folgenden Maßnahmen veranlaßt worden:

a.) Einstellung der z.T. noch routinemäßig betriebenen dänischen Mobilmachungsarbeiten,

b.) Vorbereitung einer engeren Verbindung des dänischen Heeres mit der deutschen Wehrmacht durch Beurlaubung von Offizieren und Soldaten zum Dienst in der deutschen Wehrmacht, durch Kommandierung von Offizieren u. dgl.

Dieser Schritt fand volles Verständnis bei der Regierung und beim Kronprinz-Regenten und führte – anders als die Waffenforderung – zu keiner innenpolitischen Reaktion).

3.) Die Verbindung zum Staatsoberhaupt

Am 31.1.1943 erhielt der Reichsbevollmächtigte die Weisung, die Verbindung zum dänischen Staatsoberhaupt wiederaufzunehmen, nachdem in Vorbesprechungen geklärt worden war, daß durch diese Verbindung der neue Status ausdrücklich anerkannt werde, in dem das Reich in Dänemark durch einen mit besonderen Befugnissen ausgestatteten Reichsbevollmächtigten und nicht mehr durch einen Gesandten vertreten ist.[24]

In den Besprechungen des Reichsbevollmächtigten mit dem Kronprinz Frederik, der für den kranken König die Regentschaft führt, bemühte sich der Kronprinz in jeder Weise, seinen guten Willen zur Schaffung eines positiven Verhältnisses zwischen Däne-

---

22 Se Bests telegram nr. 1771, 21. november 1942.
23 Se Bests telegram nr. 1825, 4. december 1942.
24 Se Ribbentrop til Best 31. januar 1943.

mark und Deutschland zu beweisen.[25]

Der Kronprinz-Regent zeigt alle Züge des typischen älteren Kronprinzen, der bis zu seinem reifen Alter – er hat jetzt sein 44. Lebensjahr vollendet – unselbständig und ohne eigene Aufgabe im Schatten eines eigenwilligen, in seiner Familie ausgesprochen despotischen Vaters stand: unsicher, ängstlich, zurückhaltend, dankbar für verständnisvolle Behandlung. Es besteht Aussicht, auf ihn wachsenden Einfluß zu gewinnen, zumal die Kronprinzessin, obwohl sie als Tochter des schwedischen Kronprinzen und seiner englischen Frau von Hause aus deutschfeindlich beeinflußt ist, nach eigener Äußerung vor allem den Wunsch hat, doch noch Königin zu werden.

4.) Die Reichstagswahl
Die mit deutscher Zustimmung am 23.3.1943 durchgeführte Wahl des dänischen Folketings hatte das folgende Ergebnis (die Zahlen der letzten Wahl von 1939 sind in Klammern beigefügt):

Parteien:	Stimmen:		Mandate:	
Socialdemokraten	894.777	(729.619)	66	(65)
Radikale	175.025	(161.834)	13	(14)
Konservative	421.069	(301.625)	31	(27)
Venstre	376.513	(309.355)	28	(27)
Retsforbund	31.085	(33.783)	2	(3)
Bondepartiet	24.701	(50.829)	2	(4)
DNSAP	43.267	(31.032)	3	(3)
Dansk Samling	43.257	(8.553)	3	(-)
Slesvigske Partei		(15.016)		(1)
(Nat. Samvirke)		(17.350)		
(Kommunisten)		(40.893)		(4)

Die Bedeutung der Wahl ist vom deutschen Standpunkt unter den folgenden Gesichtspunkten zu bewerten:
a.) Es ist wieder für 4 Jahre ein legaler Reichstag als Gesetzgeber vorhanden, der die gleiche politische Struktur aufweist wie der bisherige Reichstag und der – wie seine ersten Beschlüsse schon bewiesen haben – gegenüber deutschen Wünschen ebenso fügsam sein wird wie jener.
b.) Wenn auch die Wähler in erster Linie für ihr "Folkestyre" – also für die dänische Demokratie – stimmen wollten, so haben sie doch den Sammlungsparteien, die die Regierung Scavenius stützen, und damit auch der Regierung ihre Vollmachten erneuert. (Der Staatsminister äußerte am Tage nach der Wahl: "Nun haben die Parteien für 4 Jahre keine Angst vor ihren Wählern mehr, nun kann weiter regiert werden.")
c.) In der Bevölkerung ist durch die freie Ausübung des Wahlrechts eine weitere Beruhigung eingetreten, die der Regierung die Erfüllung ihrer Aufgaben erleichtert.

---

25 Se Bests telegram nr. 131, 6. februar 1943.

5.) Die deutsche Volksgruppe in Nordschleswig

Seit November 1942 sind alle politischen Wünsche, deren Erfüllung die deutsche Volksgruppe in Nordschleswig im Rahmen der gegenwärtigen Verhältnisse anstrebte, verwirklicht worden.

a.) Bei Gelegenheit der dänischen Reichstagswahl ist für die deutsche Volksgruppe, die sich nicht mehr an der Wahl beteiligen wollte und die das eine Reichstagsmandat, das sie bisher besaß, aufgab, das "Volksdeutsche Kontor" geschaffen worden, das bei der dänischen Regierung die Wünsche und Interessen der Volksgruppe vertritt. Das Kontor war ein altes Ziel der Volksgruppe.[26]

b.) Die dänischen Gemeindewahlen, die im Mai 1943 stattfinden, sind für Nordschleswig auf Wunsch der Volksgruppe durch Gesetz bis 1947 verschoben worden.[27]

c.) Die Volksgruppe hat nicht nur 1.800 Freiwillige in die deutsche Wehrmacht entsenden können, sondern es werden nunmehr auch die nicht frontdienstfähigen Volksdeutschen in gleicher Weise wie alle Reichsdeutschen in Dänemark als "Zeitfreiwillige" im Lande ausgebildet, um gegebenenfalls im Rahmen der deutschen Truppen in Dänemark zur Abwehr feindlicher Angriffe eingesetzt zu werden.[28]

6.) Die DNSAP

Die DNSAP (Dänische Nationalsozialistische Arbeiter-Partei) hat – wie die Reichstagswahl am 23.3.1943 bewiesen hat – die Zahl ihrer Anhänger nicht über den Stand von 1939 vermehren können. Hierfür sind – neben der Kriegslage des letzten halben Jahres – ursächlich: die politische und soziologische Struktur Dänemarks, die Unzulänglichkeit der Parteiführung und gewisse Auswirkungen deutscher Maßnahmen.

a.) Die politische und soziologische Struktur Dänemarks war und ist für revolutionäre Ziele und Mittel kein geeigneter Nährboden. Dänemark ist – soziologisch gesehen – weniger ein Staat als vielmehr eine große Gemeinde von 3,8 Millionen Einwohnern, in der als eine Art "Dorfdemokratie" das dänische "Folkestyre" entstand. Bäuerliche Mentalität, räumliche Enge, verwandtschaftliche Verbindungen und persönliche Bekanntschaften haben in Dänemark seit je eine Volksgemeinschaft gebildet, die – unterstützt durch die günstige Wirtschaftslage – alle sozialen Probleme zwanglos gelöst hat. Eine *soziale* Revolution ist in Dänemark nicht nötig und deshalb als Programm eines dänischen Nationalsozialismus wirkungslos. Die *nationalen* Gefühle der Dänen aber sind seit der Besetzung gegen die Besatzung und damit auch gegen die als Helfer der Besatzung betrachteten dänischen Nationalsozialisten gerichtet.

b.) Die Unzulänglichkeit der Parteiführung hat sich in der Vergangenheit – vor der Besetzung Dänemarks – dadurch erwiesen, daß sie es nicht verstand, ihre Zielsetzung, ihre Organisation und ihre Arbeitsweise auf die Gegebenheiten der politischen Lage in Dänemark und der Mentalität der Bevölkerung einzustellen. Sie beschränkte sich auf eine kleinlich genaue Imitation des großen Vorbildes der NSDAP.

Nach der Besetzung Dänemarks hat die Parteiführung versäumt, während des

---

26 Se Bests telegram nr. 197, 24. februar 1943.
27 Se Bests telegram nr. 416, 10. april 1943.
28 Se Bests telegram nr. 190, 23. februar 1943.

deutschen Siegeszuges im Westen die schwankend gewordenen und umschwenkenden Kräfte in Dänemark an sich zu binden. Dieses Versäumnis ist in erster Linie aus einem Charakterzug des Parteiführers Dr. Frits Clausen zu erklären: aus seiner krankhaften Angst, von bedeutenderen Persönlichkeiten aus seiner Führerstehung verdrängt zu werden. Er hat aus diesem Motiv nicht nur keine wertvollen Menschen an sich herangezogen sondern auch alle befähigten, aktiven und selbständigen Persönlichkeiten aus der Partei entfernt und sich mit gänzlich unbedeutenden und zum Teil minderwertigen Mitarbeitern umgeben.[29] Von der gleichen Art waren die von ihm herausgestellten Kandidaten bei der Reichstagswahl. Da in der dänischen "Dorfdemokratie" jeder jeden kennt und die achtbare Persönlichkeit mehr gewogen wird als ein Programm, war ein Mißerfolg der Partei unvermeidbar.[30]

Es ist geradezu tragisch, daß in der dänischen Politik alle alten Parteien durch Abgeordnete und Minister von vorbildlicher persönlicher, wirtschaftlicher und politischer Sauberkeit und Solidität, die dem bäuerlichen Wesen der Dänen entspricht, vertreten werden, während der Führer der nationalsozialistischen "Erneuerungspartei" und seine Umgebung im persönlichen Lebenswandel und im wirtschaftlichen und politischen Verhalten das Gegenbeispiel dieser Sauberkeit und Solidität bieten, – was in dem "Dorf Dänemark" jedermann bekannt ist!

c.) Von den hinsichtlich der DNSAP getroffenen deutschen Maßnahmen hat sich – wie Dr. Clausen selbst festgestellt hat – insbesondere die Tatsache und die Art der ihn zugewandten finanziellen Unterstützung zum Nachteil der Partei ausgewirkt. Diese Finanzierung konnte nicht geheimgehalten werden, weil man erstens in Dänemark genau wußte, daß die DNSAP diese Mittel nicht aus eigener Kraft aufbringen konnte, und weil zweitens die Umgebung des Dr. Clausen die Tatsache und die Höhe der Finanzierung keineswegs geheimhielt. So mußte die dänische Bevölkerung in der DNSAP ein bezahltes Werkzeug der Deutschen sehen. Die Ablehnung hiergegen steigerte sich zur Verachtung, wenn man beobachtete, in welchem Umfang die deutschen Mittel zu einer üppigen persönlichen Lebenshaltung der Parteiführung verwendet wurden.

d.) Der einzige Weg, auf dem die DNSAP wieder zu einer gewissen Bedeutung in der dänischen Politik gelangen kann, ist der nach der Reichstagswahl von Dr. Clausen angekündigte: wieder in bescheidenen Formen ohne fremde Finanzierung um die einzelnen Menschen zu werben.[31] So kann die DNSAP vielleicht allmählich einen Teil der Kräfte auffangen, die aus irgendwelchem Gründen mit der Sammlungsregierung unzufrieden werden. Allerdings werden die dargestellten Schwächen der Parteiführung stets der politischen Entfaltung der Partei recht enge Grenzen setzen.

III. Die Leistungen für das Reich
1.) Ernährungswirtschaftliche Leistungen
a.) Wirtschaftsjahr 1941/42.

---

29 Her gengives den kritik, som blev fremført af de danske nazister, der stod i opposition til DNSAP.
30 Se Bests telegram nr. 332, 24. marts 1943.
31 Se *Politische Informationen* 1. april 1943, afsnit I.d og Bests telegram nr. 395, 7. april 1943.

Im November 1942 wurde in einer Verhandlung zwischen dem deutschen und dem dänischen Regierungsausschuß für die deutsch-dänischen Wirtschaftsbeziehungen abschließend festgestellt, daß im Wirtschaftsjahr 1941/42 (Oktober bis Oktober) die folgenden Mengen ernährungswirtschaftlicher Haupterzeugnisse aus Dänemark in das Reich eingeführt worden sind:

 93.000 t Fleisch (280.000 Rinder, 564.000 Schweine)
 17.000 Gebrauchspferde
 31.500 t Butter
 80.000 t Fische.

Dazu kamen beträchtliche Mengen Käse, Dauermilcherzeugnisse, Obst, Gemüse, Sämereien und andere landwirtschaftliche Erzeugnisse.

b.) Wirtschaftsjahr 1942/43.

Für das Wirtschaftsjahr 1942/43 ist die Lieferung der folgenden Mengen ernährungswirtschaftlicher Haupterzeugnisse vereinbart worden:

 100.000 t Fleisch
 25.000 Gebrauchspferde
 33.000 t Butter
 100.000 t Fische.

Die Bedeutung der ernährungswirtschaftlichen Leistungen Dänemarks für das Reich erhellt aus der Feststellung, daß die dänischen Fleischlieferungen Großdeutschland mit 90 Millionen Einwohnern bei einer Wochenration von 350 gr. für 3 Wochen, bei einer Wochenration von 250 gr. für mehr als einen Monat mit Fleisch versorgen. Die Fischlieferungen Dänemarks werden von dem Reichsernährungsministerium als das Rückgrat der Frischfischversorgung der deutschen Industriezentren und Großstädte bezeichnet.[32]

c.) Würdigung.

Nach der Besetzung Dänemarks berechneten die zuständigen deutschen Fachstellen, daß die auf Veredelungswirtschaft eingestellte und auf die Einfuhr hochwertiger Futtermittel usw. angewiesene dänische Landwirtschaft im 4. Kriegswirtschaftsjahr keine nennenswerten Lieferungen für das Reich mehr werde aufbringen können. Die Lieferungen konnten jedoch bis jetzt auf annähernd gleicher Höhe gehalten werden. Dies bedeutet eine ständige unerhörte Steigerung der tatsächlichen Leistungen der dänischen Landwirtschaft, die die ausgefallenen Futtermittel durch Neuanbau eigener Futterpflanzen ersetzte und die trotz ständiger Verminderung ihrer Belieferung mit Düngemitteln, Geräten, Treibstoffen usw. ihre intensive Erzeugung aufrechterhält. Diese Leistungen, die – neben der Ernährung der 3,8 Millionen Einwohner Dänemarks – ausschließlich dem Reiche zugute kommen, werden freiwillig erbracht aus Liebe zur Scholle, aus bäuerlichem Ehrgeiz und aus der Hoffnung auf bleibenden Nutzen für das dänische Bauerntum. Ohne den guten Willen dieser Bauern, der nicht erzwungen werden könnte, würde sich die pessimistische Berechnung der deutschen Fachstellen von 1940 alsbald verwirklichen.

---

32 Tallene i afsnit III.1.a. blev fremlagt i *Politische Informationen* 24. november 1942 og i afsnit b blev videreført den meget positive vurdering af leverancerne, som var givet i november 1942. Walter opgav tilsvarende talstørrelser til RFM 18. februar 1943.

2.) Industriewirtschaftliche Leistungen
a.) Rüstungsaufträge.
Die dänische Industrie hat alle ihr übertragenen Rüstungsaufträge aufgenommen und erfüllt.
Seit Anfang November 1942 sind neue Aufträge im Umfang von 300 Millionen Kr. erteilt worden, so daß der Gesamtumfang der Rüstungsaufträge auf 1,2 Milliarden Kr. gestiegen ist.
b.) Hansa-Bauprogramm.
Seit November 1942 sind im Rahmen des Hansa-Bauprogramms die dänischen Werften beauftragt worden, bis Ende 1944 den Bau von 37 Einheitsschiffen in den folgenden Größen fertigzustellen:

  4 Schiffe von je   3.000 BRT
30   –   –   –   5.000   –
  3   –   –   –   9.000   –
                      189.000 BRT

Die Neubau-Kapazität der dänischen Werften wird damit zu 100 % für deutsche Zwecke ausgenützt, während ihre Reparatur-Kapazität zur Zeit zu 70 % für deutsche Schiffe in Anspruch genommen wird.

3.) Finanzielle Leistungen
a.) Wehrmachtskosten.
Die dänische Nationalbank hat
für das 4. Quartal 1942   160 Millionen Kr.
  –   – 1.   –   1943   181   –   –
  –   – 2.   –   1943   250   –   –
für Zwecke der deutschen Wehrmacht zur Verfügung gestellt. Die Höhe der Wehrmachtskosten zeigt also eine stark steigende Tendenz, was vor allem durch die vermehrten Befestigungsbauten in Jütland verursacht ist.
Insgesamt hat die dänische Nationalbank seit der Besetzung bis heute 1.558 Milliarden Kr. für Wehrmachtskosten zur Verfügung gestellt.
b.) Clearing-Spitze.
Da im Wirtschaftsverkehr zwischen Deutschland und Dänemark die dänischen Leistungen weit höher als die deutschen Lieferungen (Kohle, Eisen, Düngemittel u. ä.), hat sich bis jetzt eine Clearing-Spitze zu Gunsten Dänemarks von 1,2 Milliarden Kr. ergeben. Seit Anfang November ist sie um 215 Millionen Kr. gewachsen und wird in etwa dem gleichen Tempo weiter wachsen.
c.) Würdigung.
Sowohl die Wehrmachtskosten wie auch die Clearing-Spitze – zusammen bis jetzt mehr als 2,7 Milliarden Kr. – müssen von der dänischen Nationalbank bevorschußt werden. Dies bedeutet für die Finanzwirtschaft eines 3,8 Millionen-Landes, dessen Staatshaushalt 1 Milliarde Kr. und dessen Notenumlauf ebenfalls etwa 1 Milliarde Kr. beträgt, eine beträchtliche Belastung, die unerwünschte Inflationswirkungen befürchten läßt. Die dänische Regierung kämpft mit Geldabschöpfungsmaßnahmen, durch die bis jetzt 1.375 Millionen Kr. gebunden worden sind, und durch Steuererhöhungen energisch gegen die Inflationsgefahr.

4.) Menschen-Einsatz

Obwohl die dänische Wirtschaft mit fast 100-prozentiger Friedenskapazität für das Reich arbeitet und deshalb die Arbeitskräfte des Landes fast vollzählig benötigt, ist es gelungen, einen zusätzlichen Einsatz menschlicher Kräfte für deutsche Interessen zu ermöglichen.

Seit Anfang November 1942 sind 17.436 Arbeitskräfte in das Reich und seine Nebengebiete in Marsch gesetzt worden, womit sich die Gesamtzahl der für das Reich geworbenen Arbeitskräfte auf 124.000 erhöht hat. Unter Berücksichtigung der normalen Fluktuation kann angenommen werden, daß ständig etwa 40.000 dänische Arbeitskräfte im Reich arbeiten.

Bei den Befestigungsbauten in Dänemark werden von der OT, den Baustäben der Wehrmacht usw. zur Zeit etwa 30.000 dänische Arbeitskräfte beschäftigt. In der dänischen Polizei, die auf deutsche Veranlassung mehr als verdoppelt wurde, und in den neugeschaffenen Einrichtungen der Küstenpolizei, der Hilfspolizei und des Bahnschutzes sind unter deutscher Aufsicht etwa 15.000 Mann eingesetzt und ersparen den Einsatz deutscher Kräfte.

In den Anlagen der Luftwaffe und der Marine sind etwa 2.000 Mann als Hilfskräfte, Wächter und z.T. als Flak-Mannschaften eingesetzt.

Wenn man hierzu die 3.300 dänischen Freiwilligen in der Waffen-SS zählt, so ergibt sich, daß aus der fast friedensmäßig für die deutsche Kriegswirtschaft arbeitenden Wirtschaft Dänemarks 90-100.000 ausgelesene Kräfte für besondere deutsche Kriegszwecke eingesetzt sind. Das sind etwa 3,5 % der dänischen Gesamtbevölkerung oder etwa 18 % der Arbeitnehmer in Dänemark.

IV. Die Ordnung im Lande
1.) Die Haltung der Bevölkerung

Die dänische Bevölkerung ist im 6. Halbjahr der Besetzung in noch stärkerem Masse ihrer natürlichen Neigung zu Ruhe und Ordnung gefolgt als in der vergangenen Zeit. Dies hat sich besonders am 23.3.1943 (Reichstagswahl) und am 9.4.1943 (3. Jahrestag der Besetzung) erwiesen; diese Tage verliefen im ganzen Lands ohne jeden Zwischenfall, während z.B. am 9.4.1942 (2. Jahrestag der Besetzung) zahlreiche Zwischenfälle stattfanden und eine Reihe von Verhaftungen vorgenommen werden mußten.

Die dänische Bevölkerung ist zur Zeit nicht deutschfreundlich. Sie empfindet die Besetzung als rechtswidrig und drückend, legt jede Unannehmlichkeit des Krieges den Deutschen zur Last und fürchtet für die Zukunft gewaltsame Änderungen ihres staatlichen Lebens und politische und persönliche Unfreiheit. Dennoch denkt die dänische Bevölkerung an keine Art von Widerstand und zieht die "realistische" Politik des Fügens und Abwartens vor. Insbesondere lehnt die Bevölkerung jede Gewalttat als undänisch ab. In Dänemark ist während drei Jahren Besetzung kein einziger Anschlag auf einen Deutschen verübt worden.[33] Und die systematische Veröffentlichung der in den letzten Monaten von feindlichen Fallschirmagenten veranlaßten Sabotageakte in der Presse hat eine einheitliche Ablehnung der Sabotage durch die Bevölkerung ausgelöst.

---

33 Det stemmer ikke. Se blot Bests telegram til AA 13. marts 1943 med omtalen af terroraktionen i Kolding den 25. februar 1943 (sag 82 i sabotagelisten).

2.) Die "Sabotagewelle"
Seit Herbst 1942 wurde in Dänemark die Wirksamkeit feindlicher Fallschirmagenten festgestellt, die sich insbesondere in einem beträchtlichen Ansteigen der vorher sehr geringen Sabotageakte auswirkte. Wenn auch die absolute Zahl der Fälle und der angerichtete Schaden nicht besonders groß waren (der Feldpolizeichef der Wehrmacht im OKW[34] bezeichnete während des Höhepunktes der "Sabotagewelle" Dänemarks als das ruhigste Land Europas – das Reichsgebiet eingerechnet!), so bewiesen doch die Vermehrung der Fälle und die Anwendung neuer Methoden (erste Waffenanwendung gegen Wächter von Fabriken u.a.) neue Aufträge und Ziele der Saboteure. Die Aussagen festgenommener Saboteure ergaben denn auch, daß die Aufträge aus London dahin lauteten, daß in Dänemark eine Kursänderung der deutschen Politik erzwungen und "norwegische Zustände" herbeigeführt werden sollten.

Die dänische Polizei hat unter Aufsicht und Anleitung der Behörde des Reichsbevollmächtigten die Sabotagewelle energisch und erfolgreich bekämpft. Seit November 1942 wurden von der dänischen Polizei 4 Fallschirmagenten und 69 Saboteure festgenommen; ein Fallschirmagent wurde bei der Sistierung erschossen,[35] ein anderer tötete sich selbst.[36] Ein Werkschutz in allen gewerblichen Betrieben und ein Bahnschutz wurden neu geschaffen. Die Polizei wird ständig verstärkt und verbessert.

Die Sabotagewelle, die im März 1943 ihren Höhepunkt erreichte, ist wieder abgeebbt.[37] Dennoch muß – solange das Absetzen feindlicher Agenten auf dänischem Boden nicht verhindert werden kann – mit neuen Sabotagewellen gerechnet werden, deren Träger erst durch ihre Taten erkannt und nach und nach unschädlich gemacht werden können.

Dem Deutschen Reiche bzw. der deutschen Wehrmacht erwächst übrigens durch die Sabotageakte kein bleibender Schaden, da die dänische Regierung veranlaßt worden ist, alle Sabotageschäden in natura zu ersetzen.[38]

3.) Der Kommunismus
Nachdem bereits durch das dänische Gesetz vom 22.8.1941 die kommunistische Betätigung in Dänemark verboten worden war und nachdem die aktivsten Kommunisten in einem Konzentrationslager in Horseröd interniert worden waren, sind von Zeit zu Zeit erfolgreiche Polizeiaktionen gegen den illegalen Kommunismus durchgeführt worden. Anfang November 1942 wurden der illegal im Lande lebende ehemalige Führer der dänischen Kommunisten Aksel Larsen und weitere 237 illegale Kommunisten bzw. verdächtige Personen festgenommen.[39] Seitdem sind insgesamt 347 Personen wegen Verdachts kommunistischer Betätigung festgenommen und 147 ehemalige Kommunisten interniert worden.

---

34 Oberst der Polizei Wilhelm Krichbaum.
35 Christian Michael Rottbøll 26. september 1942 (*Faldne i Danmarks frihedskamp*, 1970, s. 384f.).
36 Poul Johannesen 5. september 1942 (*Faldne i Danmarks frihedskamp*, 1970, s. 221f.).
37 Det er rigtigt, at der begyndte en afmatning af sabotagen i april (Kirchhoff, 1, 1979, s. 173f.), men Best kunne på tidspunktet for afgivelsen af beretningen ikke drage nogen konklusion deraf, da niveauet for marts og april var stort set det samme.
38 Jfr. Bests telegram nr. 562, 12. og hans skrivelse til AA 19. maj 1943.
39 Se Barandons telegram nr. 1616, 2. november og Bests telegram nr. 1644, 6. november 1942.

4.) Der Einsatz deutscher Kräfte
Die gesamte Aufsicht über die Außenpolitik, Gesetzgebung, Verwaltung und Wirtschaft Dänemarks und die Aufrechterhaltung der Ordnung im Lande durch Beaufsichtigung und Anleitung der dänischen Polizei wird von dem Reichsbevollmächtigten mit nur 27 höheren Beamten (aus verschiedenen Reichsverwaltungen) und mit 58 mittleren und unteren Beamten (darunter 35 Vollzugsbeamten der deutschen Sicherheitspolizei) sowie 130 Angestellten ausgeübt.

V. Die Vorbereitung künftiger Regelungen
Die am 9.11.1942 unter dem Vorsitz des Staatsministers von Scavenius gebildete Regierung kann nach den getroffenen Vereinbarungen und nach der politischen Lage in Dänemark beliebig lange im Amt bleiben, so daß – wenn nicht vorher besondere Ereignisse eintreten – die Aussicht besteht, daß mit ihr zu gegebener Zeit das endgültige Verhältnis Dänemarks zum Reich vertraglich geregelt werden kann. Die Regierung ist außenpolitisch eindeutig auf positive Zusammenarbeit und enge Verbindung mit dem Reiche ausgerichtet entsprechend der Einstellung des Staatsministers von Scavenius, der (jetzt 65 Jahre alt) schon seit 34 Jahren – insbesondere als Außenminister 1909-10, 1913-20 und seit 1940 – diese politische Linie eingehalten hat.

Auch von Seiten des Staatsoberhauptes werden – wie aus der Haltung und den Äußerungen des Kronprinz-Regenten zu erkennen ist – einer positiven Regelung des deutsch-dänischen Verhältnisses keinerlei Widerstände entgegengesetzt werden.

Von dem Reichstag und von der Bevölkerung wird zu gegebener Zeit jede vorgeschlagene Regelung hinsichtlich einer außenpolitischen, wehrpolitischen und wirtschaftspolitischen Bindung Dänemarks an das Reich angenommen und anerkannt werden, wenn nur keine Eingriffe in die innere Verfassung Dänemarks erfolgen. Das "Folkestyre," d.h. das Recht, die inneren Angelegenheiten des Landes in den hergebrachten Formen der dänischen "Dorfdemokratie" zu regeln, und das zum verblaßten Symbol einer tausendjährigen Geschichte gewordene Königtum sind den Dänen höhere Gefühlswerte als eine problematische außenpolitische Selbständigkeit.

Innerlich werden die Dänen sich in die neue Ordnung Europas hineinfinden, wie einst die Isländer in das Christentum: nicht durch Gewalt gezwungen und nicht durch Propaganda gewonnen sondern aus der nüchternen Erkenntnis, daß dieser Weg unvermeidbar ist und daß er auf weite Sicht auch den Dänen Vorteile bringen wird.

[sign. W. Best]

15. Gottlob Berger an das Auswärtige Amt 5. Maj 1943

Berger bad AA om, at Best blev orienteret om Hans Lammers cirkulære af 6. februar 1943, hvorefter alle de statslige tyske tjenestesteder i bl.a. Danmark fik anvisning om at inddrage RFSS ved forhandlinger af grundlæggende karakter med de germansk-völkische grupper.

Dermed genåbnede en selvsikker Berger den sag, der var taget op af Martin Luther i september 1942 (se Luther til Büttner 24. oktober 1942) og som ikke havde fundet sin afslutning, før hans afsættelse i februar 1943. Nu havde Berger med Lammers' cirkulære stærkere kort på hånden.

Se Bests telegram nr. 156, 24. maj 1943 til AA.
Kilde: NHWE, Id. dok.: APK-014958.

Der Reichsführer-SS　　　　　　　　　　　　　　　*Berlin-Wilmersdorf 1, den 5. Mai 1943*
SS-Hauptamt
Amtsgruppe D
Germanische Leitstelle
Dr. R./vB. – Az: 2.

Betr.: Verhandlungen mit allen germanisch-völkischen Gruppen.
Anlg.: 2 Abschriften.[40]

An das Auswärtige Amt
　　Berlin W 8
　　Wilhelmstr. 74-76.

Der Chef der Reichskanzlei, Herr Reichsminister Dr. Lammers, hat am 6.2.1943, ergänzend zu der von Reichsleiter Bormann unterzeichneten Führer-Anordnung vom 12.8.1942,[41] einen Erlaß herausgegeben, der die staatlichen Dienststellen in Dänemark, Norwegen, Belgien und in den Niederlanden anweist, bei Verhandlungen grundsätzlicher Art mit germanisch-völkischen Gruppen, sowie bei der Behandlung von Nachwuchsfragen den Reichsführer-SS zu beteiligen.

　　Bei Verhandlungen meiner Außenstelle in Dänemark mit der Dienststelle des Bevollmächtigten in Kopenhagen hat sich ergeben, daß der Bevollmächtigte in Dänemark von diesem Erlaß noch nicht unterrichtet ist. Ich darf darum bitten, dem Bevollmächtigten von diesem Erlaß Kenntnis zu geben, damit auch in Dänemark den Anordnungen des Führers gemäß der Reichsführer-SS in allen grundsätzlichen Fragen, die germanisch-völkischen Gruppen betreffend, beteiligt wird.

　　　　　　　　　　　　　　　　　　　　G. Berger
　　　　　　　　　　　　　　　　　　　SS-Gruppenführer

16. Hans Clausen Korff an das Reichsfinanzministerium 5. Maj 1943

Korff skrev til Ministerialdirektor Berger i RFM om betydningen af de tyske finansielle repræsentationer i Oslo og København. I Oslo var det muligt at øve en afgørende indflydelse på Norges finanspolitik, men den tilsvarende indflydelse i Danmark var ringe. Indflydelsen ville kunne øges, hvis RFM fik en permanent repræsentation i København. Derfor så han kun fordele, hvis en sådan blev etableret.

　　Korff sendte Breyhan endnu et brev samme dag.
　　Kilde: RA, Danica 50, pk. 91, læg 1255 (gennemslag).

Oberregierungsrat Korff　　　　　　　　　　　　　　*Oslo, 5. Mai 1943*
Abteilungsleiter beim Reichskommissar für die besetzten
norwegischen Gebiete u. beim Bevollmächtigten des
Deutschen Reichs in Dänemark

---

40 Det var Bormanns forordning af 12. august 1942 og Lammers cirkulære 6. februar 1943 (trykt ovenfor).
41 Trykt ovenfor hos Luther til Walter Büttner 24. oktober 1942.

Herrn Ministerialdirektor Dr. Berger,   Vertraulich!
Reichsfinanzministerium,
Berlin W 8
Wilhelmplatz 1/2

Betr. Bedeutung der Außenstellen Oslo und Kopenhagen
Unter Bezugnahme auf das heutige Ferngespräch nehme ich nochmals zu der Frage der Bedeutung der Außenstellen Oslo und Kopenhagen Stellung.

1.) Oslo

In Oslo liegen die Hauptschwierigkeiten bei den Besatzungskosten und der Steuerreform. Die norwegische Regierung wird auch künftig alle erdenklichen Schwierigkeiten machen und versuchen, sich weiteren Besatzungskostenbeiträgen durch alle möglichen Schachzüge zu entziehen. Wie der Besuch von Minister Prytz in Berlin gezeigt hat, benutzen die Norweger dazu jedes Mittel; insbesondere versuchen sie, die politischen Instanzen auf deutscher Seite vorzuschieben, weil sie wissen, daß es deren Aufgabe ist, ein gutes Verhältnis zu Nasjonal Samling sicherzustellen. Mit einer Änderung dieser Einstellung wird auch bei einem Ministerwechsel kaum zu rechnen sein, da der Ministerpräsident selbst zu den Hauptgegnern der Besatzungskostenbeiträge zählt.

Hand in Hand mit dieser ablehnenden Haltung geht der Unwille, Anleihen aufzunehmen, der gerade in letzter Zeit wieder sehr deutlich geworden ist. Das Finanzdepartement macht trotz ständigen Drängens keine wirklichen Anstrengungen, Anleihen unterzubringen, weil es befürchtet, daß dann die Abzahlungen auf das Wehrmachtkonto erhöht werden.

Bei der Verwendung der Staatswechselerlöse für Besatzungskostenbeiträge ist mit dem Widerstand des Beauftragten für die Norges Bank zu rechnen. Die abweichende Auffassung des Bankbeauftragten auf dem Gebiet der Anleihe- und Kreditpolitik, die auf eine allzu große Schonung der Banken hinausläuft, bietet auch sonst gewisse Schwierigkeiten. Hinsichtlich der Notwendigkeit der Abschöpfung von Kaufkraft und der Abtragung des Wehrmachtkontos besteht jedoch Übereinstimmung.

Auf dem Gebiet des Staatshaushalts halte ich die größten Schwierigkeiten für überwunden. Die Departements haben sich mit der Überwachung ihrer Ausgabengebarung von deutscher Seite weitgehend abgefunden. Die Zusammenarbeit in Haushaltsfragen mit den übrigen Abteilungen des Reichskommissariats ist gut. Die norwegischen Verwaltungsbehörden lassen sich aus Menschenmangel nicht mehr wesentlich erweitern; sächlichen Ausgaben sind wegen des Gütermangels enge Grenzen gezogen. Größere Auseinandersetzungen sind lediglich auf dem Preisgebiet zu erwarten, weil die hiesigen Vertreter des Preiskommissars mehr und mehr dazu neigen, Preisforderungen von politischer Seite nachzugeben und die Verbraucherpreise optisch durch Staatszuschüsse zu halten. Die Aufwendungen für Preisstützungen werden im laufenden Rechnungsjahr etwa 240 Mill.Kr. erfordern. Im übrigen dürfte es aber bei einiger Festigkeit möglich sein, die bisherige Linie weiterzuverfolgen und den Staatshaushalt in der Hand zu behalten.

Die Berührungspunkte mit der Wehrmacht auf finanziellem Gebiet sind im wesentlichen geklärt. Der Chefintendant hat seine Bestrebungen, die Wehrmachtausgaben durch Abwälzungen auf den norwegischen Haushalt optisch zu senken, aufgegeben. Die Fragen der Kriegs- und Besatzungsschäden und die finanzielle Abwicklung der Inanspruchnahmen sind geklärt und abgeschlossen.

Die Hauptarbeit wird in der kommenden Zeit die Steuerreform verursachen. Hier ist es endlich gelungen, das Finanzdepartement voll für den Gedanken der Steuerreform zu gewinnen. Es sind alle Anzeichen dafür vorhanden, daß das Finanzdepartement die Steuerreform jetzt tatkräftig aufgreift. Künftig wird es sich also hauptsächlich um die steuertechnische Durchführung der Reform handeln, die naturgemäß auch dann noch viele Schwierigkeiten verursachen wird, wenn die politischen Widerstände ausgeräumt sind.

Die Fragen der Besteuerung der Reichsdeutschen in Norwegen, der Ausschluß der Doppelbesteuerung und die Rechtshilfe sind geklärt oder stehen unmittelbar vor dem Abschluß.

Die Abteilung Finanzen hat in Oslo eine klar umrissene Stellung, die allgemein anerkannt wird und die es ermöglicht, einen entscheidenden Einfluß auf die Finanzpolitik Norwegens auszuüben. Von den offenen Fragen liegt nur noch die der Besatzungskostenbeiträge auf politischem Gebiet und erfordert in der Behandlung äußerste Vorsicht und Kenntnis der hiesigen politischen Verhältnisse.

2.) Kopenhagen

In Kopenhagen bestand die Hauptarbeit bisher in der Beobachtung der finanziellen und wirtschaftlichen Entwicklung in Dänemark und in der Beteiligung bei grundsätzlichen finanzpolitischen Fragen von Fall zu Fall. Die Einflußmöglichkeiten auf das Finanzministerium waren gering. Mit dem Finanzminister selbst konnte nur aus besonderen Anlässen unmittelbar Verbindung aufgenommen werden.

Die Zusammenarbeit mit dem Finanzministerium konnte naturgemäß nur lose sein, da eine Fühlungnahme infolge der nicht ständigen Besetzung der Außenstelle nur alle 4-6 Wochen stattfand. Gleichwohl konnte eine Geneigtheit festgestellt werden, den Anregungen der Außenstelle nachzugehen. Die neuesten Steuerpläne der dänischen Regierung liegen ganz auf der Linie, die seit mehr als einem Jahr dem dänischen Finanzministerium immer wieder empfohlen worden ist. Die Notwendigkeit, neue Steuern und Kredite nur zur Abschöpfung überschüssiger Kaufkraft aufzulegen, wurde noch vor einem Jahr, als Buhl Finanzminister war, weitgehend abgelehnt. Heute hat sich diese Erkenntnis im Finanzministerium restlos durchgesetzt.

Eine ständige Besetzung der Kopenhagener Außenstelle würde selbstverständlich eine weit engere, laufende Zusammenarbeit mit dem Finanzministerium ermöglichen. Der Reichsbevollmächtigte hat sich auch gelegentlich der Unterredung am 1. ds.Mts. bereiterklärt, Anregungen auf finanzpolitischem oder steuerlichen Gebiet an den Staatsminister offiziell heranzutragen. Ich habe diese Gelegenheit sofort benutzt, um auf die wirksame Ausgestaltung der neuen Kriegskonjunktursteuer Einfluß zu nehmen.

Die Hauptaufgabe in Kopenhagen ist, auf die grundsätzlichen Fragen, die das Reich berühren, größeren Einfluß zu gewinnen. Durch die nicht ständige Besetzung war es bisher nicht immer möglich, die Beteiligung der Abteilung Finanzen unter *allen* Umständen sicherzustellen. In dieser Beziehung hat der dauernd in Kopenhagen befindliche gehobene Beamte versagt, dessen eigentliche Aufgabe es hätte sein müssen, sich über alle Sachen auf dem Laufenden zu halten und den Abteilungsleiter zu unterrichten, wenn eine wichtige neue auftaucht und seine Anwesenheit in Kopenhagen notwendig ist. Gleichwohl ist es trotz dieser Hindernisse in der Vergangenheit gelungen, sich bei den Hauptfragen, z.B. der Kronenaufwertung, der Umbuchungen und der Umstellung des Wehrmachtkontos einzuschalten. In der letzten Zeit ist eine wesentliche Besserung eingetreten, seit es gelungen ist, die Anerkennung der Zuständigkeit der neuen Abteilung "Öffentliche Finanzwirtschaft" für grundsätzliche finanzielle Fragen einschl. der Wehrmachtfinanzierung gegen den heftigen Widerstand der neuen Abteilung "Bank- und Kreditwesen" (Reichsbank) zu erlangen und im Geschäftsverteilungsplan zu verankern. Seitdem ist ein deutlicher Umschwung wahrzunehmen. Aber auch bei dieser veränderten Sachlage kann nicht erwartet werden, daß eine Sache deswegen bis zur Anwesenheit des Abteilungsleiters zurückgestellt wird. Hierin wird immer die Schwäche einer nicht ständigen Besetzung der Außenstelle liegen.

Durch eine ständige Besetzung wird nicht ausgeräumt, daß die Schwierigkeiten in Kopenhagen wegen der Widerstände innerhalb der Behörde nach wie vor außerordentlich Groß bleiben werden. Hinsichtlich der politischen Richtung hat sich die Auffassung von Min. Direktor Walter restlos durchgesetzt, daß es unter allen Umständen gilt, die Lieferfähigkeit Dänemarks zu erhalten. Bei den maßgebenden Kopenhagener Vertretern der Reichswirtschaftsressorts besteht die Grundauffassung, den Dänen zur Erhaltung der Lieferfreudigkeit auf finanziellem Gebiet Zugeständnisse zu machen. Diese Auffassung ist bei der Kontenumstellung vom Reichsbevollmächtigten gebilligt worden, nachdem dieser zunächst mir gegenüber dem gegenteiligen Standpunkt zugestimmt hatte. Die Dänen werden dies auch weiterhin zweifellos ausnutzen, wie ihr Versuch zeigt, den Kursverlust, der bei der Kronenaufwertung auf dem Wehrmachtkonto entstanden ist, auf das Reich abzuwälzen. In diesem Fall gelang es allerdings, das Zugeständnis zu verhindern.

Es ist deshalb offen, ob die Vorteile, die zweifellos durch eine ständige Besetzung der Außenstelle erreicht werden, nicht mehr als eingebüßt werden durch die größere Abhängigkeit, in die der ständige Vertreter in Kopenhagen geraten wird. Eine unmittelbare Berichterstattung an das Reichsfinanzministerium wird dann kaum noch möglich sein, und sonst wird sicher alles getan werden, um eine engere Verbindung mit dem Reichsfinanzministerium zu verhindern. Der große Vorteil der bisherigen Regelung lag in der Unabhängigkeit, die ich dadurch hatte, daß mein Dienstsitz Oslo war. Zweifellos ist dies einer der Gründe für den Wunsch, den jetzigen Zustand zu ändern.

Abschließend ist zu sagen, daß die Schwierigkeiten in Kopenhagen auch weiterhin beträchtlich sein werden und nicht nur Festigkeit, sondern auch große Vorsicht und Fingerspitzengefühl erfordern. Es darf weiter nicht verkannt werden, daß die

Dänen ganz besonders tüchtige und gewiegte Verhandlungspartner sind, was durch ihre Verhandlungserfolge hinlänglich unterstrichen wird.

Heil Hitler!

Ihr ergebener

Korff

17. Hans Clausen Korff an Christian Breyhan 5. Mai 1943

Korff sendte Breyhan en kopi af det brev, han samme dag havde sendt til Berger, men skrev dernæst yderligere om situationen i København, som efter hans opfattelse havde ændret sig væsentligt siden marts, da Ebner havde forudset, at den hidtidige situation ville bestå for en længere tid ud i fremtiden. WB Danmark havde nemlig hos Reichsbankdirektorium krævet Rudolf Sattler afskediget, da han havde blandet sig i militære anliggender og ikke tog nok hensyn til militære krav. Best havde dog fået sagen bilagt, men det var ingen gunstig situation for Sattler at slå sig permanent ned i København på, hvilket han meget gerne ville. Korff havde det indtryk, at man i København ikke lagde videre vægt på, at Sattlers tilstedeværelse blev permanent, men det skulle først drøftes senere på måneden. Korff var på baggrund af det passerede nået til den opfattelse, at det kunne være en fordel, at RFM ikke var permanent repræsenteret i København, da en permanent repræsentant naturligvis ikke kunne bevare sin selvstændighed. Sine egne muligheder for at flytte fra Oslo til København lod Korff stå åbne.

Korff kom ikke til København som permanent repræsentant for RFM. I stedet blev det ved aftale mellem AA og RFM bestemt, at RR Dr. Heinrich Esche med virkning fra 9. juli 1943 blev tilforordnet den rigsbefuldmægtigede (RFM til AA 7. juli 1943 (RA, Danica 201, pk. 81A). Korff fortsatte samtidig sit lejlighedsvise virke i København til 1. december 1943. Se Bests telegram nr. 1051, 13. september 1943.

Kilde: RA, Danica 50, pk. 91, læg 1255 (gennemslag).

Oberregierungsrat Korff   Oslo, 5. Mai 1943
Abteilungsleiter beim Reichskommissar
für die besetzten norwegischen Gebiete.

Herrn Ministerialrat Dr. Breyhan,   Persönlich!
    Reichsfinanzministerium,
    Berlin.

Sehr geehrter Herr Breyhan!
Zu meinem heutigen Schreiben an Herrn Ministerialdirektor Dr. Berger, von dem ich eine Abschrift beifüge, möchte ich Ihnen noch folgende persönliche Erläuterungen geben:
Als ich Ende März d.J. in Kopenhagen war, erschien nach Mitteilungen von Ministerialdirigenten Ebner alle Aussichten zu bestehen, daß der jetzige Zustand, den ich unter den gegenwärtigen Verhältnissen nach wie vor als den zweckmäßigsten ansehe, noch auf längere Zeit aufrechterhalten werden könne.
Inzwischen ist jedoch eine völlig andere Sachlage eingetreten. Der Befehlshaber der Deutschen Truppen in Dänemark hat nämlich beim Reichsbankdirektorium die Abberufung von Sattler gefordert, weil er sich in untragbarer Weise in Wehrmachtsangelegenheiten gemischt und den militärischen Notwendigkeiten nicht genug Rechnung trage.

Der Reichsbevollmächtigte hat die Sache jedoch wieder beigelegt, wohl nicht zuletzt, weil die Beschwerde an das Reichsbankdirektorium bezw. an den Reichsbankpräsidenten gerichtet war, obwohl S. in Kopenhagen als Angehöriger der Behörde des RB und nicht der Reichsbank tätig geworden war.

Wenn diese Angelegenheit auch beigelegt ist und der Befehlshaber m.W. seinen Antrag zurückgezogen hat, so sind das natürlich keine günstigen Voraussetzungen für eine völlige Übersiedlung von S. nach Kopenhagen, die S. mit allen Mitteln anstrebt. Ich habe jedenfalls den Eindruck gewonnen, daß man in K. auf die ständige Anwesenheit von S. keinen besonderen Wert legt. S. hat dies wohl auch erkannt und auf seine Veranlassung dürfte es daher zurückgehen, daß Reichsbankvicepräsident Puhl Ende dieses Monats nach Kopenhagen kommt, um die Frage der Besetzung der Reichsbankaußenstelle mit Dr. B. zu regeln.[42]

Hierin dürfte nun die Ursache dafür zu suchen sein, daß Dr. B., wie er an den St. geschrieben hat, einen Präzedenzfall zu schaffen sucht, um dadurch die Wünsche von P. besser begegnen zu können.

Ich teile unter diesen Umständen durchaus Ihre Auffassung, daß es bei dieser Zuspitzung der Dinge nicht im Interesse unserer Verwaltung liegen kann, auf die Doppelbesetzung zu beharren, wenn ich auch glaube, daß gegenüber dem jetzigen Zustand eine Schwächung unserer Stellung eintritt. Da ich persönlich von Kopenhagen unabhängig war, galt ich nicht so sehr als Angehöriger der Behörde des RB, sondern als Vertreter des RFM. Diese Selbständigkeit kann sich ein ständiger Vertreter in Kopenhagen naturgemäß nicht bewahren.

Wie die Möglichkeiten für mich wären, von Oslo loszukommen, vermag ich nicht zu sagen. Senator Otte wird sich zweifellos dagegen sträuben. Anderseits kann ich darauf hinweisen, daß ORRt. Baudisch nach anfänglichem Sträuben freigegeben worden ist. Eine gleichzeitige Ablösung von S. und mir wird jedoch kaum möglich sein. Es wird dann davon abhängen, wer zuerst kommt.

Wenn ich zwischen Oslo und Kopenhagen wählen sollte, wäre ich vor eine schwere Entscheidung gestellt. Die Arbeit in Oslo ist weit unabhängiger und angenehmer als Kopenhagen und mir auch sonst ans Herz gewachsen. In Kopenhagen liegen mir die dänischen Verhältnisse näher, weil ich sie länger kenne und dort über weitergehende Beziehungen verfüge. Außerdem hätte ich persönlich den großen Vorteil, mit meiner Familie zusammenleben zu können. Da persönliche Wünsche im Kriege selbstverständlich ausscheiden, so will ich die Entscheidung ganz und gar dem RFM überlassen.

Heil Hitler!
Korff

18. Werner Best an das Auswärtige Amt 6. Mai 1943

Bests telegram 6. maj 1943 om tilfangetagelsen af sabotører er kun kendt gennem den afskrift, som von Grundherr sendte som orientering til de tyske gesandtskaber i Helsingfors og Stockholm fire dage senere. Se dette.

---

42 Ifølge Bests kalenderoptegnelser var Emil Puhl i København 8.-10. juni 1943.

19. Werner Best an das Auswärtige Amt 6. Mai 1943

I sin indberetning om afholdelsen af kommunalvalget lagde Best særlig vægt på Socialdemokratiets tilbagegang, de konservatives vækst samt at det også var lykkedes Scavenius' parti at vinde et mandat.
 Telegrammet blev genbrugt 1. juni ved udarbejdelsen af *Politische Informationen*.
Kilde: PA/AA R 29.566. PKB,13, nr. 401.

Telegramm

| Kopenhagen, den | 6. Mai 1943 | 17.30 Uhr |
| Ankunft, den | 6. Mai 1943 | 18.30 Uhr |

Nr. 529 vom 6.5.[43.]

Im Anschluß an meinen Drahtbericht Nr. 416[43] v. 10.4.1943 teile ich mit, daß am 5.5. die Kommunalwahlen in Dänemark mit Ausnahme des Landesteiles Nord-Schleswig stattgefunden haben. Das Interesse der Bevölkerung an der Wahl war nicht sehr groß. Zwar fand in den letzten Wochen unter den Parteien ein im Vergleich zu den Reichstagswählen ungewöhnlich heftiger Wahlkampf statt, der sich jedoch nur auf innerpolitische bzw. kommunale Angelegenheiten erstreckte. In Kopenhagen haben die nachstehenden Parteien im Stadtrat die folgenden Mandate erhalten (die Zahlen in Klammern bedeuten das Wahlergebnis aus dem Jahre 1937):

Sozialdemokraten	32	(37)
Radikale Venstre	6	(5)
Konservative	15	(11)
Venstre	–	(–)
Retsforbundet	–	(–)
Nationalsozialisten	1	(–)

Im Abstimmungsgebiet Kopenhagen und Frederiksberg hatten 3 Gruppen neue Listen aufgestellt unter den Namen "Freisinnige Arbeiterliste," "Sozialistische Opposition" und "Bürgerliste." Bei "Bürgerliste" und "Sozialistische Opposition" handelt es sich um frühere Clausen-Anhänger, die nach der Reichstagswahl sich von der Partei abgewandt haben, jedoch für die Kommunalwahlen Listenverbindung mit der DNSAP eingegangen sind. Die "Freisinnige Arbeiterliste" wurde deutscher- und dänischerseits zunächst daraufhin überprüft, ob es sich nicht um eine getarnte Aufstellung aus kommunistischen Kreisen handelte.[44] Ein Beweis in dieser Richtung ließ sich noch nicht erbringen. Diese Liste konnte 1 Mandat erringen.[45] Der Gesamteindruck des Wahlergebnisses für Kopenhagen und das übrige Land ist der, daß die Sozialdemokraten im allgemeinen nicht unbeträchtliche Einbuße erlitten haben, während die Konservativen einen starken Zuwachs verzeichnen können, bemerkenswert ist auch der Mandatgewinn der radikalen Venstre, der bekanntlich der Staatsminister von Scavenius angehört. Die DNSAP hat zum ersten

---

43 bei Pol VI. Trykt ovenfor.
44 Det var en kommunistisk dækliste.
45 Se *Politische Informationen* 1. juni 1943.

Mal durch eigene Stimmen 1 Mandat erhalten.[46] – Der Wahltag ist außerordentlich ruhig verlaufen. Die heutige Tagespresse, einschließlich der Mittagspresse, nimmt entsprechend der parteipolitischen Einstellung zum Wahlergebnis Stellung. Übereinstimmend wird der unerwartete Rückgang der Sozialdemokraten und der Zugang bei den Konservativen hervorgehoben. Der Hauptgrund für die Verschiebungen im Kraftverhältnis der Parteien scheint darin zu liegen, daß es der Sozialdemokratie seither immer gelungen war, ihre Wähler durch die vielfältigen Organisationen zu mobilisieren, während bei den Wahlen im Jahre 1943 zum ersten Male die bürgerlichen Parteien, vor allem die Konservativen, ihre "Sofa-Wähler" zur Geltung gebracht haben.

Dr. Best

20. Werner Best an das Auswärtige Amt 7. Mai 1943
Best svarede på de kritiske bemærkninger, som RFM havde fremsat over for AA i forbindelse med værnemagtskontoens omlægning fra RM til kroner. Han afviste direkte at skulle have brug for at indføre en mere "elastisk" fremfærd, når der fremtidigt skulle stilles tyske fordringer. I stedet opregnede han det positive i det tysk-danske økonomiske samarbejde.

26. maj videresendte Scherpenberg indberetningen til RFM, til Walter, Ludwig og Rigsbankdirektoriet med bemærkningen "Das AA tritt der Auffassung des Herrn Reichsbevollmächtigten bei."

Kilde: BArch, R 901 113.554. RA, pk. 271.

Der Bevollmächtigte des Reiches in Dänemark *Kopenhagen, den 7. Mai. 1943.*
Gesch. Zeich.: III/2054/43

Betr.: Umstellung des dänischen Besatzungskostenkontos von Reichsmark auf Dänenkronen. – Erl. Ha Pol VI 1504/43 vom 14.4.43. –[47]

An das Auswärtige Amt
Berlin

I. Das bisherige Anforderungsverfahren bei den Wehrmachtkosten hat sich praktisch bewährt und ist deshalb unverändert beibehalten worden. In den vierteljährlichen Vereinbarungen über den Kronenbedarf der Wehrmacht ist das Recht auf jederzeitige Nachforderung sichergestellt, falls die auf Grund der Schätzung der Wehrmacht angeforderte Vierteljahressumme nicht ausreichen sollte. Der vierteljährlichen Anforderung aber ist – auch nach der Auffassung des Befehlshabers der deutschen Truppen in Dänemark – gegenüber einer Vorausanmeldung des Bedarfs für einen längeren Zeitraum der Vorzug zu geben. Daß das bisherige Anforderungsverfahren der Wehrmacht in ihren Dispositionen genügend Bewegungsfreiheit läßt, ergibt sich auch aus der Tatsache, daß bis zum 31. März ds.Js. rund 200 Millionen Kronen weniger verbraucht worden sind als bei der Nationalbank zur Verfügung standen. Ich

---

46 Den tidligere socialdemokrat Børge Jacobsen blev valgt for DNSAP i København (Grunz 2007).
47 Trykt ovenfor som RFM til AA 8. april 1943, idet alene AAs følgebrev er fra 14. april.

habe deshalb kein "elastischeres" Anforderungsverfahren einzuführen brauchen.
II. Im Einzelnen bemerke ich noch folgendes:
1.) Auf Erörterungen über die Höhe und die beabsichtigte Verwendung der angeforderten Kronenbeträge vor ihrer Bereitstellung wird selbstverständlich weder bei den vierteljährlichen Verhandlungen noch bei sonstigen Gelegenheiten von der Verbindungsstelle eingegangen.
2.) Dagegen lasse ich Erörterungen mit den Dänen über die Verwendung der bereits zur Verfügung gestellten Kronenbeträge zu, soweit sie im Rahmen der Artikel IV und V der Vereinbarung über die Wehrmachtfinanzierung vom 17/26. August 1940 liegen. Daß hierbei auf Wahrung des deutschen Interesses entscheidender Wert gelegt wird, ergibt sich aus der Berichterstattung der Verbindungsstelle der Hauptverwaltung der Reichskreditkassen, insbesondere aus deren Bericht vom 27.10.42 – Wi/3822/42 g –. Da die in den Artikeln IV und V bezeichneten Aufgaben der Verbindungsstelle auf rein banktechnischem Gebiete liegen, sind von dieser Stelle alle außerhalb dieses Rahmens liegenden Erörterungen mit den Dänen sorgfältig vermieden worden.
3.) In dänischen Wirtschaftsfragen, die sich als Folge der Besetzung oder des Kronenverbrauchs der Wehrmacht, zum Beispiel auf den Gebieten der Warenbewirtschaftung sowie der Preis- und Lohnüberwachung oder des Arbeitseinsatzes ergeben, habe ich – zum Teil gemeinsam mit dem deutschen Regierungsausschuß – der dänischen Regierung die Beibehaltung der Verantwortung für die Führung ihrer Wirtschaftspolitik erleichtert, indem ich jeweils das Einvernehmen mit der Wehrmacht herstellte, bevor die dänische Regierung dänischen Wirtschaftskreisen durch Verordnungen oder Bekanntmachungen die Beachtung gewisser Vorschriften bei deutschen industriellen Verlagerungsaufträgen sowie bei Käufen und Bauaufträgen der Wehrmachtsdienststellen vorschrieb. Diese Verhandlungen wurden mit dem Ziel geführt, die dänische Wirtschaft weitestgehend für deutsche Zwecke einzuspannen, dabei aber die wirtschaftspolitische Verantwortung bei der dänischen Regierung zu belassen.
4.) Die praktische Arbeit nach den vorstehenden 3 Gesichtspunkten trägt den deutschen Belangen in durchaus einwandfreier Weise Rechnung.

Wenn z.B. in den vierteljährlichen Verhandlungen der Verbindungsstelle die dänischen Vertreter Besorgnisse wegen der Höhe der ihnen vorgelegten Kronenanforderungen aussprachen oder Fragen über die Zusammensetzung der Anforderungen stellten, so ist nach dem in Ziffer 1 genannten Grundsatz ohne weitere Erörterung auf die militärische Notwendigkeit und auf die Geheimhaltungspflicht hingewiesen worden. Den von dänischer Seite vorgebrachten Bedenken über die schädliche Auswirkung des hohen Kronenverbrauchs der Wehrmacht auf Preise, Löhne und Arbeitseinsatz ist in den Verhandlungen im Sinne der Ausführungen unter der vorstehenden Ziffer 3) mit dem Hinweis begegnet worden, daß es sich hierbei um Fragen des Erlasses oder der Durchführung dänischer Anordnungen handelt. Wenn jedoch der Verbindungsstelle Angaben über angebliche Verstöße der Wehrmachtdienststellen gegen die in den Artikeln IV und V zugesagte Förderung des bargeldlosen Zahlungsverkehrs bzw. Anträge auf Umbuchung gewisser zu

Unrecht aus Besatzungsmitteln geleisteter Zahlungen vorgelegt wurden, so habe ich diese Angaben entgegennehmen, an die Wehrmacht zur Prüfung weiterleiten und in vertretbaren Fällen im Sinne des dänischen Antrags erledigen lassen. Wenn auf diese Weise auch nur ein kleiner Teil der von den Dänen selbst entdeckten Umgehungen berücksichtigt wird, so gibt diese Handhabung den verantwortlichen Dänen doch das Gefühl der Unterstützung durch die deutsche Seite bei ihren auf Durchführung der dänischen Anordnungen gerichteten Bemühungen. Die Dänen wissen nämlich, daß die Beschränkung der Barkronenverwendung ihren Kampf um Stabilhaltung der Preise und Löhne unterstützt und daß die Bezahlung gewisser von der Wehrmacht gekaufter Waren im Clearingwege die Warenbewirtschaftung erleichtert. Indem aber die Verbindungsstelle ihre ausgleichende Tätigkeit den Dänen gegenüber auf die banktechnische Hilfe beschränkt, überläßt sie die Verantwortung für die Durchführung der hinter den Zahlungsvorgängen liegenden wirtschaftspolitischen Erfordernisse ganz der dänischen Regierung. Diese Verlagerung der Verantwortung auf die dänische Seite wird noch dadurch unterstrichen, daß der Leiter der Stelle ein Reichsbankbeamter ist, der den Dänen im Zusammenhang mit ihren – nicht immer ausreichenden – Bemühungen um Bindung der überschüssigen Kaufkraft aus den im Reich gemachten Erfahrungen Anregungen währungspolitischer Art zu geben vermag, die den Dänen zeigen, daß es zunächst in ihrer Hand liegt, die befürchteten schädlichen Folgen der Besetzung auf die dänische Währung auszuschließen.

Dr. Best

21. Werner Best an das Auswärtige Amt 8. Mai 1943

Best indberettede fundet af liget af den danske faldskærmsagent Hans Henrik Pay Larsen og formodede korrekt, at agenten var likvideret af sin egen organisation.

Larsen ("Trick") havde udgjort en risiko for sine egne, og for at statuere et eksempel og undgå en gentagelse af forløbet omkring agenten Adolf Theodor Larsens arrestation og påfølgende forgæves likvideringsforsøg blev der gjort kort proces (se telegram nr. 362, 31. marts 1943, Jespersen, 1, 1998-2000, s. 305-307, Edelberg 2007, s. 42).

Kilde: PA/AA R 100.758.

Telegramm

Kopenhagen, den	8. Mai 1943	13.25 Uhr
Ankunft, den	8. Mai 1943	16.00 Uhr

Nr. 543 vom 8.5.[43.]

Betrifft: Englische Fallschirmagenten in Dänemark.
Vorgang: Hiesige Berichte, zuletzt Drahtbericht
Nr. 326[48] vom 23.3.43.

---

48 Dtschl. Trykt ovenfor.

Am 2.4.43 wurde in Själsö [nördl.] Birkeröd (Nordseeland) eine Leiche gefunden, die auf Grund vorliegender Fingerabdrücke bei der dänischen Polizei als der dänische Staatsangehörige Hans Henrik Pay Larsen, geb. am 24.2.12 in Kopenhagen, identifiziert wurde. Larsen ist durch Schuß in den Hinterkopf getötet worden. Die Leiche hat nur kurze Zeit im Wasser gelegen.

Larsen ist am 22.2.40 als Freiwilliger nach Finnland gereist, von dort ist er mit Schiff über Petsamo nach Amerika gelangt. Bei ihm handelt es sich mit größter Wahrscheinlichkeit um einen Fallschirmagenten, der von eigener Organisation hier ermordet worden ist. Die Untersuchung ist im Gange.

Dr. Best

22. Eberhard von Thadden an Werner Best 8. Mai 1943

Best blev spurgt, om det var hensigtsmæssigt, at AA overførte et beløb til Aage H. Andersen, som Antikomintern skyldte ham.
Best svarede 17. maj 1943.
Kilde: PA/AA R 99.413. RA., pk. 219. Lauridsen 2008a, nr. 83.

Durchdruck als Konzept
Inl. II A   *Berlin, den 8. Mai 1943*

An den Bevollmächtigten des Reichs in Dänemark
   in Kopenhagen.

Wie dort bekannt sein dürfte, schuldet die Antikomintern Herrn Aage Andersen seit etwa zwei Jahren einen Betrag von ca. 10.000 RM.

Nach Mitteilung der Antikomintern ist es bisher trotz Devisengenehmigung nicht gelungen, den geschuldeten Betrag nach Kopenhagen zur Auszahlung an Herrn Aage Andersen zu überweisen. Sie hat daher das Auswärtige Amt gebeten, ihr bei der Überweisung des Betrages behilflich zu sein.

In Anbetracht der beschränkten eigenen Devisenbestände muß es das Auswärtige Amt ablehnen, seinerseits Devisen zur Bezahlung dieser Schulden zur Verfügung zu stellen. Bevor jedoch zu der Frage Stellung genommen wird, ob das Auswärtige Amt bei Erhalt der Devisengenehmigung durch die Antikomintern unmittelbar zur Mitwirkung bei der Auszahlung bereit ist, darf um tunlichst unverzügliche Stellungnahme gebeten werden, ob unter den gegenwärtigen Umständen es angezeigt erscheint, trotz der angespannten Devisenlage Herrn Aage Andersen den geschuldeten Betrag zukommen zu lassen.

Im Auftrag
gez. von Thadden

23. Werner Best an das Auswärtige Amt 8. Mai 1943

Best fortsatte indberetningen om tiltag, der viste den danske regerings gode vilje til at efterkomme tyske ønsker.

Kilde: PA/AA R 29.566. RA, pk. 202.

Telegramm

| Kopenhagen, den | 8. Mai 1943 | 10.30 Uhr |
| Ankunft, den | 8. Mai 1943 | 10.40 Uhr |

Nr. 540 vom 8.5.[43.]

Im Anschluß an mein Telegramm Nr. 437[49] vom 15.4.43 berichte ich, daß der dänische Staatsminister mir nunmehr offiziell mitgeteilt hat, daß alle Mobilmachungsarbeiten der dänischen Wehrmacht jeder Art eingestellt worden sind. Er hat dieser Mitteilung den folgenden Satz angefügt:

"Der Klarheit wegen möchte ich nicht verfehlen hervorzuheben, daß die bisherigen Maßnahmen der dänischen Heeresleitung, die als Mobilmachungsvorbereitungen aufgefaßt worden sind, in der Tat lediglich einen rein routinemäßigen Charakter hatten und keineswegs als Ausdruck eines aktuellen Plans zu betrachten waren. Auch solche Maßnahmen werden jedoch in Zukunft unterbleiben, damit keine Mißverständnisse entstehen sollen."

Weitere Mitteilungen über die Maßnahmen und Vorschläge zur Herstellung einer engeren Verbindung des dänischen Heeres mit der deutschen Wehrmacht sollen in Kürze erfolgen.[50]

Dr. Best

24. Kriegstagebuch/Admiral Dänemark 8. Mai 1943

Admiral Wurmbach havde fået tilladelse til at orientere den danske marine om fjendens brug af de nye kombinerede engelske luftminer af type J og A og om, at man fra tysk side havde udviklet mulighed for at stryge dem. Fra dansk marines side havde man imidlertid ikke været interesseret i udnyttelse deraf, da man ikke kendte de nye engelske miner. Wurmbach havde kun fået tilladelse til at orientere om de engelske miner i det omfang, han selv kendte til dem, og det var kun overfladisk. Han ønskede at kunne orientere danskerne nærmere om minerne med den begrundelse, at de udførte et loyalt og nyttigt arbejde med minerydningen og selv havde en førsteklasses ekspert. Han betragtede det som udelukket, at den danske marine ville lade den viden, man på den måde opnåede om de nye muligheder for minerydning, gå videre til englænderne (Skov Kristensen et al. 1988, kap. 14 om den engelske mineudlægning omkring Danmark).

ELM = Englische Luftmine, og det efterfølgende bogstav angiver type.
GBT = Geräuschboje, Groß, simuliert Geräusche eines Turbinenschiffes.
HFG = Hohlstab-Fern-Räumgerät (til magnetisk minestrygning).
Kilde: KTB/ADM Dän 8. maj 1943, RA, Danica 628, sp. 3, s. 2073f.

---

49 bei Pol I M (V.S.) (auf 502 = RAM 105/R gRs.); Fuschl 442: bei Pol I M gRs. Trykt ovenfor.
50 Se Bests telegram nr. 581, 14. maj 1943.

Nach Bekanntwerden des Einsatzes kombinierter ELM/J/A durch den Gegner wurde beantragt, dänische Marine hiervon zu unterrichten und ihr die von uns entwickelten Räummöglichkeiten bekanntzugeben. Nach Genehmigung lehnte die Dänen jedoch die Verwendung der GBT ab, solange sie ohne Kenntnis über Inneneinrichtung und Wirkungsweise der ELM/A bzw. ELM/J/A bleiben. Sie sehen in der GBT eher eine Gefahr für die Räumfahrzeuge. Unter Hinweis auf d[ie] Verantwortlichkeit ihren Minensuchung und der dänischen Schiffa[hrt] gegenüber baten sie um eingehende Angaben der Eigenschaften der engl. Geräuschminen. Sie verwiesen dabei auf ein von ihnen entwickeltes, hier unbekanntes Abwehrgerät gegen die ELM/A, das aber erst eingesetzt werden könne, wenn sie die ELM/A genau kennen.

Ein entsprechender Antrag wurde von OKM/1. Skl. dahin beantwortet, daß Unterrichtung über ELM/A nur soweit freigegeben wird, als Admiral Dänemark selbst über die Mine unterrichtet ist. Eine darüb[er] hinausgehende Unterrichtung durch SVK mit dem Ziel, die Dänen zur Entwicklung eigener Abwehrmittel zu befähigen, wurde untersagt.

Da Admiral Dänemark selbst nur ganz allgemein in großen Zügen üb[er] die ELM/A bzw. ELM/J/A unterrichtet ist und keinerlei Kenntnisse der Inneneinrichtung, Schaltung, Frequenzen, Empfindlichkeit und Wirkungsweise besitzt, kann dänische Marine den erbetenen Einblick nicht erhalten.

Gegen die Auffassung, die Entwicklung von Abwehrmitteln durch die dänische Marine zu verhindern, müssen von hier pflichtgemäß Bedenken erhoben werden. H.E. müssen alle Möglichkeiten einer Unterstützung im Kampf gegen die zunehmende Minengefahr ausgenutzt wer[den]. Von dieser Überlegung ausgehend, wird in dem Bestreben der Dänen, sich schöpferisch zu betätigen, keine unerwünschte Konkurrenz deutschen Entwicklungsstellen gegenüber gesehen. Man muß sich au[f] den Standpunkt stellen, daß die dänische Kriegsmarine auf dem Sektor "Minenbekämpfung" nolens volens unser "Verbündeter" ist.

Sie hat durch die Tat bewiesen, daß sie jedenfalls auf diesem Spezialgebiet loyal und erfolgreich die deutsche Kriegsführung unterstutzt hat. Wenn die Motive hierzu auch mehr auf wirtschaftlichem Gebiet liegen, d.h. daß die Gründe mehr materieller als ideeller Art sind, so kommt es für uns in erster Linie auf den Effekt an. Zur Erhöhung dieses Effekts trage ich keine Bedenken, den Dänen eine ELM/A bzw. eine ELM/J/A zur Unterstützung zu überlassen, diese umsomehr, als die dänische Marine einen hervorragenden Minenspezialisten besitzt, der z.Zt. nach der ausführlichen Unterrichtung über die ELM/J sofort das vorzügliche HFG entwickelt hat, das seitdem in großer Zahl bei uns verwendet wird. Die Mithilfe dieses Fachmannes im Kampf gegen die bestehende erhebliche Minengefahr muß h.E. unter dem Zwang der Kriegsverhältnisse ausgenutzt werden. Eine Weitergabe der neuesten Erkenntnisse im Minenabwehrdienst an Schweden – und damit indirekt an England – dürfte h.E. nicht in Frage kommen, da die Dänen ihre Abwehrmaßnahmen und Überlegungen dadurch nur zum eigenen Schaden preisgeben würden.

25. Werner von Grundherr an die Deutsche Gesandtschaft Helsinki und Stockholm
10. Mai 1943

Von Grundherr orienterede de tyske gesandtskaber i Helsingfors og Stockholm om et sabotageforsøg, der havde fundet sted i København natten til 5. maj, og hvor tre medlemmer af en sabotagegruppe efter en ildkamp var blevet pågrebet.

Det var utvivlsomt på grund af samarbejdet mellem den tyske efterretningstjeneste og dansk politi, at netop denne hændelse skulle formidles til de to ambassader, som led i pressepropagandaen over for udlandet og specielt nabolandene.

Kilde: PA/AA R 61.119.

Abschrift
Auswärtiges Amt   *Berlin, den 10. Mai 1943*
Pol VI 538

An die Deutsche Gesandtschaft
   Helsinki
die Deutsche Gesandtschaft
   Stockholm
– je besonders –

Im Anschluß an den Erlaß vom 1.4.43[51]
Pol VI 387

Der Bevollmächtigte des Reiches in Dänemark in Kopenhagen berichtet unter dem 6. Mai d.J. wie folgt:[52]

In der Nacht zum 5.5.1943 wurde in Kopenhagen eine Gruppe von Saboteuren auf frischer Tat gestellt. Es handelt sich um bewaffnete Männer, die in Kopenhagen und Umgebend verschiedene Anschläge verübt und die Wächter mit Pistolen im Schach gehalten hatten. Durch nachrichtendienstliche Arbeit des hiesigen SD war die Planung von Anschlägen an 2 bestimmten Stellen bekannt geworden, worauf die dänische Polizei verständigt und veranlaßt wurde, entsprechende Kräfte einzusetzen. Bei dem versuchten Anschlag auf eine Fabrik gelang es, nach Feuergefecht eine Gruppe von 3 Mann festzunehmen.

Es handelt sich bei den Festgenommenen um Jugendliche, die zur Zeit noch vernommen werden.[53] Mit weiteren Festnahmen ist zu rechnen.

Im Auftrag
gez. **v. Grundherr**

---

51 Bekendtgørelsen er ikke bekendt.
52 Bests telegram er kun kendt gennem denne gengivelse.
53 Aktionen var rettet mod Maskinfabrikken "Præcision," men blev opdaget af to betjente posteret ved Emdrup Dampvaskeri. Tre sabotører slap bort, hvilket journalist Bergstrøm kommenterede på følgende måde: "Dvs. at politiet 'kunne trænge til at faa lidt mere Øvelse.' Skønt der var bleven skudt Serieskydning efter Sabotørerne, der flygtede, havde politiet ikke ramt. Mon de tre andre kunde have været stedt i nogen større Fare, hvis ogsaa de var flygtede i Stedet for at standse?" (PKB, 7, nr. 47, s. 303f., KB, Bergstrøms dagbog 5. maj 1943).

26. Paul Kanstein an das Auswärtige Amt 11. Mai 1943

Kanstein indberettede et tilfælde, hvor en dansk modstandsmand, Jens Georg Pedersen, forsøgte at ødelægge en tysk maskingeværrede på Engholm Strand ved Nørresundby. Han blev overrasket og dræbt, da han satte sig til modværge. Tilfældet blev omtalt i den lokale presse for at afskrække andre fra at forgribe sig på værnemagtsinstallationer.

Jens Georg Pedersen øvede sabotage uden tilknytning til nogen sabotagegruppe. Med sig havde han alene sin søn, som blev fanget, men senere løsladt på grund af sin unge alder (*Faldne i Danmarks frihedskamp*, 1970, s. 348).

Kilde: PA/AA R 61.119.

Abschrift Pol VI 604
Der Bevollmächtigte des Reiches in Dänemark   *Kopenhagen, den 11. Mai 1943*
II C B. Nr. 717/43

An das Auswärtige Amt

Betrifft: Sabotageakte in Dänemark.
Bezug: Hiesiger Schriftbericht vom 30.4.43[54] – II C 3 B. Nr. 717/43 –

In der Nacht zum 1.5. um 23.00 Uhr ist in Aalborg der Däne Jens Georg Petersen, geb. 23.10.1893 in Öster Brönderslev, Kranführer bei der Aalborger Schiffswerft, von der deutschen Feldgendarmerie durch zwei Bauchschüsse schwerverletzt worden, sodaß er nach Einlieferung in ein Krankenhaus verstarb. Der Sachverhalt ist folgender:

Von einer deutschen Geschützstellung in der Nähe von Aalborg waren Ende April nachts mehrfach Bretter entwendet und die Stellung dadurch beschädigt worden. In der Nacht zum 1.5. hatten sich daher einige Mann Feldgendarmerie auf die Lauer gelegt, um die Täter auf frischer Tat zu ertappen. Gegen 23 Uhr näherten sich 2 Personen der Geschützstellung und begannen, unter Zuhilfenahme einer mitgebrachten Brechstange Bretter aus der Geschützstellung herauszubrechen. Die Feldgendarme gingen nun auf die Täter zu, um die beiden Männer festzunehmen, von denen sich aber der eine zur Wehr setzte und mit der Stange auf einen Feldgendarm einschlug. Auf diesen Mann, den obengenannten Petersen, gab der angegriffene Feldgendarm darauf die 2 Schüsse mit tödlichem Ausgang ab. Petersen, der in Begleitung seines 16jährigen Sohnes war, hatte auch die Bretterdiebstähle in den Nächten vorher begangen. Er war wegen seiner deutsch-feindlichen Gesinnung bekannt und hat auch, wie sich jetzt herausstellte, am 9.4. d.J. (Jahrestag der Besetzung Dänemarks) halbmast geflaggt.

Der Vorfall ist in der örtlichen Presse von Aalborg/Jütland veröffentlicht worden. Gleichzeitig ist eine Mitteilung des Polizeimeisters von Aalborg erschienen, wonach die Deutsche Wehrmacht bei Angriffen gegen ihre Einrichtungen jederzeit sofort von der Schußwaffe Gebrauch machen wird.

In Vertretung
gez. **Kanstein**

---

54 Trykt ovenfor.

27. Werner Best an das Auswärtige Amt 11. Mai 1943

Ved den danske presses og propagandaens hjælp håbede Best som hidtil at dæmme op for den sabotage, som han først og fremmest betragtede som et importfænomen, begået af danske kommunister, der blev inspireret fra London. Dele af den danske presse delte fuldt den opfattelse, bl.a. *Berlingske Tidende*, og også i øvrigt mente han at finde pressens støtte i dette spørgsmål.

Anderledes var det med pressens holdning til tyske synspunkter, men dette tog Best ikke op overfor Berlin (se Bindsløv Frederiksen 1960, s. 364f.).

Kilde: PA/AA R 29.566. RA, pk. 202, 228 og 438a. LAK, Best-sagen (afskrift).

Telegramm

Kopenhagen, den	11. Mai 1943	12.55 Uhr
Ankunft, den	11. Mai 1943	13.40 Uhr

Nr. 552 vom 11.5.43.

Über das gegen den dänischen Staatsangehörigen Hans Petersen vom deutschen Kriegsgericht wegen Sabotage ausgesprochene Todesurteil[55] und über die vom Befehlshaber der deutschen Truppen in Dänemark verfügte Begnadigung (vergl. meinen Schriftbericht vom 6.5.43, Aktenzeichen II L 90/43)[56] ist die dänische Presse durch eine von mir verfaßte und von der Pressestelle des dänischen Außenministeriums herausgegebene Verlautbarung unterrichtet worden, in der u.a. hervorgehoben wird, daß der Staatsminister von Scavenius sich mit der Bitte um Begnadigung an mich gewandt hatte. Diese Verlautbarung ist von der dänischen Presse an erster Stelle herausgestellt und von der gesamten Hauptstadt- und Provinzpresse in redaktionellen Leitartikeln kommentiert worden.

"Politiken" weist auf die gegenwärtig schwierige Lage Dänemarks hin und rückt in scharfen Wendungen von den Saboteuren ab, die mit der dänischen Bevölkerung nichts gemein hätten. Bis auf zahlenmäßig unbedeutende Ausnahmen mißbillige das dänische Volk die Tätigkeit der Saboteure und wünsche Ruhe und Ordnung. Viele Sabotagehandlungen seien ausgesprochen zwecklos, da in manchen Fällen rein dänische Betriebe in Mitleidenschaft gezogen worden seien, wodurch nur das dänische Volk selbst Schaden erleide. Die illegale Tätigkeit dänischer Saboteure könne leicht dazu führen, ein falsches Bild von der Haltung der dänischen Bevölkerung zu geben. Es sei im dänischen Interesse, daß solche Mißverständnisse vermieden würden. Hinter der dänischen Polizei, die mit allen Mitteln Sabotage aufzudecken und zu verhindern suche, stehe der ruhige Teil der dänischen Bevölkerung.

"Berlingske Tidende" warnt eindringlich vor Sabotagehandlungen und der Mentalität, die durch diese zum Ausdruck käme. Es müsse immer wieder hervorgehoben werden, so schreibt das Blatt u.a. daß Sabotage in erster Linie Dänemark selbst schade und

---

[55] Hans Pedersen var medlem af DKP og tidligere Spaniensfrivillig. Han blev anholdt af dansk politi 30. oktober 1942 og udleveret til tysk politi dagen efter. Som den første dansker blev han dødsdømt ved en tysk krigsret 12. april 1943. Offentliggørelsen heraf fandt sted 8. maj. Dommen blev ændret til livsvarigt fængsel (Kjeldbæk 1997, s. 54f.).

[56] Indberetningen er ikke lokaliseret.

daß diejenigen, die sich auf Sabotage einließen, sich selbst aus der Volksgemeinschaft ausschlössen. Die dänische Sprache besitze kein Wort, das den Begriff Sabotage decke. Solche Handlungen und diejenigen, die sie ausführten, müßten durch einen importierten undänischen Eindruck charakterisiert werden. Es wäre glücklich für Dänemark, wenn es sich von diesen Erscheinungen, die hier im Lande kein Heimatrecht hätten, befreien könnte.

"Nationaltidende" unterstreicht, daß es allein dem Staatsminister und dem deutschen Entgegenkommen gegenüber Dänemark zu verdanken sei, daß das Todesurteil nicht vollstreckt worden wäre. Saboteure könnten die dänischen Interessen nur in Gefahr bringen und Dänemark selbst müsse die durch Sabotagehandlungen entstandenen Schäden mit entsprechenden Gegenwerten ersetzen. König, Regierung und Gesetzgebung hätten dem dänischen Volk den Platz angewiesen, den es in schwerer Zeit einzunehmen habe. Das Gesetz des Königs müsse befolgt werden.

"Sabotage-Handlungen sind völlig unvereinbar mit der Haltung, die die dänische Bevölkerung im großen und ganzen während der Besetzung eingenommen hat," betont "Socialdemokraten" und unterstreicht, daß die Sabotagehandlungen nur von ganz kleinen Kreisen ausgeführt würden. Das dänische Volk habe erkannt, daß eine korrekte und besonnene Haltung die erste Bedingung für die Aufrechterhaltung des Kurses sei, der am 9. April 40 eingeschlagen wurde.

Auch die dänische Provinzpresse lehnt die Sabotagehandlungen kategorisch ab und fordert das dänische Volk mit eindringlichen Worten zur Ruhe und Besonnenheit auf, da heute teure dänische Interessen auf dem Spiele stünden. Die bekannte Provinzzeitung "Demokraten" in Aarhus bezeichnet die Saboteure als Phantasten, deren Handlungen nur dazu beitragen könnten, ihren eigenen Landsleuten Schaden zuzufügen. Andere Provinzzeitungen erinnern an das Gebot des Königs und betonen, daß es tief bedauerlich sei, wenn die Handlungen unbesonnener Elemente die dänische Rechtsgrundlage in Gefahr bringen sollten.

Dr. Best

28. Werner Best an das Auswärtige Amt 11. Mai 1943
Med baggrund i et angivelig politimæssigt gennembrud over for fem af de farligste sabotagegrupper bad Best om yderligere 15 erfarne politiembedsmænd til den fortsatte sabotagebekæmpelse.
  Han rykkede for svar med telegram nr. 704, 9. juni og fik det af Wagner 12. juni 1943.
  Kilde: PA/AA R 101.040. RA, pk. 229 og 438a. LAK, Best-sagen (afskrift).

Telegramm

Kopenhagen den	11. Mai 1943	16.55 Uhr
Ankunft, den	11. Mai 1943	17.50 Uhr

Nr. 553 vom 11.5.[43.]   Citissime!

Im Anschluß an meinen Drahtbericht Nr. 326[57] vom 23.3.43.
Auf Grund der gemeinsamen Arbeit der mir zugeteilten Beamten des Reichssicherheitshauptamtes der dänischen Polizei und der hiesigen Abwehrstelle ist in den letzten Tagen ein entscheidender Einbruch in die Sabotagegruppe erfolgt. Aus fünf der gefährlichsten Gruppen sind insgesamt 34 Saboteure festgenommen worden. Sie befinden sich zum kleineren Teil in dänischer, zum größeren in deutscher Haft. Weitere Verhaftungen stehen unmittelbar bevor.[58] Es kommt jetzt alles darauf an die Vernehmungen und die weiteren Ermittlungen in intensivster Form und mit größter Beschleunigung vorzunehmen, um den erreichten Erfolg auszubauen und die erfaßten Saboteurgruppen endgültig zu zerschlagen. Der mir für ganz Dänemark zur Verfügung stehende kleine Stab von Beamten der Sicherheitspolizei – 30 Beamte – reicht nicht aus um diese Aufgabe zu erfüllen. Ich bitte deshalb dringend, mit dem Reichssicherheitshauptamt in Verbindung zu treten, um die Zuweisung von weiteren 15 erfahrenen Beamten, am besten von Kriminalsekretären oder Oberassistenten der Staatspolizei oder der Kriminalpolizei, zu erreichen. Wenn möglich, bitte ich die Entsendung der Beamten so zu beschleunigen, daß sie noch im Laufe dieser Woche hier eintreffen.

gez. **Dr. Best**

29. Horst Wagner an Werner Best 11. Mai 1943

Best havde 11. maj bedt om yderligere 15 politifolk, og inden svaret herpå forelå (12. juni), fik han samme dag meddelelsen om, at Hermann Seibold ville blive tilforordnet, hvis Best ville acceptere ham.

Det gjorde Best med en enkelt linje 13. maj (dette telegram er ikke medtaget). Seibolds overførsel havde næppe noget med ønsket om tilførslen af kriminalfolk i øvrigt at gøre. Seibold havde andre opgaver.

Område VI i RSHA tog sig af efterretningsopgaver i udlandet, og det var med det formål, at Seibold kom til Danmark. Han er blevet betegnet som Hans Wäsches afløser (Nørgaard 1986, s. 63), selv om Wäsche fortsatte sin løbebane på Dagmarhus. Seibold kom til Danmark senest 1. juni, og trådte straks i forbindelse med det tyske agentnet i Danmark, herunder folk som den tyske redaktør Horst Gilbert (Skandinavisk Telegrambureau) og politifuldmægtig Vilhelm Leifer. Hans løbebane sluttede imidlertid 29. januar 1944, da han blev søgt likvideret af Bent Faurschou-Hviid (Flammen) fra modstandsgruppen Holger Danske. Hårdt såret forlod Seibold Danmark og blev afløst af Helmut Daufeldt.[59] Fra tysk side blev attentatet ikke slået stort op, der kendes heller ikke noget telegram fra Best derom. I stedet valgte besættelsesmagten at sætte soneforanstaltninger i gang over for København to dage efter i anledning af, at en tysk marineofficer blev såret (Bests telegram nr. 118, 31. januar 1944). Rimeligvis skulle Seibolds rolle og betydning skjules. Efter krigen har der været divergerende forklaringer på årsagen til attentatet på Seibold. Det var helt usædvanligt at forøve attentater på tyske officerer. Den ene forklaring er, at Seibold var blevet en trussel for den danske modstandsbevægelse, fordi han vidste for meget. Den anden er, at Leifer ønskede ham likvideret,

---

57 bei Dtschl. Trykt ovenfor.
58 Det drejer sig sandsynligvis om politiets afsløring af en distributionscentral for *Frit Danmark*, arrestationen 26. marts af en faldskærmsagent (Adolf Lassen) med påfølgende arrestation af nogle sabotører i Lyngby samt en ekspedient i Valby, Knud Aage Nielsen, der opbevarede våben, ammunition og sprængstof. Han førte politiet til endnu en personkreds, der blev anholdt (Brøndsted/Gedde, 1, 1946, s. 458, Hæstrup 1954, s. 205f., Birkelund/Dethlefsen 1986, s. 50f.).
59 Seibold kom siden til Danmark igen. Han besøgte Best 24. august og 16. september 1944, men Best forklarede efter krigen, at han ikke vidste, at Seibold rejste i sin egenskab af terrorekspert (Bests forklaring august 1945 (HSB, Interrogation Report CI-PIR/115, 14 May 1946)).

fordi han vidste for meget om Leifers dobbeltspil. Det sidste blev Leifer frikendt for i 1949 (Bests kalenderoptegnelser 1. juni 1943, KB, Bergstrøms dagbog 29. januar 1944 (øjenvidneskildring), *Information* 30.-31.1.1944, 4.-5.2.1944, 10. og 11.2.1944, Johannsen 1949, Leifer 1983, Nørgaard 1986, Øvig Knudsen 2001, s. 194, Stevnsborg i *Gads leksikon Hvem var hvem 1940-1945*, 2005, Stevnsborg 2007).
Kilde: PA/AA R 100.757.

Telegramm

Berlin, den   11. Mai 1943
Diplogerma Kopenhagen
Nr. 652
Referent: VK Geiger

Betr: Abordnung eines Beamten des Amtes VI des RSHA nach Kopenhagen.

Reichssicherheitshauptamt – Amt VI – beantragt Abordnung des SS-Hauptsturmführers Hermann Seibold, geb. 6.12.1911 Tübingen, zu dortiger Dienststelle.
Erbitte Drahtbericht, ob beantragter Abordnung zugestimmt wird.

Wagner

Vermerk: die Bezahlung Seibolds erfolgt durch das RSHA, insofern entstehen dem AA durch die Abordnung keinerlei Kosten.

30. Werner Best an das Auswärtige Amt 11. Mai 1943
Statsminister Erik Scavenius havde søgt Bests råd vedrørende Laurits Hansens forbliven som socialminister, eller om Hansen skulle træde tilbage for igen at blive fagforeningsformand. Best berettede om det råd, han havde givet. Laurits Hansen var en god mand for den tyske politik.
Laurits Hansen forblev som socialminister, som det fremgår af Bests telegram nr. 574, 13. maj 1943, trykt nedenfor, hvor han også vurderede de politiske implikationer.
Kilde: PA/AA R 29.566. PKB, 13, nr. 402.

Telegramm

Kopenhagen, den   11. Mai 1943   22.20 Uhr
Ankunft   11. Mai 1943   23.00 Uhr

Nr. 556 vom 11.5.[43.]

Der Staatsminister von Scavenius hat mir heute mitgeteilt, der Sozialminister Laurits Hansen habe ihn heute unterrichtet, daß er sich bis zum 14.5.43 entscheiden müsse, ob er in seine frühere Stellung als Vorsitzender der vereinigten dänischen Gewerkschaften zurückkehren wolle oder nicht. Wenn er sich zur Rückkehr in jene Stellung entschließe, müsse er sein Ministeramt niederlegen. Wenn er Minister bleiben wolle, müsse er endgültig auf die Führung der Gewerkschaften verzichten. Der Staatsminister bat mich um meine Stellungnahme, welchen Rat er dem Minister Hansen geben solle.

Ich habe ohne Zögern erklärt, daß es selbstverständlich im dänischen wie im deutschen Interesse liege, daß der durch gesunden Menschenverstand und durch seine positive Einstellung zum dänisch-deutschen Verhältnis ausgezeichnete Laurits Hansen die einflußreiche Stellung des Führers der dänischen Gewerkschaften behalte. Daß er das bei der Regierungsbildung im November für ihn künstlich geschaffene, praktisch bedeutungslose Sozialministerium abgebe, habe nach der Stabilisierung der Regierung Scavenius nichts mehr zu sagen. Andererseits sei es auch sachlich und politisch unerwünscht, daß die einflußreiche Stellung des Gewerkschaftsführers endgültig bei dem jetzigen Vertreter Hansens Eiler Jensen bleibe, der sich nach Urteil vieler Sachkenner seiner Aufgabe nicht gewachsen gezeigt habe.

Der Staatsminister erwiderte, daß er meine Auffassung durchaus teile und den Minister Hansen in diesem Sinne beraten werde. Hinsichtlich des Sozialministeriums meinte der Staatsminister, daß dieses am besten – wie vor der Regierungsbildung – wieder mit dem Arbeitsministerium vereinigt werde, wofür er jedenfalls sich einsetzen wolle. Ich stimmte dieser Auffassung zu, da ich diese Lösung für sachlich richtig und im Hinblick auf die vernünftige und deutschfreundliche Haltung des Arbeitsministers Kjärböl auch politisch für erwünscht halte.

            Dr. Best

31. Rudolf Brandt an Werner Lorenz 12. Mai 1943

Brandt orienterede om at den overenskomst, der var opnået mellem det tyske mindretal og Auslandsorganisation der NSDAP om opdeling og afgrænsning af deres arbejde i Danmark, havde vundet RFSS' bifald (Thomsen 1971, s. 108).
 Best tog over for AA stilling til aftalen 20. juli 1943.
 Kilde: IfZG, MA 284/2.520.927. RA, Danica 1069, sp. 6, nr. 7083.

Der Reichsführer-SS   *Feld-Kommandostelle 12. Mai 1943*
Persönlicher Stab
Agb. Nr. 130/88/43
Bra/Dr.

SS-Obergruppenführer Lorenz
Leiter der Volksdeutschen Mittelstelle
 Berlin

Betr.: Abkommen zwischen der deutschen Volksgruppe in Nordschleswig und der AO der NSDAP über die Abgrenzung der Arbeit in Dänemark.
Bezug: Durch Erlaß v. 28.4.43[60] – Akt. Sch. IX/16/21/ Dr. Si/sa.

---

60 Trykt ovenfor.

Lieber Obergruppenführer!
Ich habe dem Reichsführer-SS davon Kenntnis gegeben, daß zwischen der Deutschen Volksgruppe in Nordschleswig und der Auslandsorganisation der NSDAP über die Abgrenzung der Arbeit in Dänemark ein Abkommen getroffen worden ist. Der Reichsführer-SS gibt sehr gern zu dieser Vereinbarung seine Zustimmung.
Heil Hitler!
Brandt
SS-Obersturmbannführer

32. Werner Best an das Auswärtige Amt 12. Mai 1943
Best meddelte, at den danske regering var villig til at yde erstatning in natura for ødelæggelser forvoldt mod værnemagten gennem sabotage. Anmodninger om erstatning skulle gå gennem Best.
Se Albrecht til Best 29. april og Best til AA 19. og 29. maj 1943 samt *Politische Informationen* 1. februar 1945, afsnit III.2.
Kilde: PA/AA R 29.566. RA, pk. 202. LAK, Best-sagen (afskrift).

Telegramm

Kopenhagen, den	12. Mai 1943	09.55 Uhr
Ankunft, den	12. Mai 1943	10.30 Uhr

Nr. 563 vom 12.5.43.

Der Befehlshaber der deutschen Truppen in Dänemark hatte am 30.3.43 an die dänische Regierung die Forderung gestellt, daß alles durch Sabotage zerstörte Wehrmachtsgut von der dänischen Regierung in natura ersetzt werde. Der dänische Staatsminister hat nunmehr mir (nicht dem Befehlshaber) mitgeteilt daß die dänische Regierung den geforderten Ersatz leisten werde und zwar in Sachwerten, soweit im Lande vorhanden. Die dänische Regierung hat zur Regelung der Ersatzfälle einen Ausschuß eingesetzt, der aus Vertretern des Außenministeriums, der Finanzministerium und des Handelsministeriums besteht.

Ich habe den Befehlshaber der deutschen Truppen in Dänemark von dieser Mitteilung des dänischen Staatsministers benachrichtigt und ihn gebeten, mir alle Ersatzforderungen zur Anmeldung bei der dänischen Regierung mitzuteilen, da ich unter den Gesichtspunkten der Rohstoffbewirtschaftung und des Rohstoffersatzes an den von der dänischen Regierung auf zubringenden Naturalleistungen interessiert sei.

Der dänische Staatsminister hat in seinem Schreiben übrigens erwähnt, daß seit dem 30.3.43 von dem Befehlshaber der deutschen Truppen nur ein einziger Ersatzanspruch (wegen durch Brand eines HKP am 13.3.43 zerstörter Kraftfahrzeuge) gestellt worden sei.

Dr. Best

33. Werner Best an das Auswärtige Amt 12. Mai 1943
Best meddelte AA, at han havde været i den første audiens hos Christian 10. og havde fået det indtryk, at der var lagt gode viljer og ønsker for dagen.
Kilde: PA/AA R 29.566. ADAP/E, 6, nr. 30. Best 1988, s. 266-267.

Telegramm

Kopenhagen, den	12. Mai 1943	19.35 Uhr
Ankunft, den	12. Mai 1943	20.00 Uhr

Nr. 570 vom 12.5.43.

Unter Bezugnahme auf den Drahterlaß Nr. 163 vom 31.1.43 berichte ich, daß ich heute auf Grund einer gestern mir zugegangenen Einladung meinen ersten Besuch bei dem König gemacht habe. In der Besprechung, der der Kronprinz beiwohnte, sprach der König sein Bedauern darüber aus, daß er mich nicht früher habe kennenlernen können, da sein Gesundheitszustand dies nicht zugelassen habe. Nun aber hätten die Ärzte ihm wieder jede Tätigkeit erlaubt, worauf er vor allem das Bedürfnis gehabt habe, mit mir in Fühlung zu kommen.

Der König erzählte mir ausführlich seine Krankheitsgeschichte und erklärte dann, er fühle sich nun endlich wieder in der Lage, seine verfassungsmäßigen Funktionen auszuüben. Dies wolle er mir als Erstem mitteilen, damit ich den Führer davon unterrichten könne. (Der König gebrauchte mehrfach die Bezeichnung "der Führer" in einer Weise, die zeigte, wie geläufig sie ihm ist.) Er wolle in den nächsten Tagen wieder zu arbeiten beginnen, damit er am 14. Mai, dem 31. Jahrestag seines Regierungsantritts, nicht als untätiger kranker Mann dasitze.

Im weiteren Gespräch drückte der König seine Dankbarkeit dafür aus, daß im letzten halben Jahr die Verhältnisse in Dänemark sich trotz der schwierigen Situation so günstig entwickelt hätten.

Am Ende der Unterhaltung, die eine Viertelstunde dauerte und keine konkreten Fragen berührte, sprach der König die Hoffnung aus, mich öfter zu sehen.

Der König machte einen für seine 72 Jahre und die überstandene Krankheit verhältnismäßig frischen Eindruck und zeigte – ebenso wie auch der Kronprinz – das deutliche Bestreben, guten Willen und den Wunsch nach enger Fühlung an den Tag zu legen.

Dr. Best

34. Walter Forstmann an den Bevollmächtigten des Reiches in Dänemark 12. Mai 1943
Forstmann redegjorde for det problem, at det tog flere år før firmaer, der havde været udsat for sabotage, fik erstatningen udbetalt. Han foreslog i stedet en øjeblikkelig udbetaling af forsikringssummen, idet der blev tilbudt afregning for det anslåede rentetab, som forsikringsselskaberne derved led.
Svaret på henvendelsen fremgår af Rüstungsstabs notat 19. maj 1943, trykt nedenfor.
Kilde: BArch, Freiburg, RW 27/8. KTB/Rü Stab 2. Vierteljahr 1943, Anlage 7.

Rüstungsstab Dänemark   Anlage 7
Abt. Wwi   *12. Mai 1943*

Bezug: dort. Schreiben III-1302/43 v. 20.3.43
Betr.:   Sachversicherung bei Sabotageschäden im Rahmen der Kriegsversicherung.

An den Bevollmächtigten des Reiches in Dänemark
    Hauptabteilung III – Wirtschaft
    z.Hd. v. Herrn Min. Rat Dr. Wunder
    Kopenhagen
    Dagmarhus

Die Praxis bei der Behandlung von Sabotagefällen durch die Feuerversicherungsgesellschaften bezw. durch die Kriegsversicherung hat ergeben, daß die geschädigten Firmen nach der Feststellung des Schadens nicht die Versicherungssumme innerhalb einer annehmbaren Zeit erhalten, sondern lediglich die Mitteilung bekommen, daß sie mit der Auszahlung der Summe nach 2 Jahren (1945) rechnen können. Finanziell gut gestellte Firmen können diese Wartezeit überstehen, schwächere dagegen nicht, sie können sogar dabei Bankerott gehen.

Es liegt daher im Interesse der Auftragsverlagerung nach Dänemark, daß hier eingegriffen und versucht wird, eine sehr viel frühere Auszahlung der Versicherungssumme zu erreichen.

Rü Stab Dänemark schlägt vor, bei der dänischen Regierung den Vermittlungsvorschlag zu machen, daß, wenn eine sofortige Auszahlung der Versicherungssumme nicht ohne weiteres möglich ist, die Kriegsversicherung veranlaßt wird, in jedem Falle eine sofortige Auszahlung der Entschädigungssumme unter Anrechnung einer angemessenen Zinsvergütung für die zwei Jahre anzubieten.

Die Bearbeitung dieser Angelegenheit ist, da sie bereits weitere Kreise gezogen hat, sehr dringend geworden. Es wird daher um baldmögliche Stellungnahme gebeten.

                         gez. **Dr. Forstmann**
                            Kapitän z. See

35. Werner Best an das Auswärtige Amt 13. Mai 1943

Best indberettede om von Hannekens fremfærd overfor den danske hær, bl.a. at han skulle have krævet mindst én dansk division til indsats på østfronten. For at forebygge hvad der måtte komme fra anden side, påpegede Best, at det danske forsvarsministerium gjorde hvad det kunne for at lette vilkårene for danske officerer, der ville melde sig til tysk krigstjeneste. Lettelsen kom til at bestå i, at de hjemvendte frivillige kunne genindtræde som danske officerer med alle rettigheder (Roslyng-Jensen 1980, s. 141).

    Kilde: PA/AA R 29.566. LAK, Best-sagen (afskrift). ADAP/E, 6, nr. 33.

                         T e l e g r a m m

Kopenhagen, den   13. Mai 1943   13.40 Uhr
Ankunft, den   13. Mai 1943   14.45 Uhr

Nr. 574 vom 13.5.[43.]

Im Anschluß an Telegramm vom 8. Nr. 540[61] berichte ich folgendes:
Der General von Hanneken hat mir in den letzten Tagen mitgeteilt, der dänische Generalstabschef Rolsted habe ihm erklärt, daß kein einziger dänischer Offizier sich freiwillig zum Frontdienst in der deutschen Wehrmacht melden werde. Zur gleichen Zeit hat mir der Staatsminister Scavenius mitgeteilt, der General von Hanneken habe den General Rolsted – wie dieser dem Staatsminister berichtet habe – aufgefordert, eine dänische Division an die Ostfront zu senden; dies habe der General Rolsted im Hinblick auf die politische Bedeutung einer solchen Maßnahme abgelehnt.

Es lohnt sich nicht eine Aufklärung dieses Widerspruchs zu versuchen, da bei dem gespannten Verhältnis zwischen General von Hanneken und General Rolsted jeder auf seiner Aussage beharren würde. Ich muß aber in diesem Falle der dänischen Aussage Glauben schenken, da ich selbst öfter gehört habe, wie der General von Hanneken vor verschiedenen Kreisen die Forderung aufstellte, daß mindestens eine dänische Division an die Ostfront geschickt werden solle.

Solche Äußerungen des Generals von Hanneken, die über militärische Fragen hinaus die ganze außenpolitische Stellung Dänemarks berühren, sind ebensowenig zu einer positiven Beeinflussung des dänischen Heeres geeignet wie die Äußerung "die scheißdänische Wehrmacht müsse endlich aufgelöst werden," die von Hanneken erst am 9. Mai 1943 wieder einmal vor einem größeren (deutschen) Kreise in meiner Gegenwart getan hat.

Ich berichte dies nur vorsorglich für den Fall, daß der General von Hanneken auf seinem Dienstwege berichten sollte, das dänische Heer weigert sich, Offiziere zur deutschen Wehrmacht freizugeben. Das Gegenteil ist richtig. Das Verteidigungsministerium wird in den nächsten Tagen neue Anordnungen erlassen, die die Beurlaubung dänischer Offiziere zur deutschen Wehrmacht erleichtern. Der Staatsminister hat mir zugesagt, für eine positive Beeinflussung des Offizierskorps sorgen zu wollen. Ich selbst habe schließlich zu dänischen Offizierskreisen Verbindung aufgenommen, die voraussichtlich zur freiwilligen Meldung einer Reihe von Offizieren führen wird.
            Dr. Best

36. Werner Best an das Auswärtige Amt 13. Mai 1943
Best meddelte, at statsminister Erik Scavenius havde orienteret ham om, at socialminister Laurits Hansen forblev på sin ministerpost. Best vurderede det som en fordel for tyske interesser.
 Kilde: PA/AA R 29.566. PKB, 13, nr. 403.

Telegramm

Kopenhagen, den	13. Mai 1943	11.00 Uhr
Ankunft, den	13. Mai 1943	11.45 Uhr

---
61 Trykt ovenfor.

Nr. 575 vom 13.5.43.

Im Anschluß an meinen Drahtbericht Nr. 556[62] vom 11.5.1943 berichte ich, daß der Staatsminister von Scavenius mir heute mitgeteilt hat, daß der Sozialminister Laurits Hansen sich nunmehr doch entschlossen habe, Minister zu bleiben und nicht aus der Regierung auszuscheiden. Diese Entschließung ist nach der Mitteilung des Staatsministers auf die Stellungnahme der sozialdemokratischen Partei zurückzuführen, die das Ausscheiden des Ministers Hansen aus der Regierung nicht wünsche (offenbar deshalb, weil die Partei ihre 3 Minister in der Regierung behalten und deshalb nicht die von ihrem eigenen Arbeitsminister Kjärböl erstrebte Zusammenlegung des Sozialministeriums mit dem Arbeitsministerium akut werden lassen möchte).

Diese Lösung hat den Vorteil, daß nicht von feindlicher Seite dem Ausscheiden des Ministers Hansen aus der Regierung unrichtige politische Deutungen gegeben werden können. Der Einfluß des Ministers Hansen auf die dänischen Arbeiter wird, da nunmehr wohl Eiler Jensen endgültig Vorsitzender der Gewerkschaften werden wird, künftig in anderen Formen – insbesondere durch Rednertätigkeit des als Redner sehr beliebten Ministers – ausgeübt werden. Laurits Hansen kann, nachdem er sich für die Tätigkeit als Politiker und Minister entschieden hat, vielleicht allmählich zum politischen Führer der sozialdemokratischen Partei heranwachsen, die seit der 20-jährigen unbestrittenen Führerstellung Staunings an eine solche Führung gewöhnt ist und noch keinen Ersatz für Stauning gefunden hat. Diese Entwicklung ist im Hinblick auf die zuverlässige deutsch-freundliche Einstellung Hansens vom deutschen Standpunkt zu begrüßen und zu fördern.

Dr. Best

37. Horst Wagner an Ernst Kaltenbrunner 13. Mai 1943

Wagner videresendte til RSHA Bests ønske fra 11. maj om at få tilført 15 erfarne kriminalbetjente, idet AA på det varmeste anbefalede det og ønskede en hurtig afgørelse.
   Best fik svar af Wagner 12. juni 1943.
   Kilde: RA, pk. 229 (gennemslag).

Inl. II 1261 g *13. Mai [194]3.*

Schnellbrief

An den Chef der Sicherheitspolizei und des SD – Amt IV C 2 –
SS-Gruppenführer und Generalleutnant der Polizei
Dr. Kaltenbrunner
  Berlin SW 11
  Prinz-Albrecht-Str. 8

---

62 Pol VI. Trykt ovenfor.

Mit Beziehung auf die bereits stattgefundenen Besprechungen.

Von dem Bevollmächtigten des Reiche in Kopenhagen ist am 11. d.M. nachstehende Telegramm eingegangen:
[Her henvises til telegram nr. 553, 11. maj 1943]
Das Auswärtige Amt befürwortet die Bitte des Bevollmächtigten des Reichs in Kopenhagen aufs wärmste und bittet im Hinblick auf die in dem Telegramm besonders betonte Dringlichkeit der Abstellung der in Frage stehenden Kriminalbeamten um möglichst baldige weitere Veranlassung und um Mitteilung der dortigen Entscheidung zwecks Unterrichtung des Bevollmächtigten.

Im Auftrag
gez. **Wagner**

38. Eberhard von Thadden an Horst Wagner 13. Mai 1943

Von Thadden orienterede Wagner om, at Ribbentrop havde besluttet, at Bests beretning af 24. april om jødespørgsmålet i Danmark skulle tages op igen om 4 uger.
Kilde: PA/AA R 100.864. Best 1988, s. 281 (faksimile). Lauridsen 2008a, nr. 84.

Büro RAM   zu Inl. II 1142 g

Über St.S LR Wagner vorgelegt:
Der Herr RAM hat zu dem Bericht Kopenhagen vom 24.4.43 eine Wiedervorlage in 4 Wochen angeordnet.
Fuschl, den 13. Mai 1943.

39. Werner Best an das Auswärtige Amt 14. Mai 1943

Best bad om hurtigst muligt at modtage to justitsembedsmænd, gerne med danskkundskaber, for at deltage i retsforfølgelsen af danskere, der forbrød sig mod værnemagten.
Svaret er ikke lokaliseret.
Kilde: PA/AA R 46.371. RA, pk. 285.

Abschrift Pers. H 4220

F e r n s c h r e i b e n
aus Kopenhagen

Nr. 580 vom 14. Mai 1943.

Betrifft: Ausübung der Wehrmachtsgerichtsbarkeit in Dänemark gegen Personen nichtdeutscher Staatsangehörigkeit.

Im Anschluß an Schriftbericht vom 17.2.1943[63] – II A 42/43 –

---

63 Trykt ovenfor.

Das Oberkommando der Wehrmacht hat den Erlaß, dessen Entwurf ich mit dem angeführten Bericht übermittelt hatte, unter dem 28.1.1943 herausgegeben.

Nach § 2 Abs. 3 des Erlasses wird der Befehlshaber der deutschen Truppen diejenigen Straffälle, die nicht unter § 2 Abs. 1 fallen, regelmäßig an mich zur Entscheidung über die weitere Strafverfolgung abgeben. Meine Aufgabe wird es sein, in diesen Fällen die Strafverfolgung durch die dänische Polizei und die dänischen Gerichte einzuleiten und die ordnungsmäßige Durchführung der dänischen Verfahren zu überwachen. Es wird sich voraussichtlich um etwa 2.000 Verfahren im Jahre handeln.

Diese Aufgabe bedingt die Bildung eines besonderen neuen Referats, das von einem höheren Beamten zu leiten und mit zwei fachlich ausgebildeten mittleren Beamten und zwei Hilfskräften zu besetzen wäre. Der höhere Beamte und die beiden Hilfskräfte können notfalls durch Umgruppierung innerhalb meiner Behörde herangezogen werden. Es ist aber unumgänglich, daß mir die zwei fachlich vorgebildeten mittleren Beamten von dort neu zugewiesen werden. Am geeignetsten wären zwei Justizinspektoren aus dem Bereich der Reichsjustizverwaltung, die die dänische Sprache wenigstens in ihren Grundzügen beherrschen müßten.

Es ist meines Erachtens von grundsätzlicher Bedeutung, daß die genannte Aufgabe, die bisher beim hiesigen Kriegsgericht lag, in Verfolg des mit dem OKW vereinbarten Erlasses vom 28.1. nun auch tatsächlich von mir übernommen wird. Ich bitte deshalb, mir diese Übernahme durch möglichst baldige Zuweisung der zwei Justizbeamten zu ermöglichen.

gez. **Dr. Best**

40. Werner Best an das Auswärtige Amt 14. Mai 1943

For at lette det anstrengte forhold mellem general von Hanneken og den danske generalmajor Hans Rolsted havde Best foreslået oprettelse af en særlig forbindelsesstab og fået det accepteret af von Hanneken. Best håbede i det mindste, at det ville mindske vanskelighederne og stillede en indberetning derom i udsigt.

Trods Bests intervention ønskede von Hanneken fortsat at komme helt af med Rolsted, se Bests telegram nr. 670, 2. juni 1943 (Roslyng-Jensen 1980, s. 142).

Kilde: PA/AA R 29.566. RA, pk. 202.

T e l e g r a m m

Kopenhagen, den	14. Mai 1943	09.35 Uhr
Ankunft, den	14. Mai 1943	10.10 Uhr

Nr. 581 vom 14.5.[43.]

Im Anschluß an Telegr. vom 13. Nr. 574[64] berichte ich, daß im Laufe des gestrigen Tages eine Besprechung zwischen dem General von Hanneken und mir über den Fragenkomplex des dänischen Heeres stattgefunden hat, in der der General von Hanneken

---

64 Pol I M. Trykt ovenfor.

sich wiederum sehr über den bösen Willen des Generals Rolsted beschwerte. Da sich aus seiner Darstellung ergab, daß das Verhältnis zwischen ihm und dem General Rolsted offenbar hoffnungslos festgefahren ist, habe ich den Vorschlag gemacht, der dänischen Regierung nahezulegen, einen besonderen Verbindungsstab des dänischen Heeres zum deutschen Befehlshaber zu schaffen. Der General von Hanneken begrüßte diesen Vorschlag und bat mich, mit dem Staatsminister in diesem Sinne zu sprechen.

Da auf diesem Weg vielleicht eine Lösung oder wenigstens eine Milderung der bestehenden Schwierigkeiten herbeigeführt werden kann, bitte ich, aus meinem Drahtbericht Nr. 574 vom 13. Mai 1943 keinerlei Folgerungen zu ziehen.[65] Über den Fortgang meiner Bemühungen und die erwähnte Lösung werde ich weiter berichten.

Dr. Best

41. Werner Best an das Auswärtige Amt 14. Mai 1943

Best meddelte, at politibataljon "Cholm" var ankommet til København.[66]

Da de i september 1943 ankommende 2 politibataljoner (Polizeibataillon Danmark og Polizeibataillon 15) var på henholdsvis 402 og 518 mand, kan det antages, at "Cholm" var af en tilsvarende størrelse (BArch R 70, Dänemark 6, KTB/BdO. Jfr. Kreth/Mogensen 1995, s. 23). I anledning af politibataljonens ankomst lod Best afholde en kammeratskabsaften med deltagelse af bataljonens officerer og lederne af de tre SS-tjenestesteder i Danmark (Bests kalenderoptegnelser 14.5.1943, Der Fürsorgeoffizier der Waffen-SS in Dänemark: Tätigkeitsbericht für das Monat Mai 1943, 8. juni 1943 (der tillige – korrekt – bemærkede, at politibataljonen udelukkende stod til Bests rådighed,[67] og Best omtalte den selv i kalenderoptegnelserne som "rådighedsbataljon") (RA, Danica 465, Moskva: Osobyj Archiv, 1372/3/135/8)). Politibataljon "Cholm" forblev i Danmark til slutningen af februar 1944 (Bests kalenderoptegnelser 21. februar 1944), selv om det i sommeren 1943 var planen at opstille en ny vagtbataljon "Dänemark" til afløsning af "Cholm" (BArch, R19/164).

Kilde: PA/AA R 100.758. RA, pk. 229 og 233. Lauridsen 2008a, nr. 85.

DG Kopenhagen Nr. 91 14.5 18:35

Auswärtig Berlin = Nr. 590 vom 14. Mai 1943

Auf Schrifterlaß vom 30. April 1943 – Inl. II 1090 G – berichte ich, daß das Bataillon am 13. Mai 43 in Kopenhagen eingetroffen ist.

Dr. Best

42. Heinrich Himmler an Werner Best 14. Mai 1943

Himmler takkede Best for den første halvårsberetning om udviklingen i Danmark (trykt ovenfor 5. maj 1943) og udtalte sin anerkendelse. Samtidig stillede han et privat besøg i Danmark i udsigt.

Besøget kom aldrig i stand, men Himmler havde udtrykt sin gode vilje (Yahil 1967, s. 115, Herbert 1996, s. 613 n. 56).

---

65 Trykt ovenfor.
66 Se Ribbentrop til Best 6. april 1943.
67 Det gjorde tillige WB Dänemark i aktivitetsberetningen 31. maj 1943.

Kilde: RA, Danica 1000, T-175, sp. 119, nr. 2.645.190. RA, Danica 1069, sp. 6, nr. 7233f. RA, pk. 443 (i alle kilder med håndskrevne tilføjelser, bl.a. er "Herzlich" tilføjet af Himmler selv. Nederst på dokumentet er med håndskrift tilføjet: "der Bericht muß bei uns im pers. Stab abgelegt werden").

Feld-Kommandostelle, 14. Mai 1943

Geheim

SS-Gruppenführer Dr. Werner Best
Bevollmächtigter des Reiches in Dänemark,
   Kopenhagen.

Lieber Best!
Ich habe Ihren Brief vom 5.5.1943 erhalten. Für die Zusendung des Halbjahresberichtes danke ich Ihnen sehr. Ich kann Ihnen für die zweifellos vorhandenen Erfolge Ihrer Tätigkeit in diesem ersten halben Jahr nur meine Glückwünsche und meine Anerkennung aussprechen.

Es wird Sie sicherlich freuen zu hören, daß das Verhältnis zwischen dem Reichsaußenminister und mir, sowie auch zwischen seinem Ministerium und meinen Dienststellen nunmehr ein ausgezeichnetes ist.

Ich habe bei dem Reichsaußenminister angeregt, daß Sie mich in der nächsten Zeit einmal besuchen.[68] Ebenso habe ich vor, einmal im Laufe dieses Jahres für ein paar Tage privat nach Dänemark zu kommen, das ich praktisch nicht kenne. Ich war nur ein einziges Mal für ein paar Stunden in Kopenhagen.[69]

Meinen Besuch stelle ich mir in keiner Weise irgendwie offiziell vor sondern völlig harmlos wie bei meinen Fahrten in den vergangenen Jahren, die Sie ja kennen. Ich werde vielleicht sogar teilweise in Zivil durch Dänemark fahren, um einen Überblick über Land und Leute zu erhalten.

   Freundliche Grüße und Heil Hitler!
   Herzlich Ihr
   HH

43. Politische Informationen für die deutschen Dienststellen in Dänemark 15. Mai 1943

Der var en relativ stabil situation i Danmark, så den rigsbefuldmægtigede benyttede en 14-dages oversigt til at orientere om en række politiske forhold af rent oplysende karakter, bortset fra beskeden om at der blev indført meldepligt for tyske rejsende til Danmark. Den svenske presse blev citeret på en måde, så det stod klart i hvor høj grad den overdrev situationens alvor i Danmark. For Best var det afgørende at få pointeret, at der var "vindstille" i Danmark.
   Kilde: RA, Centralkartoteket, pk. 680.

---

68 Ribbentrop gav sin tilladelse til besøget, der fandt sted i begyndelsen af juli, og hvis anledning bl.a. var jødespørgsmålet i Danmark og Schalburgkorpset (se telegrammet 7. juli 1943).
69 Under sine tidligere besøg i Danmark i 1941 nåede Himmler ikke videre end til Kastrup lufthavn og Københavns centrum (Poulsen 1970, s. 284).

Der Bevollmächtigte des Reiches in Dänemark   *Kopenhagen, den 15. Mai 1943*

Politische Informationen
für die deutschen Dienststellen in Dänemark.

Betr.: I. Die Wahl auf den Färöern.
   II. Die Loslösung Islands von Dänemark.
   III. Aufgabe dänischer Sonderrechte in China.
   IV. Meldepflicht der nach Dänemark reisenden Reichsdeutschen.
   V. Die Kommunalwahl 1943 in Dänemark.
   VI. Die Schwedische Presse.

I. Die Wahl auf den Färöern
Bei der am 3.5.43 auf den Färöern durchgeführten Wahl zum dänischen Folketing wurde Thorstein Petersen, der Spitzenkandidat der Separatistenpartei "Folkeflok", mit 3.452 Stimmen zum Abgeordneten für die Färöer in das Folketing gewählt. Thorstein Petersen befindet sich auf den Färöern und wird sein Mandat ebensowenig ausüben können wie sein Vorgänger. Wenn auch die Separatisten das Mandat erobert haben, so verfügen doch die Zusammenarbeitspartei und die Sozialdemokraten, die beide für die Zugehörigkeit zu Dänemark eintreten, zusammen über die Mehrheit – nämlich 3.693 – der abgegebenen Stimmen.

II. Die Loslösung Islands von Dänemark
Der von dem isländischen Verfassungsausschuß eingebrachte Gesetzesvorschlag, wonach Island am 14.6.1944 Republik werden und mit dem gleichen Datum die Union mit Dänemark gelöst werden soll, kann erst im September d.Js. vor dem Isländischen Alting verhandelt werden, da das Alting vorher nicht zusammentritt.

Am 8.5.43 hat die Isländische Gesandtschaft in Kopenhagen der Isländischen Regierung auf telegrafischem Wege eine Entschließung übermittelt, die die isländische Studentenvereinigung (Studentafelag) und Islandsforening auf einer gemeinsamen Kundgebung am 7.5.43 in Kopenhagen gefaßt haben, in dieser Entschließung wird die inständige Bitte ausgesprochen, Island möge den Unionsvertrag mit Dänemark nicht lösen, solange nicht zwischen den beiden Ländern Besprechungen über diese Frage stattgefunden hätten. Eine einseitige Handlung Islands würde dem Ansehen der Isländer in den Ländern des Nordens schaden und als im Gegensatz zu den üblichen Formen nordischen Zusammenlebens stehend angesehen werden.

III. Aufgabe dänischer Sonderrechte in China
Auf dringliche Vorstellungen des Japanischen Gesandten in Stockholm hat die Dänische Regierung sich entschlossen, durch ihren Vertreter in Shanghai der Chinesischen Nationalregierung ihren Verzicht auf die dänischen Verwaltungsrechte in der internationalen Niederlassung in Kulangsu (Amoy) auszusprechen.[70] Voraussetzung ist, daß

---

70 Kulangsu er en ø på den kinesiske kyst med en europæisk koloni af forretningsfolk, der havde deres virksomhed i byen Amoy lige over for.

die Chinesische Nationalregierung sich bereit erklärt, den dänischen Staatsangehörigen dieselben Sicherungen hinsichtlich ihrer materiellen Lage zu gewähren wie den japanischen Staatsangehörigen, die von dem vorangegangenen Verzicht Japans auf seine Verwaltungsrechte in Kulangsu betroffen wurden. Wegen des dänischen Verzichtes auf die Verwaltungsrechte in der internationalen Niederlassung in Shanghai laufen Verhandlungen, die sich voraussichtlich noch einige Zeit hinziehen werden.

IV. Meldepflicht der nach Dänemark reisenden Reichsdeutschen
In einer Besprechung, die am 7.5.43 in der Behörde des Reichsbevollmächtigten unter Teilnahme von Vertretern des Auswärtigen Amts, des Reichssicherheitshauptamtes, des Oberkommandos der Wehrmacht und des Oberkommandos des Heeres über das Verfahren betreffend die Meldepflicht von nach Dänemark reisenden Reichsdeutschen stattfand, wurde übereinstimmend folgende Regelung vorgesehen:
1.) Das von dem Bevollmächtigten des Reiches in Dänemark eingeführte Meldeverfahren findet weiterhin in dem bisher vorgesehenen Umfange auf alle reichsdeutschen Zivilreisenden, die auf Grund der vorgeschriebenen Grenzübertrittspapiere nach Dänemark einreisen, Anwendung.[71]
2.) Angehörige des Wehrmachtsgefolges (im Sinne der Bestimmungen über die Ausweispflicht) mit einem Grenzübertrittsschein NW im Wehrmachtsreiseverkehr zwischen dem Reichsgebiet und Dänemark werden, soweit sie in Zivil reisen, durch einen entsprechenden Aufdruck auf dem Grenzübertrittsschein NW verpflichtet, sich bei der Dienststelle in Dänemark, zu der sie entsandt werden, zu melden und sich dies auf dem Grenzübertrittsschein NW bestätigen zu lassen. Diese Bestätigung wird bei der Wiederausreise aus Dänemark gleich den von den Konsulaten bei dem unter 1.) vorgesehenen Verfahren kontrolliert.
3.) Auf Zivilpersonen, die im Auftrage der Wehrmacht zur Erledigung von Wehrwirtschaftsaufgaben nach Dänemark reisen und einen Grenzübertrittsschein NW erhalten, findet das unter 1.) genannte Verfahren Anwendung, jedoch mit der Maßgabe, daß das rote Merkblatt über die Meldepflicht dieser Personen bereits bei Aushändigung des Grenzübertrittsscheines NW übergeben wird.
   Während das Verfahren zu 1. bereits praktisch durchgeführt wird, bedarf die Erweiterung des Meldeverfahrens nach den unter 2.) und 3.) dargestellten Richtlinien noch der entsprechenden Befehle durch das Oberkommando der Wehrmacht bzw. das Oberkommando des Heeres. Über die Einführung des zusätzlichen Verfahrens erfolgt weitere Mitteilung.
4.) Die Zwecke des Meldeverfahrens sind:
   a.) die Einschränkung unnötiger Reisen durch Nachprüfung der in Dänemark aufgeführten Aufträge,
   b.) die Möglichkeit einer Überwachung des Verhaltens der Reisenden während ihres Aufenthalts in Dänemark,
   c.) die Erfassung der Reisenden für einen etwaigen Noteinsatz.

---

71 Se Best til AA 23. februar og OKW til WB Dänemark u.a. 5. juni 1943.

V. Die Kommunalwahl 1943 in Dänemark

Am 5.5.43 fand die Kommunalwahl in Dänemark statt mit Ausnahme des Landesteiles Nordschleswig, für den auf Wunsch der Deutschen Volksgruppe der Dänische Reichstag durch Gesetz die Verschiebung der Wahl bis 1947 und die Ergänzung der Gemeindevertretungen ohne Wahl angeordnet hatte.

Das Interesse der Bevölkerung an der Wahl war nicht sehr groß. Zwar fand in den letzten Wochen unter den Parteien ein im Vergleich zu den Reichstagswahlen ungewöhnlich heftiger Wahlkampf statt, der sich jedoch nur auf innerpolitische bzw. kommunale Angelegenheiten erstreckte.

In Kopenhagen haben die nachstehenden Parteien im Stadtrat die folgenden Mandate erhalten (die Zahlen in Klammern bezeichnen das Wahlergebnis aus dem Jahre 1937):

Sozialdemokraten	32	(37)
Radikale Venstre	6	(5)
Konservative	15	(11)
Venstre	–	(–)
Retsforbundet	–	(–)
Nationalsozialisten	1	(–)

Im Abstimmungsgebiet Kopenhagen und Frederiksberg hatten 3 Gruppen neue Listen aufgestellt unter den Namen "Freisinnige Arbeiterliste", "Sozialistische Opposition" und "Bürgerliste". Bei "Bürgerliste" und "Sozialistische Opposition" handelt es sich um frühere Clausen-Anhänger, die sich nach der Reichstagswahl von der Partei abgewandt haben, jedoch für die Kommunalwahl Listenverbindung mit der DNSAP eingegangen sind. Die "Freisinnige Arbeiterliste" wurde deutscher- und dänischerseits zunächst darauf überprüft, ob es sich um eine getarnte Aufstellung aus kommunistischen Kreisen handelte. Ein Beweis in dieser Richtung ließ sich nicht erbringen. Diese Liste konnte 1 Mandat erringen.[72]

Der Gesamteindruck des Wahlergebnisses für Kopenhagen und das übrige Land ist der, daß die Sozialdemokraten im allgemeinen nicht unbeträchtliche Einbuße erlitten haben, während die Konservativen einen starken Zuwachs verzeichnen können. Bemerkenswert ist auch der Mandatgewinn der Radikalen Venstre, der bekanntlich der Staatsminister von Scavenius angehört. Die DNSAP hat in Kopenhagen zum ersten Male durch eigene Stimmen 1 Mandat erhalten.

Der Wahltag ist außerordentlich ruhig verlaufen. Die Tagespresse nahm entsprechend der parteipolitischen Einstellung zum Wahlergebnis Stellung. Übereinstimmend wird der unerwartete Rückgang der Sozialdemokraten und der Zugang bei den Konservativen hervorgehoben. Der Hauptgrund für die Verschiebungen im Kraftverhältnis der Partei scheint darin zu liegen, daß es der Sozialdemokratie seither immer gelungen war, ihre Wähler durch die vielfältigen Organisationen zu mobilisieren, während bei den Wahlen im Jahre 1943 zum ersten Male die bürgerlichen Parteien, vor allem die Konservativen, ihre "Sofa-Wähler" zur Geltung gebracht haben.

---

72 Det er uvist, hvorfor Frisindet Arbejderparti ikke er medtaget i ovenstående liste. Det var en dækliste for DKP og fik 3,1 % af stemmerne i København; Knud Thamsen kom i Borgerrepræsentationen (Juul Pedersen 1977, s. 72).

VI. Die Schwedische Presse

In der Zeit vom 10.4.-10.5.43 bot die von der Zensurstelle für die Einfuhr nach Dänemark überprüfte schwedische Presse ein etwas unruhiges Bild. Sie machte zwar den Versuch, der Welt den Eindruck einer festen schwedischen Linie zu vermitteln, war aber praktisch zu einem hin und wieder recht deutlich werdenden Zickzackkurs genötigt.

Die "Draken-Affaire" wurde Anlaß zu heftigen Ausfällen gegen Deutschland.[73] Wenige Tage später erfolgten aber schwere englische und russische Neutralitätskränkungen. In die gleiche Zeit fallen die Absage Quislings an das schwedische Rote Kreuz, antischwedische Äußerungen des norwegischen Exil-Ministers Nygaardsvold, die finnische Reaktion auf schwedische Pressevorschläge zum Thema Sonderfrieden und zur Indiskretion des Blattes "Socialdemokraten" anläßlich des Aufenthaltes von Marschall Mannerheim in der Schweiz. Die gleichzeitig im englischen Unterhaus und in der englischen Presse geäußerte Kritik an der schwedischen Haltung in der Transit-Frage ist einigen Blättern besonders auf die Nerven gefallen.[74] Alle diese Ereignisse zusammen gaben Anlaß zu einigen Leitartikeln, die in die resignierte Frage ausmündeten: Wie sollen wir es eigentlich der Welt recht machen?

Beachtenswert ist ein ungewöhnlich scharfer anti-englischer Leitartikel in "Sydsvenska Dagbladet" vom 2.5.43, in dem es u.a. heißt: "Wenn man auch (im Falle der Neutralitätskränkungen) davon ausgehen kann, daß keine bösen Absichten vorgelegen haben, fällt es doch sehr viel schwerer, die eigentümliche Journalistik zu verteidigen, die jetzt in England betrieben wird, und die gegen Schweden gerichtet ist. In England geht eine Zeitungskampagne vor sich, um Schweden in den Krieg zu ziehen. "Daily Mail" geht so weit zu erklären, daß Deutschland in Vorbereitung auf eine alliierte Europa-Invasion mit einer alliierten Landung in Schweden rechnen müsse. Was heißt das? Ist es die Absicht, Deutschland glauben zu machen, daß die Alliierten eine Invasion in Schweden vorbereiten, um damit die Deutschen zu verlocken, dem durch eine Besetzung im Stil der Ereignisse vom April 1940 in Dänemark und Norwegen zuvorzukommen? Das grenzt bedenklich an Provokation!"

In regelmäßigen Abständen tauchen Leitartikel zur Frage der Gefahr aus dem Osten auf, die dazu bestimmt sind, nach innen und gegenüber Finnland die schwedische Tatenlosigkeit zu rechtfertigen. Es wird größtenteils einfach geleugnet, daß Europa sich in einer Gefahr befindet. Das sei eine deutsche Propaganda-Erfindung. Man verweist auf den deutschen Freundschaftspakt mit Rußland, dessen politisch-militärische Notwendigkeit nicht erwähnt wird.

Der deutschen Innenpolitik galt besonders ein Artikel in "Aftontidningen" vom 4.5.43, der in gehässiger Weise eine Art Nachruf auf den Bund deutscher Gewerkschaften anläßlich der 10-jährigen Wiederkehr des Auflösungstages darstellte.

Norwegen steht weiter stark im Vordergrund der Berichterstattung. Besonders das Flüchtlingsproblem beschäftigt die schwedische Öffentlichkeit gegenwärtig. Die Gesamtziffer norwegischer Emigranten in Schweden beträgt jetzt rund 12.000. "Falu-Ku-

---

73 Den svenske ubåd "Draken" var i april i svensk territorialfarvand blevet beskudt af det tyske handelsskib "Altkirch." Sverige protesterede og krævede en forklaring. Den gik ud på, at handelsskibet havde forventet et angreb.

74 Med transitspørgsmålet hentydes til, at Sverige lod Tyskland transportere malm fra Norge gennem Sverige.

rier" vom 6.5.43 teilte mit, daß jetzt pro Woche bis zu 400 norwegische Flüchtlinge in Schweden eintreffen, und daß mit einem raschen Ansteigen dieser Ziffer zu rechnen sei.

Dänemark ist weniger besprochen worden. Die in der dänischen Presse (mit deutschem Einverständnis) veröffentlichten Sabotage-Akte werden regelmäßig verzeichnet. Am 8.5.43 brachte "Sydsvenska Dagbladet" auf der Vorderseite die Mitteilung über die Umwandlung eines Todesurteiles des deutschen Kriegsgerichts in Zuchthausstrafe. "Dagens Nyheter" schrieb in der gleichen Angelegenheit am 10.5.43: "Die Windstille über Dänemark ist plötzlich gebrochen und ein widriger und eisiger Windstoß warnt davor, welchen Mächten das Land in Wirklichkeit ausgeliefert ist. Ein dänischer Staatsangehöriger ist für einen in Dänemark begangenen Sabotage-Akt von einem deutschen Kriegsgericht zu Tode verurteilt worden. Das bedeutet, daß das Rechtswesen in Dänemark niedergebrochen wird, offensichtlich und ohne übertünchende Umschreibungen, gerade auf den Punkten, die man am tapfersten und energischsten zu halten versucht hatte. Es ist wohl nicht ausgeschlossen, daß das Todesurteil eine Kraftleistung des Militärbefehlshabers Generals von Hanneken ist und für den Politiker Dr. Best so ziemlich einen Strich durch seine Rechnung bedeutet. Das macht die Warnung nicht weniger ernst, auch wird die Bedeutung durch die persönliche Fürsprache des Staatsminister Scavenius nicht verringert. Die "Begnadigung" ist rein humanitär gesehen eine problematische Strafminderung, wenn man sich vergegenwärtigt, was lebenslängliches Zuchthaus in Deutschland bedeutet. Es stimmt nicht mit der offiziell aufrechterhaltenen Doktrin überein, daß Dänemark selbständig sei, wenn der Staatsminister den Demutsweg zur fremden Militärmacht gehen muß, um die Aufhebung eines Urteils zu erwirken, das im klaren Widerspruch zu Recht und Gesetz in Dänemark steht. Für die Dänen wird das Geschehene eine Erinnerung daran sein, wie gefährlich und betrügerisch die Windstille sein kann."

Die nordische Zusammenarbeit hat durch die Rede von Minister Nygaardsvold einen Stoß erhalten, der auch nach Dänemark zurückschlägt. Mehrere größere Zeitungen haben in den letzten Tagen die Behauptung des norwegischen Exil-Ministers, Schweden dränge sich in eine Führer-Rolle des Nordens hinein, scharf zurückgewiesen. In diesem Zusammenhang wurde u.a. erklärt: "Auch aus Dänemark kommen in letzter Zeit ähnliche Stimmen, die umsomehr erstaunen, als es in erster Linie Dänemark gewesen ist, daß fortgesetzt und unverblümt der Hoffnung Ausdruck gegeben hat, daß das schwedische Heer bei Kriegsende als einziger Wehrfaktor des Nordens noch intakt sein möge. Eine eigenartige Hoffnung, die uns außenpolitisch nur in Schwierigkeiten bringen kann. Wie stellt man sich in Dänemark Schwedens Rolle eigentlich vor? Nochmals: Nicht wir drängen uns in eine Führung des Nordens."

44. Werner Best an das Auswärtige Amt 15. Mai 1943
Best orienterede AA om den ordre til indstilling af mobiliseringsforberedelserne, som det danske forsvarsministerium havde sendt rundt til de militære tjenestesteder.
   Kilde: BArch, Freiburg, RW 4/642. RA, Danica 1069, sp. 1, nr. 581.

Abschrift
Der Reichsbevollmächtigte des Reiches in Dänemark
II A B. Nr. 97/43 vom 15. Mai 1943.

Betr.: Das dänische Heer.
Bezug: Ag Ausl.-Nr. 5218/43 g II A 6 v. 10.5.43.

Mit Schreiben vom 13.5.1943 hat der dänische Staatsminister mir den Wortlaut des vom Dänischen Verteidigungsministerium wegen der Einstellung der Mobilmachungsvorbereitungen erlassenen Rundschreibens an die militärischen Dienststellen wie folgt mitgeteilt:
"Sämtliche Arbeiten betreffend Mobilmachungsvorbereitungen sowie Einsendung diesbezüglicher Berichte fallen bis auf weiteres weg.
Bei Entlassung Wehrpflichtiger soll das sich im Soldbuch befindliche Formular für Stellungsbefehl nicht ausgefüllt, sondern mit folgendem Vermerk versehen werden: Wird bis auf weiteres nicht ausgefüllt.
Die extraordinären Einberufungsbefehle verbleiben bei der Abteilung, aus welcher die Entlassung stattfindet.
Die Überführung in eine andere Abteilung nach der Entlassung darf bis auf weiteres nicht stattfinden."

gez. **Dr. Best**

45. Werner Best an das Auswärtige Amt 15. Mai 1943

Best valgte, da Laurits Hansen besluttede sig for at fortsætte som minister, at ændre sit syn på Eiler Jensen og fremstille ham i et for tyske interesser gunstigere lys end tidligere.
Se telegrammerne nr. 556 og 575, 11. og 13. maj 1943.
Kilde: PA/AA R 29.566. PKB, 13, nr. 405.

T e l e g r a m m

Kopenhagen, den   15. Mai 1943   16.40 Uhr
Ankunft, den   15. Mai 1943   18.50 Uhr

Nr. 597 vom 15.5.[43.]

Im Anschluß an meinen Drahtbericht Nr. 575[75] vom 13.5.1943 und unter Bezugnahme auf das heutige Ferngespräch zwischen Herrn Gesandten Dr. von Grundherr und meinem Vertreter berichte ich, daß von deutscher Seite gegen das Verbleiben des Gewerkschaftsführers keine Einwendungen erhoben zu werden brauchen. Eiler Jensen ist zwar hinsichtlich seiner persönlichen und fachlichen Qualitäten mit Laurits Hansen nicht zu vergleichen und wird sicher nicht dasselbe leisten, was Laurits Hansen leisten

[75] bei Pol VI. Trykt ovenfor.

könnte. Politisch jedoch wird er der deutschen Politik keine Schwierigkeiten bereiten, er hat vielmehr gelegentlich seiner Teilnahme an einer privaten Zusammenkunft mehrerer Gewerkschaftsführer mit mir durchaus den guten Willen zu einer Fühlungnahme und Zusammenarbeit gezeigt. Im übrigen steht, nachdem Laurits Hansen sich für den Weg des Ministers und Politikers entschieden hat, zur Zeit ein besserer Mann als Eiler Jensen für den Vorsitz der Gewerkschaften nicht zur Verfügung.

Dr. Best

46. Werner Best an das Auswärtige Amt 15. Mai 1943
Best videregav til AA indholdet af den radiotale, som Christian 10. samme aften ville holde, og som Best gav sin fulde tilslutning, også den entydige retfærdiggørelse af bekæmpelsen af sabotagen. Det var en understregning af det gode forhold, at Best kendte talen forud og kunne videresende den før udsendelsen (Sjøqvist, 2, 1973, s. 247).
Kilde: PA/AA R 29.566. PKB, 13, nr. 406.

Telegramm

Kopenhagen, den	15. Mai 1943	16.30 Uhr
Ankunft, den	15. Mai 1943	18.50 Uhr

Nr. 598 vom 15.5.[43.]

Im Anschluß an meinen Drahtbericht Nr. 570[76] vom 12.5. berichte ich, daß der König heute den "offenen Brief" unterzeichnet hat, durch den er bekanntgibt, daß er die Regierungsgeschäfte wieder übernommen hat. (In der gleichen Form war seinerzeit die Einsetzung des Kronprinzen als Regenten erfolgt). Der König wird am heutigen Abend die folgende Rundfunkansprache halten, zu der er sich im Hinblick auf die ihn beunruhigenden Sabotageakte spontan entschlossen hat:[77] "Nachdem ich die Führung der Regierung wieder übernommen habe, fühle ich das Bedürfnis, Ihnen allen meinen wärmsten Dank für die zahllosen Beweise von Ergebenheit und Treue zu sagen, die ich während meiner langen Krankheit empfangen habe. Dank für alle Fürbitte und für alle guten Wünsche für meine Genesung. – Aber außerdem war es heute mein Wunsch, zu allen Dänen im Hinblick auf die ernsten Begebenheiten der letzten Zeit im ganzen Lande zu sprechen. – Seit dem ersten Tage, als die deutsche Besetzung Dänemarks stattfand, habe ich alle in Stadt und Land aufgefordert, ein vollauf korrektes und würdiges Auftreten an den Tag zu legen. Die vergangenen 3 Jahre haben auch gezeigt, daß das dänische Volk in seiner Gesamtheit verstanden hat, daß es unter den schwierigen Verhältnissen, die wir durchleben, von entscheidender Bedeutung ist, daß Ruhe und Ordnung im Lande herrschen. – Gewisse Begebenheiten der letzten Zeit zeigen indessen, daß es Personen gibt, die durch Begehen von verwerflichen Handlungen die Rücksicht außer acht lassen,

---

76 bei Pol VI V.S. Trykt ovenfor.
77 Trykt på dansk hos Alkil, 2, 1945-46, s. 216 og hos Frisch, 1, 1945-48, s. 390.

die verantwortungsbewußte Dänen ihrem Vaterlande schulden, wenn wir diese schweren Zeiten nach den Richtlinien überstehen wollen, die Regierung und Reichstag in voller Einigkeit festgelegt haben. Diese Handlungen verantwortungsloser Personen können die schwersten Folgen sowohl für Einzelpersonen, wie für die Gemeinschaft als Ganzes haben. – Schwierige und ernste Zeiten haben wir durchlebt, seit die Wirkungen des großen Krieges über unser Vaterland hereingebrochen sind, schwierig für die leitenden Männer unseres Landes, wie für den einzelnen Bürger. Vielleicht steht uns die schwierigste Zeit jedoch noch bevor. Ich fordere alle, alt und jung, auf, daß jeder auf seinem Platz in der Gemeinschaft sich der Verantwortung bewußt ist, die jeder Däne trägt und an der Arbeit teilzunehmen, unser Land durch die Schwierigkeiten der Zukunft zu führen."

Daß der König die Wiederaufnahme der Regierungsgeschäfte gerade mit dieser Ansprache einleitet, wird seine Wirkung auf die dänische Bevölkerung nicht verfehlen. Die Formulierungen des Königs bedeuten zugleich eine eindeutige Begründung und Rechtfertigung aller zur Bekämpfung der Sabotage getroffenen und noch zu treffenden Maßnahmen.

Dr. Best

47. Hermann von Hanneken: Ausländische Wehrmachtgefolge 15. Mai 1943

WB Danmark lod udsende en præcisering af, hvem der var underkastet den tyske værnemagts lovgivning, herunder udlændinge ansat ved værnemagten. De fleste udlændinge var ikke klar over, hvad en sådan ansættelse indebar, hvilket herefter for danskernes vedkommende skulle indskærpes for alle, der var ansat længere end en måned.

Kilde: PKB, 13, s. 898f.

Abschrift   Anlage IV
Der Befehlshaber der Deutschen Truppen   *Hauptquartier, den 15. Mai 1943*
in Dänemark
III/Qu. Az. 14 g

Betrifft: Ausländisches Wehrmachtgefolge.

Nach. § 115 MStGB sind während eines gegen das deutsche Reich ausgebrochenen Krieges alle diejenigen Personen zum Wehrmachtgefolge zu rechnen, die
a.) in irgendeinem Dienst- oder Vertragsverhältnis zur Wehrmacht stehen *und* sich bei der Wehrmacht befinden (*rechtliches* Folgeverhältnis) oder
b.) sich bei der Wehrmacht aufhalten oder ihr folgen (*tatsächliches* Folgeverhältnis).
Zu den Gefolgspersonen in diesem Sinne gehören die Angestellten der militärischen Dienststellen, die Krankenpfleger und Krankenpflegerinnen der militärischen Lazarette, die Pächter und das Personal von Truppenkasinos und Truppenkantinen, diejenigen Arbeiter, die unter der unmittelbaren Aufsicht von Wehrmachtdienststellen Wehrmachtaufträge ausführen, u.a.m. Dabei ist es gleichgültig, ob es sich um Personen deutscher oder ausländischer (selbst feindlicher) Staatsangehörigkeit handelt.
Die Personen des Heeresgefolges – wenigstens die männlichen – sind in vollem Um-

fange den Kriegsgesetzen sowie der Wehrmachtdisziplinarstrafordnung unterworfen (vergl. Erlaß des Oberbefehlshabers des Heeres vom 12.3.1940 – HVBl. B, S. 117 und vom 1.8.1940 – HVBl. B, S. 299).

Über die Frage der Unterwerfung unter die Kriegsgesetze und die Disziplinarstrafordnung entscheiden bei der Kriegsmarine und der Luftwaffe insbesondere die Erlasse des Oberbefehlshabers der Kriegsmarine vom 9.3.1940 (MVBl. S. 176 Nr. 159) und des Oberbefehlshabers der Luftwaffe vom 1.12.1942 (LVBl. B, S. 1735).

Die nichtdeutschen Gefolgspersonen werden in den meisten Fällen über ihre Unterstellung und deren rechtliche Tragweite nicht in Kenntnis sein. Es ist daher eine selbstverständliche Pflicht, soweit es die Umstände irgendwie gestatten, sie entsprechend zu belehren. Dies gilt in besonderem Grad für diejenigen Gefolgspersonen, die die Staatsangehörigkeit eines befreundeten Landes, z.B. Dänemarks, besitzen.

Ich ordne deshalb an, daß vorerst alle dänischen Gefolgspersonen, die sich in einem voraussichtlich länger als einen Monat dauernden Dienst- oder Vertragsverhältnis bei der deutschen Wehrmacht in Dänemark befinden – also in einem rechtlichen Folgeverhältnis stehen – vor der Eingehung des Gefolgschaftsverhältnisses über ihre strafrechtliche und disziplinare Unterstellung belehrt werden und daß sie eine Erklärung – in deutscher und dänischer Sprache – zu unterschreiben haben, aus der die erfolgte Belehrung hervorgeht. Bei den Gefolgspersonen, die bisher ohne eine solche Belehrung und Unterschriftsleistung eingestellt worden sind, ist das Erforderliche umgehend nachzuholen.

Befinden sich Personen nur in einem *tatsächlichen* Folgeverhältnis bei der Wehrmacht (wie die Bauarbeiter, die im Auftrage einer von der Wehrmacht verpflichteten Firma, aber unter der unmittelbaren Aufsicht der zuständigen Wehrmachtdienststelle, auf Festungsgelände oder auf Flugplätzen beschäftigt werden), so genügt es, wenn die Unternehmer, in deren Auftrag sie tätig sind, belehrt und zudem verpflichtet werden, die in Frage kommenden Arbeitnehmer von sich aus aufzuklären. Belehrung und Verpflichtung sind ebenfalls schriftlich festzulegen.

Etwaige Zweifel über die Zugehörigkeit zum Wehrmachtgefolge oder über die gerichtliche und disziplinare Unterstellung können bei den zuständigen Wehrmachtgerichten geklärt werden.

gez. **von Hanneken**

48. Werner Best an das Auswärtige Amt 17. Mai 1943

Best frarådede, at der på et tidspunkt, hvor det blev overvejet at indstille *Kamptegnet*, blev sendt en repræsentant fra Antikominternkredse og "Antijüdische Aktion" i Berlin til København.

Best ønskede ikke, at der på nogen måde skulle komme hjælp og støtte til Aage H. Andersen, som han mente havde vist sig meget uegnet til at drive antisemitisk propaganda. Der blev ikke sendt nogen tysk repræsentant til København, men problemet Andersen var langtfra løst (Yahil 1967 s. 97f. m. s. 398 note 56).

Kilde: PA/AA R 99.415. RA, pk. 219. Lauridsen 2008a, nr. 86.

Fernschreibstelle des Auswärtigen Amts

+ DG Kopenhagen Nr. 107 17.5. 13.45 =

Auswärtig Berlin Nr. 601 vom 17.5.43.

Auf das dortige Schreiben vom 4.5.43[78] (Inl. II A 3655) teile ich mit, daß ich zur Zeit eine Reise des RR Dr. Denner nach Kopenhagen für unzweckmäßig halte, da Erwägungen über eine Einstellung der Zeitschrift "Kamptegnet" schweben und deshalb Besprechungen mit Aage Andersen, der sich in der Antijüdischen Propaganda als sehr ungeschickt erwiesen hat, nicht angebracht erscheinen. Die Verwendung der 200 in dänischer Sprache verlegten Exemplare der "Judenfrage" kann schriftlich erörtert und geregelt werden. Eine Reise ist hierfür nicht erforderlich.

Dr. Best

49. Werner Best an das Auswärtige Amt 17. Mai 1943

Best svarede på spørgsmålet 4. maj fra AA, hvorefter der i forlængelse af hans indstilling 15. april var tilstrækkeligt med midler til at finansiere Carsten Cohrt. Best så gerne en anden finansieringsmodel, hvis Cohrt fortsat skulle støttes.

    Se Thadden til Best 28. maj 1943 for det videre forløb (Yahil 1967, s. 98).

    Kilde: PA/AA R 100.864. RA, pk. 224. Lauridsen 2008a, nr. 87.

Der Bevollmächtigte des Reiches in Dänemark	*Kopenhagen, den 17. Mai 1943.*
II P Nr. 95/43.	Geheim.

Auf den Erlaß vom 4.5.1943[79] – Inl. II A 3654 –

Betr.: Finanzielle Unterstützung des Carsten Cohrt, Mitarbeiter der Wochenzeitung "Kamptegnet."
2 Durchschläge.

Mit Bericht II P /84/43 vom 15.4.1943[80] habe ich vorgeschlagen, die antisemitische Wochenzeitung "Kamptegnet" vorläufig einzustellen und ihre Tradition durch die Wochenzeitung "Nationalsocialisten" fortführen zu lassen, da durch eigenes verschulden der Schriftleitung von "Kamptegnet" die Auflage des Blattes sehr stark abgesunken ist und die tatsächlich erzielte Wirkung in keinem Verhältnis mehr zu den aufgewandten Mitteln steht. Die z.Zt. noch monatlich an den Herausgeber von "Kamptegnet" gezahlte Unterstützung von 8.000,- Kronen reicht zur Bezahlung der Mitarbeiter des Blattes, zu denen auch Carsten Cohrt gehört, vollkommen aus. Eine Notwendigkeit für eine zusätzliche Unterstützung besteht m.E. nicht. Wenn die Antikomintern ihrerseits Herrn Cohrt finanziell zu unterstützen wünscht, so bitte ich jedoch, keinesfalls den schon außerordentlich beanspruchten Devisenfonds meiner Dienststelle hierfür in Anspruch nehmen zu wollen.

W. Best

---

78 Von Thaddens skrivelse er trykt ovenfor.
79 Thadden til Best, trykt ovenfor.
80 Trykt ovenfor.

50. Werner Best an das Auswärtige Amt 17. Mai 1943

Best frarådede som svar på von Thaddens brev af 8. maj, at de penge, som Antikomintern skyldte Aage H. Andersen blev overført til København. I stedet foreslog han, at pengene udbetaltes til AA som afregning for de 10.000 kr., som Best af sine midler havde brugt til at betale Andersens bøde.

Von Thadden svarede Best 28. maj (Yahil 1967, s. 98).

Kilde: PA/AA R 99.415. RA, pk. 219. Lauridsen 2008a, nr. 86.

Der Bevollmächtigte des Reiches in Dänemark *Kopenhagen den 17. Mai 1943*
II P Nr. 100/43. Geheim

An das Auswärtige Amt in Berlin.

Betr.: Zahlung von RM 10.000,- in Devisen an Aage H. Andersen, Kopenhagen.
Auf Erlaß Inl. II A 3787 vom 8. Mai 1943.[81]
2 Durchschläge.

Aus denselben Gründen, die gegen eine besondere finanzielle Unterstützung des Mitarbeiters von Aage H. Andersen, Carsten Cohrt, sprechen – vgl. meinen Bericht II P/95/43 vom heutigen Datum![82] – halte ich auch die Zahlung des Gegenwertes von 10.000,- RM in Devisen an Aage H. Andersen im gegenwärtigen Augenblick für unnötig.

Aage H. Andersen und seine Mitarbeiterin Frau Olga von Eggers sind vor einiger Zeit von einem dänischen Gericht zu einer Gesamtgeldstrafe von 10.200,- d.Kr. verurteilt worden, weil sie in der antisemitischen Wochenzeitung "Kamptegnet" nicht beweisbare Anschuldigungen gegen einen dänischen Kaufmann erhoben hatten. Um die private Existenz des Aage H. Andersen bzw. der Olga von Eggers vor der Vernichtung zu bewahren, habe ich 10.000,- d.Kr. aus Mitteln meiner Behörde zur Verfügung gestellt. Aage H. Andersen hat am 10.4.1943 für diese Summe quittiert.

Da ein offenbares Verschulden des Andersen zu der erwähnten Geldstrafe führte und da Andersen ohnehin laufend von hier Unterstützungen empfangen hat und z.Zt. noch erhält, würde ich es für richtig halten, wenn der Reichsmark-Gegenwert von 10.000,- d.Kr. von der Antikomintern an das Auswärtige Amt gegen Aushändigung der Quittung des Andersen erstattet würde, so daß der von der Antikomintern an Andersen geschuldete Betrag sich um die entsprechende Summe ermäßigt. Wenn diesem Vorschlag zugestimmt wird, werde ich die Quittung des Andersen zur Verfügung stellen.

W. Best

51. Horst Wagner an Karl Ritter 17. Mai 1943

Wagner orienterede Ritter om, at der i København var aftalt en ændring af kompetenceforholdene vedrørende den tyske politibataljon i Danmark. Best havde benyttet Dalueges besøg i København 3. maj til at få et møde i stand mellem Daluege og von Hanneken. Her havde Daluege krævet, at Best skulle have den fulde kontrol over politibataljonen, også i en kampsituation, og at Best alene skulle afgøre, om von Hanneken i den situation kunne få kommandoen over den. Det var von Hanneken gået ind på. Best ville have den

---

81 Von Thaddens brev 8. maj trykt ovenfor.
82 Trykt ovenfor.

aftale bekræftet, men det var påfølgende mellem AA og CdO aftalt, at det ikke ville være hensigtsmæssigt at gøre mere ved sagen.

Det var endnu en af Bests bestræbelser på at dæmme op for von Hannekens kompetence. Denne mislykkedes.

Kilde: RA, pk. 229 og 438a.

– Sr –   Geheim
Zu Inl. II 1301 g

Betr: Abstellung eines Polizeibataillons nach Dänemark.

Am 24. April d.Js. ist den Bevollmächtigten des Reichs in Kopenhagen drahtlich mitgeteilt worden, daß das angeforderte Polizeibataillon auf Weisung des Herrn RAM dem Bevollmächtigten in normalen Zeiten unterstellt wird und, nach Absprache mit dem OKW, nur für den Fall, daß es zu Kampfhandlungen kommt, unter dem Befehlshaber der deutschen Truppen in Dänemark eingesetzt wird.[83]

Am 3.Mai drahtete der Bevollmächtigte, daß gelegentlich der Durchreise des Chefs der Ordnungspolizei, Generaloberst Daluege, in Kopenhagen eine Besprechung zwischen ihm und dem Befehlshaber der deutschen Truppen in Dänemark, General von Hanneken, in der Angelegenheit stattgefunden habe. In dieser Besprechung habe der Chef der Ordnungspolizei darauf bestanden, daß das Polizeibataillon ausschließlich dem Reichsbevollmächtigten unterstehe und nur von ihm nach eigenem Ermessen dem Befehlshaber zum Kampfeinsatz zur Verfügung gestellt werden soll. Der Befehlshaber habe sich damit einverstanden erklärt und abschließend festgestellt, daß er das Polizeibataillon nicht in seine Alarmpläne aufnehmen sondern abwarten werde, bis ihm das Bataillon vom Reichsbevollmächtigten als zusätzliche Kampfkraft zur Verfügung gestellt werde.[84]

Der Reichsbevollmächtigte bat gleichzeitig darum, beim Chef der Ordnungspolizei eine Bestätigung dieser Abmachung einzuholen und *das OKW entsprechend zu unterrichten.*

Am 14. Mai d.Js. teilte der Bevollmächtigte telegraphisch mit, daß das Polizeibataillon am 13. Mai in Kopenhagen eingetroffen sei.

Der von dem Bevollmächtigten in seinem Telegramm vom 3. Mai d.J. geäußerte Wunsch, die zwischen dem Chef der Ordnungspolizei und dem Befehlshaber der deutschen Truppen in Dänemark getroffene Abmachung besonders bestätigen zu lassen, ist mit Oberst Petersdorff (vom Chef der Ordnungspolizei) besprochen worden, der die Ansicht vertritt, daß es nicht zweckmäßig erscheine, die Angelegenheit nochmals beim OKW zur Sprache zu bringen. Dieser Ansicht schließt sich Gruppe Inland II an; denn die erfolgte Absprache in Kopenhagen hat ja eine völlige Klärung herbeigeführt und eine Neuaufrollung der Angelegenheit könnte unter Umständen nur zu unerwünschten Rückfragen usw. führen. Inland II beabsichtigt deshalb, in der Angelegenheit nichts mehr zu veranlassen.

Hiermit Herrn Botschafter Ritter m.d.B. um Kenntnisnahme vorgelegt.
Berlin, den 17. Mai 1943.

gez. **Wagner**

---

[83] Wagner til Best 23. april 1943 (ankommet 24. april).
[84] Bests telegram nr. 507, 3. maj 1943.

52. Horst Wagner an Joachim von Ribbentrop 18. Mai 1943

Wagner bad om, at Best måtte komme til Berlin og herunder at få lov til at tale med Himmler om det tyske mindretal, foruden at han i AA skulle drøfte jødespørgsmålet, Schalburgkorpset og DNSAP.
  Sonnleithner svarede Wagner 22. maj.
  Kilde: PA/AA R 100.986. PKB, 4, nr. 370. Lauridsen 2008a, nr. 88.

Gr. Inland II
Inl. II 1339 g.   Eilt!

Der Reichsführer-SS hat mich beauftragt, den Herrn RAM zu bitten, daß unser Bevollmächtigter in Dänemark, Ministerialdirektor Best, ihn bei seinem nächsten Aufenthalt in Deutschland aufsucht. Er möchte mit ihm besprechen, in welcher Form die Volks- und Reichsdeutschen, die jetzt in Dänemark militärisch in Ausbildungseinheiten ausgebildet werden, auch für den Einsatz bei der SS entsprechend vorbereitet werden können.

Da es auch notwendig geworden ist, mit Dr. Best einmal persönlich die Frage der weiteren Behandlung der Juden-Angelegenheit in Dänemark und gleichzeitig die Frage der Aufstellung des Germanischen Freikorps zu besprechen, wäre es sehr erwünscht, wenn Dr. Best baldmöglichst nach Berlin kommen könnte. Es würde auch in diesem Zusammenhang die Frage der weiteren Behandlung der dänischen Nationalsozialisten zu erörtern sein.

Hiermit über Leiters Pers. dem Büro RAM mit der Bitte um Vorlage beim Herrn RAM zugeleitet.

Berlin, den 18. Mai 1943.

Wagner

53. Erlaß des Führers über den Erwerb der deutschen Staatsangehörigkeit... 19. Mai 1943

Der blev givet tysk statsborgerskab til udlændinge af tysk afstamning, hvis de var medlemmer af den tyske værnemagt, af Waffen-SS, af tysk politi eller af OT.
  Meddelelse om forordningen blev videresendt til Best 28. maj 1943. Det var et spørgsmål af stor betydning for det tyske mindretal i Danmark, og spørgsmålet om forordningens realisering for Danmarks vedkommende blev diskuteret langt hen i efteråret 1944. Forordningen var udstedt af hensyn til frivillige fra de tyske mindretal i lande som f.eks. Rumænien og Slovakiet, men fik utilsigtede konsekvenser i Danmark (Hvidtfeldt 1954, s. 140).
  Se AAs telegram til Best nr. 747, 28. maj 1943.
  Kilde: PKB, 14, nr. 343.

Erlaß des Führers
über den Erwerb der deutschen Staatsangehörigkeit durch Einstellung in die deutsche
Wehrmacht, die Waffen-SS, die deutsche Polizei oder die Organisation Todt.
Vom 19. Mai 1943.

I.
1.) Deutschstämmige Ausländer, die der deutschen Wehrmacht, der Waffen-SS, der deutschen Polizei oder der Organisation Todt angehören, erwerben mit der Verkündung dieses Erlasses die deutsche Staatsangehörigkeit.
2.) Deutschstämmige Ausländer, die in die deutsche Wehrmacht, die Waffen-SS, die deutsche Polizei oder die Organisation Todt eingestellt werden, erwerben mit dem Tag ihrer Einstellung die deutsche Staatsangehörigkeit.
3) Im Einzelfall kann etwas anderes bestimmt werden.

II.
Das Nähere zur Durchführung und Ergänzung dieses Erlasses bestimmt der Reichsminister des Innern im Einvernehmen mit den beteiligten Stellen.

Führer-Hauptquartier, den 19. Mai 1943.
Der Führer
Adolf Hitler

Der Reichsminister und Chef der Reichskanzlei
Dr. Lammers

Der Chef des Oberkommandos der Wehrmacht
Keitel

54. Horst Wagner an Werner Best 19. Mai 1943

Franz Riedweg fra SS-Hauptamt havde været i AA vedr. grundlæggelsen af Schalburgkorpset. Best blev bedt om at udtale sig specielt med henblik på det fremtidige forhold til DNSAP.
Best svarede med telegram nr. 627, 21. maj 1943.
Kilde: PA/AA R 100.986.

T e l e g r a m m

Berlin, den   19. Mai 1943
Diplogerma Kopenhagen
Nr. 703
Referent: LR Dr. Reichel

Betreff: Gründung Schalburg-Korps.

Obersturmbannführer Riedweg vom SS-Hauptamt hat hier wegen Gründung des Schalburg-Korps unter Führung von Martinsen vorgesprochen. Es wird um Stellungnahme insbesondere hinsichtlich der künftigen Gestaltung des Verhältnisses zur DNSAP gebeten.
Wagner

55. Werner Best an das Auswärtige Amt 19. Mai 1943

Best orienterede om status vedrørende forhandlingerne med den danske regering om en aftale om erstatning for værnemagtsskader.

Se Bests telegram nr. 563, 12. maj 1943, trykt ovenfor, og AA til OKW 31. maj 1943.
Kilde: RA, pk. 284. PKB, 13, nr. 710.

Der Bevollmächtigte des Reiches in Dänemark *Kopenhagen, den 19. Mai 1943.*
Gesch. Zeich.: III-2291/43

Betrifft: Abschluß eines deutsch-dänischen Abkommens über Wehrmachtsschäden.

An das Auswärtige Amt
  Berlin.

Auf Erlaß vom 29. April 1943, Nr. R 10005.[85]
Ich bin am heutigen Tage an die dänische Regierung im Sinne des dortigen Auftrages herangetreten und habe dem dänischen Außenministerium den mitgeteilten Entwurf des Abkommens mit der I. Fassung des 3. Absatzes des Artikels 4 zugeleitet.

Sobald die Äußerung des dänischen Außenministeriums vorliegt, werde ich erneut berichten.[86]

W. Best

56. Walter Forstmann: Aktenvermerk 19. Mai 1943

Efter ønske fra Rüstungsstab Dänemark var forsikringsselskaberne indstillet på straks at udbetale erstatning for skader opstået ved sabotagehandlinger (Brandenborg Jensen 2005, s. 205, n 186).
Kilde: RA, Danica, T 77, sp. 696, nr. 1.906.810.

Chef Rü Stab Dänemark   1. Anlage zu Anlage[87]
                                                                        19. Mai 1943

Aktenvermerk
über eine Besprechung im dänischen Außenministerium
betr. Sachversicherung bei Sabotagefällen.

Anwesende:
  Ministerialrat Dr. Wunder
  Kapt. z. See Dr. Forstmann
  Kontorchef Peschardt
  2 Herren vom dänischen Handelsministerium.

Es wurde das Schreiben Rü Stab Dän. vom 12.5.43[88] an den Bevollmächtigten des Reiches in Dänemark, betreffend Sachversicherung bei Sabotageschäden besprochen.

---

85 Trykt ovenfor.
86 Bests indberetning herom er ikke lokaliseret. Se Stahlbergs notat 3. juni 1943.
87 Bilag til bilag af 12. maj 1943 i KTB/Rü Stab Dän 2. Vierteljahr 1943.
88 Trykt ovenfor.

Nach der derzeitigen dänischen Rechtslage umfaßt die Versicherung des deutschen Materials durch die dänische Firma gegen Feuerschaden im Rahmen dieser Versicherung obligatorisch auch die Versicherung gegen Kriegsschaden. Sie gilt für alle Kriegsschadeneinwirkungen, einschl. der Schadeneinwirkungen durch Sabotagehandlungen, auch wenn im Einzelfall der Schaden nicht durch Feuer verursacht ist. Die dänische Kriegsversicherung zahlt zwar in einem Schadenfall die Versicherungssumme nach 1-2 Jahren aus, weil die Prämien bei dieser Versicherung erst nachträglich von den Versicherungsnehmern im Umlageverfahren eingehoben werden. Es soll jedoch auf Wunsch des Rü Stab Dänemark Vorsorge getroffen werden, daß die Forderung aus der Versicherung sofort realisiert werden kann.

Es wurde ferner bestimmt, daß dänische Firmen, die sich nach Sabotagehandlungen in ihren Betrieben nach der Kriegsversicherung bezw. nach der Erstattung der eingetretenen Schäden erkundigen wollen, an das

Dänische Innenministerium,
Kontorchef Egede Larsen

oder an die

Nordisk Brandforsikring A/S,
Direktor Serup,
Kopenhagen, Grönningen 25

zu verweisen sind.

gez. **Dr. Forstmann**

57. Paul Barandon an das Auswärtige Amt 20. Mai 1943

AA blev orienteret om UMs henvendelse til Sverige vedrørende de 10 danske statsborgere, der var flygtet til Sverige med "Søridderen". De var alle enten i lejr, under forsorg eller i fængsel, men de svenske myndigheder ville ikke forhindre dem i at forlade landet.

Kilde: RA, Danica 628, sp. 7, nr. 5299.

Abschrift Pol VI 644
Der Bevollmächtigte des Reiches in Dänemark   *Kopenhagen, den 20. Mai 1943.*
I.A./ Nr. 179/43 II

An das Auswärtige Amt

Betr.: Überfall auf das dänische M-Boot "Söridderen".
Im Anschluß an Schriftbericht I.A. Nr. 179/43 vom 14.4.43[89]

Auf das im Vorbericht erwähnte Ersuchen der Dänischen an die Schwedische Regierung, den zehn dänischen Flüchtlingen möge, nachdem ihre Auslieferung von der Schwedischen Regierung abgelehnt sei, zum mindesten nicht die Ausreise aus Schweden nach einem anderen Lande als Dänemark gestattet werden, hat die Rechtsabteilung des Kgl. Schwedischen Außenministeriums am 15. Mai 1943 dem Dänischen Gesandten in

---

89 Trykt ovenfor.

Stockholm die folgende, vollkommen ablehnende Antwort erteilt:

"Nach dem, was der zuständige Ankläger mitteilt, hat er nicht die Absicht, gegen einen der Flüchtlinge wegen ihres im Zusammenhäng mit der Flucht stehenden Vorhabens eine Anklage zu erheben. Von den Flüchtlingen sind acht auf Beschluß der Fürsorgebehörde in das Långmora-Lager überführt worden.[90] Einer der beiden übrigen, Jörgen [efternavn ulæseligt], wird vorläufig im Gefängnis in Verwahrung gehalten, während der andere unter Aufsicht der Fürsorgebehörde Gelegenheit erhält, in Schweden zu arbeiten.

Da in Schweden kein verfassungsmäßig begründetes Verbot für Ausländer besteht, aus dem Reiche auszureisen, haben die schwedischen Behörde keine Möglichkeit, die Flüchtlinge daran zu hindern, Schweden zu verlassen, sofern sie Gelegenheit dazu haben."

In Vertretung:
gez. Dr. Barandon

58. Werner Best an das Auswärtige Amt 21. Mai 1943

AA fik svar på, hvordan Best stillede sig til grundlæggelsen af Schalburgkorpset under K.B. Martinsens ledelse. Best gik fuldt og helt ind for oprettelsen af dette upolitiske korps og kunne berette, at der var opnået enighed om, at Schalburgkorpset og DNSAP skulle være helt adskilt. Det var den bedste måde at hindre stridigheder på.

Siden Best i begyndelsen af januar 1943 havde fået besked på ikke at beskæftige sig med oprettelsen af Schalburgkorpset (se hans telegram 9. januar til Weizsäcker), lod han sin egen rolle i denne sag forblive uomtalt. Korpsets oprettelse passede fortsat ikke AA, det ville give SS en ny magtbase i Danmark. Best nærede ikke samme bekymring, og desuden passede korpset ind i hans politik med elimineringen af DNSAP. Hans telegram nr. 627 til AA var afpasset derefter.

Lige forud havde Best deltaget ved en koncert foranstaltet af Schalburgs Mindefond på Hotel d'Angleterre, hvor også Erik Scavenius, den italienske gesandt Diana og repræsentanter for dansk industri deltog. Helle von Schalburg gav middag i forbindelse med koncerten. Det var en stærk understregning af, at man fra den rigsbefuldmægtigedes side gav mindefonden sin stærkeste støtte. Herom blev der på dette tidspunkt ikke indberettet til Berlin (Bests kalenderoptegnelser 12. maj 1943, Der Fürsorgeoffizier der Waffen-SS in Dänemark: Tätigkeitsbericht für Monat Mai 1943, 8. juni 1943, s. 3 (RA, Danica 465, Moskva, Osobyj Archiv: 1372/3/135/8)).

Kilde: PA/AA R 29.566. RA, pk. 202 og 225.

Telegramm

Kopenhagen, den	21. Mai 1943	10.45 Uhr
Ankunft, den	21. Mai 1943	11.10 Uhr

Nr. 627 vom 21.5.43.

Auf das dortige Telegramm Nr. 703[91] vom 20.5.43. erwidere ich, daß ich mit der Gründung des Schalburg-Korps unter der Führung des SS-Obersturmbannführers Martinsen voll und ganz einverstanden bin. Die Gründung dieses selbständigen Werbeverbandes

---

90 Långmora nord for Stockholm nær Borlänge var en interneringslejr for udlændinge (om lejren Berglund og Sennerteg 2008).
91 Inland II D 1520. Trykt ovenfor 19. maj.

Waffen-SS ist nach meiner Auffassung der einzige Weg, der auf weite Sicht der Freiwilligen-Werbung in Dänemark neue Möglichkeiten eröffnen und die dänische Bevölkerung mit der Beteiligung dänischer Freiwilliger am Kampf gegen Rußland versöhnen kann. Die Umstände, unter denen das Freikorps Danmark gegründet wurde, und die Gestaltung seiner Rückkehr nach Dänemark im letzten Jahr haben das Freikorps und alle übrigen Freiwilligen in den Augen der dänischen Bevölkerung als eine Parteitruppe abgestempelt, die zu gegebener Zeit mit Gewalt einer von 98 Prozent der Bevölkerung abgelehnten Partei die Macht in Dänemark verschaffen sollte. Damit war der Freiwilligen-Werbung der Weg zu 98 Prozent der Bevölkerung verlegt. Nachdem sich seit geraumer Zeit nun auch noch in der DNSAP eine gegen die Freiwilligen-Werbung gerichtete Strömung geltend gemacht hat, bleibt – wenn die Freiwilligen-Werbung fortgesetzt werden soll – gar nichts anderes übrig, als einen neuen Weg der Werbung einzuschlagen.[92] Die Gründung des Schalburg-Korps, das ausdrücklich als ein unpolitischer dänischer Verband bezeichnet werden soll, scheint mir hierfür der richtige Weg zu sein.[93] Auch die Person des SS-Obersturmbannführers Martinsen, der wegen seiner charakterlichen Eigenschaften allgemeine Achtung genießt und der außerdem als einer der tüchtigsten dänischen Offiziere anerkannt wird, läßt hoffen, daß auf dem neuen Wege der gewünschte Erfolg erzielt wird.[94] Allerdings wird einige Zeit erforderlich sein, bis die dänische Bevölkerung an die Aufrichtigkeit dieser neuen unpolitischen Freiwilligen-Werbung glaubt und bis auf diesem Wege sichtbare Erfolge erzielt werden.

Zwischen dem Führer der DNSAP Dr. Clausen und dem SS-Obersturmbannführer Martinsen besteht Einigkeit darüber, daß das Schalburg-Korps völlig von der DNSAP getrennt werden soll und daß auch die Mitgliedschaft, in den beiden Verbänden unvereinbar sein soll.[95] Für Dr. Clausen ist dabei das Motiv maßgebend, daß er jeden Einfluß der SS auf die Partei ausschalten möchte, da er ja stets in der Angst lebt, von anderer Seite aus seiner Stellung verdrängt zu werden. In dem SS-Obersturmbannführer Martinsen sah er – wie früher dem SS-Obersturmbannführer von Schalburg – einen gefährlichen Konkurrenten für seine Stellung als Parteiführer.[96] Die völlige Trennung der beiden Verbände ist deshalb – ganz abgesehen von der vorstehend dargelegten politischen Notwendigkeit – das beste Mittel, um Überschneidungen und Reibung zu verhüten.

Dr. Best

[Bests telegram er bilagt en udateret anonym skrivelse, hvoraf det tydeligt fremgår, at man i AA ikke var i tvivl om, at der var et problem med forholdet mellem DNSAP og Schalburgkorpset:]

92 DNSAP havde brugt monopolet på hvervningen som pressions- og modtryksmiddel, når der var stillet nye krav fra tysk, især SS' side.
93 Det skulle hurtigt afsløres, hvordan det lå med korpsets politiske tilhørsforhold, også fra Bests egen hånd, men kun de færreste kunne fra starten være i tvivl med nazisten K.B. Martinsen som chef.
94 K.B. Martinsen var både kendt som en god officer og som en af de mest fremtrædende nazister blandt de danske officerer. Det sidste mindskede i høj grad hans muligheder for at hverve frivillige officerer.
95 Der var dyb uenighed mellem Frits Clausen og Martinsen, Clausen ønskede ikke korpset oprettet og forbød alle medlemmer af DNSAP at tilslutte sig det. Det svarede til at modsætte sig Bests politik. Best ville her som i øvrigt ikke lade modsætningen til DNSAP komme offentligt frem, da det havde nydt AAs støtte så længe (Lauridsen 2003b, s. 354f.).
96 Denne opfattelse skulle vise sig i høj grad begrundet.

Nachdem für die Dänische Nationalsozialistische Arbeiter Partei (DNSAP) die Wahlen in Dänemark nicht das erwartete Ergebnis hatten, die Partei außerdem eine interne Krise durchzumachen hat, die Ansehen und Schlagkraft beeinträchtigt, und Zweifel an Clausen selbst als geeignete Führerpersönlichkeit laut werden, trägt das SS-Hauptamt vor, daß die DNSAP nicht mehr das Instrument sei, um erfolgreiche Werbungen für die Waffen-SS in Dänemark durchführen zu können. Es sei erforderlich, in einer besonderen Organisation, einmal die von der Waffen-SS entlassenen dänischen SS-Männer zu betreuen und andererseits über diese Organisation Neuwerbungen durchzuführen. Für diese Organisation, die auf SS-mäßiger Grundlage arbeiten soll, wird der Name "Schalburg-Korps" vorgeschlagen.

Der Bevollmächtigte des Deutschen Reiches in Kopenhagen hat im beiliegenden Telegramm Nr. 627 vom 21.5.43 zu dieser Entwicklung auf Aufforderung des Auswärtigen Amts ausführlich Stellung genommen und diese begrüßt.

Es ist zwar noch nicht abzusehen, welche weitere Entwicklung die Partei Clausens und das sog. Schalburg-Korps nehmen werden. Richtig ist, daß Clausen in letzter Zeit erhebliche Mängel gezeigt hat, außerdem daß alles getan werden muß, um möglichst viele Freiwillige für die Waffen-SS zu werben. Insofern ist die Arbeit der neuen Organisation zu begrüßen, sofern sie tatsächlich im Stande ist, die ihr gestellten Ziele zu erreichen. Andererseits muß im Interesse des deutschen Ansehens unter allen Umständen vermieden werden, daß die beiden Organisationen rivalisieren und dadurch erhebliche Differenzen unter den Augen der Dänen ausgetragen werden. Es muß daher Wert darauf gelegt werden, daß das SS-Hauptamt, den außenpolitischen Erfordernissen Rechnung tragend, die Partei Clausens nicht bekämpft, andererseits Clausen die Arbeit des Schalburg-Korps duldet.

59. Werner Best an das Auswärtige Amt 21. Mai 1943

Bests store interesse for propagandaen i Danmark gjaldt ikke kun alle de danske legale og illegale medier, men også de udenlandske radioudsendelser til Danmark. Heller ikke på dette område fór han hårdt frem. Han foreslog ikke indskrænkning i mulighederne for at lytte til engelsk og svensk radio, men ønskede alene at der blev stillet stærkere dansksprogede tyske sendere til rådighed.

AA videresendte 26. maj Bests henvendelse til Ministerialdirektor Hans Fritzsche i RMVP, og da denne ikke svarede, rykkede AA 26. juni for et svar, som da blev givet af Fritzsche 9. juli. Det var for tiden ikke muligt at imødekomme Bests ønske, da den nødvendige radiosender for tiden ikke var til rådighed (akter i RA, Danica 465: Osobyj Archiv, Moskva, 1363/1/163/143).

Den tyske radiopropaganda i Danmark blev taget op igen af RMVP under den militære undtagelsestilstand, se Fritzsche til Heinrich Gernand 12. september 1943. Gernand var fra maj 1943 ministeriets repræsentant i København. Han havde foretræde for Best første gang 24. maj[97] (Bests kalenderoptegnelser, anf. dato).

Kilde: PA/AA R 29.566. RA, pk. 202.

---

[97] Heinrich Gernand, medlem af NSDAP siden 1931 og SS i Holland, fra 1941 med rang af SS-Sturmbannführer var fra oktober 1941 til oktober 1942 leder af Hauptabteilung Volksaufklärung og Propaganda under Fritz Schmidt, NSDAPs repræsentant i Holland, men var så lidt imødekommende over for den hollandske nazifører Mussert, at han måtte forflyttes. Ifølge HSSPF Hans Rauter til RFSS 26. oktober 1942 ville Goebbels ikke gøre indsigelse derover, da han ikke ville have problemer med Martin Bormann (*De SS en Nederland*, 1, 1976, nr. 173 note 13 og nr. 254).

Telegramm

Kopenhagen, den 21. Mai 1943 13.35 Uhr
Ankunft, den 21. Mai 1943 13.50 Uhr

Nr. 630 vom 21.5.43.

Trotz intensiver lokaler Störaktionen kann angesichts des überwältigenden feindlichen Sendereinsatzes von 8 starken englischen und 3 amerikanischen Stationen, die mehrere Male täglich in dänischer Sprache senden, feindlicher Propagandaeinfluß hier nicht ausgeschaltet werden, zumal er sich auch über den schwedischen Rundfunk geltend macht. Die Einrichtung einer lebendigen und überzeugenden deutschen Rundfunkpropaganda in dänischer Sprache ist deshalb eine politische Notwendigkeit und kann nicht mehr länger hinausgeschoben werden. Zwar scheinen durch eine Verständigung mit der neuen Leitung der Ländergruppe Nord des Europasenders die arbeitsmäßigen jetzt zur Verfügung stehenden schwachen deutschen Sender Bremen II, Friesland und in den wichtigsten Teilen Dänemarks mit normalen Empfangsgeräten nur sporadisch, in Kopenhagen sogar überhaupt nicht gehört werden. Ich bitte deshalb dringend, alles daran zu setzen, damit für die deutschen Sendungen in dänischer Sprache schnellstens wesentlich stärkere Stationen zur Verfügung gestellt werden. Für Mitteilung, wann mit Einsatz verstärkter Sender zu rechnen sein wird, wäre ich dankbar.

Dr. Best

Berichtigung des Telegramms aus Kopenhagen Nr. 630 vom 21.5.
In obenerwähntem Telegramm ist nachstehende Berichtigung vorzunehmen:
   Der dritte Satz muß wie folgt lauten: Zwar scheinen durch eine Verständigung mit der neuen Leitung der Ländergruppe Nord des Europasenders die arbeitsmäßigen Voraussetzungen dafür nunmehr geschaffen zu sein, doch können die jetzt zur Verfügung stehenden schwachen deutschen Sender Bremen II, Friesland und DXM in den wichtigsten Teilen Dänemarks mit normalen Empfangsgeräten nur sporadisch, in Kopenhagen sogar überhaupt nicht gehört werden.
   Berlin, den 21.5.43
Telegrammkontrolle

60. Der Reichsverkehrsminister an das Auswärtige Amt 21. Mai 1943

Rigstrafikministeren svarede på AAs henvendelse vedrørende bygning af 10 danske lokomotiver før 10 tyske hos fabrikken Frichs ved at sende afskrift af et brev, som var stilet direkte til DSBs direktion. Ministeren ville delvis gå ind på det danske ønske, såfremt man fra dansk side i takt med modtagelsen af de nye lokomotiver ville aflevere de lokomotiver, der var lånt i Tyskland. Når danskerne havde fået seks nye lokomotiver og havde afleveret seks lånte tyske lokomotiver, ville ministeren have de 10 tyske lokomotiver bygget, før de sidste fire danske blev bygget. De tyske lokomotiver havde været i bestilling i 2 år.
   Det var en alt andet end velvillig minister, der gik direkte til DSB og satte krav op, som gjorde, at DSBs fordel ved at få en del af sine nye lokomotiver først blev af tvivlsom værdi. Når AA kun blev orienteret via

en afskrift, signalerede det, at der ikke blev set med milde øjne på gesandtskabets og AAs indblanding i en aftale, der for længst var indgået med DSB.

Det videre forløb er uoplyst, men Knutzen var til møde hos Best 25. maj, så denne sag var givetvis på dagsordenen. I sine erindringer fremstiller Knutzen sagen sådan, at det var de danske ønsker, der blev opfyldt, hvilket efter det foreliggende er en sandhed med modifikationer (Knutzen 1948, s. 127, som er fulgt op i Nørgaard Olesen 2005, s. 96, men hvor det supplerende kildegrundlag er uigennemskueligt).

Kilde: BArch, R 901 67.511.

An das Auswärtige Amt[98]

Abschrift eines Schreibens an die Dänischen Staatsbahnen wird mit Bezugnahme auf Ihr Schreiben Ha Pol VI 1803/43 vom 7. Mai 1943[99] zur gefälligen Kenntnisnahme übersandt.

Im Auftrag
gez. **Kühne**

Der Reichsverkehrsminister   Berlin, W 8, den 19. Mai 1943
31 Fk1 1316

An die Generaldirektion der Dänischen Staatsbahnen
    Kopenhagen

Betr.: Bau deutscher und dänischer Lokomotiven bei der Firma Frichs in Aarhus

Durch das Auswärtige Amt bzw. die Deutsche Gesandtschaft Kopenhagen erfahre ich, daß Ihr sehr geehrter Herr Generaldirektor Dr. Knutzen den dringenden Wunsch ausgesprochen hat, daß die dänischen Lokomotiven den deutschen Lokomotiven in der Fertigung bei der Firma Frichs, Aarhus, vorgezogen werden möchten.

Ich bin gern bereit, Ihren Wunsch zu entsprechen, obgleich inzwischen das gesamte Material für den Bau der deutschen Lokomotiven in Dänemark eingetroffen sein müßte, wenn sich die Dänischen Staatsbahnen verpflichten, der Deutschen Reichsbahn die angemieteten Lokomotiven Zug um Zug nach Erhalt von Neubaulokomotiven zurückzugeben, und zwar dergestalt, daß nach Lieferung von 6 dänischen Lokomotiven die 9 deutschen Lokomotiven zurückzugeben sind, und daß nach Lieferung der ersten 6 dänischen Lokomotiven zunächst die 10 deutschen Lokomotiven, die bereits seit 2 Jahren bestellt sind, geliefert werden. Ich setze dabei voraus, daß durch die Radsatzlieferungen für die dänischen Lokomotiven nicht eine Verzögerung im Bau dieser Maschinen eintritt.

Im Auftrag
[uden underskrift]

---

98 Stemplet i AA: Ha Pol VI 2104/43 eing. 21. Mai 1943.
99 Se Bests telegram nr. 512, 5. maj 1943.

61. Rüstungsstab Dänemark: Lagebericht 21. Mai 1943
Det var blevet undersøgt, om der kunne indføres ensartede retningslinjer for beregningen af strømprisen ved værnemagtsanlæg i Danmark. Retningslinjerne ville kun have praktisk værdi, hvis alle tyske tjenesteder ville lade dem være bindende. Ordningen med indførelse af flæskeforbrugskort var udstrakt til at gælde for værnemagten. Kul- og kokstilførslen havde været helt utilstrækkelig i første halvdel af maj (Jensen 1971, s. 213f.).

Kilde: BArch, Freiburg, RW 27/8. RA, Danica 1000, T-77, sp. 696, KTB/Rü Stab Dänemark 2. Vierteljahr 1943.

Abteilung Wehrwirtschaft   *Kopenhagen, den 21.5.1943*
im Rü Stab Dänemark   Geheim
Gr. Ia Az. 66d 1 Nr. 2320/43g

Bezug: Tel.OKW/W Stb Dr. v. Busch/Hptm Rohde am 19.5.43
Betr.: Lagebericht.

An den Wehrwirtschaftsstab im Oberkommando der Wehrmacht
 Berlin W 62
 Kurfürstenstr. 63/69

Abt. Wwi im Rü Stab Dänemark übersendet in der Anlage Lagebericht gemäß o.a. Telefonat – Verlegung des Termins zur Einrichtung des Lageberichtes auf den 22. jd.Mts.
gez. **Forstmann**

Abteilung Wehrwirtschaft   *Kopenhagen, den 21.5.1943*
im Rü Stab Dänemark   Geheim
Gr. Ia Az. 66d 1 Nr. 2330/43g

Vordringliches
Auf Veranlassung des LGK XI ist seit 3 Monaten eine eingehende Prüfung durch die Sacharbeiter für Energiewirtschaft im RLM und LGK XI vorgenommen worden, ob eine Möglichkeit besteht, einheitliche Richtlinien über die Strompreisberechnung für Wehrmachtanlagen in Dänemark festzulegen. In Zusammenarbeit mit der Leitung des dänischen Elektrizitätsverbandes ist eine Lösung gefunden worden. Da jedoch die Einführung von Richtlinien praktisch nur dann einen Wert haben kann, wenn alle beteiligten Wehrmachtteile in Dänemark dieselben als bindend für ihre Dienststellen anerkennen, hat sich Abt. Wwi eingeschaltet und die Zustimmung der beteiligten Wehrmachtteile herbeigeführt.

Diese Richtlinien sind von Abt. Wwi zur Anerkennung dem dänischen Außenministerium vorgelegt worden; dieses hat sein Einverständnis ausgesprochen sodaß nunmehr einheitliche Richtlinien für den Strombezug aus dem dänischen Hoch- und Niederspannungsnetz für die gesamte Besatzungstruppe vorhanden sind.

Am 11.5.43 sind die im Lagebericht vom 4.5.43 erwähnten Fleischeinkaufsmarken für die Angehörigen der Wehrmacht erstmalig zur Aushändigung gelangt; pro Kopf sind monatlich 7 kg Fleisch und Fleischwaren für Selbstverpfleger und 4 kg für Truppenverpflegung zum Bezug in Läden festgesetzt, welche in Einzelmarken von 125 gr. Fleisch mit Knocken oder 100 gr. schieres Fleisch oder Fleischwaren unterteilt sind.

Die Anlieferung von Kohle und Koks war in der ersten Hälfte Mai völlig unzureichend. Geliefert sind nur 48.000 to Kohle und 27.000 to Koks, sodaß im Monat Mai nur mit einer Menge von ca. 150.000 to Kohle und Koks gerechnet werden kann. Die dänische Staatsbahn hat bisher nur 1.000 to Kohle erhalten. Da die Sommermonate nur zur Auffüllung der jetzt nur noch ganz minimalen Bestände der dänischen Reservelager benutzt werden müssen, ist eine erhebliche Steigerung der Kohleneinfuhr für die nächsten Monate unbedingt notwendig, um größeren Schwierigkeiten, vor allem für die Energieversorgung und die Transportaufgaben im kommenden Winter begegnen zu können.

62. Reichsministerium für Volksaufklärung und Propaganda an Karl Frielitz 22. Mai 1943

Fritz Noack fra RMVPs radioafdeling meddelte Karl Frielitz hos den rigsbefuldmægtigede i København, at hans indberetninger var meget udbytterige, men at de ofte var i modsætning til de hensigter, der blev udtrykt i Berlin. Han spurgte, om ikke Frielitz kunne foretage en rejse til Berlin.

Frielitz' indberetninger er ikke lokaliseret, men de blev affattet i henhold til Bests ønsker og politik, en politik der gik ud på så vidt muligt at holde RMVP uden for indflydelse på den tyske propaganda i Danmark. Dog var han kritisk over for de radioudsendelser, der blev sendt fra Tyskland, som det fremgår af hans telegram 21. maj.

Germanische Leitstelle fulgte op på den kritik, som var fremført af både den rigsbefuldmægtigede 21. maj og Holger Arentoft ved at skrive til Großdeutscher Rundfunk 24. juni 1943. AA fulgte op til RMVP dagen efter.[100]

Kilde: RA, Danica 465, Moskva: Osobyj Archiv: 1363/1/163/143 (gennemslag).

Fritz Noack

Rfk/A 300g 6.1.43/708-1,2
Berlin, den 22. Mai 1943

Herrn Reg. Rat Frielitz
Behörde des Reichsbevollmächtigten
Kopenhagen
Strandvej Nr. 32 C

absenden durch Luftpost:

Lieber Herr Frielitz!
Ich freue mich, daß unsere Unterredung mir die dauernde, leider nur schriftliche Verbindung mit Ihnen gebracht hat. Der Inhalt Ihrer Berichte ist für mich sehr aufschlußreich, steht aber, wie früher schon, manchmal im Gegensatz zu den in Berlin geäußerten Ansichten.

Ich würde mich freuen, Sie wieder einmal sprechen zu können. Da vorerst aber nicht damit zu rechnen ist, daß ich selbst nach Kopenhagen reisen kann, richte ich die Frage an Sie, ob Sie nicht eine Reise nach Berlin unternehmen wollen.
Mit den besten Grüßen und Heil Hitler!
verbleibe ich Ihr
Fritz

63. Gottlob Berger: Aktenvermerk 22. Mai 1943

Berger noterede sig, hvad han havde hørt om von Hannekens anstrengte forhold til den danske hær. AA havde meddelt den danske hær, at det bedste ville være, om danske officerer fremover kunne kommanderes til tjeneste hos værnemagten. De skulle kunne vælge mellem værnemagten og Waffen-SS.

Kilde: RA, pk. 443. LAK, Best-sagen (afskrift).

CdSSHA/Be/Ra./VS-Tgb. Nr. .../43 g.
Chefadjtr. Tgb. Nr. .../43 g.

den 22.5.1943

Betr.: Dänische Offiziere für die deutsche Wehrmacht

---

[100] Karl Frielitz ophørte herefter med at optræde i denne sammenhæng. Han blev givetvis afløst af Heinrich Gernand.

Aktenvermerk

General v. Hanneken hat sich beim Führer beschwert über die unfreundliche Haltung der dänischen Wehrmacht. Das Auswärtige Amt ist daraufhin an die dänische Wehrmacht gelangt mit dem Ersuchen, eine zuvorkommender Haltung gegenüber der deutschen Wehrmacht einzunehmen, andernfalls eine Auflösung der dänischen Wehrmacht erfolgen würde.

Das Auswärtige Amt teilte der dänischen Wehrmacht fernerhin mit, daß der beste Beweis eines guten Übereinkommens darin bestehen würde, wenn in Zukunft dänische Offiziere halb- und ganzjährig zur deutschen Wehrmacht kommandiert werden, unter gleichzeitiger Beurlaubung von der dänischen Wehrmacht.

Das Auswärtige Amt will diese Meldungen nun an Hanneken gehenlassen. Die einzelnen Offiziere sollen sich für die Wehrmacht oder die Waffen-SS entscheiden können. Bei diesem Modus ist zu erwarten, daß die Offiziere von General Görtz befohlen werden und sich der Großteil zur Wehrmacht meldet.

G. Berger
SS-Gruppenführer

64. Franz von Sonnleithner an Horst Wagner 22. Mai 1943

Som svar på Wagners forespørgsel 18. maj, fik Best tilladelse til at komme til Berlin og også til at tale med Himmler, men han kunne ikke træffe aftaler med ham efter forgodtbefindende.

Kilde: PA/AA R 100.986. PKB, 14, nr. 370. Lauridsen 2008a, nr. 89.

Büro RAM   zu Inl. II 1339 g

Über St. S. LR. Wagner vorgelegt:

Zu Ihrer Vorlage vom 18.5.[101], daß der Reichsführer-SS Ministerialdirektor Dr. Best sprechen möchte, hat der Herr RAM folgendes bemerkt:

Um irgendwelche Schwierigkeiten mit der SS zu vermeiden, muß von vornherein klargestellt sein, daß der Reichsführer mit Dr. Best nicht irgendwelche Abkommen treffen kann. Der Vorgang muß vielmehr der sein, daß der Reichsführer-SS mit Dr. Best in Ihrer Gegenwart die Frage des Einsatzes der Volks- und Reichsdeutschen bespricht, daß Sie darüber berichten und das Auswärtige Amt oder erforderlichenfalls der Herr RAM selbst die Entscheidung trifft, was zu geschehen hat.

Der Herr RAM bittet Sie, in dieser Weise vorzugehen und dabei in möglichst netter Form zu verfahren und darauf hinzuweisen, daß möglichst viele Volks- und Reichsdeutsche in der SS eingesetzt werden können.

Der Herr RAM ist damit einverstanden, daß Dr. Best nach Berlin kommt.
Fuschl, den 22. Mai 1943.

Sonnleithner

101 Trykt ovenfor.

65. Joseph Goebbels: Tagebuch 23. Mai 1943

På ny roste Goebbels Best for den førte politik i Danmark. Det skete givetvis på baggrund af Bests halvårsrapport fra 5. maj, hvor der ikke var sparet på selvrosen. Goebbels gentog, at Best var elev af Heydrich, og stillede ham i modsætning til SA-manden Josef Terboven, der "slog meget porcelæn i stykker".

Det er værd at bemærke, at Ribbentrop 10. april 1943 af Paul Otto Schmidt blev citeret for en sammenligning mellem Bests og Terbovens politik, der faldt ud til Terbovens fordel. Ribbentrop forholdt sig skeptisk til sin SS-diplomat i Danmark.

Best valgte påfølgende at sende sin halvårsrapport til Goebbels, der refererede den den 17. juni 1943.
Kilde: *Die Tagebücher von Joseph Goebbels*, Teil II:8, 1993, s. 352f.

[...]

Aus Dänemark liegen Berichte vor. Danach ist Best bisher außerordentlich geschickt vorgegangen. Er zeigt in entscheidenden Dingen Härte und Kompromißlosigkeit, in nebensächlichen Dingen Großzügigkeit. Infolgedessen genießt er in dänischen Regierungs- wie Volkskreisen großes Ansehen. Er ist aus der Schule Heydrichs; man merkt das ganz genau. Terboven könnte sich an ihm ein Beispiel nehmen. Er geht sehr als ehemaliger SA-Mann vor, zerschlägt dabei viel Porzellan, und wir müssen es dann mühsam wieder zusammenkitten.

[...]

66. Werner Best an das Auswärtige Amt 24. Mai 1943

AA havde 15. maj sendt Best en skrivelse med Bormanns forordning af 12. august 1942 og Lammers' cirkulære 6. februar 1943 vedrørende behandlingen af de germansk-völkische anliggender i bl.a. Danmark og havde bedt ham om en stillingtagen dertil. Best svarede, at han ikke havde noget at indvende mod denne ordning. Han var i kraft af sin rang som SS-Gruppenführer Germanische Leitstelles overordnede, og han bad om, at der med RFSS blev truffet aftale om, at han varetog begge funktioner. Han ville da indhente AAs billigelse i alle germansk-völkische spørgsmål, der kom op med RFSS.

Dermed var Best tilbage ved det ønske, han allerede havde taget op med AA efter sin tiltræden som rigsbefuldmægtiget og dengang fået klart afslag (se Berger til Himmler 4. november og Brandt til Berger 21. november 1942).

Reichel sendte 25. maj Bests telegram videre til Horst Wagner, der på det tidspunkt opholdt sig hos RAM (Fuschl). Det affødte følgende ordre fra Wagner til Reichel dateret Salzburg 2. juni: "Es ist mir aufgefallen, daß in dem Führererlaß über die Zuständigkeit der Germanischen Leitstelle in den besetzten Gebieten auch Dänemark als besetztes Land aufgeführt ist. Ich bitte, bei Pol. festzustellen, ob diese Bezeichnung für Dänemark üblich ist." I AA nåede man til den konklusion, at sagen ikke var afgjort, og Reichel sendte 20. juli Franz Riedweg et brev i sagen. Sideløbende blev Bests ønske om en drøftelse med RFSS fulgt. Se Büro RAM til Wagner 23. juli og Wagner til Best 31. juli 1943.
Kilde: NHWE, Id. dok.: APK-014958.

Dg Kopenhagen Nr. 156 24.5. 21:15 Uhr

Auswärtig Berlin
Nr. 639 vom 24.5.43

Auf das Schreiben vom 15.5.43[102] (Inl. II D 1377) erwidere ich, daß ich gegen die vorgeschlagene Regelung, daß ich in allen grundsätzlichen germanisch-völkischen Fragen mich

---
102 Skrivelsen er ikke lokaliseret.

mit der Außenstelle des Reichsführers-SS in Verbindung setzen soll, keine Bedenken habe. Da diese Außenstelle in mir als SS-Gruppenführer ihren Vorgesetzten sieht, bitte ich zu erwägen, ob nicht mit dem Reichsführer-SS eine Vereinbarung dahin getroffen werden kann, daß beide Funktionen in meiner Person zusammenfallen. Ich würde dann in allen grundsätzlichen germanisch-völkischen Fragen unter Benachrichtigung des Auswärtigen Amtes das erforderliche Einvernehmen mit dem Reichsführer-SS herstellen.

Dr. Best

67. Hugo Hensel an das Auswärtige Amt 25. Mai 1943

På gesandtskabets vegne sendte Hensel oplysninger til AAs liste over fremsendte tyske ansatte ved sikkerheds- og ordenspolitiet i Danmark.
Kilde: PA/AA R 100.757.

Abschrift
Der Bevollmächtigte des Reiches in Dänemark *Kopenhagen, den 25. Mai 1943*
– Z:Pers P 6 –

An das Auswärtige Amt
  Berlin

Auf den Erlaß vom 12.5.1943[103] – Inl. II B 3819/43 –

Betr.: Zur hiesigen Behörde abgeordnete Beamte und Angestellte der Sicherheits- und Ordnungspolizei.
  – 2 Durchdrucke –

Regierungsamtmann Bunke, der seit dem 1.5.1943 die Dienstbezeichnung Kriminalrat führt, ist in der Behörde des Bevollmächtigten des Reiches in Dänemark (Hauptabteilung III, Wirtschaft) seit dem 2.4. d.J. tätig. Ich bitte, die eingereichte Liste der hierher abgeordneten Angehörigen der Sicherheits- und Ordnungspolizei entsprechend zu ergänzen.

Von den in der vorerwähnten Liste aufgeführten Beamten sind z.Zt. vorübergehend zugeteilt

Der Außenstelle	Aarhus:	Krim. Obersekr. [Johannes] Johannsen
		Krim. Sekr. [Paul] Fabisch
	Esbjerg:	Krim Obersekr. [Franz] Marquardt
		Krim. Sekr. W.[alter] Rohde
	Odense:	Krim. Sekr. [Erwin] Müssener
		Krim. Ass. Jens Rode
	Aalborg:	Krim. Obersekr. [Wilhelm] Berndt
		Krim. Ass. [Hermann] Rothenberg

  Im Auftrag
  gez. **Hensel**

---

103 Denne skrivelse er ikke lokaliseret.

68. Walter Forstmann an Werner Best 26. Mai 1943

I anledning af, at den danske regering havde indført rationering af gas og el, og at det ikke var muligt at få tilført mere kul og koks fra Tyskland end hidtil, ønskede Forstmann, at Best rettede henvendelse til den danske regering for at få energiforsyningen til de virksomheder, der arbejdede med tysk rustningsproduktion, forøget. Endelig burde det forsøges, om ikke der kunne skaffes mere el fra Sverige.

Bests svar er ikke lokaliseret, men der blev påfølgende taget særligt hensyn til de energiforbrugende virksomheder, der arbejdede for besættelsesmagten. Se Rüstungsstab Dänemark 15. september 1943.

Kilde: BArch, Freiburg, RW 27/8. KTB/Rü Stab Dänemark 2. Vierteljahr 1943, Anlage 11.

Der Chef des Rüstungsstabes
– 33 –

Anlage 11
26. 5. 1943

Energie-Versorgung der mit deutschen Rüstungsaufträgen belegten dänischen Betriebe.

An den Bevollmächtigten des Reiches in Dänemark
– Hauptabteilung III Wirtschaft –
Kopenhagen

Die von der Dänischen Regierung wegen Brennstoffmangel durchgeführte Rationierung der *Energie-Versorgung* (Gas und Strom) bei der dänischen Industrie führt allmählich bei einzelnen mit wichtigen deutschen Rüstungsaufträgen belegten Betrieben zu ernsten Störungen und zu Einschränkungen in der Produktion, die nicht verantwortet werden können.

Chef Rü Stab Dän. hat gestern durch Direktor Geiselhart von der Reichsvereinigung Kohle erfahren, daß keine Möglichkeit besteht, Dänemark besser als bisher mit Kohle und Koks zu versorgen, vielmehr ist ein Absinken der Brennstoffverladungen nach Dänemark bereits eingetreten. Die Zulieferungen werden sich noch weiter verringern. Eine Besserung in der Stromversorgung durch Erhöhung der Brennstoffzufuhr aus Deutschland ist also keinesfalls zu erwarten.

Die reibungslose Durchführung deutscher Rüstungsaufträge in Dänemark ist ds.E. nur möglich, wenn die dänischen Behörden veranlaßt werden, besonderen Wünschen des Rü Stab Dän. bezüglich der Energie-Versorgung einzelner Betriebe voll und ganz zu entsprechen.

Dänischerseits hat man für die verringerte Zuteilung von elektrischem Strom den Verbrauch des Jahres 1941 zugrunde gelegt. 1941 war aber die Zahl und der Umfang der nach Dänemark verlagerten deutschen Rüstungsaufträge erheblich geringer als heute. Vor allem paßt diese Grundlage überhaupt nicht für diejenigen kleineren Betriebe, die sich bereitwilligst der deutschen Rüstungsindustrie zur Verfügung stellten, sich dadurch seit 1941 wesentlich vergrößerten und nun einen entsprechend höheren Stromverbrauch haben; 2 Beispiele dafür:

Firma:	Gesamtverbrauch		
	1941:	1942:	1943: (voraussichtlich)
Skandinavisk Gasapparat A/S	8.800 kwh	14.570 kwh	19.035 kwh
Globus Cykler:	30.643 kwh	55.117 kwh	140.000 kwh
bei einer Belegschaft von:	10 Mann	100 Mann	250 Mann

Andererseits gibt es dänische Firmen, die sich hartnäckig weigern, deutsche Aufträge zu übernehmen, wie z.B. die Firma Fisker & Nielsen die heute nur mehr 2/5 der Belegschaft von 1941 beschäftigt und somit durch die verringerte Stromzuteilung keinerlei Schwierigkeiten hat. Der Minderverbrauch dieser Firmen kann einen Ausgleich für die von Rü Stab Dän. angeforderten Strommengen bilden, ohne das dänische Gesamtkontingent zu belasten.

Ebenso könnte ds.E. eine Einsparung an Gas zu Gunsten der mit deutschen Rüstungsaufträgen belegten Betriebe bei solchen Firmen durch eine Drosselung des Bezugs erreicht werden, deren monatlicher Bedarf unter 5.000 cbm liegt; bisher ist eine Kürzung bei einem monatlichen Verbrauch in dieser Höhe nicht erfolgt.

Es ist deshalb kein unbilliges Verlangen, von der Dänischen Regierung zu fordern, daß besonderen Wünschen des Rü Stab Dän. bezüglich der Energie-Versorgung der mit deutschen Rüstungsaufträgen belegten dänischen Betriebe grundsätzlich entsprochen wird. Es wird sich dabei nur um eine verhältnismäßig geringe Anzahl von Betrieben handeln, für die – wie bei den oben genannten – eine Sonderreglung erfolgen muß.

Schließlich wäre zu prüfen, ob Dänemark nicht mehr als bisher Strom aus Schweden beziehen kann. Auf diese Möglichkeit wurde Rü Stab Dän. wiederholt von dänischen Industriellen hingewiesen.

Es wird gebeten, bei der Dänischen Regierung das Erforderliche zu veranlassen.

Der Chef des Rüstungsstabes Dänemark

gez. **Dr. Forstmann**

Kapitän zur See

69. Frhr. von Bodenhausen: Aufstellung von Sonderkommandos 27. Mai 1943

Ved den 416. tyske infanteridivision, der var lokaliseret i Midt- og Nordjylland, blev der beordret opstilling af fire særkommandoer, der som den eneste opgave havde at bekæmpe fjendtlige agenter. Der skulle udtages særligt intelligente soldater til opgaven og udpeges fire særligt egnede officerer. Opstillingen skulle ske i dybeste hemmelighed, og det blev forbudt dem at anvende telefonisk kommunikation. Det kunne advare fjenden.

Opstillingen må have baggrund i von Hannekens ordre af 22. januar 1943 (trykt ovenfor), meldingerne om nedkastning af fjendtlige agenter, og at der ikke var tysk politi i tilstrækkeligt omfang til at tage sig af opgaven. Dertil kom fra værnemagtens side mistillid til det danske politis evne og vilje til at løse opgaven med opsporingen af agenterne. Særkommandoernes effektivitet var måske tvivlsom, da der blev indsat personel, som hverken havde træning eller erfaring inden for dette specielle område. Der blev opstillet nye særkommandoer ved 416. infanteridivision efter 29. august 1943, se 416. infanteridivision 13. september 1943. Se endvidere von Hanneken til de tyske soldater i Danmark 23. august 1943.

Kilde: RA, Danica 1069, sp. 4, nr. 5784.

Abschrift
416. Infanterie-Division *Div.St.Qu., den 27.5.1943*
Abt. Ia/Ib/Ic
Nr. 2051/43 geheim Geheim!

Betr.: Aufstellung von 6 Sonderkommandos.

1.) Zur Bekämpfung von abgesetzten feindlichen Agenten usw. stellt 416. Inf. Div. 4 Sonderkommandos in stärke von 1:3 zu den Fluwas.

    Troelstrup   (28)
    Giver   (29)
    Rebild   (13)
    Hammershöj   (14)

2.) 71. Inf. Div. wird gebeten, die auf Grund der Besprechung mit Major Umlauf, Div. Nafü, zugesagten 2 Sonderkommandos mot. in Stärke von 1:3 in den Orten Hobro und Randers zu stellen.

3.) Zu 1.) kommandieren:
    a.) Fest. Inf. Rgt. 712 und 713 bis auf weiteres zum Stab 416. I.D
        je 4 Mann, hiervon 2 mit M.P. Ausbildung
        je 2 m. PKW mit Fahrern.

    Die zu kommandierenden Soldaten müssen intelligente und findige Leute, die sich im Gelände gewandt bewegen können. Die zu kommandierenden Kfz. müssen voll betriebsfähig und fahrbereit sein. Nach Möglichkeit sind Kabrioletts zu stellen.

    Anzug: Feldmarschmäßig.

    Meldung: 31.5.1943 bis 9.00 Uhr bei Stabskomp. F.I.R. 713 in Nörresundby. Hier erfolgt Einweisung durch 416.I.D., Oblt. Mohr).

    b.) Feldgend. Trupp c 603 (mot.) kommandiert 4 besonders ausgesuchte Uffz., die als Gruppenführer voll geeignet sind und sich durch besondere Findigkeit und Wendigkeit auszeichnen. Ausbildung mit M.P. erforderlich.

    Anzug und Meldung wie zu 3a).

4.) Ausrüstung: Ausrüstung erfolgt nach Einweisung durch 416. I.D.

5.) Unterbringung und Verpflegung: Die Standortbereichsführer Aalborg, Fjerritslev und Viborg sorgen für Unterbringung und Verpflegung.

6.) Die Division weist noch besonders darauf hin, daß über die Aufstellung der Sonderkommando strengstes Stillschweigen gewahrt werden muß. Fernmündliche Aussprachen hierüber sind grundsätzlich verboten.

    Beispiel: Vor einigen Wochen konnte ein Agent entkommen, da er durch ein geführtes Telefongespräch, welches abgehört wurde, rechtzeitig gewarnt worden ist.

                Für das Divisionskommando
                Der erste Generalstabsoffizier
                gez. **Frhr. v. Bodenhausen**

70. Eberhard Reichel an Werner Best 28. Mai 1943

Best blev bedt om at tage stilling til, om Jens Møller kunne holde tale på et førerting for Hitlerjugend i Gau Nordmark.

    Best sendte svar med telegram nr. 654, 31. maj.
    Kilde: PA/AA R 100.356.

Telegramm

Berlin, den [...] Mai 1943

Diplogerma Kopenhagen Nr. ...
Referent: AR Fleissner
Betreff: Reise Volksgruppenführer Möller in den Gau Nordmark.
[K]osten: "ohne"

Gebietsführung Nordmark der Hitler-Jugend hat Volksgruppenführer Möller gebeten, auf dem Führer-Thing am 11. Juni d.J. vor Führerkorps der Hitler-Jugend zu sprechen. Erbitte baldige telegrafische Stellungnahme.
Reichel[104]

Nach Abg.: Pol VI z.K.
Herrn Kzl. Limberts zwecks Einziehung d. Kosten.
Vvl. nach 1 Woche.

71. Eberhard von Thadden an Werner Best 28. Mai 1943

AA gik ind på Bests forslag om, at Aage H. Andersens tilgodehavende hos Antisemitische Aktion skulle modregnes i den udgift til betaling af Andersens bøde, som gesandtskabet havde haft (Yahil 1967, s. 98).
Kilde: PA/AA R 99.413. RA, pk. 219.

Durchdruck als Konzept *den 28. Mai 1943*
Inl. II A 4240

An den Bevollmächtigten des Reiches in Dänemark
  in Kopenhagen

Auf den Bericht vom 17. Mai d.Js.[105] – II P Nr. 100/43. –

Der in dem nebenbezeichneten Bericht unterbreitete Vorschlag, die Aage Andersen aus Mitteln der Gesandtschaft zur Verfügung gestellten 10.000 Kronen auf den von der Antisemitischen Aktion Herrn Aage Andersen geschuldeten Betrag von rund 10.000 Reichsmark anzurechnen und die Antisemitische Aktion (bezw. Antikomintern) zur Einzahlung des RM-Gegenwertes der 10.000 Kronen an das Auswärtige Amt zu veranlassen, hält das Auswärtige Amt nur dann für vertretbar, wenn Aage Andersen die dort ausgezahlten 10.000 dänischen Kronen zurückzuzahlen verpflichtet ist, sie also nicht als endgültigen Zuschuß, sondern als Darlehen erhalten hat.
  Unter dieser Voraussetzung ist auch die Antisemitische Aktion (bezw. Antikomintern) mit einer Regelung auf dieser Basis einverstanden.

104 Med håndskrift er tilføjet 28. maj.
105 Best til AA 17. maj 1943, trykt ovenfor.

Es wird daher gebeten, je nach Lage der Dinge eine Quittung von A. Andersen über die 10.000 Kronen für die Antisemitische Aktion zu beschaffen oder erneut zu berichten.

Im übrigen ist der Antisemitischen Aktion mitgeteilt worden, daß aus Mitteln des Auswärtigen Amtes oder den dem Bevollmächtigten des Reichs zur Verfügung stehenden Fonds Devisen zur Zahlung des geschuldeten Betrages an A. Andersen nicht zur Verfügung gestellt werden könnten. Bei der außerordentlich angespannten Devisenlage sei es zweckmäßig, die Zahlung zunächst noch zurückzustellen bzw. sie auf Sperrkonto in Deutschland vorzunehmen.

Im Auftrag
gez. v. Thadden

72. Das Auswärtige Amt an Werner Best 28. Mai 1943

Best modtog førerbeslutningen om, hvilke udenlandske frivillige, der kunne og ville opnå tysk statsborgerskab. Det blev bemærket, at beslutningen var fremkaldt af omstændigheder, der ikke havde noget med danske forhold at gøre. AA opfattede det sådan, at de i forordningen nævnte personer herefter var i besiddelse af dobbelt statsborgerskab. Eventuelle ønsker til gennemførselsforordningen skulle indgives hurtigst muligt.

Se Bests svar med telegram nr. 685, 4. juni 1943 (Hvidtfeldt 1953, s. 140f.).
Kilde: RA, pk. 231. PKB, 14, nr. 344.

Telegramm

Berlin, den   28. Mai 1943

Diplogerma Kopenhagen Nr. 747.   Akt. Z. zu Inl. II 1465 g II
Referent: LR Dr. Reichel
Betreff: Staatsangehörigkeit von Freiwilligen.

Im Reichsgesetzblatt Nr. 53 vom 25.5. wird nachstehender Führererlaß verkündet:

"I.
1.) Deutschstämmige Ausländer, die der deutschen Wehrmacht, der Waffen-SS, der deutschen Polizei oder der Organisation Todt angehören, erwerben mit der Verkündung dieses Erlasses die deutsche Staatsangehörigkeit.
2.) Deutschstämmige Ausländer, die in die deutsche Wehrmacht, die Waffen-SS, die deutsche Polizei oder die Organisation Todt eingestellt werden, erwerben mit dem Tag ihrer Einstellung die deutsche Staatsangehörigkeit.
3.) Im Einzelfall kann etwas anders bestimmt werden.

II.
Das Nähere zur Durchführung und Ergänzung dieses Erlasses bestimmt der Reichsminister des Innern im Einvernehmen mit den beteiligten Stellen."

Schluß des Führererlasses.

Der Erlaß ist durch Umstände hervorgerufen, die sich nicht auf dortige Verhältnisse beziehen. Nach hiesiger Auffassung besitzen die im Erlaß bezeichneten Personen nunmehr eine doppelte Staatsangehörigkeit, ihre Angehörigen nur die bisherige.

Bitte diese Auffassung gegebenenfalls dortiger Regierung gegenüber zu vertreten. Etwaige Wünsche betreffend Durchführungsverordnung bezw. Ergänzung bitte baldmöglichst vorzulegen.

Die Frage 1) im Drahtbericht Nr. 648 vom 27.5. wird bei Ausarbeitung der Durchführungsbestimmungen geklärt werden.

Reichel

73. Eberhard von Thadden an Werner Best 28. Mai 1943

I forlængelse af Thaddens forespørgsel til Best 4. maj og Bests svar til AA 17. maj 1943 besluttede AA, at eventuel fortsat finansiel støtte til Carsten Cohrt ikke længere kunne finde sted gennem ministeriet.

Dermed havde ministeriet fulgt Bests indstilling i alle forhold vedr. *Kamptegnet*.

Kilde: PA/AA R 100.864. RA, pk. 224. Lauridsen 2008a, nr. 91.

Inl. II A 1389 g   [Berlin,] den 28. Mai 1943

An den Bevollmächtigten des Reiches in Dänemark
    Kopenhagen

Auf das Schreiben vom 17.5.1943[106] – II P Nr. 95/43. –

Betrifft: Finanzielle Unterstützung des Carsten Cohrt.

Der Antijüdischen Aktion (Antikomintern) ist mitgeteilt worden, daß nach diesseitiger Auffassung die dem Herausgeber des "Kamptegnet" gezahlten laufenden Unterstützungen ausreichen, um auch eine hinreichende Unterstützung von Herrn Cohrt sicherzustellen. Bei der außerordentlich angespannten Devisenlage erscheint es daher nicht vertretbar, daß Devisen für eine laufende monatliche Unterstützung des Herrn Cohrt die Antisemitische Aktion bereitgestellt werden. Keinesfalls können jedenfalls Devisen aus Mitteln des Auswärtigen Amtes abgezweigt werden. Sofern die Antisemitische Aktion eine laufende Unterstützung von Herrn Cohrt aufgrund der erteilten Zusage für notwendig erachtet, werde ihr nahegelegt, die Zahlungen für Herrn Cohrt auf Sperrkonto in Deutschland zu leisten und den Transfer der Beträge zurückzustellen, bis die Zahlungsverhältnisse zwischen Deutschland und Dänemark ihn ohne Bedenken zulassen.

Im Auftrag
gez. v. Thadden

---

106 Best til AA 17. maj 1943, trykt ovenfor.

74. Paul Barandon an das Auswärtige Amt 29. Mai 1943

Barandon meddelte, at den danske orlogskaptajn T.S. Prip, der havde haft kommandoen på "Søridderen," da bevæbnede personer tvang den til Sverige, var blevet afskediget med halv pension (se Ritters telegram til Best 8. april 1943).
   Kilde: PA/AA R 61.119. RA, Danica 628, sp. 7, nr. 5297 (afskrift til OKW og OKM).

Abschrift Pol VI 690/43
Der Bevollmächtigte des Reiches in Dänemark   *Kopenhagen, den 29. Mai 1943*
I.A./Tgb. Nr. 226/43

An das Auswärtige Amt

Betr.: Überfall auf das dänische M-Boot "Söridderen".
Im Anschluß an Schriftbericht I.A. Nr. 179/43 – II – vom 20.5.43[107]

Das dänische Marineministerium hat den Kapitän T.S. Prip, der am 10. März dieses Jahres Kommandant des Minensuchbootes "Söridderen" war, am 12. Mai mit halber Pension aus dem Dienst der Kriegsmarine entlassen. Die Entlassung wird damit begründet, daß Prip unter den schwierigsten Verhältnissen des 10. März nicht den Anforderungen, die an einen Schiffskommandanten gestellt werden müssen, gerecht geworden sei. Nachdem sein Boot von sieben bewaffneten Personen, die im Einvernehmen mit einigen Angehörigen der Besatzung handelten, überrumpelt worden sei, habe er es nicht vermocht, sich wieder des Kommandos zu bemächtigen, ehe die genannten Personen nach neunstündiger Fahrt das Boot wieder verlassen hätten und nach Schweden geflüchtet seien.

                                      In Vertretung:
                                      gez. **Dr. Barandon**

75. Werner Best an das Auswärtige Amt 29. Mai 1943

Best indberettede om danske virksomheder, der arbejdede for besættelsesmagten og som havde svært ved at få udbetalt erstatning efter påført sabotage. Best havde allerede søgt at få problemerne løst, men ville give senere orientering.
   Kilde: PA/AA R 61.119.

Abschrift Pol VI 706
Der Bevollmächtigte des Reiches in Dänemark   *Kopenhagen, den 29.5.43*
Gesch. Zch. III/1917/43

An das Auswärtige Amt. Berlin

Betr.: Sachversicherung bei Sabotageschäden im Rahmen der Kriegsversicherung.

---

107 Barandon til AA 20. maj 1943, trykt ovenfor.

Im Nachgang zu meinem Drahtbericht vom 12. Mai 1943 Nr. 563:[108]
Gelegentlich mehrere im Januar 1943 in Kopenhagen vorgefallener Sabotageakte bei Firmen, welche deutsche Rüstungsaufträge ausführen, wurde mir vom Befehlshaber der deutschen Truppen in Dänemark sowie vom Rüstungsstab Dänemark mitgeteilt, daß die Kriegsversicherungsanstalt (Krigsforsikring af Bygninger for Industri og Handel) in Kopenhagen es abgelehnt habe, zwei bei ihr versicherte, von Sabotageschäden betroffene Firmen zu entschädigen, da es sich nicht um Kriegsschäden handle. Die Feuerversicherung konnte in beiden Fällen nicht in Anspruch genommen werden, weil kein Feuerschaden entstanden war.

Da zu befürchten war, daß dieses Verhalten der Kriegsversicherungsanstalt, sich in der Zukunft für das Reich nachteilig auswirken würde, indem dänische Firmen die Übernahme deutscher Rüstungsaufträge verweigern, falls der in den erwähnten Fällen vertretene Standpunkt nicht fallengelassen würde, bin ich an die dänische Regierung mit dem Ersuchen herangetreten, ehestens Abhilfe zu schaffen. Mit Schreiben vom 17.3.43 hat das dänische Außenministerium auf Grund der vom dänischen Innenministerium und Handelsministerium mit den beteiligten Versicherungsanstalten durchgeführten Verhandlungen mitgeteilt, daß den deutschen Wünschen restlos entsprochen wird. Die Einzelheiten der getroffenen Regelung, welche von mir sowohl dem Befehlshaber als auch dem Rüstungsstab bekanntgegeben wurden, sind aus der beiliegenden Abschrift des Schreibens zu entnehmen.

Die mir vom Rüstungsstab Dänemark zugegangene Mitteilung, daß den geschädigten Firmen, deren Schadenersatz liquid befunden wurde, die sofortige Auszahlung der Versicherungssumme vom Kriegsversicherungsinstitut verweigert und erst nach Ablauf von etwa 2 Jahren in Aussicht gestellt werde, hat zu neuerlichen Vorstellungen bei der dänischen Regierung geführt. Auch diese Angelegenheit wurde im Einvernehmen mit den beteiligten dänischen Ministerien befriedigend geregelt. Durch eine in Aussicht genommene Abmachung zwischen der Kriegsversicherungsanstalt und einer Anzahl dänischer Großbanken wird in kürzester Zeit die Möglichkeit geschaffen werden, die Schadenersatzbescheide der Kriegsversicherungsanstalt, denen Sabotageschäden zugrundeliegen, auf Wunsch des Versicherungsnehmers beleihen zu lassen.

Da ich schließlich von der Abwehrstelle Dänemark unterrichtet wurde, daß von den dänischen Versicherungsanstalten Schadenersatzfälle, welche Sabotageakte zur Grundlage haben, verschieden behandelt werden, indem bei Schadenfeuer, welches als Sabotageakt geklärt wurde, entgegen der Übung bei Nichtsabotagefällen nur 97 % des Schadens ersetzt werden, bin ich neuerdings bei der dänischen Regierung vorstellig geworden, die in Betracht kommenden Versicherungsanstalten zu veranlassen, diese für die Versicherten nachteilige Differenzierung der Schadensersatzfälle aufzugeben. Diese Angelegenheit steht bei den dänischen Ressorts zur Zeit noch in Behandlung. Sobald die Antwort der dänischen Regierung vorliegt, werde ich weiter berichten.

gez. **Best**

---

108 Trykt ovenfor.

76. Werner Best an das Auswärtige Amt 31. Mai 1943

Best havde fået underretning om, at Gustav Meissner havde indsendt en situationsberetning fra Danmark uden om ham og uden hans vidende.[109] Nu ville Best gerne kende indholdet.
 Han fik svar af Wagner 4. juni 1943.
 Kilde: PA/AA R 100.356.

Telegramm

Kopenhagen, den	31. Mai 1943	14.10 Uhr
Ankunft, den	31. Mai 1943	14.30 Uhr

Nr. 653 vom 31.5.[43.]

Mir ist mitgeteilt worden, daß der Legationsrat Gustav Meissner dem Auswärtigen Amt einen Lagebericht über Dänemark – insbesondere über die DNSAP – vorgelegt habe. Da dieser Bericht ohne meine Kenntnis und unter Umgehung meiner Person vorgelegt wurde, bitte ich, mir den Bericht zur Kenntnis zu geben, damit ich mich wenigstens nachträglich über seine sachliche Richtigkeit äußern kann.

Dr. Best

77. Paul Kanstein an das Auswärtige Amt 31. Mai 1943

Kanstein oplyste straffen for de unge mænd, der havde afbrændt en del af Stadionhallen i Århus i marts. Sabotagen vakte opsigt, fordi den havde ført til indførelse af undtagelsestilstand i Århus. På Kansteins foranledning blev dommene offentliggjort i pressen, hvori det blev meddelt, at sabotørerne efter dommen ville blive overført til en tysk straffeanstalt.
 Kilde: PA/AA R 61.119.

Abschrift Pol VI 707
Der Bevollmächtigte des Reiches in Dänemark   *Kopenhagen, den 31.5.43*
II C 3 B. Nr. 717/43.

An das Auswärtige Amt, Berlin

Betr.: Sabotageakte in Dänemark.
Vorgang: Hies. Schriftbericht vom 30.4.1943[110]

Am 6.5.1943 fand vor dem Feldgericht in Aarhus die Verhandlung gegen die Täter statt, die am 27.3.1943 die Tennishalle des Stadions in Aarhus in Brand gesetzt hatten. Dieser Sabotagefall erregte in Dänemark deshalb Aufsehen, weil er dazu führte, daß auf militärische Veranlassung vorübergehend in Aarhus alle öffentlichen Veranstaltungen verboten wurden, die Polizeistunde auf 18.00 Uhr festgesetzt und der Verkehr in den

---

109 Meissners indberetning til Ribbentrop er trykt ovenfor 19. april 1943.
110 Trykt ovenfor.

Straßen von 19.00 Uhr bis 5.00 Uhr untersagt wurde.[111]
Es wurden verurteilt:
1.) Clausen, Willi, Hans, geb. 4.1.1924 in Vejle, wegen Brandstiftung in Tateinheit mit Wehrmittelbeschädigung und wegen Diebstahls zu einer Gesamtstrafe von 8 Jahren und 4 Monaten Zuchthaus;
2.) Petersen, Hans, Reinhard, geb. 6.6.26 in Aarhus, wegen Brandstiftung in Tateinheit mit Wehrmittelbeschädigung zu 5 Jahren Gefängnis.
3.) Jensen, Svens, Rye, geb. 15.2.25 in Vändrup und
4.) Jensen, Harry, Brönnum, geb. 10.6.25 in Tustrup, beide wegen Nichtanzeige eines Verbrechens zu je einem Jahr und 6 Monaten Gefängnis.

Im Urteil wurde zum Ausdruck gebracht, daß als Sühne für das Verbrechen nur auf Todesstrafe hätte erkannt werden können, wenn die Täter erwachsene Menschen gewesen wären.

In der dänischen Tagespresse vom 27.5.1943 ist auf meine Veranlassung eine entsprechende amtliche Veröffentlichung erschienen.[112] Dabei ist hervorgehoben worden, daß die Vollstreckung dieser Strafen mit Rücksicht auf das jugendliche Alter der Verurteilten in Dänemark erfolgt, während sonst ihre Überführung in eine deutsche Strafanstalt hätte erfolgen müssen.

In Vertretung
gez. **Kanstein**

78. Werner Best an das Auswärtige Amt 31. Mai 1943
Best tilsluttede sig, at Jens Møller kunne rejse og holde tale i Gau Nordmark.
Kilde: PA/AA R 100.356.

Fernschreibstelle des Auswärtigen Amts

DG Kopenhagen Nr. 179 31/5 20:10.
An Ausw. Berlin
Nr. 654 v. 31.5.43. G Aschreiben
Auf Drahterlaß Nr. 748 v. 28.5.43.[113]

Ich habe keine politischen Bedenken dagegen, daß Volksgruppenführer Dr. Möller dem Wunsche Gebietsführer Nordmark der Hitlerjugend, am 11. Juni d.Js. vor Führerkorps der Hitlerjugend zu sprechen, entspricht.

Dr. Best

---

111 Se Best til AA 30. april 1943.
112 Trykt hos Alkil, 2, 1945-46, s. 837.
113 Trykt ovenfor.

79. Werner Best an das Auswärtige Amt 31. Mai 1943
Der var 27. maj foretaget en række sabotageaktioner i Århus, der fik Best til at videregive oplysninger derom, da de passede ind i hans tidligere givne billede af sabotagen; at voldsanvendelsen var grovere (to døde), og at England stod bag.
   Kilde: PA/AA R 100.758. RA, pk. 229.

Telegramm

Kopenhagen, den	31. Mai 1943	20.00 Uhr
Ankunft, den	31. Mai 1943	20.50 Uhr

Nr. 658 vom 31.5.[43.]

Betrifft: Sabotageakte in Dänemark.
Bezug: Hiesige Berichte, zuletzt FS Nr. 608[114] vom 18.5.43
   II C 3 – B. Nr. 717/43.

Am 27.5.1943 wurden in Aarhus von einer Sabotagegruppe an vier verschiedenen Stellen Sprengstoff Anschläge und Brandlegungen, die aber nur unbedeutenden Schaden anrichteten, durchgeführt.[115] Hierbei kam es auf einem Marinelagerplatz in der Ole Römersgade zu einem Schußwechsel zwischen dem Wächter und den vier Saboteuren. Ein Saboteur, der Maschinenarbeiter Willi Schmidt, geb. 4.4.20 in Aarhus, wurde tödlich getroffen.[116] Der 57-jährige Wächter Johannes Christiansen wurde durch 2 Schusse so schwerverletzt, daß er am 29.5. verstarb. Die Ermittlungen führten bereits zu mehreren Festnahmen in Aarhus und Kopenhagen.

   Es konnten eine Anzahl Elektrobrand- und Thermitbomben, Zeitzünder, Lunten und anderes Sabotagematerial, das sämtlich englischen Ursprungs ist, sichergestellt werden.[117]

Dr. Best

80. Das Auswärtige Amt an OKW 31. Mai 1943
AA meddelte OKW, at man afventede den danske regerings tilkendegivelse i spørgsmålet om en tysk-dansk aftale om værnemagtsskader.
   Se OKW til AA 18. juni 1943.
   Kilde: PKB, 13, nr. 711.

Berlin, den 31. Mai 1943
zu R 12786
Auf das Schreiben vom 17. April 1943 60 g Beih. 6/9183/43 WV (XIV)

114 bei Pol VI. Telegrammet er ikke lokaliseret.
115 Sabotagegruppen udførte 10 aktioner den aften, men de fleste mislykkedes (Andrésen 1945, s. 262f., Hauerbach 1945, s. 22).
116 Willy Schmidt var medlem af DKP og tilknyttet både en blad- og sabotagegruppe (*Faldne i Danmarks frihedskamp*, 1970, s. 399f.).
117 Willy Schmidts gruppe havde kontakt med SOE og modtaget materiel derfra.

Betrifft: Deutsch-dänisches Abkommen über Wehrmachtsschäden.
Ref.: i.V. LR Dr. Stahlberg.

An das Oberkommando der Wehrmacht
z.Hd. von Herrn Min. Rat Dr. Julius Schreiber.

Nach einem Bericht des Bevollmächtigten des Reichs in Dänemark ist der Entwurf für ein deutsch-dänisches Abkommen über den Ersatz von Wehrmachtsschäden der Dänischen Regierung mit der ersten, dem deutschen Interesse günstigeren Fassung des 3. Absatzes des Artikels 4 zugeleitet worden.[118] Sobald eine Äußerung der Dänischen Regierung vorliegt, wird eine weitere Mitteilung erfolgen.

Im Auftrag
gez. **Stahlberg**

Herrn VLR Dr. C. Roediger nach Rückkehr z. g. K.

81. Bericht über die Vortragsreise von Prof. Dr. Hans Reinerth 31. Mai 1943

Arkæologen professor Hans Reinerth havde holdt foredrag på Det Tyske Videnskabelige Institut i København og afgav efterfølgende en rejseberetning, som bl.a. tilgik AA. Han var på alle måder rosende over for den behandling, han havde fået, ligesom foredraget havde været velbesøgt. To tredjedele af tilhørerne var danskere, deriblandt førende repræsentanter for dansk videnskab, blandt hvilke blev fremhævet Gudmund Hatt og Mogens Mackeprang.[119] Til gengæld klagede han over de begrænsede rejsemidler, der blev stillet til rådighed af de tyske valutamyndigheder.

AA sendte 29. juni rejseberetningen til gesandtskabet i København, hvorefter den blev kommenteret på instituttet. Se WDI til Schacht 16. juli 1943.

Kilde: Archiv Pfahlbaumuseum Unteruhldingen (kopi stillet til rådighed af Lars Schreiber Pedersen).

B e r i c h t
über die Vortragsreise von Prof. Dr. Hans Reinerth nach Kopenhagen
vom 11. bis 21.3.1943

Auf Einladung des Deutschen Wissenschaftlichen Instituts in Kopenhagen führte ich in der Zeit vom 11.-21. März 1943 mit Genehmigung des Herrn Reichsministers für Wissenschaft, Erziehung und Unterricht eine Vortragsreise nach Kopenhagen durch. Mein *Lichtbildervortrag* mit dem Thema "*Baukunst und Kultur des Indogermanischen Urvolkes*. Neue Ergebnisse der deutschen Ausgrabungen am Dümmer 1938-40" fand am 12. März im Deutschen Wissenschaftlichen Institut statt. Bei meiner Ankunft in Kopenhagen wurde ich sogleich in liebenswürdiger Art von dem Präsidenten des Deutschen Wissenschaftlichen Instituts Prof. Otto *Scheel* in Empfang genommen und erhielt Wohnung im Institut, wo mich Prof. Scheel während der ganzen Zeit meines

---

118 Se Best til AA 19. maj 1943.
119 Reinerth havde kontakt med både Hatt og Mackeprang efter besøget i København (Lund 2007, s. 268, Schreiber Pedersen 2007b, s. 548).

Aufenthaltes betreute und im Besonderen meine Forschungen und wissenschaftlichen Neuaufnahmen in Kopenhagen in jeder Weise förderte. Auch die Abteilungsleiter und Mitarbeiter des Deutschen Wissenschaftlichen Instituts brachten meiner Arbeit größtes Verständnis entgegen und haben mir in kameradschaftlicher Art bei der Durchführung meiner Aufgabe geholfen, die sich im Anschluß an meinen Vortrag auf Fundbearbeitungen und literarische Aufnahmen des steinzeitlichen Denkmälermaterials in Dänemark erstreckte.[120]

Der Lichtbildervortrag über "Baukunst und Kultur des Indogermanischen Urvolkes" im Vortragssaale des Deutschen Wissenschaftlichen Instituts war sehr gut besucht. Unter den Hörern fanden sich zu zwei Dritteln Dänen, darunter die führenden Vertreter dänischer Wissenschaft, mehrere Verleger und, was mich unter den augenblicklichen Umständen besonders freute, so maßgebende Repräsentanten der Vor- und Frühgeschichtsforschung wie Prof. Dr. Gudmund Hatt und Museumsinspektor Dr. Mogens Mackeprang. Bei dem Empfang, der sich an den Vortrag anschloß, zeigte sich größtes Interesse an den Neuergebnissen der deutschen Forschung, in diesem Falle meiner mehrjährigen Ausgrabungen in den Mooren am Dümmer, wo es uns gelungen ist, diese wechselseitige Fühlungnahme nicht stark gepflegt wird.

Untragbar erscheint es, daß Vortragende, wie es bei meiner Reise der Fall war, von Seiten der deutschen Devisenstellen lediglich 20,- Kronen in dänischem Gelde zur Durchführung der Reise erhalten. Es müßte dafür Sorge getragen werden, daß deutschen Gelehrter, die zur Vorträgen oder wissenschaftlichen Studien nach Dänemark kommen, Devisen zumindest in dem gleichen Umfange bereitgestellt werden, wie das für die Vertreter der Industrie oder für Angehörige des Wehrmachtgefolges geschieht, die Dienstreisen nach Dänemark ausführen.

Für ihre Förderung und Betreuung bin ich neben dem Bevollmächtigten des Reiches Dr. Best im besonderen Prof. Otto Scheel vom Deutschen Wissenschaftlichen Institut und Direktor Dr. Therkel Matthiesen vom Dänischen Nationalmuseum verpflichtet.

Berlin, den 31. Mai 1943.

[uden underskrift]

82. Kriegstagebuch/Admiral Dänemark 31. Mai 1943

Det fandt omtale, hvilke konsekvenser det gav, at der uden varsel blev skudt på danske fiskekuttere, der blev antruffet uden for de tilladte områder. Nogle kuttere vendte tilbage til Danmark i stærkt beskadiget tilstand, mens andre flygtede til England. I andre tilfælde skete der fejltagelser, som også havde materielle konsekvenser. Sabotagens omfang blev ikke vurderet, men den absolutte størrelse fordelt på forskellige typer blev angivet, ligeså at der havde fundet arrestationer sted og at der var faldet domme over sabotører. Der var atter eksempler på forsøg på illegal udrejse til Sverige.

Kilde: KTB/ADM Dän 31. maj 1943, RA, Danica 628, sp. 3, s. 2108-10.

[...]

---

120 Instituttets afdelingsleder var Hans Kirchhoff.

IX. Dänische Fischerei
Auf Grund warnungslosen Waffeneinsatzes wurden am 15.5. und 16.5.43 mehrfach dänische Fischereifahrzeuge außerhalb erlaubter Fischereigrenzen – Nordseewarngebiet – mit Bordwaffen bis zu 50 Angriffen bekämpft.[121] Vier dieser Fahrzeuge sind in erheblich beschädigtem Zustande nach Esbjerg zurückgekehrt, von drei weiteren fehlt jede Nachricht. Es muß angenommen werden, daß diese drei Fahrzeuge aus Furcht vor der Bestrafung nach England gegangen sind.

Am 19.5.43 sind 35 SM südwestl. Esbjerg, also im erlaubten Fischereigebiet, auf Grund fehlerhaften Koppelns 2 dänische Fischkutter durch eine Ju 88 mit Bordwaffen angegriffen worden. Die beiden Fahrzeuge sind in stark beschädigtem Zustande mit einem Schwerverletzten an Bord nach Esbjerg zurückgekehrt. Dem dänischen Verbindungsoffizier ist mündlich das Bedauern über den Vorfall ausgesprochen und Schadenersatz zugesagt worden.

X. Sabotagefälle
Von den im Monat Mai 43 gemeldeten 72 Sabotagefällen entfallen 11 auf Kabelbeschädigungen, 22 auf Brandstiftungen, 24 auf Sprengstoffattentate, 10 auf Eisenbahnattentate und 5 auf sonstige Sabotagen. Die Marine ist hierbei in 6 Fällen betroffen worden, wobei insbesondere die Versenkung eines im Dienst der deutschen Kriegsmarine stehenden Heizprahmes, das Sprengstoffattentat gegen das Vp.-Boot 1922 – beide Fälle in Aarhus[122] – sowie das Sprengstoffattentat gegen eine Schiffswerft in Svendborg hervorzuheben sind.[123] Auch im Monat Mai sind wiederum eine Anzahl von Sabotagefällen gegen Wirtschaftsbetriebe festzustellen, die weder mittelbar noch unmittelbar für die deutsche Wehrmacht arbeiten. In einem Falle wurde durch eine Brandstiftung in einer Eisengießerei ein Materialschaden von annähernd 2.000.000,- d.Kr. verursacht.[124]

In der Berichtszeit wurde die Festnahme von 36 Tätern gemeldet, die der Sabotage überführt oder verdächtig sind. Ein deutsches Kriegsgericht verurteilte u.a. einen dän. Saboteur zum Tode und zwei weitere zu lebenslänglichem Zuchthaus.[125] Auf Verwendung des dän. Staatsminister beim Bevollmächtigten des Reiches ist die Todesstrafe im Gnadenwege in lebenslängliche Zuchthaus umgewandelt worden. Die drei verurteilten Saboteure müssen ihre Strafe in deutschen Zuchthäusern verbüßen.

---

121 Se KTB/ADM Dän 11. april 1943 og der anf. henv.
122 Der indtraf 12. maj sabotage mod to af den tyske marines skibe på Nordhavnsværftet i Århus. En gruppe ungkommunister under ledelse af Willy Schmidt stod bag (Alkil, 2, 1945-46, s. 1215, Jensen 1976, s. 11f.).
123 Svendborg Værft blev 11. maj 1943 udsat for en sabotagebrand, hvorved montagehallen blev ødelagt, og der skete skade for 85.000 kr. på tyske fartøjer. En lokal sabotagegruppe dannet af lærer Christian Stærmose og guldsmed Per Kraiberg Petersen stod bag (Jensen 1976, s. 7).
124 Det drejede sig sandsynligvis om brandsabotagen 9. maj mod Frederikssund Jernstøberi, hvor to tidsindstillede bomber antændte brand i to modellagre. Skaderne beløb sig til 640.000 kr. (Alkil, 2, 1945-46, s. 1215).
125 Det var BOPA-medlemmet Hans Petersen, der 7. maj blev benådet efter forud 12. april at være dødsdømt.

XI. Illegaler Personenverkehr nach Schweden
Am 26.5.43 wurde in Kopenhagen bei der Schiffsabfertigung des von Lübeck nach Malmö gehenden deutschen Dampfers "Viborg" im Kettenkasten verborgen ein 17 jähriger dän. Gymnasiast aufgefunden. Dieser – Sohn eines dän. Orlogskapitäns – war wegen illegaler Betätigung zu 3 Monaten Gefängnis verurteilt und wollte sich durch die Flucht nach Schweden der Verbüßung der Strafe entziehen. Vier der Besatzungsmitglieder wurden verhaftet und einem deutschen Kriegsgericht zugeführt.
[…]

83. WB Dänemark: Tätigkeitsbericht der Abteilung Ia für die Zeit vom 1.4.-31.5. 1943, 31. Mai 1943

Best havde fået tildelt en politibataljon, der skulle støtte det danske politi i påkommende tilfælde. Der var rekvireret en brokommando i tilfælde af, at det blev nødvendigt at sprænge vigtige broer. Der havde været en bemærkelsesværdig nedgang i antallet af sabotager, og for at få antallet yderligere sænket havde WB Dänemark anmodet den danske regering om yderligere 1.000 betjente til at bevogte truede objekter. Det var ikke lykkedes at rekruttere danske officerer og enheder til indsats på østfronten. Den danske regerings og den danske hærs holdning dertil var ikke overraskende, og på den baggrund blev der heller ikke givet 10 danske officerer lov til at rejse til Sverige til en rideturnering, to var forud flygtet dertil. Der blev heller ikke, modsat tidligere år, givet tilladelse til øvelsesflyvning med danske brevduer. WB Dänemarks bestræbelser på at inddrage den danske forbindelsesofficer i forbindelse med henvendelser til den danske regering var fejlet. Fremover skulle WB Dänemark udelukkede holde direkte kontakt med forsvarsministeriet og kun i militære anliggender.

Det var ikke imponerende resultater, som WB Dänemark kunne opregne for beretningsperioden. Han havde lidt nederlag både med hensyn til rekruttering til østfronten og i magtkampen med den rigsbefuldmægtigede. Dertil kom, at sabotagen var i tilbagegang, hvilket dog ikke forhindrede ham i fortsat at kræve mere dansk bevogtningsmandskab. Forbuddet mod øvelsesflyvning med danske brevduer angiver niveauet for periodens trufne dispositioner.

Kilde: BArch, Freiburg, RW 38/17. RA, pk. 449 (uddrag).

Befehlshaber der deutschen Truppen in Dänemark

Tätigkeitsbericht
der Abteilung Ia für die Zeit vom 1.4.-31.5.1943.

I. Truppengliederung
[…]
Am 15.5. wurde auf Vorschlag des Bevollmächtigten des Reiches beim Auswärtigen Amt das Polizeibatl. Cholm nach Kopenhagen verlegt. Das Batl. wurde dem Bevollmächtigten des Reiches unterstellt mit dem Auftrag, die dänische Polizei im Einsatzfall zu unterstützen. OKW teilte hierzu mit, daß das Batl. für den Fall von Kampfhandlungen vom Bef. Dänemark gemäß der Weisung Nr. 40 eingesetzt werden könne.[126]

Da im Falle englischer Landungen in Jütland mit der Sprengung militärisch wichtiger Brücken über Meeresarme und Flüsse zu rechnen ist, geeignetes Brücken- und Über-

---
126 Se Best til AA 13. maj 1943.

setzmaterial bisher aber nicht vorhanden war, befahl OKH antragsgemäß die Zuführung einer franz. Brueko 35 (Geräteeinheit) nach Dänemark. Das Gerät wurde zunächst dem Pi. Batl. 171 der 71. Inf. Div. zugeteilt mit dem Hinweis, daß sie bodenständig und bei einem etwaigen Abrücken der 71. Inf. Div. an die 416. Inf. Div. zu übergeben sei.
[…]

IV. Kampfhandlungen
[…]
Die Sabotagetätigkeit stieg zunächst weiter an. Gegen Ende der Berichtszeit war jedoch auch hier ein merkliches Absinken festzustellen. Dieser Umstand ist im wesentlichen zurückzuführen auf die Festnahme einer größeren Anzahl Saboteure sowie auf den Aufruf zur Loyalität durch den dänischen König anläßlich der Wiederaufnahme seiner Regierungsgeschäfte.[127]

Zur weiteren Drosselung der Sabotagetätigkeit wurde die dänische Regierung über den Bevollmächtigten des Reiches ersucht, eine erhöhte Bewachung der gefährdeten Objekte durch zusätzliche Einstellung von etwa 1000 Polizeimannschaften durchzuführen.[128]
[…]

VI. Deutsche Wehrmacht und dänischer Staat
Die Bemühungen des Befehlshabers Dänemark, das dänische Kriegsministerium zu veranlassen, seine Offiziere zu Truppenteilen an der Ostfront zu kommandieren, scheiterten. Der in dieser Angelegenheit zu einer persönlichen Besprechung geladene Chef des dänischen Generalstabes erklärte sich lediglich bereit, eine geringe Anzahl Offiziere zur Teilnahme an militärischen Lehrkursen in Deutschland zu bestimmen. Da dieses Zugeständnis in keiner Weise den deutschen Wünschen entsprach, wurde OKH gebeten, die ohne Rücksprache mit Bef. Dänemark an den dänischen Militär-Attaché, Berlin, zu diesem dänischen Vorschlag erteilte Einwilligung aufzuheben und das dänische Kriegsministerium darauf zu verweisen, seine Offiziere zum aktiven Einsatz an der Ostfront zu melden.[129]

Diese Haltung der dänischen Regierung und des dänischen Heeres war indessen nicht überraschend. Sie wurde u.a. dokumentiert durch die Flucht von zwei dänischen Offizieren unterer Dienstgrade nach Schweden.

Im Hinblick auf diese Einstellung der dänischen Regierung wurde deren Gesuch auf Erteilung der Genehmigung der Teilnahme von etwa 10 dänischen Offizieren an einem schwedischen Reitturnier nach Rückfrage bei OKW abgelehnt.

Ferner wurde die in den vorangegangenen Jahren erteilte Erlaubnis zur Durchführung von Schulungsflügen dänischer Brieftauben für das Jahr 1943 nicht gegeben.

Die vom Bef. Dänemark angestrebte Einschaltung des Verbindungsoffiziers der dänischen Regierung und des dänischen Heeres in allen laufenden Angelegenheiten, die

---

[127] Se tillige forklaringerne i *Politische Informationen* 1. maj 1943.
[128] Se WB Dänemarks aktivitetsberetning 31. juli 1943.
[129] Se Bests telegram nr. 574, 13. maj 1943. Endvidere *Politische Informationen* 1. august, afsnit III.

mit der dänischen Regierung zu regeln sind – also auch in solche, die nicht das Ressort des Kriegsministeriums und des Heeres berühren –, wurden von dieser abgelehnt. Die Angelegenheit wurde indessen nochmals über den Bevollmächtigten des Reiches an den dänischen Staatsminister herangetragen, dessen Entscheidung noch aussteht.

OKW befahl in dieser Frage, daß der unmittelbare Dienstverkehr des Befehlshabers der deutschen Truppen mit der dänischen Regierung in Zukunft auf den Verteidigungsminister und die militärischen Dienststellen zu beschränken ist.[130]
[...]

84. Rüstungsstab Dänemark: Lagebericht 31. Mai 1943

Forstmanns månedsberetning indeholdt en støtte til de af Best trufne sabotagebekæmpelsesforanstaltninger, som han mente havde været effektive.
Kilde: BArch, Freiburg, RW 27/8. RA, Danica 1000, T-77, sp. 696, KTB/Rü Stab Dänemark, 2. Vierteljahr 1943, Anlage 12.

Rüstungsstab Dänemark *Kopenhagen, den 31.5.1943.*
ZA/IA Az. 66dl/Wi. Ber. Nr. 518/43 geh. Geheim

Bezug: OKW WI Rü Amt/Rü IIIb Nr. 21755/42 v. 9.5.42
Betr.: Lagebericht.

An den Reichsminister für Bewaffnung und Munition – Rüstungsamt –
  Berlin – Charlottenburg 2,
  Verlängerte Jebensstraße
  Behelfsbau am ZOO.

Rü Stab Dänemark übersendet in der Anlage den Lagebericht für Monat Mai 1943.
Forstmann

Rüstungsstab Dänemark *Kopenhagen, den 31.5.1943.*
ZA/IA Az. 66dl/Wi. Ber. Nr. 518/43 geh.

Vordringliches
Kohle und Energie:
Die von der dänischen Regierung wegen Brennstoffmangel bei der dänischen Industrie durchgeführte Rationierung in der Energieversorgung (Gas und Strom) führt allmählich bei einzelnen, mit wichtigen deutschen Rüstungsaufträgen belegten Betrieben zu Einschränkungen der Produktion. Rü Stab Dän. hat von der Reichsvereinigung Kohle (Direktor Geiselhart) erfahren, daß keine Möglichkeit besteht, Dänemark besser als bisher mit Kohle und Koks zu versorgen, vielmehr mit einem Absinken der Brennstoffverladungen nach Dänemark gerechnet werden muß. Rü Stab Dän. verhandelt z.Zt. über den Bevollmächtigten des Reiches in Dänemark mit der dänischen Regierung dahin-

---

130 Se Bests telegram nr. 373, 2. april, Schnurres optegnelse samme dag og WFSt til von Hanneken 3. april 1943.

gehend, daß besondere Wünsche des Rü Stab Dän. bezgl. der Energieversorgung einzelner Betriebe grundsätzlich Berücksichtigung finden sollen. – Einzelheiten über die Kohlenversorgung siehe 2 c.

Sabotage:
Die Sabotagefälle in Dänemark haben an Zahl und Bedeutung nachgelassen. Vom 18. bis 28.5.1943 hat sich keine erwähnenswerte Sabotagehandlung auf rüstungswirtschaftlichem Gebiet ereignet. Hieraus ist zu schließen, daß die ergriffenen Maßnahmen – Festnahme einer Anzahl Täter, Auffindung von Sprengmaterial größtenteils englischer Herkunft, Verhängung schwerer Strafen durch deutsche Kriegsgerichte und Verbüßung derselben in deutschen Zuchthäusern, Erschießung von 2 Saboteuren durch den Werkschutz, Aufruf des Königs gelegentlich seiner Gesundung und Wiederübernahme der Regierungsgeschäfte, Presseveröffentlichungen – ihren Eindruck nicht verfehlt haben. Den Saboteuren ist es nicht nur darauf angekommen, die deutsche Wehrkraft zu schädigen, sondern ihre Absicht war es zweifellos auch, die dänische Bevölkerung zu beunruhigen und deutsche Maßnahmen herauszufordern, die die gesamte Bevölkerung treffen sollten. – Auf der Werft von Nordbjerg & Wedell, Kopenhagen, wurden durch einen Brand, den man auf Sabotage zurückführt, 2 KM-Boote des OKM/K I Ks vernichtet.[131]

Rohstoffe:
Bezügl. der Sondergenehmigung für legiertes Eisen- und Stahlmaterial (siehe Lagebericht v. 31.3.43)[132] ist durch Verfügung des kommissarischen Reichsbeauftragten für Eisen und Metalle, Az. Dr. Vr./Nz 10/43 v. 12.5.43 eine Entscheidung dahin getroffen worden, daß es bei der bisherigen Handhabung verbleibt und nur bei höherem Legierungsgehalt Sondergenehmigung der Reichsstelle Eisen und Metalle erforderlich ist. Damit die dänischen Auftragnehmer nicht fortwährend den Eingang der im Reich bestellten Eisenmaterialien abwarten müssen, bevor sie mit der Fertigung beginnen können, hat Rü Stab Dän. beim RM f.B.u.M. um eine Zuteilung von 250 t Eisenbezugsrechten gebeten. Das angestrebte Verfügungslager Rü Stab Dän. kann allerdings nur die Lage mildern. Um die Schwierigkeiten vollständig zu beseitigen, reichen die beantragten Mengen nicht aus. Aber dadurch, daß der dänische Lagerhalter Sorten seiner eigenen Bestände gegen die des Rü Stab Dän. austauschen könnte, würde das Verfügungslager wenigstens in den dringendsten Fällen aushelfen. Die Abt. Marine und Luftw. haben Schwierigkeiten für einen Teil ihrer Wehrmachtaufträge durch die Errichtung eigener Läger bereits beheben können. Es verbleiben dennoch viele Aufträge, in denen diese Läger weder beansprucht werden können, noch ausreichen.

1a. Stand der Fertigung
Wertsumme der seit der Besetzung Dänemarks über Rü Stab Dän. erteilten unmittelbaren und mittelbaren Wehrmachtaufträge:

---

131 BOPA foretog sabotagen 5. maj 1943; den udløste en erstatning på 480.000 kr. (Kjeldbæk 1997, s. 462).
132 Trykt ovenfor.

Am 31.3.43	RM	402.057.952,-
Zugang im April 1943	–	13.483.369,-
Am 30.4.43	RM	415.541.321,-
Auslieferungen im April 1943	RM	8.369.614,-

Aufträge des kriegswichtigen zivilen Bedarfs:

Am 31.3.43	RM	60.937.796,-
Zugang im April 1943	–	956.313,-
Am 30.4.43	RM	61.894.109,-
Auslieferungen im April 1943	RM	3.755.655,-

OKM hat das Herausbringen einer wesentlich erhöhten Zahl von HFG-Geräten befohlen. Rü Stab Dän. hat sich deshalb mit der Helsingör-Werft, die monatlich 4 Geräte ausliefert, in Verbindung gesetzt. Die Werft ist jedoch mit dem Hansa-Programm und mit laufenden Reparaturen so ausgelastet, daß ihr eine Erhöhung ihrer Produktion an HFG-Geräten zunächst nicht möglich ist. Rü Stab Dän. verhandelt z.Zt. mit geeigneten Unterlieferanten für die Helsingör-Werft und hofft, die Forderung des OKM erfüllen zu können.

1c. Versorgung der Betriebe mit Roh- und Betriebsstoffen
Der deutsche Lieferungsrückstand an Eisen und Metall betrug am 31.3.43 27.751 t und ist um etwa 14 % gegenüber dem Stand vom 28.2.43 zurückgegangen. Der Rückstand an NE-Metallen betrug am gleichen Stichtag 199 t, d.h. fast 50 % weniger als im Vormonat.

2b. Lage der Treibstoffversorgung
Treibstoffe konnten an die mit Wehrmachtaufträgen belegten dänischen Betriebe auch im Berichtsmonat in genügender Menge zugeteilt werden. Es wurden von den dänischen Firmen 1.325 ltr. Benzin und 70.320 kg Dieselöl angefordert. Zugewiesen wurden nach Prüfung des Rü Stab Dän. 995 ltr. Benzin und 45.750 kg Dieselöl. Es wurden somit 330 ltr. Benzin und 24.570 kg Dieselöl eingespart.

2c. Lage der Kohlenversorgung
Im April 1943 wurden 264.497 t Kohle und Koks eingeführt. Die je Monat für Dänemark vorgesehene Einfuhrmenge an Kohle und Koks beträgt 333.400 t, woraus ersichtlich ist, daß die Verschiffungen im April 1943 stark hinter der vorgesehenen Menge zurückblieben. Um dem Brennstoffmangel abzuhelfen, ist eine zusätzliche Menge von 30.000 t Braunkohlenbriketts von deutscher Seite freigegeben worden. Die Verwendungsmöglichkeit dieser deutschen Braunkohlenbriketts ist aber stark begrenzt, weil sie weder zur Gas- noch zur Dampferzeugung Verwendung finden können.

Die Torfproduktion, von dem trockenen Wetter begünstigt, ist in vollem Gange. Die jetzige starke Ausbeutung der Torfmoore auf Seeland wird jedoch mit sich bringen, daß im nächsten Jahre die Torfstechmöglichkeit bedeutend vermindert sein wird.

Freie Leistungskapazitäten sind vorhanden für:
Kleine Holzboote, Dreh-, Fräs-, und Stanzarbeiten kleinerer Stückzahl und geringerer Genauigkeiten.

JUNI 1943

85. Politische Informationen für die deutschen Dienststellen in Dänemark 1. Juni 1943

Selv om adskillige emner stod på programmet, var hovedærindet at gøre opmærksom på, at der blev gjort noget ved sabotagebekæmpelsen. Christian 10. havde igen overtaget sine forpligtelser og havde benyttet anledningen til at holde en radiotale, hvor han tog afstand fra de uansvarlige personer, der forbrød sig mod regeringens anvisninger. Best mente, at denne opfordring til ikke at udøve sabotage ikke havde undgået at gøre sin virkning på befolkningen. Et særligt afsnit var viet sabotagen, hvor Best anviste, hvordan han ønskede den opfattet. Der var ikke alene et godt samarbejde med dansk politi om sabotagebekæmpelsen, men vide kredse, også kredse, der ikke var tyskvenlige, tog åbent afstand fra sabotagen. Truslen om den hårdest mulige straf og offentliggørelsen af dødsdomme havde gjort deres virkning i offentligheden.

Kilde: RA, Centralkartoteket, pk. 680. PKB, 13, nr. 407 (uddrag).

Politische Informationen
für die deutschen Dienststellen in Dänemark.

Der Bevollmächtigte des Reiches in Dänemark   *Kopenhagen, den 1. Juni 1943*

Betr.   I. Wiederaufnahme der Regierungsgeschäfte durch König Christian X.
       II. Mitteilungen aus der Außenpolitik.
      III. Die Kohlenversorgung Dänemarks.
      IV. Sabotageakte in Dänemark.

I. Wiederaufnahme der Regierungsgeschäfte durch König Christian X

König Christian X. hat, nachdem die Ärzte die Wiederaufnahme seiner Tätigkeit für unbedenklich erklärt hatten, am 12.5.1943 den Reichsbevollmächtigten zu einer ersten Besprechung empfangen und ihm hierbei mitgeteilt, daß er am 15.5.1943 – dem 31. Jahrestage seines Regierungsantritts – die Regierungsgeschäfte wiederaufnehmen wolle.[1]

Am 15.5.1943 hat der König durch einen "Offenen Brief" – also in der gleichen Form, in der seinerzeit der Kronprinz Frederik als Regent eingesetzt worden war, – die Beendigung der Regentschaft und die Wiederaufnahme der Regierungsgeschäfte durch ihn bekanntgegeben.

Am Abend des 15.5.1943 hat der König über den dänischen Staatsrundfunk die folgende Ansprache gehalten:[2]

"Nachdem ich die Führung der Regierung wieder übernommen habe, fühle ich das Bedürfnis, Ihnen allen meinen wärmsten Dank für die zahllosen Beweise von Ergebenheit und Treue zu sagen, die ich während meiner langen Krankheit empfangen habe. Dank für alle Fürbitte und für alle guten Wünsche für meine Genesung!

Aber außerdem war es heute mein Wunsch, zu allen Dänen im Hinblick auf die

---

1 Se Bests telegram nr. 598, 15. maj 1943.
2 Trykt på dansk hos Alkil, 1, 1945-46, s. 215.

ernsten Begebenheiten der letzten Zeit im ganzen Lande zu sprechen.

Seit dem ersten Tage, als die deutsche Besetzung Dänemarks stattfand, habe ich alle in Stadt und Land aufgefordert, ein vollauf korrektes und würdiges Auftreten an den Tag zu legen. Die vergangenen 3 Jahre haben auch gezeigt, daß das dänische Volk in seiner Gesamtheit verstanden hat, daß es unter den schwierigen Verhältnissen, die wir durchleben, von entscheidender Bedeutung ist, daß Ruhe und Ordnung im Lande herrschen.

Gewisse Begebenheiten der letzten Zeit zeigen indessen, daß es Personen gibt, die durch Begehen von verwerflichen Handlungen die Rücksicht außer Acht lassen, die verantwortungsbewußte Dänen ihrem Vaterlande schulden, wenn wir diese schweren Zeiten nach den Richtlinien überstehen wollen, die Regierung und Reichstag in voller Einigkeit festgelegt haben. Diese Handlungen verantwortungsloser Personen können die schwersten Folgen sowohl für Einzelpersonen wie für die Gemeinschaft als Ganzes haben.

Schwierige und ernste Zeiten haben wir durchlebt, seit die Wirkungen des großen Krieges über unser Vaterland hereingebrochen sind, schwierig für die leitenden Männer unseres Landes wie für den einzelnen Bürger. Vielleicht steht uns die schwierigste Zeit jedoch noch bevor. Ich fordere alle – Alt und Jung – auf, daß jeder auf seinem Platz in der Gemeinschaft sich der Verantwortung bewußt ist, die jeder Däne trägt, und an der Arbeit teilnimmt, unser Land durch die Schwierigkeiten der Zukunft zu führen."

Nach den bisher gewonnenen Eindrücken hat die ernste Warnung des Königs vor Sabotage-Akten und anderen Unbesonnenheiten, die das Verhältnis zwischen Dänemark und dem Reich und damit die Interessen Dänemarks beeinträchtigen können, ihre Wirkung auf die gesamte dänische Bevölkerung nicht verfehlt.

II. Mitteilungen aus der Außenpolitik

1.) Ablehnende Haltung der Schwedischen Regierung in der Frage der Flüchtlinge vom "Söridderen."

Auf das in den "Politischen Informationen" vom 1.5.43 unter I.1. mitgeteilte Ersuchen der Dänischen Regierung an die Schwedische Regierung, den zehn dänischen Flüchtlingen, die nach dem mißglückten Anschlag auf das dänische Minensuchboot "Söridderen" nach Schweden flüchteten, möge, nachdem ihre Auslieferung von der Schwedischen Regierung abgelehnt sei, zum mindesten nicht die Ausreise aus Schweden nach einem anderen Lande als Dänemark gestattet werden, hat das Schwedische Außenministerium am 13. Mai 1943 dem Dänischen Gesandten in Stockholm die folgende ablehnende Antwort erteilt:

"Nach dem, was der zuständige Staatsanwalt mitteilt, hat er nicht die Absicht, gegen einen der Flüchtlinge wegen ihres im Zusammenhang mit der Flucht stehenden Vorhabens eine Anklage zu erheben. Von den Flüchtlingen sind 8 auf Beschluß der Fürsorgebehörde in das Långmora-Lager überführt worden. Einer der beiden übrigen, Jörgen Essemann, wird vorläufig im Gefängnis in Verwahrung gehalten, während der andere unter Aufsicht der Fürsorgebehörde Gelegenheit erhält, in Schweden zu arbeiten.

Da in Schweden kein verfassungsmäßig begründetes Verbot für Ausländer besteht, aus dem Reiche auszureisen, haben die schwedischen Behörden keine Möglichkeit, die Flüchtlinge daran zu hindern, Schweden zu verlassen, sofern sie Gelegenheit dazu haben."[3]

2.) Die Dänische Kolonie in Galatz.[4]
Nach einem Bericht aus Galatz konnte durch geschicktes Verhalten der dort tätigen deutschen Stellen ein besonders gutes Verhältnis zu der dänischen Kolonie in Galatz hergestellt werden. In Gesprächen wird immer wieder betont, daß die Auslandsdänen es dankbar empfinden, daß ihr Land anders behandelt wird als die Länder, die sich gegen die im Jahre 1940 erfolgte Besetzung gewehrt haben. Besonderen Eindruck machte es, daß der Kommandeur eines deutschen Infanterieregimentes, das früher in Dänemark lag, den dänischen Konsul zu Gefechtsübungen einlud mit dem Hinweis, daß er ja der Vertreter eines befreundeten Staates sei. Weiter wurde von den Auslandsdänen als erfreulich anerkannt, daß die dänische Währung stabil erhalten und die Preisentwicklung in Dänemark fest geblieben sei.

III. Die Kohlenversorgung Dänemarks
Für das Kohlenwirtschaftsjahr 1942/43 (1.6.1942 bis 31.5.1943) waren deutscherseits Lieferungen nach Dänemark in Höhe von 3 Mill. to Kohle und 1 Mill. to Koks, d.h. monatlich 333.000 to Kohle und Koks, zugesagt worden.[5] Die Lieferungen betrugen jedoch an Kohle nur etwa 62 % und an Koks etwa 75 % dieser Mengen und lagen somit erheblich unter den Zusagen. Im Winter 1942/43 ergab sich hieraus eine schwierige Lage, zumal die Lieferungen im Januar 1943 mit rd. 150.000 to Kohle und Koks den bisher tiefsten Stand erreichten.[6] Schwerwiegende Folgen konnten nur durch einschneidende Rationierungsmaßnahmen verhindert werden.

In den Monaten Februar bis April 1943 waren die deutschen Lieferungen nach Dänemark mit insgesamt 823.000 to Kohle und Koks verhältnismäßig gut. Mit dem Monat Mai setzte jedoch ein erheblicher Rückgang der Belieferung ein, der auch in den kommenden Monaten anhalten wird. Im Lieferungsprogramm für die nächste Zeit sind monatlich nur noch rd. 150.000 to Kohle und Koks vorgesehen. Als Ausgleich dafür soll die Braunkohlenzufuhr erhöht werden. Im Mai 1943 ist mit etwa 58.000 to und im Juni mit 40-50.000 to Braunkohlenbriketts zu rechnen. Zusätzlich sollen einmalig 50.000 to Braunkohlenstaub geliefert werden.

Die beschränkte Kohlenzufuhr hat zur Folge, daß künftig im wesentlichen nur die öffentlichen Versorgungsbetriebe und die dänischen Staatsbahnen mit Kohle versorgt werden können. Nennenswerte Zuteilungen für Industrie und Hausbrand werden nicht vorgenommen werden können. Es wird auch nicht möglich sein, Rücklagen zu schaffen, was für die im September beginnende Zuckerkampagne, für die etwa 80.000 to Kohle benötigt wird, besonders erforderlich wäre. Die daraus zu befürchtenden Störungen

---
3 Se endvidere Barandons telegram til AA 29. maj 1943.
4 Galatz er en by i Rumænien beliggende ved venstre bred af Donau mellem mundingerne af dens bifloder Sereth og Pruth.
5 Jfr. Jensen 1971, s. 165.
6 Se Bests telegram nr. 1828 til AA, 4. december 1942, Barandon til AA 8. januar 1943 og Schnurres svar 19. januar 1943.

sind umso schwerwiegender, als Dänemark neben seinem eigenen Bedarf auch Finnland und Norwegen mit Zucker versorgt und dadurch Deutschland entlastet.

Unter diesen Verhältnissen wird die dänische Förderung einheimischer Brennstoffe, d.h. Braunkohle und Torf, noch mehr als bisher gesteigert werden. Das trockene Wetter in diesem Frühjahr kommt der dänischen Braunkohlen- und Torfförderung sehr zustatten. Andrerseits muß aber berücksichtigt werden, daß mit der Erhöhung dieser Förderung ein gesteigerter Einsatz von Transportmitteln verbunden ist, der wiederum einen erhöhten Kohlenbedarf der dänischen Staatsbahnen zur Folge hat.

IV. Sabotage-Akte in Dänemark

Die Bekämpfung der Sabotage hat in Zusammenarbeit mit der dänischen Polizei weiter zu beachtlichen Ergebnissen geführt. Es sind z.Zt. insgesamt 77 Personen wegen Ausführung von Sprengstoffanschlägen und Brandstiftungen oder Beteiligung an solchen in Haft und zwar:

in Aalborg	17
in Aarhus	9
in Esbjerg	5
in Fredericia	3
in Frederikssund	1
in Horsens	1
in Kolding	1
in Nibe	1
in Odense	6
in Viborg	2
in Kopenhagen	31
	77

Diese Saboteure haben in einzelnen Gruppen, von denen z.Zt. 12 erkennbar sind, zusammengearbeitet. Es handelt sich einerseits um Kommunisten und andrerseits um Jugendliche, die aus nationalen Beweggründen Tätig wurden.

Die umfangreichen Vernehmungen der teils in dänischer und teils in deutscher Haft befindlichen Saboteure haben bereits zur Klärung von 70 Anschlägen geführt. Die laufenden Ermittlungen werden jedoch noch geraume Zeit in Anspruch nehmen.

Zwei Tätergruppen sind bereits vor dem deutschen Kriegsgericht abgeurteilt worden, da sich diese Anschläge (Brandstiftungen an Wehrmachtskraftwagen pp. und Inbrandsetzung einer Tennishalle in Aarhus) unmittelbar gegen Eigentum der deutschen Besatzung richteten und in der Absicht begangen worden waren, der Wehrmacht Schaden zuzufügen. Im einen Falle ist der Haupttäter zum Tode, seine beiden Mittäter zu lebenslänglichem Zuchthaus verurteilt worden.[7] Aus politischen Gründen – insbesondere auf Vorstellungen, die der Staatsminister von Scavenius bei dem Reichsbevollmächtigten vorbrachte, – ist die Todesstrafe von dem Befehlshaber der deutschen Truppen

---

7 Hans Petersen blev dødsdømt, mens Johnny Nielsen og Ferdinand Nielsen fik livsvarigt tugthus. Dødsstraffen ændredes til livsvarigt tugthus, mens de to kammerater fik straffen nedsat til 24 års tugthus. Se Bests telegram nr. 552, 11. maj 1943.

in Dänemark im Gnadenwege in lebenslängliche Zuchthausstrafe umgewandelt worden. Die Vollstreckung dieser Strafen erfolgt in Deutschland. Im anderen Falle sind die jugendlichen Saboteure zu strengen Freiheitsstrafen – der Haupttäter erhielt 8 Jahre 6 Monate Zuchthaus – verurteilt worden. Da es sich hierbei um Jugendliche handelt, ist die Vollstreckung dieser Strafen in einer dänischen Strafanstalt zugelassen worden. Beide Urteile wurden in der dänischen Presse entsprechend ausgewertet.[8]

Die zahlreichen Festnahmen und die Urteile des Kriegsgerichts wie auch der Umstand, daß bereits zwei Saboteure von Werkschutzangehörigen erschossen worden sind, haben ihre Wirkung nicht verfehlt. Die Sabotagefälle haben weiter nachgelassen. Ein vollständiges Aufhören solcher Handlungen ist aber selbstverständlich nicht zu erwarten, solange noch Möglichkeiten dafür bestehen, daß der Feind auf dem Luftwege Fallschirmagenten und Sabotagematerial nach Dänemark bringt.

Daß die moralische Einwirkung auf die dänische Bevölkerung – Presseveröffentlichungen, Aufruf des "Neuner-Ausschusses" des Reichstags, Rundfunkansprache des Königs – im Lande eine Stimmung gegen die Sabotage geschaffen hat, auf die die Widerstandsgruppen selbst nunmehr glauben Rücksicht nehmen zu müssen, beweist der Versuch einer Auseinandersetzung und Rechtfertigung in dem illegalen Blatt "Hjemmefronten", in dem u.a. folgendes ausgeführt wird: "Zuerst soll gesagt sein, daß die kämpfende Heimatfront *nicht* den Einwand gegen die Aktionen gutheißen kann, daß sie unser Volk in "norwegische Zustände" führen. Wenn eine Widerstandshandlung im übrigen als nützlich, d.h. als geeignet angesehen werden kann, die deutschen Kraftanstrengungen teils zu verringern, teils der Welt den dänischen Willen zum Widerstand und die Fähigkeit hierzu zu zeigen, kann die Angst vor den Folgen uns nicht zurückhalten. Hier gilt nur ein Dafür oder Dagegen, und die Saboteure sowohl wie das ganze dänische Volk müssen die Konsequenzen unserer Stellungnahme gegen die Deutschen auf sich nehmen, oder es bleiben die Ansichten und Standpunkte des dänischen Volkes nur leere Wortschwätzerei. Auf der anderen Seite hat kein verantwortungsbewußter Mann oder Frau an der kämpfenden Heimatfront "die norwegischen Zustände" als ein nachstrebenswertes Ziel vor Augen, und keine Aktion darf allein in provokatorischer Hinsicht ausgeführt werden.

Über diesen Standpunkt sollte keine Diskussion sein. Deshalb hätte eine Reihe von Sabotagehandlungen ungetan bleiben sollen. Dies gilt in erster Linie allen denen, die von Knaben und jungen Menschen ausgeführt sind, die nicht das volle Verstehen für die Reichweite ihrer Handlungen haben. Sabotage ist keine neue Form für Räuber und Soldaten sondern der todesernste Einsatz erwachsener Männer für Dänemarks Freiheit. Deshalb sollte diese Arbeit nur von Männern ausgeführt werden, die sich ihrer Verantwortung bewußt sind nach reiflichem Überlegen, mit dem vollen Verstehen der Konsequenzen der Verantwortung.

Danach sollte man sich den Unterschied zwischen den einzelnen Sabotagefällen klarmachen. Die wichtigsten Aktionen werden gegen die eigentliche Kriegsindustrie, also Betriebe vorgenommen, die Waffen oder Teile hierzu fabrizieren, Unterseebootmaterial,

---

8 Det drejer sig sandsynligvis om medlemmer af Churchillklubben, som i maj 1943 efter forhandling sendtes til afsoning i Horsens Tugthus og Nyborg Statsfængsel. De to ældste medlemmer af gruppen fik 10 og 15 års tugthus.

Flugzeugteile o.ä. Fast ebenso wichtig ist Sabotage gegen Betriebe, die Hilfsmaterial zur deutschen Kriegsindustrie im Heimatland herstellen. Aber hierüber hinaus haben die Sabotagehandlungen in Betrieben stattgefunden, die für die dänische Regierung innerhalb des Rahmens des gewöhnlichen Exports arbeiten, ja sogar gegen Firmen, die ausschließlich den hiesigen Markt versorgen. Endlich werden noch Sabotageakte gegen Eisenbahnen sowie direkte Angriffe gegen die Wehrmacht gerichtet.

Es kann gar kein Zweifel darüber bestehen, daß es im wahren Interesse Dänemarks liegt, daß die Sabotage auf die zwei zuerst genannten Fälle eingeschränkt wird, also die eigentliche Kriegsindustrie und damit verbundene Hilfsbetriebe. Solche Handlungen sind von kriegsmäßigem Wert, da sie als ein Glied in dem Kampf angesehen werden können, der über den ganzen europäischen Kontinent geführt wird.

Wenn dies gesagt ist, soll auch nicht ungesagt bleiben, daß die übrigen genannten Sabotagefälle ohne Bedeutung, ja sogar in direktem Widerstreit mit den Interessen unseres Landes stehen, weil diese in einem so hohen Grad Irritationsmomente sind, deren Folgen nicht den Konsequenzen entsprechen. Eine allgemeine Desorganisation der dänischen Gemeinschaft hat unter dem jetzigen Zeitpunkt kein kriegsmäßiges Interesse. Laßt uns darum versuchen, der Sabotage von ausschließlich provokatorischem Charakter aus dem Wege zu gehen, und laßt und desto mehr und desto mehr zum wirklich nationalen Einsatz zusammenschließen, der durch die wichtigen Sabotageaktionen geleistet wird. In der Sabotage hat die Heimatfront eine wertvolle Waffe! Sie soll aber mit Nachdenken gebraucht werden!"

Ein weiterer Beweis für die Wirkung der politischen Bekämpfung der Sabotage in Dänemark ist ein Rundschreiben, das unter dem 27.4.1943 von der Landesleitung der keineswegs deutschfreundlichen "Konservativen Jugend" herausgegeben wurde, und das den folgenden Wortlaut hat:

"An die Hauptverwaltung, Amtsvorsitzenden, Kreisvorsitzenden, Vereinsvorsitzenden und Arbeitsleiter."

"Zu unersetzlichem Schaden unseres Landes finden z.Zt. über ganz Dänemark eine Reihe Sabotagehandlungen statt. Da festgestellt worden ist, daß einzelne Mitglieder unserer Organisation mit in solche Handlungen verwickelt waren, richten wir die sehr dringende Warnung an unsere Mitglieder, sich von jeder Teilnahme an Sabotage oder anderer illegaler Tätigkeit fernzuhalten, da die ernstesten Folgen sowohl für sie selbst als auch für die konservativen Organisationen daraus entstehen können.

Es ist eine Selbstverständlichkeit, daß jedes Mitglied, das wegen Teilnahme an Sabotage verurteilt wird, aus unseren Organisationen ausgeschlossen wird.

Gleichzeitig wird unseren Vertrauensmännern auferlegt, bei der Aufnahme von neuen Mitgliedern die größte Vorsicht zu beobachten, um Provokationen zu verhüten.
    V. Fibiger, Vorsitzender der konservativen Folkeparti
Karl Olsen, Vorsitzender für Konservativ Ungdoms Landsorganisation."

86. Albert van Scherpenberg an Werner Best [...] Juni 1943

Værnemagten ønskede at købe 300 store lastvogne i Danmark, hvilket man fra dansk side havde modsat sig, da det ville skade dansk erhvervsliv. Den danske regering skulle bedes om at lade handlen gennemføre over clearingkontoen, da lastvognene var absolut nødvendige til militær indsats østpå.

Bests svar er ikke lokaliseret, men den danske regering blev tvunget til at gå ind på handelen og den krævede betalingsmåde. Til gengæld gik det meget langsomt med at få leveringen gennemført. I juni 1944 var 220 lastvogne solgt på den konto (UMs memorandum 14. juni 1944, bilag 5 (BArch, R 7/3407)).

Der er tale om Scherpenbergs udkast til Afdeling VI til svarskrivelse til Best med håndskrevne rettelser.

Kilde: BArch, R 901 68.712.

Juni ... [194]3 zu Ha Pol VI 2308/43

LR v. Scherpenberg.

[Betr.:] Ankauf von dänischen Lastkraftwagen.

Bezugnahme auf 447 vom 17. April.[9]
Nach eingehender Prüfung hat es sich als unmöglich erwiesen, für den Ankauf der für Wehrmachtszwecke benötigten dänischen Kraftwagen Bardevisen zur Verfügung zu stellen. Die Anforderungen des Bevollmächtigten für das Kraftfahrwesen sind daraufhin durch die beteiligten militärischen Stellen nochmals überprüft und mit Rücksicht auf die dänische Seite geltend gemachten Nachteile für die dänische Wirtschaft auf das unumgänglich notwendige Maß beschränkt worden. Danach verbleibt ein vordringlicher Bedarf von 30[0] Lastkraftwagen über 3 t Tragfähigkeit im Werte von etwa 6 Mio. Dänenkronen. Im Hinblick darauf, daß diese Wagen für den militärischen Einsatz im Osten unbedingt benötigt werden, bitte ich erforderlichenfalls durch Vorstellung bei Staatsminister Scavenius die Zustimmung der dänischen Regierung zum Ankauf dieser Wagen und Bezahlung über deutsch-dänisches Clearing herbeizuführen. Die Wagen müssen im bereiften Zustande bezogen werden. Die Lieferung von Ersatzreifen ist unter Berücksichtigung der in den Regierungsausschußvereinbarungen vom Februar 1943 gegebenen beträchtlichen Lieferzusage angesichts der deutschen Versorgungslage nicht möglich. Nach einer Mitteilung des Rüstungsamts soll in nächster Zeit eine Preisstoppverordnung für Lastkraftwagen in Dänemark zu erwarten sein. Ich bitte die dänische Regierung zu veranlassen, dafür Sorge zu tragen, daß dadurch die Durchführung des Ankauf nicht beeinträchtigt wird; ev. müßte der Erlaß der Preisstoppverordnung bis nach Durchführung dieses Geschäfts hinausgeschoben werden.
Drahtbericht.

Scherpenberg

Vor Abgang: Pol VI zur gef. Mitzchn.
Durchdruck erhalten:
Direktor Ha Pol

---

9 Telegrammet er ikke lokaliseret. Se Bests telegram nr. 200, 25. februar 1943 til AA.

Dirigent Ha Pol
Pol VI
Ha Pol VI

87. Werner Best an das Auswärtige Amt [...] Juni 1943
Gennem en oversigt over og sammenligning af retsforskrifter og straffesanktioner i det besatte Frankrig og Danmark konkluderede Best, at den danske lovgivning i de allerfleste tilfælde var tilstrækkelig til beskyttelse af besættelsesmagten på linje med den tyske forordning til beskyttelsesmagten i Frankrig af 18. november 1942. I Danmark havde anvendelsen af den tyske krigslovgivning kun fundet sted i få og alvorlige tilfælde.
 Det var en retstilstand, der passede til den af Best førte politik. Som det fremgår af Bests brev til Rudolf Bälz 13. januar 1943, havde Best i forvejen gjort sig til fader for forordningen af 18. november 1942 for Frankrigs vedkommende.
 Kilde: PA/AA R 46.371. RA, pk. 285. PKB, 13, nr. 704.

Der Bevollmächtigte des Reiches in Dänemark *Kopenhagen, im Juni 1943.*

S c h u t z   d e r   B e s a t z u n g
durch Rechtsvorschriften und Strafandrohungen in Dänemark,
verglichen mit dem Rechtszustand im besetzten Frankreich

I. Frankreich
In dem auf Grund des Waffenstillstandsvertrages vom 22.6.1940 besetzten Frankreich übt der Militärbefehlshaber in Frankreich die "vollziehende Gewalt" aus, die die Rechtssetzungs- und Rechtsprechungsgewalt in sich schließt.
 Der Militärbefehlshaber hat seit Beginn der Besetzung eine größere Zahl von Verordnungen erlassen, durch die unter Strafandrohungen Rechtsvorschriften – Gebote und Verbote – an die Bevölkerung des besetzten Gebietes gerichtet wurden, die dem Schutze der Besatzung dienen sollten. Neben diesen Verordnungen des Militärbefehlshabers fand und findet das gesamte deutsche Strafrecht Anwendung, soweit deutsche Gerichte im besetzten Gebiet tätig werden.
 Da während meiner Tätigkeit als Kriegsverwaltungschef beim Militärbefehlshaber in Frankreich die Rechtsetzung zu meinem Aufgabenbereich gehörte, habe ich mich stets um eine übersichtliche und zweckmäßige Zusammenfassung der deutschen Rechtsvorschriften für das besetzte französische Gebiet bemüht. Diese Bemühungen führten auf dem Gebiete des Schutzes der Besatzung dazu, daß alle in 2 ½ Jahren erlassenen Vorschriften in einer einheitlichen "Verordnung zum Schutze der Besatzungsmacht" zusammengefaßt wurden, die der Militärbefehlshaber in Frankreich am 18.12.1942 erließ und in Nr. 82 des "Verordnungsblattes des Militärbefehlshabers in Frankreich" vom 2.1.1943 verkündete. Der Wortlaut der Verordnung ist beigefügt.[10]
 Die französische Regierung hat von Fall zu Fall auf Forderung des Militärbefehlshabers französische Rechtsvorschriften zum Schütze der Besatzung erlassen, die sich aber

---

10 Forordningen er ikke vedlagt. Se om forordningen Best til Rudolf Bälz 13. januar 1943.

weder hinsichtlich der behandelten Gegenstände noch im Inhalt mit den Verordnungen des Militärbefehlshabers decken.

II. Dänemark
In dem auf Grund der Vereinbarung vom 9.4.1940 besetzten Dänemark findet keine Ausübung deutscher vollziehender Gewalt und keine deutsche Rechtssetzung statt. Soweit deutsche Rechtsprechung durch die Kriegsgerichte der Besatzungstruppe ausgeübt wird, wird nach der Kriegsstrafverfahrensordnung das deutsche Recht angewendet. Die deutsche Rechtsprechung gegen Landeseinwohner wird aber auf schwere Fälle unmittelbarer Angriffe auf die Besatzung sowie auf schwere Fälle von Straftaten des Wehrmachtsgefolges beschränkt. Im übrigen wird die Aburteilung von Straftaten der Landeseinwohner, auch wenn sie gegen die Besatzung gerichtet sind, den dänischen Gerichten überlassen, die nach dänischem Recht urteilen.

Die dänische Regierung und der dänische Reichstag haben – meist auf Veranlassung des Reichsbevollmächtigten – seit der Besetzung Dänemarks eine Anzahl von Rechtsvorschriften erlassen, die dem Schutze der deutschen Besatzung und der Reichsinteressen dienen. Durch diese Rechtsvorschriften werden in einer den dänischen Verhältnissen angepaßten Form die gleichen Zwecke erfüllt wie durch die deutschen Rechtsvorschriften im französischen besetzten Gebiet, die in der "Verordnung zum Schutze der Besatzungsmacht" vom 18.12.1942 zusammengefaßt worden sind. Dies ergibt sich aus der folgenden vergleichenden Übersicht, der alle einschlägigen dänischen Gesetzes – usw. – Texte angefügt sind.

Rechtszustand in Dänemark
(§ 1 der Verordnung vom 18.12.1942)
Das deutsche Recht wird nach der Kriegsstrafverfahrensordnung angewendet, soweit deutsche Kriegsgerichte urteilen.

(§ 2 der Verordnung vom 18.12.1942)
Die Einziehung von Gegenständen
Das Vermögen derjenigen, gegen die sich eine Untersuchung wegen einer Übertretung der §§ 1-3 des Gesetzes vom 18.1.1941 richtet, kann beschlagnahmt werden, wenn sie sich außerhalb der dänischen Staatsgrenzen aufhalten oder nicht aufzufinden sind. Ebenso werden Vermögen, die den kommunistischen Vereinigungen und Zusammenschlüssen gehörten, von den staatlichen Behörden in Verwehr genommen (§ 3 des Gesetzes vom 22.8.1941).

(§ 3 der Verordnung vom 18.12.1942)
Eine Vorlagepflicht der dänischen Strafverfolgungsbehörden für Anzeigen und Vorgänge ist gesetzlich nicht festgelegt; auf Grund getroffener Vereinbarungen werden aber in allen interessierenden Fällen die deutschen Stellen unterrichtet.
Eine Erhöhung der Mindest- und Höchststrafen für Taten, die während der Verdunkelung und während und nach einem *Luftangriff* begangen worden sind, ist durch das

zeitweilige Gesetz über verschärfte Strafen für gewisse Übertretungen des Bürgerlichen Strafgesetzes und über Änderung der Polizeigesetzgebung vom 1.5.1940 und durch das Gesetz Nr. 206/42 vom 9.5.1942 bestimmt worden.

(§ 4, § 8 der Verordnung vom 18.12.1942)
Gewalttätigkeit und *Beleidigung* gegen Angehörige der deutschen Wehrmacht werden nach der Bekanntmachung über Verbot gewisser Demonstrationen vom 9.6.1941 in schweren Fällen nach dem Gesetz Nr. 14/41 vom 18.1.1941, das die Begünstigung des Feindes, jede ihm gewährte Unterstützung, Zerstörung und Beschädigung von Kriegsmaterial und Einrichtungen sowie Taten, die geeignet sind, den Interessen Dänemarks im Verhältnis zum Auslande zu schaden, unter Strafe stellt, bestraft.

(§§ 5-7 der Verordnung vom 18.12.1942)
Betr. den Erwerb, den Besitz und die Aufbewahrung von Schußwaffen sind erlassen worden:
– das Gesetz über den Handel und den Besitz von Waffen vom 10.5.1940 und die Bekanntmachung betreffend die Ausstellung und die Aufbewahrung von Schußwaffen vom 11.5.1940,
– die Bekanntmachung über die Einfuhr, den Verkauf und Erwerb von Waffen, Munition, Sprengstoffen usw. vom 23.5.1940,
– die Bekanntmachung über Anmeldung von Waffen und Munition vom 23.5.1940,
– die Bekanntmachung über Ablieferung von Schußwaffen und Munition vom 10.6.1940.
In diesem Zusammenhang ist auch noch die Bekanntmachung über den Gebrauch von Waffen und die Ausübung der Jagd vom 11.5.1940 zu nennen; diese Materie ist sehr gründlich und vollständig geregelt worden.

(§§ 9, 10 der Verordnung vom 18.12.1942)
Unterstützung Kriegsgefangener und Verkehr mit Kriegsgefangenen kommt in Dänemark, wo es keinerlei Kriegsgefangene gibt, nicht in Frage.
Unterstützung von Angehörigen der Feindstaaten ist durch das Gesetz Nr. 14/41 vom 18.1.1941 verboten.

(§ 11 der Verordnung vom 18.12.1942)
Nichterfüllung von Bewachungsaufgaben brauchte in Dänemark bisher nicht unter Strafe gestellt werden, weil eine Beauftragung der Bevölkerung mit Bewachungsaufgaben nicht erforderlich war, alle nichtmilitärischen Bewachungen vielmehr von Organen des dänischen Staates ausgeführt werden.

(§ 12 der Verordnung vom 18.12.1942)
Das öffentliche Abhören feindlicher Rundfunksender ist durch eine Anordnung des Justizministeriums vom 23.12.1942 verboten worden.

(§§ 13-16 der Verordnung vom 18.12.1942)
Verbreitung deutschfeindlicher Mitteilungen, Herstellung, Verbreitung und Nichtablieferung von Flugschriften und deutschfeindliche Kundgebungen können nach dem Gesetz Nr. 388 vom 22.7.1940 und nach dem Gesetz Nr. 14/41 vom 18.1.1941 bestraft werden.

(§§ 17, 18 der Verordnung vom 18.12.1942)
Der Besitz von Funksendegeräten ist wie die Herstellung, der Absatz, der Erwerb und die Benutzung von solchen durch die Bekanntmachung vom 15.8.1942 verboten. Für ein besonderes Verbot der *Ausbildung von Funkern* und Funktechnikern bestand in den kleinen und übersichtlichen Verhältnissen Dänemarks kein Bedürfnis.
Alle kommunistischen Vereinigungen und Zusammenschlüsse sowie jede *kommunistische Betätigung* und Agitation ist durch das Gesetz Nr. 349/41 vom 22.8.1941 verboten worden.
Öffentliche Versammlungen und Aufzüge sind unmittelbar nach der Besetzung durch eine Bekanntmachung vom 13.4.1940 verboten worden. Auf deutsche Forderung, die im Interesse der Dänischen Nationalsozialistischen Partei gestellt wurde, ist das Versammlungsverbot am 12.10.1940 aufgehoben worden; bestehenblieb weiterhin das Verbot der Abhaltung von Versammlungen unter freiem Himmel und die Veranstaltung öffentlicher Aufzüge.

(§ 19 der Verordnung vom 18.12.1942)
Plünderung ist nicht besonders unter Strafe gestellt. Sie würde, wenn sie einmal stattfände, nach den allgemeinen, für die besonderen Verhältnisse erheblich verschärften Strafbestimmungen bestraft.

(§§ 20-22 der Verordnung vom 18.12.1942)
Störung des Arbeitsfriedens und des Arbeitseinsatzes und die *Verweigerung von Dienst- und Sachleistungen* können nach § 3 Nr. 2 und 3 des Gesetzes Nr. 14/41 vom 18.1.1941 bestraft werden.

(§ 23 der Verordnung vom 18.12.1942)
Zuwiderhandlungen gegen Anordnungen über Meldepflichten und Aufenthaltsbeschränkungen (die in Dänemark nur von dänischen, nicht von deutschen Behörden ausgesprochen werden) werden nach den allgemeinen dänischen Gesetzen bestraft.

(§ 24 der Verordnung vom 18.12.1942)
Die Verdunkelung ist allgemein angeordnet (Bekanntmachung vom 9.4.1940). Zuwiderhandlungen sind mit Strafe bedroht.

(§§ 25, 26 der Verordnung vom 18.12.1942)
Photographieren, Malen und Zeichnen außerhalb geschlossener Räume ist für die von der Besetzung bestimmten Sperrgebiete durch die Bekanntmachung vom 27.11.1940 verboten.

(§ 27 der Verordnung vom 18.12.1942)
Das Verbreiten von Geschlechtskrankheiten ist in Dänemark nicht unter Strafe gestellt. Es gibt lediglich einen Behandlungszwang für Geschlechtskranke. Nach den bisherigen Erfahrungen sind weitergehende Bestimmungen nicht erforderlich.

Die vorstehende Übersicht und die angefügten Gesetzes – usw. – Texte zeigen, daß in Dänemark der Schutz der deutschen Besatzung durch dänische Rechtsvorschriften und Strafandrohungen sachlich im gleichen Umfang sichergestellt worden ist, wie dies im besetzten Frankreich durch die Verordnungen des Militärbefehlshabers, die in der "Verordnung zum Schutze der Besatzungsmacht" vom 18.12.1942 zusammengefaßt wurden, geschehen ist. Die dänische Gesetzgebung und ihre Anwendung durch die dänischen Gerichte, deren Rechtsprechung von der Behörde des Reichsbevollmächtigten überwacht und gegebenenfalls über die dänische Regierung korrigiert wird, hat sich – neben der oben (unter II, 3. Satz) erwähnten, auf schwere Fälle beschränkten und verhältnismäßig selten angewendeten deutschen Kriegsgerichtsbarkeit – in den seit der Besetzung Dänemarks verstrichenen 3 Jahren als ausreichend erwiesen, um die deutsche Besatzung vor unerwünschten Handlungen der Landeseinwohner zu schützen.
gez. **Dr. Best**

88. Reichskommissar für das Preisbildung: Preispolitische Lagebericht über Dänemark 1. Juni 1943

Besættelsesmagten fulgte fra april 1940 nøje prisudviklingen i Danmark og førte gennem REM en konsekvent prispolitik over for Danmark. Et af instrumenterne i den tyske prispolitik var udarbejdelsen af jævnlige og omfattende prispolitiske situationsberetninger. Den for perioden august 1942 til maj 1943 udarbejdede oversigt er på 54 s. + 10 bilag). Hvilken tysk instans, der har udarbejdet den, oplyses ikke; meget usædvanligt er situationsberetningen uden hoved og underskrifter er ulæselig, men det fremgår, at der er udarbejdet flere sådanne beretninger forud. Den foregående var fra august 1942 (s. 30). Imidlertid fremgår det af *Politische Informationen* 15. juni 1943, afsnit V, at det var sket hos Reichskommissar für das Preisbildung. De fremførte meninger genfindes i Walters breve, bl.a. hensynet til den danske befolkning og fastholdelsen af befolkningens tillid til kronen og dens kurs.

Beretningen er opbygget i otte kapitler. Desuden er der et tillægskapitel, hvor prisforholdene i Danmark og Belgien sammenlignes (s. 48-54). Beretningen gennemgår retsgrundlaget for prisdannelsen og prisovervågningen (kap. 1), de danske prismyndigheder (kap. 2), udviklingen i priserne fra april 1942 til april 1943 (kap. 3), resultatet af overvågningen af prisudviklingen (kap. 4), hvad der påvirker prisdannelsen (kap. 5), befæstningsarbejderne og prisdannelsen (kap. 6, medtaget her i sin helhed), problemer med prisdannelsen (kap. 7) og sluttelig en konklusion (kap. 8).

Beretningen er i sin fremstilling overordentlig positiv over for Danmark. Danskerne havde udvist ansvarlighed, og det var ikke fra dansk side, at man skulle forvente priserne rystet. Der var en vis sortbørshandel, men den var af begrænset betydning, og de øvrige problemer var til at overskue. Et specielt problem udgjorde de store befæstningsarbejder, der var sat i gang fra efteråret 1942, idet priskontrollen ikke kunne udøves og ikke være effektiv, mens arbejdet blev udført. Af militære grunde kunne der ikke gives den nødvendige indsigt i indgåede aftaler. Der blev dog foreslået måder til at løse problemet på, idet der blev gået ud fra, at man fra tysk side ville udvise samarbejdsvilje. Både i konklusionen og i tillægskapitlet, hvor der sammenlignes med Belgien, påpeges det, at det i sidste ende handlede om befolkningens tillid til den danske valuta. Den tillid var den væsentligste enkeltfaktor for at opretholde en stabil valuta og undgå inflation.

Beretningen fremkom på et tidspunkt, hvor det dansk-tyske samarbejde set ud fra den rigsbefuldmægtigedes optik var noget nær optimal, og den kan kun være kommet gesandtskabet tilpas. Best undlod da heller ikke at lade den citere i adskillige passager i *Politiske Informationer* 15. juni afsnit V.

De her fremsatte tyske vurderinger vil genfindes under resten af besættelsen i vidt forskellige situationer, hvor det blev drøftet at gribe ind i danske forhold, og hvor de tyske kredse, der satsede på den danske leveringsvelvilje, forsvarede status quo.

Om den fortsatte tyske overvågning af og interesse for den danske prisdannelse, se Preispolitischer Lagebericht 9. maj 1944 og de refererede drøftelser hos den rigsbefuldmægtigede 7. juni 1944, trykt nedenfor (om prispolitikken generelt, se Jensen 1971 og Nissen 2005, hvor beretningen ikke er anvendt).

Kilde: BArch, Freiburg, RW 19: Wi I E1: Dänemark (et uddrag s. 36-40, 43-54 er medtaget).

Preispolitischer Lagebericht
über Dänemark (Zeit: August 1942-Mai 1943)

[...]

VI. Der Einfluß der Befestigungsarbeiten auf die Wirtschaft und das Preisgebäude Dänemarks

Seit mehreren Monaten werden in Dänemark dringende militärische Bauvorhaben durch die Organisation Todt in größerem Umfange durchgeführt, die geeignet sind, die Wirtschaft – namentlich von der Lohn- und Preisseite aus – zu beeinflussen.

Die bisher infolge der deutschen Besetzung der dänischen Landwirtschaft entzogene Anbaufläche von etwa 12.000 ha dürfte sich bedeutend vergrößern. Auch mit der neuerlichen Versandung weiter mühsam befestigter Dünengebiete ist nach dänischer Auffassung zu rechnen.

Die von dänischen und einigen deutschen Firmen, denen die OT, die einzelnen Bauabschnitte übertragen hat, beschäftigten Arbeitskräfte werden mit etwa 25.000 angegeben. Da ein Teil der dänischen Baufirmen mit ihren Gefolgschaften zum Arbeitseinsatz nach dem Reiche verlagert worden ist, vermag das übriggebliebene dänische Baugewerbe mit seinen eigenen Arbeitskräften den großen Anforderungen nicht nachzukommen. Die Baufirmen sind daher auf die Anwerbung tunlichst bodenständiger Arbeiter angewiesen. Hierbei erfolgen u. a. auch Anwerbungen von Arbeitern aus Landwirtschaft und Torfgewinnung, wodurch dänischerseits gewisse Produktionsausfälle befürchtet werden.

Der genauen statistischen Erfassung der Löhne der Landarbeiter stehen die bekannten Schwierigkeiten bezüglich der Bewertung des Naturallohnes gegenüber. Wenn sie sich infolge der durch Erhöhung der Exportpreise verbesserten wirtschaftlichen Lage der Landwirtschaft auch günstiger entwickelt haben, müssen sie dennoch im allgemeinen als verhältnismäßig niedrig bezeichnet werden. Auf keinen Fall haben sie Schritt mit den Löhnen der Torfarbeiter gehalten, von deren Festsetzung im Interesse der Steigerung der Produktion Abstand genommen worden ist.

Da die Torfpreise entsprechend hoch festgesetzt worden sind, ist eine der Schwere der Arbeit und teureren Lebenshaltung entsprechend gute Entlohnung dieser Arbeiter möglich. Ihre Zahl ist von 45.000 im Jahre 1942 auf 70.000 im Jahre 1943 gestiegen.

Wenn trotz dieser Umstände eine gewisse Abwanderung von Arbeitskräften aus der Torfgewinnung zu den neuen Bauvorhaben erfolgt, kann angenommen werden, daß die Lohnverhältnisse bei gesünderen Arbeitsbedingungen zum mindesten gleich günstig sind wie im Torfbau.

Arbeitseinsatzmäßig müßten die Anforderungen an Arbeitskräften in Dänemark ohne Schwierigkeiten bewältigt werden können, trotzdem sich die Lage auf dem Arbeitsmarkt im Berichtsjahre gegenüber dem Vorjahre weiter gebessert hat (vgl. Anlage 8); während im April 1942 53.368 Arbeitslose gezählt wurden, werden im April 1943 nur noch 37.502 Arbeitslose ausgewiesen. Aus den vorhandenen Arbeitslosen kann jedoch der Bedarf nicht immer gedeckt werden, da die Arbeitskräfte aus der nächsten Umgebung angeworben werden müssen, um bei der Dringlichkeit der Arbeiten zeitraubenden Barackenbau zu vermeiden.

Eine weitere Beeinflussung der dänischen Wirtschaft ist von der Lohnseite her zu erwarten. Wenn auch von zuständiger Seite immer wieder erklärt wird, daß sich die bei diesen Vorhaben bezahlten Löhne in der Höhe der dänischen Lohntarife für Bauarbeiter bewegen, ist durch die vorstehenden Überlegungen dargelegt worden, warum eine erfolgreiche Anwerbung nur auf Grund höherer Löhne stattfinden kann. Auch der Umstand, daß die Arbeiter z.T. in luftgefährdeten Gegenden beschäftigt werden, wirkt sich lohnerhöhend aus. Aus den angeführten Dringlichkeitsgründen werden die Anwerber, um auch die letzten Kräfte aus der Umgebung der vorgesehenen Baustätten herauszuholen, vielfach höhere Löhne versprechen müssen.

Die dänischen Firmen, welche diese Löhne einkalkulieren müssen, stellen die deutschen Dienststellen vor die Wahl, diese Löhne ohne nähere Nachprüfung zu genehmigen oder auf die Durchführung der Arbeiten zu verzichten. Die deutschen Stellen müssen jedoch die ihnen vorgeschriebenen Termine einhalten.

Dieser auf logischen Erwägungen aufgebaute Sachverhalt kann durch Nachprüfung bei den deutschen und dänischen Firmen nicht belegt werden. Er wird aber durch den Erfolg der Anwerbungen erhärtet.

In gleicher Weise wie durch die Auswirkungen der Bauvorhaben auf die Lohnseite, drohen der dänischen Wirtschaft auch durch die Auswirkungen auf die Preisseite Schwierigkeiten. Es erscheint selbstverständlich, daß die dänischen Firmen nur in Erwartung entsprechender Gewinne die Befestigungsarbeiten übernehmen. Der dänische Außenminister selbst hat in einer Note vom 10. Mai 1943 an den Reichsbevollmächtigten im Zusammenhang mit der Frage der Preisprüfung dieser Bauvorhaben erklärt, daß "die dänischen Bauunternehmer die Vereinbarung so reichlicher Richtpreise anstreben müssen, daß sie keine unbillige Gefahr laufen, sonst würden die Bauunternehmer kein Interesse daran haben, die Aufträge zu übernehmen".

Die Preisforderungen der dänischen und deutschen Bau-, Transport- und Fuhrunternehmen, die bei den Bauvorhaben eingesetzt sind, konnten bisher auf Grund der Bekanntmachung des dänischen Handelsministeriums vom 23. Dezember 1941, betreffend die Überprüfung von Unternehmer- und Bauvorhaben für die deutsche Wehrmacht in Dänemark, von dem Beauftragten des dänischen Ministeriums des Äußern in Industriesachen hinsichtlich der Kontrollpreise überprüft werden, wobei dieser Beauftragte nach einer internen Vereinbarung bei Bauvorhaben, die eine Bausumme von 20.000 Kr. nicht übersteigt, von seinem Prüfungsrecht in der Regel nicht Gebrauch machte.

Dieses Verfahren hat beim Befehlshaber der deutschen Truppen in Dänemark aus Geheimhaltungsgründen in der letzten Zeit Bedenken hervorgerufen, weshalb es Abänderungen in der Form erfahren dürfte, daß die dänische Preiskontrolle zwar weiter fortgeführt werden soll, jedoch erst nach Abschluß der jeweiligen Arbeiten, z.B. des Baues eines bestimmten Bauwerkes, so daß den dänischen Behörden während des Baues und vor der Fertigstellung die Art und der Umfang des Bauwerkes nicht bekannt werden kann.

Diese von militärischen Bedürfnissen diktierte Neuregelung der Preisprüfungen, die derzeit in Vorbereitung ist, bedeutet gegenüber dem bisherigen Zustand, preisüberwachungsgemäß gesehen, in Anbetracht der vorgeschilderten Bedenken einen Rückschritt. Aus denselben militärischen Gründen dürfte übrigens auch die Bekanntmachung des dänischen Innenministeriums vom 30. November 1942, betreffend die Preisprüfung gewisser Miet- und Pachtverträge mit der deutschen Wehrmacht in Dänemark, einer Neuregelung unterzogen werden.

Doch nicht nur die hohen Abrechnungen der Bau- und Transportfirmen wirken sich auf das dänische Preisgebäude aus, sondern auch die Tatsache, daß ungefähr 25.000 Arbeiter für längere Zeit ein weit höheres Einkommen erhalten als unter normalen Verhältnissen, muß in dem kleinen dänischen Wirtschaftsgebiet, besonders bei seiner starken Einfuhrabhängigkeit in gewerblichen Erzeugnissen, die Preise beeinflussen. Die an und für sich bereits beträchtlich erhöhte Kaufkraft in Dänemark wird sich dadurch noch weiter erhöhen und in verstärkter Nachfrage nach Waren äußern, deren Befriedigung bei der schon an und für sich recht knappen Warendecke nur schwer möglich ist. Daraus kann leicht der Anreiz zum Angebot von Überpreisen bzw. eine Stärkung des schwarzen Marktes kommen. Dies wäre aber der Anfang einer bedauerlichen Entwicklung, die jener der besetzten Westgebiete ähneln würde.

Unter Berücksichtigung der militärischen Geheimhaltung und der Vordringlichkeit dieser Bauvorhaben muß festgestellt werden, daß es ein absolutes Mittel gegen diese Entwicklung nicht gibt. Es müßte jedoch möglich sein, die ungünstigen Auswirkungen von Preisverstößen dadurch einzudämmen, daß

1.) die nachträgliche Überprüfung der Bauvorhaben durch die dänischen Preisbehörden in möglichst weitem Umfang von den deutschen militärischen Stellen unterstützt und beschleunigt wird, um den Baufirmen die Zusammenarbeit auf beiden Seiten vor Augen zu führen und sie damit zu einer Zurückhaltung in ihren Forderungen zu veranlassen;

2.) bei jenen Bauten, die nicht unter besonderen Geheimhaltungsschutz gestellt werden müssen, in größtmöglichem Umfang vorher die Vornahme von Prüfungen bewilligt wird, um die Firmen von Haus aus preismäßig unter einen gewissen Drück zu setzen;

3.) Die vordringliche Prüfung der an den Bauvorhaben beteiligten Transport- und Fuhrunternehmen durch die dänischen Preisbehörden von den deutschen Stellen beschleunigt und laufend genehmigt wird, wobei im Interesse der militärischen Geheimhaltung die Vornahme auch nur stichprobenweiser Prüfungen schon Erfolg haben würde.

[...]

VIII. Schlußfolgerungen

Etwa Mitte 1941 ist es den Preisbehörden gelungen, durch Abstoppen der Preissteigerung der Auslandswaren und der landwirtschaftlichen Erzeugnisse sowie durch eine entsprechend geführte Lohnpolitik die Preissteigerungen im großen und ganzen einzudämmen. Während die Detailpreiszahl – Juli 1939 als Basis – bis Juli 1941 um 50 % gestiegen war, betrug diese Steigerung im April 1943 nur 57 % (+ 7 %).

So bestechend dieses Bild der Preisentwicklung in Dänemark für den Augenblick erscheinen mag, darf es nicht ohne *Berücksichtigung der übrigen Komponenten der Wirtschaft* des Landes betrachtet werden.

Aus der anliegenden Übersicht über die Entwicklung des *Notenumlaufs* der Danmarks Nationalbank (vgl. Anlage 9) ist zu ersehen, daß dieser seit Ende Mai 1940 von 703 Millionen Kr. bis Ende April 1943 auf 1.001 Millionen Kr. gestiegen ist. Das ist eine Steigerung von fast 50 %.

Einen noch auffälligeren Verlauf hat die *Entwicklung des dänischen Clearings mit dem Ausland* genommen (vgl. Anlage 9). Die dänischen Aktiven sind von 75 Millionen Kr. am 31. Mai 1940 auf 1.314 Millionen Kr. am 30. April 1943 angestiegen. Sie haben sich somit um das 16 ½fache erhöht; demgegenüber fallen die Passiven im dänischen Clearingkonto mit 9,3 Millionen Kr. überhaupt nicht in die Waageschale.

Dazu müssen die von Danmarks Nationalbank vorgeschossenen Besatzungskosten in der Höhe von bisher 1,5 Milliarden Kr. gerechnet werden. Die sich daraus ergebende derzeitige Belastung je Kopf ist zwar im Verhältnis zu anderen Ländern noch immer erträglich, doch wird sie durch die in Gang befindlichen Befestigungsarbeiten eine beträchtliche Steigerung erfahren.

Die Rückwirkungen dieser Beträge auf die Wirtschaft des Landes bedürfen keiner näheren Ausführungen.

Ein weiteres charakteristisches Schlaglicht auf die Wirtschaft Dänemarks wirft die Ende 1942 veröffentlichte Statistik über die Steuereinnahmen in Durchschnittseinkommen von 1939 – 1941, die folgende prozentuale Erhöhung des Einkommens der einzelnen Berufsgruppen aufweist:

Fischer	58 %	Handwerksmeister	27 %
Selbständige Landwirtschaft	53 %	Selbständige Händler	22 %
Selbständige Gewerbetreibende (Hoteliers, Restaurateure, Fuhrleute)	39 %	Arbeiter des Handwerks und der Industrie	11 %
		Angestellte	10 %
		Beamte u. Büroangestellte	7 %

Schon diese auszugsweise Übersicht zeigt, daß beinahe für sämtliche Wirtschaftsgruppen eine bedeutend größere Zunahme des Durchschnittseinkommens für das Jahr 1940/41 mit 14 % gegenüber dem Jahre 1943/40 mit 3 % stattgefunden hat.

Wenn auch das Jahr 1941 das Aufhören der Preissteigerungen gebracht hat, führte es nicht gleichzeitig zum Aufhören der Zunahme der Einnahmen. Das Verhältnis zwischen der Menge der Verbrauchsgüter und den Einkommen hat sich im Jahre 1942 wohl kaum gebessert. Während man mit Sicherheit annehmen kann, daß die zur Verfügung stehenden Warenmangen geringer geworden sind – was die verschiedenen neu eingeführten oder beabsichtigten Rationierungsmaßnahmen bestätigen –, hat die Kaufkraft fortgesetzt zugenommen.

Aus der obigen Übersicht ist ferner zu ersehen, daß die Lohnempfänger stark benachteiligt waren. Dieses Mißverhältnis hat zu Lohnforderungen geführt, die durch Vergleich zwischen Arbeitnehmern und Arbeitgebern vom 21. Dezember 1942 eine Erhöhung der niedrigsten Löhne von 1,7 bis auf 7 Öre/Std. einbrachten.

Die Bekanntgabe der für die Berechnung der Teuerungszuschläge für Beamtengehälter maßgebenden Ausgabenzahlen Anfang Februar und deren Steigerung hat zu weiteren Forderungen der Gewerkschaften und Beamtenorganisationen geführt. Diese lagen bei den Arbeitslöhnen um 8,75 bis 21,25 Öre/Std., bei den Beamten um 5 weitere Steigerungsportionen nach der Teuerungszuschlagsordnung des Beamtengesetzes.

Am 26. Februar 1943 wurden durch Entscheid des Arbeits- und Schlichtungsausschusses weitere 2,5 bis 6 Öre/Std. genehmigt, was im Ergebnis auffallenderweise etwa 1 ¾ Öre über den Teuerungszuschlägen der geschälten Preiszahl liegt. Dies dürfte als Ausgleich für die von den Gewerkschaften beanstandete neuartige Preiszahlberechnung erfolgt sein, die bekanntlich den Standard herabgesetzt hat.

Alle diese Momente bergen ernste Gefahren in sich, da ein weiteres Zunehmen des Mißverhältnisses zwischen Warenmenge und Einkommen einen verstärkten Druck auf die derzeitige scheinbare Stabilität der Preise ausüben würde.

Man ist sich in Dänemark bewußt, und die dänische Presse hat dies gerade um die Jahreswende 1942/43 herum mehrfach zum Ausdruck gebracht, daß das dänische Preisproblem im Augenblick das Kernproblem der dänischen Wirtschaft ist.

Daß die dänischen Preisbehörden ihre Pflicht mit aller Energie erfüllen, beweist der derzeitig ausgeglichene Zustand des Preisgebäudes. Es wurde im Vorstehenden nachgewiesen, unter welchen Schwierigkeiten und Beschränkungen sie ihre Arbeit verrichten. In der dänischen Presse befinden sich seit neuem vereinzelte Stimmen, die den Wunsch zum Ausdruck bringen, die bisher noch auf viele Behörden zersplitterte Preiskontrolle an einer Stelle zu vereinigen und so ihren planmäßigen Einsatz wirkungsvoller zu gestalten. Bei der stark liberalistischen Auffassung der Dänen in Wirtschaftsfragen ist es an und für sich überraschend, welch große Vollmachten bereits den Preisbehörden eingeräumt wurden; es ist daher mehr als fraglich, ob diese sicher wünschenswerten Konzentrationsbestrebungen, die eine weitere Kräftigung der Autorität und Nachtbefugnisse der dänischen Preisbehörden zur Folge hätten, tatsächlich in die Praxis umgesetzt werden können.

So schwierig die wirtschaftliche Lage Dänemarks sich auch durch die im einzelnen geschilderten Umstände gestalten mag, berechtigen gewisse Momente zu der Erwartung, daß es den dänischen Preisbehörden auch weiterhin gelingen wird, ihre Aufgabe, das dänische Preisgebäude zu erhalten, zu meistern.

Hierfür sprechen die zurzeit in Vorbereitung befindlichen neuerlichen Maßnahmen allgemeiner Art, die eine Erhöhung der Ausgabe von Obligationen, die Bindung der flüssigen Mittel der Banken, die Erhöhung von Steuern und Ausgaben und Bestimmungen über das Zwangssparen umfassen. Sie beweisen, daß die dänischen Stellen, nachdem die Auswirkungen der vorjährigen Aktion, die ein Endergebnis von etwa 1,4 Milliarden d.Kr. erbracht hatte, inzwischen ausgeglichen sind, den Kampf mit den Schwierigkeiten mit aller Energie weiterführen. Auch wenn die als Ergebnis dieser Maßnahmen vorgesehene Summe von 1,2 Milliarden d.Kr. nicht erreicht werden sollte, werden diese Maßnahmen wesentlich zur Abschöpfung der freien, bedenklich ansteigenden Kaufkraft beitragen.

Auch auf dem Preisgebiete bestehen hierfür entsprechende Voraussetzungen, und zwar:
a.) das immer besser ausgebaute und verdichtete Netz der dänischen Preisvorschriften,
b.) die verbesserte und erweiterte Organisation der dänischen Preisbehörden;
c.) das große Interesse, das die dänische Öffentlichkeit an allen Preisfragen nimmt, und das besonders auch in der dänischen Presse seinen Ausdruck findet.

Erleichtert werden die Aufgaben der dänischen Preisbehörden vor allem dadurch, daß die Ernährung des Landes gesichert erscheint.

Das stärkste Moment jedoch, daß dafür spricht, daß dem dänischen Preisgebäude voraussichtlich wilde Erschütterungen erspart bleiben werden, liegt in der positiven Einstellung des dänischen Volkes zu seiner Währung.

Diese Auffassung ist vor allem durch die Kronenaufwertung, durch die Tatsache, daß die Preise im allgemeinen im letzten Jahr stabil geblieben sind, und daß entsprechende Maßnahmen gegen den Ausverkauf getroffen worden, gestärkt worden.

Es hat sich auch auf dem Gebiet der Preispolitik bewährt, daß die Dänen in eigener Regie arbeiten konnten. Sie haben sich nach den ersten Erfahrungen, die sie bei ihrer anfänglich abwartenden Stellungnahme zu den Preisfragen machten, energisch für die Erhaltung des Preisniveaus in Dänemark eingesetzt und sind dabei erfolgreich gewesen. Das Reich hatte über die Exportpreise immer die Möglichkeit, dabei seine Belange zu wahren.

Unter der Voraussetzung, daß nicht einer der angeführten wirtschaftlichen Faktoren wider Erwarten erschüttert wird, kann für die nächste Zeit damit gerechnet werden, daß die dänischen Preisbehörden trotz der großen durch Bauvorhaben zu erwartenden Belastung der dänischen Wirtschaft sowie der ständig ansteigenden Clearingspitze ihre Preisniveau werden halten können.

IX. Anhang: Vergleich der Verhältnisse auf dem Preisgebiete in Dänemark und Belgien
Das günstige Ergebnis der Untersuchung der derzeitigen Preise in Dänemark gibt zu der Frage Veranlassung, warum die Entwicklung auf dem Preisgebiete hier verhältnismäßig ruhig war und die Preissteigerungswelle noch im Jahre 1941 abgestoppt werden konnte, während sie in Belgien bis heute noch nicht zum Stillstand gekommen ist. Diese Tatsache ist um so überraschender, als die Verhältnisse in Dänemark und Belgien vielfach ganz gleich oder zum mindesten sehr ähnlich gelagert sind.

Beide Länder sind verhältnismäßig klein und verfügen über eine sehr hochstehende Landwirtschaft, die allerdings in Belgien die Bedürfnisse des Landes kaum zur Hälfte deckte. Beide Länder liegen am Meer und sind durch ihre geographische Lage in ziemlich enge wirtschaftliche Bindungen zu England gekommen. Beide Länder sind Anrainer des Reiches und standen mit ihm in umfangreichen wirtschaftlichen Beziehungen. Beiden Ländern fiel durch ihre Lage im übrigen eine wichtige Vermittler- und Verteilerrolle im internationalen Warenverkehr zu, die sich in Belgien mehr in kommerzieller Hinsicht, in Dänemark mehr im Seetransport auswirkte.

Beide Länder waren auf große Einfuhren angewiesen, Dänemark vornehmlich an Erzeugnissen der gewerblichen Wirtschaft, während Belgien landwirtschaftliche Produkte einführen mußte.

So ließe sich noch eine Fülle von beiden Ländern gemeinsamen Umständen anführen. Wenn die Entwicklung trotz dieser vielfach gleichartigen Voraussetzungen eine diametral verschiedene wurde, so sind die Gründe dafür in den Ereignissen der letzten Jahre und der sich daraus ergebenden verschiedenen Einstellung zu dieser inzwischen historisch gewordenen Entwicklung zu suchen, wobei allerdings der verschiedenartige Charakter der Bevölkerung in den beiden Ländern wohl von nicht zu unterschätzendem Einfluß war.

Endlich erfolgte die Eingliederung beider Länder in den vom Reiche gelenkten Wirtschaftsraum ungefähr zur selben Zeit, so daß auch das zeitliche Moment ausgeschaltet werden kann.

Von, wenn auch nicht entscheidender, so doch großer Bedeutung war für die weitere Entwicklung in den beiden Ländern die Art, wie die Eingliederung in diesen Wirtschaftsraum erfolgte. Während über Belgien und Frankreich – wenn auch mit ungeahnter Schnelligkeit – die Kriegswalze hinwegrollte, und der Strom der Millionen von Flüchtlingen, die wochenlang die Straßen und Siedlungen Belgiens und Nordfrankreichs verstopften, überall Panikstimmung verbreitete, verlief die Besetzung Dänemarks nach einem geordneten Plan ohne diese katastrophalen Nebenerscheinungen. Daher ist die erste, vielleicht einer Panik ähnelnde Preissteigerung in Dänemark mit einer Schockwirkung zu vergleichen, von der sich die Beteiligten in verhältnismäßig kurzer Zeit zu erholen vermochten. In Belgien überzahlten die Flüchtlinge jeden geforderten Überpreis, nur um Unterkunft und Verpflegung zu erhalten, wodurch in kürzester Zeit die Preise um ein Vielfaches in die Höhe getrieben wurden.

Die Kursfestsetzung für die Reichsmark (in Reichskreditkassenscheinen) von ursprünglich 1:10 im Verhältnis zum belgischen Franc trug ein Weiteres dazu bei, daß die Bevölkerung durch wildeste Preissteigerungen einen Ausgleich hierfür zu schaffen suchte. Diese Preissteigerungen hatten im übrigen ein weiteres Herabsetzen der Parität auf 1:12,5 zur Folge.

Da Belgien ernährungsmäßig zum Teil von billigen Überseeeinfuhren abhängig war, trat bald nach der Besetzung und dem Aufbrauch der Vorräte im Lande die Notwendigkeit der Umschaltung der Versorgung auf das Reich ein, die absolut gesehen und infolge des höheren Umrechnungskurses eine weitere Verteuerung mit sich brachte.

Hätten die Dänen nach der Besetzung in der Erwartung, daß die kriegerischen Ereignissen von nur kurzer Dauer sein würden mit der Einführung ihrer Preiskontrollmaßnahmen nicht gezögert und damit wertvolle Zeit versäumt, so wäre ihnen jeder größere Preisauftrieb erspart geblieben, da sie ja nicht – wie anfangs Belgien – auf Lebensmitteleinfuhren angewiesen waren, die sich durch die Umlegung der Zufuhren aus Übersee nach dem Reich verteuerten. Der wirtschaftliche Angleichungsprozeß, der durch die einseitige Umorientierung der Einfuhr auf dem Gebiete der gewerblichen Wirtschaft unerläßlich war, hätte sich bei der günstigen Vorratslage Dänemarks allmählich und ohne ernstere Erschütterungen vollzogen.

Gemeinsam für beide Länder ist allerdings die Änderung der Futterbasis von überseeischen Futtermitteln bzw. Körnerfutter auf Hackfruchtverfütterung. Diese Umstellung konnte Dänemark bei seiner – im Verhältnis gesehen – größeren Landwirtschaft allerdings leichter und ohne so große Konzessionen auf dem Preisgebiete durchführen wie Belgien.

Allein nicht nur in allen diesen Voraussetzungen, die für Belgien gegenüber Dänemark einen weitaus ungünstigeren Start bedeuten, liegt der große Unterschied.

Belgien als debellierter Staat hat eine unter dem Einfluß der deutschen Militärverwaltung stehende Regierung, das sogenannte Gremium der Generalsekretäre. Ihre Autorität im Lande wird vor allem durch die Propaganda der Feindsender vielfach untergraben.

Belgien hat als Durchgangsland von der Kanalküste nach Mitteleuropa bzw. zum Mittelmeer sich seit jeher stark mit Zwischenhandel beschäftigt. Seine Bevölkerung war gewohnt, daraus sehr hohe Verdienste zu ziehen. Dadurch ist auch die Selbstdisziplin der Bevölkerung begreiflicherweise geringer geworden als anderswo. Seine ungeheuren in den Häfen und Städten aufgestapelten Vorräte wurden möglichst auf dem schwarzen Markte veräußert. Parallel damit schritt der legale Ausverkauf des Landes. Die anfänglich sehr starke Belegung Belgien mit Besatzungstruppen, die Möglichkeit für jeden Angehörigen der Besatzungsmacht, sich zu Beginn Reichskreditkassenscheine ohne große Schwierigkeiten zu beschaffen, hat den Preisauftrieb noch weiter gefördert. Die bekannten Anordnungen, die die Erfassung der schwarzen Warenlager für deutsche Interessen durch besondere Beauftragte zu Überpreisen verfügten, die Weihnachtssonderaufkaufaktionen in den besetzten Westgebieten, die gleichfalls zu fühlbar erhöhten Preisen erfolgten, sind die einzelnen Marksteine des Preisverfalles.

Alle diese Erscheinungen – bis auf die im Vergleiche damit geringen Aufkäufe durch die Besatzungstruppen – sind Dänemark erspart geblieben.

Diesen mit elementarer Wucht hereingebrochenen Ereignissen hatte Belgien nichts anderes entgegenzusetzen als den mit dem Einmarsch der deutschen Wehrmacht am 10. Mai 1940 verfügten Preisstop, für dessen Einhaltung sich jedoch ursprünglich niemand energisch einsetzen konnte, und ein erst allmählich ausgebautes Preiskommissariat, dem einige zur Militärverwaltung zugeteilte deutsche Fachleute als Berater zur Seite standen.

Das auch in Dänemark bei Beginn vorderhand mangelnde Verständnis bei Produktion und Handel für geregelte Preise unter Ausschaltung des Gesetzes von Angebot und Nachfrage konnte aus der belgischen Mentalität überhaupt nie herausgebracht werden. Alle diesbezüglichen von belgischen Stellen erlassenen Bestimmungen werden als von den Deutschen erfundene, höchst unerwünschte Eingriffe empfunden und möglichst umgangen.

Die rechtliche Stellung des Preiskommissariats in Belgien blieb lange Zeit umstritten, was seiner Autorität sehr abträglich war. Es war äußerst schwierig, geeignete Persönlichkeiten für diese verantwortungsvolle und dabei sehr unerwünschte und unbeliebte Arbeit zu finden. So vergingen viele wertvolle Monate bis das Preiskommissariat seine Arbeiten tatsächlich aufnehmen konnte und noch mehr Zeit, bis ein gewisser Kontrollapparat aufgestellt war und in Aktion treten konnte.

Der Aufbau der gesetzlichen Preisbestimmungen in Belgien lehnt sich stark an das deutsche Vorbild an, wenn auch eine Reihe von Vereinfachungen zweckmäßigerweise erfolgt ist. Bis in die neueste Zeit wird aber die Tätigkeit der belgischen Preisbehörden dadurch, daß von einzelnen Stellen und Angehörigen der Besatzungsmacht die bestehenden Vorschriften nicht immer restlos eingehalten werden, behindert.

Diese Erscheinungen sind von Dänemark zum mindesten im geschilderten Umfange ferngehalten worden. Nachdem sich die verantwortlichen dänischen Stellen der Notwendigkeit einer kriegsbedingt gelenkten Preisregelung bewußt geworden waren, haben sie ihren Kontrollapparat und die erforderlichen Gesetzes- und Preisbestimmungen ausgebaut, die den Preisbehörden unerwartet große Vollmachten einräumten. Hinter den Preisbehörden steht die starke Autorität der Regierung, die in diesen schwierigen Zeiten auf politisch und wirtschaftlich einmalige Erfolge hinweisen kann. Sie hat vor kurzem erfolgreiche Wahlen durchgeführt und sie konnte mit Unterstützung des Reiches im Januar 1942 die Aufwertung der Krone durchführen. Während in fast allen Ländern Abwertungen der Währung notwendig wurden, konnte in Dänemark der umgekehrte Weg eingeschlagen werden, was ungeheuer zur Beruhigung der Wirtschaft und zur Stärkung der Stimmung beigetragen hat.

Während in Belgien – wie ausgeführt – alle Preisbestimmungen als lästige und behindernde deutsche Maßnahmen empfunden und kritisiert werden, nehmen in Dänemark Öffentlichkeit und Presse mit dem größten Interesse an allen Maßnahmen auf dem Preisgebiet teil.

Genau wie in Dänemark, war auch in Belgien ursprünglich die Bestrafung der Übertretung von Preisvorschriften den Gerichten vorbehalten, die bei der gleich ablehnenden Haltung, wie die der Bevölkerung, Preisverstöße praktisch gar nicht verfolgten, während in Dänemark die Gerichte sehr scharf eingreifen. Außer dieser ganz verschiedenen Einstellung der Bevölkerung zu den Preisfragen, die in Dänemark zustimmend und in Belgien ablehnend bis zur letzten Konsequenz ist, wird als schwerwiegendstes Moment die Einstellung der Bevölkerung in Belgien zu Wirtschaft und Währung gegenüber der Einstellung des dänischen Volkes als grundverschieden empfunden.

In Belgien sehen weite Kreise, namentlich der wallonischen Bevölkerung in den Städten, auch heute infolge ihrer anglophilen Gesinnung in jeder Schädigung selbst der eigenen Wirtschaft einen Beitrag zur Unterstützung der Feinde des Reiches. Und da es gerade die vermögenden Kreise sind, die im Verhältnis zu den Deutschland gegenüber zum Teil positiver eingestellten Kreisen der allerdings wirtschaftlich schwächeren Flamen die stärkeren sind, hat diese Gesinnung auf die belgische Wirtschaft einen sehr ungünstigen Einfluß.

Endlich wirkt die Tatsache der vollständigen Besiegung des Landes auf weite Kreise in Belgien absolut lähmend. Sie haben den Glauben an die im Lande noch schlummernden Kräfte verloren und stehen zum Teil tatenlos verzweifelnd, zum Teil bewußt abwartend, den immer schwieriger werdenden Verhältnissen gegenüber, die eigentlich nur von den deutschen Stellen gestützt und von den positiv eingestellten flämischen Kreisen wirklich gehalten werden.

Demgegenüber steht in Dänemark eine in ihrer Autorität nicht zu letzt vom Reiche gestützte Regierung, die bestrebt ist, durch alle nur erdenklichen Maßnahmen die positive Einstellung des Volkes zu seiner Währung und Wirtschaft zu fördern. Gerade die eben in Vorbereitung befindlichen neuen Maßnahmen zur Abschöpfung der freien, übermäßigen Kaufkraft, der sinnvolle Ausbau der Preisvorschriften und anderes mehr beweisen dies.

Zusammenfassend ist aus dieser keineswegs erschöpfenden Darstellung der Lage zu ersehen, daß in diesen Ländern mit Vorschriften allein, ja nicht einmal mit einem tatsächlich erfolgreich durchgreifenden Kontrollapparat, das Preisniveau gehalten werden kann, sondern, daß hierzu als einer der wichtigsten, wenn nicht sogar als Hauptfaktor die positive Einstellung der Bevölkerung zu diesen Fragen und ihr Glaube an den inneren Wert der Landeswährung hinzukommen muß.

[underskrift][11]

89. Paul Kanstein an Rudolf Brandt 1. Juni 1943

Kanstein beklagede, at det havde trukket så længe ud med svaret vedrørende professor Waldemar Thalbitzer, men fremsendte en optegnelse vedrørende professorens afstamning. Deraf fremgik, at Thalbitzer hverken var jøde eller tyskfjendtlig. Endvidere kunne Kanstein ikke bekræfte, at stabslæge Rascher havde haft personlig kontakt med Thalbitzer. Derfor bad Kanstein i forståelse med Best om, at RFSS ikke foretog de ønskede foranstaltninger. Der blev bedt om RFSS' holdning dertil.

Brandt svarede 22. juli 1943.

Brandts henvendelse på RFSS' vegne med ønsket om at få Thalbitzer sendt til Dachau på grund af hans jødiske afstamning og tyskfjendtlighed kan ikke have bekommet gesandtskabet vel. Deri alene kunne være en grund til at forhale svaret med mere end et halvt år og først svare efter en rykker. Thalbitzer var en offentlig og internationalt kendt videnskabsmand i sit 70. år, og hvis han var blevet sendt til Dachau med begrundelsen, at han var jøde og tyskfjendtlig, og det kom frem, hvad det uundgåeligt ville, så havde Best ikke kunnet redde sin "milde hånds politik". Scavenius ville ikke have kunnet løse et problem af det omfang for ham, og skaderne for den tyske politik ville være uoverskuelige. I stedet valgte Kanstein og Best at bestille et notat, der kunne skrives på kort tid og uden problemer på baggrund af foreliggende biografiske opslagsværker, hvormed alle beskyldninger mod Thalbitzer blev afvist. Det blev ikke benægtet, at Rascher kunne have været i København i august 1942, men Kanstein erklærede, at der ikke havde været personlig kontakt. Det skulle række til at så mere tvivl ved Raschers beskyldninger.

Kilde: RA, Danica 1000, T-175, sp. 56, nr. 570.588f.

Abschrift
Der Bevollmächtigte des Reiches in Dänemark *Kopenhagen, den 1. Juni 1943.*
II

An SS-Obersturmbannführer R. Brandt
    Persönlicher Stab des Reichsführer-SS
    Feld-Kommandostelle

Lieber Kamerad Brandt!
Die Angelegenheit Dr. Thalbitzer, in welcher Sie mir zuletzt am 21. 4. 43[12] (Tgb. Nr. 23/4/43 g) geschrieben haben, war etwas schwierig zu erledigen und hat sich deshalb so lange verzögert, was ich zu entschuldigen bitte.

---

11 Den ulæselige underskrift er identisk med underskriften i Preispolitischer Lagebericht 9. maj 1944. Fra februar 1942 var Thiele i Oslo kommissær for prisdannelsen i både Danmark og Norge.
12 Rykkerskrivelsen sst. nr. 570.591 er ikke medtaget.

Ich übersende Ihnen anbei eine Aufzeichnung über die Abstammung des Prof. William Thalbitzer, auf die ich Bezug nehmen möchte.[13] Danach ist Thalbitzer nicht jüdischer Abstammung.

Ich habe auch Ermittlungen angestellt um über Thalbitzers deutschfeindliche Betätigung oder Einstellung Material in die Hände zu bekommen. Auch das ist leider erfolglos verlaufen.

Die in Ihre[m] Schreiben vom 13. November 1942 erwähnte Angelegenheit mit Stabsarzt d.R. Dr. Rascher konnte ich nicht verwerten, da, soweit ich feststellen konnte, eine persönliche Besprechung des Thalbitzer mit Dr. Rascher überhaupt nicht stattgefunden hat. Bei dieser Sachlage läßt sich schwer gegen Thalbitzer in der vom Reichsführer gewünschten Form vorgehen. Das ist auch die Auffassung von SS-Gruppenführer Dr. Best, dem ich den Fall vorgetragen hab[e]. Ich darf Sie bitten, mich noch zu bescheiden, welche Stellung der Reichsführer-SS nunmehr zu dem Fall einnimmt.

Mit den besten Grüßen
und Heil Hitler!
bin ich Ihr
gez. **Kanstein**
SS-Brigadeführer

90. Wolfram Sievers an Werner Best 1. Juni 1943

Sievers videresendte til Best en række bilag, der dels skulle dokumentere Kerstens hidtidige virke i Danmark, dels fremme hans fortsatte arbejde, idet Best skulle lade dem videresende til de egentlige adressater.
Kilde: BArch, NS 21/86.

Der Reichsführer-SS   *Berlin am 1.6.1943*
Persönlicher Stab
Amt "Ahnenerbe"
Der Reichsgeschäftsführer

An den Bevollmächtigten des Deutschen Reiches in Dänemark
SS-Gruppenführer Dr. Best
    Kopenhagen

Betr.: Schutz der vorgeschichtlichen Denkmäler und Naturschutzgebiete auf den militärischen Baugebieten in Dänemark

---

13 Det vedlagte notat på fire sider af kriminalassistent Fritz Renner af 1. marts 1943 gennemgår detaljeret Thalbitzers afstamning og hele karriere på baggrund af oplysninger fra bekendt dansk slægtslitteratur (der nævnes) og DBL 2. udg. Efter notatet at dømme har Renner ikke søgt yderligere oplysninger om Thalbitzer, men det er klart, at Thalbitzer ikke har gjort sig offentlig kendt som tyskfjendtlig. At han også skulle være "Edelkommunist", som var en af Raschers påstande, finder Renner det end ikke værd at kommentere (Notatet sst. nr. 570.584 er ikke medtaget, da det ikke har oplysninger ud over den lettilgængelige håndbogslitteratur).

Anl.: 3[14]

Gruppenführer!
Als Anlage gestatte ich mir, den Bericht unseres Beauftragten, SS-Untersturmführer Dr. Kersten, über die zum Schutz der vorgeschichtlichen Denkmäler und Naturschutzgebiete auf den militärischen Baugebieten in Dänemark getroffenen Maßnahmen zu überreichen.[15] Zugleich bitte ich, die ebenfalls als Anlagen beigefügten Schreiben, die in dieser Angelegenheit an den Kommandeur des Festungspionierstabes, Herrn Oberst Pless, und an Herrn Museumsinspektor Dr. Mathiassen gerichtet wurden, an die Adressaten weiterzuleiten.

Heil Hitler!
Sievers
SS-Standartenführer

91. Werner Best an das Auswärtige Amt 2. Juni 1943

Best fremsendte endnu en oversigt over sabotagehandlinger, idet han både henviste til den seneste udgave af *Politische Informationen* og til BBCs danske udsendelser. Han mente sig bekræftet i, at foranstaltningerne mod sabotagen virkede, både pressemeddelelserne og bevæbningen af sabotagevagterne.

Kilde: PA/AA R 61.119.

Abschrift   Pol. VI 728
Der Bevollmächtigte des Reiches in Dänemark   *Kopenhagen, den 2. Juni 1943*
II C 3 – B. Nr. 717/43.

Betrifft: Sabotageakte in Dänemark.

Ich überreiche in Anlage eine Übersicht über die wichtigsten in der letzten Zeit erreichten Resultate in Sabotagesachen.

Auf die in den "Politischen Informationen für die deutschen Dienststellen in Dänemark" vom 1. Juni 1943 unter IV über "Sabotageakte in Dänemark" gemachten Ausführungen darf in diesem Zusammenhange verwiesen werden.[16]

Interessant ist, daß der Sprecher der dänischen Sendungen des Londoner Rundfunks, der sich bisher über die Maßnahmen zur Bekämpfung der Sabotage in Dänemark ausgeschwiegen hatte, durch die neueste Entwicklung veranlaßt worden ist, auf diese Ereignisse einzugehen. Am 31.5.1943 hat er behauptet, daß nur bestimmte dafür geeignete Sabotagehandlungen "dänischer Patrioten" in der Presse veröffentlicht werden. Er beklagt, daß "es den Deutschen gelungen ist, die Dänen gegeneinander zu hetzen."

14 Bilagene er ikke lokaliseret.
15 Det drejer sig sandsynligvis om den indberetning af 1. januar 1943, som Sievers omtalte i sit notat 5. april 1943, trykt ovenfor.
16 Trykt ovenfor.

Die Bewaffnung des Werkschutzes und insbesondere der Waffengebrauch der Fabrikwächter wird offenbar als eine wirksame Maßnahme gegen die Saboteure erkannt. Der Sprecher versucht deshalb, die Haltung der Wächter gegenüber den Saboteuren, ihren Landsleuten, zu beeinflussen und droht damit, daß die Alliierten in Dänemark, das für die Deutsche Wehrmacht gearbeitet habe, nicht unterstützen werde.

gez. **Dr. Best**

Abschrift zu Pol. VI 728

Übersicht
über die wichtigsten in der letzten Zeit erreichten Resultate in Sabotagesachen.

Zur Zeit befinden sich die folgenden Personen in Haft:

Aalborg:
1.) Asger Lorentzen (Aalborg 31.3.23)
2.) Jörgen Rahbeck (Aalborg 19.6.27)
3.) Hans Jörgen Jul Laursen (Aalborg 11.7.25)
4.) Vagn Jensen (Aalborg 4.7.27)
5.) Henning Jensen (Aalborg 3.8.25)
6 Brandstiftungen oder Brandstiftungsversuche an deutschen Material oder Eigentum sowie Einschlagen von Fensterscheiben und Diebstähle.
  Urteil des Stadtgerichts Kopenhagen vom 27.2.1943:
    1.) 4 Jahre Gefängnis,
    2.) 1 Jahr 6 Monate Gefängnis,
    3.) 2 Jahre Gefängnis,
    4.) 2 Jahre Gefängnis und
    5.) 2 Jahre Gefängnis.

6.) Erik Börge Nielsen (Aalborg 13.8.23)
7.) Svend Erik Normann Meldersen (Hvorup 25.8.22)
8.) John Albert Andersen (Aalborg 11.11.22)
Brandstiftung an deutschem Militärauto, Diebstahl eines deutschen Bajonetts und Einbruch bei einem deutschen Hauptmann.
  Urteil des Stadtgerichts Kopenhagen vom 27.2.43:
    6.) 3 Jahre Gefängnis,
    7.) 3 Jahre und 3 Monate Gefängnis,
    8.) 2 Jahre Gefängnis.

9.) Henrik Maximilian Haxthausen (Hobro 24.11.25)
10.) Frode Styrbech Jensen (Vejgaard 6.5.24)
11.) Flemming Gamst Pedersen (Aalborg 8.1.25)
12.) Niels Jacob Olesen (Nr. Tranders 27.12.23)

Festgenommen am 17.und 18.2.43. Zwei Brandstiftungsversuche an deutschen Lastkraftwagen und an einer deutschen Baracke sowie Beschädigung eines Aushangkastens der DNSAP.
  Die Sache ist noch nicht abgeurteilt.

13.) Erik Torup Jensen (Aalborg 18.5.24)
14.) Carl Marinus Jensen (Aalborg 16.5.24)
15.) Frode Nörgaard Thomsen (Nr. Tranders 3.9.24)
16.) Hartung Hvidegaard Madsen (Aalborg 18.4.25)
17.) Egon Nörregaard Thomsen (Nr. Tranders 3.9.24)
6 Brandstiftungsversuche, Durchschneiden von Telefonleitungen, eine Reihe geplanter Sabotagehandlungen gegen Wehrmachtskino. Festgenommen am 31.3.1943.
  Die Sache ist noch nicht abgeurteilt.

Aarhus:
18.) Aage Gustav Lindvall (Nornslet 27.2.14)
19.) Walther Georg Höjfeldt Mosegaard (Aarhus 3.4.16)
20.) Hans Gunder Gram (Bogense 1.12.06)
21.) Otto Frederik Petersen (Aarhus 6.4.98)
22.) Christian Frederik Bartram (Aarhus 24.4.22)
Brandstiftung in einem Militärbekleidungslager.
  Urteil des deutschen Kriegsgerichts vom 15.12.1942:[17]
    18.) 10 Jahre Zuchthaus
    19.) 10 Jahre Zuchthaus,
    21.) 10 Jahre Zuchthaus,
    22.) 1 Jahr Zuchthaus.
Es wird bemerkt, daß 20.) vor der Urteilsfällung vom Arrest entwichen ist.

23.) Hans Reinholdt Petersen (Aarhus 6.6.26)
24.) Willy Hans Clausen (Vejle 4.1.24)
25.) Svend Rye Jensen (Vamdrup 15.2.26)
26.) Harry Ib Brönnum Jensen (Trustrup 10.6.25)
Festgenommen am 2.4.1943. Brandstiftung am Stadion.
  Die Sache ist noch nicht abgeurteilt.[18]

Esbjerg:
27.) Eigil Jensen (Bryndum 28.6.22)
28.) Johan Frederik Warrer Thygesen (Esbjerg 26.12.25)
29.) Karl Ralph Tranum (U.S.A. 28.1.26)
30.) Ingver Schönnemann (Esbjerg 23.12.25)
31.) Carl Erik Burmeister (Lemvig 5.1.28)

---

17 Best havde meddelt dommene i sin indberetning 4. februar 1943.
18 Best havde omtalt sagen i sin indberetning 30. april 1943.

Festgenommen am 28.3., 4. und 5.4.43. Ca. 20 Sabotagehandlungen gegen deutsches Material.
Die Sache ist noch nicht abgeurteilt.[19]

Fredericia:
32.) Ole Ejner Sonne (Fredericia 1.3.25)
33.) Carl Christian Trampe (Odense 25.5.24)
34.) Erik Gerhardt Adam Frederik Trampe (Odense 28.3.26)
Festgenommen am 15.2.1943. Versuchte Sabotage gegen einen deutschen Munitionszug.
Die Sache ist noch nicht abgeurteilt.[20]

Frederikssund:
35.) Gunnar Ingolf Taarup (K. 31.7.20)
Festgenommen am 13.5.1943. Brandstiftung in Eisengießerei und Maschinenfabrik.
Die Sache ist noch nicht abgeurteilt.
In der Sache wird noch gesucht:
Svend Aage Jensen (Köge 4.7.20) als Mittäter.

Horsens:
36.) Knud Aage Rasmussen (St. Dalby 1.4.1926)
Entfernung von 4 Schwellenschrauben auf Eisenbahnlinie.
Urteil des Stadtgerichts Kopenhagen vom 22.1.1943:
2 Jahre 6 Monate Gefängnis.

Kolding:
37.) Gustav Lumbye (Kolding 6.5.19)
Bombenattentat gegen das Hochschulheim, das von deutschen Nachrichtenhelferinnen bewohnt wird.[21]
Urteil des deutschen Kriegsgerichts vom 14.5.1943:
Des Bombenattentats freigesprochen, für illegale Tätigkeit und Aufforderung zum Attentat zu 3 Jahren Zuchthaus verurteilt.

Nibe:
38.) Gunnar Möller (Sdr. Onsild 11.4.02)
Sabotage gegen das Ziegelwerk in Hvalpsund mit Hilfe von Brandbomben.
Urteil des Gerichts in Lögstör Köbstad vom 16.3.1943:
4 Jahre Gefängnis.

---

19 Det lykkedes 30. august 1943 Tranum og Johan Thygesen at flygte fra fængslet i Esbjerg. Den 19. oktober 1943 fik Eigil Jensen 11 års tugthus, Schönnemann 1 ½ års fængsel og 15. november Burmeister et års fængsel (PKB, 7, s. 297f.).
20 Best havde omtalt sagen i sin indberetning 13. marts 1943, og han underrettede AA om dommen 6. juli.
21 Se sag 82 omtalt i Bests indberetning 13. marts 1943.

Odense:
39.) Peter Oskar Petersen (Assens 8.1.1899)
40.) Johannes Thomsen (Hauerslund 23.12.1912)
41.) Victor Andersen (Snöde 18.6.1913)
42.) Hans Peter Petersen (Glamsbjerg 7.3.1915)
Brandstiftungsversuch an deutschen Eisenbahnwagen und Diebstahl von Gewehren.
Die Sache ist noch nicht abgeurteilt. Als Mittäter wird noch gesucht:[22]
Axel Ejler Andersen (Nr. Höjrup 3.8.1896)

43.) Erik Wilhelm Plöger Jensen (Esbjerg 9.2.1924)
44.) Egon Christian Thygesen (Boldesager 15.6.1925)
Festgenommen am 17.5.1943. Brandstiftung an Clausens Werkstatt.
Die Sache ist noch nicht abgeurteilt.

Viborg:
45.) Paul Thomas Eriksen (Viborg 7.3.1924)
46.) Ib Hedegaard Nielsen (Tranum 4.6.1926)
Festgenommen am 13.5.1943. Brandstiftung an Munitionsdepot.
Die Sache ist noch nicht abgeurteilt.

Kopenhagen:
47.) Hans Petersen (Hejls 26.4.1910)
48.) Johnny Peter Nielsen (K. 16.12.1914)
49.) Harald Ferdinand Nielsen (K. 7.2.1906)
Brandbomben auf Automobilfirma, Griffenfeldtsgade 32;
Sprengbomben auf Adler Service, Lyngbyvej 182;
Sprengbombe vor dem Hause, Bjelkes Alle 16 und
Spreng- und Brandbomben auf Konfektionsfirma, Frederiksborggade 52.[23]
Urteil des deutschen Kriegsgerichts vom 12.4.1943:
47.) zum Tode verurteilt. Das Urteil wurde später in lebenslängliches Zuchthaus abgeändert.
48.) lebenslängliches Zuchthaus,
49.) lebenslängliches Zuchthaus.

50.) Kurt Peter Asmus Blauenfeldt (Frdbg. 31.1.1919)
51.) Anton Angelo Möller (K. 28.4.1918)
52.) Jörgen Ditlev Jacobsen (Viborg 16.3.1916)
53.) Henry Jacobsen (Randers 15.4.1908)
Diebstahl von Ärolit vom Kalkbruch in Fakse.[24]
Urteil des Stadtgerichts in Kopenhagen vom 13.3.1943:

---

22 Se Bests indberetning 13. marts 1943.
23 Se Bests indberetning 4. februar 1943.
24 Se Bests indberetning 13. marts 1943 og Kjeldbæk 1997, s. 71-75.

50.) 3 Jahre und 40 Tage Gefängnis,
51.) 3 Jahre Gefängnis
52.) 3 Jahre Gefängnis,
53.) 4 Jahre Gefängnis.

53.) Henry Jacobsen (Randers 15.4.1908)
54.) Svend Aage Olsen (K. 16.2.1915)
Brandbomben auf Fabrik Stubmöllevej 36;
Sprengbombe auf Eisenbahnkörper der Küstenbahn zwischen Hellerup und Charlottenlund;
Höllenmaschine gegen Schneiderfirma Vesterbrogade 9;
Höllenmaschine gegen Schilderfabrik Vesterbrogade 137;
Höllenmaschine gegen Frederiks-Metallwarenfabrik sowie Sprengbomben gegen dieselbe;
Diebstahl von Ärolit vom Arbeitsschuppen am Kaalund Kloster;
Diebstahl von Stoppindraht vom Arbeitsschuppen am Kettevej sowie Diebstahl von Benzin vom Südhafen.
 Die Sache ist noch nicht abgeurteilt.[25]
 Es werden noch gesucht:
Poul Hilmer Nedergaard Pedersen (K. 18.8.1907)
Villy Gerhard Olsen (K. 28.2.1914)

55.) Knud Erik Vanggaard Andersen (K. 12.5.1922)
56.) Axel Villads August Petersen (K. 15.3.1906)
Sind mit ihrem Lastauto für Saboteure gefahren
 Urteil des Stadtgerichts Kopenhagen vom 27.4.1943:
  55.) 6 Monate Gefängnis,
  56.) 1 Jahr 6 Monate Gefängnis.

57.) Frode Jensen (Randers 11.11.1919)
58.) Gunnar Mogens Dahl (Nyköbing F. 7.5.1917)
59.) Helmuth Alexander Schröder Petersen (Gilleleje 21.9.1910)
60.) Victor Emanuel Larsen (Bielefeld 27.8.1902)
61.) Harry Svend Plambeck (K. 16.6.1913)
Festgenommen am 17.5.1943. Sabotageversuche auf die Flachsspinnerei in Holbäk. 61.) wurde erschossen.[26]
 Die Sache ist noch nicht abgeurteilt. Es wird bemerkt, daß 53.) und 54.) gestanden haben, daß 60.) bei den von ihnen zugestandenen Sabotagehandlungen dabei war.[27]

---

25 Se Bests indberetning 13. marts 1943.
26 Harry Svend Plambeck blev ikke skudt, men begik selvmord efter aktionen, da han hårdt såret ikke kunne følge med de flygtende kammerater (*Faldne i Danmarks frihedskamp*, 1970, s. 366, Kjeldbæk 1997, s. 146f.).
27 Aktionen mod Holbæk Hørskætteri blev udført af BOPA. De to hovedmænd, Gunnar Dahl og Victor Larsen, blev senere befriet fra fængslet. Larsen blev påfølgende dræbt i kamp 29. december 1943 og Dahl

62.) Oscar Werner (Hansted 16.2.1913)
Festgenommen am 15.5.1943. Im Keller seiner Unterkunft wurden u.a. gefunden: Bombenhülsen, Zündschnüre mit Sprengkapseln, Pistolenmunition, Thermitbomben und sehr viel anderes Brandstiftungsmaterial, darunter eine 200 l fassende Eisentrommel mit Benzol.
Die Sache ist noch nicht abgeurteilt.[28]

63.) Leif Ernst Petersen (K. 8.3.1924)
64.) Kaj Erik Olsen (15.7.1925)
65.) Erik Viggo Larsen (Frdhavn. 29.11.1923)
66.) Jesper Ove Gerhard Clemmensen (K. 18.11.1918)
Festgenommen am 4. und 8.5.1943.
Sabotageversuch auf die Maschinenfabrik "Präcision", Emdrupvej 28.[29]
Die Sache ist noch nicht abgeurteilt. Dazu werden noch folgende Mittäter gesucht:
Poul Carl Gerhard Schlander (K. 31.1.1921)
Henning Juhl (Aarhus 4.4.1914)
Harry Just Nielsen (K. 16.6.1922)

67.) Jörgen Thayssen (Frdbg. 6.2.1924)
Festgenommen am 13.4.1943. Hat in seiner Wohnung mit der Herstellung von Brandbomben experimentiert. Die Brandbomben sollten gegen Fabriken, die für die Deutsche Wehrmacht arbeiten, angewandt werden.
Die Sache ist noch nicht abgeurteilt.[30]

68.) Aksel Törnström (Rönne 25.8.1911)
69.) Knud Börge Thorvald Hintge Bech (Randers 8.9.1913)
Festgenommen am 4. und 27.5.1943. Höllenmaschine gegen Lederfabrik Gothersgade 158 B; Höllenmaschine gegen Konfektionsfabrik Pilesträde 43/45 und Höllenmaschine gegen Lederwarenfabrik Rosenvängets Allé 6.[31]
Die Sache ist noch nicht abgeurteilt.
Folgende Mittäter werden noch gesucht:
Ejnar Andersen
Fritz Börge Östergren Hansen (Jägersborg 20.11.1910)

70.) Knud Aage Nielsen (Kopenhagen 12.2.1917)

---

såret og senere skjult henrettet 9. august 1944 (*Faldne i Danmarks frihedskamp*, 1970, s. 99f., 260f., Kjeldbæk 1997, s. 147).
28 Oscar Werner var medlem af det illegale DKP, men ikke involveret i BOPAs aktiviteter. Werner bedyrede sin uskyld, men blev 18. januar 1944 uden dom overført til koncentrationslejren Sachsenhausen (PKB, 7, s. 306f.).
29 Se Bests indberetning 4. februar 1943.
30 Ikke identificeret.
31 Det var BOPA, der stod bag aktionerne, der fandt sted henholdsvis 17. januar, 1. marts og 26. april 1943 (Kjeldbæk 1997, s. 459f., 462).

71.) Ole Irgens Möller (Ordrup 22.3.1923)
Festgenommen am 7.5. und 17.5. 1943.
In der Wohnung von 70.) wurde ein größeres Sprengstofflager, das engl. Ursprungs ist, sichergestellt. 70.) und 71.) haben eine Brandstiftung in der Uniformfabrik von Grauballe, Kopenhagen, Allégade 8, am 22.3.1943 begangen. In der Spreng- bezw. Brandsache werden noch gesucht:
Lars Landorf,
Esben Nielsen,
Kjeld Nyegaard,
Krieger Rasmussen,
Steen Gjortholm und Ibb. Weitere Personalien nicht bekannt.
Die Ermittlungen sind noch nicht abgeschlossen.[32]

72.) Niels Frank Leon Houlby (Kopenhagen 21.9.1921)
73.) Henning Erich Jensen (Kopenhagen 26.2.1923)
74.) Kurt Anton Folmer Petersen (Kopenhagen 25.7.1914)
Festgenommen am 18.5.1943. Versuchten einen Sprengstoffanschlag gegen eine Zementmischmaschine im April 1943. Sache noch nicht abgeschlossen.[33]

75.) Knud Madvig (Nyköbing 18.3.1923)
76.) Fritz Kruhöffer (Odense 18.4.1920)
77.) Elias Erik Petersen (Kopenhagen 8.5.1925)
Festgenommen am 10.4.1943.
75.) legte am 10.3.1943 auf der Werft von Burmeister & Wain einen Brand.[34]
76.) und 77.) führten eine Brandstiftung im Januar 1943 in Kopenhagen, Frederiksberggade 19, aus.
5 weitere Personen, die mit 75.) – 77.) in Verbindung standen und sich ebenfalls strafbar gemacht haben, sind nach Schweden geflüchtet.
Die Sache ist noch nicht abgeurteilt.[35]

---

32 Aktionen mod Ejnar Grauballe blev udført af BOPA (Kjeldbæk 1997, s. 460).
33 Sagen mod de tre var langt alvorligere. Hans Wäsche sigtede dem i en skrivelse 17. maj for at stå i forbindelse med engelske faldskærmsagenter (PKB, 7, s. 469-472). De blev 17. juli 1943 idømt henholdsvis 3 og 2 års tugthus for sabotage og kontakt med SOE (Kirchhoff, 3, 1979, s. 150).
34 Madvig var sammen med Elis Erik Petersen medlem af en gruppe KUere, der bedrev sabotage. De fik 28. juni 1943 henholdsvis 10 og 4 års tugthus. Madvig undslap fra Horsens tugthus 31. december 1944 (PKB, 7, s. 222, 229, 467f., Kirchhoff, 3, 1979, s. 150, Kjeldbæk 1997, s. 117).
35 De, som var flygtet til Sverige, havde været med "Søridderen" (jfr. Bests indberetning 30. april, tilfælde V). Kruhöffer havde opbevaret illegalt materiale og stået vagt, mens branden Frederiksberggade 19 blev påsat, og deltaget i et indbrud for at skaffe materialer til sabotage. For det blev han idømt syv års fængsel (PKB, 7, s. 251, 299).

92. Werner Best an das Auswärtige Amt 2. Juni 1943

Best rapporterede om to tilfælde af sammenstød mellem den danske befolkning og repræsentanter for besættelsesmagten, i det ene tilfælde tyske officerer, i det andet en dansk frivillig i tysk krigstjeneste.
Kilde: PA/AA R 29.567. RA, pk. 203.

Telegramm

Kopenhagen, den	2. Juni 1943	13.05 Uhr
Ankunft, den	2. Juni 1943	14.20 Uhr

Nr. 669 vom 2.6.[43.]

Am 20. und 23. Mai haben sich zwei Zwischenfälle mit deutschen Wehrmachtsangehörigen ereignet, die in der dänischen Bevölkerung und in dänischen amtlichen Kreisen großes Aufsehen erregten und der dänischen Regierung Veranlassung gegeben haben, bei mir offiziell vorstellig zu werden. Nach den bisherigen Feststellungen haben sich die Vorfälle wie folgt abgespielt:

Im Restaurant "Fuglsang" bei Fredericia, in dem der dänische Handball-Club "Frem" eine Festlichkeit abhielt, erschien gegen abend ein junger deutscher Offizier, der mit einem vierspännigen Erntewagen vor dem Hause vorfuhr. Der Offizier drang angeheitert in den Raum ein, in dem die Festlichkeit stattfand, zog seinen Degen und verlangte, an der Festlichkeit teilnehmen zu können. Hierdurch entstand ein heftiger Wortwechsel, der zu Tätlichkeiten ausartete. Es gelang jedoch, die Ruhe wieder herzustellen und den Offizier zum Fortgang zu bewegen. Nach kurzer Zeit erschien er jedoch mit einer Anzahl Soldaten, die auf einem Lastwagen mit Trecker verladen waren, vor dem Restaurant "Fuglsang" und auf seinen Befehl begannen die Soldaten das ganze Lokal zu räumen. Unter den Festteilnehmern entstand eine Panik. Sie sprangen entweder selbst zum Fenster hinaus oder wurden von den Soldaten durch die Fenster auf die Straße befördert. Es fielen auch einige Schüsse insbesondere ist auch der Wirt nach den bisherigen Darstellungen von den Soldaten schwer mißhandelt worden. Es mußten insgesamt 14 Personen ins Krankenhaus befördert werden. 6 wurden in ihre Wohnung entlassen, 8 mußten im Krankenhaus verbleiben.[36]

Am 20.5. hat in Holstebro ein SS-Urlauber, SS-Mann Lind, einen dänischen Staatsangehörigen Petersen durch einen Schuß lebensgefährlich verletzt. Vorausgegangen war offensichtlich am Nachmittag desselben Tages eine Auseinandersetzung zwischen Lind und Petersen, in deren Verlauf Petersen den Lind als "Nazischwein" und "Landesverräter" bezeichnet haben soll. Petersen soll auch einen anderen SS-Urlauber am Tage vorher tätlich angegriffen haben. Der Vorfall hat insofern besonderes Aufsehen erregt, als das Geschoß dem Schwerverletzten in die hintere Körperseite eingedrungen ist und vorn unter der Bauchwand sitzt. Es wird daraus der Schluß gezogen, daß Lind den Schuß nicht abgegeben hat, um einen Angriff auf sein Leben abzuwehren, sondern daß er auf den flüchtenden Angreifer geschossen hat.[37]

36 Den tyske officerer blev stillet for en krigsret, jfr. nedenfor (Brøndsted/Gedde, 1, 1946, s. 485).
37 Best refererede kun delvist forløbet i Holstebro. En anden frikorpsmand trængte i beruset tilstand ind på

Im Falle Fredericia hat der Befehlshaber der deutschen Truppen schnellste Untersuchung und Durchführung eines kriegsgerichtlichen Verfahrens gegen die Schuldigen angeordnet.

Die Untersuchung im Falle Lind – Petersen wird von dem mit zugeteilten Hilfsrichter des zuständigen SS- und Polizeigerichts durchgeführt.

Über das Ergebnis der Untersuchung in beiden Verfahren werde ich weiter berichten.[38]

Dr. Best

93. Werner Best an das Auswärtige Amt 2. Juni 1943

I sit telegram nr. 581, 14. maj 1943 fortalte Best, at han havde foreslået oprettelse af en særlig forbindelsesstab mellem den danske hær og værnemagten. Siden havde von Hanneken erklæret alt videre samarbejde med Rolsted for umuligt, og han blev afløst af generalmajor P.L. Ramm som forbindelsesofficer til værnemagten (Kirchhoff, 1, 1979, s. 124f.).

Kilde: PA/AA R 29.567. RA, pk. 203.

Telegramm

Kopenhagen, den	2. Juni 1943	13.30 Uhr
Ankunft, den	2. Juni 1943	14.20 Uhr

Nr. 670 vom 2.6.43.

Im Anschluß an mein Telegramm Nr. 652[39] vom 29.5.43 berichte ich, daß der Generalmajor Ramm am 31.5.43 von dem Direktor im dänischen Verteidigungsministerium, Generalmajor von Stemann, dem Befehlshaber der deutschen Truppen, General d.I. von Hanneken, vorgestellt worden ist. Der General von Hanneken hat mir gegenüber seine Zufriedenheit mit der so geschaffenen Lösung zum Ausdruck gebracht.

Dr. Best

94. MOK Ost an Seekriegsleitung 2. Juni 1943

MOK Ost videregav en melding fra admiral Wurmbach om stemningen i Danmark. Med en bedre gennemført værnemagtspropaganda kunne befolkningens "stivnede" holdning blødes op. Sabotagen var i aftagende, og flertallet af danskerne var imod den. Best agtede at udnytte den første gunstige lejlighed til i propagandistisk øjemed at lade en sabotør henrette.

Kilde: BArch, RM 7/1187. RA, Danica 628, sp. 7, nr. 5300 (uddrag).

Abschrift   Geheime Kommandosache!

politistationen og søgte med en bajonet at spidde betjentene (Brøndsted/Gedde, 1, 1946, s. 485).
38 Se Bielstein til AA 9. august 1943.
39 bei Pol I M. Telegrammet er ikke lokaliseret.

MBZ: 0311
Eingegangen am: 2.6.43 um 20.07 Uhr   Im Hause keine Abschriften!

Fernschreiben von: +SSD MKOZ 011191 2/6 1837=SSD Skl=
– Gkdos –

Stimmung in besetzten Gebieten:
1.) Adm. Dän. meldet:
    Haltung und Stimmung Bevölkerung in Ablehnung versteift. Mit besseren Wehrmachtbericht wird geschickter englischer Rundfunkpropaganda wieder Abbruch getan werden können. Sabotagefälle infolge verstärkter Bewachung Schutzobjekte und Propaganda z.Zt. im Abnehmen. Überwiegende Mehrheit dän. Bevölkerung ablehnt Sabotage, die nur von vereinzelten Gruppen mit Unterstützung durch feindl. Fallschirmspringer verübt wird. Gute Abwehrerfolge hinsichtlich Festnahmen von Saboteuren.
    Reichsbevollmächtigter beabsichtigt bei propagandistisch vorteilhaft gelagerten Fall Erschießung eines Saboteurs.
2.) Adm. Osland meldet:
    […]
                        Ost Führstab 0235 A Eins+

95. Gerhard Stahlberg: Notiz 3. Juni 1943

Stahlberg opsummerede, hvordan det gik med forhandlingerne om en dansk-tysk aftale om erstatning for værnemagtsskader. På dansk side ønskede man nærmere undersøgelser, og fra tysk side ændringer i det allerede fremlagte udkast. Stahlberg imødeså, at man på tysk side måtte tage en ny drøftelse, og at det ville føre til, at et nyt aftaleudkast måtte forelægges danskerne.
    Se videre Albrechts brev til Best 5. juni.
    Kilde: RA, pk. 284. PKB, 13, nr. 712.

Ref.: i.V. LR Dr. Stahlberg.

Auf Wunsch des Herrn Min. Rat Dr. Schreiber vom OKW habe ich bei Herrn Gesandten Barandon fernmündlich angefragt, ob es möglich wäre, noch vor Pfingsten in Verhandlungen mit den Dänen über den ihnen kürzlich übermittelten Entwurf für ein deutsch-dänisches Abkommen über Wehrmachtsschäden einzutreten. Auf diese Anfrage teilte mir der Sachbearbeiter des Bevollmächtigten des Reichs in Dänemark, Herr Min. Rat. Dr. Wunder, mit, daß die Dänen sich auf eine mündliche Rückfrage dahin geäußert hätten, daß der Vertragsentwurf mit Rücksicht auf seinen sachlichen Inhalt von mehreren inneren dänischen Ressorts, insbesondere von dem dänischen Justizministerium, einer eingehenden Prüfung unterzogen werden müsse. Diese Prüfung sei noch nicht soweit gediehen, daß man dänischerseits noch vor Pfingsten in eine sachliche Erörterung des Vertragsentwurfs mit Vertretern der Deutschen Regierung eintreten könne. Selbstverständlich sei das dänische Außenministerium jederzeit bereit, mit deutschen Vertretern – falls dies deutscherseits gewünscht werde – unverbindliche Vorbesprechungen über den Vertragsentwurf aufzunehmen; irgendeine sachliche Stellungnahme könnte jedoch dänischerseits in diesem Fall nicht erfolgen.

Nach Vortrag bei Herrn Gesandten Dr. Albrecht habe ich Herrn Min. Rat Dr. Schreiber von der vorstehenden Mitteilung des Herrn Min. Rat. Dr. Wunder unterrichtet. Zugleich habe ich ihn dahin verständigt, daß nach Ansicht des Auswärtigen Amtes die Aufnahme von Verhandlungen mit den Dänen vor Pfingsten im Hinblick auf deren mangelnde Bereitwilligkeit zu einer alsbaldigen sachlichen Erörterung des Vertragsentwurfs nicht in Betracht kommen könne.

Herr Min. Rat Dr. Schreiber nahm dies zur Kenntnis und erwiderte, daß inzwischen verschiedene deutsche Stellen in Dänemark Änderungs- und Ergänzungswünsche zu dem Abkommensentwurf vorgebracht hätten. Es handele sich insbesondere um eine Ausdehnung des Abkommensentwurfs auf die Organisation Todt und die SS. Außerdem würde in Betracht gezogen, auch gewisse vertragliche Schadensersatzansprüche in die beabsichtigte Regelung einzubeziehen. Unter diesen Umständen sei es erforderlich, zunächst noch einmal eine Besprechung des Abkommensentwurfs mit den interessierten deutschen Stellen in Kopenhagen abzuhalten. Diese Besprechung werde wahrscheinlich dazu führen, daß der den Dänen übermittelte Vertragsentwurf zurückgezogen und durch einen neuen Entwurf ersetzt werden müßte. Herr Min. Rat Dr. Schreiber teilte schließlich noch mit, daß er voraussichtlich zur Abhaltung der Besprechung mit den beteiligten innerdeutschen Stellen in der nächsten Woche in Begleitung des Herrn Oberlandesgerichtsrats Dr. Feaux de la Croix nach Kopenhagen reisen werde. Er werde jeder Erörterung des Vertragsentwurfs mit dänischen Stellen aus dem Wege gehen. Wenn er auch wahrscheinlich nicht werde vermeiden können, dem dänischen Partner seines Generalintendanten in Kopenhagen einen Höflichkeitsbesuch zu machen, werde er sich jedoch mit diesem nicht in eine Verhandlung über das beabsichtigte Abkommen einlassen.

Berlin, den 3. Juni 1943.

Stahlberg

96. Werner Best an das Auswärtige Amt 3. Juni 1943

Best fremsendte et forslag til AA til ordning af tysk jurisdiktion i Danmark, som han gerne ville have forelagt SS. Best ønskede, at al jurisdiktion, der ikke angik værnemagten, overgik til en SS-krigsret underlagt ham. Det var en anmodning, som AA pga. dets implikationer i forhold til både OKW og SS lod vente meget længe med at reagere på.

Se Geigers notits 17. september 1943 (Kirchhoff, 1, 1979, s. 132, Rosengreen 1982, s. 19, Herbert 1996, s. 347).

Kilde: PA/AA R 29.568. RA, pk. 204. LAK, Best-sagen (afskrift).

Abschrift R 56839/1943
Der Bevollmächtigte des Reiches in Dänemark   *Kopenhagen, den 3. Juni 1943*
– II L – B. Nr. 103/43

An das Auswärtige Amt,
Berlin

Betrifft: Deutsche Gerichtsbarkeit in Dänemark

I.

Außer der von den Kriegsgerichten der Wehrmachtstelle und dem Gericht des Befehlshabers der deutschen Truppen in Dänemark gegenüber den deutschen Wehrmachtsangehörigen in Dänemark und – völkerrechtlich umstritten – gegenüber dänischen Staatsangehörigen und Ausländern ausgeübten Gerichtsbarkeit wird deutsche Gerichtsbarkeit in Dänemark zur Zeit wie folgt ausgeübt:

1.) Für in Dänemark begangene strafbare Handlungen von Angehörigen der Waffen-SS ist das SS- und Polizeigericht Hamburg zuständig; Gerichtsherr ist der Höhere SS- und Polizeiführer Hamburg.

Unter diese Gerichtsbarkeit fallen insbesondere alle sich in Dänemark aufhaltenden dänischen Freiwilligen, sowohl die in den hiesigen Dienststellen der Waffen-SS beschäftigten Freiwilligen wie auch die im Heimaturlaub befindlichen Freiwilligen (laufend etwa 150-200).

2.) Alle in Dänemark beschäftigten Angehörigen der SS (einschließlich SD) und der Polizei unterliegen der SS- und Polizeigerichtsbarkeit. Auch für sie ist das SS- und Polizeigericht Hamburg zuständig; Gerichtsherr ist der Höhere SS- und Polizeiführer Hamburg.

Unter diese Gerichtsbarkeit fallen alle hauptamtlich der SS und der Polizei angehörigen Mitglieder meiner Behörde sowie das mir unterstellte Polizeibataillon.

3.) Da Dänemark von der Wehrmacht als Operationsgebiet betrachtet wird, unterliegen alle Reichsdeutschen in Dänemark, soweit sie nicht der SS- und Polizeigerichtsbarkeit unterliegen, der Gerichtsbarkeit der deutschen Kriegsgerichte.

Dies bedeutet, daß ich und alle Mitglieder meiner Behörde, die nicht hauptamtlich der SS und der Polizei angehören, der Gerichtsbarkeit der deutschen Kriegsgerichte in Dänemark unterliegend, deren Gerichtsherr der Befehlshaber der deutschen Truppen in Dänemark ist.

II.

Der unter I. geschilderte Zustand ist auf die Dauer unzweckmäßig und kann vorkommendenfalls zu unerträglichen Folgen führen.

1.) Es geht nicht an, daß ich als Reichsbevollmächtigter und erster Repräsentant des Reiches mit den meisten Mitgliedern meiner Behörde der Gerichtsbarkeit des Befehlshabers der deutschen Truppen in Dänemark unterworfen bin.

2.) Es ist auch unzweckmäßig und kann vorkommendenfalls zu unerwünschten Folgen führen, daß die mir unterstellten Angehörigen der SS und Polizei der Gerichtsbarkeit eines Gerichtes und eines Gerichtsherrn unterliegen, die ihren Sitz außerhalb Dänemarks haben und deshalb den einzelnen Fall keineswegs aus der hiesigen allgemeinen Lage und aus den jeweiligen besonderen Umständen heraus beurteilen können.

3.) Es ist schließlich unzweckmäßig, daß die in Dänemark befindlichen Angehörigen der Waffen-SS, und der Gerichtsbarkeit eines Gerichts und eines Gerichtsherrn unterliegen, die ihren Sitz außerhalb Dänemarks haben. Denn gerade diese Verfahren betreffen durchweg Zwischenfälle zwischen dänischen Freiwilligen und der dänischen Bevölkerung, die politisch bedingt und von politischer Bedeutung sind und über die nur aus gründlicher Kenntnis der hiesigen politischen Lage und der von mir geführten Politik richtig entschieden werden kann.

4.) Ob es zweckmäßig ist, daß die zivilen Reichsdeutschen in Dänemark der Gerichtsbarkeit der deutschen Kriegsgerichte unterliegen, erscheint zweifelhaft. Straftaten der hiesigen Reichsdeutschen werden im allgemeinen die Interessen der deutschen Wehrmacht nicht berühren und außerhalb des Erfahrungsbereiches der Kriegsgerichte liegen. Außerdem wird die Autorität des Reichsbevollmächtigten gegenüber den Reichsdeutschen, die in ihm die für sie zuständige Verkörperung der Reichsgewalt sehen sollen, durch die Unterwerfung der zivilen Reichsdeutschen unter die Gerichtsbarkeit des Befehlshabers der deutschen Truppen beeinträchtigt.

III.

Es erscheint deshalb zweckmäßig, daß für alle Personenkreise, die nicht der Wehrmacht angehören, eine neue Gerichtsbarkeit geschaffen wird, die der Autorität des Reichsbevollmächtigten untersteht.

Auf Grund der gegenwärtigen deutschen Gesetzgebung dürfte eine Lösung am leichtesten dadurch gefunden werden, daß in Anlehnung an die hierher verlegte Polizeitruppe – gewissermaßen als das Kriegsgericht des hiesigen Polizeibataillons – ein SS- und Polizeigericht geschaffen wird, zu dessen Gerichtsherrn der Reichsbevollmächtigte bestimmt wird. Sollten Bedenken gegen die Bezeichnung "SS- und Polizeigerichts" bestehen, so könnte wohl auch eine andere Bezeichnung: – etwa "Sondergericht des Reichsbevollmächtigten" – gewählt werden.

Dieser Gerichtsbarkeit würden auf Grund der bereits geltenden Bestimmungen ohne weiteres alle in Dänemark tätigen hauptamtlichen Angehörigen der SS und Polizei sowie die in Dänemark befindlichen Angehörigen der Waffen-SS unterliegen.

Darüber hinaus müßte eine Regelung dahin getroffen werden, daß auch alle übrigen Personen, die zur Zeit nach der Kriegsstrafverfahrensordnung der Gerichtsbarkeit der deutschen Kriegsgerichte in Dänemark unterliegen, der Gerichtsbarkeit des Reichsbevollmächtigten unterworfen werden, soweit sie nicht Wehrmachtsangehörige sind.

Ich bitte, im Sinne dieses Vorschlags mit dem Reichsführer[-SS] und Chef der deutschen Polizei in eine Prüfung dieses Fragenkreises einzutreten und mir Gelegenheit zu geben, zu dem Ergebnis dieser Prüfung Stellung zu nehmen.

gez. **Dr. Best**

97. Horst Wagner an Werner Best 3. Juni 1943
Det blev bevilget, at der blev overført et beløb til likvidering af *Kamptegnet* mod at overtage de for tiden uomsættelige aktiver.
Kilde: PA/AA R 99.413. RA, pk. 219. Lauridsen 2008a, nr. 92.

Telegramm

Berlin, den 3. Juni 1943

Diplogerma Kopenhagen
Nr. 117
Referent: LR v. Thadden
Betreff: Liquidierung Kamptegnet

Für Liquidierung Kamptegnet erforderlicher Betrag bis höchstens RM 10.500 in Devisen zusätzlich bewilligt gegen Übernahme zur Zeit unverwertbarer Aktiva. Schrifterlaß folgt.

Wagner

Paraphe wird nachgeholt.
Mit Herrn LR Wagner besprochen.

98. Werner Best an das Auswärtige Amt 4. Juni 1943

Best påpegede overfor AA, at det ville være uhensigtsmæssigt uden videre at give tysk statsborgerskab til de medlemmer af det tyske mindretal, som havde meldt sig til tysk krigstjeneste. Det kunne have utilsigtede psykologiske følgevirkninger. Han bad derfor om, at Hitlers bekendtgørelse af 25. maj blev ændret på dette punkt, et ønske som blev fremsendt efter drøftelse og i samråd med bl.a. mindretallets leder, Jens Møller.

AA tog Bests standpunkt til sig, og det blev fremlagt på et stormøde i Berlin 1. juli 1943 med ikke mindre end 57 deltagere fra talrige ministerier og organisationer under forsæde af Wilhelm Stuckart. Bests standpunkt blev godtaget, og i mødereferatet kom der som pkt. f) til at stå: "Ausnahmen. Es soll daran festgehalten werden, daß Ausnahmen für alle Angehörigen bestimmter Länder nicht gemacht werden. Lediglich für die deutschstämmigen dänischen Staatsangehörigen soll auf Wunsch des Reichsbevollmächtigten für Dänemark dem Führer eine Ausnahme vorgeschlagen werden, insbesondere weil die Einbeziehung voraussichtlich zu einer Störung des jetzt bestehenden Verhältnisses zu Dänemark führen werde." I forlængelse heraf blev der i august 1943 i udkastet til gennemførelsesbestemmelser gjort en undtagelse for Danmarks vedkommende (Niederschrift über die Besprechung am 1. Juli 1943, fremsendt af Stuckart 10. juli 1943 og Stuckarts brev med udkastet 10. august 1944 (NHWE, Id. dok.: APK-006940). Tilbage stod derefter at få Hitlers godkendelse af undtagelsen for Danmarks vedkommende. Det forløb ikke glat, og Best kom til at vente længe. Svaret kom fra RMI i form af et cirkulære 23. maj 1944, hvor det blev fastslået, at erhvervelsen af tysk statsborgerskab i hvert enkelt tilfælde skulle anerkendes af indvandrercentralkontoret i Lodz (PKB, 14, nr. 347). Nogen særlig bestemmelse for de nordslesvigske frivillige fremkom ikke. Der måtte ikke gøres undtagelser fra de almindelige regler i førerforordningen, som Sichelschmidt skrev til SS-Obersturmbannführer Brückner 9. oktober 1944, hvorfor der blev udtænkt den fremgangsmåde "for nordslesvigernes vedkommende i det enkelte tilfælde ikke at lade meddele anerkendelse af, at statsborgerskabet er erhvervet." (RA, pk. 442. Jfr. Hvidtfeldt 1953, s. 140f.).

Se endvidere RMI til VOMI 15. juni 1944.
Kilde: PA/AA R 29.567. PKB, 14, nr. 345.

Telegramm

| Kopenhagen, den | 4. Juni 1943 | 21.05 Uhr |
| Ankunft, den | 4. Juni 1943 | 22.30 Uhr |

Nr. 685 vom 4.6.[43.]   Citissime!

Auf Drahterlasse Nr. 747 (Inl. II 1465 g II) vom 29.5. und Nr. 762 (Inl. II 1502 IV) vom 1.6. d.Js.[40]

Nach dem im Reichsgesetzblatt 53 verkündeten Führererlaß vom 25. Mai[41] erwerben auch die Freiwilligen der deutschen Volksgruppe in Nordschleswig die Reichsangehörigkeit, sofern nicht für sie eine Ausnahmeregelung gemäß Abs. I, Nr. 3 bezw. Abs. II des Erlasses getroffen wird. Die deutsche Volkstumspolitik in Dänemark macht m.E. eine solche Ausnahmeregelung aus den folgenden Gründen notwendig: Die deutsche Volksgruppe in Nordschleswig hat in den letzten Jahren, begünstigt durch die politische Stellung des Reiches in Dänemark, neue Stützpunkte des Deutschtums in Nordschleswig errungen und die vorhandenen Positionen weiter ausgebaut und gefestigt. Mit der Volkstumsarbeit hat die Volksgruppe die Werbung für die Politik des Reiches in Dänemark verbunden und sich zur Aufgabe gemacht, das Dänentum in Nordschleswig propagandistisch im Sinne und dem Gedanken der europäischen Neuordnung und der großgermanischen Ziele zu beeinflussen.

Die Verleihung der Reichsangehörigkeit an die Freiwilligen der Volksgruppe würde infolge ihrer psychologischen Auswirkungen das Vordringen des deutschen Einflusses wesentlich erschweren. In weiten Kreisen des Dänentums würde der Eindruck entstehen, daß die Verleihung der Reichsangehörigkeit an die aktivsten und später zur Führung der Volksgruppe bestimmten Volksdeutschen den ersten Schritt zur Unterstellung der gesamten Volksgruppe unter die unmittelbare Leitung und die Jurisdiktion des Reiches, bedeute. Die deutsche Volksgruppe würde somit nicht mehr als eine innerhalb des dänischen Staatsverbandes stehende und wirkende Einheit angesehen werden und dadurch an politischer Schlagkraft und an Einwirkungsmöglichkeiten in Dänemark verlieren. An dem Eintreten dieser nachteiligen politischen Folgen würde auch der Umstand nichts ändern, daß die Volksdeutschen Freiwilligen neben ihrer deutschen die dänische Staatsangehörigkeit beibehalten.

Im Einvernehmen mit Volksgruppenführer Dr. Moeller bitte ich deshalb, mit Rücksicht auf die dargelegten Gesichtspunkte sowie darauf, daß die generelle Regelung der doppelten Staatsangehörigkeit im Verhältnis Deutschlands zu Dänemark ohnehin einer späteren Entscheidung vorbehalten bleiben muß, die Freiwilligen der deutschen Volksgruppe in Nordschleswig aus dem durch Führererlaß vom 25.5. betroffenen Personenkreis auszunehmen und eine Bestimmung des Inhalts zu erwirken, daß der Erlaß auf Angehörige der deutschen Volksgruppe in Nordschleswig keine Anwendung findet.

Dr. Best

---

40 Telegram nr. 762 er ikke lokaliseret.
41 Trykt ovenfor i AAs telegram nr. 747 til Best 28. maj 1943.

99. Horst Wagner an Werner Best 4. Juni 1943

På Bests anmodning om at se den indberetning, som Gustav Meissner på eget initiativ havde sendt direkte til AA, svarede Wagner, at det ville blive taget op, når Best næste gang var i Berlin.

Med andre ord fik Best ikke umiddelbart Meissners indberetning fremsendt, men han lod sig ikke stoppe dermed. Se von Thadden til Wagner 12. juni 1943.

Kilde: PA/AA R 100.356. RA, pk. 237.

Telegramm

Berlin, den ... Juni 1943

Diplogerma Kopenhagen über Fernschreiber!
Für Bevollmächtigten.

Auf Drahtbericht Nr. 653 vom 31.5.43.[42]

In Beantwortung Ihrer Bitte um Kenntnisgabe des Berichtes von Meissner schlage ich vor, daß wir die Angelegenheit bei Ihrem nächsten Hiersein in Berlin besprechen.

Wagner

100. Erich Albrecht an Werner Best 5. Juni 1943

Best fik besked om, at der på tysk side skulle udarbejdes et nyt udkast til en aftale om erstatning for værnemagtsskader, hvorfor det foreliggende udkast skulle trækkes tilbage og forhandlingerne med danskerne indstilles.

OKW tog sagen op igen over for AA og andre 18. juni 1943.

Kilde: RA, pk. 284. PKB, 13, nr. 712.

zu R. 13612 Ang. II. *Berlin, den 5. Juni 1943*

Auf den dortigen Bericht vom 19. Mai 1943 – III-2291/43[43] und unter Bezugnahme auf die fernmündliche Unterredung des Herrn MR Dr. Wunder mit Herrn LR Dr. Stahlberg

Betrifft: Deutsch-dänisches Abkommen über Wehrmachtsschäden.
Ref.: i.V. LR Dr. Stahlberg

An den Bevollmächtigten des Reichs in Dänemark
   Kopenhagen.

Der Sachbearbeiter des Oberkommandos der Wehrmacht, Herr Min. Rat Dr. Schreiber, ist davon verständigt worden, daß es den dänischen Stellen nicht möglich ist, noch vor Pfingsten in sachliche Verhandlungen über den ihnen übermittelten Entwurf für

---

42 Trykt ovenfor.
43 Trykt ovenfor.

ein deutsch-dänisches Abkommen über Wehrmachtsschäden einzutreten. Nach Mitteilung des Min. Rat Dr. Schreiber haben inzwischen verschiedene innere deutsche Stellen in Dänemark Änderungs- und Ergänzungswünsche zu dem Abkommensentwurf geltend gemacht. Insbesondere soll es sich um eine Ausdehnung des Abkommens auf die Organisation Todt und die SS sowie um die Einbeziehung gewisser vertraglicher Schadensersatzansprüche in die vorgesehene Regelung handeln. Unter diesen Umständen wird es nach Ansicht des Min. Rat Dr. Schreiber voraussichtlich notwendig werden, den den Dänen überreichten Abkommensentwurf zurückzuziehen und durch einen neuen Entwurf zu ersetzen. Zur Vorbereitung eines solchen neuen Entwurfs beabsichtigt Min. Rat Dr. Schreiber im Laufe der Woche vor Pfingsten in Begleitung des Oberlandesgerichtsrats Dr. Feaux de la Croix vom Reichsjustizministerium nach Kopenhagen zu reisen und dort eine Besprechung der beteiligten inneren deutschen Stellen abzuhalten. Irgendwelche Besprechungen mit dänischen Stellen über den Abkommensentwurf sollen jedoch keinesfalls stattfinden.

Im Auftrag
gez. **Dr. Albrecht**

Nach Abgang:
Herrn VLR Dr. C. Roediger nach Rückkehr z. gefl. Kts.

101. OKW an WB Dänemark u.a. 5. Juni 1943
OKW udsendte nye og skærpede regler for værnemagtsmedlemmers rejsetrafik til Danmark.
Best havde udstedt lignende skærpede rejseregler for den civile tyske rejsetrafik til Danmark og orienteret AA derom 23. februar 1943.
OKW udsendte igen regler for tjenesterejser i Danmark i september, se Behr til Best 29. september 1943.
Kilde: RA, pk. 289.

Oberkommando der Wehrmacht *Berlin, den 5. Juni 1943*
Amt Ausl./Abw./Abt. Abw. III Nr. 1809.5.245g (III c/35) Geheim

Betr.: Wehrmachtreiseverkehr nach Dänemark
Bezug: 1.) OKW – Amt Ausl./Abw. III Nr. 4117.
(III C 5) vom 2.10.1942.
2.) OKW – Amt Ausl./Abw. III Nr. 4315 9/4
(III C 5) vom 25.10.1942.

Im Einvernehmen mit den beteiligten Dienststellen wird im Interesse einer scharfen Handhabung der Vorschriften und einer Einschränkung des nicht dringend erforderlichen Wehrmachtreiseverkehrs von Angehörigen des Wehrmachtgefolges und von Zivilpersonen, die im Auftrage der Wehrmacht *nach* Dänemark entsandt werden folgende Regelung getroffen:

A.) 1.) Angehörige des Wehrmachtgefolges im Sinne der Bestimmungen über die Ausweispflicht beim Grenzübertritt zwischen dem Reichsgebiet und Dänemark (siehe Bezugsverfügung zu 1.), die in bürgerlicher Kleidung reisen, haben sich bei der Dienststelle in Dänemark, zu der sie dienstlich entsandt worden sind, zu melden und sich die Meldung auf dem Grenzübertrittsschein NW bestätigen zu lassen. Diese Bestätigung wird bei der Wiederausreise aus Dänemark beim Grenzübertritt kontrolliert. Fehlt diese Bestätigung, so haben in diesem Falle die Inhaber des Grenzübertrittsscheins NW den vom Bevollmächtigten des Reiches in Dänemark für reichsdeutsche Zivilpersonen vorgeschriebenen blauen Fragebogen auszufüllen. Die Grenzkontrollstelle übersendet alsdann den Fragebogen der OKW-Zentralstelle für Durchlaßscheine in Berlin. Diese sorgt je nach Lage des Falles für ein Einschreiten gegen den Reisenden, wenn er vorschriftswidrig die Meldung unterlassen hat, und dafür, daß die den Grenzübertrittsschein an beantragende Dienststelle zur Verantwortung gezogen wird, wenn die Prüfung ergibt, daß die Reise nach den bestehenden Anordnungen dazulässig war.

2.) Die mit der Ausstellung von Grenzübertrittsscheinen NW beauftragten Durchlaßscheinstellen der Wehrmacht stellen bei der Bearbeitung der Anträge auf Erteilung eines Durchlaßscheines NW für Reisen von Angehörigen des Wehrmachtgefolges nach Dänemark in jedem Falle fast, ob die Reise im Uniform oder in bürgerlicher Kleidung ausgeführt wird. Muß der Angehörige des Wehrmachtgefolges in bürgerlicher Kleidung reisen, so ist auf die Rückseite des Grenzübertrittsscheins NW folgender Vermerk zu setzen: "Inhaber reist in bürgerlicher Kleidung. Er hat sich von seiner zuständigen Dienststelle in Dänemark die Meldung hierunter bestätigen zu lassen".

3.) Wehrmachtangehörige, sowie in Uniform reisende Angehörige aus Wehrmachtgefolges unterliegen dem Meldeverfahren in keinem Falle.

B.) Die im Wehrmachtreiseverkehr nach Dänemark von militärischen Dienststellen im wehrwirtschaftlichen Interesse entsandten reichsdeutschen Zivilpersonen unterliegen dem allgemeinen für reichsdeutsche Zivilreisende nach Dänemark vorgeschriebenen Meldeverfahren. Sie haben sich hiernach in Dänemark alsbald bei der Behörde des Reichsbevollmächtigten in Kopenhagen, oder, falls sie nicht nach Kopenhagen kommen, binnen drei Tagen bei einem deutschen Konsulat in Dänemark zumelden und den vorgeschriebenen Fragebogen auszufüllen.

Ausgenommen sind:
a.) Inhaber von Ministerial- und Diplomatenpässen:
b.) Personen, aus deren Ausweispapieren hervorgeht, daß sie in Dänemark ihren Wohnsitz oder dauernden Aufenthalt haben;
c.) Personen, die nach ihren Papieren lediglich ohne Aufenthalt durch Dänemark durchreisen;
d.) Personen, die im kleinen Grenzverkehr oder im erweiterten kleinen Grenzverkehr die Grenze überschreiten;
e.) Reisende, die auf Sammelsichtvermerk einreisen.

Zusatz für die Durchscheinstellen der Wehrmacht:
Soweit die im wehrwirtschaftlichen Interesse reisenden Zivilpersonen noch mit Grenz-

übertrittschein NW ausgestattet werden, ist ihnen bei der Aushändigung des Grenzübertrittscheins das rote Merkblatt des Bevollmächtigten des Reiches Dänemark auszuhändigen. Merkblätter und Grenzübertrittsscheinvordrucke mit dem gem. Abschn. A 2 vorgesehenen Aufdruck oder entsprechenden Stempel erhalten die Durchlaßscheinstellen von der OKW-Zentralstelle für Durchlaßscheine.

    Der Chef des Oberkommandos der Wehrmacht
        Im Auftrage:
        v. Bentivegni

Verteiler:

OKW:	WZ	=	1
	WFSt	=	1
	AWA/ W Allg.	=	1
	/W A	=	1
	Wi Amt / Adj.	=	3
	Abt. Ausl./Abw. I, II je 1	=	3
	Abw. III F, Wi, N, C 4, C6 je 1	=	5
	Zentralstelle für Durchlaßscheine	=	2
	Durchlaßscheinstelle des OKW	=	3
	Befehlshaber der deutschen Truppe in Dänemark	=	3
	Verteiler A (Abw. III)	=	21
	Abwehrstelle Kopenhagen	=	1
OKH:	Gen St d H / Gen Qu (Qu 6)	=	2
	Chef H Rüst u. BdE	=	3
	Chef H Rüst u. BdE – AHA / Gen. z.b. V. IV	=	3
	Stellv. Generalkommando X. AK	=	1
OKM:	M I	=	2
Ob. d. L:	Luftwaffenführungsstab Ic II (Att. Z.)	=	2
	Luftgaukommando XI Hamburg	=	1
	Durchlaßscheinstelle der Wehrmacht in Stettin	=	1
	– – – in Warnemünde	=	1
	– – – in Hamburg	=	1
	– – – in Bremen	=	1
	– – – in W.-Haven	=	1
	– – – in Kiel	=	1
	– – – in Flensburg	=	1
	– – – in Hannover	=	1
	– – – in Dresden	=	1

Nachrichtlich:

	Auswärtiges Amt	=	2
	z.Hd. v. Herrn Leg. Rat Roediger o.V.i.A.		
	Reichsführer-SS und Chef der Dt. Polizei	=	2
	z.Hd. v. Herrn Min. Rat Krause o.V.i.A.		

Reichsfinanzministerium = 2
z.Hd. v. Herrn Min. Rat v. Dietz o.V.i.A.
Vorrat = 26

102. Werner Best an das Auswärtige Amt 7. Juni 1943
Best meddelte, at professor Otto Höfler havde påbegyndt sit arbejde ved Det Tyske Videnskabelige Institut 4. juni.
    Kilde: RA, Vesterdals nye pakker, pk. 1 (koncept med håndskrevne tilføjelser).

Telegramm

Kopenhagen, den 5.6.1943 K Kult 606/43

1155 Nr. 39 ERH AUSW BLN KI ++
Auswärtig Berlin
Nr. 690 vom 7.6.1943

Unter Bezugnahme auf Erlasse Kult Pol U 2904 v. 28.4.43 und Kult Pol U 3279/43 vom 5.5.43.
Professor Otto Höfler ist am 3.6. mit Ehefrau eingetroffen und hat am 4.6. seinen Dienst am Deutschen Wissenschaftlichen Institut aufgenommen.
    Bitte Höhe [ulæselig håndskrift]

                      Dr. Best

103. Werner Best an das Auswärtige Amt 8. Juni 1943
Best orienterede AA om en kommende rumænsk gesandts ankomst til København.
    Se videre *Politische Informationen* 15. juli 1943, afsnit I.
    Kilde: PA/AA R 29.567. RA, pk. 203.

Telegramm

Kopenhagen, den	8. Juni 1943	19.50 Uhr
Ankunft, den	8. Juni 1943	21.00 Uhr

Nr. 697 vom 8.6.[43.]

Nach einem am 6. Juni aus Bukarest im dänischen Außenministerium eingegangenen Drahtbericht hat der rumänische Außenminister dem dänischen Gesandten in Bukarest inoffiziell mitgeteilt, daß der Beschluß gefaßt worden sei, in nächster Zukunft eine rumänische Gesandtschaft in Kopenhagen zu errichten.

                      Dr. Best

104. Werner Best an das Auswärtige Amt 9. Juni 1943

Best orienterede om forhandlingerne med UM om det tyske ønske om yderligere danske kornleverancer til Norge. Fra dansk side var man tilbageholdende pga. de dermed forbundne konsekvenser, men et endeligt svar blev stadig afventet.
Se Bests telegram nr. 741, 17. juni 1943.
Kilde: BArch, R 901 68.712

Telegramm

Kopenhagen, den	9. Juni 1943	18.20 Uhr
Ankunft, den	9. Juni 1943	19.00 Uhr
Nr. 701 vom 9.6.[43.]		Cito!

Auf Drahterlaß Nr. 749[44] vom 29. Mai 1943.
Deutscher Wunsch nach weiteren dänischen Getreidelieferungen nach Norwegen ist mit dänischem Außenministerium besprochen worden.

Dänen haben einstweilen dahin Stellung genommen, daß man glaube, einen gewissen Teil des von Deutschland geforderten Getreides nach Norwegen liefern zu können. Es werden vom Landwirtschaftsministerium noch Erhebungen angestellt, wie groß die Menge sein könne. Es sei jedoch jetzt schon zu sagen, daß die gewünschte Gesamtmenge nicht in Frage kommen werde. Wahrscheinlich werde es jedoch möglich sein, etwa 15.000 t Gerste zu liefern.

Unbeschadet der Einigung über Gesamtmenge müßten jedoch dänischerseits folgende Vorbehalte gemacht werden.
1.) Bezahlung dieser und der vorher vereinbarten 20.000 t im norwegisch-dänischen Clearing,
2.) Rückwirkungen auf die Fleischproduktion schon im laufenden Erntejahr seien nicht zu vermeiden und müßten entsprechend der tatsächlichen Getreidelieferungen berücksichtigt werden,
3.) ungünstige Auswirkungen auf den Preis des sogenannten Freihandelskorns seien auch dann nicht zu vermeiden, wenn der Ankauf in noch so vorsichtiger und getarnter Form erfolgt. Diese ungünstigen preissteigernden Rückwirkungen auf das Freihandelsgetreide müßten als das schwerwiegendste Argument gegen diese Getreidelieferung bezeichnet werden, da hierdurch die Erweiterung des Hackfruchtanbaus verhindert werden wird, obwohl gerade auf deutsche Vorstellung hin eine starke dänische Propaganda hierfür betrieben worden sei.

Dänen haben mitgeteilt, daß endgültige Antwort erst Ende der Woche erteilt werden kann, da Erhebungen über Getreidevorräte noch nicht abgeschlossen sind und da die ersten Teilergebnisse geringere Mengen als erwartet gezeigt haben. Das dänische Außenministerium ist von mir wegen Eilbedürftigkeit der Angelegenheit auf beschleunigte Erledigung hingewiesen worden.

Weitere Drahtnachricht folgt nach Vorliegen dänischer Antwort.

Dr. Best

---

44 Ha Pol. VI 2235/43. Skrivelsen er ikke lokaliseret.

105. Werner Best an das Auswärtige Amt 9. Juni 1943

Best rykkede for svar på sin forespørgsel af 11. maj om tilførsel af et antal politiembedsmænd.
Wagner svarede 12. juni 1943.
Kilde: PA/AA R 100.758. RA, pk. 229.

DG Kopenhagen Nr. 56 9/6 21.55
An Ausw Berlin =

Nr. 704 vom 9.6.43.

Im Anschluß an Drahtbericht v. 11. Mai 1943 Nr. 553.[45] Ich bitte um Mittelung, wann mit der Zuweisung der erbetenen Beamten der Sicherheitspolizei gerechnet werden kann.

Dr. Best

106. Horst Wagner: Vortragsnotiz 10. Juni 1943

Gruppe Inland II i AA foreslog Ribbentrop, at AA øjeblikkeligt støttede likvideringen af *Kamptegnet* med det nødvendige pengebeløb, så tidsskriftet ikke gik konkurs og dermed skadede besættelsesmagtens anseelse.
Den indstilling forelagde Büro RAM gennem Lohmann for von Grundherr 20. juni.
Kilde: PA/AA R 99.413. RA, pk. 219. Lauridsen 2008a, nr. 93.

Inl. II A 4778

Vortragsnotiz

In Kopenhagen bestand ein nach Art des "Stürmers" aufgezogenes antijüdisches Blatt namens "Kamptegnet," welches unter Leitung des seit langem in engster Verbindung mit Deutschland stehenden Vorkämpfers antisemitischer Strömungen in Dänemark, Aage Andersen, stand. Die Zeitung wurde sachlich durch Belieferung mit Artikeln und Bildmaterial – im wesentlichen durch den Stürmer – und finanziell durch einen Monatszuschuß von 8.000 Kronen seitens des Bevollmächtigten des Reichs unterstützt.

Wegen der politischen Entwicklung in Dänemark, vermutlich auch zum Teil durch ungeschickte Hand Aage Andersens ging der Absatz der Zeitung auf 4.000 Bezieher und schließlich auf 1.800 Bezieher zurück. Da sich die Zeitung in keiner Weise mehr rentiert, verfügte die Presse-Abteilung die Liquidierung der Zeitung unter Übernahme der Tradition auf die Zeitung Clausens "Nationalsocialisten."[46]

Wie der Sachbearbeiter der Angelegenheit bei dem Bevollmächtigten des Reichs im Auftrag des Gesandten Dr. Best hier vortrug, hat eine Nachprüfung der Verhältnisse des Kamptegnet ergeben, daß eine Liquidierung nicht möglich ist, da die Zeitung nach Realisierung aller verwertbaren Aktiva noch ca. 20.000 Kronen – etwa RM 10.500 –

---

45 Trykt ovenfor.
46 *Kamptegnet* blev videreført som en del af *National-Socialisten*.

Schulden haben werde. Diesen stehen als in Kopenhagen nicht verwertbare Aktiva eine persönliche Forderung Aage Andersens gegen die Antikomintern in Höhe von etwa RM 7.000 und zur Zeit unverkäufliche antijüdische Literatur im Wert von etwa RM 3.000 gegenüber, die später unter Umständen wieder verwertbar sein dürfte.

Gesandter Dr. Best hält es nach eingehender Prüfung nicht für möglich, aus Mitteln des Bevollmächtigten des Reichs die zur Durchführung der Liquidation des Kamptegnet erforderlichen Beträge in Höhe von 20.000 Kronen in Devisen zur Verfügung zu stellen. Dies bedeutet, daß, sofern die Mittel nicht von hier aus bewilligt werden, der Kamptegnet in Konkurs gehen muß.

Gruppe Inl. II hält es für außerordentlich bedenklich, ein vom Reich seit langer Zeit gestütztes Blatt, das im antijüdischen Kampf steht, in Konkurs gehen zu lassen, denn dies würde von dem Weltjudentum propagandistisch ausgeschlachtet werden und darüber hinaus geeignet sein, das Vertrauen aller mit uns zusammenarbeitenden antijüdisch eingestellten Ausländer in den ihnen vom Reich gewährten Rückhalt auf das empfindlichste zu erschüttern.

Gruppe Inl. II schlägt daher vor, dem Bevollmächtigten des Reichs aus Mitteln des Auswärtigen Amtes zusätzlich RM 10.500 in Devisen für Durchführung der Liquidierung des Kamptegnet gegen Übernahme der in Kopenhagen zur Zeit unverwertbaren Aktiva zur Verfügung zu stellen.

Auf die besondere Eilbedürftigkeit der Entscheidung darf hingewiesen werden, da der Hauptgläubiger des Kamptegnet, ein Druckereiunternehmen, zur gleichen Zeit in Liquidation gegangen ist,[47] auf sofortige Bezahlung der Schulden drängt, die Vermeidung eines Konkurses des Kamptegnet daher nur bei einer sofortigen Hilfe möglich ist.

Berlin, den 10. Juni 1943

Wagner

Über
Herrn Abt. Leiter
Herrn Abt. Leiter Kult. Pol.
Herrn Min. Dir. Pers.
Herrn Staatssekretär
dem Herrn Reichaußenminister

107. Werner Best an das Auswärtige Amt 10. Juni 1943

Best fremsendte en oversættelse af den rundskrivelse, som det danske krigsministerium havde udsendt 1. juni vedrørende de danske officerer, der ville træde i den tyske værnemagts tjeneste.

Kilde: BArch, Freiburg, RW 4/642. RA, Danica 1069, sp. 1, nr. 574f.

Abschrift
Der Bevollmächtigte des Reiches in Dänemark   *Kopenhagen, den 10. Juni 1943.*
– Tgb. Nr. II/114/43. –

---

47 Det var Trinitatistrykkeriet.

An das Auswärtige Amt
    Berlin

Betr.: Das dänische Heer.
Bezug: Drahtbericht Nr. 434 vom 14.4.43, Nr. 459 vom 20.4.43, Nr. 540 v. 8.5.43.[48]
Anlagen:
2 Durchschläge.

Der dänische Staatsminister hat mir am 3.6. das Rundschreiben übersandt, das von dem dänischen Kriegsministerium an die Dienststellen des Heeres unter dem 1.6.1943 versandt wurde und das die Behandlung der dänischen Offiziere, die sich zur vorübergehenden Dienstleistung in der Deutschen Wehrmacht beurlauben lassen wollen, neu regelt. Das Schreiben hat folgenden Wortlaut:

"Jeder feste Offizier der Linie, Reserve (Verstärkung) der sich von dem Dienst im dänischen Heer befreien lassen möchte, um als Freiwilliger in eine Formation des deutschen oder des finnischen Heeres einzutreten, hat Gelegenheit (in Verbindung u.a. durch das Schreiben des Kriegsministeriums an die Abteilungen usw. vom 8.7.1941), die Erlaubnis einzuholen, ohne Gehalt außer Nummer zu treten. Die Anträge hierüber werden ebenso wie früher im Umfang bewilligt werden, der mit der Wahrnehmung der Aufgaben, die dem dänischen Heer unter den jetzigen Verhältnissen obliegen, vereinbar sind.

Besonders wird bemerkt, daß Offiziere das Gesuch um Freistellung von der ihnen durch Heeresgesetz § 62 und § 63 auferlegten Dienstpflicht einreichen können und daß sie erwarten können, daß einem solchen Gesuch entgegengekommen wird.

Ein Offizier, der so außer Nummer tritt, um in deutschen oder finnischen Kriegsdienst zu gehen, behält seinen Platz in der Altersordnung. Es ist ein besonderes Gesetz dafür geschaffen worden, daß der Wiedereintritt in Nummer zu einem jeden Zeitpunkt geschehen kann, ungeachtet dessen, ob eine Nummer frei ist, so daß der Betreffende also in überzählige Nummer mit allen ihren Rechten unter Bezug auf seinen Dienstgrad tritt.

Der Zeitraum, in welchem ein Offizier außer Nummer gestanden hat, um an deutschen oder finnischen Kriegsdienst teilzunehmen, wird bei der Beurteilung seiner Beförderungsmöglichkeiten mitgerechnet. Die Regierung wird Sorge dafür tragen, daß dieser Zeitraum ebenso bei der Berechnung der Alterszulage und Pension mitgerechnet wird.

Das Ministerium wird im gegebenen Falle die Frage einer wohlwollenden Erwägung unterziehen, um ein Gesetz dafür zustandezubringen, daß die Offiziere, die zur Beförderung geeignet sind und sie seit mehr als 3 Jahren außer Nummer gestanden haben, innerhalb eines Jahres befördert werden können, nachdem sie von neuem in das dänische Heer in Nummer eingetreten sind.

Aus dem Vorstehenden geht hervor, daß dänische Offiziere, die außer Nummer treten, um sich zum freiwilligen Dienst in dem deutschen oder finnischen Heer zu melden, in Bezug auf Beförderung und Rechtsstellung im Heer nicht geringer gestellt sein werden als andere dänische Offiziere."

---

48 De tre telegrammer er trykt ovenfor.

Damit ist gemäß der mir gegebenen Zusage des dänischen Staatsministers die volle Gleichstellung der beurlaubten dänischen Offizieren mit den im dänischen Dienst verbliebenen Offiziere verwirklicht.

gez. **Dr. Best**

108. Werner Best an das Auswärtige Amt 10. Juni 1943
Best indberettede om udenlandske statsborgere i Danmark, herunder om illegal udrejse til Sverige.
   Kilde: PA/AA R 29.567. RA, pk. 203.

T e l e g r a m m

Kopenhagen. den	10. Juni 1943	[…].20 Uhr
Ankunft, den	10. Juni 1943	20.15 Uhr

Nr. 706 vom 10.6.43.

Auf Drahterlaß Nr. 672[49] vom 15.5.43

1.) Die angestellten Ermittlungen haben ergeben, daß am 2.5.43 bei Skodsborg ein Ruderboot entwendet wurde, mit dem offenbar einige Personen illegal nach Schweden fuhren. Nach den Feststellungen der dänischen Polizei steht nicht fest, ob sich unter den Benutzern des entwendeten Bootes ein Danielsen-Samsoe[50] und ein von Ahlefeldt befanden. Dagegen wird vermutet, daß der britische Staatsangehörige Gordon Percy Ware, geb. am 1.10.78 in Harrogate, bei dieser Gelegenheit illegal nach Schweden gelangt ist. Ware war gemäß den geltenden Anordnungen nicht interniert, weil er das 60. Lebensjahr überschritten hatte. Er ist am 2.5.43 zum letzten Mal seiner polizeilichen Meldepflicht nachgekommen und wird seitdem vermißt. Von einer illegalen Ausreise französischer Staatsangehöriger ist bis jetzt nichts bekannt.
2.) In Dänemark halten sich 93 französische Staatsangehörige (17 männliche und 76 weibliche) auf, die sich gemäß früher ergangener Anordnungen auf freiem Fuß befinden. 237 britische Staatsangehörige (46 männliche und 191 weibliche befinden sich ebenfalls auf freiem Fuß, weil sie entweder nach den Altersbestimmungen oder wegen ihrer Zugehörigkeit zum dänischen Volkstum (vgl. den hiesigen Bericht vom 28.6.42) nicht interniert wurden. Durch die in Dänemark befindlichen französischen und britischen Staatsangehörigen sind bisher keinerlei Schwierigkeiten verursacht worden.
3.) Zur Förderung der hiesigen Ermittlungen wegen der obenerwähnten illegalen Ausreise bitte ich um Zuleitung der von den Konsulaten Malmö und Helsingborg eingereichten Unterlagen.

Dr. Best

49 Pol VI 575. Telegrammet er ikke lokaliseret.
50 Der er formentlig tale om en Danneskiold-Samsøe.

109. Werner Best an das Auswärtige Amt 10. Juni 1943
Best anmodede om, at AA afviste, at firmaet Siemens fik tilladelse til at holde en konference i Helsingør.
  Indstillingen blev i første omgang fulgt af AA, men Siemens lod sig ikke spise af med svaret og fik AA til at ændre sin beslutning. Se Albert van Scherpenbergs notat 16. juni, som også udgjorde det endelige svar til Best.
  Kilde: BArch, R 901 67.735

Fernschreibstelle des Auswärtigen Amts

Telegramm

DG Kopenhagen Nr. 63 10.6. 19.35 = Nach-Mitt.

Auswärtig Berlin
Nr. 711 vom 10. Juni 1943

Siemens-Schuckertwerke Berlin planen für die Zeit vom 16.-20.6.43 eine Tagung in Helsingör, an der etwa 35 Personen von Europäischen Siemensgesellschaften und zwar Deutschland (19) Spanien (2) Rumänien (1) Finnland (2) Schweden (3) Norwegen (2) Belgien (2) Holland (1) Frankreich (2) und Dänemark teilnehmen sollen. Es sollen u.a. Fragen betr. das Radio-, Schmalfilm- und Kinogeschäft erörtert werden. Stichhaltige Gründe dafür, daß die Tagung in Dänemark stattfinden muß, sind hier nicht erkennbar. Aus devisenwirtschaftlichen Gründen und wegen Belastung der Verkehrsmittel (ein Teil der Beteiligten wird sicher den Flugweg benutzen) ist Tagung in Dänemark unerwünscht. Es wird vorgeschlagen, die Reiseanträge abzulehnen.
Dr. Best
10.6. 20.15

110. Erich Albrecht an Werner Best 10. Juni 1943
Tyskland minerede danske farvande for at sikre sig mod en invasion. Samtidig ønskede man fra tysk side ikke den danske fiskeeksport til Tyskland indskrænket, men mineringen af bl.a. fangstområder tvang fiskerne til at hente deres fangster i områder, hvor deres sejlads var forbudt.
  Albrecht søgte i sit brev til Best at manøvrere mellem de to hensyn, idet der dog skulle indføres strengere straf for at fiske i forbudte farvande. Se endvidere KTB/Admiral Dänemark 30. juni 1943, pkt. X.
  Kilde: PA/AA R 46.371. RA, pk. 285.

Abschrift
Auswärtiges Amt   *Berlin, den 10. Juni 1943.*
R 841g.

Bevollmächtigten des Reichs für Dänemark
  in Kopenhagen

Im Anschluß an den Erlaß vom 31. Mai 1943[51] – R 762 g –

Betrifft: Schaffung dänischer und deutscher Rechtsgrundlagen für die Einziehung der in das deutsche Minen-Warngebiet verbotswidrig einfahrenden dänischen Fischereifahrzeuge.

Die Ressortbesprechung vom 8. Juni 1943 hat zu folgendem Ergebnis geführt:
Im Interesse des auch für die deutsche Ernährungswirtschaft überaus wichtigen dänischen Fischfangs soll es einstweilen bei dem bisherigen Zustand bleiben, wonach das Befahren anderer als der ausdrücklich für den Fischfang freigegebenen Seegebiete durch die dänischen Fischer zwar auf Grund der Bekanntmachung des dänischen Justizministeriums Nr. 407 vom 25. September 1941 (dänische Gesetzsammlung 1941 S. 894-97) verboten ist, deutscherseits aber stillschweigend geduldet wird. Eine Bekanntgabe dieser faktischen Duldung soll auch weiterhin unterbleiben.
Im Hinblick auf die allgemeine Lage ist es jedoch erforderlich, Vorkehrungen dafür zu treffen, daß die gegenwärtige Praxis schlagartig geändert und eine straffe Durchführung des Verbots des Befahrens anderer als der ausdrücklich freigegebenen Seegebiete durch die dänischen Fischer sichergestellt werden kann. Zu diesem Zweck soll die Dänische Regierung veranlaßt werden, schon jetzt eine Novelle zu ihrer Bekanntmachung vom 25. September 1941 vorzubereiten, durch die die Strafdrohung für die Übertretung des Verbots des Befahrens der nicht ausdrücklich freigegebenen Seegebiete auf 5 Jahre Gefängnis erhöht und die Einziehung des bei der Übertretung benutzten Fahrzeuges vorgesehen wird.
Es wird daher gebeten, an die Dänische Regierung mit dem Ersuchen heranzutreten, eine Verordnung zu entwerfen, durch die in die Bekanntmachung des dänischen Justizministeriums vom 25. September 1941 als zweiten Absatz, des § 8 die folgende Bestimmung eingefügt wird:
"Eine Übertretung der in § 5 dieser Bekanntmachung getroffenen Bestimmung wird mit Gefängnis bis zu fünf Jahren bestraft. Das Fahrzeug wird eingezogen, auch wenn es weder dem Täter noch einem Teilnehmer gehört."
Es müßte sichergestellt werden, daß der Erlaß dieser Novelle zu der Bekanntmachung des dänischen Justizministeriums auf entsprechenden deutschen Wunsch jederzeit mit kürzester Frist erfolgen könnte. Es wird hierbei davon ausgegangen, daß die Dänische Regierung zum Erlasse einer solchen Novelle, insbesondere auch zu einer Erhöhung der Strafdrohung auf 5 Jahre Gefängnis und zur Androhung der Einziehung der beteiligten Fahrzeuge, auf Grund des dänischen Rechts ermächtigt ist. Sollte diese Annahme nicht zutreffen und eine Einschaltung des dänischen Reichstags erforderlich sein, so wird gebeten, zu prüfen, in welcher Weise der deutsche Wunsch nach einer einweiligen Aufrechterhaltung des bisherigen Zustandes bei gleichzeitiger Schaffung der Möglichkeit für eine schlagartige Verschärfung am besten durchgeführt werden könnte. Gegebenenfalls könnte vielleicht an einen Erlaß der obenerwähnten Novelle durch ein Gesetz des dänischen Reichstags gedacht werden, dessen Inkraftsetzung der Dänischen

51 Skrivelsen er ikke lokaliseret.

Regierung überlassen bleiben würde.

Lediglich zur dortigen Unterrichtung wird noch bemerkt, daß einstweilen noch keine Schritte unternommen werden sollen, um die Dänische Regierung zu veranlassen, die gegebenenfalls auf Grund der Novelle zur Einziehung kommenden Fahrzeuge dem Deutschen Reich zur Verfügung zu stellen. Desgleichen soll der beiden Besprechungen vom 20. und 21. April 1943 in Kopenhagen in Bezug auf den Plan des Erlasses eines entsprechenden Verbots der Reichsregierung, das gegebenenfalls die Aburteilung der die Bekanntmachung des dänischen Justizministeriums übertreten den dänischen Fischer und die Einziehung ihrer Fahrzeuge durch deutsche Gerichte auf Grund des deutschen Strafrechts (Artikel 92 b des Reichsgesetzbuches) ermöglichen sollte, zunächst nicht veranlaßt werden. Es bleibt aber vorbehalten, hierauf zurückzukommen, wenn sich nach Inkrafttreten der dänischen Novelle herausstellen sollte, daß die dänischen Gerichte Verstöße der dänischen Fischer gegen die Bestimmungen der dänischen Bekanntmachung vom 25. September 1941 nicht genügend ahnden.

Um Bericht über das dort Veranlaßte wird gebeten.

Im Auftrag
gez. **Dr. Albrecht**

111. [Legationsrat?] Nordland: Notiz an Joachim von Ribbentrop 10. Juni 1943
Hitler havde besluttet, at danske officerer, der ville melde sig som frivillige til tysk krigstjeneste, skulle ind i Waffen-SS. Det kunne være hindrende for hvervningen, da nogle kun ville til værnemagten, og derfor blev sagen forelagt Ribbentrop. Der var den mulighed, at officererne kunne melde sig hos Best og der få afklaret, hvor de ville melde sig.
Et svar er ikke lokaliseret.
Kilde: PA/AA R 101.040. RA, pk. 438a.

Inl. II 1640 g

Durch den Bevollmächtigten des Deutschen Reichs in Dänemark, Dr. Best, ist der dänischen Regierung und dem Kronprinzregenten am 15. April 1943 Kenntnis gegeben worden, daß die deutsche Reichsregierung Unterlagen darüber besitze, daß das dänische Offiziers-Korps eine ausgesprochen deutschfeindliche Haltung einnehme. Es wurde dem Kronprinzregenten nahegelegt, dänische Offiziere anzuhalten, sich zum Dienst in der deutschen Wehrmacht zu melden.

Nach einer Mitteilung des Reichsführers-SS soll der Führer entscheiden haben, daß diese Offiziere der Waffen-SS zur Verfügung gestellt werden. Auch Generalfeldmarschall Keitel und General Zeitzler sollen dem Reichsführer-SS diese Offiziere zugesichert haben. Der Reichsbevollmächtigte in Kopenhagen schätzt die Zahl der sich voraussichtlich meldenden Offiziere auf 50-60. Allerdings dürfte fraglich sein, ob diese sich auch zum Dienst in der Waffen-SS bereiterklären werden, da sie darin teilweise eine politische Festlegung erblicken. Da es jedoch bedauerlich wäre, wenn das Ergebnis durch die ausschließliche Dienstleistung in der Waffen-SS wesentlich geringer wäre, wird vorgeschlagen, daß sich die Offiziere zunächst beim Reichsbevollmächtigten melden und in einer Unterhaltung mit diesem festgestellt wird, ob sie der Waffen-SS oder einem Wehrmachtsteil zugewiesen werden.⁵²

Hiermit dem Herrn Reichsaußenminister vorgelegt.
Berlin, den 10. Juni 1943

Nordland

112. Werner Best an das Auswärtige Amt 11. Juni 1943
Best anmodede AA om tilladelse til, at nogle af hans kriminalpolitifolk formelt måtte overflytte deres familier til Danmark og opgive deres boliger i bomberamte tyske byer.
Se Bests telegram nr. 839, 15. juli 1943. Det drejede sig i alle tilfælde om embedsmænd, der allerede havde været i Danmark i flere år. Svaret er ikke lokaliseret.
Kilde: PA/AA R 100.299. RA, pk. 222.

Abschrift Pers. M 2318.
Der Bevollmächtigte des Reiches in Dänemark   *Kopenhagen, den 11. Juni 1943.*
Z/Pers. P 6 Allgem./43.

An das Auswärtige Amt, Berlin.

Betrifft: Erteilung der Übersiedlungsgenehmigung an hierher abgeordnete Beamte der Sicherheitspolizei.

Unter den seit dem Jahre 1940 hierher abgeordneten Beamten der Sicherheitspolizei befindet sich eine Reihe von Beamten aus bombengefährdeten Städten. Diese Beamten haben in der großen Mehrzahl aus eigenem Entschluß und auf eigene Kosten ihre Familien nach Kopenhagen kommen lassen, wodurch ihre Wohnungen im Reich unbenutzt stehen. Verschiedene Heimatbehörden dieser Beamten bezw. die zuständigen Quartierämter sind des öfteren eindringlichste an diese herangetreten mit dem Ansinnen, ihre Wohnungen für bombengeschädigte Kameraden bezw. Volksgenossen zur Verfügung zu stellen. Bei der immer schwieriger werdenden Wohnungslage in den betroffenen Städten können die fraglichen Beamten sich der Forderung nicht verschließen. So haben bereits einige der Beamten ihre Wohnungen mit Einrichtung abgegeben. Es handelt sich um:
- den Kriminalsekretär Karl Erichsen, von der Staatspolizeileitstelle Dortmund,⁵³
- den Kriminalassistenten Ludwig Huf, vom Grenzpolizeikommissariat Rostock⁵⁴ und

---

52 Se om Bests stilling hans telegram nr. 511, 4. maj 1943.
53 Karl Erichsen var kommet til Danmark 20. oktober 1940 (Personalverzeichnis 1. August 1943 (tillæg 6)).
54 Ludwig Huf (f. 1912) var østriger og havde været wienerbarn i København. Han talte derfor dansk og var kommet til Danmark 30. oktober 1940. I december 1943 blev han overført til Petergruppen og deltog i talrige terroraktioner. Dræbt ved bombardementet af Shellhuset 21. marts 1945 (Personalverzeichnis 1. August 1943 (tillæg 6), Bøgh 2004, s. 29, 279).

— den Kriminalassistenten Jens Rode, von der Staatspolizeileitstelle Bremen.[55]

Mit Rücksicht darauf, daß die Beamten von hier aus keine Möglichkeit haben, ihre zum Teil an fremde Familien abgegebenen Wohnungen mit Einrichtung von Zeit zu Zeit zu beaufsichtigen, sowie im Hinblick darauf, daß damit zu rechnen ist, daß die Abordnung der genannten Beamten nach hier noch längere Zeit aufrecht erhalten bleibt, haben sie bei mir den Antrag auf Erteilung der Übersiedlungsgenehmigung nach Kopenhagen gestellt.

Unter Berücksichtigung der vorgetragenen Gründe befürworte ich die Erteilung der beantragten Erlaubnis und bitte, im Einvernehmen mit dem Reichssicherheitshauptamt die Übersiedlungsgenehmigung zu erteilen.

gez. **Best**

113. Werner Best an das Auswärtige Amt 11. Juni 1943

En repræsentant for den tyske tekstil- og skobranche, Dr. H. Schmidt, havde været i København og ville i direkte kontakt med danske myndigheder og interesseorganisationer. Han ville skaffe materialer og ordne enkeltspørgsmål. Best var imod denne direkte kontakt, danske regler for produktionsregulering og rationering skulle overholdes, og Schmidt kunne lige så godt få de ønskede oplysninger fra gesandtskabets embedsmænd. Derfor var Dr. Schmidt efter nogle dage blevet bedt om at forlade Danmark. På grund af Schmidts optræden ønskede Best ikke, at han fik indrejsetilladelse i Danmark igen.

Kilde: BArch, R 3102/10.766.

Abschrift Ha Pol VI 2578/43
Der Bevollmächtigte des Reiches in Dänemark　　　　*Kopenhagen, den 11. Juni 1943*
Gesch. Zeich.: III/2853/43

An das Auswärtige Amt,
　　Berlin

Betr.: Reise des Dr. H. Schmidt nach Kopenhagen
Bezug: Erlaß vom 27.5.43[56] – Ha Pol VI 2217/43 –

Dr. Schmidt hat am 3.6.43 hier vorgesprochen. Er hat erklärt, sein Auftrag mache Verhandlungen mit den zuständigen dänischen Stellen erforderlich, wobei Material zu beschaffen und Einzelfragen zu klären seien. Aus diesem Grunde hat Dr. Schmidt um Einführung bei diesen Stellen gebeten.

Ich habe der Bitte des Dr. Schmidt nicht stattgeben können. Bekanntlich sind Textilien und Schuhe in Dänemark nicht rationiert; die Bewirtschaftung dieser Waren geschieht im wesentlichen durch eine Produktionslenkung, welche die dänische Regierung über die in Betracht kommenden Fachverbände vornimmt. Es gibt deshalb auch verhältnismäßig wenig Gesetze und Anordnungen auf diesem Gebiet. Die erlassenen Vorschriften sowie die grundsätzlichen Richtlinien sind hier bekannt; Einzelheiten dazu können

---

55 Jens Rode var kommet til Danmark 23. november 1940 (Personalverzeichnis 1. August 1943 (tillæg 6)).
56 Skrivelsen er ikke lokaliseret.

beschafft und zur Verfügung gestellt werden. Ich halte es aber weder für zweckmäßig noch im Rahmen des Auftrags von Dr. Schmidt für erforderlich, ihn über das dänische Außenministerium bei den verschiedenen mit der Textil- und Bekleidungsbewirtschaftung befaßten dänischen Stellen einzuführen und dort längere Verhandlungen führen zu lassen. Nach meiner Auffassung muß es vermieden werden, die dänischen Behörden und Organisationen durch aus Deutschland entsandte Sachverständige zu Ermittlungen in Anspruch zu nehmen, wenn die gleichen Feststellungen ohne besonderen Aufwand durch Angehörige meiner Behörde getroffen werden können.

Dr. Schmidt ist deshalb am 4.6.43 ersucht worden, den Aufenthalt in Kopenhagen abzubrechen. Dabei habe ich mich ihm gegenüber bereit erklärt, die zur Durchführung seines Auftrages erforderlichen Feststellungen zu treffen und ihm das Ergebnis über das Auswärtige Amt bekanntzugeben. Dr. Schmidt hat es jedoch abgelehnt, mir nähere Aufschlüsse über die benötigten Angaben zu geben. Darüber hinaus hat er gebeten, zunächst von irgendwelchen Feststellungen abzusehen. Er hat durchblicken lassen, daß das von mir etwa beschaffte Material möglicherweise keine geeignete Grundlage für seinen Bericht sein würde.

Am 5.6.43, d. h. erst 3 Tage nach Ankunft, meldete sich Dr. Schmidt auf Grund der allgemeinen Meldepflicht bei der Konsulatsabteilung meiner Behörde. Dabei erklärte er auf Befragen, er könne den Zeitpunkt seiner Abreise noch nicht angeben. Nachdem es nicht möglich sei, durch amtliche Hilfe Feststellungen zu treffen, beabsichtige er, private Ermittlungen anzustellen. Erst nach längeren Auseinandersetzungen, in denen Dr. Schmidt u. a. anführte, er könne seine Hotelrechnung nicht bezahlen, obwohl er außer den von ihm eingeführten etwa 60,- d.Kr. am 4.6. einen Betrag von 180,- d.Kr. über die dänische Nationalbank erhalten hatte, fügte sich Dr. Schmidt meiner Anordnung, Dänemark am 6.6.43 zu verlassen.

Ich darf noch hinzufügen, daß Dr. Schmidt wegen eines ähnlichen Auftrages bereits vor einigen Monaten hier vorgesprochen hat. Er beabsichtigte damals, Feststellungen über die Leistungsfähigkeit der dänischen Textilindustrie zu treffen. Der Auftrag wurde nicht ausgeführt, weil kein hinreichender Grund für die beabsichtigten Feststellungen erkennbar war.

Auf Grund des Verhaltens des Dr. Schmidt bitte ich, ihm künftig keinen Durchlaßschein Nord mehr auszustellen.

Unterschrift
[uden underskrift]

114. Konstantin Hierl an Joachim von Ribbentrop 12. Juni 1943

AA havde foreslået rigsarbejdsfører Hierl, at en frivillig dansk arbejdstjeneste blev oprettet under ledelse af en repræsentant for rigsarbejdsføreren, som blev underlagt den rigsbefuldmægtigede og sidestillet den kommende danske arbejdsfører (minister Gunnar Larsen).[57] Hierl kunne ikke tiltræde, at hans repræsentant

---

57 Gunnar Larsen havde som tidligere nævnt ved en sammenkomst med Best 2. april 1943 givet sit tilsagn om at stille sig i spidsen for en frivillig dansk arbejdstjeneste (KB, Gunnar Larsens dagbog 2. april 1943, jfr. Lauridsen 2006a, s. 13f., 19f.).

skulle understilles den rigsbefuldmægtigede, men ønskede det som i Norge og Holland, nemlig at repræsentanten for rigsarbejdsføreren også var direkte underlagt denne.

Se Hierl til Hitler 20. oktober 1942 og Friedrich Kritzingers notat 5. januar 1943 for den forudgående korrespondance. Der kom ikke noget ud af planerne for en frivillig dansk arbejdstjeneste på dette grundlag. Best gjorde i september 1943 forsøget med Niels Bukh (Bests telegram nr. 1131, 25. september), siden besluttede Hitler i oktober 1943, at han slet ikke ville have en dansk arbejdstjeneste (se Frohwein til Best 5. oktober 1943).

Kilde: PA/AA R 29.567.

Abschrift.
Der Reichsarbeitsführer   *Berlin-Grünewald, den 12.6.1943.*

An den Reichsaußenminister
z.Hd. Herrn Staatssekretär Dr. v. Steengracht
Berlin W.

Unter Bezugnahme auf den Brief des Herrn Reichsaußenministers vom 8. Juni[58] teile ich meine Stellungnahme zu den Ausführungen und Vorschlägen in der Beilage des Briefes mit:

1.) Der Beurteilung der Lage und den Vorschlägen zum Aufbau eines freiwilligen Arbeitsdienstes in Dänemark kann ich zustimmen.

Dagegen ist die meinem Beauftragten zugedachte dienstliche Stellung als "Sachbearbeiter beim Reichsbevollmächtigten" für mich untragbar.

Mein Beauftragter beim Reichsbevollmächtigten in Kopenhagen muß dieselbe dienstliche Stellung erhalten wie meine Beauftragten bei den Reichskommißaren in Norwegen und den Niederlanden, nämlich:

"Der Beauftragte des Reichsarbeitsführers" beim Reichsbevollmächtigten für Dänemark bleibt in persönlicher und fachlicher Beziehung dem Reichsarbeitsführer unmittelbar unterstellt. Er wird dem Leiter des freiwilligen dänischen Arbeitsdienstes (Minister Gunnar Larsen) als fachlicher Berater zur Seite gestellt. Die politischen Weisungen erhält er vom Reichsbevollmächtigtem, dem er auch zur wirtschaftlichen Betreuung zugeteilt ist.

2.) In der serbischen Angelegenheit hat sich das Auswärtige Amt meiner Auffassung angeschlossen, daß es angezeigt sei, "auf den serbischen Aufbaudienst Einfluß zu nehmen und ihn zu kontrollieren und zu dem Zwecke einen Beauftragten des Reichsarbeitsführers nach Belgrad zu entsenden.

Es würde meinem Beauftragten aber unmöglich gemacht, eine ständige Kontrolle auszuüben und wirklichen Einfluß zu nehmen, wenn seine Tätigkeit auf 2 Monate und spätere kurze Besuche beschränkt würde. Ich müßte daher unter solchen Bedingungen die Entsendung eines Beauftragten ablehnen.

Mit einem "Einbau" seines Beauftragten "in den Verwaltungsapparat des Militärbefehlshabers" kann ich mich nicht einverstanden erklären. Mein Beauftragter in Belgrad müßte dieselbe dienstliche Stellung erhalten wie mein Beauftragter beim Militärbefehlshaber in Belgien, nämlich:

---

58 Brevet er ikke lokaliseret, men der er en notits i sagen af dr. Bielfeld 11. juni 1943 (RA, pk. 203).

"Der Beauftragte des Reichsarbeitsführers beim Militärbefehlshaber Serbien bleibt in persönlicher und fachlicher Beziehung dem Reichsarbeitsführer unmittelbar unterstellt. Seine politischen Weisungen erhält er vom Militärbefehlshaber, dem er auch zur wirtschaftlichen Betreuung zugeteilt ist."

gez. **Hierl**

115. Horst Wagner an Werner Best 12. Juni 1943

Hermed fik Best et positivt svar på sine telegrammer af 11. maj og 9. juni 1943 om tilførsel af et antal politimænd.

Se endvidere Horst Wagner til Best 25. juni og Franz Geigers optegnelse 2. august.

Kilde: PA/AA R 100.758. RA, pk. 229.

Telegramm

Berlin, den   12. Juni 1943

Nr. 834

Auf Drahtberichte Nr. 553 und 704.[59]

Chef Sicherheitspolizei mitteilt, daß voraussichtlich Ende nächster Woche zwölf der angeforderten Beamten nach Kopenhagen in Marsch gesetzt werden können.

Wagner

116. Eberhard von Thadden an Horst Wagner 12. Juni 1943

Ribbentrop lod Inland II meddele, at Meissners indberetning til ham var personlig og uden betydning, hvorfor den ikke skulle videre til Best til udtalelse. Best i København skulle have den besked.

Se Wagner til Best 4. juni. Trods Bests ihærdighed ville RAM ikke diskutere den afgåede medarbejders indberetning, og Best måtte forblive i uvidenhed om, hvad der var skrevet om ham og hans politik.

Kilde: RA, pk. 237.

LR v. Thadden   zu Pol II C 2354

Gesandter Heinburg teilte mir auf telefonische Anfrage mit, er habe von dem Reichsminister die Weisung bekommen, Dr. Best telegrafisch dahin zu informieren, daß Meissner den Bericht für den Herrn RAM persönlich erstattet habe, dieser jedoch den Bericht für bedeutungslos halte, sodaß sich eine Weiterleitung an Dr. Best zum Zwecke der Äußerung erübrige. Eine Weisung nach Kopenhagen in diesem Sinne sei von Pol VI veranlaßt worden.

Hiermit Herrn Gruppenleiter Inl. II mit der Bitte um Kenntnisnahme vorgelegt.

Berlin, den 12. Juni 1943

v. Thadden

---

59 Begge telegrammer af 11. maj og 9. juni 1943 er trykt ovenfor.

117. Werner Best an das Auswärtige Amt 15. Juni 1943
Best fremsendte statistik over de frivillige ved Waffen-SS og Frikorps Danmark pr. 31. maj 1943.
   Kilde: PA/AA R 100.988.

Der Bevollmächtigte des Reiches in Dänemark   *Kopenhagen, den 15. Juni 1943.*
– II B 6 – 123/43 –   Geheim!

An das Auswärtige Amt in Berlin.

Betrifft: Statistik über die bei der Waffen-SS und dem Freikorps "Danmark" befindlichen Freiwilligen nach dem Stand vom 31.5.43.
Bezug: Ohne.
Anlagen: 2 Durchschriften.

1.) Gesamtzahl der Einberufenen
    Waffen-SS   2.879 davon 1.254 Volksdeutschen
    Freikorps "Danmark"   1.898
    Zusammen: 4.777
2.) Gesamtzahl der Entlassenen
    Waffen-SS Ablauf der Dienstzeit: 21 davon 12 Volksdeutsche
    Andere Gründe: 453 davon 115 Volksdeutsche
    Freikorps "Danmark"
    Ablauf der Dienstzeit: 1
    Andere Gründe: 304
    Zusammen: 779
3.) Gesamtzahl der bei der Truppe Befindlichen
    Waffen-SS   2.131 davon 984 Volkdeutsche
    Freikorps "Danmark"   1.412
    Zusammen: 3.543
4.) Tote
    Waffen-SS   274 davon 143 Volksdeutsche
    Freikorps "Danmark"   181
    Zusammen: 455

Von einer Weitergabe dieser Zahlen an andere Dienststellen bitte ich abzusehen.

                                                             W. Best

118. Politische Informationen für die deutschen Dienststellen in Dänemark 15. Juni 1943

Der var tale om orienteringsstof, der signalerede normale og stabile forhold. Således var kommandanten fra den til Sverige flygtede minestryger "Søridderen" blevet afskediget fra den danske marine. Der blev skredet ind som forventet og ønskeligt fra dansk side. Meddelelserne om Færøerne og Island var også politisk harmløse, mens det sidste punkt om prisdannelsen og prisovervågningen i Danmark havde betydelige implikationer i forhold til værnemagten, men der blev først og fremmest citeret passager af almen interesse fra en beretning fra rigskommissæren for prisdannelsen, selv om WB Dänemark ikke kunne være i tvivl om, at han og OT var adressaterne.

Kilde: RA, Centralkartoteket, pk. 680.

Der Bevollmächtigte des Reiches in Dänemark   *Kopenhagen, den 15. Juni 1943.*

Politische Informationen
für die deutschen Dienststellen in Dänemark.

Betr.:
I. Mitteilungen aus der Außenpolitik.
II. Entlassung des Kommandanten des Minensuchbootes "Söridderen" aus dem Dienst der dänischen Kriegsmarine.
III. Lagtings-Wahl auf den Färöern.
IV. Island seit der Besetzung.
V. Preisbildung und Preisüberwachung in Dänemark.

I. Mitteilungen aus der Außenpolitik

1.) Errichtung einer Rumänischen Gesandtschaft in Kopenhagen.
   Nach einem am 6.6.1943 im Dänischen Außenministerium eingegangenen Drahtbericht hat der Rumänische Außenminister dem Dänischen Gesandten in Bukarest inoffiziell mitgeteilt, daß die Rumänische Regierung die Errichtung einer Gesandtschaft in Kopenhagen für die nächste Zukunft beschlossen habe.[60]

2.) Wahrnehmung der Dänischen Interessen in Serbien.
   Die Dänische Konsularvertretung in Belgrad ist am 28. März 1943 geschlossen worden. Nachdem zwischenzeitlich die dänischen Interessen in Serbien durch die Dänische Gesandtschaft in Berlin wahrgenommen wurden, hat sich nunmehr die Schwedische Regierung auf Antrag der Dänischen Regierung bereit erklärt, die Dänischen Interessen in Serbien durch den Schwedischen Vizekonsul in Belgrad wahrnehmen zu lassen.

3.) Anerkennung der Argentinischen Regierung durch Dänemark.
   Nachdem die "provisorische Regierung" Argentiniens vom Reiche anerkannt worden ist, hat das Dänische Außenministerium durch Drahterlaß vom 12.6.1943 der Dänischen Gesandtschaft in Buenos Aires mitgeteilt, daß Dänemark die "provisorische Regierung" Argentiniens anerkenne.[61]

---

60 Jfr. Bests telegram nr. 697, 8. juni 1943 og *Politische Informationen* 15. juli 1943 afsnit I.1.
61 Denne anerkendelse er hos Nils Svenningsen ladt uomtalt ved behandlingen af Danmarks forhold til Argentina under besættelsen (Svenningsen 1970, s. 228f.).

II. Entlassung des Kommandanten des Minensuchbootes "Söridderen" aus dem Dienst der dänischen Kriegsmarine
Das dänische Marineministerium hat den Kapitän T. S. Prip, der am 10. März dieses Jahres Kommandant des Minensuchbootes "Söridderen" war, am 12. Mai mit halber Pension aus dem Dienst der Kriegsmarine entlassen.

Die Entlassung wird damit begründet, daß Prip unter den schwierigen Verhältnissen des 10. März nicht den Anforderungen, die an einen Schiffskommandanten gestellt werden müssen, gerecht geworden sei. Nachdem sein Boot von sieben bewaffneten Personen, die im Einvernehmen mit einigen Angehörigen der Besetzung handelten, überrumpelt worden sei, habe er es nicht vermocht, sich wieder des Kommandos zu bemächtigen, ehe die genannten Personen nach neunstündiger Fahrt das Boot wieder verlassen hätten und nach Schweden geflüchtet seien.[62]

III. Lagtings-Wahl auf den Färöern
Der Amtmann der Färöer hat auf Grund seiner gesetzlichen Vollmachten Wahlen zum Lagting für den 24. August ausgeschrieben. Das Lagting, das aus 20 gewählten Abgeordneten besteht, zu denen noch bis zu 5 weitere Abgeordnete auf Grund sogenannter Zusatzmandate treten können, entspricht der Einrichtung des Amtsrates in den übrigen 21 dänischen Ämtern (ganz Dänemark einschließlich der Färöer ist in 22 Ämter eingeteilt). Die letzten Wahlen zum Lagting haben am 30. Januar 1940 stattgefunden.

Der am 3.5.1943 in den dänischen Reichstag gewählte Folketingsabgeordnete der Färöer Thorstein Petersen, der der separatistischen Partei "Folkeflokken" angehört, hat sich im Zusammenhang mit der Lagtings-Wahl gegen die "Amtmannsgewalt" ausgesprochen unter dem Schlagwort: "Auf den Färöern sollen nur die Färinger selbst bestimmen und niemand anders."

Der Grund für diese Stellungnahme dürfte darin liegen, daß der Amtmann der Färöer ein von der dänischen Regierung eingesetzter und von dieser als zuverlässig angesehener Beamter ist, dem es bisher mit Unterstützung der Zusammenarbeitspartei und der Sozialdemokraten, die beide gegen eine Loslösung von Dänemark sind und zusammen bei der Folketingswahl vom 3.5.1943 die einfache Mehrheit aller Stimmen erhielten, möglich war, eine im Interesse der Dänischen Regierung liegende Politik zu treiben. Sollte die Lagtingswahl am 24.8.1943 ein ähnliches Stimmenverhältnis ergeben wie die Folketingswahl am 3.5.1943, so würde der Sieg der separatistischen Partei in der Folketingswahl vorläufig ohne praktische Bedeutung bleiben. Der Amtmann würde in den Stand gesetzt werden, seine Politik so weiter zu führen, wie bisher, was der separatistischen Partei nicht erwünscht wäre.

IV. Island seit der Besetzung
Der Aufsatz "Island während des Krieges" im 1. Heft 1943 der Zeitschrift "Ökonomi og Politik" gibt eine Übersicht über die Verhältnisse in Island seit dem Beginn der Besetzung Islands durch alliierte Streitkräfte (10. Mai 1940).[63] Die in dem Aufsatz über

---

62 Jfr. Barandons telegram 29. maj 1943.
63 Chr. Westergaard-Nielsen: Island under Krigen, Økonomi og Politik 1943, s. 22-33.

Island gemachten Angaben werden von zuständiger isländischer Seite als richtig bezeichnet. Aus dem Inhalt sei hier mitgeteilt:

Am 10. Mai 1940 besetzten englische Seestreitkräfte unter Protest der Isländischen Regierung die Insel. Die Besetzung erfolgte ohne Widerstand. Die gelandeten englischen Truppen wurden sehr bald durch kanadische und norwegische Einheiten verstärkt. Im Laufe des Jahres 1941 wurden die englischen durch amerikanische Truppen abgelöst.

Nach Ankunft der ersten amerikanischen Einheiten wurde am 9.7.1941 einem außerordentlichen Alting der Wortlaut eines Abkommens mit den USA vorgelegt. Das Abkommen, das vom Alting mit 39 gegen 3 Stimmen angenommen wurde, enthielt u.a. die folgenden Punkte:

1.) Die USA verpflichten sich, mit allen militärischen Kräften zu Lande, zur See und in der Luft Island zu verlassen, sobald der jetzige Krieg abgeschlossen ist.
2.) Die USA verpflichten sich, Islands uneingeschränkte Selbständigkeit und Souveränität anzuerkennen.
3.) Die USA verpflichten sich, sich nicht in Islands Regierungsangelegenheiten einzumischen.
4.) Die USA verpflichten sich, die Verteidigung des Landes derart zu organisieren, daß für die Einwohner des Landes die größtmögliche Sicherheit geschaffen und daß ihnen ein Mindestmaß von Unbequemlichkeiten durch die militärischen Maßnahmen verursacht wird, die in so weitem Umfange wie möglich in Zusammenarbeit mit der Isländischen Regierung durchgeführt werden sollen. Im Hinblick auf Islands geringe Volkszahl und die damit zusammenhängende Gefahr für das Volk soll dafür gesorgt werden, daß nur Elitetruppen entsandt werden.
5.) Die USA übernehmen die Verteidigung des Landes ohne Unkosten für Island und versprechen, jeden Verlust zu ersetzen, der den Einwohnern auf Grund der militärischen Maßnahmen zugefügt wird.
6.) Die USA verpflichten sich, Islands Interessen auf alle Weise zu fördern, darin einbegriffen die Lieferung der für das Land wichtigen Bedarfsmittel.
7.) Von der Seite Islands wird als gegeben vorausgesetzt, daß die Verteidigung des Landes, wenn sie von den USA übernommen wird, so hinreichend stark wird, daß jeder Möglichkeit begegnet werden kann.

Im Spätsommer 1941 wurde das amerikanische Pacht- und Leihgesetz auf Island ausgedehnt. Die USA übernahmen Englands ökonomische Verpflichtungen gegenüber Island. Ein Teil der Guthaben Islands wurde nach den USA überführt. Es wurde ein Übereinkommen unterzeichnet, das den Betrag von 20 Mill. Dollars jährlich umfaßt. Dieser Betrag wird zur Verfügung der Isländischen Regierung gestellt, die dafür in den USA Korn, Maschinen, Kohle usw. einkaufen kann zum Ausgleich für den Export nach England, das Islands Hauptabnehmer geblieben ist. Der isländische Außenhandel kam damit in verhältnismäßig feste Bahnen.

Auf innerpolitischem Gebiet erwies sich die Inflationsgefahr als dasjenige Problem, das die meisten Schwierigkeiten machte und zu wiederholten Regierungskrisen führte. Der Preisindex stieg von 100 in der Zeit von Januar – März 1939 auf 146 im Dezember 1940, 175 im November 1941, 210 im September 1942, 272 im Dezember 1942. Die drei seit Beginn der Besetzung neu gebildeten Isländischen Regierungen haben durch

Lohn- und Preisstop-Anordnungen, die jedoch meist bald wieder aufgehoben werden mußten, der Inflationsgefahr zu begegnen versucht. Zum ersten Mal seit 1939 zeigte im Januar 1943 der Preisindex einen leichten Rückgang (263 gegen 272 im vorangegangenen Monat).

Durch Änderung des Grundgesetzes über die Durchführung der Wahlen wurden im Jahre 1942 zwei Altingswahlen notwendig. Es gelang hierbei der Selbständigkeitspartei, sich als stärkste Partei zu behaupten, doch erhielt sie in der Wahl vom 18.10.1942 nur 38,3 v.H. aller abgegebenen Stimmen gegen 41,4 v.H. im Jahre 1937 und 43 v.H. im Jahre 1934. Die Anteilzahl der Kommunisten stieg bei der gleichen Wahl auf 18,3 gegen 8,5 v.H. im Jahre 1937 und 6,1 v.H. im Jahre 1934.

V. Preisbildung und Preisüberwachung in Dänemark
Ein Beamter des Reichskommissars für die Preisbildung hat vor kurzem die Preisbildung und Preisüberwachung in Dänemark *für die Zeit vom August 1942 bis Mai 1943* überprüft und darüber Bericht erstattet.[64]

Aus diesem Bericht sind die folgenden Feststellungen von allgemeinem Interesse:

"Die Preiserhöhungen sind im allgemeinen unbedeutend, was schon aus der Großhandelpreiszahl, die in der Berichtszeit um nur 2 Punkte von 212 auf 214 anstieg, klar hervorgeht. Die Preise für Rohstoffe und Halbfabrikate sind bei geringen Schwankungen innerhalb des Berichtsjahres im Endergebnisse unverändert geblieben. Der Großhandelsindex für Fertigwaren weist im März 1943 gegenüber März 1942 ein leichtes Ansteigen von 193 auf 197 auf, bleibt jedoch damit noch immer um 17 Punkte unter der Durchschnittszahl. Auch die Preise für Auslandswaren sind nur in ganz geringem Masse gestiegen."

"Wenn auch weiterhin der Unterschied zwischen dem Großhandelsindex bei Inlandswaren (194) und dem für Auslandswaren (250) mit 56 Punkten bei einem Verbrauch von etwa 2/3 Inlands- und 1/3 Auslandswaren in Dänemark recht empfindlich ist, so ist ein gewisser Fortschritt darin zu erblicken, daß sich die Spanne zwischen beiden Indexziffern seit März v.Js. nicht verändert hat, was als Stabilisierung der Lage zu werten ist. Da die Aufwärtsbewegung der Großhandelspreise als fast völlig abgestoppt angesehen werden kann, ist in dem langsamen Ansteigen der Kleinhandelspreise nur ein allmähliches Nachhinken hinter den Großhandelspreisen zu sehen.

Die Ergebnisse der Untersuchung der Großhandelsziffern, die das Bild eines zumindestens zur Zeit konsolidierten Preisgefüges ergeben, werden im wesentlichen durch die Überprüfung des Kleinhandelsindex (= Indexziffer der Lebenshaltungskosten) bestätigt. Die Lebenshaltungskosten haben sich im Berichtsabschnitt nur unbedeutend erhöht."

Zusammenfassend beurteilt der Berichterstatter das Ergebnis der Überprüfung der Groß- und Kleinhandelspreise in der angegebenen Berichtszeit als "zweifellos im Vergleich zur Entwicklung in anderen europäischen Staaten sehr günstig." Allerdings weist er auf eine Reihe von Faktoren hin, die außerhalb der direkten Einflußnahme der dänischen Preisbehörden stehen, aber trotzdem das Preis- und Kostenniveau beeinflussen, wie z.B. die Preise der Ein- und Ausfuhrwaren, die Löhne, die Einkommensteuer und dergl.

---

64 Se Preispolitischer Lagebericht über Dänemark 1. juni 1943, trykt ovenfor.

Insbesondere weist der Bericht darauf hin, daß die militärischen Bauvorhaben in Dänemark geeignet sind, die dänische Wirtschaft von der Lohn- und Preisseite aus zu beeinflussen, sodaß durch geeignete Maßnahmen etwaigen Störungen entgegengewirkt werden muß.

Eine besondere Gefahr sieht der Berichterstatter ferner in dem zunehmendem Mißverhältnis zwischen Warenmenge und Einkommen in Dänemark, wodurch ein verstärkter Druck auf die derzeitige scheinbare Stabilität der Preise ausgeübt wird. Dieser Gefahr sollen die zur Zeit dem dänischen Reichstag vorliegenden Gesetzentwürfe entgegenwirken, die die Erhöhung von Steuern und Abgaben, Bestimmungen über das Zwangssparen, die Bindung der Flüssigen Mittel der Banken usw. umfassen und den Zweck haben, die bedenklich ansteigende freie Kaufkraft abzuschöpfen. Der Berichterstatter schreibt hierzu:

"Man ist sich in Dänemark bewußt und die dänische Presse hat dies gerade um die Jahreswende 1942/43 herum mehrfach zum Ausdruck gebracht, daß das dänische Preisniveau im Augenblick das Kernproblem der dänischen Wirtschaft ist."

Nachdem der Bericht als besonders wichtig die positive Einstellung des dänischen Volkes zu seiner Währung hervorgehoben hat, kommt er zu dem Schluß, daß gewisse Momente zu der Erwartung berechtigen, daß es den dänischen Preisbehörden auch weiterhin gelingen wird, ihre Aufgabe, das dänische Preisgebäude unerschüttert zu erhalten, zu meistern.

In einem interessanten Vergleich der Verhältnisse auf dem Preisgebiet in Dänemark und in Belgien sieht der Berichterstatter als Grund für das Funktionieren der Preisgestaltung und Preisentwicklung in Dänemark das psychologische Moment; er stellt fest, daß in Belgien die Preisvorschriften wenig beachtet werden und deshalb ohne wesentlichen Erfolg bleiben, während in Dänemark die von der Regierung stark ausgebaute Preisgestaltung von der Presse und der Bevölkerung unterstützt wird. Er faßt diese Feststellung dahin zusammen: "Während in Belgien alle Preisbestimmungen als lästige und behindernde deutsche Maßnahmen empfunden und kritisiert werden, nehmen in Dänemark Öffentlichkeit und Presse mit größtem Interesse an allen Maßnahmen auf dem Preisgebiet teil."

Der Bericht schließt wie folgt:

"Zusammenfassend ist aus dieser Darstellung der Lage zu ersehen, daß in diesen Ländern mit Vorschriften allein, ja nicht einmal mit einem tatsächlich erfolgreich durchgreifenden Kontrollapparat das Preisniveau gehalten werden kann, sondern daß hierzu als einer der wichtigsten, wenn nicht sogar als Hauptfaktor, die positive Einstellung der Bevölkerung zu diesen Fragen und ihr Glaube an den inneren Wert der Landeswährung hinzukommen muß."

119. WB Dänemark an OKW/WFSt 16. Juni 1943

Von Hanneken havde indgået en aftale med Best om, hvordan kommandofordelingen skulle være mellem dem i tilfælde af omfattende uro eller et fjendtligt angreb. Der blev skelnet mellem kampområdet, dets bagland og det øvrige statsområde. I de to førstnævnte områder skulle der tilstilles WB Dänemark en chef for civilforvaltningen, der skulle stå for kontakten til de danske myndigheder. Endvidere skulle den danske regering stille med en kommissær for baglandsområdet. Kommissæren modtog anvisninger fra den civile forvaltningschef, der så vidt muligt skulle afstemme disse med den rigsbefuldmægtigede. Den rigsbefuldmægtigede havde fortsat myndigheden i det øvrige statsområde. Særforanstaltninger blev aftalt mellem WB Dänemark og den rigsbefuldmægtigede.

Aftalen blev godkendt af OKW, se WB Dänemarks aktivitetsberetning 31. juli 1943.

Det var ikke den første aftale af sin art, der blev indgået mellem de to tyske besættelsesmyndigheder. Renthe-Fink havde 22. august 1942 sendt AA et forslag til en lignende aftale, der skulle træde i kraft under en invasion. Også i den blev der skelnet mellem typer af områder, som i den nye aftale, og Paul Kanstein blev direkte nævnt som den rigsbefuldmægtigedes civile repræsentant i kampområdet (Jylland) (PKB, 13, nr. 279).

Muligvis var den nye aftale blevet til på initiativ af OKW, og det var med den lykkedes Best fortsat at begrænse WB Dänemarks råderum i en krisesituation. Dels gennem den geografiske opdeling i zoner, dels ved indsættelsen af en chef for civilforvaltningen, der kunne varetage den rigsbefuldmægtigedes interesser. Der var uden tvivl igen tænkt på Paul Kanstein, som det også senere blev i august. En underliggende forudsætning for hele aftalen var, at den danske regering blev siddende, igen givetvis et ønske fra Bests side ud fra ideen om oversigtsforvaltning. Kun på den måde kunne han forestille sig at bevare sin magtbasis på dette tidspunkt. Det skulle senere ændre sig.

Se Richtlinien für die Zusammenarbeit WB Dänemark und des Reichsbevollmächtigten 19. juli 1943 og WB Dänemark: Kampfanweisung 20. juli 1943. Endvidere deres aftale 11. marts 1944.

Kilde: BArch, Freiburg, RW 4/895.

Geheim
Der Befehlshaber der deutschen Truppen in Dänemark   *H.Qu., den 16.6.1943*
Abt. Ia Br. B. Nr. 1634/43 geh.

Betr.:   Abmachungen mit zivilen Dienststellen für den Fall größerer Unruhen oder feindlicher Angriffe.
Bezug: OKW Nr. 02036/43 geh./WFSt/Qu. (Verw.) vom 4.5.43[65]

An das Oberkommando der Wehrmacht
    Wehrmachtführungsstab

Für den Fall eines feindlichen Angriffs auf dänisches Gebiet sind mit dem Bevollmächtigten in Dänemark folgende Vereinbarungen vorgesehen worden:
1.) Im Falle eines Angriffs wird unterschieden:
    a.) das Kampfgebiet, in dem Gefechtshandlungen zwischen den deutschen und den feindlichen Truppen stattfinden,
    b.) das rückwärtige Gebiet, das sich vom Kampfgebiet bis zu der nächsten Wassergrenze erstreckt (z.B. in Jütland bei Angriff von Westen bis zum Kleinen Belt),
    c.) das übrige Staatsgebiet.
2.) Für das Kampfgebiet und das rückwärtige Gebiet tritt ein Chef der Zivilverwaltung

---

65 Skrivelsen er ikke lokaliseret.

zum Befehlshaber.
3.) Im Kampfgebiet werden die Weisungen des Befehlshabers durch den Chef der Zivilverwaltung unmittelbar den dänischen Behörden übermittelt, soweit nicht die Truppe aus der Lage heraus die erforderlichen Maßnahmen unmittelbar treffen muß.
4.) Für das rückwärtige Gebiet wird ein Kommissar der dänischen Regierung bestellt, der alle Funktionen der Regierung für dieses Gebiet ausübt. Dem dänischen Kommissar werden die Weisungen des Befehlshabers durch den Chef der Zivilverwaltung übermittelt, der nach Möglichkeit für Übereinstimmung der zu treffenden Maßnahmen mit der Auffassung und den Maßnahmen des Reichsbevollmächtigten zu sorgen hat.
5.) Für das übrige Staatsgebiet bleiben die Zuständigkeiten der dänischen Regierung und des Reichsbevollmächtigten unverändert.
6.) Weitere erforderliche Sondermaßnahmen, z.B. hinsichtlich der Presse, des Rundfunks, der Versammlungstätigkeit, der Ein- und Ausreise, des Post- und Telegrafenwesens, werden vom Bevollmächtigten des Reiches im Benehmen mit dem Befehlshaber vorbereitet.
7.) Falls die dänische Regierung sich zur Durchführung der von ihr erwarteten Maßnahmen außerstande erklären sollte oder sie in dem geforderten Masse durchführt, wird der Befehlshaber (Chef der Zivilverwaltung) die nötigen Anordnungen auf Grund seiner eigenen Machtbefugnisse erlassen.

Gemäß o.a. Verfügung werden die vorgesehenen Vereinbarungen nach Billigung durch den Reichsbevollmächtigten zur Prüfung und Genehmigung vorgelegt.

v. Hanneken
General der Infanterie

Nachrichtlich: Chef H Rüst u. BdE/Stab

120. Albert van Scherpenberg: Vermerk 16. Juni 1943

Best havde 10. juni af økonomiske grunde talt imod, at Siemens skulle holde en international konference i København og havde fået tilslutning i AA, men firmaet havde protesteret og AA ændrede sin beslutning, hvilket Best blev orienteret om.

Kilde: BArch, R 901 67.735.

LR v. Scherpenberg zu Ha Pol VI 2473/43 II
Berlin, den 16. Juni 1943

1.) Vermerk:
Eine Nachprüfung der Angelegenheit hat ergeben, daß die Vorprüfstelle Radio-Industrie der Firma Siemens, als sie die Genehmigung zur Reise verschiedener Vertreter nach Kopenhagen, Oslo, Stockholm und Helsinki zur geschäftlichen Besprechungen mit den dortigen Vertretungen und Tochtergesellschaften beantragt hatte, im Interesse der Devisenersparnis und Verminderung vermeidbarer Reisen aufgegeben hatte, sich auf die Reise nach Dänemark zu beschränken, und ihre Vertreter aus den übrigen nordischen

Ländern dorthin zu bestellen.

Bei der starken Spezialisierung, wie sie mit einem Großbetrieb dieser Art zwangsläufig verbunden ist, hat sich daraus die Notwendigkeit ergeben, eine verhältnismäßig große Anzahl von Fachleuten für die einzelnen Teilgebiete von hier aus zuentsenden.

Die Reise von Herrn Direktor Dankwardt mit 4 Begleitern und von Direktor von Siemens mit 3 Begleitern nach Dänemark hätte auf alle Fälle stattfinden müssen und wäre wirtschaftlich gerechtfertigt gewesen.

Bei dieser Sachlage erschien es nicht angezeigt, die Veranstaltung im jetzigen Stadium noch zu verbieten, da die Besprechungen im einzelnen als gerechtfertigt anzusehen sind und auch nur zu einem verhältnismäßig geringen Teil nach Deutschland verlegt werden können.

Ich habe nach vorheriger Abstimmung mit Kopenhagen (Min. Dg. Ebner) und dem RWM Herrn E. von Siemens persönlich davon unterrichtet, daß wir unseren Einspruch gegen die Reise zurückstellen, daran aber die Voraussetzung knüpfen, daß die Siemensgesellschaft ihrerseits nochmals die Liste der Teilnehmer aus Deutschland unter Anlegung strengsten Maßstabes nachprüft und alle irgendwie vermeidlichen Reisen noch nachträglich rückgängig macht. Im Verfolg dieser Unterredung suchte mich Direktor Dankwardt heute (15.6.) auf, und besprach die Teilnehmerliste nochmals ganz durch, wobei 3 beabsichtigte Reisen noch gestrichen werden konnten. Herr Dankwardt teilte mir auch mit, daß der von der dänischen Tochtergesellschaft anläßlich der Anwesenheit von Herrn v. Siemens geplante Wochenendaufenthalt in Marienlyst von Programm gestrichen worden sei.

Die Stapo (Kriminalrat Fischer), die aus Kopenhagen ebenfalls im Sinne des Telegramm Ha Pol VI 2473 unterrichtet und gebeten worden war die Ausreise zu verhindern, wurde von mir im Sinne der getroffenen Entscheidung verständigt.

2.) An den Reichsbevollmächtigten Kopenhagen.
Auf den anderweitigen Bericht 711 vom 10. Juni 1943.[66]
Anbei übersende ich ergebenst Abschrift eines Aktenvermerks über die Reise von Vertretern des Siemens-Konzerns nach Dänemark zur gef. Unterrichtung.
I.A.
gez. **v. Scherpenberg**

3.) An das RWM z.Hd. v. Min. Rat Ludwig
Im Anschluß an den Schnellbrief vom 11. d.M. Ha Pol VI 2473.
Anbei übersende ich erg. Abschrift eines Aktenvermerks über die Reise von Vertretern des Siemens-Konzerns nach Dänemark zur gef. Unterrichtung.
I.A.
gez. **v. Scherpenberg**

---

66 Trykt ovenfor.

121. Werner Best an das Auswärtige Amt 17. Juni 1943

Best viderebragte et norsk ønske om 20.000 tons dansk korn, som man fra dansk side var villig til at levere mod en vis modydelse.

Se Bests telegram nr. 939, 14. august 1943.
Kilde: BArch, R 901 68.712.

Telegramm

| Kopenhagen, den | 17. Juni 1943 | 21.55 Uhr |
| Ankunft, den | 17. Juni 1943 | 22.15 Uhr |

Nr. 741 vom 17.6.[43.]   Cito!

Im Anschluß an Drahtbericht Nr. 701[67] v. 9. Juni 1943.

Abteilungschef Wassard hat heute dänische Antwort auf deutschen Wunsch wegen Lieferung weiterer dänischer Gerste nach Norwegen überreicht. Dänischerseits erklärt man sich hiernach bereit, eine Menge von zwanzigtausend T Gerste nach Norwegen zu liefern. Die im Drahtbericht Nr. 701 unter Punkt 1.) und 2.) gemachten dänischen Vorbehalte werden nochmals ausdrücklich wiederholt. Die Gerste kann innerhalb eines näher zu vereinbarenden Zeitpunktes geliefert werden, der unter anderem von den Befrachtungsmöglichkeiten abhängt. Man wünscht jedoch dänischerseits von[68] dänischen Hafen zu kontrahieren. Ferner wird dänischerseits der Wunsch angemeldet, für diese Getreidelieferung eine entsprechende Sonderlieferung von Kunstdünger von Norwegen zu erhalten. Es wird um Mitteilung gebeten, wer von norwegischer Seite berechtigt sein wird, den Vertrag abzuschließen. Auf dänischer Seite ist das "Zentralkontor für den Einkauf von Korn und Futterstoffen" zum Abschluß ermächtigt.

Dr. Best

122. Joseph Goebbels: Tagebuch 17. Juni 1943

Best havde sendt Goebbels sin halvårsrapport, hvilket endnu engang udløste ros fra Goebbels' side. Goebbels bemærkede sig især, at danskerne leverede mere til Tyskland, end der overhovedet kunne forventes, og at Bests kontrol med den danske regering blev gennemført med et minimum af ressourcer.

Kilde: *Die Tagebücher von Joseph Goebbels*, Teil II:8, 1993, s. 486.

[...]

Der Reichsbevollmächtigte für Dänemark, Best, schickt mir einen längeren Bericht über die augenblickliche Lage in Dänemark. Best hat es fertiggebracht, diese wieder absolut zu konsolidieren. Es ist mit einem bewundernswerten Geschick vorgegangen. Das dänische Volk ist zwar nicht deutschfreundlich, aber es billigt doch den gegenwärtigen Regierungskurs. Bemerkenswert dabei ist, daß Dänemark mehr an uns liefert, als wir

---

67 Ha. Pol. VI 2452/43 Pol. VI 11/6. Trykt ovenfor.
68 I originalen står "fob", hvilket er erstattet med "von".

überhaupt erwarten konnten, und daß Best die Kontrollarbeit über die dänische Regierung mit einem Minimum an Kräften durchführt. Leute wie Best müßten wir mehrere haben; es stände dann sicherlich in den anderen besetzten Gebieten besser, als es tatsächlich dort steht.
[...]

123. Befehlshaber der Sicherung der Nordsee an OKM 17. Juni 1943

25. maj 1943 var der givet ordre om, at bekæmpelsen af danske fiskere ved hjælp af Luftwaffe i advarselsområdet i Nordsøen skulle indstilles. Nu var der igen meldinger om, at de danske fiskere som hidtil var i advarselsområdet, og BSN bad om atter at måtte bekæmpe dem ved brug af Luftwaffe.
Svaret er ikke lokaliseret. Se KTB/Admiral Dänemark 30. juni 1943, pkt. X.
Kilde: BArch, Freiburg, RM 7/1187.

Abschrift!   Geheime Kommandosache
MBBZ 02640
Eingegangen: 18.6. 00:36
Fernschreiben von: SSD MWNZ 08473 17.6. 2210

M.AÜ = SSD OKM S 1/Skl.
Gltd.: SSD OKM 1/Skl. = SSD Nachr. Nord Führstb.
Im Hause keine Abschriften!   gKdos.

Mit FS Skl. gKdos. 15159 v. 25.5. war mitgeteilt, daß Bekämpfung dän. Fischer im Warngebiet durch eigene Luftwaffe vorläufig eingestellt wird.
Nach Meldung 3. F/122 v. 15.6., weitergemeldet mit Lagen BSN vom 15. und 16.6 treten Dänenfischer nach wie vor weiter im Warngebiet auf. Es wird erneut Freigabe der Bekämpfung erbeten.
BSN gKdos. 1711

124. Werner Best an das Auswärtige Amt 18. Juni 1943

Ved en personlig henvendelse til Karl Schnurre søgte Best at få afklaret, om von Hanneken hos OKW havde fået indskrænket sin mulighed for direkte at henvende sig til den danske regering. Han forespurgte med den begrundelse, at han skulle have besøg af generaloberst Fritz Fromm, og de bl.a. ville komme ind på stridsspørgsmål.
Schnurre svarede pr. telegram 22. juni, og Best sendte AA et svar med telegram nr. 773, 26. juni 1943.
Kilde: PA/AA R 29.567. RA, pk. 203.

Telegramm

Kopenhagen, den	18. Juni 1943	20.10 Uhr
Ankunft, den	18. Juni 1943	21.20 Uhr

Nr. 743 vom 18.6.[43.] Citissime!

Für Herrn Gesandten Dr. Schnurre.
Ich wäre zu meiner persönlichen Information für umgehende fernschriftliche Beantwortung der folgenden Frage sehr dankbar: Ist der mit dem dortigen Telegramm Nr. 482[69] v. 6.4.43 mitgeteilte Befehl des OKW dahin aufzufassen, daß der unmittelbare Dienstverkehr des Befehlshabers der deutschen Truppen in Dänemark mit der dänischen Regierung auf die zur Zuständigkeit des dänischen Verteidigungsministers und der dänischen militärischen Dienststellen gehörenden Angelegenheiten zu beschränken ist? Der Befehlshaber hat nämlich begonnen, sich auch in Angelegenheiten, die zur Zuständigkeit der zivilen dänischen Ministerien gehören, an den dänischen Verteidigungsminister zu wenden und erstrebt jetzt eine Regelung dahin, daß er alle von ihm an die dänische Regierung zu richtenden Wünsche durch den neuen dänischen Verbindungsoffizier Generalmajor Ramm unmittelbar dem dänischen Außenministerium oder den sonst zuständigen zivilen dänischen Ministerien zuleiten will. Ich hingegen halte daran fest, daß der Befehlshaber nur in Angelegenheiten, die zur Zuständigkeit des dänischen Verteidigungsministers und der dänischen militärischen Dienststellen gehören, also nur in Angelegenheiten der dänischen Wehrmacht, unmittelbar mit der dänischen Regierung verkehren darf. Dies entspricht auch dem folgenden Aktenvermerk, den ich mir am 12.4.43 über eine Besprechung mit dem Befehlshaber angefertigt habe:

"Der Befehlshaber der deutschen Truppen in Dänemark, General von Hanneken hat dem Reichsbevollmächtigten am 12.4.43 mitgeteilt, daß er vom OKW den Befehl erhalten habe, daß sein dienstlicher Verkehr mit der dänischen Regierung sich auf den dänischen Verteidigungsminister und die dänischen militärischen Dienststellen zu beschränken hat. Er fasse nunmehr die Lage wie folgt auf:
a.) Alle die dänische Wehrmacht betreffenden Angelegenheiten verhandele er mit dem dänischen Verteidigungsminister oder den Dienststellen der dänischen Wehrmacht.
b.) In "Routinesachen" – z.B. Bestellungen des Intendanten oder Verbindung der Abwehrstelle mit der dänischen Polizei – bleibe es bei der bisherigen Praxis.
c.) Alle anderen Angelegenheiten übergebe er dem Reichsbevollmächtigten zur Verhandlung mit der dänischen Regierung. Der Reichsbevollmächtigte stimmte dieser Auffassung zu."

Heute bezeichnet der Befehlshaber seine Erklärungen vom 12.4.43 als ein "Mißverständnis" und behauptet, daß er alle seine militärischen Forderungen (d.h. alle seine Forderungen, da er nur militärische Forderungen zu vertreten hat) an den dänischen Verteidigungsminister zu richten habe. Da am 22.6.43 der Generaloberst Fromm hierher kommen soll und da bei dieser Gelegenheit die dargestellte Streitfrage zweifellos zur Erörterung kommen wird, wäre ich sehr dankbar, wenn ich die erbetene Auskunft umgehend erhalten könnte.

Dr. Best

---

69 Pol I M 1341 g. Dette telegram er ikke lokaliseret, men se WFSt til WB Dänemark 3. april 1943.

125. OKW an das Auswärtige Amt u.a. 18. Juni 1943
OKW indbød AA og andre tyske instanser til drøftelse af den tysk-danske aftale om værnemagtskader, idet der blev fremsendt flere aftaleudkast.
　Mødet blev afholdt 24. juni, og C. Roediger refererede det i AA dagen efter. Referatet er trykt nedenfor 25. juni.
　Kilde: RA, pk. 284. PKB, 13, nr. 713.

Oberkommando der Wehrmacht　　　　　　　　　　*Berlin W 35, den 18. Juni 1943.*
60 g Beih. 6　　　　　　　　　　　　　　　　　　　　Tirpitzufer 72-76
10116/43 WV(XIV)
3 Anlagen[70]
Betr.: Abkommen zwischen dem Deutschen Reich und dem Königreich Dänemark
　　　　über die Regelung zivilrechtlicher Streitigkeiten.

Schnellbrief

An
　　das Auswärtige Amt z.Hd. von Herrn Geheimrat Conrad Roediger
　　Reichsministerium des Innern
　　Reichsjustizministerium
　　Reichsfinanzministerium z.Hd. von Herrn Min. Dirig. Schwand
nachrichtlich:
　　Gen St d H / G-en Qu
　　Befehlshaber der Deutschen Truppen in Dänemark
　　Intendant beim Befehlshaber der Deutschen Truppen in Dänemark

Wie in anderen verbündeten und befreundeten Staaten so hat sich auch in Dänemark die Notwendigkeit einer Regelung der Wehrmachtschäden ergeben. Zu diesem Zweck ist im Oberkommando der Wehrmacht der als Anlage 1 beigefügte Abkommens-Entwurf ausgearbeitet worden. Der Entwurf ist der dänischen Regierung auf Weisung des Auswärtigen Amts durch den Bevollmächtigten des Reichs in Kopenhagen übergeben worden.
　Der Entwurf lehnt sich im wesentlichen eng an die mit den anderen verbündeten und befreundeten Staaten vorbereiteten entsprechenden Abkommen an. Nach Auffassung der örtlichen Wehrmachtsdienststellen in Dänemark ist es jedoch notwendig, die Regelung nach mehreren Richtungen hin zu ändern oder zu ergänzen.
　1.) Nach Art. 7 des Entwurfs würden unter das Abkommen auch alle diejenigen Schäden fallen, die von solchen Angehörigen des deutschen Wehrmachtgefolges verursacht oder diesen Personen zugefügt werden, die nur in einem mittelbaren Verhältnis zur deutschen Wehrmacht stehen (so z.B. insbesondere alle Arbeiter deutscher oder dänischer Firmen, die unter der Aufsicht der Wehrmacht Befestigungsarbeiten ausführen).
　Es ist daher erwogen worden, den Gefolge-Begriff von vornherein auf solche Personen zu beschränken, die in einem unmittelbaren Dienst- oder Arbeitsverhältnis zur

---
70 Trykt nedenfor.

deutschen Wehrmacht stehen. Eine solche Einschränkung wäre für diejenigen Schäden, die durch Angehörige des mittelbaren Gefolges verursacht werden zweifellos erwünscht. Es wäre jedoch kaum vertretbar Arbeitern, die in Dänemark eingesetzt werden, für Schäden, die sie – u.U. sogar in unmittelbarem Zusammenhang mit dem Dienst – dort erleiden, den besonderen Schutz des Abkommens nicht zugutekommen zu lassen. Eine verschiedenartige Behandlung von Schäden der Personen des mittelbaren Gefolges – je nachdem, ob sie die Schäden verursacht oder erlitten haben – dürfte aber kaum möglich sein. Aus diesen Erwägungen heraus und insbesondere auch mit Rücksicht auf die entsprechenden Regelungen in den Abkommen mit den anderen Staaten ist das OKW zu dem Ergebnis gekommen, auch Schäden, die von Personen des mittelbaren Gefolges verursacht oder erlitten werden, unter das Abkommen fallen zu lassen.

2.) Einer Einschränkung bedarf es jedoch hinsichtlich solcher Schäden, die von solchen Wehrmachtangehörigen zugefügt oder erlitten werden, die schon vor dem 9.4.1940 in Dänemark lebten und auch heute noch in Dänemark ansässig sind (z.B. Auslandsdeutsche oder dänische Staatsangehörige). Insoweit erscheint es gerechtfertigt, daß durch das Abkommen nur solche Schäden erfaßt werden, die mit dem Dienst in einem unmittelbaren Zusammenhang stehen.

Zur Regelung dieser Frage wäre etwa folgende Ziffer 3 in das Schlußprotokoll des Entwurfs aufzunehmen:

Unter Art. 1 fallen grundsätzlich auch solche Schäden, die mit den dienstlichen Obliegenheiten der deutschen Wehrmachtangehörigen in keinem Zusammenhang stehen. Soweit jedoch die deutschen Wehrmachtangehörigen schon heute dort ansässig sind, finden die Bestimmungen des Artikel 1 nur Anwendung, wenn die Schäden mit den dienstlichen Obliegenheiten der Wehrmachtangehörigen in unmittelbarem Zusammenhang stehen.

3.) Es ist noch die Frage aufgeworfen worden, ob auch Aktiv- oder Passivschäden von dänischen oder deutschen Firmen, die von der Wehrmacht in Dänemark eingesetzt sind, unter das Abkommen gebracht werden sollen. In den Abkommen mit den anderen Staaten ist eine entsprechende Einbeziehung von Aktiv- oder Passivschäden juristischer Personen nicht vorgesehen, vielmehr sind nur Schäden der Wehrmacht oder einzelner Wehrmachtangehöriger erfaßt. Das OKW hält es für geboten, auch im Falle Dänemark hieran festzuhalten.

4.) Eine besondere Rolle spielt in Dänemark das Sabotage-Problem. Nach dem vorliegenden Entwurf würden Sabotagefälle unter das Abkommen fallen. Wenn also die Täter festgestellt werden können, könnte im Rahmen des Abkommens gegen sie vorgegangen werden. Solches Vorgehen ist jedoch in den meisten Fällen zwecklos, da die Täter keinerlei Vermögen besitzen. Aus diesem Grunde wird von deutscher Seite angestrebt, daß sämtliche Sabotageschäden von der dänischen Regierung getragen werden.

Es soll versucht werden, bei den Verhandlungen mit der dänischen Regierung zu erreichen, daß die dänische Regierung ihrerseits die Haftung für Schäden ihrer Staatsangehörigen übernimmt, so wie das Deutsche Reich (siehe Art. 3) für seine Wehrmachtangehörigen einsteht. Ob sich die dänische Regierung auf einen solchen Vorschlag einlassen wird, ist zweifelhaft. Gelingt die Aufnahme einer solchen Bestimmung in das Abkommen nicht, so müßte das Sabotageproblem unter Umständen in einer besonderen Vereinbarung mit der dänischen Regierung geregelt werden.

5.) Der Entwurf (Anlage 1) beschränkt sich auf Ansprüche aus unerlaubten Handlungen. Es erscheint notwendig, im Verhältnis zu Dänemark auch eine Regelung derjenigen zivilrechtlichen Ansprüche vorzusehen, die sich auf ein Vertragsverhältnis stützen. Der Entwurf eines entsprechenden Abkommens ist als Anlage 2 beigefügt.[71] Ob es endgültig bei der Aufteilung der vertraglichen und der außervertraglichen Ansprüche in zwei selbständige Abkommen verbleibt, muß den Verhandlungen vorbehalten bleiben. Soweit es ohne größere Nachteile möglich wäre, würde es das OKW allerdings vorziehen, wenn beide Fragenkomplexe in einem einheitlichen Abkommen zusammengefaßt werden könnten. Der Entwurf eines entsprechenden einheitlichen Abkommens ist als Anlage 3 beigefügt.[72]

Zur Regelung der zivilrechtlichen Vertragsansprüche im Einzelnen kann auf die beigefügten Entwürfe Bezug genommen werden. Auf einen Punkt muß jedoch besonders verwiesen werden: Nach Ansicht der militärischen Dienststellen in Kopenhagen ist es notwendig, daß das Reich nicht nur die Haftung für die außervertraglichen Schäden seiner Wehrmachtangehörigen übernimmt, sondern auch die Haftung für deren vertragliche Schulden. Eine entsprechende Bestimmung ist jedoch zunächst in die Entwürfe noch nicht aufgenommen worden.

6.) Das Oberkommando der Wehrmacht bittet zu einer Besprechung der gesamten Angelegenheit auf Donnerstag, den 24. Juni 1943 16 Uhr, Großadmiral-Prinz-Heinrich-Str. 7, I. Stock, Sitzungssaal.

Der Chef des Oberkommandos der Wehrmacht
Im Auftrage
gez. **Dr. Schreiber**
L.S.

Ausgefertigt:
Wielke
Angestellter

Anlage 1.

Entwurf
eines Abkommens zwischen dem Deutschen Reich und dem Königreich Dänemark
über den Ersatz von Wehrmachtschäden

Artikel 1

Nach Maßgabe dieses Abkommens sind zu behandeln:
(1) Alle außervertraglichen Schäden, die auf dänischem Staatsgebiet Personen dänischer Staatsangehörigkeit von der Deutschen Wehrmacht oder deren Angehörigen zuge-

---

71 I marginen er med håndskrift påført: "geht sehr weit! besonders Haftung des Reichs abgelehnt."
72 I marginen er med håndskrift påført: "R[eichs] J[ustiz] M[inisterium] für einh[eitliches] Abkommen."

fügt werden.⁷³
(2) Alle außervertraglichen Schäden, die der Deutschen Wehrmacht und deren Angehörigen auf dänischem Staatsgebiet zugefügt werden.

Artikel 2
Die in Art. 1 erwähnten Schäden sind nach dänischem Recht zu beurteilen.

Artikel 3
Soweit für die Schäden nach Art. 1 Nr. 1 ein deutscher Wehrmachtangehöriger verantwortlich oder soweit ein Anspruch aus einem Schaden nach Art. 1 Nr. 2 einem deutschen Wehrmachtangehörigen zusteht, tritt an die Stelle des Wehrmachtangehörigen das Deutsche Reich.⁷⁴

Artikel 4
Die obengenannten Schäden sollen möglichst auf Grund eines Vergleichs mit dem Geschädigten ersetzt werden. Die deutschen Wehrmachtdienststellen sind berechtigt, die dänischen Verwaltungsbehörde um Hilfe für die erforderlichen Erhebungen zu ersuchen.

Kommt ein Vergleich mit dem Geschädigten nicht zustande, so kann ein Schadenersatzanspruch vor einer dänisch-deutschen Gemischten Kommission in .... geltend gemacht werden.

Die Gemischte Kommission besteht aus 2 Mitgliedern, von denen ein Mitglied von der Reichsregierung und ein Mitglied von der dänischen Regierung ernannt wird. Wenn die beiden Mitglieder sich nicht einigen, wird ein drittes von der Reichsregierung ernanntes Mitglied hinzugezogen, das den Vorsitz übernimmt.⁷⁵

Artikel 5
Die Kommission stellt die Erhebungen an, die sie für notwendig erachtet. Sie kann erforderlichenfalls hierzu die Landesbehörden um Amts- und Rechtshilfe ersuchen. Solche Ersuchen werden wie Ersuchen eines Gerichts erfüllt.

Gegen die Entscheidungen der Kommission ist kein Rechtsbehelf zulässig. Die Entscheidungen der Kommission können im Deutschen Reich wie ein rechtskräftiges Urteil eines deutschen Gerichts, in Dänemark wie ein rechtskräftiges Urteil eines dänischen Gerichts vollstreckt werden.⁷⁶

Die Kosten für die Tätigkeit der Kommission trägt der dänische Staat.

---

73 I margen er med håndskrift påført: "Féaux. Unvereinbar mit Anl[age] 2 evtl. alle."
74 I margen er med håndskrift påført: "General in Dänemark. Haftung der dän[ischen] Reg[ierung] für Verletzungen seitens ihrer Statsangeh[örigen] bes[onders] bei Sabotagefällen? Werden die Dänen das wohl tun? Wohl nein. evtl. fordern, je nachdem Dänen auf Forderung des General beigeben."
75 I margen er med håndskrift påført: "also deutsche Mehrheit. Wenn Dän[en] widersprechen evtl. gegen Konzession aushandln."
76 I margen er med håndskrift påført: "Auch *Vergleiche* von der *Kommission*."

Artikel 6
Für die nach diesem Abkommen zu behandelnden Schäden ist der ordentliche Rechtsweg ausgeschlossen. Hierdurch wird jedoch nicht ausgeschlossen, daß der Staat, der auf Grund der vorstehenden Artikel Schadensersatz geleistet hat, Ersatzansprüche gegen den für den Schaden Verantwortlichen geltend machen kann.[77]

Artikel 7
Im Sinne dieses Abkommens zählen zu den Angehörigen der deutschen Wehrmacht auch die zu deren Gefolge gehörenden Personen.[78]

Artikel 8
Unter die Bestimmungen dieses Abkommens fallen auch die Schäden, die vor seinem Inkrafttreten im Laufe des gegenwärtigen Krieges entstanden sind, mit Ausnahme solcher Schäden, die schon durch Vergleich oder anderweitig erledigt worden sind.

Artikel 9
Dieses Abkommen gilt nicht für Schäden, die durch Kampfhandlungen oder unmittelbar damit im Zusammenhang stehende militärische Maßnahmen verursacht sind.

Artikel 10
Dieses Abkommen gilt für die Dauer des gegenwärtigen Krieges. Die vertragschließenden Teile werden den genauen Zeitpunkt seines Außerkrafttretens miteinander vereinbaren.

Artikel 11
Das Abkommen soll ratifiziert werden. Der Austausch der Ratifikationsurkunden soll sobald als möglich in .... stattfinden.
Das Abkommen tritt mit dem Austausch der Ratifikationsurkunden in Kraft.

Schlußprotokoll
1.) Unter den Begriff der Personen dänischer Staatsangehörigkeit im Sinne des Artl. 1 fallen nicht nur natürliche Personen, sondern alle dänischen Geschädigten, die nach dänischem Recht vor den ordentlichen Gerichten klagen oder verklagt werden können.
2.) Unter die Kosten für die Tätigkeit der Kommission im Sinne des Art. 5 Abs. 3 fallen nicht die Bezüge und Reisegebührnisse für die Vorsitzenden und die Mitglieder der Kommission; diese trägt derjenige vertragschließende Teil, der diese Personen ernannt oder benannt hat.

---

77 I margen er med håndskrift påført: "Feaux für Streich[un]g. Bedenken, es sei denn daß ganz neues Abk[ommen] nach Anl[age] 3."
78 I marginen er med håndskrift påført: "strafrecht[licher] Begriff alles was Strafger[ich]t u. Disziplinarbefugnis untersteht. Abk[kommen] je nachdem. Alles ist undefiniert. Muß wohl der Praxis überlassen bleiben."

Anlage 2.

E n t w u r f
eines Abkommens zwischen dem Deutschen Reich und dem Königreich Dänemark über die Regelung zivilrechtlicher Vertragsstreitigkeiten, an denen die deutsche Wehrmacht oder deutsche Wehrmachtangehörige beteiligt sind

Artikel 1
Nach Maßgabe dieses Abkommens sind alle zivilrechtlichen Ansprüche zu behandeln, die sich
1.) auf einen Vertrag gründen, der nach dem 9.4.1940 in Dänemark abgeschlossen ist oder mit der Anwesenheit der deutschen Wehrmacht in Dänemark in Zusammenhang steht, und
2.) gegen die deutsche Wehrmacht oder gegen einen deutschen Wehrmachtangehörigen richten (und einem dänischen Staatsangehörigen zustehen) oder der deutschen Wehrmacht oder einem deutschen Wehrmachtangehörigen gegen eine Partei zustehen, die vor dänischen Gerichten verklagt werden kann.

Artikel 2
Die in Artikel 1 erwähnten Ansprüche sind nach dänischem Recht zu beurteilen, soweit nicht die Vertragsparteien ausdrücklich oder stillschweigend etwas anderes vereinbart haben.

Artikel 3
Die in Artikel 1 erwähnten Ansprüche können vor der nach Artikel 4 Abs. 2 und 3 des Abkommens zwischen dem Deutschen Reich und dem Königreich Dänemark über den Ersatz von Wehrmachtschäden vom .... [79] geltend gemacht werden. Artikel 5, 6 und 7 des genannten Abkommens vom .... gelten entsprechend.

Artikel 4
Dieses Abkommen gilt für die Dauer des gegenwärtigen Krieges. Die vertragschließenden Teile werden den genauen Zeitpunkt seines Außerkrafttretens miteinander vereinbaren.

Artikel 5
Das Abkommen soll ratifiziert werden. Der Austausch der Ratifikationsurkunden soll sobald als möglich in .... stattfinden.
  Das Abkommen tritt mit dem Austausch der Ratifikationsurkunden in Kraft.

Schlußprotokoll [80]
Ansprüche, die sich gegen solche deutsche Wehrmachtangehörige richten oder solchen

---

79 Her synes udover den manglende dato nogle ord at være bortfaldet, f.eks. "errichteten deutsch-dänischen Gemischten Kommission."
80 I marginen er med håndskrift påført: "geht so nicht. Alteingesessene können aber vor dän[ischen] Gerichten verfolgt werden. Klenter sagt, das geht nicht z.B. bei dän[ischen] SS Leuten die deutsche

deutschen Wehrmachtangehörigen zustehen, die schon vor dem 9. April 1940 in Dänemark ansässig waren und noch heute dort ansässig sind, fallen nicht unter das Abkommen.

Anlage 3.

Entwurf
eines Abkommens zwischen dem Deutschen Reich und den Königreich Dänemark über die Regelung zivilrechtlicher Streitigkeiten, an den die deutsche Wehrmacht oder deutsche Wehrmachtangehörige beteiligt sind

Artikel 1
Nach Maßgabe dieses Abkommens sind zu behandeln:
1.) Zivilrechtliche Ansprüche, die sich
   a.) auf einen Vertrag gründen, der nach dem 9. April 1940 in Dänemark abgeschlossen ist oder mit der Anwesenheit der deutschen Wehrmacht in Dänemark in Zusammenhang steht, und
   b.) gegen die deutsche Wehrmacht oder einen deutschen Wehrmachtangehörigen richten (und einem dänischen Staatsangehörigen zustehen) oder der deutschen Wehrmacht oder einem deutschen Wehrmachtangehörigen gegen eine Partei zustehen, die vor dänischen Gerichten verklagt werden kann.
2.) Zivilrechtliche Ansprüche auf Ersatz außervertraglicher Schäden, die auf dänischem Staatsgebiet Personen dänischer Staatsangehörigkeit von der deutschen Wehrmacht oder von einem deutschen Wehrmachtangehörigen zugefügt worden sind.
3.) Zivilrechtliche Ansprüche auf Ersatz außervertraglicher Schäden, die der deutschen Wehrmacht oder einem deutschen Wehrmachtangehörigen auf dänischem Staatsgebiet zugefügt worden sind.

Artikel 2
Die in Artikel 1 erwähnten Ansprüche sind nach dänischem Recht zu beurteilen, soweit nicht die Vertragsparteien ausdrücklich oder stillschweigend etwas anderes vereinbart haben.

Artikel 3
Soweit für die Schäden nach Artikel 1 Nr. 2 ein deutscher Wehrmachtangehöriger verantwortlich ist oder soweit Anspruch auf einen Schadenersatz nach Artikel 1 Nr. 3 einem deutschen Wehrmachtangehörigen zusteht, tritt an die Stelle des Wehrmachtangehörigen das Deutsche Reich.

Artikel 4
Die Ansprüche sollen möglichst vergleichsweise befriedigt werden. Die deutschen

Wehrmachtsangeh[örige] sind." Med en anden håndskrift er endvidere påført: "evtl. ganz streichen, geht nicht wegen dän[isches] Wehrmachtsgefolge" og "abstellen auf nichtdeutsche Wehrmachtsgefolge – so Schreiber u. Kühne."

Wehrmachtstellen sind berechtigt, die dänischen Verwaltungsbehörden um Hilfe für die erforderlichen Erhebungen zu ersuchen.

Kommt ein Vergleich nicht zustande, so kann der Anspruch vor einer deutsch-dänischen Gemischten Kommission in Kopenhagen geltend gemacht werden.

Die Gemischte Kommission besteht aus 2 Mitgliedern, von denen ein Mitglied von der Reichsregierung und ein Mitglied von der dänischen Regierung ernannt wird. Wenn die beiden Mitglieder sich nicht einigen, wird ein drittes von der Reichsregierung ernanntes Mitglied hinzugezogen, das den Vorsitz übernimmt.

Artikel 5

Die Kommission stellt die Erhebungen an, die sie für notwendig erachtet. Sie kann erforderlichenfalls hierzu die Landesbehörden um Amts- und Rechtshilfe ersuchen. Solche Ersuchen werden wie Ersuchen eines Gerichtes erfüllt.

Gegen die Entscheidungen der Kommission ist kein Rechtsbehelf zulässig. Die Entscheidungen der Kommission können im Deutschen Reich wie ein rechtskräftiges Urteil eines deutschen Gerichts, in Dänemark wie ein rechtskräftiges Urteil eines dänischen Gerichts vollstreckt werden.

Die Kosten für die Tätigkeit der Kommission trägt der dänische Staat.

Artikel 6

Für die nach diesem Abkommen zu behandelnden Ansprüche ist der ordentliche Rechtsweg ausgeschlossen. Hierdurch wird jedoch nicht ausgeschlossen, daß der Staat, der anstelle des für den Schaden Verantwortlichen Schadenersatz geleistet hat, seinen Ersatzanspruch gegen diesen geltend machen kann.

Artikel 7

Im Sinne dieses Abkommens zählen zu den Angehörigen der deutschen Wehrmacht auch die zu deren Gefolge gehörenden Personen.

Artikel 8

Unter dieses Abkommen fallen auch die Schaden, die vor seinem Inkrafttreten im Laufe des gegenwärtigen Krieges entstanden sind, mit Ausnahme solcher Schaden, die schon durch Vergleich oder anderweitig erledigt sind.

Artikel 9

Dieses Abkommen gilt nicht für Schaden, die durch Kampfhandlungen oder unmittelbar damit in Zusammenhang stehende militärische Maßnahmen verursacht sind.

Artikel 10

Dieses Abkommen gilt für die Dauer des gegenwärtigen Krieges. Die vertragschließenden Teile werden den genauen Zeitpunkt seines Außerkrafttretens miteinander vereinbaren.

Artikel 11

Das Abkommen soll ratifiziert werden. Der Austausch der Ratifikationsurkunden soll sobald als möglich in .... stattfinden.

Das Abkommen tritt mit dem Austausch der Ratifikationsurkunden in Kraft.

Schlußprotokoll

1.) Unter den Begriff der Personen dänischer Staatsangehörigkeit im Sinne des Artikel 1 fallen nicht nur natürliche Personen sondern alle diejenigen Geschädigten, die nach dänischem Recht vor den ordentlichen Gerichten klagen oder verklagt werden können.
2.) Unter die Kosten für die Tätigkeit der Kommission im Sinne des Artikel 5 Abs. 3 fallen nicht die Bezüge und Reisegebührnisse für den Vorsitzenden und die Mitglieder der Kommission; diese trägt derjenige vertragschließende Teil, der diese Personen ernannt hat.
3.) Vertragliche Ansprüche, die sich gegen solche deutsche Wehrmachtangehörige richten oder solchen deutschen Wehrmachtangehörigen zustehen, die schon vor dem 9. April 1940 in Dänemark ansässig waren und noch heute dort ansässig sind, fallen nicht unter das Abkommen.
4.) Unter Artikel 1 Nr. 2 und 3 fallen grundsätzlich auch solche Schäden, die mit den dienstlichen Obliegenheiten der deutschen Wehrmachtangehörigen in keinem Zusammenhang stehen. Soweit jedoch die deutschen Wehrmachtangehörigen schon vor dem 9.4.1940 in Dänemark ansässig waren und noch heute dort ansässig sind, finden die Bestimmungen des Artikel 1 Nr. 2 und 3 nur Anwendung, wenn die Schäden mit den dienstlichen Obliegenheiten der Wehrmachtangehörigen in unmittelbarem Zusammenhang stehen.

Aufzeichnung[81]

Das Reichsjustizministerium würde es für erwünscht halten, wenn die vom OKW vorgelegten Entwürfe in einigen Punkten abgeändert würden. Die zur Anlage 1 ersichtlichen Änderungsvorschläge ergeben sich aus der Anlage 1 dieser Aufzeichnung.

Die zur Anlage 2 ersichtlichen Änderungsvorschläge ergeben sich aus der Anlage 2 dieser Aufzeichnung. Fassungstechnisch würde das Reichsjustizministerium der Anlage 3 dieser Aufzeichnung, die sachlich völlig der Anlage 2 dieser Aufzeichnung entspricht, den Vorzug geben.

Die Änderungswünsche des Reichsjustizministeriums zur Anlage 3 ergeben sich aus der Anlage 4 dieser Aufzeichnung. Anlage 5 dieser Aufzeichnung enthält sachlich nichts anderes als Anlage 4 dieser Aufzeichnung, ist aber wohl fassungstechnisch vorzuziehen.

---

81 Foroven er med håndskrift påført: "Material von Dr. O[ber] L[andes] G[erichts] R[at] Feaux de la Croix übergeben." Nedenfor endvidere påtegningen: "Z[u] d[en] A[kten] 25/6."

Anlage 1.

Entwurf
eines Abkommens zwischen dem Deutschen Reich und dem Königreich Dänemark
über den Ersatz von Wehrmachtschäden

Artikel 1
(Wie bisher; in Ziff. 1 werden jedoch die Worte "Personen dänischer Staatsangehörigkeit" gestrichen und das Wort "zugefügt" durch das Wort "verursacht" ersetzt.)

Artikel 2
(wie bisher)

Artikel 3
(wie bisher)

Artikel 4
(wie bisher)

Artikel 5
(1) Die Kommission gestaltet ihr Verfahren nach freiem Ermessen. (folgen die bisherigen Absätze des Art. 5).

Artikel 6
(wird gestrichen) Die bisherigen Artikel 7 bis 11 werden jeweils um einen Artikel vornumeriert.

Schlußprotokoll
Unter Artikel 1 fallen grundsätzlich auch solche Schäden, die mit den dienstlichen Obliegenheiten der deutschen Wehrmachtangehörigen in keinem Zusammenhang stehen. Soweit jedoch die deutschen Wehrmachtangehörigen schon heute dort ansässig sind, finden die Bestimmungen des Artikel 1 nur Anwendung, wenn die Schäden mit den dienstlichen Obliegenheiten der Wehrmachtangehörigen im unmittelbaren Zusammenhang stehen.

Anlage 2.

Entwurf
eines Abkommens zwischen dem Deutschen Reich und dem Königreich Dänemark
über die Regelung vermögensrechtlicher Streitigkeiten, an denen die deutsche
Wehrmacht oder deutsche Wehrmachtangehörige beteiligt sind

Artikel 1
(1) Nach Maßgabe dieses Abkommens sind alle vermögensrechtlichen Streitigkeiten zu behandeln, die im Zusammenhang mit der Anwesenheit der deutschen Wehrmacht in Dänemark zwischen der deutschen Wehrmacht oder einem deutschen Wehrmachtangehörigen einerseits und einer dänischen Partei andererseits entstanden sind.

(2) Ausgenommen sind Streitigkeiten, die unter das Abkommen zwischen dem Deutschen Reich und dem Königreich Dänemark über den Ersatz von Wehrmachtschäden vom ……… fallen, sowie Streitigkeiten, für die nach der deutschen Verordnung vom ……… der vom Befehlshaber der deutschen Truppen in Dänemark bestimmte Wehrmachtrichter zuständig ist.

Artikel 2
Die in Artikel 1 erwähnten Streitigkeiten sind nach dänischem Recht zu beurteilen, soweit nicht ausdrücklich oder stillschweigend etwas anderes vereinbart ist.

Artikel 3
Streitigkeiten der in Artikel 1 bezeichneten Art können vor die nach Artikel 4 Abs. 2 und 3 des Abkommens zwischen dem Deutschen Reich und dem Königreich Dänemark über den Ersatz von Wehrmachtschäden vom ……… errichteten deutsch-dänischen Gemischten Kommission geltend gemacht werden. Artikel 5, 6 und 7 des genannten Abkommens gelten entsprechend.

Artikel 4
Dieses Abkommen gilt für die Dauer des gegenwärtigen Krieges. Die vertragschließenden Teile werden den genauen Zeitpunkt seines Außerkrafttretens miteinander vereinbaren.

Artikel 5
Das Abkommen soll ratifiziert werden. Der Austausch der Ratifikationsurkunden soll sobald als möglich in ……… stattfinden.
Das Abkommen tritt mit dem Austausch der Ratifikationsurkunden in Kraft.

Schlußprotokoll
1.) Als dänische Partei im Sinne des Artikel 1 Abs. 1 wird jede Partei[82] angesehen, die nach dänischem Recht vor dänischen Gerichten klagen oder verklagt werden kann.
2.) Unter vermögensrechtlichen Streitigkeiten im Sinne des Abkommens werden nur zivilrechtliche Streitigkeiten verstanden. Unter das Abkommen fallen daher insbesondere solche Streitigkeiten nicht, die Schäden betreffen, die durch Kampfhandlungen oder unmittelbar damit im Zusammenhang stehende militärische Maßnahmen verursacht sind.
3.) Ein Zusammenhang mit der Anwesenheit der deutschen Wehrmacht in Dänemark im Sinne des Artikel 1 besteht insbesondere bei solchen Streitigkeiten nicht, an denen deutsche Wehrmachtangehörige beteiligt sind, die schon vor dem 9. April 1940 in Dänemark ansässig waren und noch heute dort ansässig sind.

---

82 I marginen er med håndskrift ud for ordet "Partei" påført: "Gemeint ist nichtdeutsche?" og "evtl. in Sitz[un]gsniederschrift? oder Rechtsanwendungsverordnung!!"

Anlage 3.

Entwurf

eines Abkommens zwischen dem Deutschen Reich und dem Königreich Dänemark über die Regelung vermögensrechtlicher Streitigkeiten, an denen die deutsche Wehrmacht oder deutsche Wehrmachtangehörige beteiligt sind

Artikel 1

Zur Regelung vermögensrechtlicher Streitigkeiten, die im Zusammenhang mit der Anwesenheit der deutschen Wehrmacht in Dänemark zwischen der deutschen Wehrmacht oder einem deutschen Wehrmachtangehörigen einerseits und einer dänischen Partei andererseits entstanden sind, wird eine deutsch-dänische Gemischte Kommission in Kopenhagen errichtet.

Artikel 2

Die Kommission besteht …

Artikel 3

Die Kommission soll nur angerufen werden, falls sich eine vergleichsweise Beilegung der Streitigkeiten als unmöglich erwiesen hat. Zur Aufklärung des Sachverhalts sind die deutschen Wehrmachtdienststellen berechtigt, die dänischen Verwaltungsbehörden …

Artikel 4

Anzuwendendes Recht

Artikel 5

Verfahren der Kommission im einzelnen, Vollstreckbarkeit der Entscheidungen Kosten der Kommission.

Artikel 6

Wehrmachtangehörige auch gleich Gefolge

Artikel 7

Auch Streitigkeiten, die vor Inkrafttreten des Abkommens …

Artikel 8

Dauer des Abkommens

Artikel 9

Ratifikationsklausel

Schlußprotokoll
1.) Unter das Abkommen fallen folgende Streitigkeiten nicht:
   a.) Streitigkeiten, die unter das Wehrmachtschädenabkommen fallen,
   b.) Streitigkeiten, für die ……… der Wehrmachtrichter zuständig ist.

2.) Unter das Abkommen fallen nur zivilrechtliche Streitigkeiten, also insbesondere keine Streitigkeiten wegen Kriegsschäden.
3.) Begriff der dänischen Partei.
4.) Kein Zusammenhang bei Wehrmachtangehörigen, die schon immer in Dänemark wohnen.

Anlage 4.

Abkommen
zwischen dem Deutschen Reich und dem Königreich Dänemark über die Regelung vermögensrechtlicher Streitigkeiten, an denen die deutsche Wehrmacht oder deutsche Wehrmachtangehörige beteiligt sind

Artikel 1
(1) Nach Maßgabe dieses Abkommens sind alle vermögensrechtlichen Streitigkeiten zu behandeln, die im Zusammenhang mit der Anwesenheit der deutschen Wehrmacht in Dänemark zwischen der deutschen Wehrmacht oder deutschen Wehrmachtangehörigen einerseits und dänischen Parteien andererseits entstanden sind.
(2) (Alimentationsansprüche ausnehmen)

Artikel 2
Anwendbares Recht.

Artikel 3
Ist für einen außervertraglichen Schaden ein deutscher Wehrmachtangehöriger verantwortlich oder ist einem deutschen Wehrmachtangehörigen ein solcher Schaden zugefügt worden, so tritt an die Stelle des deutschen Wehrmachtangehörigen das Deutsche Reich.

Artikel 4
(etwa wie bisher Artikel 4)

Artikel 5
(1) Die Kommission gestaltet ihr Verfahren nach freiem Ermessen.
(2)
(3) } bisheriger Artikel 5
(4)

Artikel 6
Wehrmacht auch gleich Gefolge.

Artikel 7
sinngemäß bisheriger Artikel 8

Artikel 8
Dauer

Artikel 9
Ratifikation

Schlußprotokoll
1.) Nur zivilrechtliche Streitigkeiten. Also insbesondere keine Kriegsschäden-Streitigkeiten.
2.) Vermögensrechtliche Streitigkeiten, an denen deutsche Wehrmachtangehörige beteiligt sind, die schon vor dem 9. April 1940 in Dänemark ansässig waren und noch heute dort ansässig sind, sollen nur dann unter das Abkommen fallen, wenn sie mit den dienstlichen Obliegenheiten dieser Wehrmachtangehörigen in unmittelbarem Zusammenhang stehen.
3.) Begriff der dänischen Partei.

Anlage 5.
Abkommen
zwischen dem Deutschen Reich und dem Königreich Dänemark über die Regelung vermögensrechtlicher Streitigkeiten, an denen die deutsche Wehrmacht oder deutsche Wehrmachtangehörige beteiligt sind

Artikel 1
Zur Regelung vermögensrechtlicher Streitigkeiten, die im Zusammenhang mit der Anwesenheit der deutschen Wehrmacht in Dänemark zwischen der deutschen Wehrmacht oder einem deutschen Wehrmachtangehörigen einerseits und einer dänischen Partei andererseits entstanden sind, wird eine deutsch-dänische Gemischte Kommission in Kopenhagen errichtet.

Artikel 2
Die Kommission besteht …

Artikel 3
Die Kommission soll nur angerufen werden, falls sich eine vergleichsweise Beilegung der Streitigkeit als unmöglich erwiesen hat. Zur Aufklärung des Sachverhalts sind die deutschen Wehrmachtdienststellen berechtigt, die dänischen Verwaltungsbehörden …

Artikel 4
(1) Anzuwendendes Recht grundsätzlich dänisch.
(2) Die Frage, inwieweit das Deutsche Reich anstelle eines Wehrmachtangehörigen oder neben einem Wehrmachtangehörigen für eine Forderung haftet, beurteilt sich jedoch nach deutschem Recht. Ist jedoch für einen außervertraglichen Schaden ein deutscher Wehrmachtangehöriger verantwortlich oder ist einem deutschen Wehr-

machtangehörigen ein solcher Schaden zugefügt worden, so tritt an die Stelle des deutschen Wehrmachtangehörigen das Deutsche Reich.

Artikel 5
Verfahren der Kommission im einzelnen, Vollstreckbarkeit der Entscheidungen, Kosten der Kommission.

Artikel 6
Wehrmachtangehörige auch gleich Gefolge

Artikel 7
Auch Streitigkeiten, die vor Inkrafttreten des Abkommens ...

Artikel 8
Dauer des Abkommens

Artikel 9
Ratifikationsklausel

Schlußprotokoll
1.) Keine Streitigkeiten für die nach der "Unehelichen-Kinder-Verordnung" der Wehrmachtrichter zuständig ist.
2.) Nur zivilrechtliche Streitigkeiten. Also insbesondere keine Kriegsschäden-Streitigkeiten.
3.) Vermögensrechtliche Streitigkeiten, an denen deutsche Wehrmachtangehörige beteiligt sind, die schon vor dem 9. April 1940 in Dänemark ansässig waren und noch heute dort ansässig sind, sollen nur dann unter das Abkommen fallen, wenn sie mit den dienstlichen Obliegenheiten dieser Wehrmachtangehörigen in unmittelbarem Zusammenhang stehen.
4.) Begriff der dänischen Partei.

126. Werner Best an das Auswärtige Amt 18. Juni 1943
Best fremsendte endnu en sabotageoversigt fra dansk politi i forlængelse af de foregående.
   Følgebrevet er ikke lokaliseret. Dateringen er foretaget ud fra Bests indberetning 6. juli om sabotage, hvori han henviser til sin sidste beretning om emnet af 18. juni. Det er den sidste lokaliserede oversigt.
   Kilde: PA/AA R 61.119.

Abschrift zu Pol VI 786   Übersetzung

Ü b e r s i c h t
In Fortsetzung der früher eingesandten Übersichten über Brandstiftungen oder Versuche zur Brandstiftung oder anderer Sabotagehandlangen in Betrieben, die für die deutsche

Wehrmacht arbeiten, oder auf andere Weise Verbindung mit der Wehrmacht haben, wird mitgeteilt, daß seitdem folgendes geschehen ist:

152.) Am 13.3.1943. Die Werkstatt des Mechaniker Holms mit mehreren Betrieben, Sct. Nicolajgade, Ribe. Die Betriebe sind alle auf einem recht großen Fabrikkomplex untergebracht. Brandstiftung. Benzin wurde an mehreren Stellen ausgegossen und angezündet. Großer Schaden.

153.) 22.3.1943. Deutsche Baracke auf dem Galgenberg in Aarhus. Bombenattentat. Mehrere deutsche Soldaten verwundet.[83]

154.) Eisenbahnlinie 2 km nördlich von Varde. Ein Stück Eisen im Gleis durch Überfahren angebracht. Mehrere Züge passierten die Stelle. Kein Schaden (29.3.1943).

155.) 29.3.1943. Nordjütländische Hemdfabrik, Jernbanegade 14, Aalborg. Brandbombe durch das Fenster eingeworfen. Geringer Schaden.

156.) 3.4.1943. Güterspur auf dem Östbanegaarden in Aarhus. Feuer in zwei Eisenbahnwagen mit Stroh beladen. Feuer wurde möglicherweise gesetzt, können auch Funken von einem vorbeifahrenden Zug gewesen sein.

157.) 13.4.1943. Efte Möbelfabrik, Ringe bei Faaborg. Feuer, möglicherweise gesetzt. Großer Schaden.

158.) 13.4.1943. Lagerplatz Ecke Jyllandsgade und Kellersgade in Aalborg. Feuer in einigen Holzstapeln angelegt. Flasche enthaltend Benzin und umwickelt mit Funkensprüher in die Stapel geworfen, nachdem die Funkensprüher angezündet waren. Großer Schaden.

159.) 13.4.1943. Sauers Garten, Jyllandsgade, Aalborg. Feuer in einigen deutschen Holzbaracken, mit Hilfe einer Brandbombe angezündet.

160.) 14.4.1943. Feuer in den Hellebäk Fabriken, Hellebäk. Brandursache unbekannt, kann Sabotage gewesen sein. Großer Schaden.

161.) 14.4.1943. Feuer einer Feuerstiftung im Depotgebäude auf der Nörrebro Eisenbahnstation, Kopenhagen. Kein Schaden.[84]

162.) 15.4. bis 17.4.1943. Sabotage gegen Telefonleitungen zwischen 19,8 und 21,4 km-Steinen auf dem Landweg zwischen Taastrup und Köge. Geringer Schaden.

163.) 16.4.1943. Öldepot der Staatsbahn in Tondern. Versuch einer Brandstiftung mit Hilfe einer Brandmaschine. Geringer Schaden. Kein Schaden am Material von der deutschen Wehrmacht.

164.) 16.4.1943. "Trinitatis" Druckerei, Köbmagergade 52, Kopenhagen. 2 Sprengund 1 Brandbombe. Bedeutender Schaden.[85]

165.) 16.4.1943. Feuer in der Flakstellung bei den Silopackhäusern beim Hafen in Nyborg. Brandursache unbekannt.

166.) 17.4.1943. Versuch einer Sabotage gegen die Maschinenfabrik "Maskinkompagniet," Blegdamsvej 32, Kopenhagen. Sprengbombe im Betrieb gefunden. Kein

---

[83] Aktionen blev udført af den kommunistiske Samsing-gruppe (Best til AA 30. april 1943, Hansen 1946, s. 15f.).
[84] Aktionen blev udført af BOPA (Kjeldbæk 1997, s. 461).
[85] Trykkeriet tilhørte DNSAP og blev lukket efter sabotagen, der blev foretaget af BOPA (Kjeldbæk 1997, s. 462).

Schaden.⁸⁶

167.) 19.4.1943. Offener Platz bei Dr. Lassensgade, Randers. Feuer in einem deutschen Motorwagen, gesetzt von 5 jungen Leuten im Alter von 16 bis 20 Jahr, die alle verhaftet sind und eingestanden haben.

168.) 19.4.1943. Versuch einer Sabotage gegen die Valby Schmiede- und Maschinenfabrik, Kögevej 22, Kopenhagen. Feuerstiftungen in einer Kiste mit Holzwolle. Feuer kann durch eine hingeworfene brennende Zigarre oder Zigarettstumpen entstanden sein.⁸⁷

169.) 19.4.1943. Im Laufe des letzten Monats sind Stein und Gruß in die Schmierkuppeln von 6 Eisenbahnwagen geworfen, die fertig für die deutsche Wehrmacht standen. Die Wagen standen auf dem Geleise bei der Aalborg Station.

170.) 21.4.1943. Versuch einer Sabotage gegen Burmeister & Wain, Refshaleinsel, Kopenhagen. 2 Sprengbomben und 1 Brandbombe in die Sägerei gelegt. Kein Schaden.⁸⁸

171.) 26.4.1943. Centralvaskeriet, Danmarksgade, Esbjerg. Versuch einer Brandstiftung mit Hilfe einer Brandbombe. Kein Schaden.

172.) 22.4.1943. Die Werkstatt der vereinigten Automobilfabriken Söndre Alle, Aarhus. Holzwolle angezündet und durch entzweigeschlagene Scheibe geworfen. Kein Schaden.

173.) 22.4.1943. Sabotage gegen Güter (Radioapparat) in einem deutschen Eisenbahnwagen auf dem Kopenhagener Güterbahnhof.

174.) 23.4.1943. Fehr & Co., Odense. Werg angezündet und in deutschen Motorwagen gelegt. Minimaler Schaden.

175.) 23.4.1943. Sabotage gegen Telefonleitungen der Wehrmacht in Jonstrup Vang bei Värlöse. Geringer Schaden.

176.) 26.5.1943. Sabotage gegen Telefonmast beim 23 km-Stein auf dem Landweg zwischen Taastrup und Köge.

177.) 29.4.1943. Nordhavnswerft, Kalkbränderihavnsgade, Kopenhagen. Sabotageversuch mit Hilfe einer Brandbombe.⁸⁹

178.) 1.5.1943. Firma Heiber & Co., Lyngbyvej 165, Kopenhagen. Sabotage mit Hilfe von Sprengbomben. Sabotagewachen mit Revolvern bedroht und danach gebunden. Großer Schaden.⁹⁰ Eine Kontrolluhr, die von den Saboteuren mitgenommen wurde, wurde bei Oscar Werner, geboren in Handest den 16.2.1913 gefunden. Er wurde am 15.5.1943 verhaftet und wegen Sabotage beschuldigt.⁹¹

179.) 1.5.1943. Stahlwerk in Varde. 3 Sprengbomben in den Betrieb gelegt. Nur zwei wirkten. Moderater Schaden.

180.) 1.5.1943. Sabotage mit Hilfe einer Sprengbombe gegen die Wäscherei "Tritol,"

---

86 Aktionen blev udført af BOPA (Kjeldbæk 1997, s. 462).
87 Aktionen blev udført af BOPA (Kjeldbæk 1997, s. 462).
88 Aktionen blev udført af BOPA (Kjeldbæk 1997, s. 462).
89 Aktionen blev udført af BOPA (Kjeldbæk 1997, s. 462).
90 Aktionen blev udført af BOPA (Kjeldbæk 1997, s. 462).
91 Se om Oscar Werner hos Best i indberetningen 2. juni, anholdte nr. 62.

Hejrevej 5, Kopenhagen.⁹²

181.) 1.5.1943. Sabotage mit Hilfe einer Sprengbombe gegen die Schuhzeugfabrik Jörgen Petersen & Co., Bernhard Bangs Alle 25, Frederiksberg.⁹³

182.) 2.5.1943. Lyngby Akkumulatorenfabrik, Lycacvej, Lyngby.⁹⁴ Sabotage mit Hilfe einer Sprengbombe. Moderater Schaden.

183.) 3.5.1943. Sabotage gegen Leitungsnetz zum Luftschacht auf dem Taarnby Wasserturm.⁹⁵

184.) 3.5.1943. Brandstiftung in der Badminton Halle in Lyngby. Halle brannte nieder.⁹⁶

185.) 5.5.1943. Nordbjerg & Wedels Bootsbauerei, Sundkrogsgade, Kopenhagen, Feuer. Anzündungsmittel unbekannt. Großer Schaden.⁹⁷

186.) 6.5.1943. "Atelier Skilte" A/S, Vesterbrogade 137. Brandstiftung mit Hilfe einer Brandbombe. Geringer Schaden.⁹⁸

187.) 7.5.1943. Fabrik "Standard Electric", Raadmandsgade 71, Kopenhagen. Versuch zur Sabotage mit Hilfe einer Sprengbombe. Kein Schaden. Zwei Personen, wovon der eine nach Angabe in Polizeiuniform war und der andere sich als Kriminalbeamter ausgab, zwangen die Wachleute mit Hilfe von Revolvern dazu, sich ruhig zu verhalten.⁹⁹

188.) 7.5.1943. Maschinenfabrik Peter Andersensvej 17, Frederiksberg. Sabotageversuch. Sprengbombe auf den Hofplatz eingeworfen. Kein Schaden.¹⁰⁰

189.) 8.5.1943. Wäscherei Guldbergsgade 84. Sabotage.¹⁰¹ Brandbare Flüssigkeit durch die Brieföffnung in der Tür eingegossen und angezündet. Geringer Schaden.

190.) 9.5.1943. Maschinenfabrik Haraldslundsvej 56, Söndre Birk, Kopenhagener Amt. Sabotage mit Hilfe einer Sprengbombe. Verhältnismäßig großer Schaden.¹⁰²

191.) 10.5.1943. Riffelsyndikat, Freihafen, Kopenhagen. Sabotage Sprengbombe. Großer Schaden.¹⁰³

192.) 11.5.1943. Schauer 1 auf dem Zimmererkai im Freihafen Kopenhagen.¹⁰⁴ Eventuell Brandstiftung. Ein Teil Materialien, der Wehrmacht gehörend, verbrannte. Recht bedeutender Schaden.

---

92 Aktionen blev udført af BOPA (Kjeldbæk 1997, s. 462).
93 Aktionen blev udført af BOPA (Kjeldbæk 1997, s. 462).
94 Udført af en gruppe i forbindelse med SOE: Lars Lassen-Landorph, Esben Nielsen og Thrane (Pilgaard Jeremiassen 1974, Appendix A, s. XVI).
95 Jfr. Pilgaard Jeremiassen 1974, Appendix A, s. XVI.
96 Aktionen blev udført af BOPA (Kjeldbæk 1997, s. 462).
97 Aktionen blev udført af BOPA (Kjeldbæk 1997, s. 462).
98 Aktionen blev udført af BOPA (Kjeldbæk 1997, s. 463).
99 Aktionen blev udført af Holger Danske og BOPA (Birkelund 2008, s. 668).
100 Sabotageforsøget blev foretaget af en KU-gruppe: Franck Leon Houlby, Henning R. Jensen, Kurt A.V. Petersen og Erik Sørensen (Pilgaard Jeremiassen 1974, Appendix A, s. XVII).
101 Jfr. Pilgaard Jeremiassen 1974, Appendix A, s. XVII.
102 Sabotagen blev udført af en organiseret modstandsgruppe, den nævnes i et brev af den danske SOE-leder Flemming B. Muus 21. maj 1943 (Pilgaard Jeremiassen 1974, Appendix A, s. XVII).
103 Aktionen blev udført af BOPA (Kjeldbæk 1997, s. 463).
104 Jfr. Pilgaard Jeremiassen 1974, Appendix A, s. XVII.

193.) 12.5.1943. Näsby Karosseriefabrik, Bogensevej, Näsby, Odense Herred. Brandstiftung. Anzündungsmittel unbekannt. Großer Schaden. Möglicherweise verübt von Erik Vilhelm Ploeger Jensen, geboren in Esbjerg den 9.1.1914. und Egon Christian Thygesen geboren in Boldesager den 15.6.1925, die in Odense verhaftet wurden.

194.) 10.5.1943. Svendborg Schiffswerft, Svendborg. Feuer. Schaden ca. 1 Million Kronen. Brandursache unaufgeklärt. Möglicherweise Sabotage, kann aber auch auf Unvorsichtigkeit beim Rauchen zurückzuführen sein.

195.) 12.5.1943. Aarhus Hafen. Explosionen anbord eines deutschen nicht bemannten Schleppbootes 4/41 und einem bewaffneten deutschen Vorpostenboot V.P.1922, das voll bemannt war. Sprengbomben, wahrscheinlich englischen Ursprungs. Beide Schiffe lagen im Aarhus Hafen innerhalb eines von der deutschen Wehrmacht mit Militärposten abgesperrten Gebietes. Großer Schaden.

196.) 12.5.1943. Depotgebäude bei der Kaserne in Viborg auf deutscherseits abgesperrtem Gebiet. Brandstiftung. Begangen von Poul Thomas Eriksen, geboren in Viborg den 7.3.1927 und Ib Hedegaard Nielsen, geboren in Tranum den 4.6.1922. Beide verhaftet.

197.) 13.5.1943. Tybrings Fabrik für Radioteile, Gröntoften 2, Söborg. Sprengbomben. Großer Schaden.[105]

198.) 13.5.1943. Burmeister & Wain, Overgaden neden Vandet, Kopenhagen.[106] Sabotageversuch. Salzsäure über zwei Dieselmotore für Unterseeboote ausgegossen. Kein Schaden.

199.) 15.5.1943. Ein Teil Ärolitpatronen an der Eisenbahnböschung bei der Taastrup Station gefunden.[107]

200.) 15.5.1943. Hugo Dorphs Konfektionsfabrik, Kirkevejen, Taastrup. Brand- und Sprengbomben. Bedeutender Schaden am Gebäude.[108]

201.) 15.5.1943. Henry Daubjergs Maschinenwerkstatt, Kögevej 30, Taastrup. Spreng- und Brandbomben. Geringer Schaden.[109]

202.) 15.5.1943. Taastrup Flachs- und Hanfspinnerei, Kögevej 30, Taastrup, Spreng- und Brandbomben. Kein Schaden.[110]

203.) 16.5.1943. Firma Schaub & Co., Ködbyen (Fleischstadt) Kopenhagen. Mehrere Brandbomben in den Betrieb gelegt. Kein Schaden.[111]

204.) 17.5.1943. Clausens Autowerkstatt, Söndergade 5 & 7, Odense, Brandstiftung. Möglicherweise verübt von den unter Nr.193 angeführten zwei Personen.

205.) 20.5.1943. Attentat gegen deutschen Militärzug zwischen Esbjerg und Varde, ca. 600 m von Esbjerg. Bombe unterm Zug explodiert. In einem Wagen wurde der Boden entzweigeschlagen, sonst kein Schaden.

---

105 Aktionen blev udført af BOPA (Kjeldbæk 1997, s. 463).
106 Jfr. Pilgaard Jeremiassen 1974, Appendix A, s. XVII.
107 Sabotageforsøget blev udført af Holger Danske og BOPA (Kjeldbæk 1997, s. 463, Birkelund 2008, s. 668).
108 Aktionen blev udført af BOPA (Kjeldbæk 1997, s. 463).
109 Aktionen blev udført af BOPA (Kjeldbæk 1997, s. 463).
110 Aktionen blev udført af BOPA (Kjeldbæk 1997, s. 463).
111 Aktionen blev udført af BOPA (Kjeldbæk 1997, s. 463).

206.) 21.5.1943. Zugattentat auf der Strecke Odense-Middelfart, näher bezeichnet ca. 2 km westlich Odense. 29 cm vom Schienenfuß weggesprengt, sonst kein Schaden. Überreste eines elektrischen Sprengkörpers wurden gefunden.
207.) 23.5.1943. Badehotel "Grenen", Skagen, niedergebrannt. Feuer stammt von überheiztem Kachelofen.
208.) 27.5.1943. Untersuchung aus Anlaß einer vermuteten Sabotage gegen Emmeches Maschinenfabrik, Grundtvigsvej 23. Es wurde nichts festgestellt, was auf Sabotage deuten konnte.[112]
209.) 30.5.1943. "Lynetten", Refshaleinsel, Kopenhagen.[113] Feuer in einigen Holztrommeln, enthaltend Kabel für die deutsche Wehrmacht. Anzündungsmittel unaufgeklärt.
210.) 1.6.1943. Tondern Eisenbahnstation. Sabotage. Mehrere revolverbewaffnete Personen banden 2 Remisenarbeiter, danach brachten sie Sprengbomben in 6 Lokomotiven an, die zerstört wurden. Ferner wurde eine Drehscheibe mit Hilfe einer Sprengbombe zerstört.
211.) 2.6.1943. Zugattentat gegen gewöhnlichen dänischen Güterzug außerhalb Vadum Kirke zwischen Nörre Sundby und Fjerritslev. Lokomotive von Sprengladung beschädigt, die an eine Schiene festgemacht war. Sonst kein Schaden.
212.) 3.6.1943. Rördal Zementfabrik Aalborg. Sprengbomben unter 4 Packmaschinen angebracht, die zerstört wurden. Großer Schaden. Reste eines englischen Zeitbleistiftes wurden gefunden.
213.) 3.6.1943. Möglicher Sabotageversuch gegen verschiedene Betriebe im Grundstück Vester Fälledvej 66, Kopenhagen. Ein im Grundstück wohnender Zigarrenhändler Buch gab an, von mehreren revolverbewaffneten Personen gebunden worden zu sein. Zur Bestärkung der Anmeldung nichts herausgekommen. Anzeichen zur Sabotage oder Versuch zur Sabotage wurden nicht gefunden.
214.) 6.6.1943. Sabotage gegen 9 Telefonmasten zwischen Tune und Snoldelev im Roskilde Polizeikreis. Masten waren eingesägt.

Übersetzung gefertigt: Prengel.

127. Eberhard von Thadden: Notiz 19. Juni 1943

Von Thadden bad om, at de fornødne formaliteter kunne blive ordnet, så Aage H. Andersen kunne rejse til Tyskland. Det vakte ifølge en medarbejder på Det Tyske Gesandtskab i København glæde, at Andersen forlod byen.
    Det er spørgsmålet om Best delte den glæde, da han erfarede, hvor Andersen rejste hen. Han modtog en reaktion fra Büro RAM næste dag gennem Lohmann, som ikke var en reaktion på hans notits.
    Kilde: PA/AA R 99.413. Lauridsen 2008a, nr. 95.

LR v. Thadden

---

[112] Aktionen blev udført af BOPA (Kjeldbæk 1997, s. 463).
[113] Jfr. Pilgaard Jeremiassen 1974, Appendix A, s. XIX.

Hiermit R V

mit der Bitte vorgelegt, die Frage der Einreisegenehmigung für Aage Andersen mit den zuständigen Stellen zu besprechen.

Inl. II A weiterhin zwecks Unterrichtung der Antijüd. Weltliga zu beteiligen.

Wie mir der Sachbearbeiter beim Bevollmächtigten des Reiches in Kopenhagen im Auftrage des Gesandten Dr. Best mitteilte, würde es in Kopenhagen begrüßt werden, wenn Aage Andersen, der sich in Dänemark durch seinen antijüdischen Kampf fraglos Verdienste erworben hat, aber durch das gegen ihn ergangene Strafurteil in einer unbegründet gewesenen, "stürmermäßig" aufgezogenen "Bettgeschichte" dort nicht mehr zu halten ist, im Reich untergebracht werden könnte.

Berlin, den 19. Juni 1943

v. Thadden

128. J.G. Lohmann an Werner von Grundherr 20. Juni 1943

Büro RAM ønskede von Grundherrs indstilling, før der blev taget stilling til Bests forslag om at yde midler til likvidering af *Kamptegnet*.

Se von Grundherr til Ribbentrop 22. juni 1943.

Kilde: PA/AA R 99.413. Lauridsen 2008a, nr. 96.

Büro RAM   zu Inl. II A 4778

Herrn Gesandten von Grundherr vorgelegt:

Vor Vorlage der Vortragsnotiz von Legationsrat Wagner vom 10.6. über das in Kopenhagen bestehende antijüdische Blatt "Kamptegnet" bittet Büro RAM um Ihre Stellungnahme zu dem in der Vortragsnotiz enthaltenen Vorschlag, dem Bevollmächtigten des Reichs aus Mitteln des Amtes einen größeren Devisenbetrag zur Durchführung der Liquidierung des "Kamptegnet" zur Verfügung zu stellen.

Berlin, den 20. Juni 1943

Lohmann

129. Rüstungsstab Dänemark: Bericht über die Einrichtung einer Reparaturwerkstatt 20. Juni 1943

General Motors havde nægtet at stille dele af en stor nybygget fabrikshal til rådighed for reparation af tyske flymotorer. Det danske firma Nordværk havde derpå været villig til at forestå opgaven, og Rüstungsstab Dänemark krævede trods General Motors protester at leje dele af fabrikshallen til formålet. UM var blevet kontaktet i sagen, og Best havde gjort det klart over for ministeriet, at hallen ubetinget var nødvendig for tysk krigsproduktion. Dette havde ministeriet meddelt General Motors.

Sagen var ikke alene principiel, hvilket havde fået Forstmann til at indlemme sagsforløbet i sin krigsdagbog, men var også en afprøvning af det nære samarbejde mellem Scavenius og Best. Scavenius havde optrådt på UMs vegne og Best som varetager af tyske rustningsinteresser. Scavenius havde fremført argumenter for at undgå, at General Motors måtte give efter, men videregav også Best begrundelser for, at de ikke blev

imødekommet. Samarbejdet havde bestået sin prøve på endnu et område, og med etableringen af reparationsværkstedet og Nordværks engagement deri var der iværksat et nyt foretagende af hidtil uset størrelse alene med henblik på at tilgodese tyske interesser (Lundbak 2002).
Kilde: BArch, Freiburg, RW 27/8. KTB/Rü Stab Dän 2. Vierteljahr 1943, Anlage 17.

Rüstungsstab Dänemark   Anlage 17
Abt. Luftwaffe   *20. Juni 43*

Bericht
über die Einrichtung einer Reparaturwerkstatt für BMW 801-Motoren in den Räumen der General Motors International AS, Kopenhagen.

Schon seit Mitte 1942 waren die Hallen der General Motors International A/S – die eine überdachte Fläche von ca. 60.000 qm umfassen, von denen 30.000 qm in einem neuen Gebäude unbenutzt waren – deutschen Flugzeugfirmen und den Fachabteilungen des RLM zur Verlagerung von Fertigungen angeboten worden. Es fanden auch mehrfach Besichtigungen der Hallen Statt, aber ohne Ergebnis. Bei den Verhandlungen, die hierbei mit der Firma General Motors geführt wurden, zeigte sich deutlich, daß diese sich gegen die Übernahme deutscher Luftwaffen-Aufträge ablehnend verhielt.

Durch Fernschreiben vom 11. März 43 vom RLM GL/A W Wi erhielt Rü Stb Dän. den Auftrag festzustellen, ob die Voraussetzungen für die Einrichtung eines Motoren-Reparaturwerkes für BMW in den Räumen der GM gegeben seien. Rü Stb Dän. antwortete bejahend. Einige Tage später lief ein Schreiben des R.d.L. u. Ob.d.L. GL/Planungsamt an den Befehlshaber der Deutschen Truppen in Dänemark ein, in welchem dieser gebeten wurde, die bestehenden Widerstände zu beseitigen. Über das Ergebnis sollte dem Staatssekretär Generalfeldmarschall Milch durch den Rü Stb Dän. Bericht erstattet werden. Aus diesem Schreiben, das zuständigkeitshalber an Rü Stb Dän. abgegeben und von diesem, weil es sich um eine politische Angelegenheit handelte, dem Bevollmächtigten des Deutschen Reiches zur Kenntnisnahme zugeleitet wurde, ergab sich, welchen Wert das RLM auf die Durchführung der Planung bei GM legte.

Die erste Verhandlung mit der Fa. GM konnte jedoch erst am 24.3. stattfinden, da sich Generaldirektor Madsen auf Reisen in Norwegen und Schweden befand. Madsen erklärte, daß er nicht bereit sei, eine deutsche Kriegsproduktion in seinen Werkstätten aufzuziehen, die Reparatur von Flugzeugmotoren aber als Kriegsproduktion anzusehen und ihm die Übernahme derselben vom Aufsichtsrat untersagt sei. Chef Rü Stb Dän. wandte sich nunmehr an den Bevollmächtigten des Reiches in Dänemark mit der Bitte, bei der dänischen Regierung alle Schritte zu unternehmen, um den Widerstand der Fa. GM, die mit amerikanischem Kapital arbeitet, zu brechen. Da GM selbst für die Übernahme des Auftrages nicht in Frage kam, einigte sich Rü Stb Dän. mit Vertretern der Fa. BMW München dahin, daß die Hallen an eine dänische Firma, die Nordvärk A/S, als Auftragnehmer verpachtet werden sollten. Am 9. April 43 fand bei GM eine Besprechung zwischen der Betriebsleitung dieser Firma und einem Vertreter der Nordvärk A/S statt. Generaldirektor Madsen betonte einleitend, daß er nicht die Absicht habe, freiwillig einen Teil des Betriebes zu vermieten. Im übrigen wurden ein Vertragsentwurf und technischen Einzelheiten besprochen. Da nunmehr klar war, daß GM nicht gewillt war, freiwillig einen Vertrag abzuschließen, wurde am 11. Mai durch den Abt. Leiter Luftwaffe ein Brief des Rü Stb Dän. überreicht, in welchem mitgeteilt wurde, daß sich der Rü Stb Dän. wegen des bisherigen ablehnenden Verhaltens bedauerlicherweise genötigt sähe, zu veranlassen, daß die Räumlichkeiten im Wege der Beschlagnahme für die kriegswichtige Aufgabe der Errichtung einer Reparaturwerkstatt für BMW-Motoren freigemacht würden. Für diesen Fall erklärte sich Rü Stb Dän. bereit, gewisse Erklärungen abzugeben, die sich auf die zu überlassenden Räume, die Entschädigung für diese und verschiedene betriebstechnische Einrichtungen bezogen. Diese Erklärung sollte demnach an die Stelle eines Vertrages zwischen Nordvärk und GM treten und alle Bestimmungen enthalten, die in dem ursprünglichen Vertragsentwurf vorgesehen waren. GM nahm das Schreiben des Rü Stb Dän. zur Kenntnis und erklärte, mit der dänischen Regierung darüber sprechen zu wollen und die Entscheidung bis zum 12. Mai nachmittags mitzuteilen. Bei dieser Gelegenheit legte die Firma ein Schreiben des dänischen Industrierates an GM vor, aus dem ebenfalls eine ablehnende Haltung zu der vorgesehenen Planung hervorging. Zum vereinbarten Termin ging aber eine Mitteilung der GM nicht ein. Chef Rü Stb Dän. wandte sich nunmehr wiederum um Unterstützung an den Bevollmächtigten des Deutschen Reiches, der dem dänischen Außenminister Scavenius mitteilte, daß von deutscher Seite unbedingt an der gestellten Forderung festgehalten werden müsse. Die dänische Regierung machte verschiedene Einwürfe (Fliegergefahr, bebaute Gegend, Protest der Arbeiterschaft, Protest benachbarter Firmen). Eine Ortsbesichtigung fand statt. Am 27. Mai erklärte die dänische Regierung schließlich der Fa. GM, daß es dem Außenministerium nicht möglich sei, die deutschen Behörden zu bewegen, von der Benutzung der Fabrikanlage abzusehen (s. Anlage).[114]

Am 29.5. erklärte Madsen, daß er nachgeben müsse und betonte dabei ausdrücklich, daß bei dem weiteren Zusammenarbeiten mit dem Rü Stb, der Fa. BMW und der Fa. Nordvärk die GM sich völlig loyal verhalten würde. Einen Vertrag zu unterschreiben lehnte er allerdings ab. Er würde nur den Vertragsentwurf der Nordvärk A/S vom 11. Mai zur Kenntnis nehmen und als Grundlage betrachten, müsse aber von der dänischen Regierung die Genehmigung zur vorgeschlagenen Entschädigung verlangen. Dieser Standpunkt wurde in einem Schreiben der GM an Chef Rü Stb Dän. vom 31.5.43 noch einmal schriftlich niedergelegt. Die dänischen Regierungsstellen verständigten den Rü Stb dahin, daß als Entschädigung voraussichtlich die in dem Schreiben Rü Stb Dän. vom 11.5. genannten Preise genehmigt werden würden. Vom dänischen Außenministerium wurde am 17. Juni Rü Stb Dän. die grundsätzliche Zustimmung zu diesen Preisen mitgeteilt, jedoch der Vorbehalt gemacht, daß die Entschädigung nur für ein Jahr festgesetzt werde. Falls sich die Überlassung über ein Jahr hinaus erstrecken würde, sei für die Folgezeit eine Ermäßigung der Entschädigung herbeizuführen.

Nachdem nunmehr die Schwierigkeiten hinsichtlich der Überlassung der Hallen der GM ausgeräumt waren, konnte der am 11. Mai 43 zwischen BMW München und Maskinfabrik Nordvärk A/S abgeschlossene Vertrag über die Ausnutzung der bei den GM-Werken Kopenhagen freien Werkstatt-Kapazität in Kraft treten.

114 Trykt nedenfor.

Parallel mit den Verhandlungen über die Überlassung der Räume bei GM gingen Verhandlungen des Rü Stb Dän. mit dem General der Luftwaffe in Dänemark und den Kommandeuren der Fliegerhorste Värlöse und Lundtofte über die Überlassung eines Geländes zur Errichtung von Motoren-Prüfständen. Der Platz für diese Prüfstände wurde auf dem Gelände des Flugplatzes bei Lundtofte gefunden.

Die Firma Nordvärk erhielt von BMW München 2 Aufträge, und zwar einen über die Einrichtung der GM-Räume und den Bau der Prüfstandanlage in Höhe von 1,5 Mill. dän. Kr. und einen weiteren Auftrag über die Reparatur von 400 Triebwerken 801 in Höhe von ca. 3,5 Mill. dän. Kr. Von der dänischen Regierung war die Bereitstellung von 2 Mill. dän. Kr. für die Einrichtung der Hallen zunächst dem RLM gegenüber abgelehnt, dann aber von Chef Rü Stb Dän. erreicht worden. Gleichzeitig mit dem Beginn der Einrichtungsarbeiten in den Räumen der GM wurden 4 Ingenieure und 22 Arbeiter zum Zwecke der Ausbildung nach München und die Werkstätten der BMW Flugmotoren entsandt. Es ist beabsichtigt, Anfang Oktober d.J. die Reparatur von Flugzeugmotoren anlaufen zu lassen.

Übersetzung
Udenrigsministeriet.   Genpart.
27. Maj 1943.   Ø.P.I.   84. Z.1 a

General Motors International A/S,
    Aldersrogade 20
    Ø

In Beantwortung des Schreibens der Gesellschaft vom 12. d.M. teilt das Außenreichsministerium mit, daß man, um mit den Wünschen der Gesellschaft übereinzustimmen und deren Interessen zu beschützen, am 14. d.M. dem Bevollmächtigten des deutschen Reiches in Dänemark die in Abschrift beigelegte Note zugestellt hat. Danach hat man von dem Bevollmächtigten eine Note vom 20. d.M. erhalten, worin es heißt:
"In Beantwortung Ihres Schreiben vom 14.5.43 und unter Bezugnahme auf unsere mündliche Besprechung vom 19.5.43 teile ich Ihnen mit, daß der deutsche Rüstungsstab an dem Wunsch festhalten muß, daß bestimmte Werkstätten der General Motors International A/S in der Aldersrogade in Kopenhagen für Reparaturarbeiten der deutschen Luftwaffe zur Verfügung gestellt werden. Es handelt sich dabei um ein dringendes militärisches Bedürfnis, das in anderer Weise nicht befriedigt werden kann.

Die Frage, ob durch die Verlegung der geplanten Reparaturarbeiten in die Werkstätten der General Motors International A/S eine besondere Gefährdung der Stadt Kopenhagen oder des betreffenden Stadtteils durch Luftangriffe auf diese Werkstätten herbeigeführt werde, ist von den zuständigen deutschen Stellen geprüft worden. Man ist zu dem Ergebnis gekommen, daß die in den Werkstätten der General Motors International A/S vorzunehmenden Reparaturen keinesfalls einen stärkeren Anreiz zu Luftangriffen geben können als die Neufertigungen von Kriegsmaterial und von Teilen desselben, die in zahlreichen dänischen Fabriken – z.T. ebenfalls in der Stadt und in der Nähe von

Wohnvierteln – stattfinden.

Bei den abzuschließenden Verträgen sollen die wirtschaftlichen Interessen der General Motors International A/S in den berechtigten Grenzen voll gewahrt werden, so daß auch in dieser Hinsicht keine Bedenken gegen die Annahme des von dem Rüstungsstab gemachten Vorschlage bestehen dürften."

Es geht hieraus hervor, daß es also dem Außenreichsministerium nicht möglich gewesen ist, die deutschen Behörden zu bewegen, von der von deutscher Seite gewünschten Benutzung eines Teils der Fabrikanlage, der Gesellschaft Abstand zu nehmen. Nach der Auffassung des Außenreichsministerium liegt danach für die Gesellschaft keine Möglichkeit vor, dem von deutscher Seite gestellten Verlangen, die Lokale zu vermieten, worüber ein Vorvertrag zum Mietsvertrag vorliegt, nicht nachzukommen.

gez. Erik Scavenius

130. Werner Best an das Auswärtige Amt 21. Juni 1943
Best og medarbejderne i Det Tyske Gesandtskab lyttede permanent til de danske radioudsendelser fra London, som det fremgår af *Politische Informationen*, og han valgte derudover lejlighedsvis at lade videregive en del af indholdet af en særlig udsendelse, i dette tilfælde en, der omtalte ham selv og hans politik i Danmark. Den skulle givetvis være udtryk for engelsk forlegenhed og utilfredshed.
Kilde: PA/AA R 29.567. RA, pk. 203.

T e l e g r a m m

Kopenhagen, den	21. Juni 1943	21.20 Uhr
Ankunft, den	21. Juni 1943	21.35 Uhr

Nr. 750 vom 21.6.43.

Aus den in der letzten Zeit sehr schwach und farblos gewordenen dänischen Sendungen des Londoner Rundfunks ist die folgende Sendung vom 20.6.43 (18.15) als besonders bezeichnend hervorzuheben, weil sie die englische Verlegenheit und Unzufriedenheit über die gegenwärtige deutsche Politik in Dänemark prägnant zum Ausdruck bringt:

"Es spricht ein guter Freund Dänemarks: Ich werde heute Abend von einem Mann sprechen, er heißt Werner Best. Er hat eine zweifelhafte Vergangenheit, doch heute bemüht er sich darum, sich von der besten Seite zu zeigen. Diese Wandlung erinnert mich an das Wort: Als der Teufel alt wurde, ging er ins Kloster.

Es gibt zwei Typen von Deutschen, der eine Typ ist brutal wie von Hanneken, während der andere Typ ein schlauer Verbrecher ist wie Werner Best. Beide sind gefährlich, aber Best ist der weitaus gefährlichste.

Im November v.Js. wußte keiner, wie sich die Zukunft gestalten würde. In Europa wurde die Politik der Unterjochung eingeführt, und in Dänemark wird man unzweifelhaft die Frage gestellt haben – was wird mit dem Land geschehen? Aber in Dänemark wurde nicht die Politik der Unterjochung praktiziert, statt dessen versuchte man, eine

Politik der "Verständigung" durchzuführen. Werner Best besuchte Amalienborg und hatte eine kameradschaftliche Zusammenkunft mit Chiewitz, mit dem er sich über die gemeinsamen Interessen an dem finnischen Schicksal unterhielt.[115] Diese Besuche sind leicht zu durchschauen. Das dänische Volk sollte betört werden.

Ein Zuschauer wird bei einer näheren Betrachtung des dänischen Volkes zwei Gruppen herausstellen können. Die eine Gruppe sagt: "Laßt uns noch, bevor es zu spät ist, der Welt unseren Widerstand zeigen, damit sie das wahre Gesicht Dänemarks rechtzeitig erkennt." Die andere Gruppe sagt: "Laßt uns in der noch kurzen Zeit ausharren."

Diese kurze Zeit versucht Best auszunutzen. Darum ist dieser alte Teufel so gefährlich. Ich meine nicht, daß die Dänen sich in ihrem Bekenntnis direkt übereilen sollen, aber ich möchte doch die sehr vorsichtigen Menschen auffordern, jetzt einen Standpunkt einzunehmen, damit sie bereit sind, wenn die Stunde für die Dänen geschlagen hat."

Dr. Best

131. Georg Martius an Werner Best 21. Juni 1943
Best blev bedt om at modtage Ministerialdirektor Risch i forbindelse med et møde i Det europæiske postudvalg i København.
   Svaret er ikke lokaliseret. Risch besøgte Best på Dagmarhus 24. og 30. juni (Bests kalenderoptegnelser anf. datoer).
   Kilde: BArch, R 901 68.712

Telegramm

zu Ha Pol. XII b 3023

Berlin, den   21. Juni 1943

Nr. ...   Cito!

Reichsbevollmächtigter Kopenhagen
Auf Fernschreiben 746 vom 19. Juni.[116]
   Tagung Europäischen Postausschusses unter Vorsitz von Ministerialdirektor Risch Reichspostministerium beginnt 24. Juni 11 Uhr und soll 30. Juni endigen. Voraussichtlich vertreten 12 europäische Postverwaltungen durch 1 bis 2 Delegierte. Risch hat dortigen Postbeauftragten bereits vor längerer Zeit gebeten, sich mit Gesandtschaft wegen Besuchs bei Reichsbevollmächtigten in Verbindung zu setzen.

Martius

---

115 Professor Ole Chievitz havde under sin arrestation haft en samtale med Best.
116 Skrivelsen er ikke lokaliseret.

132. Rüstungsstab Dänemark: Lagebericht 21. Juni 1943
Forstmann orienterede bl.a. om et lovudkast til opsugning af overskydende købekraft, om den vigende tilførsel af kul og koks, og om det fortsatte fald i antallet af arbejdsløse. Det havde virket, at fabriksvagterne var blevet bevæbnet. Værnemagten fik sit transportbehov 100 % dækket.
 Kilde: BArch, Freiburg, RW 27/8. RA, Danica 1000, T-77, sp. 696, KTB/Rü Stab Dänemark 2. Vierteljahr 1943.

Abteilung Wehrwirtschaft   *Kopenhagen, den 21.6.1943*
im Rü Stab Dänemark   Geheim
Gr. Ia Az. 66d 1 Nr. 2412/43g

Bezug: OKW Az. 1 e 24 Wi Amt Z 1/II Nr. 1143/43geh.v. 20.2.43
Betr.: Lagebericht

An den Wehrwirtschaftsstab im Oberkommando der Wehrmacht
 Berlin W 62
 Kurfürstenstr. 63/69

Abt. Wwi im Rü Stab Dänemark übersendet in der Anlage Lagebericht gemäß o.a. Bezugsverfügung.

gez. **Forstmann**

Abteilung Wehrwirtschaft   *Kopenhagen, den 21.6.1943*
im Rü Stab Dänemark   Geheim!
Gr. Ia Az. 66d 1 Nr. 2412/43g

Vordringliches

Die Beratungen über den neuen Gesetzentwurf zur Abschöpfung des Kaufkraftüberschusses in Dänemark sind jetzt abgeschlossen. Er wird in diesen Tagen dem Reichstag zugehen, nachdem vorher die Parteien Stellung genommen haben. Die Hauptpunkte desselben sind: 1. Steuern auf Kriegsgewinne, 2. Zwangssparmaßnahmen für Einkommen über 10.000 Kronen jährlich, 3. Erweiterung der Verpflichtung für die Banken Mittel flüssig zu halten, 4. Steuererhöhung für Tabak und Alkohol, 5. Erhöhung der Steuereinschätzung beim Verkauf landwirtschaftlicher Gebäude. Da der sogenannte Neumänner-Ausschuß, der sich aus Vertretern der Regierungsparteien zusammengesetzt, die Einzelheiten der Maßnahmen angenommen hat, ist mit der Annahme im Reichstag und mit der baldigen Durchführung zu rechnen.[117]
 Die Kohlen- und Koksversorgung Dänemarks ist nach wie vor als sehr ernst zu bezeichnen. Eingeführt wurden im Mai nur 118.000 to Kohle (davon 26.000 to für die dänische Staatsbahn) und 52.000 to Koks gegenüber einem Soll von 250.000 to Kohle und 82.000 to Koks. In der Zeit vom 1.-12.6.43 kamen nur 40.000 to Kohle und 10.000 to Koks zur Abladung. Vorgesehen sind für Juni insgesamt nur 150.000 to

---

[117] Se Jensen 1971, s. 202f.

Kohle und Koks (davon 30.000 to Kohle für die dänische Staatsbahn). Die Gaswerke haben nur noch Vorräte für 1 Woche. Die wenigen Kohlenladungen, die noch ankommen, werden ungeachtet der Tatsache, daß „das Kopenhagener Beleuchtungswesen" nur noch für 6 Tage Kohlen hat und der größte Kohlenverbraucher ist, für Gaswerke in der Provinz, vor allem Aarhus und Aalborg vorgesehen, da Kopenhagen notfalls als großer Umschlaghafen am leichtesten versorgt werden kann. Nachdem alle Brennstoffrationierungskarten und Einkaufsgenehmigungen am 16. Juni für ungültig erklärt worden sind, werden in Zukunft selbst für Braunkohlenbriketts nur noch in den dringendsten Fällen Einkaufsgenehmigungen ausgestellt werden. Es muß daher mit allem Nachdruck darauf hingewiesen werden, daß die Belange der Besatzungstruppe, vor allem aber der Rüstungsindustrie hinsichtlich Transport, Energie- und Wärmewirtschaft mehr und mehr in Mitleidenschaft gezogen werden, falls nicht eine grundlegende Änderung in der monatlichen Belieferung umgehend eintritt. Die Ausweichmöglichkeiten (Torf- und Braunkohlenproduktion) sind bereits aufs äußerste angespannt und werden durch den Waggonmangel und den schlechten Zustand der Transportmittel stark eingeengt.

Die im Lagebericht vom 3.4.43[118] erwähnten Verhandlungen mit der dänischen Regierung über Zurverfügungstellung von 20.000 m^3 = 225.000 hl Generatorholz haben insofern zu einem Ergebnis geführt, als vorläufig dänischerseits 20.000 hl monatlich (für 6 Monate) zur Verfügung gestellt wurden. Das Holz ist für die beim Festungsbau auf Jütland eingesetzten Lkw's der OT und des Sonderbaustabes der Luftwaffe bestimmt.

Zur Beschaffung von Betriebskohle für die Festungsbauten des Festungspionierstabes, der OT und des Sonderbaustabes der Luftwaffe wurde Abt. Wwi ebenfalls herangezogen. Sie beschaffte über den Beauftragten der Wehrmacht bei der Reichsstelle für Kohle außer den bisher gelieferten 1.910 to Steinkohle und 166 to Anthrazit weitere zusätzliche 1.500 to Steinkohle für Juli-August.

Der dänische Werkschutz, dem Abt. Wwi besondere Aufmerksamkeit zuwendet, hat sich durch die durchgeführte Bewaffnung besser als erwartet bewährt. Im Berichtsmonat wurden in 2 Werken je ein Saboteur erschossen.[119] In der Aalborg-Werft wurden 2 Saboteure mit Sprengmaterial vor Ausführung ihrer Absichten durch den Werkschutz festgenommen. Die Zahl der Sabotagefälle hat sich vermindert.

1a. Aufträge der Besatzungstruppe
Von der Abt. Wwi im Rü Stab Dänemark wurden im Monat Mai 43 Rohstoffsicherungen von Fertigungs- und Bauaufträgen sowie Wareneinkäufen der Besatzungstruppe in Dänemark, soweit hierzu Eisen, Stahl, NE-Metalle sowie Kautschuk benötigt wurden, in Höhe von 2.591 Mill. RM durchgeführt.

---

118 Trykt ovenfor.
119 BOPA var 17. maj i ildkamp med vagterne på Holbæk Hørskætteri, hvorved Harry Plambeck blev hårdt såret og påfølgende skød sig, og 28. maj blev Willy Schmidt dræbt af vagterne ved et værnemagtsdepot i Ole Rømersgade i Århus, da depotet blev søgt saboteret (Kjeldbæk 1997, s. 463, *Faldne i Danmarks Frihedskamp*, 1970, s. 366, 399f.).

1c. Holzversorgung

Für Aufträge der Besatzungstruppe in Dänemark sind im Monat Mai von der Abt. Wwi Bedarfsbescheinigungen über 4.063 cbm Nadelholz für die vorschußweise Freigabe aus den Beständen der dänischen Wirtschaft ausgestellt worden.

Der Verbrauch der einzelnen Wehrmachtteile war: Heer 788 cbm, Kriegsmarine 858 cbm, Luftwaffe 2.354 cbm, Festungs-Pionierstab 31 13 cbm, OT und Sonderbaustab 50 cbm.

Für das 3. Jahresquartal werden unter Berücksichtigung der Einsparungen im 2. Jahresquartal voraussichtlich 20.000 cbm benötigt.

5. Arbeitseinsatz

Die Zahl der Arbeitslosen betrug Ende Mai 1943 20.715. Es ist ein Rückgang gegenüber dem Vormonat von 13.787 zu verzeichnen.

Die Gesamtzahl der in Norwegen eingesetzten dänischen Arbeiter betrug 10.057, Zugang im Monat Mai 196.

Für Aufträge des Neubauamtes der Luftwaffe sind z.Zt. in Dänemark 6.379, für die des Festungspionierstabes 31 und der OT 9.118 dänische Arbeiter und Angestellte eingesetzt.

Dem Reich wurden im Monat Mai 2.276 Arbeitskräfte zugeführt, davon für Rü 299, für Bergbau 3, für Verkehr 283, für Land- und Forstwirtschaft 5, für Bau 785 und für die sonstige Wirtschaft 422.

6. Verkehrslage

Der Fährbetrieb verlief im Monat Mai normal. Der Ausfall der schwedischen Fähre auf der Strecke Kopenhagen-Malmö ist durch den Einsatz der dänischen Fähre „Prinz Christian" ausgeglichen worden. Die Reparatur der schwedischen Fähre wird sich bis zum Herbst 1943 hinziehen.

Auf der Strecke Warnemünde-Gedser laufen wie bisher 2 Fähren. Die Leistungsfähigkeit der Fähren ist aber gestiegen, da ab 17.5.43 in jeder Richtung 6 Fahrten anstatt früher 3-4 Fahrten durchgeführt werden.

Der Verkehr auf der Strecke Nyborg-Korsör war normal.

Für Nachschub nach Finnland und Schweden werden weiterhin 60 Wagen gestellt. Die Waggongestellung innerhalb Dänemarks für die Wehrmacht erfolgte zu 100 %, für den dänischen Bedarf aber nur noch zu 30 %.

Die dänische Schiffahrt war tonnagemäßig in folgender Rangfolge eingesetzt:
1.) Erzfahrt von Schweden nach Deutschland
2.) Kohlenfahrt nach Dänemark
3.) Innerdänische Fahrt
4.) Deutsche Küsten-Kohlenfahrt.

Für die OT wurden vom 1.-31.5.43 16.355 to Zement, davon 2.950 to mit dänischen Schiffen, und 27.189 to Kies, davon 2.142 to mit dän. Schiffen befördert.

7a. Ernährungslage

Infolge des milden Winters und des durchweg sehr günstigen Frühjahrswetters ist der

Stand der Winter- und Sommersaaten zufriedenstellend. Der Weizen steht ausgezeichnet. Der Stand der Backfrüchte ist ebenfalls als gut anzusprechen.

Der Heuernte hat vor ca. 10 Tagen begonnen und ist ebenfalls besser als im Vorjahr.

Die Schweinezählung am 8. Mai 1943 ergab einen Stand von 1.866.000 Stück. Der Rückgang gegenüber der letzten Zählung vom 27.3.43 beträgt 8.000 Stück. Die Kaninchenzucht hat in Dänemark eine starke Verbreitung erfahren. Die Milcherzeugung liegt höher als im Vorjahre um die gleiche Zeit. Der Fischfang hatte in den Monaten April und Mai vorzügliche Ergebnisse, besonders in Schollen, Dorsch und Hornfisch; dagegen waren im Feringfang nur mittelmäßige Fangergebnisse zu verzeichnen. Nach Deutschland wurden im Mai 11.056 to Fisch mit 828 Lkw-Transporten überführt.

Wertmäßig wurden im Monat April 43 aus den Lebensmittelbeständen das Landes entnommen:

für die deutschen Truppen in Dänemark: d.Kr. 3.044.777,72
für die deutschen Truppen in Norwegen: d.Kr. 4.480.238,30

133. Gustav vom Felde an das Auswärtige Amt 22. Juni 1943

AA fik brev om, at der ville komme 12 kriminalbetjente til København fra 1. juli i henhold til AAs brev af 13. maj.
    Samme brev gik til København. CdS sendte et nyt brev i sagen 12. juli 1943.
    Kilde: RA, pk. 229.

Abschrift Inl. II 1827 g   Geheim
Der Chef der Sicherheitspolizei und des SD   Berlin, den 22. Juni 1943.
I A 1 d Nr. 2507/43

An das Auswärtige Amt, Berlin.

Zum Schreiben vom 13.5.1943[120] – Nr. Inl. II 1261 g –
Abschrift.
FS.

Folgende Beamte der Sicherheitspolizei werden mit Wirkung vom 1.7.1943 bis auf weiteres zum Beauftragten für die Innere Verwaltung beim Bevollmächtigten des Deutschen Reiches in Kopenhagen abgeordnet:

1.	KOS.	Josef	Westermann	Kr.	Hamburg
2.	KOA.	Karl	Hemme	Kr.	Düsseldorf
3.	KOA.	Eduard	Verheyen	Kr.	Bochum
4.	KAng.	Anton	Thomer	Kr.	Essen
5.	KOA.	Alfons	Tiemann	Kr.	Recklingh.
6.	apl. KA.	Ernst	Vestweber	Kr.	Wuppertal
7.	KOA.	Walter	Lips	Kr.	Duisburg
8.	KOS.	Oskar	Bodeutsch	St.	Frankfurt/O.
9.	KS.	Walter	Thiel	Stl.	Breslau
10.	KAng.	Paul	Molzahn	St.	Köslin
11.	KS.	Josef	Eckl	St.	Regensburg
12.	KOA.	Arthur	Landskron	St.	Weimar.

Abschrift übersende ich mit der Bitte um Kenntnisnahme.
                                          Im Auftrage
                                          gez. **vom Felde**

134. Karl Schnurre an Werner Best 22. Juni 1943

Schnurre svarede på Bests forespørgsel 18. juni vedrørende von Hannekens beføjelser til at henvende sig til den danske regering. Det forholdt sig, som Best fremstillede det.
    Kilde: PA/AA R 29.567. RA, pk. 203.

---

120 Trykt ovenfor.

Telegramm

Fuschl, den	22. Juni 1943	10.47 Uhr
Ankunft, den	22. Juni 1943	11.15 Uhr
Nr. 981 vom 22.6.[43.]		Citissime!

1.) Telko
2.) Diplogerma Kopenhagen

Für Reichsbevollmächtigten.
Auf Nr. 743[121] vom 18. Juni.
Zu Ihrer persönlichen Information:
 Der von Ihnen zitierte Befehl des OKW ist so aufzufassen, wie Sie es in Ihrem Drahtbericht darstellen. Admiral Bürkner wird Generaloberst Fromm nochmals in diesem Sinne unterrichten, wenn er Generaloberst Fromm vor seiner Abreise noch erreicht.

Schnurre

Vermerk:
Unter Nr. 864 an Diplogerma Kopenhagen weitergeleitet.
Tel. Ktr., 22.6.43.

135. Werner von Grundherr an Joachim von Ribbentrop 22. Juni 1943

I forlængelse af bl.a. Bests brev 15. april, Wagners notits 10. juni og von Thaddens notits 19. juni tilsluttede von Grundherr sig på direkte forespørgsel af Lohmann 20. juni likvideringen af *Kamptegnet* som foreslået af Wagner.
 To dage efter forelå Ribbentrops tilslutning (Yahil 1967, s. 398 n. 61).
 Kilde: PA/AA R 99.413. RA, pk. 219. Lauridsen 2008a, nr. 98.

Pol VI   zu Inl.II A 4778

Das nach Art des "Stürmer" aufgezogene antijüdische Blatt "Kamptegnet" hat nach meinen Beobachtungen in Kopenhagen uns mehr geschadet als genutzt. Von gebildeten Dänen wurde es vielfach als abstoßende Pornographie bezeichnet. Der von der Presseabteilung verfügten Liquidierung der Zeitung wird von Pol VI daher durchaus zugestimmt. Unter den gegebenen Umständen erscheint es Pol VI auch unvermeidlich, daß für die Durchführung der Liquidierung RM 10.500.- in Devisen aus den Mitteln des Auswärtigen Amts dem Bevollmächtigten des Reichs zusätzlich zur Verfügung gestellt werden.
 Hiermit dem Büro RAM vorgelegt.
 Berlin, den 22. Juni 1943.

Grundherr

---

121 betr. Dienstverkehr des Befehlshabers mit Dänische Regierung bei Pol I M. Trykt ovenfor.

136. Werner Best an das Auswärtige Amt 24. juni 1943

Der var oprettet en flakmilits af frivillige danskere, der påtog sig opgaver for det tyske flyvevåben i Danmark. Det medførte, at danske forsikringsselskaber og fagforeninger krævede forhøjet risikotillæg. For at fastholde de frivillige anmodede Best om, at disse præmier blev betalt af tyske rigsmidler.[122]

Svaret er ikke bekendt (se Kanstein til RSHA 20. februar 1943).
Kilde: RA, pk. 285.

Der Bevollmächtigte des Reiches in Dänemark   Kopenhagen, den 24. Juni 1943
I B/Nr. 246/D Pol 3 Mil/43

Auf den Erlaß v. 9.6.1943 – RFU Dänemark, Förgen Ingver Nr. 2 –.
Betr.: Übernahme dänischer Versicherungsprämien und Fachschaftsbeiträge von Freiwilligen dänischer Staatsangehörigkeit auf Reichsmittel.
2 D.

Zwecks Freistellung deutscher Truppen für anderweitige Aufgaben hat der General der Luftwaffe Dänemark in Dänemark eine Flakmiliz geschaffen, in die ausschließlich Freiwillige dänischer Staatsangehörigkeit aufgenommen werden. Hierbei handelt es sich überwiegend um Dänen, die sich bereits zur Waffen-SS gemeldet haben, deren Einstellung jedoch wegen geringer körperlicher Fehler nicht möglich war. Diesen Freiwilligen waren bei ihrer Meldung zur Waffen-SS bereits alle die FU-Zahlungsbedingungen bedeutend übersteigenden Unterhaltssätze der Waffen-SS wie Übernahme der Steuern, Fachbeiträge, Versicherungsprämien, Heizungszuschläge, Übergangsbeihilfen an ledige Freiwillige usw. bekannt, sodaß die Meldungen für den Flakschutz nach Bekanntgabe der FU-Zahlungsbedingungen zurückgingen und bereits Einberufene nachträglich ausschieden.

Bei den bisherigen Entscheidungen des Herrn Reichsminister des Innern wurde hinsichtlich der Übernahme von Versicherungsprämien von in Dänemark abgeschlossenen Versicherungen davon ausgegangen, daß deutschen Wehrpflichtigen oder Freiwilligen der Abschluß der Versicherungen in Deutschland zugemutet werden könne und eine Übernahme der Prämien von im Ausland abgeschlossenen Versicherungen zwecks Devisenersparnis nicht möglich sei. Aus denselben Gründen kann den dänischen Freiwilligen nicht zugemutet werden, ihre Versicherungen in Deutschland abzuschließen. Während in Deutschland von den Versicherungsgesellschaften lediglich Sicherungsbeträge erhoben werden, verlangen die Gesellschaften in Dänemark neben den bisherigen Prämien Kriegsrisikozuschläge, die die Höhe der Prämien häufig übersteigen.

Die dänischen Staatsangehörigen sind weiterhin zu Eintritt in ihren zuständigen Fachverband verpflichtet, anderenfalls ihnen keine Arbeit zugewiesen werden kann. Fachverbände gewähren ihren Mitgliedern bei Arbeitslosigkeit und Invalidität Unterstützung und Altersrente, die sich jeweilig nach der Höhe der gezahlten Beiträge und

---

122 Best havde 24. juni 1943 en længere samtale med Ole Bjørn Kraft. Tillige var Nils Svenningsen og Vilhelm Fibiger til stede. Best var indbyder, og der blev taget referat af samtalen, men tilsyneladende fandt Best ikke mødet vigtigt nok til at orientere AA derom, selv om det ikke kan udelukkes, at telegrammet med orienteringen er gået til grunde. Kraft 1971, s. 212-217 refererer samtalen, men henlægger den fejlagtigt til 24. juli 1943 (Bests kalenderoptegnelser 24. juni 1943).

der Dauer der Mitgliedschaft richten, sodaß schon aus diesem Gründe die Fortzahlung der Fachschaftsbeiträge notwendig ist. Die in einzelnen Fällen angesuchte Ermäßigung der Beiträge, [die] sich durchschnittlich auf monatlich 15,- bis 30,- Kronen bekaufen, ist abgelehnt worden.

Da die Fortzahlung der Versicherungsprämien und Fachbeiträge die Freiwilligen stark belastet und vielfach [z]um Austritt des Freiwilligen aus dem Flakschutz und anderen Wehrabteilungen geführt hat, wird im Interesse der Werbung dänischer Freiwilligen gebeten, die Versicherungsprämien und Fachbeiträge bei verheirateten dänischen Freiwilligen grundsätzlich auf Reichmittel übernehmen zu dürfen, sofern die Versicherungen bereits mehr als 2 Monate vor dem Eintritt in die Wehrmacht abgeschlossen waren.

W. Best

137. Germanische Leitstelle an den Großdeutschen Rundfunk 24. Juni 1943

Germanische Leitstelle rettede en skarp kritik af den tyske radiopropaganda på dansk i de seneste måneder og bad om en ændring. Germanische Leitstelle i Danmark var villig til at medvirke ved udsendelsernes omstrukturering.

Af Fritz Noacks påtegning på afskriften i september 1943 fremgår det, at han var indstillet på at imødekomme SS' ønsker, og at der var bestræbelser i RMVP på at få Ernst Lohmann erstattet som radiokommissær i København. Nærmere om disse bestræbelser foreligger ikke, men Lohmann blev ikke udskiftet.

Kilde: RA, Danica 465, Moskva: Osobyj Archiv: 1363/1/163/143.

Abschrift!
Der Reichsführer SS *Berlin-Wilmersdorf 1, 24.6.43*
Chef des SS-Hauptamtes *Postschließfach 58.*
Germanische Leitstelle
Amtsgruppe D
DI 2 Dr. B./H. Az.: 2 a/10 d.

Betr.: Deutsche Rundfunkpropaganda in dänischer Sprache.

An den Großdeutschen Rundfunk
  Berlin-Charlottenburg 9.
  Masurenallee 8/14.

Die hiesige Dienststelle darf auf folgendes aufmerksam machen:

Seit einigen Monaten haben die deutschen Sendungen in dänischer Sprache merklich nachgelassen.

Die Ausgestaltung der Sendungen erscheint nach den hierseits gemachten Beobachtungen kaum geeignet, propagandistisch mit Erfolg zu wirken. Gewisse Sendungen, wie z.B. vom 5. Juni 1943, betitelt "Anna und die beiden Verehrer", erscheinen der hiesigen Dienststelle als politisch außerordentlich gefährlich. Sie darf darauf hinweisen, daß durch solche und ähnliche Sendungen der Behauptung der Feindpropaganda in Dänemark, die dänischen Arbeiter würden mit Tschechen und Polen, also mit "unterjochten" und besiegten Völkern gleichgestellt, Vorschub geleistet wird.

Die Germanische Leitstelle, als vom Reichsführer-SS für die Arbeit im germanischen Raum verantwortliche Dienststelle, darf der Leitung des Großdeutschen Rundfunks ihre Bedenken zur Kenntnis bringen und bitten, für eine inhaltliche Änderung besorgt sein zu wollen.

Die hiesige Dienststelle ist gern bereit, an der Umgestaltung der Sendungen mitzuwirken.

i.V. gez. Unterschrift (unles.)
SS-Obersturmbannführer

Herrn Weinbränner.
Diese Angelegenheit kann nur im Zusammenhang mit meinem letzten Bericht "Dänemark" Sept. 43 betrachtet werden. Werde f.d. Programm-Termine, die der SS paßt, ist die Haltung und Beeinflussung des jetzigen Rundfunk-Kommissars Lohmann in Kopenhagen.

MD Fritzsche hat sich nach Erstellg. meines Berichts dahin geäußert, daß er für Besetzung des Kopenhagener Rdfk-Postens einen geeigneten Rundfunk-Fachmann haben wolle.

Noack 28/9.43[123]

138. Kriegstagebuch/Admiral Dänemark 24. Juni 1943

Da en fjendtlig invasion eller et fjendtligt angreb igen var en mulighed, ville admiral Wurmbach have sikkerhed for, hvordan den danske marine stillede sig i den situation, og for at de danske krigsskibe ikke faldt i fjendens hænder. Detaljerne herom blev aftalt med viceadmiral Vedel, der forsikrede om den danske marines ubetingede loyalitet.

De indgåede aftaler lå i forlængelse af de bekymringer, som Wurmbach havde givet udtryk for over for Seekriegsleitung 2. april 1943 straks efter sin tiltræden.

Kilde: KTB/ADM Dän 24. juni 1943, RA, Danica 628, sp. 3, s. 2036-39.

[...]
Auf Grund der Entwicklung der Lage, die eine Invasion oder einen Raid auf Jütland wieder in den Bereich des Möglichen gelangen läßt, habe ich mit dem dänischen Marineministerium Verhandlungen darüber geführt, was im Falle einer anglo-amerikanischen Invasion zu veranlassen sei, um sicherzustellen, daß dänische Kriegsschiffe nicht in gegnerische Hand fallen. Ich habe in diesem Zusammenhang weiter an den Chef der dänischen Kriegsmarine, Vizeadmiral Vedel die Frage gerichtet, ob und welche Garantien er mir geben könne, daß seine Befehle im Ernstfall bedingungslos ausgeführt würden. Er antwortete mir darauf, daß er während seiner Amtsführung soviel Beweise des Vertrauens seiner Offiziere gefunden habe, daß er an ihre Loyalität unbedingt glaube.

Die dänische Marine hat mir dann am 17.6. durch den Verbindungsoffizier nach-

---

123 Noacks påtegning er tilføjet med håndskrift.

stehenden Befehl an die im Dienst befindlichen Schiffe im Falle einer solchen Invasion oder dergl. auf dänischem Gebiet übermittelt:
1.) Wenn das Schiff sich in der Nähe des Invasionsgebietes aufhält, soll der betr. Hafen (Fahrwassergebiet) so schnell wie möglich verlassen und das Schiff von dem Invasionsbereich entfernt werden.
2.) Falls sich das Schiff in See, außerhalb des eigentlichen Invasionsgebietes befindet, so soll es in den Hafen einlaufen unter gleichzeitiger Entfernung vom Invasionsgebiet.

Die Chefs der Marine-Distrikte in Jütland haben Anweisung erhalten, auf ihren Posten zu verbleiben, solange sie ihren Dienst versehen können und sich nach eigenem Ermessen zurückzuziehen, sobald dies nicht mehr der Fall ist, oder falls sie es sonst für nötig halten.

Da vorstehende Weisung völlig unzureichend ist, habe ich heute mit Einverständnis von Ost an das dänische Marineministerium folgende Forderungen als Ergänzung ihres Befehls gestellt:
1.) Die im Ost-jütischen Raum befindlichen Kriegsfahrzeuge pp. sollen, sobald Admiral Dänemark die entsprechende Anweisung an das dänische Marineministerium gibt, beschleunigt durch den Kleinen Belt nach dem Fahrwasser südlich Fünen verlegt werden.
2.) Alle anderen Kriegsfahrzeuge pp. haben den nächsten nichtjütischen Hafen aufzusuchen. Sämtliche Kriegsfahrzeuge sollen ihr Eintreffen im Hafen sofort an das dänische Marineministerium melden. Sollte eine Invasion außer in Jütland auch auf den Inseln Fünen und Seeland stattfinden, so werde ich besondere Weisungen je nach Lage entsprechend den Richtlinien für eine Invasion auf Jütland geben. Das Gleiche gilt sinngemäß für eine Landung allein auf den letztgenannten Inseln.
3.) Sämtliche dän. Kriegsfahrzeuge haben grundsätzlich Funkstille zu bewahren, nachdem sie ein vom Marineministerium gegebenes Stichwort betr. die Invasion quittiert haben. Sie haben jedoch empfangsbereit zu bleiben.

Die Fernsprechanschlüsse der dän. Marine bleiben weiter freigestellt. Wegen der Fernschreibverbindungen soll die dänische Marine melden, welche Verbindungen unbedingt aufrechterhalten werden müssen.
4.) Alle sonstigen Weisungen an die dän. Kriegsfahrzeuge grundsätzlicher Art, soweit sie in Beziehung zur Invasion (Raid) stehen, sind im Einvernehmen mit Admiral Dänemark festzulegen.
5.) Beurlaubungen von Bord der Schiffe finden grundsätzlich nicht mehr statt bis auf die dienstlich unbedingt erforderlichen Landgänger.
6.) Für die Marineangehörigen in Landstellungen einschl. der Besatzungen von Insel-Batterien haben die vom Befehlshaber der deutschen Truppen in Dänemark aufgestellten grundsätzlichen Weisungen sinngemäß Anwendung zu finden.

Um sicherzustellen, daß mit der Batterie auf Middelgrund-Fort keine feindlichen Handlungen gegen uns unternommen werden können, habe ich unter der Begründung, daß es nicht ausgeschlossen sei, daß der Engländer versuchen würde, sich mit Luftlandetruppen oder durch Handstreich von See aus in den Besitz von Middelgrund zu setzen, verlangt, daß Maßnahmen getroffen werden, um die Gefechtsbereitschaft der Geschütze während der Zeit einer Invasion auszuschalten. Die dän. Marine soll entsprechende Vorschläge machen.

7.) Weitere Fragen, z.B. bezüglich des Minensuchens auf dänischen Wegen deren Lösung im beiderseitigen Interesse liegt, habe ich mir vorbehalten. Ich denke hierbei vor allen Dingen an die Freihaltung des Minenweges Nyborg-Korsör, die bisher von der dänischen Marine durchgeführt wird.
8.) Alle dänischen Kriegsfahrzeuge sollen mit Beginn der Invasion zu ihrem eigenen Schutze und als Erkennungszeichen für deutsche Flugzeuge auf dem Oberdeck eine dänische Flagge aufmalen.
9.) Die dän. Marine soll mit Beginn der Invasion einen Verbindungsoffizier in Permanenz zum Admiral Dänemark entsenden. Desgleichen werde ich einen deutschen Verbindungsoffizier zur dänischen Marine beordern.

Diese Maßnahmen sind mit der Anweisung des Befehlshabers der deutschen Truppen in Dänemark an das dän. Heer für den Fall einer Invasion abgestimmt.
[...]

139. Horst Wagner an Werner Best 25. Juni 1943
Best fik meddelelsen om, at der ville ankomme 12 kriminalbetjente 1. juli 1943.
Kilde: PA/AA R 100.758. RA, pk. 229.

Telegramm

Berlin, den   25. Juni 1943
Ankunft, den

Nr. 883
Referent: VK Geiger
Betreff: Abstellung von Sicherheitsbeamten nach Kopenhagen

Im Anschluß an Drahterlaß Nr. 834.[124]
　　Chef Sicherheitspolizei mitteilt, daß mit Wirkung von 1. Juli 1943 bis auf weiteres 12 Sicherheitsbeamte dorthin abgestellt werden; deren Namen vom Chef Sicherheitspolizei dorthin unmittelbar mitgeteilt werden.
**　　　　　　　　　　　　　　　　Wagner**

140. Conrad Roediger: Notiz 25. Juni 1943
Med henvisning til de fra OKW 18. juni fremsendte dokumenter refererede Roediger det dagen før afholdte møde om udkast til en tysk-dansk aftale om værnemagtsskader.
　På mødet blev ikke draget en endelig konklusion, og drøftelserne med den danske regering blev ikke videreført eller afsluttet før 29. august 1943. Efterfølgende blev der ikke indgået nogen aftale.
　Se det tyske rigsjustitsministerium til AA og OKW 21. oktober 1944.
　Kilde: RA, pk. 284. PKB, 13, nr. 714.

---

124 Telegrammet fra 12. juni 1943 er trykt ovenfor.

Ref.: VLR Dr. C. Roediger zu R 15076

An der Besprechung im OKW haben teilgenommen:
 Min. Rat Schreiber vom OKW,
 Min. Rat Ehrhardt, Reichsfinanzministerium,
 Min. Rat Kühne, Reichsministerium des Innern,
 Oberlandesgerichtsrat Féaux de la Croix, Reichsjustizministerium,
 VLR Dr. C. Roediger, als Vertreter des AA.

Zunächst wurde die Frage erörtert, ob neben dem Abkommen über den Ersatz von Wehrmachtschäden auch ein Abkommen mit Dänemark über die Regelung zivilrechtlicher Vertragsstreitigkeiten, an denen die deutsche Wehrmacht oder deutsche Wehrmachtangehörige beteiligt sind, geschlossen werden soll. Der Vorschlag zu einem solchen zweiten Abkommen ist bisher der Dänischen Regierung noch nicht gemacht worden. Zur Frage der Zweckmäßigkeit eines solchen zweiten Abkommens erklärte ich mich nicht abschließend äußern zu können. Hierzu müßte auch die Meinung des Bevollmächtigten des Reichs in Kopenhagen eingeholt werden. Der Abschluß würde bedeuten, daß die Zuständigkeit der dänischen Gerichte, die in der Praxis freilich in allen Fällen, in denen Wehrmachtangehörige beteiligt sind, nicht in Anspruch genommen werden, auch theoretisch ausgeschlossen wird. Aus diesem Grunde könnten unter Umständen die Dänen den Abschluß eines solchen Abkommens verweigern.

Nach Mitteilung von Herrn Min. Rat Schreiber zahlt die Wehrmacht in Fällen von Vertragsschäden an die dänischen Gläubiger freiwillig dann, wenn das Ansehen der deutschen Wehrmacht infolge Nichtzahlung gefährdet werden würde.

Die Möglichkeit des Abschlusses eines Abkommens zur Regelung zivilrechtlicher Vertragsstreitigkeiten wurde in der Besprechung nicht grundsätzlich abgelehnt. Es wurde jedoch beschlossen, in der Angelegenheit vorerst keine weiteren Schritte nach außen zu unternehmen. Zunächst soll die Stellungnahme der Dänischen Regierung zu dem ihr mitgeteilten deutschen Entwurf zu einem Abkommen über den Ersatz von Wehrmachtschäden (Anlage 1 des Schreibens des OKW vom 18. Juni)[125] abgewartet werden. Ist die Stellungnahme positiv, dann kommt gegebenenfalls eine kurze Mitteilung an die Dänische Regierung dahingehend in Frage, daß die deutsche Delegation bei den Verhandlungen über das Abkommen betreffend den Ersatz von Wehrmachtschäden auch die Frage zur Regelung zivilrechtlicher Vertragsstreitigkeiten zu erörtern gedenke. Von der vorherigen Übergabe eines Abkommensentwurfs (vgl. Anlage 2 zum Schreiben des OKW vom 18. Juni)[126] soll jedoch abgesehen werden.

Es wurden sodann die Einzelheiten des Entwurfs zu einem Abkommen über den Ersatz von Wehrmachtschäden (Anlage 1) durchgesprochen; vergl. die dort vorgenommenen kurzen Bleistiftnotizen.

Das Gleiche geschah bezüglich der Anlage II. Eingehender wurde besprochen die Frage des von dem Militärbefehlshabers angeregten Schlußprotokolls, das in dieser Form

125 Trykt ovenfor.
126 Trykt ovenfor.

nicht belassen werden kann. Es wurde sodann erörtert, ob die Abkommen über den Ersatz von Wehrmachtschäden und zur Regelung zivilrechtlicher Vertragsstreitigkeiten gegebenenfalls gesondert abgeschlossen werden sollen oder ob es sich empfiehlt, die beiden Abkommen in einem einheitlichen Abkommen zusammenzufassen. Die Sitzungsteilnehmer sprachen sich aus formellen Erwägungen zugunsten der letzten Alternative aus.

Oberlandesgerichtsrat Féaux de la Croix überreichte zum Schluß die anliegende Aufzeichnung, die ebenfalls durchgesprochen wurde.[127]

Berlin, den 25. Juni 1943.

Roediger 25/6

141. Werner Best an das Auswärtige Amt 26. Juni 1943

Best kunne meddele AA, at von Hanneken vedkendte sig begrænsningerne i sine muligheder for direkte henvendelser til den danske regering.

Med dette telegram havde Best fået stadfæstet sin sejr i kompetencekampen med von Hanneken.

Kilde: PA/AA R 29.567. RA, pk. 203.

Telegramm

Kopenhagen, den	26. Juni 1943	15.55 Uhr
Ankunft, den	26. Juni 1943	16.30 Uhr

Nr. 773 vom 26.6.[43.]

Unter Bezugnahme auf das Telegramm Nr. 864[128] vom 22.6.43 teile ich mit, daß in einer Besprechung am 25.6.43 der Befehlshaber der deutschen Truppen in Dänemark meine Auffassung grundsätzlich anerkannt hat. Um eine reibungslose Durchführung sicherzustellen, wird eine Art gemeinsamer Dienstanweisung für die beiderseitigen Dienststellen ausgearbeitet werden. Unter diesen Umständen bitte ich, dafür zu sorgen, daß das OKW gegenüber dem Befehlshaber der deutschen Truppen in Dänemark nichts mehr veranlaßt, weil dies nur eine neue Verstimmung auslösen würde.

Dr. Best

142. Werner Best an das Auswärtige Amt 28. Juni 1943

Best tog efter de foreløbigt trufne beslutninger vedr. *Kamptegnet* spørgsmålet op, om og i hvilken form Aage H. Andersen skulle betale den bøde tilbage, som AA havde lagt ud for. Videre ønskede han, at der blev sørget for, at Andersen ikke på nogen måde blandede sig i dansk politik eller forstyrrede den af Best lagte politiske linje, når han blev ansat af Antikomintern i Berlin.

Det er åbenbart, at det ikke passede Best, at der på den måde blev sørget for Andersen. Han havde helst set ham som en fuldstændig færdig mand i forhold til tyske interesser.

Kilde: PA/AA R 99.413. RA, pk. 219. LAK, Frits Clausen-sagen XI/110. Lauridsen 2008a, nr. 100,

---

127 Trykt ovenfor.
128 Pol I M … (Fuschl 981). Trykt ovenfor.

Der Bevollmächtigte des Reiches in Dänemark Kopenhagen, den 28.6.43.
II P. 137/43.

An das Auswärtige Amt Berlin

Betr.: Aage H. Andersen.
Auf den Erlaß Inl. II A 4240 vom 28. v.M. Im Anschluß an den Bericht II P 100/43 v. 17. v.M.[129]
2 Durchschläge.

Die Frage, ob und in welcher Form die an Aage H. Andersen zur Begleichung der gegen ihn verhängten Geldstrafe gezahlten 10.000 Kronen von Andersen zurückgezahlt werden sollten, ist seinerzeit nicht berührt worden. Ebensowenig ist ihm aber auch diese Summe ausdrücklich als endgültiger und nicht rückzahlbarer Zuschuß übergeben worden.

Bei der inzwischen durchgeführten Liquidierung von "Kamptegnet" hat sich eine weitgehende Verschuldung des Unternehmens herausgestellt. Andersen selbst ist hierbei von einem Verschulden insofern nicht freizusprechen, als offenbar im Zusammenhang mit seinen sehr ungeordneten persönlichen Verhältnissen seine Entnahmen für seinen eigenen Bedarf zu hoch waren. Leider ist seinerzeit unterlassen worden, den Teil der monatlich an Andersen für "Kamptegnet" gezahlten Unterstützung festzusetzen, der ihm persönlich zur Verfügung stehen sollte. Andersen selbst hat bei der Abschlußrechnung für "Kamptegnet" auf der Aktiv-Seite das Guthaben eingesetzt, das in Berlin bei der Antikomintern für ihn besteht. Da auch eine volle Inanspruchnahme dieses Guthabens nicht ausreicht, um die bei "Kamptegnet" noch vorhandenen Verpflichtungen zu decken, erübrigt sich die Frage, ob eine Verrechnung der an Andersen zur Deckung der Geldstrafe gezahlten 10.000 Kronen mit seinem Reichsmarkguthaben in Berlin angebracht ist oder nicht. Die 10.000 Kronen müssen nunmehr als endgültiger und nicht mehr einzubringender Zuschuß angesehen werden.

Der mit der Liquidierung von "Kamptegnet" betraute Beauftragte der Mundus A.G. Schillinger hält, wie er inzwischen in Berlin selbst vorgetragen hat, den Betrag von 20.000 Kr. zur endgültigen Abwicklung des Unternehmens für notwendig. Wie Schillinger mitteilt, ist von dort aus vorgesehen, diesen Betrag außerhalb des laufenden Devisenkontingentes zur Verfügung zu stellen. Ich begrüße eine solche Regelung sehr, da die Zahlung dieses Betrages aus laufenden Mitteln des ohnehin außerordentlich beanspruchten Devisenhaushalts meiner Behörde nicht möglich ist. Ich halte es für unbedingt richtig, daß das Reichsmarkguthaben des Andersen bei der Antikomintern voll gegen diesen Kronenbetrag aufgerechnet wird.

Wie Schillinger weiter mitteilt, beabsichtigt die Antikomintern, in Zukunft Aage H. Andersen und einen seiner Mitarbeiter laufend hauptamtlich zu beschäftigen. Ich habe hiergegen nichts einzuwenden unter der Voraussetzung, daß Andersen seine Tätigkeit in Berlin nicht dazu benützt, sich in innerdänische Angelegenheiten in einer Form einzu-

---

129 Thadden til Best 28. maj og Best til AA 17. maj 1943. Begge er trykt ovenfor.

mischen, die der von mir eingeschlagenen politischen Linie widerspricht, und daß nicht durch eine verzerrte und den tatsächlichen Verhältnissen nicht entsprechende Berichterstattung ein falscher Eindruck von der wirklichen Lage in Dänemark hervorgerufen wird. Ich bitte, die Antikomintern ausdrücklich hierauf hinzuweisen und ihr aufzuerlegen, in allen Fällen von Bedeutung die notwendigen Genehmigungen – gegebenenfalls durch Rückfrage bei mir – einzuholen.

W. Best

143. Horst Wagner an Ernst Kaltenbrunner 30. Juni 1943

Himmler havde bemyndiget Wagner til at meddele Kaltenbrunner, at foreløbige foranstaltninger mod jøderne i Danmark skulle undlades, til der kom en ny ordre fra Himmler.

Med den valgte formulering indebar meddelelsen ikke, at "jødespørgsmålet" i Danmark var ude af fokus, men alene at en beslutning i spørgsmålet var udsat.

Nogen samtidig begrundelse for denne beslutning foreligger ikke, men ved en forklaring under både Wilhelmstraße- og Eichmann-processen har Wagner tildelt statssekretær Adolf von Steengracht et initiativ over for Himmler. Det har Yahil imidlertid ikke har haft tiltro til, men (alene med brug af Eichmann-processens akter) ment, at Wagner handlede på eget initiativ.

Det forekommer mig usandsynligt, at Wagner skulle have foretaget et sådant skridt uden rygdækning i AA, og ikke mindst savner jeg svar på, hvad han havde at tilbyde Himmler, så denne lod ham skrive direkte til Kaltenbrunner vedrørende en ordre i en sag af denne karakter. Det er her værd at se, hvad der var på dagsordenen mellem AA og Himmler i de sidste dage af juni 1943, nemlig Werner Bests kommende møde i Berlin, hvor han bl.a. skulle have tilladelse til at mødes med Himmler, og der skulle fastlægges en dagsorden for, hvad Best kunne drøfte med Himmler. Det var Ribbentrop, der ikke gerne så, at Best skulle forhandle direkte med Himmler. Best og Himmler havde imidlertid en fælles sag, de både gerne ville have fremmet og Ribbentrops accept af, nemlig "einer volksdeutschen Angelegenheit" (Wagner 1948, men der var rettelig tale om hvervning til Schalburgkorpset og Bests tilknytning til samme).[130] Den tilladelse havde Ribbentrop hidtil ikke givet, tværtimod var Best blevet grundigt tilrettevist for at have begivet sig ind på dette felt. Det er mit bud, at Himmler under drøftelserne med Wagner om, hvad der for Ribbentrop kunne være et tilladeligt dagsordenspunkt for hans møde med Best, lod "jødespørgsmålet" hvile indtil videre.[131] Ved allerede forud at have udskudt en ordre i "jødespørgsmålet", bortfaldt det for det første som et muligt dagsordenspunkt, for det andet banede det vejen for, at fokus kunne flyttes til dagsordenspunktet om det tyske mindretals militære uddannelse og tjeneste i SS (det er en anden sag, at det reelt kom til at dække over, at Schalburgkorpset alligevel blev det væsentligste emne under mødet). Støtte for synspunktet kan findes i Wagners forklaring 13. maj 1948 (Steengracht Dok. Nr. 34 under Wilhelmstraße-processen), hvor han fik forelagt sine to skrivelser af 30. juni 1943 og bl.a. forklarede følgende om forberedelsen til mødet mellem Best og Himmler: "Als ich im Büro über den Termin für Best verhandelte, kam Himmler in das Zimmer. Er fragte mich nach der allgemeinen Lage in Dänemark, die ich als sehr günstig schilderte. Er sagte, das sei erfreulich, worauf ich die Gelegenheit benutzte, um hinzuzufragen, daß diese Lage sofort aufhören würde, wenn wir die jüdische Frage in Dänemark anschneiden würden. Mit den Worten, das gleiche hat Steengracht mir auch gesagt, wollte er das Zimmer verlassen, blieb dann zwei bis drei Minuten stehen und sagte plötzlich: Sie haben recht. Wir wollen das lieber bleibenlassen. Er fügte dann noch hinzu, wenn der Außenminister damit einverstanden sei, solle ich dieses auch dem Chef des SD mitteilen." (RA, Danica 234, pk. 89, læg 1166).[132] Ribbentrops billigelse blev opnået, som det fremgår af Wagners notat samme dag.

130 Se Best til Ribbentrop 7. juli 1943, pkt. 3 vedrørende Bests drøftelse af Schalburgkorpset med RFSS.
131 Horst Wagner var AAs formelle forbindelsesled til Reichsführer-SS.
132 Afhørt 25. juni 1948 udtalte Steengracht sig i forlængelse af Wagners forklaring, hvilket dog næppe gør fra eller til med hensyn til troværdigheden (RA, Danica 234, pk. 88, læg 1148).

Det kan indvendes, at Wagners forklaring i 1948 passer påfaldende godt med de dokumenter, som han blev forelagt, men den er samtidig så enkel og overdriver ikke sin egen og Steengrachts rolle. Den kan derfor ikke helt afvises, selvom han ikke fortalte, hvad der politisk blev handlet med på samme tid (Wagner skaffede Himmler Ribbentrops accept af mødet med Best), for det ville trods alt have mindsket vidneudsagnets kraft (Yahil 1967, s. 83f. og s. 392 note 147, ADAP/E, 5, s. 702 note 4, Best 1988, s. 115, Herbert 1994, s. 97f. KB, Lauridsen 2008a, s. 597)..

Se endvidere Wagners notat 30. juni 1943.
Kilde: PA/AA R 100.864. RA, Danica 234, pk. 89, læg 1162 (afskrift). Best 1988, s. 281 (faksimile). Lauridsen 2008a, nr. 101.

AA
Leiter Gruppe Inland II
Nr. Inl. II 1142g

Berlin SW 35, den 30.6.1943
Geheim

An SS-Obergruppenführer und General der Polizei Kaltenbrunner
Berlin SW 11
Prinz-Albrecht-Straße 8

Obergruppenführer!
Der Reichsführer-SS hat aufgrund eines Vortrages entschieden, daß vorläufige Judenmaßnahmen auf dem Gebiet der Judenpolitik in Dänemark so lange unterbleiben sollen, bis ein neuer Befehl von ihn in dieser Frage ergeht.

Der Reichsführer-SS beauftragte mich, Sie von dieser seiner Weisung in Kenntnis zu setzen; ich hatte ja bereits mündlich diese Angelegenheit bei meinem letzten Besuch zur Sprache gebracht.

Heil Hitler!
gez. **Wagner**

144. Horst Wagner: Vermerk 30. Juni 1943

Wagner orienterede AA om resultatet af et møde, han havde haft med RFSS, hvor jødespørgsmålet var blevet strejfet. RFSS bemyndigede Wagner til at underrette Kaltenbrunner om, at foranstaltninger i jødespørgsmålet skulle undlades, indtil der kom en ny ordre fra RFSS, under forudsætning af, at RAM tilsluttede sig denne ordning. På grundlag af Wagners forelæggelse tilsluttede RAM sig helt denne ordning.

Danmark bliver ikke nævnt med et ord, men Wagners to skrivelser af 30. juni 1943 foreligger sammen, så der er ikke tvivl om sammenhængen. Dette notat giver ikke alene Wagner en aktiv rolle i forbindelsen med at få realiseret Bests besøg hos RFSS, han varetager også den politik, som Best ønskede at føre i Danmark: At få udskudt en jødeaktion længst muligt. Samtidig fik han også Ribbentrops tilslutning, så der var åbnet for det møde mellem RFSS og Best, som RAM havde været mistænksomt indstillet over for.
Kilde: PA/AA R 100.864. RA, Danica 234, pk. 89, læg 1162.

Gr. Inland II

Inl. II 1142 g.

Vermerk

Die Behandlung der Judenfrage wurde von mir beim Reichsführer-SS während eines Vortrages angeschnitten. Der Reichsführer beauftragte mich, den Chef des SD davon zu unterrichten, daß alle Maßnahmen der Judenfrage zu unterbleiben haben, bis ein erneuter Befehl seinerseits ergangen ist unter der Voraussetzung, daß der RAM dieser Regelung zustimmt.

Der RAM war aufgrund meines Vortrages mit dieser Regelung voll einverstanden.
Berlin, den 30.6.1943

[uden underskrift]

145. Kriegstagebuch/Admiral Dänemark 30. Juni 1943
Wurmbach diskuterede mulighederne for at spærre Frederikshavn havn i tilfælde af et fjendtligt angreb. I modsætning til BSO ville han gøre mest muligt for at undgå at ødelægge kajanlæggene, da de skulle kunne benyttes af tyskerne igen. Derfor gik han ind for en løsning med minespærringer. Dernæst blev de danske krigsskibes stilling i tilfælde af en invasion diskuteret. Wurmbach gik ud fra, at danskerne hverken ville ønske flåden sænket eller, at den faldt i englændernes hænder. I tilfælde af en invasion, var det BSO, der skulle sikre færgefarten mellem Korsør og Nyborg. Hvordan de danske fiskere skulle forholde sig, var også blevet drøftet med de danske myndigheder. Fiskerne skulle fjerne sig fra krigszonen og søge havn. Der blev ikke længere skudt på danske fiskefartøjer uden for de lovlige fiskeområder. Man ville stiltiende affinde sig dermed i egen interesse, men forberede de straffe, der kunne tages i anvendelse i fremtiden. Sabotagens niveau var uændret, og med de mange anholdelser blev der i det mindste regnet med, at den ikke ville stige yderligere.

Kilde: KTB/ADM Dän 30. juni 1943, RA, Danica 628, sp. 3, s. 2049-53, 2056f.

[...]
VI. Sperrung des Hafens Frederikshavn
Im Rahmen der Überlegungen zur Erreichung des *höchstmöglichen* Verteidigungsstandes der dänischen Häfen war im Hinblick auf Landungsmöglichkeiten des Feindes in Nordjütland geplant, den Hafen Frederikshavn kurzfristig durch eine flachstehende Minensperre (Alarmsperre) zu sichern.

Die gut ausgebauten und umfangreichen Kaianlagen bieten m.E. einen besonderen Anreiz für großangelegte Landungsunternehmen.

Da bei funktionierender Artillerie-Verteidigung des Hafens rein seemännisch gesehen seine Forcierung mit Transportern sehr schwierig ist, wurde zur *Sicherung gegen Landungsboote* eine FMB-Sperre mit 3 Sperrstücken in unmittelbarer Nähe der Hafeneinfahrt (Tiefeneinstellung 0,5 m) für ausreichend angesehen.

Es war beabsichtigt die Sperre erst zu werfen, wenn die Gefahr einer feindl. Landung klar erkannt ist und die Sperre selbst *unmittelbar* nach Abwehr des feindlichen Unternehmens wieder aufzunehmen, sodaß eine Gefährdung eigener Fahrzeuge – nach Vorgang Kolberg und Memel Sperre – von vornherein ausgeschaltet war.

Als *Vorteile* einer solchen Sperre wurden angesehen:
1.) Verhältnismäßig geringer Minenbedarf
2.) Überwachung durch die Leuchtmittel der Küstenbatterien und Sicherung durch Artillerie
3.) Leichte Räumbarkeit.

Der seitens BSO angeführte *Nachteil*: Infragestellung der vollen Verwendbarkeit des Hafens bis zum letzten Augenblick ist m.E. nicht stichhaltig, da die Sperre erst zu einer

Zeit geworfen werden sollte, zu der wegen der militärischen Lage ein Ein- und Auslaufen von BSO-Streitkräften mit hoher Wahrscheinlichkeit sowieso nicht mehr in Frage kommt. Sollte dies aber doch noch nötig werden, so war zum Umgehen der Sperren im Bedarfsfall das Ausbringen von Bojenleuchten vorgesehen. Der Gegenvorschlag des BSO: Bei notwendiger Räumung [Zer?-]Störung der Hafenanlagen und Verseuchung des Hafens mit Grundminen. [Das] habe ich gestützt auf meine Kriegserfahrungen im Schwarzen Meer abgelehnt, da im Hinblick auf die vom Truppenbefehlshaber Dänemark beabsichtigte baldige Wiedereroberung von Frederikshavn sichergestellt sein muß, daß der Hafen baldigst wieder benutzbar ist. [Es] ist natürlich damit zu rechnen, daß der Feind vor dem Abzug möglichst viel zu zerstören versuchen wird, umsomehr sollten wir uns in die[se] Richtung zurückhalten.

Ost hat sich der Stellungnahme BSO angeschlossen und angeordnet, die Sperrung des Hafens im äußersten Notfall durch Versenkung von Schiffen in der Einfahrt vorzubereiten.

Ich muß hiergegen Bedenken erheben, da durch die technisch zwar mögliche Blokkierung der Hafeneinfahrt das Ein- und Auslaufen für *längere* Zeit in Frage gestellt wird und da bei Beseitigung [der] versenkten Schiffe durch Sprengung schwere Beschädigungen der Molen unvermeidbar sind. Ein Versenken des Blockschiffes durch Öffnen der Bodenventile geht im Gefahrfalle zu langsam.

Es wird daher vorgeschlagen, um all' den geschilderten Schwierigkeiten aus dem Weg zu gehen, die 3 Sperrstücke als *abhängige* Minensperren auszubringen.

VII. Kriegsschiffe der dänischen Marine im Falle einer Invasion
Ich habe befehlsgemäß bei der dänischen Marine die Frage angeschnitten, was sie im Falle einer Besetzung eines dänischen Kriegsschiffes etwa durch engl. Luftlandetruppen pp. zu tun gedenke. Die Besprechung hinterließ zunächst den Eindruck, daß dieser Fall dänischerseits als zu unwahrscheinlich in den Rahmen der Erwägung nicht einbezogen worden ist. Es wurde von den Dänen darauf hingewiesen, daß der Befehl sich im Falle eines Angriffes bis zum Äußersten zu verteidigen, der seinerzeit wegen möglicher engl. Fliegerangriffe gegeben wurde, unbeschränkte Gültigkeit habe.

Es ist klar, daß ein offizieller Versenkungsbefehl vorher die Billigung der dänischen Regierung erfahren muß. Dies wird auf erheblichen Widerstand stoßen, weil man befürchtet, die Stellung der Regierung gegenüber dem Volke dadurch zu erschüttern.

Wie in ähnlich gelagerten Fällen schon wiederholt geschehen, ist damit zu rechnen, daß die gegen einen solchen Befehl agitierenden Teils der dän. Regierung wegen der eigene Neutralitätsbrüche auf die Möglichkeit engl. Repressalien hinweisen und dabei die an sich feindliche Einstellung des größten Teile des dänischen Volkes hinter sich haben.

Anderseits ist anzunehmen, daß die Dänen großes Interesse haben werden, ihre Kriegsschiffe zu erhalten, sie also weder zu versenken, noch in die Hand des Engländers fallen zu lassen. Daß der Engländer sich durch Handstreich aus der Luft in den Besitz eines dänischen Kriegsschiffes setzen kann, ist zwar möglich, jedoch nicht sehr wahrscheinlich, weil sich das Unternehmen nicht lohnt, da jede Unternehmung, die mit einem englischerseits besetzten dänischen Kriegsschiff durchgeführt werden könnte, schneller und einfacher durch die Luftwaffe zu erreichen wäre.

VIII. Dänische Fähren auf Strecke Korsör-Nyborg im Falle einer Invasion
Es sind seit längerer Zeit Erwägungen darüber Angestellt worden, was geschehen muß, wenn die dänischen Fähren auf der Strecke Korsör-Nyborg bei einer Invasion durch Streik der dän. Besatzungen lahmgelegt werden oder durch Bombenschaden ganz ausgefallen sind. Die Aufrechterhaltung dieser Verbindung ist kriegswichtig.

Nachdem die deutsche Reichsbahn erklärt hatte außerstande zu sein personell oder materiell Ersatz zu stellen, hatte ich beantragt, die 13. L.-Flottille in den dänischen Raum zu verlegen, um sie im Notfall sowohl im Limfjord, als auch im Großen Belt zur Verfügung zu haben. Dies wurde abgelehnt, da die Flottille wegen der Ausbildung des für Mar. Fährprähme dringend benötigten Personals zwingend in ihrem bisherigen Raum verbleiben müssen.

Da in meinem Bereich selbst keine Möglichkeit besteht, für die etwa ausfallenden Fähren Ersatz bereit zu stellen, habe ich mit dem BSO Verhandlung darüber geführt, ob er äußerstenfalls Sperrbrecher oder Wachschiffe für den Fährbetrieb stellen könne. Der BSO hat das zug[?estimmt.] Erforderlichenfalls werden die Schiffe Vpbt. 1921, 1922 und 1923 für die Strecke Korsör-Nyborg zur Verfügung gestellt. Die vorhandenen [...] deeinrichtungen sind betriebsklar und ausreichend, um Lasten und Fahrzeuge zu übernehmen. Der Truppenbefehlshaber ist in diesem Sinne von mir unterrichtet.

IX. Dänische Fischer im Falle einer Invasion
An der dänischen Westküste von Esbjerg bis Thyborön sind 480[...] dänische Fischkutter beheimatet, von denen z.Zt. etwa 447 fahrbereit sind. Im Falle einer Invasion an der dänischen Westküste kommt es darauf an, zu versuchen, die Fischkutter dem feindlichen Zugriff zu entziehen und sie möglichst nach einem deutschen Hafen zu überführen. Ich habe in diesem Sinne mit dem dän. Mar. Min. Verhandlungen führen lassen. Auch hier wurden vorbereitende Maßnahmen für den Fall einer Invasion für notwendig angesehen. Das Mar. Min. kann die nötigen Schritte jedoch nur in Verbindung mit dem Außenministerium unter Einschaltung des Fischereidirektorats (Landwirtschaft-Min.) unternehmen. Dänischerseits hält man es nicht für zweckmäßig, den Fischern das Einlaufen in einen deutschen Hafen vorzuschreiben, da hierdurch, bei der bekannten Bockigkeit der Fischer, ein gegenteiliges Ergebnis erzielt werden könnte. Es wird für ausreichend gehalten, den Fischern auf dem Rundfunkwege im Ernstfall eine Nachricht zu übermitteln, die ihnen das Verlassen eines bestimmten Seegebiet[s] und evtl. Meidung ihrer Heimathäfen b.a.w. anrät. Sie würden dann von selbst versuchen, auf dem schnellsten Wege aus der Gefahrenzone herauszukommen. Die Verhandlungen werden mit aller Beschleunigung weitergeführt.

In der Praxis wird es sehr schwer sein, die Gefahrzone eindeutig und voll zu erkennen, da die Initiative beim Gegner liegt, der nachts bei dem Marsch durch die Nordsee auf die Fischer stoßen wird, während wir die Stoßrichtungen noch nicht erkennen. Es erscheint allerdings fraglich, ob der Engländer sich mit der Kaperung von Fischern aufhalten wird, da das *primäre* Ziel die Landung ist. Jedoch ist es nicht ausgeschlossen, durch besonders abgestellte Torpedoboote eine Greifaktion der wertvollen Fischkutter durchzuführen.

Im Großen gesehen ist also m.E. der Erfolg unseres Bemühens noch ungewiß, muß aber noch weiter versucht werden.

X. Dänische Fischerei
Nachdem Ende vorigen Monats der warnungslose Waffeneinsatz gegen außerhalb der Fischereigrenzen angetroffenen dän. Fischereifahrzeuge aufgehoben worden ist, sind im Monat Juni wiederum zahlreiche dän. Fischereifahrzeuge im Nordseewarnungsgebiet und westl. davon durch Aufklärungsstreitkräfte geschichtet worden.[133]

Auf Antrag des Reichsbevollmächtigten Dänemark hat Anfang des Monats im Auswärtigen Amt unter Beteiligung der Seekriegsleitung und des Reichsernährungsministeriums die Frage der Behandlung dänischer Fischereifahrzeuge, im deutschen Minenwarngebiet, eine nochmalige grundsätzliche Erörterung erfahren, demzufolge das Durchfahren des Minenwarngebietes zur Erreichung der Fischgründe auf der Doggerbank im Interesse der deutschen Volksernährung bis auf weiteres stillschweigend hingenommen werden soll. Eine Luftbekämpfung derartiger Fahrzeuge soll bis Erteilung neuer Weisungen nicht mehr erfolgen. Zur Wahrung der militärischen Belange sollen aber für später verschärfte dänische Strafbestimmungen vorbereitet bezw. die Möglichkeit geschaffen werden, die schuldigen dänischen Fischer vor ein deutsches Kriegsgericht zu stellen.

[...]

XIII. Sabotage
Die Zahl der Sabotagefälle bewegt sich ungefähr auf der gleichen wie im vorigen Monat. Hervorzuheben ist ein schweres Sprengstoffattentat in einer Zementfabrik bei Aalborg, durch das 4 Packmaschinen zerstört wurden. Durch den Ausfall dieser Verpackungsmöglichkeit i[st] der Betrieb zu 60 % in seiner Fertigung geschädigt. Das Werk produziert tgl. 3500 to Zement, die für die Befestigung Nordjütlands bestimmt waren.[134]

Die Bekämpfung der Sabotage hat in der Zusammenarbeit mit der dän. Polizei weiter beachtliche Ergebnisse erzielt. So waren im Anfang [des] Monats insgesamt 77 Personen wegen Ausführung von Sprengstoffanschlägen und Brandstiftungen oder Beteiligung an solchen in Haft. Die umfangreichen Vernehmungen haben bereits zur Klärung von 70 Anschlägen geführt. Es ist anzunehmen, daß die zahlreichen Festnahmen und Verurteilungen zum wenigsten ein weiteres Steigen der Sabotagefälle f[ür] die Folgezeit verhindern werden.

---

133 Ophævelse af skydning uden varsel skete 25. maj 1943. Se BSN til OKM 17. juni 1943, trykt nedenfor.
134 Der blev 3. juni forøvet sabotage mod cementfabrikken "Rørdal"s pakkeri (Alkil, 2, 1945-46, s. 1215).

146. Rüstungsstab Dänemark: Bericht über das Hansa-Programm 30. Juni 1943
Rüstungsstab Dänemark gjorde status over det aftalte skibsbyggeri ifølge Hansaprogrammet. Af de 37 skibe var kølen lagt til de fem. Programmet stødte på visse problemer med at fremskaffe nogle materialer og store problemer med at få brændstof (Witthöft 1968, passim, Jensen 1971, s. 173-175, Fredrichsen 1984, Giltner 1998, s. 108f.).
Kilde: BArch, Freiburg, RW 27/8. RA, Danica 1000, T-77, sp. 696, KTB/Rü Stab Dänemark, 2. Vierteljahr 1943, Anlage 23.

Rüstungsstab Dänemark
Abt. Marine

Anlage 23
am 30.6.1943

Hansa-Programm
(Im Anschluß an den Beitrag für das I. Quartal 1943)

Von den 37 Hansa-Schiffen lagen am 1.7.1943 sämtliche 4 Neubauten von 3.000 to und 1 Neubau von 5.000 to auf Kiel.

Die zur Durchführung der Rohstoffsicherung von Sonderbeauftragten für das Hansa-Programm, Dipl.-Ing. E. Goedecken, Hamburg, erforderlichen Eisen- und NE-Metall-Kontingentierungen laufen reibungslos über Rüstungsstab Dänemark.

Zur Beseitigung der Anlaufschwierigkeiten konnten vom Marinebereitschaftslager bei der Firma ESAB, Kopenhagen, ca. 65 to Schweißelektroden zur Verfügung gestellt werden.

Größere Schwierigkeiten hingegen bereitet die Beschaffung von etwa 10.000 to Dieselöl und 370.000 Liter Benzin für das gesamte, einen Zeitraum von 2 Jahren umfassende Hansa-Programm. Zunächst konnte selbst der dringendste Bedarf von 300 to Öl für das Biegen der Spanten nur teilweise mit ca. 60 to aus dem dänischen Kontingent bereitgestellt werden. Gemeinsam mit dem Hauptausschuß Schiffbau Dänemark – H.C. Lorenzen – wurden Schritte bei der Reichsstelle für Mineralöle unternommen, welche ein vorläufiges Kontingent von ca. 500 to Dieselöl in Aussicht stellt.

Wegen Beschaffung der sonstigen Hilfsmaterialien schweben zur Zeit Verhandlungen mit dem Hauptausschuß Schiffbau.

147. Rüstungsstab Dänemark: Lagebericht 30. Juni 1943
Forstmann beroligede fortsat med hensyn til sabotagens rustningsmæssige konsekvenser, men pegede i lighed med Best på, at sabotørerne forfulgte et politisk mål i stedet. Forstmanns bekymring var den stadigt vigende tilførsel af brændstof til Danmark.
Kilde: BArch, Freiburg, RW 27/8. RA, Danica 1000, T-77, sp. 696. KTB/Rü Stab Dänemark, 2. Vierteljahr 1943, Anlage 25.

Rüstungsstab Dänemark
ZA/Ia Az. 66dl/Wi. Ber. Nr. 621/43 geh.
Bezug: OKW Wi Rü Amt/Rü IIIb Nr. 21755/42 v. 9.5.42.

Kopenhagen, den 30.6.1943
Geheim

Betr.: Lagebericht.

An den Reichsminister für Bewaffnung und Munition-Rüstungsamt-
Berlin – Charlottenburg 2,
Verlängerte Jebensstraße
Behelfsbau am Zoo.

Rü Stab Dänemark übersendet in der Anlage den Lagebericht für Monat Juni 1943.
Forstmann

Rüstungsstab Dänemark   Kopenhagen, den 30.6.1943.
ZA/Ia Az. 66dl/Wi. Ber. Nr. 621/43 geh.

Vordringliches
Kohle und Energie
Die sich weiter verschlechternde Belieferung Dänemarks mit Kohle und Koks wird bei der Industrie gesteigerte Schwierigkeiten ergeben. Wenn es im Berichtsmonat noch möglich war, in den dringend notwendigen Fällen bei Betrieben mit Wehrmachtfertigung eine Erleichterung in der Energieversorgung bzw. die Aufhebung einer eingetretenen Sperre über den "Bevollmächtigten des Reiches in Dänemark" durch die Dänische Regierung zu erreichen, so dürfte dies in den kommenden Monaten bei der außerordentlich kritischen Lage in der Brennstoffversorgung Dänemarks immer schwerer werden. Bezeichnend für den augenblicklichen Stand ist es, daß die Kopenhagener Gaswerke jetzt im Hochsommer nur noch für eine Woche Brennstoff haben und die Elektrizitätswerke sich fast ausschließlich mit Torf und Braunkohle behelfen müssen. Außerdem sind am 16.6.43 alle Brennstoffrationierungskarten und Einkaufsgenehmigungen für ungültig erklärt worden. In Zukunft werden auch für Braunkohlenbriketts nur in den dringendsten Fällen noch Einkaufsgenehmigungen gegeben.
Ds.E. muß die Gesamtlieferungsquote erhöht und dem dänischen Mindestbedarf angepaßt werden. Rü Stab Dän. ist bemüht, der Dänischen Regierung gegenüber im Einzelfall die erforderliche Belieferung mit Gas und Strom durchzusetzen.

Sabotage
Im Berichtsmonat sind 35 Sabotagefälle gemeldet worden, von denen aber nur 5 rüstungswirtschaftliche Bedeutung haben. Die Anschläge richten sich häufig gegen Betriebe, die weder für die deutsche Wehrmacht arbeiten noch deutsche Interessen vertreten. Es kann hieraus geschlossen werden, daß die Täter in erster Linie die Absicht haben, die Ruhe und Ordnung im Lande zu stören, um damit schließlich eine Änderung der Lage in Dänemark zu erreichen. Die Saboteure sind in der kommunistischen und nationalen Jugend zu suchen. Im Juni wurden 11 Saboteure festgenommen.

1a. Stand der Fertigung
Wertsumme der seit der Besetzung Dänemarks über Rü Stab Dän. erteilten unmittelbaren und mittelbaren Wehrmachtaufträge:

   Am 30. 4. 1943   RM 415.541.321,-
   Zugang im Mai 1943 –   10.360.580,-
   Am 31. 5. 1943   RM 425.901.901,-
   Auslieferungen im Mai 1943 RM   9.213.275,-
Aufträge des kriegswichtigen zivilen Bedarfs:
   AM 30. 4. 1943   RM   61.894.109,-
   Zugang im Mai 1943 –   3.085.560,-
   Am 31. 5. 1943   RM   64.979.669,-
   Auslieferungen im Mai 1943 RM   926.426,-

Gemäß Anweisung des OKM soll für das U-Boots-Programm die Fabrikation von Dieselmotoren erheblich gesteigert werden. Es handelt sich um die kurzfristige monatliche Beschaffung von 4 Kurbelwellen, 4 Satz à 9 Stck. Stahlgußstücken und 4 Satz à 7 Stck. Zahnrädern. Sämtliche Teile sollen für die U-Boots-Hauptmaschinen verwendet werden. Rü Stab Dän. ist bemüht, die Forderungen des OKM durchzuführen.

Im Rahmen des Hansa-Programms sind 4 Schiffe von je 3.000 t auf Kiel gelegt.

Mit Unterstützung des "Bevollmächtigten des Reiches in Dänemark" ist es gelungen, über die Dänische Regierung die Direktion der amerikanischen Firma General Motors International A/S Kopenhagen nach schwierigen Verhandlungen dahin zu bringen, ihre ablehnende Haltung aufzugeben und der dänischen Firma A/S Nordvärk Kopenhagen leere Fabrikräume von 30.000 qm Grundfläche zur Einrichtung einer Reparaturwerkstätte für BMW-Motoren zu überlassen.[135] Die vorbereitenden Arbeiten zur Einrichtung der Halle sind bereits in vollem Gange; ebenso sind dänische Arbeiter zwecks Ausbildung zu den BMW-Werken entsandt worden. Es wird angestrebt, bereits am 1. Oktober ds.Jrs. den ersten repartierten Flugzeugmotor zur Ablieferung zu bringen.

1c. Versorgung der Betriebe mit Roh- und Betriebsstoffen
Der deutsche Lieferungsrückstand an Eisen und Stahl betrug am 30.4.43 21.950 to und hat sich gegenüber dem Stande vom 31.3.43 um 5.800 t verringert. Der Rückstand an NE-Metallen betrug am 30.4.43 181 to und hat sich gegenüber dem Stand vom 31.3.43 um 18 to verringert.

Mit M.S. "Antje", das in der Ostsee verlorenging, sind 105 to Roheisen, die für Verlagerungsaufträge bestimmt waren, in Verlust geraten.[136] Gemäß Verfügung RM f.B.u.M. 66b 9941/IV Ro I/1 v.14.5.43 sind sofort neue Bezugsrechte angefordert worden.

2b. Lage der Treibstoffversorgung
Im Berichtsmonat konnten Treibstoffe an die mit Wehrmachtaufträgen belegten dänischen Betriebe in genügender Menge zugeteilt werden. Es wurden von den dänischen Firmen 2.125 ltr. Benzin und 72.285 kg. Dieselöl angefordert. Zugewiesen wurden

---

135 Se Rüstungsstab Dänemarks beretning 20. juni 1943.
136 Det forliste skib var ikke dansk, og et udenlandsk forlis med et skib af det navn er heller ikke registreret ved denne tid.

nach Prüfung des Rü Stab Dän. 2.025 ltr. Benzin und 50.360 kg Dieselöl; es wurden somit 100 ltr. Benzin und 21.925 kg Dieselöl eingespart.

2c. Lage der Kohlenversorgung
Im Mai betrug die Einfuhr von Kohle und Koks insgesamt 170.837 to, d.s. rd. 50 % des Liefersolls und rd. 100.000 to weniger als im April. Mit dem Monat Mai ist die dritte Brennstoffsperiode seit der Besetzung Dänemarks abgeschlossen. Nachstehend die Lieferzahlen der einzelnen Zeitabschnitte:

	Soll	Ist		
	In 1.000 to	In 1.000 to	In %	Minus in %
1.6.40-31.5.41	4.000	3.581,9	89,55	10,45
1.6.41-31.5.42	4.000	3.167,4	79,18	20,82
1.6.42-31.5.43	4.000	2.777,4	69,43	30,57

Diese Zahlen geben eindeutig ein Bild über die von Jahr zu Jahr sich verringernde Einfuhr. Zur Abhilfe des Brennstoffmangels ist die zusätzlich bewilligte Menge von 30.000 to Braunkohlenbriketts auf 50.000 to erhöht worden. Die dänische Verteilungsbehörde hat davon 30.000 to an die Elektrizitätswerke und 20.000 to an die Industrie vergeben. – Die Nutzbarmachung der Torfmoore wird dadurch behindert, daß die Torfproduzenten wegen Waggonmangel ihre Produktion nur zum Teil abfahren lassen können, während sie den größeren Teil in Schobern unterbringen müssen.

148. Rüstungsstab Dänemark: Die Sabotagefälle in Dänemark 30. Juni 1943
Forstmann fremsendte med krigsdagbogen for andet kvartal 1943 et bilag indeholdende en oversigt over sabotagen i Danmark i første halvår af 1943. Totaltal oplystes af fortrolighedsgrunde ikke, men da Forstmann selv forud, i sin månedsberetning for juni 1943, havde oplyst, at der i juni havde været 35 sabotager, hvoraf kun fem var af en vis betydning, så er niveauet alligevel angivet – selv om der er en ikke ubetydelig skævhed mellem de opgivne sabotager i juni og de nedenfor anførte forholdstal for sabotagerne i juni. Der er ikke tvivl om, at oplysningerne skulle underspille sabotagens betydning.
Kilde: BArch, Freiburg, RW 27/8. RA, Danica 1000, T-77, sp. 696. KTB/Rü Stab Dänemark, 2. Vierteljahr 1943, Anlage 19.

Die Sabotagefälle in Dänemark
im ersten Halbjahr 1943

Da die Zahlen der Sabotagefälle aus Geheimhaltungsgründen nicht bekanntgegeben werden können, sollen über die Entwicklung der Sabotagefälle im ersten Halbjahr 1943 Verhältniszahlen mitgeteilt werden.

1.) Die Zahl der Sabotagefälle hat im Monat April ihren Höhepunkt erreicht und hat in den Monaten Mai und Juni progressiv abgenommen.

2.) Schaden ist entstanden:

Im Monat		keiner oder geringer	erheblicher	
Januar	in	50 %	50 %	
Februar		53 %	47 %	
März		88 %	12 %	
April		67 %	33 %	
Mai		68 %	32 %	
Juni		68 %	32 %	der Fälle

3.) Wenn man die angriffenen Objekte wie folgt gliedert:
  a.) Einrichtungen und Eigentum der deutschen Wehrmacht,
  b.) Eisenbahnanlagen,
  c.) Dänische Betriebe, die für deutsche Interessen arbeiten,
  d.) Dänische Betriebe, die nicht für deutsche Interessen arbeiten,
    so verteilen sich die Sabotagefälle wie folgt:

Im Monat		a	b	c	d	
Januar	in	42 %	17 %	33 %	8 %	
Februar		32 %	16 %	36 %	16 %	
März		33 %	12 %	49 %	6 %	
April		29 %	7 %	37 %	27 %	
Mai		26 %	6 %	47 %	21 %	
Juni		38 %	8 %	22 %	32 %	der Fälle

4.) Zu der Aufstellung unter 3.) ist zu bemerken:
Zu a.) Die Deutsche Wehrmacht erleidet praktisch keinen Schaden, da die Dänische Regierung jeden Sabotageschaden der Deutschen Wehrmacht ersetzt.
Zu b.) Die Prozentzahlen zeigen das Wirksamwerden des dänischen Bahnschutzes, der auf deutsche Anregung im Frühjahr 1943 geschaffen wurde. Im übrigen sind mit einer Ausnahme in keinem dieser Fälle deutsche Wehrmachtstransporte unmittelbar gefährdet worden.
Zu c.) Die Prozentzahlen zeigen das Wirksamwerden des dänischen Werkschutzes, der auf deutsche Anregung im Frühjahr 1943 geschaffen wurde.
Auch in diesen Fällen wird der den deutschen Interessen etwa zugefügte Schaden auf dänische Kosten und aus dänischen Materialbeständen ersetzt.
Zu d.) Die steigende Prozentzahl der Sabotageakte gegen zum Teil sehr kleine – dänische Betriebe, die überhaupt nicht für deutsche Interessen arbeiten, beweist ein Ausweichen der Saboteure auf ungeschützte und gleichgültige Objekte, deren Beschädigung offenbar den Auftraggebern der Saboteure (Fallschirmagenten und ihren britischen Hintermännern) als Erfolge gemeldet wird.

149. Rüstungsstab Dänemark: Darstellung der rüstungswirtschaftlichen Entwicklung 30. Juni 1943

Forstmann meddelte, at der havde været en svag tilbagegang i omfanget af nye tyske rustningsordrer i Danmark i andet kvartal i forhold til første kvartal 1943. Til gengæld var ordrerne i 2. kvartal 1943 ca. 30 % højere end i andet kvartal 1942.

    Kilde: BArch, Freiburg, RW 27/8. RA, Danica 1000, T-77, sp. 696. KTB/Rü Stab Dänemark, 2. Vierteljahr 1943, Anlage 26.

Chef Rü Stab Dänemark   Anlage 26

Darstellung
der rüstungswirtschaftlichen Entwicklung.

Die Auftragsverlagerung nach Dänemark war im 2. Vierteljahr 1943 etwas geringer als im 1. Vierteljahr, und zwar im Monatsdurchschnitt RM 12.211.523,- gegenüber RM 13.777.657,- im 1. Vierteljahr 1943. Gegenüber der Auftragsverlagerung in der gleichen Zeit des Vorjahres ist im 2. Vierteljahr 1943 der Monatsdurchschnitt der Auftragsverlagerung um 30 % höher:

1942	April	Auftragseingänge	RM	9.247.811,-		
	Mai	–	–	7.658.891,-		
	Juni	–	–	11.327.462,-	RM	28.234.164,-
		Monatsdurchschnitt	RM	9.411.388,-		
1943	April	Auftragseingänge	RM	13.483.369,-		
	Mai	–	–	10.360.580,-		
	Juni	–	–	12.790.620,-	RM	36.634.569,-
		Monatsdurchschnitt	RM	12.2111.523,-		

Die Auslieferungen sind dagegen im 2. Vierteljahr 1943 im Vergleich zum Vorjahr nur um 11 % gestiegen:

1942	April	Auslieferungen	RM	8.204.229,-		
	Mai	–	–	7.990.642,-		
	Juni	–	–	5.949.900,-	RM	22.144.771,-
		Monatsdurchschnitt	RM	7.381.590,-		
1943	April	Auslieferungen	RM	8.369.614,-		
	Mai	–	–	9.213.275,-		
	Juni	–	–	6.659.435,-	RM	24.242.324,-
		Monatsdurchschnitt	RM	8.080.778,-		

Der Rückgang in der Auslieferung ist darauf zurückzuführen, daß die Materialien mit erheblichen Verzögerungen eintreffen und die Fertigung durch Kriegsumstände, wie verschlechterte Brennstoffversorgung, Fehlen von Betriebsmitteln (Calcium, Industriediamanten, Schmelztiegel) etc. beeinträchtigt wird. Die Fertigung wird auch dadurch ungünstig beeinflußt, daß die Beschaffung einzelner für die Ausführung deutscher Wehrmachtaufträge unbedingt notwendiger Maschinen und der Ersatz verbrauchter Maschinen zum Teil überhaupt nicht oder nur mit langen Lieferzeiten möglich ist.

    In den monatlichen Lageberichten wurde bereits eingehend über die verschiedenen Sabotagefälle berichtet, sodaß sich eine nochmalige Darstellung hier erübrigt.

An bisher noch nicht Dänemark verlagerten Geräten wurden im 2.Vierteljahr 1943 untergebracht:

Protzenteile für Rohrwagen, Durchschaltungsgeräte, Hubwagen und Ladegestelle, Entseuchungsanhänger, Gerät Mäuschen, Peilschreibverstärker, Seenotsender und Radio-Röhren.

Forstmann

150. Rüstungsstab Dänemark: Überblick über die im 2. Vierteljahr 1943 aufgetretenen wichtigen Probleme 30. Juni 1943
Trods indberetningens overskrift var det nærmere den positive udvikling end 2. kvartals problemer, der blev genstand for omtale: Antallet af arbejdsløse var faldet, antallet af indgåede rustningskontrakter var steget betragteligt i forhold til samme kvartal året før og samarbejdet med de danske myndigheder forløb gnidningsløst. De fortsatte sabotager foruroligede både arbejdere og arbejdsgivere. Det Danske Justitsministerium havde indført nye bestemmelser for opbevaring af sprængstof, og bevogtningen deraf var blevet skærpet. Da der var betydelige forskelle i udviklingen af de danske virksomheders strøm- og gasforbrug, bl.a. som følge af indgåelse af værnemagtskontrakter, var det nødvendigt, at der blev grebet ind for at sikre den nødvendige energiforsyning til visse virksomheder med særlige behov. Det var dog endnu mere ønskeligt, at der generelt blev givet erhvervslivet den nødvendige mængde kul og koks.
Kilde: BArch, Freiburg, RW 27/8. RA, Danica 1000, T-77, sp. 696, KTB/Rü Stab Dänemark 2. Vierteljahr 1943 (udateret og uden bilagsnr.).

Abteilung Wehrwirtschaft im Rü Stab Dänemark.   Anlage ...

Überblick
über die im 2. Vierteljahr 1943 aufgetretenen wichtigen Probleme.

In der Berichtszeit ist die Zahl der Erwerbslosen in Dänemark von 55.502 auf 20.715 gesunken. Zur gleichen Zeit des Vorjahres (Ende Mai 1942) betrug die Zahl der Arbeitslosen 28.195. Diese Abnahme der Arbeitslosenziffer ist zum Teil darauf zurückzuführen, das Ende Mai 1942 12.900 Arbeiter für Neubauten der Besatzungstruppen beschäftigt waren, während Ende Mai 1943 15.497 für diese Arbeiten und für Befestigungsbauten eingesetzt wurden. In erster Linie ist der Rückgang der Arbeitslosigkeit jedoch auf die gute Beschäftigung in den Torfmooren zurückzuführen.

Die Beschäftigung der dänischen Industrie mit deutschen Verlagerungsaufträgen hat sich gegenüber dem II/1942 im II/1943 erheblich gebessert. Während im II/1942 im Monatsdurchschnitt für RM 9.411.388,- Aufträge untergebracht wurden, betrug der Monatsdurchschnitt im II/1943 RM 12.211.523,-.

Die Zusammenarbeit mit den Dänischen Behörden verlief reibungslos, jedoch entstehen allmählich Schwierigkeiten bei der Belieferung der deutschen Wehrmacht in Dänemark mit Waren, die nicht in Dänemark hergestellt, sondern vom Ausland – in erster Linie aus Deutschland – eingeführt werden. Die Dänische Regierung führt an, dass bei den deutsch-dänischen Wirtschaftsverhandlungen, betr. die Warenlieferungen nach Dänemark, nicht vorgesehen wird, dass die für den innerdänischen Bedarf bestimmten Waren durch Verkauf an die deutsche Wehrmacht in Dänemark dem deutschen Verbrauch wieder zufließen. Da die Warenlieferungen nach Dänemark erst nach eingehender Prüfung der Liefermöglichkeiten und des dänischen Mindestbedarfs deutscherseits bewilligt werden, glaubt die Dänische Regierung nur ganz ausnahmsweise dem Verkauf dieser eingeführten an die deutsche Wehrmacht in Dänemark zustimmen zu können.

Die fortwährenden Sabotagehandlungen beunruhigen die Arbeiter- und Unternehmerschaft. Da Sprengstoff-Diebstähle und Sabotagefälle ständig zunehmen, hat das Dänische Justizministerium auf deutsche Veranlassung hin die Bestimmungen über die Verwendung und die Aufbewahrung von Sprengstoffen vorsorglich neu geregelt. Gewisse Sprengstoffe dürfen nicht mehr verwendet werden, die Überwachung von Sprengstofflägern wurde erheblich verschärft.

Abt. Wwi führt die Kontrolle über die Einfuhr von Sprengstoffen nach Dänemark, indem sie die eingehenden Gesuche auf Einfuhrerlaubnis überprüft und die Stellungnahme des Befehlshabers der deutschen Truppen in Dänemark hierzu einholt hinsichtlich der Unbedenklichkeit.

In den Lageberichten der Abt. Wwi wurde bereits eingehend über die schlechte Versorgungslage Dänemarks mit Brennstoffen geschrieben. Die dänischen Behörden haben als Grundlage für die Bemessung der Strom- und Gaszuteilung den Verbrauch des Jahres 1941 gewählt. Seit 1942 sind aber viele Betriebe durch die Übernahme deutscher Aufträge ganz anders beschäftigt als in dem für die dänische Wirtschaft äußerst schlechten Jahre 1941. Eine grundsätzliche Behebung der Notlage in der Energieversorgung ist nicht dadurch möglich, dass einzelnen Betrieben von Fall zu Fall – auf deutschen Ersuchen hin – erhöhte Zuteilungen gewährt werden, weil diese Mengen nur durch Einsparung an anderen Stellen unter Beeinträchtigung des Gesamtwirtschaftslebens Dänemarks freigemacht werden können. Dieser Weg kann deshalb nur in dringenden Fällen in Zusammenarbeit mit der Behörde des Reichsbevollmächtigten zur Behebung von Härten eingeschlagen werden. Es ist vielmehr erforderlich, dass die dänische Wirtschaft insgesamt mit einer ausreichenden Kohle- und Koksmenge versorgt wird.

Forstmann

JULI 1943

151. Politische Informationen für die deutschen Dienststellen in Dänemark 1. Juli 1943

Dette var en månedsberetning, hvori Best kunne sole sig i sin politiks succes, og hvor han atter kunne tillade sig den luksus at bruge megen plads på gengivelse af engelsk radios omtale af hans politik og person.
    Kilde: BArch, NS 19/3473. RA, Danica 1000, T-175, sp. 17, nr. 520.947ff. RA, Danica 1069, sp. 6, nr. 7073-80. RA, pk. 443. RA, Centralkartoteket, pk. 680.

Der Bevollmächtigte des Reiches in Dänemark　　　*Kopenhagen, den 1. Juli 1943.*

Politische Informationen
für die deutschen Dienststellen in Dänemark.

Betr.: I. Mitteilungen aus der Außenpolitik.
　　II. Die dänischen Handelsschiffsverluste im Kriege.
　　III. Sicherungsgebiet Bornholm.
　　IV. Illegale Hetzschriften in deutscher Sprache.
　　V. Der englische Rundfunk zur Lage in Dänemark.

I. Mitteilungen aus der Außenpolitik
1.) Glückwunsch des Reichsaußenministers an Staatsminister von Scavenius.
    Reichsaußenminister von Ribbentrop hat dem Staatsminister von Scavenius zu seinem 66. Geburtstage am 13.6.43 ein Glückwunschtelegramm übersandt.
2.) Italienische Flieger in Dänemark.
    Der Italienische Gesandte Marchese Diana hat in den Pfingsttagen auf Jütland der feierlichen Beisetzung verunglückter italienischer Flieger beigewohnt, die einem dort stationierten Lehrkommando italienischer Flieger angehören.
3.) Dänische Interessen im Fernen Osten.
    Nachdem die Konzessionsrechte der überwiegend in dänischem Besitz befindlichen "Store Nordiske Telegrafselskab" in Japan zum 30.4.43 von der Japanischen Regierung gekündigt worden sind, hat das Japanische Außenministerium an die Dänische Gesandtschaft in Tokio eine Note gerichtet, wonach die Japanische Regierung auf Grund militärischer Notwendigkeit die Anlagen und Betriebe der "Ostasiatischen Kompagnie" in Bangkok zu kaufen wünscht, insbesondere Lagerhäuser, Kaianlagen, Leichter und Sägemühlen. Die "Ostasiatische Kompagnie" ist neben der "Store Nordiske Telegrafselskab" das einzige wirklich bedeutende dänische Unternehmen im Fernen Osten und unterhält Niederlassungen nicht nur in Siam sondern u.a. auch in Singapore, Penang und in der Mandschurei. Die Kopenhagener Zentrale des Unternehmens hat über das Dänische Außenministerium der Dänischen Gesandtschaft in Tokio mitgeteilt, daß sie sowohl aus firmenmäßigen wie aus nationalen Gründen einen Verkauf nicht in Betracht ziehen könne, da der Verkauf gleichbedeutend mit

der Liquidation der Interessen der Kompagnie in Bangkok sei; auch bestünden vertragliche Verpflichtungen gegenüber der siamesischen Regierung, die einem Verkauf im Wege seien. Unter Berücksichtigung der tatsächlich vorliegenden Situation und der der Siamesischen Regierung geschuldeten Rücksichten sei die Kompagnie jedoch zu weitgehender Zusammenarbeit mit den Japanern bereit.[1]

II. Die dänischen Handelsschiffsverluste im Kriege

Die in Dänemark bekannt gewordenen Gesamtverluste der dänischen Handelsflotte (Schiffe über 400 BRT) in der Zeit vom 1.9.1939 bis 15.6.1943 betragen 138 Schiffe mit insgesamt 375.413 BRT.

Unter Zugrundelegung einer bei Kriegsausbruch vorhandenen Zahl von rund 1.150.000 BRT reiner Handelsschiffstonnage (d.h. ausschließlich der Regierungsschiffe, Fischerboote, Leichter etc.) hat die dänische Handelsflotte bisher 32,6 % ihres Bestandes vom 1.9.1939 verloren.

Die Verluste in der Zeit vom 1.9.1939 bis 15.6.1943 setzen sich wie folgt zusammen:

1.) Verluste vom 1.9.1939 bis 9.4.1940:
    29 Schiffe mit   75.621 BRT[2]
2.) Verluste vom 9.4.1940 bis 15.6.1943:
    a.) Am 9.4.1940 befanden sich innerhalb der Linie Bergen/
        Emden rund 370.000 BRT. Bis zum 15.6.1943 sind verlorengegangen:
        37 Schiffe mit   52.002 BRT
        d.h. rund 14 %. Hiervon waren Dampfer 94 % und Motorschiffe 6 %.
    b.) Am 9.4.1940 befanden sich außerhalb der Linie Bergen/
        Emden rund 704.000 BRT. Bis zum 15.6.1943 sind verlorengegangen:
        72 Schiffe mit   247.790 BRT
        d.h. rund 35 %. Hiervon waren Dampfer 32 % und Motorschiffe 68 %. Unter den 72 Schiffen befanden sich 7 Tankschiffe mit 59.742 BRT = 24 %.

Im feindlichen Machtbereich sind also 2½ mal so viele dänische Schiffe verloren gegangen wie im deutschen Machtbereich. Es ist aber anzunehmen, daß die Verluste jenes Teiles der dänischen Handelsflotte, der sich in den Händen der Feindmächte befindet, zu niedrig angesetzt sind. Infolge fehlender Nachrichtenübermittlungen kann man davon ausgehen, daß innerhalb der von den Feindmächten beschlagnahmten dänischen Tonnage weitere Verluste eingetreten sind, die bisher noch nicht zur Kenntnis der dänischen Reedereien gelangt sind.

---

1 Det Østasiatiske Kompagni afgav ikke sine interesser til Japan.
2 Med en ubetydelig forskel opgiver Tortzen, 1, 1981-85, s. 295 den samme talstørrelse for perioden.

III. Sicherungsgebiet Bornholm
Aus militärischen Gründen wurde auf Veranlassung des Befehlshabers der deutschen Truppen in Dänemark das dänische Justizministerium ersucht, die Inseln Bornholm (50.000 Bewohner) und Christiansö (125 Bewohner) zum Sicherungsgebiet zu erklären und für sie dieselben Maßnahmen zu treffen, wie sie für das Sicherungsgebiet Jütland seinerzeit angeordnet worden sind.

Das dänische Justizministerium hat mit Bekanntmachung vom 25.5.43, in Kraft getreten am 10.6.1043, Bornholm und Christiansö zum Sicherungsgebiet erklärt und die Einführung des Legitimationszwanges, verschärfte Aufenthaltsbestimmungen für Ausländer, ein Fotografierverbot u.a.m. für Bornholm und Christiansö angeordnet. 17 Personen wurden auf Grund dieser Bestimmungen aus dem Sicherungsgebiet ausgewiesen.

Die neue Legitimationskarte enthält jetzt nicht mehr die örtliche Angabe des betreffenden Sicherungsgebietes sondern allgemein die Bezeichnung "Sicherheitsgebiet in Dänemark" und gilt für sämtliche Sicherungsgebiete in Dänemark.

IV. Illegale Hetzschriften in deutscher Sprache
Seit ungefähr einem Jahr sind in unregelmäßigen Abständen – offenbar von der illegalen kommunistischen Partei in Dänemark – Flugblätter in deutscher Sprache verbreitet worden, die deutschen Wehrmachtsangehörigen unauffällig zugesteckt oder an Orten, wo sich deutsche Soldaten oder Arbeiter befanden, ausgelegt worden sind. Bisher sind 4 solcher Flugblätter erfaßt worden. In den letzten Wochen wurde ein Flugblatt mit der Überschrift "Friedensmanifest der west-deutschen Konferenz der nationalen Friedensbewegung" und mit der Unterschrift "Die westdeutsche Friedensbewegung" verbreitet. Das Blatt richtet sich an "deutsche Männer und Frauen, Offiziere und Soldaten der Wehrmacht."[3]

Es ist interessant, daß der Inhalt dieses Flugblattes – mit einigen Wortänderungen – genau der Zersetzungspropaganda des Krieges 1914-18 gleicht. Nicht ein einziger neuer Gedanke oder Programmpunkt ist in diese Propaganda, die den Kampfwillen des deutschen Volkes untergraben will, eingefügt worden. Wie eine Reminiszenz von vor 25 Jahren klingen die Sätze:

"Der Weg zu einem gerechten Frieden steht unserem Volk offen, wenn es selber diesem Krieg, dem Hitlerregime und seiner Gewaltpolitik ein Ende macht…"

"Die Stunde ist da … Schaffen wir Zusammenschluß in der nationalen Friedensbewegung, die den Kampf für die Beendigung des Krieges und für einen gerechten Frieden durch den Sturz Hitlers organisiert!"

An Wilson's 14 Punkte erinnern die "10 Punkte des Aktionsprogramms der nationalen Friedensfront," unter denen proklamiert wird:

"Sofortige Einstellung der Kriegshandlungen. Unverzügliche Zurückführung der Wehrmacht in die Heimat und Verzicht auf Eroberung von fremdem Raum.

…

Sturz der Hitler-Regierung. Die Schaffung einer nationalen demokratischen Friedensbewegung.

---

3 Dette flyveblad er ikke lokaliseret.

...
Verhaftung und Bestrafung der Kriegsschuldigen und die Einziehung ihres Vermögens. Auflösung der SS und der Gestapo.

...
Freiheit der Meinung, der Presse und der Versammlungen, Freiheit des Glaubens und der Weltanschauung. Freiheit der politischen, wirtschaftlichen und der kulturellen Organisationen.

...
Eine auf den Frieden und die nationale Zusammenarbeit der Völker und Staaten orientierte Außenpolitik. Anerkennung des Rechts auf Selbständigkeit und Eigenstaatlichkeit für alle Völker.

...
Einberufung einer aus freien, gleichen, direkten und geheimen Wahlen hervorgehenden neuen deutschen Reichsversammlung, die eine demokratische Reichsverfassung beschließt und die verfassungsmäßigen und materiellen Garantien für Recht, Gesetz und Ordnung schafft."

V. Der englische Rundfunk zur Lage in Dänemark
Der englische Ärger über die deutsche Politik in Dänemark ist in den letzten Wochen in den dänischen Sendungen des Londoner Rundfunks besonders deutlich zum Ausdruck gekommen.[4]

Am 27.5. sagte der dänische Sprecher des Londoner Rundfunks *Svend Tillge Rasmussen*, die Deutschen wollten den Dänen nur zeigen "wie schön alles gehe, wenn man sich nur mit Verstand zum Nazismus und dem Neuen Europa bekenne."

Am 1.6. zog *Terkel Terkelsen* gegen die Einrichtung der dänischen Sabotagewacht mit den folgenden Worten zu Feld:

"Jetzt ist es soweit gekommen, daß man fragen muß: Wer schießt früher, der Wächter oder der Saboteur? So ist es den Deutschen gelungen, zwei Dänen gegen einander zu hetzen, während sie gleichzeitig selbst im Hintergrunde sich ins Fäustchen lachen. Sie haben damit das dänische Volk zersplittert, was später wohl ausgenutzt werden wird."

Anschließend versuchte Terkelsen, die Sabotagehandlungen als Voraussetzung für eine Unterstützung Dänemarks durch die Alliierten nach dem Kriege hinzustellen:

"Man stellt sich vielleicht die Frage, ob die Sabotage-Handlungen einen Wert haben. Was soll denn in Dänemark geschehen, wenn nach dem Friedensschluß die dänische Industrie mit zerstörten Maschinen dasteht? Aber man muß sich auch fragen: Welche Stellung werden die Alliierten Dänemark gegenüber einnehmen, wenn die Dänen ganz ruhig die Deutschen in ihrem Lande regieren lassen? Glaubt Ihr, daß die Alliierten ein Dänemark unterstützen werden, das für die deutsche Wehrmacht gearbeitet hat?"

Am 15.6. lief *Terkelsen* erneut Sturm gegen die Sabotagewacht:

"Der Zwischenfall in der früheren Glasfabrik in Aarhus am 27.5. hat auch über die Sabotagewachtsysteme etwas mehr Klarheit gebracht. Ein Saboteur wurde getötet und seine Leiche von mehreren Kugeln durchbohrt, zu derselben Zeit, wo der Sabotage-

---

4 Jfr. Bests telegram nr. 750, 21. juni 1943.

wächter nur leicht verwundet wurde.⁵ Ein Däne bekommt also einen deutschen Revolver in die Hand gedrückt und wird Sabotagewächter genannt.
...
Der Justizminister erklärte bei der Einführung Sabotagewächter, daß die Dänen selber die Sabotagewelle zum Stehen bringen müßten, weil es sonst die Deutschen tun würden. Wer zufrieden ist, sind die Deutschen. Sie bekommen dänische Mannschaften und dänische Polizei, die ihre Interessen bewachen müssen und zwischen dänischen Männern und dänischen Patrioten böses Blut machen. Sie haben es soweit gebracht, daß ein Däne auf seinen Landsmann losschießt. Das ist die gemeine Art, von der die Deutschen Gebrauch machen, um Dänemark unter ihrer Faust zu halten mit so wenig deutschen Mannschaften wie möglich."

Am 20.6. wurde über den Reichsbevollmächtigten und seine Politik folgendes gesagt:

"Es spricht ein guter Freund Dänemarks: Ich werde heute Abend von einem Mann sprechen. Er heißt Werner Best. Er hat eine zweifelhafte Vergangenheit, doch heute bemüht er sich darum, sich von der besten Seite zu zeigen. Diese Handlung erinnert mich an das Wort: Als der Teufel alt wurde, ging er ins Kloster.

Es gibt 2 Typen von Deutschen. Der eine Typ ist brutal wie von Hanneken, während der andere Typ ein schlauer Verbrecher ist wie Werner Best. Beide sind gefährlich, aber Best ist der weitaus gefährlichste.

Im November vorigen Jahres wußte keiner, wie sich die Zukunft gestalten würde. In Europa wurde die Politik der Unterjochung eingeführt, und in Dänemark wird man unzweifelhaft die Frage gestellt haben: Was wird mit dem Lande geschehen? Aber in Dänemark wurde nicht die Politik der Unterjochung praktiziert; statt dessen versuchte man, eine Politik der "Verständigung" durchzuführen. Werner Best besuchte Amalienborg und hatte eine kameradschaftliche Zusammenkunft mit Chiewitz, mit dem er sich über die gemeinsamen Interessen an dem finnischen Schicksal unterhielt.⁶ Diese Besuche sind leicht zu durchschauen. Das dänische Volk sollte betört werden.

Ein Zuschauer wird bei einer näheren Betrachtung des dänischen Volkes 2 Gruppen herausstellen können. Die eine Gruppe sagt: Laßt uns noch, bevor es zu spät ist, der Welt unseren Widerstand zeigen, damit sie das wahre Gesicht Dänemarks rechtzeitig erkennt. Die andere Gruppe sagt: Laßt uns in der noch kurzen Zeit ausharren! – Diese kurze Zeit versucht Best auszunutzen. Darum ist dieser alte Teufel so gefährlich."

Am 21.6. sprach *Terkelsen*:

"Dänemark wird ständig das Musterland während der Besetzung genannt. Es scheint, daß die Nazisten ein sehr schwaches Gedächtnis besitzen, und sie sind der Meinung, daß dies auch der Fall bei den anderen ist. Es sind erst 8 Monate vergangen, seit Scavenius nach Berlin bestellt wurde, wo ihm von Ribbentrop höchst persönlich klar machte, daß in Dänemark alles verkehrt wäre. Dänemark ist nicht nazistisch eingestellt, das haben bereits die Wahlen gezeigt, und es leistet den Deutschen weiterhin einen aktiven Widerstand.

---

5 Se Bests telegram nr. 658, 31. maj 1943.
6 Mødet mellem modstandsmanden Ole Chievitz og Best fandt sted som en af betingelserne for, at man fra tysk side accepterede den dom, Chievitz havde fået ved en dansk domstol (Snitker 1977, s. 50).

Der deutsche Journalist Dr. Halfeld schreibt voll Bewunderung über die Haltung Dänemarks im "Hamburger Fremdenblatt." Er unterstreicht, daß in Dänemark nur selten Sabotagefälle vorkommen, und daß sonst im Lande und in der Industrie Ordnung herrscht. Das paßt aber nicht mit den Warnungen zusammen, die von Zeit zu Zeit von der Regierung erlassen werden, worin es heißt, daß die Sabotagehandlungen eine Gefahr sind, und daß sie sofort eingestellt werden müssen, da andernfalls den Dänen die Administration genommen würde.

Dr. Halfeld ist sehr begeistert, daß Best seine Arbeit mit solch einer kleinen Anzahl von Mitarbeitern durchführt. Halfeld vergißt aber, daß die Arbeit, die sonst von der Gestapo ausgeführt werden müßte, jetzt von der dänischen Polizei gemacht wird."

An 25.6. griff wieder *Blythgen Petersen* den Reichsbevollmächtigten an:

"Bereits im April sagte Professor Chiewitz, daß Dr. Best ein gefährlicher Mann ist.[7] Dasselbe unterstrich vor kurzem auch ein guter Freund Dänemarks.

Die Ausplünderung Dänemarks dauert an. Das deutsche Nachrichtenbüro Transozean meldete vor kurzem, daß die Deutschen in Dänemark überhaupt keine Einkäufe machen dürfen, und daß den Deutschen bei der Ausreise von den Zollbeamten sogar die Schuhe ausgezogen werden, wenn sie in Dänemark gekauft worden sind. Wir können dazu nur sagen, daß wir besser wissen, welche Mengen von Waren aus Dänemark ausgeführt worden sind und immer noch ausgeführt werden.

Dr. Halfeld kann Dänemark ein Münsterprotektorat nennen, und dieser Meinung sind auch die Deutschen und Best selbst. Die Deutschen tun alles, damit in Dänemark Ruhe und Ordnung herrschen, weil sie dadurch von diesem Lande noch mehr Nutzen ziehen können. Statt von Drohungen macht Best jetzt von anderen Mitteln Gebrauch.

Hunderte von dänischen Patrioten sitzen in deutschen und dänischen Gefängnissen. Auch für die Leiden dieser Leute wird die Vergeltung kommen.

Best tut alles, um die Zukunft Dänemarks zu verderben. Deshalb ist er ein gefährlicher Mann."

152. Albert van Scherpenberg an Werner Best [...] Juli 1943

Danmark ønskede at eksportere 3.000 maskingeværer til Ungarn. Scherpenberg indstillede, at Rüstungsstab Dänemark blev spurgt, før AA gav sin godkendelse. End ikke Rüstungsstab Dänemarks chef, Walter Forstmann, var underrettet.

Kilde: BArch, R 901 68.712 (udkast).

Kopenhagen, Juli ... [194]3   zu Ha Pol VI 2813/43 II
LR v. Scherpenberg

[Betr.:] Dänisch-ungarische Wirtschaftsvereinbarungen; Lieferung von Maschinengewehren von Dänemark nach Ungarn.

---

7 Chievitz blev løsladt 9. april 1943 efter udstået straf for modstandsvirksomhed. Den citerede udtalelse er givetvis fra *Frit Danmarks* maj-nummer, hvor der i artiklen "Til Herrerne paa de billige Pladser" indledningsvis skrives: "At Dr. Best er den farligste Nazist, vi har haft indenfor Danmarks grænser, derom kan der næppe være Tvivl!" Chievitz havde udtrykt det samme i et brev til Christmas-Møller i maj (Snitker 1977, s. 50).

Im Anschluß an 831 vom 12. Juni.[8]

Dänische Gesandtschaft hat hier Wortlaut paraphierter Wirtschaftsvereinbarungen mit Ungarn vorgelegt, die Lieferungen von Maschinengewehren im Werte von 8 Mio. Kronen vorsehen. Dänische Bezugswünsche werden hier zurzeit noch geprüft, dürfte aber mit geringen Änderungen für uns annehmbar sein. Maschinengewehrlieferung in dieser Höhe kann nur nach Abstimmung mit dortigem Wehrwirtschaftsstab gebilligt werden. Bei kürzlicher Besprechung mit Kapitän Forstmann ergab sich, daß dieser von der geplanten Lieferung noch keinerlei Kenntnis hatte. Mit Rücksicht auf die Größe des Auftrags der weit über 3.000 Maschinengewehren umfassen dürfte, erbitte ich Stellungnahme Wehrwirtschaftsstabs hierher zu drahten, bevor dänischer Regierung unsere endgültige Stellungnahme zu dem Geschäft mitgeteilt wird.
Scherpenberg

153. SS-Hauptamt an das Auswärtige Amt 2. Juli 1943
SS-Hauptamt orienterede AA om hvilke danske officerer, der havde meldt sig til Waffen-SS, deres tjenestegrad, samt om deres situation på beretningstidspunktet: om de var faldet eller andet.

Der meldte sig flere officerer, end de her opregnede, se bl.a. Lauritzen 1948, s. 1376-1382. Et flertal af officererne er omtalt hos Haaest 1995 og især Krabbe 1998, hvortil henvises. Jfr. også Claus Bundgård Christensen m.fl. 1998, s. 48.

Kilde: RA, pk. 225.

Der Reichsführer-SS   *Berlin Wilmersdorf 1, den 2. Juli 1943*
SS-Hauptamt-Amt D II   Postfach 58
D II/2-Az. 9h5 – Wo/Bo.

Betr.: Liste dänischer Offiziere in der Waffen-SS
Bezg.: ohne
Anlg.: – 1 –[9]

Herrn Konsul Dr. G. Ashton,
   Auswärtiges Amt, Berlin W 9
   Rauchstr. 11

Anliegend übersendet das Amt D II abschriftlich eine Liste der in der Waffen-SS angestellten dänischen Offiziere zur Kenntnisnahme.
I.A. [signeret]
SS-Obersturmführer

8 Telegrammet er ikke lokaliseret.
9 Trykt nedenfor.

SS-Ersatzkommando Dänemark
Jernbanegade 7

Kopenhagen, den 26.6.43

Liste über die bisher eingestellten dänischen Offiziere

Nr.:	Name:	Vorname:	Geb. am:	Dän. Dienstgrad:	Deutscher Dienstgrad:	Bemerkungen:
1	Aggersböl	Alf	24.9.17	Flg.-Lt.	Leutnant	entlassen (Dt. Luftwaffe)
2	Arentoft	Holger Orla	24.7.06	Kapitän	Stubaf.	
3	Andersen	Hans Peter	31.5.15	Sek.Lt.	Ustuf.	gefallen
4	Berg	Jürgen H.	23.2.09	Sek.Lt.	Rottenf.	Volksdeutscher
5	Bertramsen	Kaj Albert[1]	13.2.13	Sek.Lt.	Ustuf.	
6	Binnerup	Björn Elith	6.1.10	Leutnant	Ustuf.	
7	Bissing	Hans Jakob	24.7.98	Arzt	Hptstuf.	
8	Bonnek	Dirck Ingv.[2]	20.8.09	Kpt.-Lt.	Hptstuf.	
9	Brennecke	Johannes	20.11.11	Prem.-Lt.	Ostuf.	
10	Brobjerg	Poul Vick.[3]	13.12.04	Leutnant	Ostuf.	
11	Brodersen	Christen M.	29.7.14	Oberlt.	Ostuf.	gefallen[4]
12	Christensen	Holger Winding	22.8.02	Kapitän	Hptstuf.	
13	v. Eggers	Christian U.[5]	1.4.13	Leutnant	Ustuf.	
14	Ellekilde	Helge[6]	4.8.12	Leutnant	Ostuf.	
15	Fabian	Wolfgang R.	10.6.15	Flg.-Oblt.	Oblt.	gefallen (Dt. Luftwaffe)[7]
16	Falgaard	Niels Vive	7.7.07	Leutnant	Ustuf.	gefallen
17	Fenger	Erich Vagn	1.11.17	Leutnant	Ustuf.	
18	Fenger	Fritz Valdem.	15.3.16	Prem.-Lt.	?	
19	Frederiksen	Johannes Ing.	6.4.17	Leutnant	Ustuf.	
20	Grönlund	Hans Georg	2.8.08	Sek.Lt.	Schütze	
21	Guldberg	Uwe Leif	25.5.07	?	Ustuf.	entlassen
22	Gyldenkrone	Emil	21.12.10	Leutnant	Ustuf.	
23	Hansen	Kaj Islin	3.6.92	Kapitän	Hptstuf.	
24	Hansen	Knud Maag.[aard]	10.5.11	Sek.Lt.	Schütze	auf eign. Wunsch[8]
25	Harrild	Asker Tage	21.10.05	Flg.-Kpt.	Hauptmann	Dt. Luftwaffe
26	Hellmers	Johannes	23.10.18	Leutnant	Ustuf.	entlassen
27	Hess	Paul	14.2.00	Leutnant	Ustuf.	
28	Hjarvard	Louis R.[9]	19.9.17	?	Ustuf.	
29	Höjmark	Bornemann	29.5.97	Prem.-Lt.	Ostuf.	
30	Jensen	Poul Jörgen	21.11.11	Leutnant	Ustuf.	
31	Jörgensen	Carsten	15.6.14	Sek.Lt.	?	entlassen
32	Jörgensen	Thor	25.9.97	Kapitän	Stubaf.	
33	Kjärsgaard	Tage Rasmus[sen]	2.1.14	Leutnant	Ustuf.	
34	Korsgaard	Henning H.	3.10.18	Sek.Lt.	Ustuf.	
35	v. Krabbe	Oluf	5.9.03	Kapitän	Hptstuf.	
36	Krogh	Aage Chr.[istoffersen]	26.12.04	Arzt	Hptstuf.	

JULI 1943

37	Kryssing	Christian P.	7.7.91	Oberst-Lt.	Staf.	
38	Kuhnert	Jörgen Kamp	21.9.19	Leutnant	Ustuf.	
39	Kure	Ole Peter	29.10.17	Sek.Lt.	Ustuf.	
40	Langermann	Armand M.	18.5.85	Tierarzt	Hptstuf.	
41	Larsen	Bent W.[orsøe][10]	2.7.13	Sek.Lt.	Ostuf.	
42	Larsen	Eiler A.	17.4.19	Sek.Lt.	Ustuf.	entlassen
43	Lärum	Erik Kr.	5.8.03	Kapitän	Hptstuf.	
44	Lund	Ove Ivan	15.9.16	Leutnant	Ustuf.	
45	Martinsen	Knud Börge	30.11.05	Kapitän	O.Stubaf.	
46	Mortensen	Jörgen	24.1.01	Sek.Lt.	Ustuf.	
47	Müller	Hans O.	12.5.11	Sek.Lt.	Ustuf.	entlassen (z.S.D.)
48	Neergaard [-Jacobsen]	Poul Aage B.	16.2.01	Kapitän	Hptstuf.	
49	Nielsen	Alfred	10.6.15	Leutnant	Ustuf.	gefallen[11]
50	Nielsen	Erik	16.5.11	Sek.Lt.	Ustuf.	entlassen
51	Nielsen	Just Jogn.	6.7.20	Sek.Lt.	Ustuf.	gefallen
52	Nielsen	Peter	1.7.79	Korps-Offiziant	Hptstuf.	
53	Nielsen	Vagn V.	29.10.16	Leutnant	Ustuf.	
54	Nordholm	Hans K.P.	7.6.06	Leutnant	Ustuf.	gefallen
55	Pedersen	Carl	18.1.16	Sek.Lt.	Ustuf.	
56	Petersen	Emil H.[12]	10.8.06	Arzt	Hptstuf.	
57	Petersen	Jens P.W.	4.8.13	Res.Intendat	Ustuf.	
58	Petersen	Karl Dietr.	20.9.02	Sek.Lt.	Oscha.	Volksdeutscher
59	Petersen	Tage	18.7.15	Sek.Lt.	Ustuf.	
60	Ranzow	Poul Engelh.	5.9.98	Kapitän	Stubaf.	
61	Ravnskov	Knud Erik	29.10.11	Flg.Kpt.	Hauptmann	gefallen (Dt. Luftwaffe)[13]
62	Riis	Henry A.	8.9.18	Leutnant	Ustuf.	entlassen
63	Salkow	Jörgen	17.11.17	Res.Intendat	Ustuf.	
64	Skov	Svend Aage	31.8.12	Sek.Lt.	Oscha.	am 12.6.43 von setzt, Dt. Lftw.
65	Sommer	Poul	13.10.10	Flg.-Lt.	Oberlt.	Dt. Luftwaffe
66	Sörensen	Per[14]	24.9.13	Prem.-Lt.	Ostuf.	
67	Sörensen	Svend	27.5.11	Flg.-Lt.	Leutnant	entlassen (Dt. Luftwaffe)
68	v. Schalburg	Christian F.	15.4.06	Kpt.-Lt.	O.Stubaf.	gefallen[15]
69	Schmidt	Wilhelm	30.9.16	Unterzahnarzt	?	Volksdeutscher
70	Schock	Knud[16]	31.5.99	Kapitän	Hptstuf.	
71	Schröder	John William	5.1.98	Sek.Lt.	Ustuf.	
72	Stenbjörn	Knud A.	5.4.01	Tierarzt	Ostuf.	
73	Terp	Ove Chr.	10.11.14	Flg.-Lt.	Flg.-Lt.	Dt. Luftwaffe
74	Thorgils	Knud	8.7.06	Sek.Lt.	Ustuf.	
75	Thorup	Einar	7.1.12	Flg.-Kpt. Leutnant	Hauptmann	gefallen (Dt. Luftwaffe)[17]

| 76 | Viffert | E.C.H.[18] | 10.11.93 | Kapitän | Stubaf. | |
| 77 | Wodschow | Svend K. | 17.10.94 | Orlogskpt. | Stubaf. | |

Noter til listen: 1) Faldt i juli 1944 (Krabbe 1998, s. 191). 2) Faldt på østfronten i slutningen af 1943 (Lauridsen 2002a, s. 480). 3) Blev taget til fange og var krigsfange i Sovjetunionen til 1955 (Krabbe 1998, s. 268). 4) Det skete 21. juni 1942 (Krabbe 1998, s. 72). 5) Henrettet 4. marts 1944 på K.B. Martinsens ordre (Monrad Pedersen 2000, s. 103). 6) Senere i Schalburgkorpset. Fritaget for straf under retsopgøret pga. hjernelidelse (*Højesteretstidende* 1947, s. 86-90). 7) Det skete maj 1942 (Krabbe 1998, s. 156). 8) Faldt januar 1945 (Krabbe 198, s. 209). 9) Om sekondløjtnant Hjarvard, se Bovensiepens aktivitetsrapport for december 1944, trykt nedenfor. 10) Faldt 1. februar 1944 (Krabbe 1998, s. 84, 169). 11) Det skete juni 1942 (Krabbe 1998, s. 71). 12) Om hans medvirken til Frits Clausens fald, se Lauridsen 2003b, s. 366, passim. 13) Faldt 18. september 1942 (Ravnskov 2000). 14) Faldt 24. april 1945 (Haaest 1998). 15) Faldt 2. juni 1942 (Kirkebæk 2007). 16) Faldt 1944 (Krabbe 1998, s. 267). 17) Faldt 5. juni 1942 (Krabbe 1998, s. 156). 18) Døde 1950 i sovjetisk fangenskab (Haaest 1995, s. 387).

154. OKM an das Auswärtige Amt 4. Juli 1943
OKM ønskede en hurtig reparation og ombygning af skibet "Deime", der lå på værft i Århus. Det kunne ske ved, at der blev arbejdet på overtid, hvilket værftet og arbejderne var villige til, men Industrirådet havde modsat sig det. OKM ønskede, at AA skulle gøre indsigelse over for den danske regering.
Svaret er ikke lokaliseret.
Kilde: BArch, Freiburg, RM 7/1187. RA, Danica 628, sp. 7, nr. 5306.

Oberkommando der Kriegsmarine *Berlin, den 4. Juli 1943*
Zu B. Nr. 1/Skl. I Ia 19 635/43g.   Vfg.   Geheim

I. Schreibe: An das Auswärtige Amt
z.Hd. von Herrn Leg. Rat v. Grote
Berlin

Betr.: Instandsetzung und Umbau Netzwerkschiff "Deime".

Das Netzwerkschiff "Deime" liegt auf der Werft in Aarhus zur Behebung einer Bodenbeschädigung und zwecks Umbau. Eine schnelle Fertigstellung der Reparatur ist zur Erfüllung wichtiger militärischer Aufgaben notwendig. Das Schiff muß noch vor Beginn der Eisperiode in seinem Bestimmungshafen in Nord-Norwegen einlaufen.

Nach den getroffenen Feststellungen könnten die Arbeiten der Werft in 3 Monaten erledigt werden, wenn die Belegschaft mit Überstunden (täglich 10-12 Stunden Arbeitszeit) angesetzt wird. Ohne Überstunden dauert die Arbeit 5 Monate. Die Werkleitung und die Belegschaft sind bereit, die Überstunden zu leisten. Überstunden dürfen aber offenbar nur mit Genehmigung des Industrierats angesetzt werden, der diese Genehmigung verweigert hat. Es wird angenommen, daß die Gründe für die Verweigerung politischer Natur sind. Gegen die Entscheidung des Industrierates ist Einspruch bei der Dänischen Regierung möglich und die zuständigen Marinestellen in Dänemark sind angewiesen worden, diesen Einspruch einzulegen. Da aber die Angelegenheit von grundsätzlicher Bedeutung ist und eine Verbesserung der Arbeitslage bei den dänischen

Werften dringend notwendig ist, wird gebeten, auch auf diplomatischem Wege auf eine Regelung der Angelegenheit im deutschen Sinne zu dringen.

II. I Ia C/Skl. i.A. 1/Skl. + Ia Ic Ii

1/Skl.

155. Werner Best: Besprechungsvermerke 6. Juli 1943
Til mødet med von Ribbentrop i Berlin i begyndelsen af juli forberedte Best sig bl.a. med dette samtalepapir. Da von Ribbentrop imidlertid blev syg, blev mødet ikke gennemført.

Se Bests telegram til Ribbentrop 7. juli 1943. Grundherr udarbejdede 8. juli et forslag til skriftligt svar på Bests spørgsmål til Ribbentrop, trykt nedenfor, og fra personaleafdelingen kom der den 13. juli en kort positiv indstilling til punkt 1 og 2 (ikke trykt her).

Der foreligger både en afskrift 1 og 3. Sidstnævnte er forsynet med Ribbentrops beslutninger i marginen: Om pkt. 1: Wiedervorlage, om pkt. 2: 300.000 Kronen, om pkt. 3: intet, om pkt. 4: Vorschlag entsprechend, om pkt. 5: ja, om pkt. 6: ja.

Kilde: PA/AA R 29.567. RA, pk. 203.

Abschrift 1

Besprechungsvermerke
für eine Besprechung mit dem Herrn Reichsaußenminister.

1.) Kann die Beförderung des Gesandten Dr. Barandon zum Gesandten I. Klasse eingeleitet werden?
   Begründung:
   a.) Der Gesandte Dr. Barandon verdient persönlich und sachlich die Beförderung.
   b.) Nachdem der Regierungsvizepräsident Kanstein zum Regierungspräsidenten und der Ministerialrat Dr. Ebner zum Ministerialdirigenten befördert worden sind, erscheint es dringend erwünscht, daß Dr. Barandon als der Vertreter des Reichsbevollmächtigten zum gleichen Dienstgrad wie die Genannten befördert wird.

2.) Kann dem Reichsbevollmächtigten ein größerer politischer Dispositionsfonds – etwa 200-300.000 Kronen – zur Verfügung gestellt werden?
   Begründung:
   a.) Es erscheint bei der Lage in Dänemark dringend erforderlich, daß der Reichsbevollmächtigte zur Erzielung bestimmter politischer Effekte – Unterstützung politischer Gruppen, Gewinnung von Persönlichkeiten, Beeinflussung von Zeitungen usw. – sofort über ausreichende Mittel verfügen kann.
   b.) Durch die Umstellung der Arbeit der DNSAP werden höhere Beträge als der beantragte politische Dispositionsfonds frei.

3.) Können 50 britische Zivilinternierte aus einem reichsdeutschen Internierungslager in das Internierungslager für britische Staatsangehörige in Dänemark rücküberführt werden?
   Begründung:
   a.) Die Rücküberführung wäre eine billige Möglichkeit, dem Staatsminister Scavenius eine seit langem geäußerte Bitte zu erfüllen und ihm damit einen kleinen

Erfolg zuzuspielen.

b.) In Dänemark kosten die Internierten keine deutsche Bewachungsmannschaft und keine deutschen Lebensmittel. Aus den dänischen Lagern ist noch kein Internierter entflohen.

c.) Wenn ein Austausch der in Dänemark internierten Briten beabsichtigt ist, so ist die Rücküberführung vor dem Austausch eine noch billigere Geste gegenüber dem dänischen Staatsminister.

4.) Ist zu erwarten, daß der Führer seine Anordnung, daß von dem etwaigen Tode des Königs Christian X. von Dänemark seitens der deutschen Wehrmacht keinerlei Notiz zu nehmen wäre, ändern wird?
Begründung:
Der König bemüht sich seit der Wiederaufnahme seiner Regierungsgeschäfte in jeder im Weise (Rundfunk-Ansprache, Einflußnahme auf den Staatsrat, auf die Wehrmacht und auf Politiker), seine Autorität für eine loyale Zusammenarbeit Dänemarks mit dem Reich einzusetzen. Da dies im Lande bekannt ist, würde es zu negativen Rückwirkungen führen, wenn dem König nach seinem Tode jede deutsche Ehrung versagt würde.

5.) Ist der Herr Reichsaußenminister damit einverstanden, daß der Reichsbevollmächtigte auf Einladung des Gesandten Thomsen diesen in Stockholm besucht?
Begründung:
Nachdem die schwedische Presse in den letzten Monaten anerkennen mußte, daß das deutsche Regime in Dänemark erträglich sei, würde ein Besuch des Reichsbevollmächtigten in Stockholm Gelegenheit geben, diesen Eindruck dadurch zu vertiefen, daß der Gesandte Thomsen den Reichsbevollmächtigten mit führenden Schweden bekannt macht.

6.) Ist der Herr Reichsaußenminister damit einverstanden, daß der Reichsbevollmächtigte einer Einladung des Generals Böhme, der auf der Durchreise in Kopenhagen sein Gast war, folgend einen Frontbesuch an der Polarfront macht?

Die Reise würde auf dem Luftwege über Oslo durchgeführt werden und etwa eine Woche dauern.[10]

Berlin, den 6. Juli 1943.

gez. **Dr. Best**

156. Eberhard von Thadden an Werner Best 6. Juli 1943

Aage H. Andersen skulle angiveligt beskæftiges i Tyskland af den antijødiske Welt-Liga, og Best blev bedt om at være behjælpelig med Andersens persondata hos RSHA.

Det viste sig senere, at Aage H. Andersen blev beskæftiget hos Antikomintern (se Bests telegram til AA 19. juli 1943).

Kilde: PA/AA R 99.413. RA, pk. 219. Lauridsen 2008a, nr. 102.

Durchdruck als Konzept

---

10 Best kom hverken på besøg i Sverige eller ved polarfronten.

Reinschrift 1.b. Hb. *Berlin, den 6. Juli 1943*
Inl. II A 5383

An den Bevollmächtigten des Reichs in Dänemark
  Kopenhagen

Auf Bericht Nr. II P 137/43 vom 28.6.[11]
Betr. Aage Andersen

Das Auswärtige Amts ist bereits von der Antijüdischen Welt-Liga gebeten worden, Herrn Aage Andersen, der angeblich im Reich beschäftigt werden soll, behilflich zu sein und den erforderlichen Einreisesichtvermerk zu erteilen. Sofern das weitere insoweit von dort aus nicht unmittelbar veranlaßt wird, darf gebeten werden, die zur Verständigung des Reichssicherheitshauptamtes erforderlichen Personalangaben, insbesondere Angabe des Geburtsdatums und Geburtsortes Andersens hierher zu übermitteln.
  Im Auftrag
  gez. v. Thadden

157. Werner Best an das Auswärtige Amt 6. Juli 1943
AA blev orienteret om dommen over tre sabotører ved Københavns byret.
  Kilde: PA/AA R 61.119.

Abschrift Pol VI 871
Der Bevollmächtigte des Reiches in Dänemark *Kopenhagen, den 6. Juli 1943*
II C 3 B Nr.717/1943

An das Auswärtige Amt

Betrifft: Sabotage in Dänemark.
Bezug: Hies. Berichte, zuletzt vom 18.6.1943[12] – II C 3 – B Nr. 717/43 –

Am 18.6.1943 fand vor dem Stadtgericht in Kopenhagen die Verhandlung gegen 3 jugendliche Saboteure statt, die versucht hatten, sich Munition zu verschaffen. Sie hatten zu diesem Zweck am 14.2.1943 auf dem Bahnhof in Fredericia/Mitteljütland die Stirnwand eines deutschen Güterwagens mehrfach angebohrt und die Zwischenräume herausgeschlagen. Dabei sind sie überrascht worden:
Die Täter:
1.) Ole Sonne, geb. am 1.3.1925 in Fredericia, wohnhaft in Sandal bei Fredericia,
2.) Karl Christian Trampe, geb. am 25.5. 1928 in Odense, wohnhaft in Sandal bei Fredericia,

11 Trykt ovenfor.
12 Trykt ovenfor.

3.) Erich Gerhard Adam Friedrich Trampe, geb. am 28.3.1926 in Odense, wohnhaft in Sandal bei Fredericia,

wurden zu je 8 Monaten Gefängnis verurteilt. Eine Auswertung des Urteils in der dänischen Presse ist erfolgt.[13]

In Vertretung
Unterschrift

158. Kriegstagebuch/Admiral Dänemark 6. Juli 1943
Den danske marine havde meddelt, at 9 personer dagen før var flygtet til Sverige om bord på en af dens motorbåde ["Fandango"]. Det var Wurmbachs opfattelse, at det var en uoverlagt handling udført af unge mennesker. Han krævede, at den danske marine tog forholdsregler for at undgå gentagelser (jfr. fjernskrivermeddelelse til OKM samme dag).

I en fjernskrivermeddelelse den følgende dag til OKM 1. Skl. gentog Wurmbach forløbet, men korrigerede sig selv for så vidt, at der måtte have været en forhåndsaftale mellem bådens fire faste matroser. Viceadmiral Vedel havde afbrudt sin ferie for at drøfte de af Wurmbach krævede forholdsregler, som blev videregivet til OKM 1. Skl. 12. juli. Ifølge disse skulle alle uvedkommende personer forbydes adgang til minestrygningsfartøjerne, og motoren skulle være afbrudt, når føreren ikke var til stede (BArch, Freiburg, RM 7/1187 og RA, Danica 628, sp. 7, nr. 5312f. med begge meddelelser. Roslyng-Jensen 1980, s. 466, n. 55).

Kilde: KTB/ADM Dän 6. juli 1943, RA, Danica 628, sp. 3, s. 2066.

[...]

Der Verbindungsoffizier der dänischen Kriegsmarine berichtete wie folgt:

"Unter Benutzung eines Motorbootes, das normalerweise von Offizieren der dänischen Küstenüberwachung geführt wird, denen es von Fall zu Fall für Kontrollfahrten im Sund zur Verfügung steht, flohen am 5.7. um 20.00 Uhr 3 Seekadetten, 2 Unteroffiziere und 4 Matrosen nach Schweden. Boot lag während Abmeldung betreffenden Offiziere 3 Minuten lang unter Aufsicht Bootspersonals in dänischer Kriegsmarinewerft. Diese Zeit wurde zur Flucht benutzt. Von den Flüchtlingen gehörten 4 Mann, davon 1 Matrose und 3 Mann Maschinenpersonal, zur Bedienung (3 Wachen) des Bootes."

Nach meiner Ansicht handelt es sich um eine unüberlegte Tat von jungen Leuten, die sich über die möglichen Folgen ihrer Handlungsweise nicht im Klaren waren.

Ich habe die dänische Marine darauf hingewiesen, daß der Vorfall bis zu einem gewissen Grade eine Wiederholung des Zwischenfalls M-Boot "Söridderen" darstellt und Maßnahmen gefordert, die die Möglichkeiten für derartige Vorkommnisse auf ein absolutes Minimum herabsetzen.

159. Paul Barandon an das Auswärtige Amt 7. Juli 1943
I Bests fravær var det igen Barandon, der orienterede ministeriet i Berlin. Han måtte melde om uroligheder og sammenstød i det indre København omkring restaurant "Skandia", hvor danske SS-frivillige var indblandet.

---

13 Best havde omtalt sagen i sine sabotageindberetninger 13. marts og 2. juni 1943.

Best havde en enkelt gang meldt om sammenstød mellem repræsentanter for værnemagten/danske frivillige og civilbefolkningen, idet han valgte ikke at viderebringe oplysninger om andre. Episoden i København den 6. juli var den hidtil største af sin art og fortsatte de kommende dage og aftener, indtil politiet lukkede "Skandia," der af frikorpsfolk og Schalburgfolk var udset til operationsbasis (KB, Bergstrøms dagbog 6., 7. og 8. juli 1943, Munch, 8, 1967, s. 139, Brøndsted/Gedde, 1, 1946, s. 485, Kirchhoff, 1, 1979, s. 273f., Hvidtfeldt 1985, s. 71 (hvor dog Hipo-korpset optræder!), Monrad Pedersen 2000, s. 49-52.).

Admiral Wurmbach sendte i sin egenskab af stedfortrædende værnemagtsøverstbefalende Barandons telegram videre til OKM sammen med denne tilføjelse: "Wegen der auch früher schon stark zu beanstandenden Haltung der dänischen SS-Freiwilligen, die zu Lasten des Ansehens der deutschen Wehrmacht geht, ist von mir Sonderbericht an Reichsbevollmächtigten angeordnet worden." Søren Kam var blandt de involverede. Der blev fulgt op på denne sag i de følgende dage.

Kilde: PA/AA R 29.567 og R 101.040. BArch, Freiburg, RM 7/1187 og RA, Danica 628, sp. 7, nr. 5309-11 (med Admiral Dänemarks tilføjelse). RA, pk. 203, 228 og 438a. LAK, Frits Clausen-sagen XIV/347.

T e l e g r a m m

| Kopenhagen, den | 7. Juli 1943 | 13.50 Uhr |
| Ankunft, den | 7. Juli 1943 | 14.55 Uhr |

Nr. 809 vom 7.7.[43.]   Cito!

Am 6. Juli haben sich auf den Straßen der Innenstadt von Kopenhagen einige Zwischenfälle, im wesentlichen zwischen dänischen SS-Freiwilligen und der dänischen Bevölkerung ereignet. Der Ausgangspunkt war, daß gegen 14.00 Uhr in dem in der Nähe des Rathausplatzes liegenden Restaurant "Skandia" einigen dänischen SS-Männern und Freiwilligen des Schalburg-Korps in Uniform die Ausgabe von Essen angeblich verweigert wurde. Das Lokal Skandia ist bereits von früheren Vorfällen her für seine unfreundliche Einstellung gegenüber der deutschen Wehrmacht bekannt. Es entstand eine Auseinandersetzung, die auch durch herbeigeholte dänische Polizei nicht geschlichtet werden konnte. Der Inhaber des Restaurants schloß daraufhin, offenbar um weiteren Unannehmlichkeiten zu entgehen, von sich aus seinen Betrieb. Inzwischen hatte sich auf der Straße eine größere Menschenmenge angesammelt, die sich, als die SS-Männer das Lokal verließen, mit Schmährufen gegen die Männer wandte. Die Polizei versuchte die Menschenmenge zu zerstreuen, ging hierbei aber nicht besonders geschickt vor, sodaß sich an verschiedenen Stellen des Zentrums der Stadt immer wieder neue Menschengruppen bildeten, da auch die SS-Männer und die Angehörigen des Schalburg-Korps die Straße nicht verließen und mit der Zeit Zulauf durch weitere Freiwillige bekamen, entwickelten sich gegen 16.00 Uhr neue Auseinandersetzungen, die zum Teil zu kleineren Schlägereien führten. Ein großer Teil der Vorfälle konnte von der Dienststelle im Dagmarhaus beobachtet werden. Dabei mußte festgestellt werden, daß es in vielen Fällen die SS-Freiwilligen waren, die provozierten und durch ihr Verhalten die Menge immer wieder aufreizten. Der von der Führung der Waffen-SS gegebene Befehl an die SS-Freiwilligen, sich von der Straßen zurückzuziehen, blieb wirkungslos, sodaß die Auseinandersetzungen mit Unterbrechungen sich bis Mitternacht hinzogen. Es handelte sich dabei zumeist um persönliche Reibereien zwischen Freiwilligen und einzelnen Dänen, die durch Schimpfereien von beiden Seiten eingeleitet und durch Zuschlagen

oder Ziehen des Seitengewehrs oder Pistole seitens der SS-Freiwilligen beendet wurden. Im Laufe der Auseinandersetzungen wurden von seiten der Freiwilligen auch mehrere Warnschüsse abgegeben. Verletzt wurde niemand. Während tagsüber beobachtet werden konnte, daß die Angehörigen des Heeres, der Marine und der Luftwaffe sich unbehelligt durch die Menge bewegen konnten, ist es gegen Abend auch zu Zusammenstößen zwischen Dänen und einzelnen Wehrmachtsangehörigen gekommen, bei welchen die Dänen eine drohende Haltung gegenüber Soldaten eingenommen haben. Dabei handelt es sich auf dänischer Seite um den Pöbel der Hauptbahnhofsgegend, der bei solchen Ereignissen üblicherweise abends auf der Straße in Erscheinung zu treten pflegt. Nach übereinstimmenden Meldungen ist die dänische Polizei in diesen Fällen tatkräftig gegen Angreifer vorgegangen, gegen 17.30 Uhr marschierte, ohne Zusammenhang mit Zwischenfällen, eine Kompanie deutscher Truppen mit Musik von dem Ströget, der Hauptverkehrsstraße Kopenhagens kommend, über den Rathausplatz. Die Menge, die das Erscheinen der Truppe offenbar mißverstanden, wandte sich ihr zu und begrüßte sie mit Pfeifen und Johlen, blieb aber in gebührendem Abstand. Zu Zwischenfallen ist es nicht gekommen, da die Truppe ruhig weitermarschierte und die Polizei die Menge abschirmte. Ich nahm den Vorfall jedoch zum Anlaß, um unverzüglich den derzeitigen stellvertretenden Direktor des Außenministeriums, Hvass, mir zu bestellen und ihm in scharfer Form zum Ausdruck zu bringen, daß die dänische Polizei gegen die Demonstranten des nachmittags nicht energisch genug eingeschritten sei und daß, wenn sich derartige Provokationen der Menschenmenge wiederholen sollten, die Wehrmacht zur Selbsthilfe schreiten würde, vorläufig wurden zwei Kompanien des Polizeibataillons in Alarmzustand versetzt, zu einem Einsatz ist es aber nicht gekommen, der dänischen Polizei wurde geraten, das Restaurant Skandia geschlossen zu halten, um weitere unliebsame Vorfälle zu vermeiden. Um Mitternacht war das Straßenbild im Innern der Stadt Kopenhagens wieder vollkommen normal. Auch heute herrscht völlige Ruhe. Sämtliche Sicherungsmaßnahmen konnten heute früh aufgehoben werden.
Barandon

160. Kriegstagebuch/Admiral Dänemark 7. Juli 1943

Admiral Dänemark omtalte urolighederne i det indre København, hvor SS-frivillige havde været i klammeri med befolkningen. Det var så godt som udelukkende de SS-frivilliges skyld. Der var kommet et kompagni tyske soldater med musik forbi, hvilket blev misforstået, så kompagniet blev udsat for en pibekoncert. Gesandt Barandon havde straks umisforståeligt afleveret en skarp protest til UM og krævet skridt for at undgå gentagelser. To kompagnier af den tyske politibataljon var blevet sat i alarmberedskab, men natten forløb roligt.
Kilde: KTB/ADM Dän 7. juli 1943, RA, Danica 628, sp. 3, s. 2067f.

[...]

Ich habe am heutigen Tage, als mir der Chef der dänischen Marine Vizeadmiral Vedel, sein Bedauern über den Fluchtvorfall am 5.7.43 persönlich aussprach, ihm nahegelegt, besonders auf das jüngere Offiziers-Korps und den Offiziersnachwuchs nochmals persönlich Einfluß zu nehmen und es gegebenenfalls auf seine eigene Person zusätzlich zu verpflichten. Er hat mir zugesichert, daß er diese Frage in der nächsten Woche mit allem Nachdruck zum Abschluß bringen wird.[14]

Am 6.7.43 ab 14.00 Uhr ereigneten sich in der Innenstadt von Kopenhagen einige Zwischenfälle, im wesentlichen zwischen SS-Freiwilligen und der dänischen Bevölkerung. Fast ausnahmslos gaben die SS-Freiwilligen den Anlaß durch provozierendes Verhalten.

Auch eine Kompanie deutscher Truppen mit Musik, die ohne Zusammenhang mit den Zwischenfällen über den Rathausplatz kam, wurde von der Menge, die das Erscheinen der Truppe offenbar mißverstand, mit Johlen und Pfeifen begrüßt. Dieser Vorfall führte zu einem scharfen Protest des stellvertretenden Bevollmächtigten des Reiches in Dänemark, Gesandter Dr. Barandon, beim dänischen Außenministerium, dem in unmißverständlicher Form zum Ausdruck gebracht wurde, daß die dänische Polizei gegen diese Ausschreitungen nicht energisch genug eingeschritten sei, und daß sich die deutsche Wehrmacht in Zukunft selbst helfen werde, falls die Polizei nicht Herr der Lage sei.

Als Sicherheitsmaßnahme wurden 2 Kompanien des Polizeibataillons in Alarmzustand versetzt, zu einem Einsatz ist es aber nicht gekommen. Ebenso wurde für die gesamte Wehrmacht in Kopenhagen Bereitschaftszustand I befohlen, der – nachdem die Nacht ruhig verlaufen war – am 7.7. 07.00 Uhr wieder aufgehoben wurde.

Auf meine fernschriftliche Meldung B-Nr. G 12.389 AI v. 7.7. an OKM und MOK Ost wird hingewiesen.
[...]

161. Werner Best an Joachim von Ribbentrop 7. Juli 1943

Da von Ribbentrop var orienteret om og havde givet tilladelse til Bests besøg hos Himmler 4. og 5. juli, berettede Best forretningsmæssigt om mødet, der havde haft tre dagsordenspunkter. For det første at Best skulle følge tjenestevejen over AA ved kontakt med SS. For det andet at Himmler var indforstået med, at det var AA (gennem Wagner), der førte forhandlingerne med det tyske mindretal i Danmark om deres statstilhørsforhold, og endelig for det tredje, at Himmler bad om von Ribbentrops snarlige tilladelse til hvervning til Schalburgkorpset.

Det sidste var ikke et punkt, som forud var aftalt med von Ribbentrop, men det var givetvis et kardinalpunkt, som på den måde blev bragt frem, efter at Himmler forud havde vist sin gode vilje over for AA i de andre spørgsmål (jødeforanstaltninger) og rost ministeriets politik i Danmark.

Af Bests kalenderoptegnelser fremgår det, at lederen af SS-Hauptamt Gottlob Berger også deltog i møder med Best og Himmler 4. og 5. juli. Best og Berger havde med Himmler en fælles interesse i både det tyske mindretal og Schalburgkorpset.

Den 19. juli 1943 rykkede Wagner von Ribbentrop for en tilladelse til, at der blev påbegyndt hvervning til Schalburgkorpset, hvilket han gav den 23. juli, og Best blev påfølgende underrettet herom den 31. juli med pålæg om at holde AA nøje orienteret.

Best udelod omtale af, at han under opholdet i Berlin mødtes med en repræsentant for RSHA, for hvem jødespørgsmålet fortsat stod på dagsordenen, nemlig Ernst Kaltenbrunner (Yahil 1967, s. 83, 115, Best 1988, s. 115, Bests kalenderoptegnelser 4.-7. juli 1943).

Kilde: PA/AA R 100.357. RA, pk. 248. ADAP/E, 6, nr. 136. Best 1988, s. 282. Lauridsen 2008a, nr. 103.

---

14 Se tillige AA til OKM 19. juli 1943 om de danske marineres flugt til Sverige.

Abschrift
Geheime Reichssache

Berlin, den 7. Juli 1943

Sehr verehrter Herr Reichsminister,
Da mir Ihre Erkrankung leider eine mündliche Berichterstattung unmöglich macht, möchte ich Ihnen wenigstens auf diesem Wege eine Meldung über meinen mit Ihrer Erlaubnis ausgeführten Besuch bei dem Reichsführer-SS erstatten.

Zunächst habe ich Ihnen herzliche Grüße des Reichsführers-SS zu übermitteln, der annahm, daß ich Ihnen diese Grüße persönlich überbringen könne. Ich fand beim Reichsführer-SS eine außerordentlich verständnisvolle und freundschaftliche Einstellung gegenüber dem Auswärtigen Amt und seiner Arbeit. Insbesondere zeigte er sich aufrichtig erfreut über die Politik, die ich in Ihrem Auftrage in Dänemark führe.

Hinsichtlich einiger Einzelfragen, die ich vorher mit LR Wagner besprochen hatte, kann ich melden:

1.) Der Reichsführer-SS ist sich darüber im Klaren, daß mein dienstlicher Verkehr mit ihm – soweit ein solcher in Frage kommt – nur über das Auswärtige Amt zu gehen hat.

2.) Der Reichsführer-SS ist damit einverstanden, daß der Führererlaß betreffend Verhandlungen mit den völkisch-germanischen Gruppen auf Dänemark in der vom Auswärtigen Amt (Sachbearbeiter: LR Wagner) entworfenen Weise angewendet wird.[15]

3.) Der Reichsführer-SS wäre Ihnen für Ihre baldige Zustimmung zur Freiwilligenwerbung in Dänemark durch das "Schalburg-Korps" sehr dankbar.

LR Wagner wird Ihnen bald über diese Fragen eingehender Vortrag halten.

Ich wünsche Ihnen, sehr verehrter Herr Reichsminister, baldige Genesung und bitte Sie, mir zu gegebener Zeit einmal Gelegenheit zur mündlichen Berichterstattung zu geben.

Heil Hitler!
Ihr sehr ergebener
Werner Best

162. Leopold Bürkner: Notiz 7. Juli 1943

Kontreadmiral Bürkner noterede, at der havde været problemer mellem Best og von Hanneken derved, at von Hanneken troede, at han kunne diskutere andet end militære spørgsmål med den danske forsvarsminister og de danske militære tjenestesteder. Sagen var blevet ordnet ved en drøftelse med AA og en henvendelse til von Hanneken.

Det var igen Best, der havde været ude for at afgrænse von Hannekens kompetenceområde (Thomsen 1971, s. 150).

Kilde: RA, Danica 1069, sp. 12, nr. 15.399 (håndskrevet).

---

15 Det var ellers SS, der førte disse forhandlinger.

An II A 6
Ende Juni 43 erfolgte Anruf VAA, in Dänemark hatten auch mehr Schwierigkeiten zwischen Reichsbevollm. u. Befehlshaber dadurch ergeben, daß letzterer auch nicht militärische Fragen mit dän. Verteidigungsmin. u. militärische dänischen Stellen besprechen zu können glaubt.

Die Angelegenheit ist zwischen Chef Af Ausl. u. dem Ausw. Amt besprochen worden u. auch vom Chef Ag mit Befehlshaber geregelt worden.

B 7/7

163. Werner Best an das Auswärtige Amt 8. Juli 1943
Efter sin tilbagekomst til København ilede Best med at følge op på Barandons indberetning 7. juli om urolighederne i København omkring restaurant "Skandia".
Kilde: PA/AA R 101.040. RA, pk. 228 og 438a.

Telegramm

| Kopenhagen, den | 8. Juli 1943 | 10.35 Uhr |
| Ankunft, den | 8. Juli 1943 | 11.00 Uhr |

Nr. 816 vom 8.7.43.

Im Anschluß an den von meinem Vertreter erstatteten Drahtbericht Nr. 809[16] vom 7.7.43 teile ich mit, daß ich nach meiner Rückkehr von meiner Dienstreise in das Reich eine Untersuchung der Vorfälle vom 6.7.43 eingeleitet habe, über deren Ergebnis ich zu gegebener Zeit berichten werde.[17] Für den heutigen Nachmittag habe ich den dänischen Staatsminister zu mir bestellt, um ihm Richtlinien für die Verhinderung derartiger Vorfälle zu geben.

Dr. Best

164. Andor Hencke an Werner Best 8. Juli 1943
Best blev bedt om forslag til, hvordan man kunne undgå, at danske marinemotorbåde flygtede til Sverige.
Han svarede med telegram nr. 827, 9. juli 1943. Anledningen til forespørgslen var, at den danske marines motorbåd "Fandango" 5. juli var blevet bortført til Sverige (se KTB/ADM Dän 6. juli 1943).
Kilde: PA/AA R 61.119.

Abschrift   Pol VI 8796 g

Telegramm nach Kopenhagen 8.7.43. [Nr. 930]
Für Reichsbevollmächtigten.

16 Inl. II. Trykt ovenfor.
17 En sådan beretning er ikke lokaliseret.

Unter Bezugnahme auf Ihre mündliche Berichterstattung an Gesandten v. Grundherr. Führerhauptquartier hat Reichsaußenminister folgende Notiz des Befehlshabers Dänemark übermittelt:

"Am 5. Juli um 20 Uhr bemächtigten sich 3 Seekadetten, 2 Unteroffiziere und 4 Matrosen im unbewachten Augenblick eines dänischen Marine-Motor-Bootes, das in dänischer Kriegsmarinewerft zur Küstenbewachung ausgerüstet wurde. Dänische Küstenbewachung sofort alarmiert. Verhinderung Flucht nach Schweden gelang wegen großer Geschwindigkeit des Bootes (20 Seemeilen) nicht. Kriegsgerichtliche Untersuchung läuft. Maßnahmen der dänischen Kriegsmarine zur Verhinderung ähnlicher Vorkommnisse in Zukunft sind angefordert und werden nachgemeldet. Ergänzend kann zu obiger Meldung, die von Admiral Dänemark an die vorgesetzten Dienststellen erstattet wurde, noch mitgeteilt werden, daß es sich allem Anschein nach um eine improvisierte Flucht handelt. Der Führer des Bootes hatte sein Fahrzeug nur 3 Minuten ohne Aufsicht gelassen."

Schluß der Notiz des Befehlshabers Dänemark.

Reichsaußenminister ersucht Sie um Vorschläge, was für Gegenmaßnahmen zur Verhinderung ähnlicher Vorfälle getroffen werden können.

Drahtbericht.

Hencke

165. Werner von Grundherr: Vermerk 8. Juli 1943

Von Grundherr var 7. juli blevet bedt om at tage stilling til de enkelte punkter i den notits, som Best havde afleveret i AA 6. juli. Det gjorde han punkt for punkt.

I de fleste tilfælde blev Bests indstillinger fulgt. Se dog Steengrachts notits 24. juli 1943.

Kilde: PA/AA R 29.567.

Pol VI
Ges. v. Grundherr   Geheime Reichssache

Stellungnahme zu den Besprechungsvermerken des Reichsbevollmächtigten Dr. Best.[18]

Zu Punkt 1.): Eine Beförderung des Gesandten Dr. Barandon zum Gesandten I. Kl. ist sachlich dringend erwünscht. Er hat einen niedrigeren Rang als der Leiter der Hauptabteilung Verwaltung, Kanstein, und der Leiter der Hauptabteilung Wirtschaft, Dr. Ebner, und soll Dr. Best bei dessen Abwesenheit vertreten.[19]

Zu Punkt 2.): Die Gewährung eines größeren politischen Dispositionsfonds erscheint politisch gerechtfertigt.[20]

Zu Punkt 3.): Die Angelegenheit wird von der Rechtsabteilung bearbeitet. Der Antrag von Dr. Best ist von ihr bisher abgelehnt worden. Politisch besteht auch kein Anlaß, diese Geste zu machen, die Staatsminister v. Scavenius ermöglichen würde, England

---

18 Trykt ovenfor 6. juli.
19 Det tiltrådte Ribbentrop ikke (Steengrachts notits 24. juli).
20 Best fik bevilget en politisk dispositionsfond på 300.000 kr. (Steengrachts notits 24. juli).

entgegenzukommen. Die britischen Zivilinternierten aus Dänemark sind seinerzeit nach Deutschland gebracht worden. Wenn auch zuzugeben ist, daß ein einzelner britischer Zivil-internierter aus einem Lager in Deutschland geflohen ist, so erscheint doch die Unterbringung in Deutschland im Falle etwaiger Kriegshandlungen in Dänemark sicherer.[21]

Zu Punkt 4.): Es würde zweifellos, wie Dr. Best bemerkt, politisch starke negative Rückwirkungen in Dänemark haben, wenn wir dem jetzt beim dänischen Volk sehr beliebten König bei seinem Tod jede Ehrung versagen würden. Auch die Wirkung in Schweden, Finnland usw. wäre sicher wenig günstig für uns. Eine Klärung der Frage unseres Verhältnisses zum König möglichst vor dem Geburtstag des Königs am 26. September wäre umsomehr erwünscht, als inzwischen der persönliche Kontakt zwischen König und Dr. Best hergestellt worden ist.[22]

Zu Punkt 5.): Es bestehen keine Bedenken, wenn der Reichsbevollmächtigte Gesandten Thomsen in Stockholm besucht. Von einem Zusammenbringen Dr. Bests mit führenden Schweden dürften allerdings besondere politische Auswirkungen nach Lage der Verhältnisse in Schweden nicht zu erwarten sein.[23]

Zu Punkt 6.): Die Möglichkeit einer Reise an die Polarfront würde von der jeweiligen Lage in Dänemark und Norwegen abhängen. General Böhme ist übrigens der frühere Chef des Stabes der Waffenstillstandskommission. In dieser Eigenschaft hatte er sich dem Amt gegenüber wenig freundlich eingestellt gezeigt.[24]

Hiermit über Herrn Dg. Pol Herrn U.St.S. Pol dem Herrn Staatssekretär vorgelegt.
Berlin, den 8. Juli 1943.
Grundherr

166. Werner Best an das Auswärtige Amt 9. Juli 1943
Best indberettede de foranstaltninger, han havde sat i værk for at undgå at den danske marines motorbåde for fremtiden blev bortført til Sverige og forsikrede, at episoden den 5. juli ikke beroede på uansvarlighed fra Kriegsmarines side.
Se AAs reaktion i Henckes telegram til Best 15. juli 1943.
Kilde: PA/AA R 29.567. RA, pk. 203.

T e l e g r a m m

Kopenhagen, den	9. Juli 1943	18.25 Uhr
Ankunft, den	9. Juli 1943	19.00 Uhr

Nr. 827 vom 9.7.[43.]

---

21 De internerede englændere kom ikke tilbage til Danmark.
22 Forholdet til kongehuset blev forbedret. Christian 10. modtog Best på Sorgenfri 14. august.
23 Best kom ikke til Stockholm.
24 Det ønskede besøg ved Polarfronten kom ikke i stand.

Auf das Telegramm Nr. 930[25] vom 8.7.43 berichte ich heute eine eingehende Besprechung mit dem kommandierenden Admiral Dänemark Vizeadmiral Wurmbach (der zur Zeit auch den im Urlaub befindlichen Befehlshaber der deutschen Truppen in Dänemark General von Hanneken vertritt) über die Entführung eines dänischen Marine-Motorbootes am 5.7.43 gehabt habe, aus der sich folgendes ergibt:

1.) Der kommandierende Admiral Dänemark führt eine umfassende und im einzelnen geregelte Aufsicht über die dänische Marine, die mit ihren sämtlichen Kräften, sogar unter Einsatz von Reservisten, für deutschen Interessen Dienst tut, indem sie die Fahrstraßen in den dänischen Gewässern minenfrei hält.

2.) Der kommandierende Admiral Dänemark hat volles Vertrauen zu dem dänischen Admiral Wedel, der das dänische Marinepersonal in dem von uns gewünschten Sinne beeinflußt und der offenbar sein Offizierskorps im wesentlichen in der Hand hat.

3.) Der kommandierende Admiral Dänemark hat die ihm erforderlich erscheinenden Vorkehrungen zur Verhinderung von Vorfällen wie des vom 5.7.43 veranlaßt. Der kommandierende Admiral ist der Auffassung, daß sich bei der Eigenart des Marinedienstes hier und da wieder einmal ein solcher Vorfall ereignen kann, was jedoch im Hinblick auf die kleinen Schiffseinheiten die in Frage stehen, für die deutschen Interessen ohne besondere Bedeutung sei.

Der Staatsminister von Scavenius hat mir mitgeteilt, daß die dänische Regierung bei der schwedischen Regierung die Auelieferung der geflüchteten dänischen Marineangehörigen und die Rückgabe des entführten Motorbootes fordere.

Über die vom kommandierenden Admiral Dänemark und von der dänischen Regierung getroffenen Maßnahmen hinaus dürften weitere Maßnahmen in dieser Angelegenheit nicht erforderlich sein.

Dr. Best

167. Horst Wagner an Werner Grothmann 9. Juli 1943

Wagner orienterede Himmlers adjudant Grothmann om episoderne i København 6. juli (se Barandon til AA 7. juli). Von Hanneken havde indgivet en beretning derom, og det havde fået Hitler til at give en ordre, der ifølge Best gik ud på, at de arresterede efter undersøgelse af deres skyld skulle have deres dom forkyndt efter førerens anvisning.

Hvad dommen over de anholdte skulle være, foreligger der ingen kendt indberetning om til AA, men Kanstein omtalte 13. og 15. juli førerordren over for danske myndigheder, og ifølge ham skulle et antal arresterede føres til tvangsarbejde i Tyskland (PKB, 7, nr. 367 og 368, KB, Gunnar Larsens dagbog 15. juli (Thune Jacobsens referat)). Von Hanneken omtalte også Hitlers ordre i sin aktivitetsberetning 31. juli 1943 (trykt nedenfor). Den også på andre området lidet pålidelige aktivitetsberetning oplyste også, at 25 danskere var deporteret (RA, pk. 449: WB Dänemark: Tätigkeitsberichte 1942-43. Jfr. Kirchhoff, 1, s. 274 og 3, 1979, s. 199 note 42 (med forkert pakkehenvisning for Wagners skrivelse 9. juli)). På den ene eller anden måde blev den mulige førerordre imidlertid ikke effektueret, og i *Politische Informationen* 15. juli 1943, afsnit VI lod Best det kun komme frem, at der var truffet de nødvendige foranstaltninger ved eventuelle gentagelsestilfælde.

Kilde: RA, pk. 232.

---

25 Pol VI 8796 g. Trykt ovenfor.

Leiter Gruppe Inland II [Berlin W] 35, den 9.7.1943

An Sturmbannführer Grothmann
 – Feldquartier –

Lieber Kamerad Grothmann!
Ich übersende Ihnen in der Anlage folgende Vorgänge:
1.) [vedr. Italien – udeladt]
2.) eine Meldung unserer Gesandtschaft über die Vorfälle in Kopenhagen. Ob und inwieweit die Angaben über das Verhalten der SS-Männer richtig sind, kann von hier aus nicht beurteilt werden. Wie ich Ihnen gestern schon mitteilte, hat der Führer in dieser Angelegenheit auf den Bericht von General Hanneken […] Weisung erteilt. Aufgrund dieser Weisungen berichtete Dr. Best, daß gelegentlich der fraglichen Vorfälle eine Reihe von Festnahmen vorgekommen wurde. Nach Prüfung der Schuld der Festgenommenen wird gemäß der Weisung des Führers verfahren und Vollzugsmeldung erstattet werden.
3.) [vedr. Italien – udeladt]
  Mit herzlichem Gruß und
  Heil Hitler
  [uden underskrift]

168. Kriegstagebuch/Admiral Dänemark 9. Juli 1943
Wurmbach havde drøftet hændelserne i København 6. juli med Best og krævet, at de SS-frivillige fik besked om, hvordan de skulle forholde sig offentligt, så deres manglende disciplin ikke skadede værnemagtens anseelse. Trods det var der for øvrigt roligt i København, og Wurmbach havde afslået Bests forslag om at lade SS-politibataljonen marchere gennem gaderne (Wurmbach havde været til middag hos Best 9. juli (Bests kalenderoptegnelser 9. juli 1943)).
  Bests forslag var en understregning af, at han over for værnemagten var villig til at gå langt for at demonstrere sin vilje til at hævde dets ære. Noget andet var, hvad der kunne gøres i forhold til de SS-frivillige. Best tog også sagen op i et brev til den danske regering (ministermødeprotokol 15. juli 1943 (PKB, 4, s. 494)).
  Kilde: KTB/ADM Dän 9. juli 1943, RA, Danica 628, sp. 3, s. 2071.

[…]

In einer längeren Besprechung mit dem Reichsbevollmächtigten Dr. Best habe ich in meiner Eigenschaft als stellvertretender Befehlshaber der deutschen Truppen in Dänemark die Vorfälle vom 6.7. nochmals eingehend durchgesprochen und vor allem verlangt, daß den dänischen SS-Freiwilligen klare Weisungen über ihr Verhalten in der Öffentlichkeit gegeben würden. In den Augen der Bevölkerung rechnen sie als ein Teil der deutschen Wehrmacht, die es nicht dulden könne, in ihrem Ansehen durch die mangelhafte Disziplin der SS-Freiwilligen, geschädigt zu werden. Dr. Best gab mir die entsprechenden Zusicherungen, dieser Forderung auf einem großen Appell in den nächsten Tagen Rechnung zu tragen.[26]

26 Best var på Bornholm 10.-12. juli, men hjemkommet holdt han dagen efter mønstring af de danske

Ich habe ihm heute zum Ausdruck gebracht, daß ich trotz der Vorfälle vom 6.7., die sich in geringerem Umfang – hervorgerufen durch radaulustige Elemente – am 7.7. wiederholten, die Gesamtlage im Kopenhagener Raum, im Großen gesehen, ruhig beurteile und daß ich an die zuständigen Wehrmachtsstellen eindeutigen Befehl erteilt hätte, alles zu vermeiden, was irgendwie als Nervosität oder Schwäche ausgelegt werden könne. In Verfolg dieser Lagebeurteilung habe ich den Vorschlag von Dr. Best auch abgelehnt, das Wach- und Polizeibataillon abwechselnd demonstra[tiv] durch die Straßen marschieren zu lassen, da ich hierin bei der derzeitigen Lage eine unnötige Provokation der dänischen Bevölkerung erblicke. Dr. Best zog daraufhin seinen Vorschlag zurück.

169. Hugo Hensel an das Auswärtige Amt 10. Juli 1943
Hensel oplyste AA om ankomsten af endnu 10 tyske kriminalbetjente til Danmark og opgav deres persondata.
Kilde: PA/AA R 100.757.

Abschrift Pers. M 2812
Der Bevollmächtigte des Reiches in Dänemark   10.7.1943
Z/Pers. P 6

An das Auswärtige Amt, Berlin.

Im Anschluß an Drahterlaß Nr. 592 vom 14.5.1943.[27]
Bedr.: Abordnung von Kriminalbeamten zur hiesigen Behörde.

Von den mit obigen Drahtbericht erbetenen weiteren Kriminalbeamten sind inzwischen die in der anliegenden Aufstellung genannten 10 Beamten des Reichssicherheitshauptamts hier eingetroffen. Die für die Anweisung der Bezüge erforderlichen Unterlagen sind in der Aufstellung enthalten.

I.A.
gez. **Hensel**

Abschrift zu Pers. M 2812

Betr: Personalien Inn. Verw. – II/z							Eigener Hausstand wird weitergef. in:
Name	geboren am: in:	Amtsbez.:	Familienstand:	eingetroffen 1943	Dienstantritt 1943	Heimatdienst.:	
Bodeutsch, Oskar	6.9.1888 Gr. Kirschbaum, Kr. Ostenberg	Krim. Ob. Sekr.	verh., 3 Kinder	30.6.	1.7.	Frankfurt/ Oder Staatspol.	Schwerin a.d. Warthe

SS-frivillige på Alsgades skole i København. Hans kalenderoptegnelser anf. dato angiver ikke nærmere om mønstringens forløb.
27 Skrivelsen er ikke lokaliseret.

Landskron, Arthur	14.2.07 Schrimm/ Posen	Kr. Ob. Ass.	verh., 1 Kind	30.6.	1.7.	Staatspol. Weimar	Erfurt
Thomer, Anton	14.5.07 Essen	Kr. Ob. Ass. Anwärter	verh., –	30.6.	1.7.	Kr. Polizei Essen	Essen
Westermann, Joseph	18.3.94 Flensburg	Kr. Ob. Sekr.	verh., 2 Kinder	30.6.	1.7.	Kr. Polizei Hamburg	Hamburg
Eckl, Josef	7.11.07 München	Kr. Sekr.	verh., –	1.7.	2.7.	Staatspol. Regensburg	Regensburg
Thiel, Walter	31.3.04 Breslau	Krim. Sekr.	verh., 4 Kinder	1.7.	2.7.	Staatspol. Breslau	Breslau
Troost, Eduard	30.9.10 Bochum	Kr. Ass.	verh., 1 Kind	1.7.	2.7.	Kr. Polizei Bochum	Bochum
Lips, Walter	22.2.09 Quedlinburg	Krim. Ob. Ass.	verh., 2 Kinder	4.7.	5.7.	Kr. Polizei Duisburg	Duisberg
Hemme, Karl	29.3.08 Essen-Borbeck	Krim. Ob. Ass.	verh., –	5.7.	6.7.	Kr. Polizeileitst. Düsseldorf	Düsseldorf
Gerschler, Kurt	11.3.04 Chemnitz	Kr. Sekr.	verh., –	5.7.	6.7.	Kr. Polizeileitst. Berlin	Berlin-Neukölln

170. Kriegstagebuch/Admiral Dänemark 10. Juli 1943

Forholdsreglerne over for den danske fiskerflåde i tilfælde af en invasion var igen blevet drøftet. Entydige retningslinjer kunne endnu ikke fastlægges, men i påkommende fald skulle fiskerne via radio anvises at søge væk fra fareområdet og sejle mod syd eller nord eller gennem Limfjorden mod øst.
  Se afsnitskommandant Steckelberg til Wurmbach 28. juli 1943.
  Kilde: KTB/ADM Dän 10. juli 1943, RA, Danica 628, sp. 3, s. 2072f.

[...]
Zur Einschränkung eines etwaigen Zugriffs auf die dänische Fischereiflotte in der Nordsee im Invasionsfalle, ließ ich am 2.7. dem Marineministerium eine Anregung betr. Vorsichtsmaßnahmen in dieser Richtung zugehen, da sowohl Deutschland wie Dänemark – wenn auch aus verschiedenen Motiven heraus – an der Erhaltung der Fahrzeuge stark interessiert sind. Aus der heute eingegangenen Antwort geht hervor, daß das Marineministerium die Notwendigkeit derartiger Maßnahmen ebenfalls einsieht. Allerdings ergeben sich bei näherer Durcharbeit des Problems vom militärischen Standpunkt aus so verschiedenartige Möglichkeiten, daß sich die fraglichen Weisungen an die Fischer z.Zt. noch nicht mit genügender Eindeutigkeit formulieren lassen.
  Es besteht die Absicht, die Fischer auf Veranlassung des Marineministeriums über die dänischen Rundfunkstationen während des Nachrichtendienstes bezw. zu noch festzusetzenden Zeiten über etwa sich ergebende Gefahrengebiete an der West- und Nordküste Jütlands zu unterrichten und sie zum Ausweichen nach Süden oder Norden bezw.

durch den Limfjord nach Osten auffordern zu lassen. Über Einzelheiten der Durchführung wird z.Zt. noch mit dem Marineministerium verhandelt.

Auf Schreiben Adm. Dän. B. Nr. G 12.889 v. 14.7.43 wird Bezug genommen.

[…]

171. Horst Wagner: Vortragsnotiz 12. Juli 1943
En række lande, herunder Danmark, skulle have besked om, at de skulle trække deres statsborgere af jødisk herkomst ud af det tyske magtområde seneste 31. juli 1943. Fristen var flere gange blevet forlænget.
 Adolf Eichmann havde 5. juli rykket AA for en afslutning af sagen (ADAP/E, 6, nr. 133). Wagners indstilling i spørgsmålet vandt ministeriets tilslutning.
 Se Martin Luthers telegram til Best 22. januar 1943 og von Thadden til Eichmann 25. august 1943.
 Kilde: PA/AA R 100.864. ADAP/E, 6, nr. 144. Best 1988, s. 283f. (faksimile). Lauridsen 2008a, nr. 104.

Durchdruck	zu Inl. II 1047 g
Geheim	*Berlin, den 12. Juli 1943*

Vortragsnotiz

Im Zuge der Lösung der Judenfrage in Europa ist Ende vorigen bzw. Anfang dieses Jahres allen verbündeten und neutralen Staaten mit Ausnahme Argentiniens und der Staaten, die sich für das Schicksal ihrer Juden ausdrücklich desinteressiert hatten, mitgeteilt worden, daß ihnen bis zum 1. Februar bzw. 1. April die Möglichkeit gegeben werde, Juden ihrer Staatsangehörigkeit aus dem deutschen Machtbereich heimzuschaffen. Diese Frist ist sodann mehrfach ausdrücklich oder stillschweigend, letztmalig bis zum 1. Juli verlängert worden.

Lediglich für die Rumänen und für die im Raum von Salonik ansässigen Juden galt eine Sonderregelung, doch läuft auch insoweit die letzte gesetzte Frist am 15. Juli d. Js. ab.

Nunmehr hat der Chef der Sicherheitspolizei und des SD darauf hingewiesen, daß die Lösung der Judenfrage im deutschen Machtbereich so weit fortgeschritten sei, daß sich lediglich noch die in Mischehe lebenden Juden und eine geringe Anzahl ausländischer Juden in diesem Gebiet befänden.

Er hat unter Hinweis hierauf gebeten, das Auswärtige Amt möge nunmehr den in Betracht kommenden Staaten,

    1.) Italien,
    2.) Schweiz,
    3.) Spanien,
    4.) Portugal,
    5.) Dänemark,
    6.) Schweden,
    7.) Finnland,
    8.) Ungarn,
    9.) Rumänien,
   10.) Türkei,

für die Heimschaffung ihrer Juden aus dem deutschen Machtbereich eine endgültige Schlußfrist bis zum 31. Juli setzen und sich damit einverstanden erklären, daß nach Ablauf dieser Frist die allgemeinen Judenmaßnahmen auch auf alle ausländischen Juden, die sich dann noch im deutschen Machtbereich befinden, mit Ausnahme der Feindstaatjuden und Argentinier Anwendung finden.

Gruppe Inl. II schlägt vor, daß der Herr Reichsaußenminister ein Vorgehen in folgendem Sinne genehmigt:
Das Auswärtige Amt teilt den 10 genannten Staaten mit,
1.) daß die Heimschaffung ausländischer Juden einen Monat nach Erhalt dieser Mitteilung abgeschlossen sein müsse;
2.) daß dem Auswärtigen Amt alle Fälle, in denen eine Heimschaffung beabsichtigt, aber aus schwerwiegenden Gründen, z. B. mangelnder Transportfähigkeit wegen schwerer Erkrankung, nicht durchführbar ist, unter genauer Mitteilung der Personalien und der Gründe vor Ablauf dieser Frist mitgeteilt werden müssen;
3.) daß nach Ablauf der Frist noch im deutschen Machtbereich befindliche ausländische Juden mit Ausnahme der zu 2. Genannten hinsichtlich der allgemeinen Judenmaßnahmen wie deutsche Juden behandelt werden würden.

Über Herrn Leiter Abt. Recht,[28] U. St. S. Pol.[29] und Herrn Staatssekretär[30] zur Vorlage beim Herrn Reichsaußenminister.[31]

Wagner

172. Dr. Trautmann an das Auswärtige Amt 12. Juli 1943

AA fik brev om, at der ville ske en ændring blandt de nye kriminalbetjente, der var beordret til København i henhold til AAs brev af 13. maj. Samme brev gik til København.
Kilde: PA/AA R 100.757. RA, pk. 229.

Abschrift Inl. II 2036 g
Der Chef der Sicherheitspolizei und des SD
I A 1 d Nr. 2507/43

Geheim
Berlin SW 11, den 12. Juli 1943.
Prinz-Albrecht-Str. 8

An das Auswärtige Amt,
   z.Hd. von Herrn Amtsrat Ratke,
   Rauchstraße 27
   Berlin.

Zum Schreiben vom 13.5.1943[32] – Inl. II 1261 g –
Abschrift.

---

28 Påtegnet af Albrecht 14. juli. [ADAP note]
29 Påtegnet af Hencke 14. juli. [ADAP note]
30 Påtegnet af Steengracht 17. juli. [ADAP note]
31 Påtegnet af Ribbentrop. [ADAP note]
32 Trykt ovenfor.

An
 den Beauftragten für die Innere Verwaltung beim Bevollmächtigten des Deutschen Reiches in Dänemark in Kopenhagen,
  die Kriminalpolizeileitstellen in Recklinghausen, Bochum und Berlin,
  die Staatspolizei in Köslin.

Änderung des Erlasses vom 22.6.1943[33] – I A 1 d Nr. 2507/43 –.
 Anstelle der
1.) KOA.	Alfons	Tiemann,	Kripo Recklinghausen,	
2.) KOA.	Eduard	Verheyen,	Kripo Bochum	und
3.) KOA.	Paul	Molzahn,	Stapo Köslin	

werden
1.) [?]pl.K[?].	Wilhelm	Rottler,	Kripo Recklinghausen,	
2.) KOA.	Eduard	Troost,	Kripo Bochum	und
3.) KOA.	Kurt	Gerschler,	Stapo Köslin,	

(letzterer unter Aufhebung seiner Abordnung von der Kriminalpolizeileitstelle Berlin) zur Dienststelle Kopenhagen abgeordnet.
 Zusatz für Kopenhagen: Der Dienstantritt ist zu melden.
 Abschrift übersende ich mit der Bitte um Kenntnisnahme.

Im Auftrage
 gez. **Dr. Trautmann**

173. Eberhard von Thadden an die Deutsche Gesandtschaft 14. Juli 1943

Best modtog direktiver vedrørende den økonomiske afvikling af *Kamptegnet*.
 Konceptet er udfærdiget 6. juli med håndskrevne tilføjelser, der er indskrevet i den her trykte tekst, mens de påfølgende interne direktiver til AAs personaleafdeling om betalingen er udeladt.
 Kilde: PA/AA R 99.413 (koncept). RA, pk. 219 (koncept). Lauridsen 2008a, nr. 105.

Konzept Hb.   zu Inl. II A 4778
Ref.: LR v. Thadden   *Berlin, den 14. Juli 1943*

An die Deutsche Gesandtschaft
 Kopenhagen

In Bestätigung des Fernschreibens Nr. 117 vom 3.6.[34] teilt das Auswärtige Amt mit, daß der dortigen Dienststelle zur Liquidierung der Zeitung Kamptegnet ein Betrag bis zu höchstens RM 10.500 in Devisen zusätzlich zur Verfügung gestellt – und als Kassenbestandsverstärkung wiesen werden – wird. Soweit sich bei der Übernahme zur Zeit nicht verwertbare Aktiva, z.B. zur Zeit unverkäufliche Bücher, ergeben, sind diese zu übernehmen, um sie zu gegebener Zeit verwerten und zur teilweisen Abdeckung dieses

---

33 Felde til AA 22. juni 1943, trykt ovenfor.
34 Trykt ovenfor.

Devisenbetrages heranziehen zu können.

Die Aufrechnung des verausgabten Betrags hat als Auftrapzahlung unter Angabe 7201 zu erfolgen.

I.A.

gez. v. Thadden

174. Adolf von Steengracht an Alfred Meyer 14. Juli 1943
AA havde fået en henvendelse fra repræsentanten for Rigsministeriet for de besatte østområder, Gauleiter Alfred Meyer, om dansk erhvervslivs engagement i østrummet, et engagement østministeriet tidligere havde langt hindringer i vejen for, men nu havde ændret holdning til.

AA erklærede sig villig til med østministeriet at søge at engagere dansk erhvervsliv i den erhvervsmæssige opbygning af østrummet, også gennem østministeriets plan om grundlæggelse af et særligt kapitalselskab til formålet.

Om de videre forhandlinger se Schnurres optegnelse 17. august 1943 (Lund 2003, s. 206).

Kilde: PA/AA R 29.567. RA, pk. 203.

Durchdruck für Büro St.S.

Ha Pol 4386/43 g
Berlin, den 14. Juli 1943

Geheim

An den Ständigen Vertreter des Reichsministers für die bes. Ostgebiete,
Gauleiter und Reichsstatthalter Alfred Meyer,
Berlin W 8
Unter den Linden 63

Sehr geehrter Herr Gauleiter, Sehr geehrter Parteigenosse Meyer,
Zu Ihrem Schreiben vom 5. v.M. – Nr. 101 A/43 g[35] – möchte ich vor allem betonen, daß das Auswärtige Amt stets den Standpunkt vertreten hat, daß eine intensive Beteiligung Dänemarks am wirtschaftlichen Aufbau der Ostgebiete auch aus außenpolitischen Gründen durchaus wünschenswert ist, insbesondere im Interesse einer engeren Verflechtung der dänischen Wirtschaft mit der deutschen. Das Auswärtige Amt hat bereits im Herbst 1941 diesbezügliche Verhandlungen mit der Dänischen Regierung aufgenommen und dann nochmals im Mai 1942 die Initiative bei der Dänischen Regierung ergriffen, um das vorhandene lebhafte dänische Interesse für eine Mitarbeit im Osten nutzbar zu machen. Dänemark ist dann auch das erste Land gewesen, das die Durchführung größerer Aufbaupläne im Ostland in Angriff genommen hat, so insbesondere die Wiederingangsetzung der Port-Kunda-Zementwerke und der Libauer Ölfabrik.

Um die grundsätzlichen Verhandlungen mit den Dänen zu beschleunigen und die Verhandlungen auch mit anderen neutralen Ländern über deren Mitarbeit im Osten nach einheitlichen Gesichtspunkten zu führen, wurde bekanntlich der Aufbauausschuß Ost für Verhandlungen mit dem Ausland beim Auswärtigen Amt gebildet. Dieser Aus-

---
35 Skrivelsen er ikke lokaliseret.

schuß sollte, wie in den Besprechungen mit den Vertretern des Ostministeriums wiederholt dargelegt wurde, nur die grundsätzlichen Verhandlungen und solche über die Inangriffnahme neuer Vorhaben mit den in Frage kommenden auswärtigen Regierungen führen, während Einzelfragen der technischen und kaufmännischen Durchführung solcher Vorhaben unmittelbaren Verhandlungen zwischen den beiderseitig beteiligten Firmen vorbehalten bleiben sollten. Eine solche Konstruktion, die den Weisungen des Führers vom 28. Juli 1942 in vollem Umfang entspricht und die bei richtiger Handhabung durch die beteiligten Stellen auch eine schnelle Bearbeitung der einzelnen Aufbaupläne gewährleistet, ist bisher leider vom Ostministerium abgelehnt worden. Ebenso hat das Ostministerium leider seine Zustimmung zu dem Abschluß einer Vereinbarung des Deutschen und des Dänischen Regierungsausschusses über die Abwicklung der Kompensationsgeschäfte und des Zahlungsverkehrs zwischen Dänemark und den besetzten Ostgebieten nicht erteilt, obgleich eine solche Vereinbarung unbedingt notwendig ist, auch für die Abwicklung der Geschäfte der geplanten dänischen Kapitalgesellschaft. Wenn der vielversprechende Anfang der dänischen Mitarbeit im Osten keine entsprechende Fortsetzung fand, so lag dieses – abgesehen von den durch die großen Entfernungen bis zu den Einsatzgebieten bedingten Schwierigkeiten – wohl auch daran, daß das Ostministerium leider eine Beteiligung an den Arbeiten des erwähnten Aufbauausschusses ablehnte.

Wenn nunmehr der Versuch gemacht werden soll, durch Gründung einer Kapitalgesellschaft dänische Wirtschaftskreise in stärkerem Maße als bisher zum wirtschaftlichen Aufbau des Ostgebietes heranzuziehen, so ist das Auswärtige Amt durchaus bereit, diesen Plan zu unterstützen und die erforderlichen Verhandlungen mit der Dänischen Regierung über die Gründung einer solchen Gesellschaft, ihre Satzungen und ihre Funktionen unter maßgeblicher Beteiligung des Ostministeriums aufzunehmen. Als deutschen Vertrauensmann im Vorstande der Gesellschaft würde ich Generalkonsul Krüger in Kopenhagen in Aussicht nehmen. Die einzelnen Vorhaben der dänischen Gesellschaft in den besetzten Ostgebieten müßten selbstverständlich von dem Deutschen und dem Dänischen Regierungsausschuß geprüft werden, insbesondere daraufhin, ob ihre Durchführung mit den für den deutsch-dänischen Warenverkehr aufgestellten Plänen vereinbar ist. Weitere Einzelheiten wären in einer Besprechung unserer beiderseitigen Sachbearbeiter zu klären.

Mit verbindlichem Gruß und
Heil Hitler!
Ihr sehr ergebener
gez. **Steengracht**

175. Politische Informationen für die deutschen Dienststellen in Dänemark 15. Juli 1943

Sommerens informationer var en blanding af neutrale emner og forhold, der skulle have et ord med på vejen. Til de sidste hørte, at en motorbåd var bortført til Sverige og et sammenstød mellem unge danske og danske i tysk krigstjeneste og Schalburgmænd i København. En let skærpelse af kursen var forbuddet mod at indføre tryksager til Danmark på anden måde end gennem postvæsenet og forbuddet mod at bære demonstrative symboler. Atter var et særligt afsnit viet sabotagen, hvoraf kunne sluttes, at trods en vis stigning frem til april var sabotagens betydning for tyske interesser ringe. Der blev også citeret adskillige fjendtlige stemmer, flest vedrørende Bests person, hvoraf fremgik hvor helt useriøst han blev vurderet.

Kilde: RA, Centralkartoteket, pk. 680.

Der Bevollmächtigte des Reiches in Dänemark *Kopenhagen, den 15. Juli 1943.*

Politische Informationen
für die deutschen Dienststellen in Dänemark.

Betr.: I. Mitteilungen aus der Außenpolitik.
II. Entführung eines dänischen Motorbootes nach Schweden.
III. Tagung des Europäischen Postausschusses in Kopenhagen.
IV. Das dänische Gesetz über Kriegsgewinnsteuer und Zwangsaufsparung vom 2.7.1943.
V. Verbot der Einfuhr ausländischer Zeitungen und sonstiger Druckschriften außerhalb des Postweges.
VI. Zwischenfälle in Kopenhagen am 6.7.1943.
VII. Maßnahmen gegen das Tragen demonstrativer Abzeichen.
VIII. Die Sabotagefälle in Dänemark im ersten Halbjahr 1943.
IX. Feindliche Stimmen über Dänemark.

I. Mitteilungen aus der Außenpolitik

1.) Errichtung einer Rumänischen Gesandtschaft in Kopenhagen.
Als Leiter der Rumänischen Gesandtschaft, deren Neuerrichtung in den Politischen Informationen vom 15.6.1943 unter I.1 mitgeteilt wurde, ist der bisherige Chef der Personalabteilung des Rumänischen Außenministeriums George Crutzescu ausersehen. Die Dänische Regierung hat am 26.6.43 das Agrément für den Gesandten Crutzescu erteilt. Die Ankunft des Gesandten Crutzescu in Kopenhagen ist für den 19.7.43 vorgesehen. Der bisher gleichzeitig in Kopenhagen akkreditierte Rumänische Gesandte in Berlin Bossy hat am 1.7.1943 dem dänischen König seinen Abschiedsbesuch gemacht.

2.) Dänische Sonderrechte in China.
Nachdem die Dänische Regierung dem japanischen Wunsche nachkommen am 8.5.1943 den Verzicht auf die dänischen Rechte in der Internationalen Niederlassung von Kulangsu, Amoy, ausgesprochen hat, ist die Japanische Regierung nunmehr erneut bei der Dänischen Regierung vorstellig geworden, um sie zum Verzicht auf ihre Rechte in der Internationalen Niederlassung von Shanghai zu veranlassen. Die Japanische Regierung hat bei dieser Gelegenheit mitgeteilt, daß sie wegen der Übertragung ihrer eigenen Rechte in Shanghai an die National-Regierung von China Verhand-

lungen geführt habe, deren Abschluß bereits für Ende Juni erwartet wurde. Sie habe den Wunsch, daß am 1. August dieses Jahres die Rechte aller fremden Mächte in der Internationalen Niederlassung von Shanghai an die Chinesische National-Regierung übertragen werden könnten, und biete allen beteiligten Mächten ihre Vermittlung für die Verhandlungen an.[36]

II. Entführung eines dänischen Motorbootes nach Schweden

Am 5. Juli 1943 um 20 Uhr haben sich 3 dänische Seekadetten, 2 dänische Unteroffiziere und 4 dänische Mannschaften in einem unbewachten Augenblick eines unbewaffneten Marinemotorbootes bemächtigt, das in der hiesigen dänischen Kriegsmarinewerft für die Küstenbewachung ausgerüstet wurde. Die dänische Küstenbewachung wurde sofort alarmiert; die Verhinderung der Flucht nach Schweden gelang jedoch wegen der großen Geschwindigkeit des Motorbootes von 20 Seemeilen nicht.

Die dänische Regierung richtet an die Schwedische Regierung ein Ersuchen um Auslieferung des Bootes und der Mannschaften.[37]

III. Tagung des Europäischen Postausschusses in Kopenhagen

Vom 24. bis 30. Juni 1943 hat in Kopenhagen die erste Tagung des Europäischen Postausschusses des im Jahre 1942 in Wien gegründeten Europäischen Post- und Fernmeldevereins stattgefunden. Auf der Tagung waren 11 Staaten vertreten, nämlich Bulgarien, Dänemark, Deutschland, Finnland, Italien, Kroatien, die Niederlande, Norwegen, Rumänien, die Slowakei und Ungarn. Den Vorsitz führte der Vertreter des Reichspostministeriums; die beiden Vizepräsidenten wurden von Ungarn und Dänemark gestellt.

Die Beratungen hatten in erster Linie die Erweiterungen des Europäischen Briefverkehrs zum Gegenstand. Der Tagung haben 12 Vorschläge vorgelegen, welche insgesamt verabschiedet wurden.[38]

IV. Das dänische Gesetz über Kriegsgewinnsteuer und Zwangsaufsparung vom 2. Juli 1943

Zur Bindung der flüssigen Mittel war bereits durch ein Gesetz vom 3. Juli 1942 eine Reihe von Maßnahmen getroffen worden. Im Hinblick auf die steigenden Wehrmachtsausgaben und die fortlaufende Finanzierung der im Clearing ausstehenden Exporterlöse durch die Nationalbank genügten diese Maßnahmen nicht mehr zur Erreichung des beabsichtigten Zweckes. Der Notenumlauf hat Ende April ds.Js. erstmalig die Milliardengrenze überschritten. Diese Geldvermehrung hat die Spannung zwischen Geld und Warenmenge weiterhin verschärft, sodaß die im Vorjahre noch genügenden Abschöpfungsmaßnahmen beschleunigt erweitert werden mußten.

Die Direktion der Nationalbank hatte in einem Memorandum die Regierung auf die der Währung und Wirtschaft Dänemarks drohende Inflationsgefahr aufmerksam gemacht und auf die Notwendigkeit sofortiger Maßnahmen hingewiesen. Der Finanzminister setzte deshalb einen Ausschuß ("Professorenausschuß") ein, der sich mit dem

---

36 Danmark var blandt de lande, der havde rettigheder i den internationale zone i Shanghai, som Japan havde annekteret december 1941 og påfølgende arresteret de udenlandske statsborgere, der var i krig med Tyskland og Japan.
37 Se Hencke til Best 8. juli 1943, Bests til telegram nr. 827, 9. juli og Hencke til Best 15. juli 1943.
38 Se Martius' telegram til Best 21. juni 1943.

Problem der Bindung der "Ledige Penge" befassen sollte. Dieser Ausschuß hat als Ergebnis seiner Untersuchungen dem Finanzminister ein Gutachten eingereicht, das die Grundlage eines Gesetzesvorschlages bildete.

Der vom Finanzminister vorgelegte Gesetzentwurf mit den in das Wirtschaftsleben Dänemarks stark eingreifenden Vorschlägen hat zu lebhaften Erörterungen in der Presse geführt. Man betrachtete die Vorschläge vom Standpunkt der Parteien entweder als nicht den sozialen Erfordernissen Rechnung tragend oder aber als ertragsmäßig nicht durchführbar. Der "Professorenausschuß" machte darauf aufmerksam, daß der Gesetzesvorschlag von seinem Gutachten in vielen Punkten abweiche, insbesondere hinsichtlich der vorgeschlagenen generellen Erhöhung der Einkommensteuer um 10 % und der Bestimmungen für das Zwangssparen. Die im Gesetzesvorschlag u.a. vorgesehene Erhöhung der Abgaben für Rauchwaren und die Umsatzsteuer auf den Ausschank von Spirituosen wurden in den Beratungen im Reichstag sofort in Kraft gesetzt. Die anderen Punkte des Vorschlages wurden einem Ausschuß zur Bearbeitung übergeben und sind von diesem den sozialen und wirtschaftlichen Erfordernissen mehr angepaßt worden. Das endgültige, vom Folketing und Landsting angenommene Gesetz sieht folgendes vor:
1.) eine Kriegskonjunktursteuer für Personen mit einem Erlös von ca. 33 Mill. Kr.
2.) eine Mehreinkommensteuer für Aktiengesellschaften mit einem Erlös von ca. 10-15 Mill. Kr.
3.) eine Mehreinkommensteuer für Verbrauchervereinigungen, Produktionsgenossenschaften usw. mit einem Erlös von 1-2 Mill. Kr.
4.) ein Zwangssparen für Personen mit einem Erlös von 65 Mill. Kr.
5.) ein Zwangssparen für Gesellschaften mit einem Erlös von 25 Mill. Kr.
6.) eine Erhöhung der Verbrauchsabgaben auf bestimmte Rauchwaren und eine Umsatzsteuer auf den Ausschank von Spirituosen, die zusammen etwa 70 Mill. Kr. ergeben sollten.
7.) eine Umsatzsteuer auf neue und gebrauchte Motorfahrzeuge,
8.) die Ausgabe von 400 Millionen neuen Staatsobligationen zur Hälfte mit 5jähriger und zur Hälfte mit 10jähriger Laufzeit,
9.) eine Erhöhung der bei der Nationalbank gebundenen flüssigen Mittel der Privatbanken,
10.) eine Ausdehnung der Bestimmung zu 9.) auf Sparkassen.
In Verbindung mit diesem Gesetz sind gewisse Beschränkungen des Erwerbs festen Eigentums durch Gesellschaften vorgesehen. Auch soll der spekulative Verkauf von landwirtschaftlichem Besitz beschränkt werden.

Es wurde in der abschließenden Sitzung im Reichstag ausdrücklich darauf hingewiesen, daß die neuen Maßnahmen durch eine wirksame Preispolitik unterstützt werden müßten, um der Inflationsgefahr vorzubeugen.

Die aufgebrachten Mittel sollen nicht zur Finanzierung staatlicher Bedürfnisse dienen sondern allein den Zweck haben, die ausgegebenen Geldbeträge zu binden. Die Erlöse aus den Steuern und der Zwangsaufsparung und der Gegenwert der ausgegebenen Obligationen werden auf besondere Konten bei der Nationalbank eingezahlt, über die nur mit gesetzlicher Zustimmung verfügt werden darf. Hierdurch wird der Notenbank ein Teil der ausgegebenen Mittel wieder zugeführt und der Geldkreislauf hinsichtlich dieser Gelder geschlossen, ohne daß die Kaufkraft mit ihren schädlichen Folgen ausgenutzt worden ist.

V. Verbot der Einfuhr ausländischer Zeitungen und sonstiger Druckschriften außerhalb des Postweges
In Ergänzung der Bekanntmachung des Dänischen Justizministeriums vom 20.6.1941 betr. das Verbot der Einfuhr von Briefen u.ä. außerhalb des Postweges hat das Dänische Justizministerium eine weitere Bekanntmachung betr. das Verbot der Einfuhr von ausländischen Zeitungen usw. außerhalb des Postweges erlassen.

Danach ist die Einfuhr von ausländischen Zeitungen, Zeitschriften, Wochenblättern, Magazinen u. dergl. sowie im Ausland gedruckten Werbe- und Propagandaschriften nur auf dem Postwege möglich.

Es ist also verboten, solche Druckschriften bei der Einreise aus Schweden mitzuführen. Sie werden künftig bei der Einreise beschlagnahmt werden. Führt ein Reisender Drucksachen mit sich, die von besonderer Bedeutung für ihn sind, so können diese an das Pressebüro des Außenministeriums abgeliefert werden, das im Benehmen mit den deutschen Stellen einen Entscheid darüber trifft, ob die Auslieferung stattfinden kann.

VI. Zwischenfälle in Kopenhagen am 6.7.1943
Am 6.7.1943 haben sich auf den Straßen der Innenstadt von Kopenhagen einige Zwischenfälle ereignet, in deren Mittelpunkt dänische Freiwillige standen.

Der Ausgangspunkt war, daß gegen 13 Uhr im Restaurant "Skandia," das in der Nähe des Rathausplatzes liegt, einigen dänischen Freiwilligen und Männern des "Schalburg-Korps" in Uniform die Ausgabe von Essen abgelehnt wurde, das die dem Restaurant zur Verfügung gestellte Menge an Fisch – es war fleischloser Tag – bereits ausgegeben sei. Es entstand eine Auseinandersetzung, die auch durch dänische Polizei, die der Geschäftsführer hinzugerufen hatte, nicht geschlichtet werden konnte. Um weiteren Unannehmlichkeiten aus dem Wege zu gehen, schloß der Geschäftsführer daraufhin seinen Betrieb.

Die Freiwilligen und die Schalburg-Männer verließen als letzte nach den übrigen Gästen das Restaurant. Sie wurden auf der Straße von einer größeren Menschenmenge mit Schmährufen empfangen. Hieraus entwickelten sich auf der Vesterbrogade und auf dem Rathausplatz Zusammenstöße, die den Einsatz stärkerer Kommandos der dänischen Polizei erforderlich machten. Eine Reihe von Ruhestörern wurde festgenommen.

Die Zwischenfälle blieben auf den Bezirk um die Vesterbrogade beschränkt. Die Ruhestörer setzten sich im wesentlichen aus den Bewohnern dieses Stadtteils – vor allem aus jugendlichen Elementen – zusammen.

Gegen Wiederholungen dieser Zwischenfälle sind von der dänischen Polizei im Einvernehmen mit der Behörde des Reichsbevollmächtigten die erforderlichen Vorkehrungen getroffen worden.[39]

VII. Maßnahmen gegen das Tragen demonstrativer Abzeichen
Das dänische Justizministerium hat im Einvernehmen mit der Behörde des Reichsbevollmächtigten bekanntgegeben, daß die Bekanntmachung Nummer 254 vom 9.6.41 betr. Verbot von Demonstrationen gemäß Gesetz Nummer 219 vom 11.5.1940 auch

---

39 Se Barandons telegram nr. 809, 7. juli, Bests telegram nr. 816, 8. juli og Wagner til Grothmann 9. juli 1943.

auf demonstrative Abzeichen wie Mützen in blau-weiß-roten Farben Anwendung findet. Die dänische Polizei ist angewiesen, in solchen Fällen einzuschreiten.[40]

VIII. Die Sabotagefälle in Dänemark im ersten Halbjahr 1943[41]

Da die Zahlen der Sabotagefälle aus Geheimhaltungsgründen nicht bekanntgegeben werden können, sollen über die Entwicklung der Sabotagefälle im ersten Halbjahr 1943 einige Verhältniszahlen mitgeteilt werden.

1.) Die Zahl der Sabotagefälle hat im Monat April ihren Höhepunkt erreicht und hat in den Monaten Mai und Juni progressiv abgenommen.

2.) Schaden ist entstanden:

im Monat		keiner oder geringer	erheblicher	
Januar	in	50 %	50 %	
Februar		53 %	47 %	
März		88 %	12 %	
April		67 %	33 %	
Mai		68 %	32 %	
Juni		68 %	32 %	der Fälle.

3.) Wenn man die angegriffenen Objekte wie folgt gliedert:
   a.) Einrichtungen und Eigentum der deutschen Wehrmacht,
   b.) Eisenbahnanlagen,
   c.) dänische Betriebe, die für deutsche Interessen arbeiten,
   d.) dänische Betriebe, die nicht für deutsche Interessen arbeiten,
so verteilen sich die Sabotagefälle wie folgt:

im Monat		a	b	c	d	
Januar	in	42 %	17 %	33 %	8 %	
Februar		32 %	16 %	36 %	16 %	
März		33 %	12 %	49 %	6 %	
April		29 %	7 %	37 %	27 %	
Mai		26 %	6 %	47 %	21 %	
Juni		38 %	8 %	22 %	32 %	der Fälle.

4.) Zu der Aufstellung unter 3.) ist zu bemerken:
   Zu a.) Die deutsche Wehrmacht erleidet praktisch keinen Schaden, da die Dänische Regierung jeden Sabotageschaden der deutschen Wehrmacht ersetzt.[42]
   Zu b.) Die Prozentzahlen zeigen das Wirksamwerden des dänischen Bahnschutzes, der auf deutsche Anregung im Frühjahr 1943 geschaffen wurde.[43]

---

40 Forbuddet mod at bære demonstrative emblemer fremkom i forbindelse med en bekendtgørelse om fængsel i op til to år for demonstrationer i ord og gerning, der var egnede til at skade forholdet til udenlandske militære styrker. Baggrunden var en fodboldkamp 5. juni mellem den østrigske klub Admiral og et sammensat københavnsk hold, hvorunder der udbrød tumult, og antityske tilkendegivelser fremkom (jfr. Bergstrøms dagbog 10. juni 1941 (trykt udg. s. 334 og Bonde 2006, s. 233ff.).
41 Dette afsnit er en fuldstændig og uændret gengivelse af bilag 19 i KTB, Rüstungsstab Dänemark: Die Sabotagefälle in Dänemark, 30. juni 1943, trykt ovenfor.
42 Her tog Best ikke hensyn til de forsinkelser og andre problemer, som sabotageskader påførte værnemagten.
43 Se DSBs instruks for bevogtning februar 1943, trykt hos Alkil, 1, 1945-46, s. 85-87.

Im übrigen sind mit einer Ausnahme in keinem dieser Fälle deutsche Wehrmachtstransporte unmittelbar gefährdet worden.

Zu c.) Die Prozentzahlen zeigen das Wirksamwerden des dänischen Werkschutzes, der auf deutsche Anregung im Frühjahr 1943 geschaffen wurde.[44]

Auch in diesen Fälle wird der den deutschen Interessen etwa zugefügte Schaden auf dänische Kosten und aus dänischen Materialbeständen ersetzt.

Zu d.) Die steigende Prozentzahl der Sabotageakte gegen – zum Teil sehr kleine – dänische Betriebe, die überhaupt nicht für deutsche Interessen arbeiten, beweist ein Ausweichen der Saboteure auf ungeschützte und gleichgültige Objekte, deren Beschädigung offenbar den Auftraggebern der Saboteure (Fallschirmagenten und ihren britischen Hintermännern) als Erfolge gemeldet wird.

IX. Feindliche Stimmen über Dänemark

1.) Im Londoner Rundfunk hat Terkel Terkelsen vor kurzem die folgende tendenziöse Darstellung von Besprechungen mit der Kopenhagener Presse, die vor mehreren Monaten stattfanden und offenbar erst jetzt – in entstellter Form – in London bekannt wurden, vorgetragen:

"Die Redakteure der Kopenhagener Zeitungen haben in den letzten Monaten einige Erlebnisse gehabt, die die verschiedenen Methoden anschaulich darstellen, welche die Deutschen in der Behandlung Dänemarks anwenden. Ende Februar rief General von Hanneken die Kopenhagener Presse zu einer Konferenz zusammen, wo er den Redakteuren ein maschinengeschriebenes Dokument über die Sabotagehandlungen mit Donnerstimme vorlas. Als von Hanneken seine Epistel vorgetragen hatte, zog er sich mit der Bemerkung zurück, daß eventuelle Fragen an seinen Adjutanten gerichtet werden könnten. Niemand hatte etwa zu bemerken, nicht einmal, daß die Zeitungen es unterlassen hatten, über die Sabotage zu schreiben, nur weil die Deutschen es selbst verboten hatten."

"Nehmen wir als Gegenstück die Besprechung, die am 16.4. zwischen denselben Redakteuren und dem deutschen Minister Werner Best stattfand. Sie ging unter höchst urbanen Formen vor sich. Best bedauerte es, wie er sagte, daß die dänische Presse die Ereignisse in einer Art behandele, die eine unfreundliche Haltung Deutschland gegenüber enthülle. "Ich verlange natürlich nicht", sagte er, "daß die dänische Presse pro-deutsch sein soll, aber die Zeitungen müssen den Anschein einer Deutschfeindlichkeit jedenfalls vermeiden."

"Dr. Best machte einen Zusatz, der vollkommen den Mann und seine Taktik charakterisiert. "Sie müssen natürlich verstehen, meine Herren, daß das, worüber ich hier spreche, weiter keinen tieferen Eindruck auf mich persönlich macht, aber der Durchführung meiner Politik könnte es doch Schwierigkeiten bereiten". Diese Politik bestände darin, erklärte Best, Dänemark auf die billigstmögliche Art durch den Krieg zu führen."[45]

Hanneken und der geschliffene Gestapomann Best haben nur das gemeinsam, daß

---

44 Se lov nr. 489 om sikkerhedsforanstaltninger indenfor erhvervsvirksomheder 4. december 1942 og Justitsministeriets bekendtgørelse 9. januar 1943 vedr. bevogtningsmandskab indenfor erhvervsvirksomheder (begge trykt hos Alkil, 1, 1945-46, s. 79f. og 83f.).

45 Et referat af Bests udtalelser er trykt på dansk hos Alkil, 2, 1945-46, s. 1388. Jfr. om mødet 16. april i Bindsløv Frederiksen 1960, s. 365.

sie beide Dänemark ausnützen wollen, aber die Mittel, die sie dazu gebrauchen wollen, sind so verschieden wie Tag und Nacht. Es ist noch zu früh zu prophezeien, welcher von beiden als der schlimmere Gangster in die Geschichte der Besetzung eingehen wird. Soviel kann aber heute schon gesagt werden, daß Best der gefährlichere von beiden ist."

"Wenn Hanneken seinen Willen durchsetzen könnte, würde Dänemark wenigstens eine Chance gegeben sein, zu zeigen, wo es steht. Aber niemand wird sich durch Dr. Bests Auftreten irreführen lassen. Seine scheinbare Höflichkeit verträgt es nämlich nicht, näher untersucht zu werden. Sie verbirgt eine dünn verschleierte Drohung desselben Inhalts wie Hannekens brutale, direkte Drohungen mit Repressalien."

"Formell hat Best sich zu dem Programm bekannt, das Erik Scavenius' Programm ist, nämlich Dänemark so billig wie möglich durch den Krieg zu führen. Darin liegt eine große Gefahr der Best-Scavenius-Koalition."

2.) Während der Londoner Sender in seiner Dänemark-Propaganda sich bemüht, an Tatsachen anzuknüpfen, und deshalb – entweder mangels geeigneter Tatsachen oder mangels ausreichender Informationen – nicht allzu ergiebig ist, zeigt die folgende Veröffentlichung der russischen "Prawda", die sich auf die amerikanische Zeitschrift "Affairs" beruft, eine ganz plumpe Mischung von Erfindungen und Beschimpfungen:

"Hitlers Statthalter in Dänemark, Werner Best, gehört zu den lebendigen Sehenswürdigkeiten des "Dritten Reiches." Er ist die rechte Hand des Oberfleischers Heinrich Himmler, ein Theoretiker des Kannibalismus.

… In Kopenhagen hat dieser "Theoretiker" der Gestapo und der SS gezeigt, daß er auch in praktischen Dingen Bescheid weiß. Die in den Vereinigten Staaten von Amerika erscheinende Zeitschrift "Affairs" meldet, daß seit Beginn der Offensive der Roten Armee 15 hochgestellte Würdenträger Hitlers in Dänemark Güter erworben haben, um sich auf ihnen niederzulassen, wenn die faschistische Regierung eine Katastrophe erlitten haben wird. Werner Best soll alle diese finanziellen Geschäfte leiten. Für 110.000 Pfund Sterling hat er sich selber ein prächtiges Gut "Rigaw" nördlich von Kopenhagen erworben.[46] General Hanneken, der Kommandierende des Okkupationsheeres in Dänemark, hat sich das Schloß Lille Amalienborg in der Nähe von Kopenhagen gekauft.[47] Einige Gauleiter Hitlers – Grohé aus Köln und Kaufmann aus Hamburg – haben ebenfalls Güter erworben.

… Männer wie Best, Kaufmann, Hanneken haben die Vernichtung ganzer Völker organisiert. Nach ihren Vorschriften werden Millionen von Menschen getötet, verstümmelt, entrechtet. Nach Deutschlands Niederlage hoffen die Bestien auf den für geraubtes Geld gekauften Gütern ein ruhiges Leben zu führen. Sie glauben, daß die Hand der gerechten Vergeltung sie auf ihren Gütern nicht erreicht. Vergebliche Hoffnung!"

---

46 Ejendommen Rydhave ved Strandvejen var blevet købt af den danske stat som bolig for familien Best (se Best til AA 29. december 1942, note). Familien var flyttet ind i slutningen af januar 1943 (jfr. Bests kalenderoptegnelser januar 1943). Det var ikke noget gods.
47 Lille Amalienborg på Østerbro var ikke noget slot, men en prangende storborgerskabsejendom, der blev købt af den danske stat som von Hannekens residens.

176. Heinrich Himmler an Gottlob Berger 15. Juli 1943

Himmler bad Berger underrette Best om, at Himmler havde fortalt Hitler, at Danmark var det bedste land med hensyn til sikkerhedspoliti og sabotage (Herbert 1996, s. 614 n. 79).

Kilde: RA, Danica 1069, sp. 6, sp. 7072. RA, pk. 443. LAK, Best-sagen (afskrift).

Der Reichsführer-SS   *Feld-Kommandostelle, den 15. Juli 1943*
Tgb. Nr. 11/40/43 g
RF/Br.   Geheim

Lieber Berger!
Unterrichten Sie bitte SS-Gruppenführer Dr. Best, daß ich dem Führer neulich über die Lage in Dänemark Vortrag gehalten habe und ihm mitteilte, daß es rein sicherheitspolizeilich und sabotagemäßig z.Zt. das beste Land ist. Ebenso habe ich den Führer über die Schwierigkeiten, die es mit Generalleutnant Hanneken gibt, klug unterrichtet.

Heil Hitler!
Ihr
Himmler

177. Andor Hencke an Werner Best 15. Juli 1943

Best blev bedt om at få den danske regering til at formå den svenske regering til at tilbagelevere motorbåden "Fandango," hvis besætning 5. juli var flygtet til Sverige med den, samt at udlevere besætningen.

Best svarede 17. juli. Svaret er indeholdt i AA til OKW og OKM 19. juli 1943.

Kilde: PA/AA R 61.119.

Abschrift   zu Pol VI 8804 g

Telegramm nach Kopenhagen 15.7.43.
Für Reichsbevollmächtigten.

Auf Drahtbericht Nr. 827 vom 9.7.[48]
Der Herr RAM ersucht Sie, der dänischen Regierung zu verstehen zu geben, wir erwarteten von ihr, daß sie den größten Druck auf die schwedische Regierung wegen der Rückgabe des Motorbootes und der Auslieferung der dänischen Marineangehörigen ausübte. Wir würden uns sonst genötigt sehen, in dieser Sache Maßnahmen zu ergreifen, da wir die Angelegenheit als sehr ernst ansähen.

Hencke

---

48 Trykt ovenfor.

178. Das Deutsche Wissenschaftliche Institut an H.W. Schacht 16. Juli 1943

Afdelingsleder på Det Tyske Videnskabelige Institut (WDI), Hans Kirchhoff, kommenterede den rejseberetning, som professor Hans Reinerth havde afgivet efter sit ophold i København i marts. Kirchhoff mente, at beretningen var for optimistisk og forklarede det med, at opholdet havde været så kort. Det var rigtigt, at fronterne var blevet trukket tydeligere op, men det kunne ikke påstås, at de førende danske fagfolk havde været til stede ved Reinerths foredrag. Der havde ikke været en eneste dansk forhistoriker til stede, men dette demonstrative fravær skyldtes ikke Reinerth personligt. Det var gået instituttets andre foredragsholdere på lignende måde. Selv om Reinerths optimisme var ubegrundet, var det velmotiveret at forstærke de videnskabelige kontakter i København.

Den sidste bemærkning hentydede til en betænkning af instituttets nye leder, professor Otto Höfler, hvorefter DWIs videnskabelige energi skulle højnes. Betænkningen er ikke lokaliseret, men blev omtalt i et notat af Kirchhoff 12. juli 1943 (Revsgård Andersen u.å. s. 58).

Kirchhoffs notat af 16. juli gik ikke direkte til Best, men til assessor H.W. Schacht i Abteilung Kultur, Presse, Rundfunk i gesandtskabet, af hvem det blev forelagt den rigsbefuldmægtigede. Omvendt viderasendte Schacht skrivelser til udtalelse i WDI.

Se endvidere WDI 20. juli 1943 til H.W. Schacht.

Kilde: Revsgård Andersen u.å., s. 55.

Notiz

Betr.: Erlaß Kult Pol W 7252/43 v. 29. Juni 43[49]

Die Auffassung der kulturpolitischen Lage in Dänemark, wie sich in Prof. Reinerths Bericht ausspricht, ist – wohl infolge der Kürze seines Aufenthaltes – zu optimistisch gefärbt. Daß sich die Fronten noch deutlicher geschieden haben, ist richtig. Doch kann nicht behauptet werden, daß die führenden dänischen Fachleute sich beteiligten. Denn es ist doch sehr bemerkenswert, daß, abgesehen von dem ausgesprochen deutschfreundlichen Dr. Mogens Mackeprang (National Studenter Aktion) und Prof. Dr. Hatt, der den Lehrstuhl für Geographie innehat, nicht ein einziger der beamteten und nichtbeamteten Prähistoriker Kopenhagens erschienen war, obwohl die Vorgeschichtswissenschaft in Dänemark besonders viele Vertreter hat und Prof. Reinerths als Inhaber des Berliner Ordinariats zweifellos eine offizielle Persönlichkeit ist.

Es sei indessen betont, daß dieses demonstrative Fernbleiben fast sämtlicher dänischer Fachleute nicht etwa Prof. Reinerth persönlich betraf. Ganz ähnlich haben sich die Vertreter und Anhänger der dänischen Wissenschaft auch bei andere Vorträgen verhalten, so zuletzt noch bei dem Vortrag Prof. Magons, Greifswald, obwohl Magon einer der ganz wenigen deutschen Literaturhistoriker ist, die sich mit Skandinavien beschäftigen, und obwohl er in Kopenhagen alte, persönliche Beziehungen hat.[50]

Wenngleich also eine optimistische Auffassung nicht begründet ist, erscheint die Forderung, den wissenschaftlichen Kontakt hier zu verstärken, sehr motiviert.

Kopenhagen, den 16.7.43
K[irchhoff]

---

49 Skrivelsen fra AA er ikke lokaliseret, men Hans Reinerths rejseberetning af 31. maj 1943 er trykt ovenfor.
50 Leopold Magon havde holdt foredrag om "Geistige Beziehungen zwischen Deutschland und Dänemark in der Zeit Klopstocks" (Jakubowski-Thiessen 1998, s. 285, Hausmann 201, s. 202). Det fandt utvivlsomt sted omkring 2. juni 1943, da Magon traf Best denne dato (Bests kalenderoptegnelser anf. dato).

179. Werner Best an das Auswärtige Amt 17. Juli 1943
Best bad om oversendelse af de nødvendige midler til lukning af *Kamptegnet*. Det var ikke muligt for gesandtskabet at betale.

Betalingen trak længe ud, og gesandtskabet kunne først kvittere for modtagelsen af beløbet 13. september 1943 (til AA anf. dato). I betragtning af det antal blade, som fik økonomisk støtte fra gesandtskabet, er det påfaldende, at Best ikke ville lade et forholdsvis beskedent beløb gå til *Kamptegnets* afvikling. Det virker demonstrativt og var måske en måde at distancere sig fra forgængernes disposition på.

Kilde: PA/AA R 99.413. RA, pk. 219. Lauridsen 2008a, nr. 106.

DG Kopenhagen, Nr. 74 17.7. 15.40
An Ausw Berlin = G.-Schreiben = Nr. 853 vom 17.7.43

Auf Drahterlaß Nr. 117 v. 3.7.43 und im Anschluß an Schriftbericht II P Nr. 137 v. 28.6.43.[51]

Ich bitte um Überweisung des dem Gegenwert von 10.500,- RM entsprechenden Kronenbetrages, damit die Liquidierung von "Kamptegnet" erfolgen kann. Wie in dem nebenzeichneten Schriftbericht ausgeführt, ist die Zahlung des Kronenbetrages aus dem laufenden Devisenhaushalt meiner Behörde nicht möglich.

Dr. Best

180. Werner Best an das Auswärtige Amt 19. Juli 1943
Best kunne meddele, at Aage H. Andersen var rejst fra København.
Kilde: PA/AA R 99.413. Lauridsen 2008a, nr. 107.

II P Nr. 144/43 *Kopenhagen, den 19.7.43*

An das Auswärtige Amt in Berlin

Betr.: Aage H. Andersen.
Auf den Erlaß v. 6.7.1943 Nr. Inl. II A 5383 und im Anschluß an den Bericht II P 137/43 vom 28.6.1943.[52]
2 Durchschläge.

Aage H. Andersen ist am 15.7.1943 aus Kopenhagen abgereist, um seine Tätigkeit bei der Antikomintern in Berlin aufzunehmen. Die erforderlichen Formalitäten sind von hier aus geregelt worden. Wegen der Liquidierung von "Kamptegnet" verwiese ich auf meinen Drahtbericht Nr. 853 vom 17.7.1943.[53]

Dr. Best

---

51 Førstnævnte dokument er ikke lokaliseret, sidstnævnte er trykt ovenfor.
52 Trykt ovenfor.
53 Pol I A 589 g. Trykt ovenfor.

181. Das Auswärtige Amt an OKW und OKM 19. Juli 1943

OKW og OKM blev orienteret om, hvordan Best havde meddelt AA sagen, hvor danske orlogsmænd med båden "Fandango" havde taget flugten til Sverige 5. juli. Best citerede Admiral Dänemarks vurdering af forløbet og dets udgang, hvorefter de danske foranstaltninger havde været tilfredsstillende.

Hermed være godtgjort endnu engang, at sager som denne ikke var egnet til indskriden fra tysk side. Da to danske marineofficerer 1. august på en sejlbåd "Marie" flygtede til Landskrona, skærpede Wurmbach heller ikke tonen. Først videregav han 2. august til bl.a. Seekriegsleitung, WB Dänemark og Best den mening, at bådens fører ikke var indviet i flugten, og at den syntes improviseret for dagen efter at oplyse, at den ene af de to officerer, E. Michelsen, selv var vendt tilbage, da han mod sit ønske var kommet sovende med. Wurmbach konkluderede, at hændelsen øjensynligt kunne henføres til en enkelt officers pludselige indskydelse (kilde som nedenfor).

Kilde: BArch, Freiburg, RM 7/1187.

Auswärtiges Amt
Pol VI 8850 g

Berlin W 8, den 19. Juli 1943.
Wilhelmstr. 74-76

An
das Oberkommando der Wehrmacht
   Agr. Ausland
das Oberkommando der Kriegsmarine
   Seekriegsleitung
   – je besonders –

Der Reichsbevollmächtigte in Dänemark berichtet unter dem 17.7. über die Angelegenheit der Flucht von dänischen Marineangehörigen nach Schweden am 5.7.:
"Der kommandierende Admiral Dänemark hat an seine vorgesetzte Stelle den folgenden abschließenden Bericht über diese Angelegenheit erstattet: 'Nachdem Vizeadmiral Vedel am 8.7. persönlich des Bedauern des Marineministeriums über die Flucht von 9 Marine-Angehörigen nach Schweden dienstlich ausdrückte, vorliegt jetzt schriftliche Antwort auf Grund aufgestellter Forderungen. Bisherige Vorsichtsmaßregeln, laut welchen alle dänischen Kutter und Fahrzeuge im Minenräum- und Küstenwachdienst im Hafen ihre Maschinenanlagen gegen Benutzung durch unbefugte zu sichern haben, werden auf alle Fahrzeuge mit Motorenantrieb ausgedehnt. Ferner wird Fahrzeugführer ausdrücklich verboten, nach Klarmachung Maschine das Fahrzeug zu verlassen.

Admiral Dänemark betrachtet dänische Maßnahme als zweckentsprechend und zufriedenstellend. Maßnahme zwecks Auslieferung des für Sundbewachung gut geeigneten Fahrzeuges sind von Dänen bei schwedischer Regierung eingeleitet.'"

Im Auftrag
v. Grundherr

182. Horst Wagner an Joachim von Ribbentrop 19. Juli 1943

Wagner rekapitulerede to sammenhængende sager for Ribbentrop. For det første RFSS' ret til at føre forhandlingerne med de völkisch-germanske grupper i Danmark, hvilket var blevet anfægtet af AA. Man var dog nu kommet til den overenskomst med RFSS, at AA fortsat havde denne forhandlingsret, men at Best trods det i alle den slags forhandlinger skulle indhente RFSS' repræsentanters tilslutning. For det andet var der spørgsmålet om Ribbentrops accept af, at Schalburgkorpset overtog hvervningen af frivillige i Danmark; en hvervning som DNSAP hidtil havde stået for. Wagner argumenterede for det med henvisning til DNSAPs nederlag ved valget samt til, at Germanische Leitstelle mente, at den ringe tilstrømning af frivillige kunne føres tilbage til den afvisende holdning, som DNSAP mødte hos det store flertal af den danske befolkning. Best anbefalede som den eneste løsning Schalburgkorpset som hverveinstans.

Wagner fik svar fra Büro RAM 23. juli, og Wagner sendte svaret til Best 31. juli 1943 (begge trykt nedenfor).

Det er bemærkelsesværdigt, at Wagner over for Ribbentrop erklærede spørgsmålet om RFSS' ret til forhandling direkte med de völkisch-germanske grupper i Danmark for løst, når han dagen efter, 20. juli, lod Reichel skrive til Riedweg i samme sag. Det kan have drejet sig om det principielle (Danmark som ikke-besat) og være sket i henhold til den ordre af 11. juli til Wagner, der henvises til nedenfor, men dog var sagen ikke afsluttet, selv om fejden blev ført med Riedweg og bag ham Gottlob Berger og ikke RFSS selv. Hvad angik Bests muligheder for at forhandle direkte med Germanische Leitstelle, Schalburgkorpset og andre tyskorienterede germanske grupper, foreslog Wagner, at dørene blev slået helt op, selv om AA naturligvis løbende skulle være grundigt orienteret.

Kilde: PA/AA R 100.692.

Gruppe Inl. II   Inl. II 315 gRs
über den Herrn St.S. zur Vorlage bei dem Herrn Reichsaußenminister

Vortrags-Notiz

Zu den Punkten 2 und 3 des Schreibens des Reichsbevollmächtigten Dr. Best[54] darf ich gemäß der Weisung vom 11. Juli 1943[55] Nachstehendes vortragen:

Zu Punkt 2: Mit Erlaß vom 18. August 1942[56] hatte der Leiter der Parteikanzlei bestimmt, daß Verhandlungen mit völkisch-germanischen Gruppen in Dänemark, Norwegen, Belgien und den Niederlanden ausschließlich in die Zuständigkeit des Reichsführers-SS fallen. Im entsprechenden Erlaß des Chefs der Reichskanzlei vom 6. Februar 1943 wurde der Ausdruck "in den besetzten Gebieten" gewählt, nachdem seitens des Auswärtigen Amts auf den völkerrechtlichen Unterschied zwischen Norwegen, Belgien und den Niederlanden einerseits und Dänemark, dessen volle Souveränität von uns anerkannt ist, andererseits aufmerksam gemacht worden war.

Das SS-Hauptamt hatte unter dem 5. Mai 1943[57] gebeten, den Bevollmächtigten des Reichs in Dänemark davon zu unterrichten, daß der Reichsführer-SS in allen grundsätzlichen Fragen, die germanisch-völkischen Gruppen betreffend, zu beteiligen sei. Das Auswärtige Amt hat daraufhin mit Dr. Best vereinbart, dem Reichsführer-SS gegenüber den Standpunkt zu vertreten, daß Dänemark als souveräner Staat zwar nicht unter die besetzten Gebiete im Sinne des Erlasses des Chefs der Reichskanzlei vom 6. Februar 1943 falle und daß daher für Verhandlungen mit dänischen Gruppen nach wie vor die Außen-

---

54 Best til Ribbentrop 7. juli 1943, trykt ovenfor.
55 Denne er ikke lokaliseret.
56 Der henvises til Bormanns forordning af 12. august 1942.
57 Se Berger til AA 5. maj 1943.

vertretung des Reichs zuständig sei, daß aber der Bevollmächtigte des Reichs in Dänemark sich trotzdem in allen grundsätzlichen germanisch-völkischen Fragen mit dem Beauftragten des Reichsführers-SS ins Benehmen setzen werde. Wie aus dem Schreiben von Dr. Best hervorgeht, hat der Reichsführer-SS dieser Regelung nunmehr zugestimmt.[58]

Zu Punkt 3: Die Übertragung der Freiwilligenwerbung in Dänemark an das sogenannte Schalburg-Korps ist von der Germanischen Leitstelle infolge des Einspruches des Auswärtigen Amts (Vortragsnotiz D III 952g vom 8. Januar 1943 liegt bei)[59] seinerzeit zurückgestellt worden. Nunmehr ist die Frage von der Germanischen Leitstelle erneut angeregt worden und zwar im Zusammenhang mit den veränderten Verhältnissen nach dem Mißerfolg der DNSAP bei den Wahlen in Dänemark.

Dieser Mißerfolg hat einerseits zur Folge gehabt, daß Fritz Clausen seine Verbindungen zu deutschen Stellen – insbesondere auch durch Verzicht auf deutsche Subventionen – gelockert hat, in der Hoffnung, dadurch wieder größeren Widerhall bei der dänischen Bevölkerung zu finden.[60]

Andererseits glaubt die Germanische Leitstelle, daß der geringe Zustrom an Freiwilligen zum Freikorps "Danmark" auf die Ablehnung zurückzuführen sei, auf die die DNSAP und Fritz Clausen bei der überwiegenden Mehrheit der dänischen Bevölkerung stößt. Sie hat daher ihrerseits die Beziehungen zu Clausen weitgehend gelockert.

Diese Sachlage läßt es notwendig erscheinen, die Werbung auf eine andere Grundlage zu stellen, besonders da eine Auffüllung der dänischen Freiwilligenverbände durchaus erforderlich ist, wie sich aus nachstehenden Zahlen ergibt:

1.) *Gesamtzahl der Einberufenen*
   Waffen-SS   2.879 davon 1.254 Volksdeutsche
   Freikorps "Danmark"   1.898
   zusammen: 4.777

2.) *Gesamtzahl der Entlassenen*
   Waffen-SS Ablauf der Dienstzeit   21 davon   12 Volksdeutsche
   andere Gründe   453 –   115 –
   Freikorps "Danmark"
   Ablauf der Dienstzeit   1
   andere Gründe   304
   zusammen: 779

3.) *Gesamtzahl der bei der Truppe Befindlichen*
   Waffen-SS   2.131 davon 984 Volksdeutsche
   Freikorps "Danmark"   1.412
   zusammen: 3.543

4.) *Tote*
   Waffen-SS   274 davon 143 Volksdeutsche
   Freikorps "Danmark"   181
   zusammen   455

---

58 Se Bests telegram nr. 639, 24. maj 1943 og Best til Ribbentrop 7. juli 1943.
59 Trykt ovenfor.
60 Se Bests telegram nr. 395, 7. april 1943.

Die Germanische Leitstelle will die Aufgabe der Freiwilligenwerbung und der Betreuung der von der Front vorübergehend oder dauernd Zurückkehrenden dem sogenannten Schalburg-Korps übertragen.

Der Reichsbevollmächtigte Dr. Best hält diese Regelung für den einzigen Weg, der auf weite Sicht der Freiwilligenwerbung in Dänemark neue Möglichkeiten eröffnen und eine größere Anteilnahme der dänischen Bevölkerung am Kampf gegen Rußland herbeiführen kann.

Das Schalburg-Korps soll ausdrücklich als unpolitischer dänischer Verband bezeichnet werden. Der Führer des Korps, SS-Obersturmbannführer Martinsen, genießt wegen seiner charakterlichen Eigenschaften allgemeine Achtung und wird als einer der tüchtigsten dänischen Offiziere anerkannt.

Es wird um Zustimmung des Herrn Reichsaußenminister zu dieser Regelung gebeten.

Berlin, den 19. Juli 1943.

Wagner

183. Richtlinien für die Zusammenarbeit WB Dänemark und des Reichsbevollmächtigten 19. Juli 1943
Efter godt en måned forud at have aftalt regler for samarbejdet i tilfælde af omfattende uro og en fjendtlig invasion blev også det daglige samarbejde mellem WB Dänemark og den rigsbefuldmægtigede regelsat. Der blev skelnet mellem de anliggender, hvor de to parter skulle koordinere deres aktivitet, orientere hinanden eller varetage hinandens interesser.

Der var tale om et regelsæt, som svarede til resultatet af den magtkamp, der havde fundet sted imellem de to parter i løbet af den tid, Best havde været rigsbefuldmægtiget.

Se Die Vorbereitung besonderer Maßnahmen ... 18. august 1943.
Kilde: BArch, Freiburg, RW 4/895.

Anlage zu Bef. Dänemark – Ia – Br. B. Nr. 586/43 g.Kdos. – v. 19.7.1943.

Geheime Kommandosache

Richtlinien für die Zusammenarbeit des Befehlshabers der deutschen Truppen in Dänemark als Vertreter aller Wehrmachtteile und des Reichsbevollmächtigten in Dänemark hinsichtlich des Verkehrs mit der Dänischen Regierung und den dänischen Behörden.
1.) In reinmilitärischen (zweiseitig militärischen) Angelegenheiten findet unmittelbarer Dienstverkehr zwischen dem Befehlshaber der deutschen Truppen in Dänemark und dem Dänischen Kriegsministerium und den sonstigen dänischen Militärdienststellen statt.

Reinmilitärische (zweiseitig militärische) Angelegenheiten sind solche, die militärische Fragen betreffen und auf der dänischen Seite von dem Kriegsministerium oder sonstigen Militärdienststellen federführend bearbeitet werden. (Beispiele: Gegenseitige Grußpflicht, Geländeübungen des dänischen Heeres, Bewaffnung der dänischen Wehrmacht einschl. Waffenablieferung, Verlegung dänischer Garnisonen).

2.) In gemischtmilitärischen (einseitig militärischen) Angelegenheiten vertritt der Reichsbevollmächtigte die Forderungen und Wünsche des Befehlshabers der deutschen Truppen in Dänemark gegenüber der Dänischen Regierung und den dänischen Behörden.

Gemischtmilitärische (einseitig militärische) Angelegenheiten sind solche, die militärische Fragen betreffen und auf der dänischen Seite von zivilen Ministerien und Behörden federführend bearbeitet werden. (Beispiele: Evakuierungen, Bereitstellung von Zivil-Krankenhäusern für die deutschen Truppen, Rechts- und Verwaltungsmaßnahmen im Interesse der deutschen Truppen).

3.) In sonstigen Angelegenheiten richtet der Befehlshaber der deutschen Truppen in Dänemark seine Wünsche und Anregungen an den Reichsbevollmächtigten,

Sonstige Angelegenheiten sind solche, die nicht militärische Fragen betreffen, aber die Interessen der deutschen Truppen berühren. (Beispiele: Deutschfeindliche Demonstrationen, kommunistische Umtriebe).

4.) An der Bearbeitung reinmilitärischer (zweiseitig militärischer) Angelegenheiten ist der Reichsbevollmächtigte nicht beteiligt.

Wird jedoch erkannt, daß solche Angelegenheiten auch von politischer Bedeutung sind, so wird Befehlshaber der deutschen Truppen in Dänemark den Reichsbevollmächtigten rechtzeitig verständigen, wenn er gegenüber den dänischen Dienststellen Schritte unternimmt.

5.) In gemischtmilitärischen (einseitig militärischen) Angelegenheiten ist für die Beurteilung der militärischen Notwendigkeiten der Befehlshaber der deutschen Truppen in Dänemark, für die Beurteilung der politischen Bedeutung der Reichsbevollmächtigte zuständig und verantwortlich. Hat der Reichsbevollmächtigte gegen die Forderungen und Wünsche des Befehlshabers der deutschen Truppen in Dänemark politische Bedenken, so teilt er diese dem Befehlshaber unverzüglich mit. Kommt keine Einigung zustande, so werden der Befehlshaber und der Reichsbevollmächtigte unter Darlegung der beiderseitigen Auffassungen auf dem schnellsten Wege eine höhere Entscheidung herbeiführen.

6.) In sonstigen Angelegenheiten bearbeitet der Reichsbevollmächtigte die Wünsche und Anregungen des Befehlshabers der deutschen Truppen in Dänemark in eigener Zuständigkeit und gibt dem Befehlshaber möglichst beschleunigt die erforderlichen Bescheide.

Ebenso wird der Reichsbevollmächtigte den Befehlshaber rechtzeitig unterrichten, wenn er in seiner Zuständigkeit Schritte unternimmt, deren Auswirkungen die Interessen der deutschen Truppen berühren könnten.

7.) In laufenden Angelegenheiten (Routinesachen) verkehren die Dienststellen des Befehlshabers der deutschen Truppen in Dänemark unmittelbar mit dänischen Militär- und Zivildienststellen.

Laufende Angelegenheiten (Routinesachen) sind alle ihrer Art nach sich ständig wiederholenden Einzelsachen, die im Rahmen der geltenden deutsch-dänischen Vereinbarungen und Absprachen behandelt werden können, und die nicht von grundsätzlicher Art oder von besonderer Bedeutung sind. (Beispiele: Schutzbereichsfälle, Strandgutfälle, die Einzelfälle in der Zusammenarbeit der Abwehrstelle Dänemark

mit der dänischen Polizei, die regelmäßig wiederkehrenden Verhandlungen des Intendanten zur Sicherstellung der normalen Verpflegung der Truppe).
8.) Für die gerichtlichen Angelegenheiten gilt die Regelung des Zweiten Erlasses über die Ausübung der Wehrmachtsgerichtsbarkeit in Dänemark gegen Personen nicht deutscher Staatsangehörigkeit vom 28.1.43[61] (– 14 n 23 WR (I 3/4) –)/ 2949/42).
9.) Alle vom Befehlshaber der deutschen Truppen in Dänemark an den Reichsbevollmächtigten gerichteten Schreiben in den unter 1.) bis 3.) bezeichneten Angelegenheiten werden von der Behörde des Reichsbevollmächtigten als Eilsachen behandelt. Diese Schreiben sind, um die beschleunigte Bearbeitung sicherzustellen, mit der Anschrift zu versehen:
   An den Bevollmächtigten des Reiches Dänemark
   Referat für Wehrmachtsangelegenheiten.
Das Referat für Wehrmachtsangelegenheiten wird, soweit erforderlich, die Sachabteilungen der Behörde beteiligen und den Fortgang der einzelnen Angelegenheiten laufend verfolgen und beschleunigen.
   Wenn Besprechungen zwischen der Behörde des Reichsbevollmächtigten und der zuständigen militärischen Dienststelle für erforderlich gehalten werden, so wird diese hiervon unverzüglich unterrichtet.
10.) Im X-Fall treten die hierfür zwischen dem Befehlshaber der deutschen Truppen in Dänemark und dem Reichsbevollmächtigten vereinbarten Bestimmungen in Kraft.[62]

184. Gottlob Berger an Heinrich Himmler 20. Juli 1943

Berger bad efter samråd med Best RFSS om at måtte afskedige H.C. Bryld, som Bryld selv havde ønsket. Bryld var beskæftiget ved Deutsche Umsiedlungstreuhand (DUT), men ønskede at vende hjem af både politiske og økonomiske grunde (Poulsen 1970, s. 368).
   Himmler svarede gennem Rudolf Brandt 29. juli.
   Kilde: BArch, NS/902. RA, pk. 443a.

Der Reichsführer-SS   Berlin, Wilmersdorf, den 20.7.1943
Chef des SS-Hauptamtes   Geheim!
CdSSHA/Be/Ra.
VS-Tgb. Nr. 4498/43g.
Adjtr. Tgb. Nr. 2212/43g

Betr.: Dr. Bryld, derzeit eingesetzt bei der DUT Kattowitz

An den Reichsführer-SS und Chef der deutschen Polizei
   Berlin SW 11
   Prinz-Albrecht-Str. 8

---

61 Trykt ovenfor.
62 Se WB Dänemark til OKW/WFSt 16. juni 1943.

Reichsführer!
Wie SS-Gruppenführer Greifelt soeben mitteilt, hat Dr. Bryld, der auf Befehl des Reichsführers-SS bei der DUT eingesetzt ist, gekündigt. Er gab in einer mündlichen Besprechung an, daß seine Verhältnisse durch sein Bekenntnis zum Nationalsozialismus recht schwierig geworden seien; dazu komme, daß auch seine wirtschaftlichen Verhältnisse sich sehr zu seinen Ungunsten verschlechtert hätten. In Hinblick darauf, daß sein jüngerer Bruder bei der Waffen-SS dienst, ein anderer schwer erkrankt ist, bittet er um baldige Entlassung aus den Diensten des Reichsführers-SS. Trotz aller Bemühungen des SS-Gruppenführers Greifelt war Dr. Bryld nicht zu bewegen, seine Familie ins Reich zu nehmen. Nach Rücksprache mit SS-Gruppenführer Dr. Best schlage ich vor, Dr. Bryld zu entlassen.

G. Berger
SS-Obergruppenführer

185. Werner Best an das Auswärtige Amt 20. Juli 1943
Best anbefalede AA godkendelsen af en aftale indgået mellem det tyske mindretal og Auslandsorganisation der NSDAP om en geografisk deling af arbejdsopgaverne i Danmark.
Se forudgående Werner Lorenz til Himmler 28. april og Brandt til Lorenz 12. maj 1943 (Noack 1975, s. 195).
Kilde: PA/AA R 100.356. RA, pk. 237.

Der Bevollmächtigte des Reiches in Dänemark   *Kopenhagen, den 20.7.1943.*
IC/Tgb. Nr. 274/43

An das Auswärtige Amt, Berlin.

Betr.: Richtlinien für die Zusammenarbeit der Deutschen Volksgruppe Nordschleswig und der Landesgruppe Dänemark der AO. der NSDAP.

Durchschläge –
Anlage (3fach).

Um zwischen der Deutschen Volksgruppe in Nordschleswig und der Landesgruppe Dänemark der Auslandsorganisation der NSDAP eine klare Abgrenzung der beiderseitigen Arbeitsgebiete zu erreichen, sind vom Volksgruppenführer Dr. Möller und von Landesgruppenleiter Dalldorf die in der Anlage abschriftlich beigefügten Richtlinien für die künftige Zusammenarbeit gemeinsam entworfen worden.

Die vorbehaltlich der Zustimmung des Auswärtigen Amts, der Volksdeutschen Mittelstelle und der Auslandsorganisation der NSDAP vereinbarte Regelung sieht vor, daß
1.) die gesamte Deutschtumsarbeit in Nordschleswig künftig von der Volksgruppenführung übernommen wird,
2.) daß die Deutsche Volksgruppe in Nordschleswig ihre Tätigkeit in den übrigen Gebieten Dänemarks einstellt und der Landesgruppe der AO der NSDAP überträgt.

Damit würde einem sich seit langem ungünstig auswirkenden Zustand abgeholfen, daß nämlich die Volksgruppe und die Landesgruppe sowohl im Grenzgebiet Nordschleswig wie auch in den übrigen Teilen Dänemarks nebeneinander arbeiten und dadurch viel wertvolle Arbeit entweder doppelt geleistet wird oder infolge von Zuständigkeitsüberschneidungen nicht so zweckentsprechend ausgeführt werden kann, wie es den deutschen Interessen entspricht. Die beabsichtigte Regelung trägt den besonderen Verhältnissen in Nordschleswig insofern Rechnung, als die verhältnismäßig geringe Anzahl von Reichsdeutschen in Nordschleswig überwiegend dort beheimatet ist und bei den meisten Reichsdeutschen die Beibehaltung ihrer Reichsangehörigkeit auf Zufälligkeiten beruht (weil sie sich z.B. zur Zeit der Abtrennung Nordschleswig[s] die für die Bestimmung der Staatsangehörigkeit maßgeblichen S[?] nicht in Nordschleswig aufhielten). Zu berücksichtigen ist ferner, daß die bisherige organisatorische Aufgliederung; Reichsdeutsche und Volksdeutsche, soweit es sich um Fragen des Einsatzes in der Heimat, um die Betreuung durch die Glieder der Partei, um deutsche Veranstaltungen und dergl. handelt von der Deutschen Volksgruppe in Nordschleswig nach der der Besetzung Dänemarks als besonders hart empfunden worden ist die Deutschen Nordschleswigs bis 1920 Reichsdeutsche waren.

Ich halte die von der Deutschen Volksgruppe und von der Landesgruppe vorgeschlagene einheitliche Zusammenfassung [aller] in Nordschleswig vorhandenen deutschen Kräfte für geeigne[t], den Gesamteinsatz des Deutschtums sowohl in Nordschleswig wie übrigen Gebieten Dänemarks zu verstärken, und habe gegen die Durchführung der beabsichtigten Regelung keine politischen Bedenken. Ich bitte deshalb, das Einverständnis der AO [...] und der Volksdeutschen Mittelstelle herbeizuführen und diese [Be]stimmung zur Durchführung der Vereinbarung zu erteilen.

W. Best

186. Eberhard Reichel an Franz Riedweg 20. Juli 1943

AA sendte lederen af Germanische Leitstelle, Franz Riedweg, et udkast til et brev til Parti-Kanzlei der NSDAP, hvori AA bad om, at Danmark måtte blive slettet i Bormanns forordning af 12. august 1942, da Danmark ikke var et besat land, som den stod i Lammers' cirkulære af 6. februar 1943 om samme sag. Den modsætning ville AA gerne af med.

Udkastet er forsynet med påskriften "cessat".

Det blev ikke Riedweg, men Gottlob Berger der svarede AA 26. juli 1943 på SS-Hauptamts vegne.

Kilde: NHWE, Id. dok.: APK-014.958.

Durchdruck als Entwurf.　　　　　　　　　　　　Reinschrift 1b. Zg
Auswärtiges Amt.　　　　　　　　　　　　　　　*Berlin, den 20. Juli 1943.*
zu Inl. II D 1597/43 III

Betrifft: Verhandlungen mit germanisch-völkischen Gruppen in Dänemark.
Ref.: LR Dr. Reichel
bzfg: Abschr. zu Inl. II-D 1597/43 II

An das SS-Hauptamt,
    z.Hd. SS-Obersturmbannführer
    Dr. Riedweg
    Berlin-Wilmersdorf 1
    Hohenzollerndamm 31

Entsprechend der Unterredung zwischen SS-Obergruppenführer Berger und Legationsrat Wagner beabsichtigt das Auswärtige Amt, das abschriftlich beigefügte Schreiben an die Partei-Kanzlei zu richten. Das Schreiben wird hiermit vor Abgang mit der Bitte um eventuelle Äußerung übersandt.

Im Auftrag
gez. **Reichel**

Abschrift   Geheime Reichssache
                             E n t w u r f
Berlin, den ... Juni 1943.   zu Inl. II D 1597/43 II

An die Partei-Kanzlei
    München
    Führerbau

Die im Reichsverfügungsblatt der NSDAP, Ausgabe A vom 18.8.1942 veröffentlichte Anordnung A 54/42[63], bestimmt in Absatz 1, daß für Verhandlungen mit allen germanisch-völkischen Gruppen in Dänemark, Norwegen, Belgien und den Niederlanden im Bereiche der NSDAP, ihrer Gliederungen und angeschlossenen Verbände ausschließlich der Reichsführer-SS zuständig ist.

Das Auswärtige Amt hatte seinerzeit auf den Umstand aufmerksam gemacht, daß die Souveränität Dänemarks im Gegensatz zu der von Norwegen, Belgien und den Niederlanden von Deutschland als im vollen Umfange fortbestehend anerkannt wird und daß daher Verhandlungen mit dänischen Gruppen oder Stellen über die amtliche Vertretung des Reiches zu führen sind. Daraufhin ist in dem entsprechenden Runderlaß des Chefs der Reichskanzlei an die Obersten Reichsbehörden Nr. 1602 D von 6. Februar 1943[64] der Ausdruck "in den besetzten Gebieten" angewandt worden, wobei Dänemark im rechtlichen Sinne nicht als besetztes Gebiet anzusehen ist.

Es besteht also eine Verschiedenheit zwischen der Anordnung, der Partei-Kanzlei und dem Runderlaß der Reichskanzlei, die zu Mißverständnissen Anlaß gegeben hat.

Das Auswärtige Amt bittet daher, der tatsächlichen rechtlichen und politischen Lage dadurch Rechnung zu tragen, daß in der Anordnung A 54/42 das Wort "Dänemark" gestrichen wird.

Im Auftrag
gez. **Wagner**

63 Trykt ovenfor under 24. oktober 1942, Luther til Büttner.
64 Trykt ovenfor.

187. WB Dänemark: Kampfanweisung 20. Juli 1943

WB Dänemarks Kampfanweisung gjorde bl.a. rede for, hvordan tropperne skulle forholde sig ved henholdsvis beredskabsniveau I (forhøjet beredskab) og II (alarm). Det var niveau II, der udløste de mest omfattende og afgørende foranstaltninger, herunder ødelæggelse af broer, havne og anlæg, der kunne komme fjenden til nytte.

Forud for udarbejdelsen af den nye Kampfanweisung til afløsning af den fra 22. januar 1943 indgik von Hanneken en aftale med Best vedrørende forholdsregler over for civilbefolkningen. Det skete 16. juni 1943 (WB Dänemark til OKW/WFSt), men von Hannekens stab havde dog formuleret foranstaltningerne allerede 5. marts (se anf. dato).

Det drejede sig om foranstaltninger ved et angreb på landet, hvor for det første magtudøvelsen i kampområdet ville tilfalde den militære øverstkommanderende, dernæst at der skulle forberedes anordninger og bestemmelser vedrørende, hvordan befolkningen skulle forholde sig, herunder forsamlingsforbud, indskrænkning i kommunikationen og forbud mod ud- og indrejse.

Von Hanneken havde i marts ladet indsætte bl.a. en paragraf om gidseltagning i afsnitskommandanternes kampanvisninger, hvorefter gidseltagning skulle finde sted efter hans ordre (se 5. marts 1943), men denne paragraf var nu strøget. Tilsyneladende havde Bests protest mod opstillingen af gidsellister båret frugt. I hvert fald havde OKW givet efter for protesten (AA til OKW 20. marts 1943 og der anf. henv.). Imidlertid fortsatte opstillingen af gidsellister uhindret. Det skete f.eks. i Esbjerg, hvor en gidselliste med 14 navngivne personer i juli blev revideret ved en korrespondance mellem afsnitskommandant Steckelberg og Abwehrnebenstelle i Århus (Steckelberg 15. og 27. juli 1943 (RA, Danica 203, pk. 29, læg 296)).

Foranstaltningerne tog ikke højde for muligheden af omfattende strejker eller offensiv modstandsaktivitet. I selve kampanvisningen med de talrige bilag var det heller ikke tilfældet. Det blev kun kort side 10 i kampanvisningen nævnt: "Oft werden feindliche Unternehmungen durch Agenten-Nachrichten angekündigt werden. Pflicht der Abwehrstelle Dänemark und ihrer Nebenstelle Aarhus ist es, alle dahingehenden Unterlagen schleunigst dem Bef. Dänemark, dem Admiral Dänemark und dem General der Luftwaffe in Dänemark zuzuleiten. Soweit fernmündliche Durchgäbe nicht möglich oder angebracht und schriftliche verspätet käme, ist ein Ordonnanzoffizier zu entsenden. Dasselbe gilt von allen Nachrichten, die auf feindliches Verhalten von dänischer Seite schließen lassen."[65]

Kampanvisningen blev udmøntet af de enkelte afsnitskommandanter med detaljer om, hvordan tropperne konkret skulle forholde sig i deres afsnit med dertil relevante bilag.[66] Specielt til Division Nr. 166 placeret på Fyn og Sjælland blev der givet anvisninger vedrørende afvæbningen af den danske hær i påkommende tilfælde.[67]

Den næste og sidst kendte kampanvisning fra WB Dänemark for Danmark er fra 14. maj 1944, se anf. dato. Admiral Dänemark udarbejdede sin egen variant af en Kampfanweisung, og der foreligger en for 31. juli 1943.[68] De to værnschefers kampanvisninger var koordinerede med WB Dänemarks ditto som den overordnede. Der blev løbende foretaget rettelser og tilføjelser til kampanvisningerne, der i reglen blev indført i pågældende enheds krigsdagbog eller som bilag dertil.[69]

Kilde: BArch, Freiburg, RW 4/643. RA, Danica 1069, sp. 3, nr. 3045-51, 3071f. RA, Danica 1069, pk. 66, læg 878.

Anlage 2 zu Bef. Dän.

---

[65] Kampanvisningen i sin helhed med bilag er i BArch, Freiburg, RW 4/643, RA, Danica 1069, sp. 3, nr. 003.024-3.078 og RA, Danica 203, pk. 66, læg 878.

[66] Kampanvisningen for afsnit Sydjylland er eksempelvis fra 24. august 1943 med 10 bilag (a-k) (RA, Danica 203, pk. 29, læg 294).

[67] PKB, 13, s. 854f., Kirchhoff, 1, 1979, s. 289f., Hendriksen 1993, s. 18. Se tillige MOK Ost til OKM 8. august 1943.

[68] Der er henvist til den i Kampanvisningen for afsnit Sydjylland 24. august 1943, s. 3 (se ovenfor).

[69] Se f.eks. KTB/HKK 1944, Anlage 14, 17. januar 1944 vedrørende brosprængninger i anledning af, at den 166. Res. Div. var forflyttet til Jylland (BArch, Freiburg, RW 38/180).

Ia Nr. 600/43 g.Kdos. v. 20.7.43

Bereitschaftsstufe I und II

Bereitschaftsstufe I bedeutet *erhöhte Bereitschaft*.
Bereitschaftsstufe II bedeutet *volle Alarmierung*.

I.) Bereitschaftsstufe I:
Maßnahmen:
a.) Sämtliche Posten, Beobachtungsorgane, Flukos und Fluwas, Küstenüberwachungsstellen der Marine, sämtliche an der Küste bereits fest eingesetzten Einheiten (Küstenbatterien von Heer und Kriegsmarine usw.) sind durch vorbereitete Einzelanordnungen (Verstärkungen, Streifendienst usw.) in erhöhte Bereitschaft zu setzen.
b.) Wichtige Objekte müssen durch Wachen nach vorbereitetem Plan vermehrt gesichert werden.
c.) Alle Nachrichtenverbindungen, insbesondere von den Küstenstellen nach rückwärts und seitwärts sind nachzuprüfen. Die Berechtigung zum Führen von Ferngesprächen ist zugunsten der taktischen Stellen weitgehend zu beschränken. Alle Dienststellen haben ihre Fernsprechstellen durch besonders unterrichtete Persönlichkeiten ständig besetzt zu halten. Alle Funkstellen haben auf Empfang zu gehen.
d.) Besondere Vorkehrungen sind für erhöhte Wachsamkeit in der *Dunkelheit* und bei *unsichtigem Wetter* zu treffen. (Einrichtung eines besonderen Streifendienstes an der Küste.)
e.) Ausgang und Ortsurlaub hört auf. Alle Wehrmachtangehörigen haben sich in den Unterkünften aufzuhalten. Bei Verlassen der Unterkunft ist Mitführen eines besonderen, vom Einheitsführer auszustellenden Ausweises erforderlich.
f.) Beabsichtigte Übungen außerhalb der Standorte unterbleiben. Der Dienst innerhalb der Standorte läuft weiter. Kommandierungen zu Schulen, Lehrgängen u. dergl. innerhalb und außerhalb Dänemarks sowie Beurlaubungen in die Heimat laufen weiter.
g.) Dort, wo bei Ausbildungseinheiten dir Truppe für den Einsatz eine andere Gliederung erhalten muß, ist diese Umformierung vorzunehmen.
h.) Alarmeinheiten werden überprüft und nochmals eingewiesen.
i.) Alle Maßnahmen für *Stufe II* werden schon jetzt so vorbereitet, daß sie schlagartig durchgeführt werden können (z.B. Beladen der Fahrzeuge, Bereitlegen von Munition und Verpflegung, Benachrichtigung der Noteinsatzpflichtigen, Bereitstellen der Kommandos zur Beschlagnahme der dänischen Kfz. und zur Besetzung der dänischen Betriebsstofflager.).

II.) Bereitschaftsstufe II:
Maßnahmen:
a.) Wenn Stufe I nicht vorausgegangen, sind sämtliche Maßnahmen der Stufe I beschleunigt durchzuführen.
b.) Jede Truppe macht sich sofort *gefechts- bezw. abmarschbereit* und erwartet auf den

Alarmplätzen in Fliegerdeckung den Einsatzbefehl. Durchreisende Soldaten, Urlauber, Kommandierte sind durch die Standortältesten zu erfassen und einzusetzen.

c.) Jeder Urlaub hört auf. Kommandierungen laufen weiter.

d.) Zusammentritt der Alarmeinheiten. Einziehung der Noteinsatzpflichtigen (s. Anlage 6 und 8)

e.) Entfernung der Warnungstafeln an den Minenfeldern. Anordnung hierzu treffen dir Führer der Einheiten, zu deren Schutz die Minenfelder angelegt sind.

f.) Volle Munitionsausgabe, auch sofortiges Einziehen aller sichergestellten *Kraftfahrzeuge*.

g.) Besetzung der dänischen Betriebsstofflager durch die betreffenden Standortältesten; Ausgabe von Betriebsstoffen aus diesen Lagern erfolgt erst auf ausdrücklichen Befehl des Bef. Dänemark.

h.) Die vorbereiteten Maßnahmen gegen etwaige innere Unruhen treten in Kraft. Bef. Dänemark bestimmt, ob und wann jeder Außendienst und jeder Funkverkehr des dänischen Heeres aufhört, und von welchem Zeitpunkt ab sämtliche dänischen Soldaten bis auf Posten im Wachdienst und versorgungsdienste in ihren Unterkünften zu verbleiben haben.

i.) Die *Beobachtung des dänischen Heeres* hat auf Befehl des Bef. Dänemark durch die Div. Nr. 166 in unauffälliger Weise erfolgen.

k.) Der Admiral Dänemark ordnet für den Bereich der *dänischen Marine* an, welche Einheiten auslaufen dürfen bzw. wie weit Außendienst der Marine gestattet bleibt und sorgt für Überwachung der dänischen Marine.

l.) Alle dänischen Zivilarbeiter, Angestellte, Firmenvertreter usw. haben sämtliche Baustellen der Deutschen Wehrmacht zu verlassen.

m.) Durch den Befehlshaber der deutschen Truppen kann die vorbereitete Nachrichtensperre für den zivilen Drahtnachrichtenverkehr in ganz Dänemark oder in einzelnen Landesteilen verfügt werden. Bei fehlender Nachrichtenverbindung zu Bef. Dänemark sind auch die Divisions- und Abschnittskommandeure befugt, die Nachrichtensperre von sich aus anzuordnen.

n.) Div. Nr. 166 übernimmt den Schutz der Sendeanlagen in Kopenhagen, Hersted Vester, Lyngby, Kalundborg, Skamlebäk durch Abstellung besonderer Wachen in Stärke von je 1 Uffz. und 6 Mann.

Aufgabe der Wachen ist es vor allem, eine Aufrechterhaltung des Sendebetriebes möglichst weitgehend zu gewährleisten. Wenn auch die Wachen in dieser Stärke keinen stärkeren Feindangriff abwehren können, so sind sie doch ausreichend, um die Sender gegen Sabotageunternehmen zu sichern.

Verstärkung der Wachen durch Zeitfreiwillige ist vorzubereiten.

o.) Die deutsche Besetzung sämtlicher *dänischen* Nachrichten- und Transportmittel (Fernsprechnetz, Eisenbahnen) und die Beschlagnahme *aller* noch *nicht erfaßten* dänischen Kraftfahrzeuge kann bei Stufe II in Frage kommen und muß daher *vorbereitet* werden. Die Durchführung *dieser* Maßnahmen erfolgt jedoch erst auf *besonderen Befehl*, der nur vom Bef. Dänemark bezw. mit dessen Genehmigung gegeben werden darf. Das Gleiche gilt für die Bereitstellung von Transportzügen gemäß Anlage 5, Ziff. IV zu dieser Verfügung.

Die bei Anordnung der Bereitschaftsstufen I und II durchzuführenden Maßnahmen sind bei den Dienststellen und Truppeneinheiten *kalendermäßig festzulegen*.

p.) *Brückenzerstörungen*, die bei Bereitschaftsstufe II *vorzubereiten sind*:

In Jütland:
- Aalborg: Limfjordsbrücke – Verkehrsbrücke (Bef.)
- Aalborg: Limfjordsbrücke – Eisenbahnbrücke (Bef.)
- Brücke bei Aggersund (Bef.)
- Oddesundbrücke (Bef.)
- Brücke über die Vardeaa (ca. 4 km südl. Billum)
- Vilsundbrücke
- Langenbro – hart südl. Skjern – über die Skjernaa
- Sonderbro – südl. Skjern – über die Skjernaa
- 2 Eisenbahnbrücken – südl. Skjern – über die Skjernaa (Bef.)
- Straßenüberführung der Straße Esbjerg – Kolding über die Bahn in Jarne (Bef.)
- Straßenüberführung der Straße Esbjerg – Kolding über die Bahn ca. 500 m nördl. Bahnhof Esbjerg – (Bef.)
- Straßenüberführung bei Boldesager in der Verlängerung der Boldsagergade nach Norden ca. 1.400 m nördl. Bahnhof Esbjerg (Bef.)
- Bahnüberführung am Estrupvej, ca. 100 m nordostwärts des E-Werkes Esbjerg (Bef.)
- Straßenbrücke über die Storaa (1 km südl. Vem)
- Eisenbahnbrücke über die Storaa (1 km südl. Vem) (Bef.)
- Süd-Vondaa-Brücke (ca. 800 m westl. Ringköbing)
- 2 Eisenbahnbrücken im Standort Varde (Bef.)
- 2 Straßenbrücken im Standort Varde
- 1 Eisenbahnbrücke hart südl. Ribe (Bef.)
- 3 Straßenbrücken im Standort Ribe

auf den dänischen Inseln:
- Middelfart (Bef.)
- Frederikssund
- Straßenbrücke bei Guldborg über den Guldborgsund
- Straßenbrücke bei Nyköbing (Falster)
- Eisenbahnbrücke bei Nyköbing (Falster) (Bef.)
- Die beiden Brücken bei Vordingborg über den Masnedsund und die Storströmsbroen (Bef.)

Die Vorarbeiten zu den Sprengungen und die Sprengungen selbst werden ausgeführt durch Pioniere derjenigen Division, in deren Gebiet die Brücken liegen. Der Div. Nr. 160 steht hierzu das Pi. Landungs- Lehr- und Ersatz-Rgt. zur Verfügung.

Die Divisionen geben die näheren Anordnungen für die Vorbereitung der Zerstörung und erteilen auch den Befehl zur Sprengung selbst. – Die mit "(Bef.)" bezeichneten Brücken dürfen nur auf Anordnung des Befehlshabers der deutschen Truppen in Dänemark gesprengt werden.

Bei der Wache des Munitionslagers, in dem die Sprengmunition für die einzelnen Brücken aufbewahrt wird, ist ein schriftlicher Sprengbefehl niederzulegen. Dieser Befehl muß folgende Fragen eindeutig beantworten:
a.) Wie ist die Munition einzubauen?
b.) Wie sind die Zündleitungen zu verlegen?
   (Zündstelle, Zünddauer, Rückweg des Zündtrupps)
c.) Wann ist das Objekt zu sprengen?
   Auf wessen Befehl?
   Verhalten bei überraschender Feindannäherung?
d.) An wen ist die ausgeführte Sprengung mit Sprengerfolg zu melden?

Bei den folgenden Brücken ist zu berücksichtigen, daß durch ihre Sprengung auch wichtige Fernkabel, die mit Wehrmachtleitungen beschaltet sind, zerstört werden:
1.) *Brücke bei Middelfart*: Kabel der dänischen Staatsbahnen. Das Kabel verläuft über der Brücke, es ist mit Luftwaffenleitungen beschaltet und enthält außerdem für den Eisenbahnverkehr auf Jütland und Fünen wichtige Bahnmeldeleitungen.
2.) *Straßen- und Eisenbahnbrücke Nyköbing F.*: In beiden Fällen liegen die Kabel auf den Brücken. Über die Eisenbahnbrücke verläuft das Fernkabel von Kopenhagen über Fehmarn nach Hamburg.
3.) *Brücke Vordingborg-Masnedsund*: Die staatlichen Kabel, darunter das Seekabel Dänemark – Deutschland, liegen in einem Abstande von etwa 60 m ostwärts der Brücke, ein Kabel der KTAS verläuft etwa 150 m ostwärts der Brücke im Wasser.
4.) *Vordingborg – Storstrømsbrücke*: Die staatlichen Kabel (Seekabel Dänemark – Deutschland) verlaufen westlich der Brücke, und zwar am nördlichen Brückenkopf etwa 120 m und am südlichen Brückenkopf in etwa 150 m Abstand von der Brücke durch das Wasser.

In beiden Fällen (Ziff. 3 und 4) liegen die Fernkabel innerhalb der Gefahrenzone bei Brücken-Sprengung.

q.) Zerstörungen von Hafenanlagen, Verpflegungs-, Munitions- und sonstigen Lagern, deren Besitz dem Feinde erheblichen Vorteil verschaffen würde:

Die Hafenanlagen von Aalborg, Frederikshavn, Skagen, Hirtshals, Thyborön und Esbjerg sind durch Admiral Dänemark zur Sprengung vorzubereiten.

Die Vernichtung größerer Bestände von Versorgungsgütern, die dem Gegner Versorgung und Kampfführung erleichtern würden, wenn sie in seine Hände fallen, ist durch die Standortältesten bei Bereitschaftsstufe II vorzubereiten.

Die Befehle zur Vernichtung von Versorgungslagern geben die Abschnittskommandeure nach genauer Prüfung der Lage.

Zerstörung von Hafenanlagen und Vernichtung größerer Munitionslager befehlen bei dringender Gefahr die Divisions-Kommandeure für ihre Abschnitte, sonst mit vorheriger Genehmigung seitens des Bef. Dänemark.

Die *Vernichtung* derartiger Vorräte darf jedoch nur erfolgen, wenn ihr *dauernder*

Verlust befürchtet werden muß. Dieser Fall kann bei größeren Angriffshandlungen nach Landung an der Küste eintreten.

Der Entschluß zur Vernichtung der Vorratslager hängt ab von der Beurteilung der Kampflage und Feindstärke.

In erster Linie sind Verpflegung und Betriebsstoff zu vernichten!

Bei kleineren Feindunternehmen, die Zwecken der Sabotage und Unruhestiftung dienen und bei denen vorübergehende Besetzung von Versorgungslagern möglich ist, sind letztere nicht zu vernichten, da mit ihrer Wiedergewinnung in kurzer Zeit gerechnet werden kann.

Die Vernichtung der eingesetzten Waffen mit ihrer Munition ist in *jedem* Falle durchzuführen, wenn ihr Verlust nicht vermieden werden kann. Den Befehl hierzu gibt der Führer der in Frage kommenden Einheit. Dabei ist Vernichtung von Beutemunition nicht dringend.

Anlage 10 zu Bef. Dän.
Ia Nr. 600/43 g.K. vom 20.7.1943

Maßnahmen
gegenüber der Zivilbevölkerung.

A.) Mit dem Bevollmächtigten des Reiches in Dänemark sind folgende Abmachungen getroffen:
1.) Im Falle eines Angriffs wird unterschieden:
   a.) Das Kampfgebiet, in dem Gefechtshandlungen zwischen den deutschen und den feindlichen Truppen stattfinden,
   b.) das rückwärtige Gebiet, das sich vom Kampfgebiet bis zu der nächsten Wassergrenze erstreckt (z.B. in Jütland bei Angriff von Westen bis zum Kleinen Belt),
   c.) das übrige Staatsgebiet.
2.) Für das Kampfgebiet und das rückwärtige Gebiet tritt ein Chef der Zivilverwaltung zum Befehlshaber.
3.) Im Kampfgebiet werden die Weisungen des Befehlshabers durch den Chef der Zivilverwaltung unmittelbar den dänischen Behörden übermittelt, soweit nicht die Truppe aus der Lage heraus die erforderlichen Maßnahmen unmittelbar treffen muß.
4.) Für das rückwärtige Gebiet wird ein Kommissar der dänischen Regierung bestellt, der alle Funktionen der Regierung für dieses Gebiet ausübt. Dem dänischen Kommissar werden die Weisungen des Befehlshabers durch den Chef der Zivilverwaltung übermittelt, der nach Möglichkeit für Übereinstimmung der zu treffenden Maßnahmen mit der Auffassung und den Maßnahmen des Reichsbevollmächtigten zu sorgen hat.
5.) Für das übrige Staatsgebiet bleiben die Zuständigkeiten der dänischen Regierung und des Reichsbevollmächtigten unverändert.

B.) Für den Fall eines Angriffs auf Dänemark sind Maßnahmen der dänischen Regie-

rung vorgesehen, die diese im Interesse der Kampfführung der Deutschen Wehrmacht zu treffen hat.
1.) Erlaß über das Verhalten der Bevölkerung.
2.) Erlaß eines Versammlungsverbots.
3.) Einschränkende Bestimmungen über Post-, Fernsprech-, Telegrafen- und Funkverkehr.
4.) Bestimmungen über Presse und Rundfunk.
5.) Bestimmungen über Einschränkung des zivilen Verkehrs in bestimmten Gebieten.
6.) Verbot der Aus- und Einreise nach und von dem Ausland.
7.) Falls die dänische Regierung sich zur Durchführung der von ihr erwarteten Maßnahmen außerstande erklären sollte oder sie nicht in dem geforderten Masse durchführt, wird der Befehlshaber (Chef der Zivilverwaltung) die nötigen Anordnungen auf Grund seiner eigenen Machtbefugnisse erlassen.

C.)1.) Im Angriffsfalle ist seitens des Befehlshabers die Veröffentlichung eines Aufrufs an die dänische Bevölkerung vorgesehen. Der Aufruf befindet sich bei den Standortältesten.
   Die Veröffentlichung des Aufrufs darf erst auf ausdrücklichen Befehl des Bef. Dänemark durch die Standortältesten erfolgen, und zwar durch Presse und Maueranschlag.
2.) Weitere Aufrufe seitens der militärischen Dienststellen und Standortältesten sind nicht zu erlassen.
3.) Die Pflicht der Standortältesten, Maßnahmen zur Sicherstellung von Kraftfahrzeugen und Betriebsstoff sowie zur Sicherung der Standorte zu treffen, bleibt hierdurch unberührt.

188. Das Deutsche Wissenschaftliche Institut an H.W. Schacht 20. Juli 1943

På Det Tyske Videnskabelige Institut meddelte lederen, professor Otto Höfler og afdelingsleder Hans Kirchhoff, at en planlagt rejse for professor Heinz Kindermann til København skulle tjene det formål, at han her kunne arbejde på en udgivelse af Klopstockbreve sammen med den danske kulturhistoriker Louis Bobé. Det arbejde måtte nu opgives pga. manglende valuta. At det skete netop på det tidspunkt, hvor instituttet forsøgte at bryde boykotten fra den danske videnskabelige verden, var dybt beklageligt. Det var spørgsmålet, om projektet var endeligt opgivet. Et ord i margen gav svaret: ja.

Kindermann havde i en årrække arbejdet med en udgave på 12 bind af digteren Friedrich Klopstocks skrifter, hvoraf tre skulle indeholde brevene. Hertil skulle Bobé bidrage med tekstrecensioner og kommentering af alle breve, der vedrørte nordiske forhold. Det tyske undervisningsministerium og forlaget Reclam skulle sikre det økonomiske grundlag. Bobé antager i sine erindringer, at udgivelsen blev opgivet på grund af begivenhederne 29. august 1943, men som det fremgår af denne notits var dette ikke tilfældet. Det var sket forud (Bobé 1947, s. 254f.).

Kirchhoffs notat udtrykte stor skuffelse på instituttets vegne. Det kom på tværs af Höflers planer om videnskabeligt at bringe instituttet i offensiven. Trods den danske boykot fortsatte WDI sin foredragsrække til april 1944, da et foredrag af den tyske fysiker Werner Heisenberg satte en stopper for den videre foredragsaktivitet. Foredraget blev holdt 19. april og emnet var "Die kleinsten Bausteine der Materie", og Werner Best var blandt tilhørerne. Til gengæld kom der ikke en eneste af de danske fysikere, mens et kollokvium på

Niels Bohr Instituttet, hvor Heisenberg også holdt foredrag, blev søgt af fysikerne (Bests kalenderoptegnelser 19. april 1944, Hausmann 2001, s. 202f.).
Se endvidere WDI til Schacht 16. juli 1943 og Höflers beretning 18. december 1944, gengivet af AA 2. januar 1945, trykt nedenfor.
Kilde: Revsgård Andersen u.å., s. 50.

Notiz

Zum Telegramm 975 v. 17.7.43[70]
Betr.: Prof. Kindermann – Wien

Im Einvernehmen mit Herrn Prof. Höfler möchte ich feststellen, daß die von Herrn Prof. Kindermann geplante Reise nach Kopenhagen dazu dienen sollte, hier an der Herausgabe der Klopstockbriefe zusammen mit Herrn Dr. Bobé zu arbeiten. Diese Arbeit soll nun aus Devisenmangel unterbleiben. Ich gebe zu bedenken, daß gerade das Werk Klopstocks uns immer wieder Gelegenheit gibt, den Dänen vor Augen zu führen, daß der deutsche kulturelle Einfluß auf Dänemark so stark war, daß Klopstock sich in dem Kopenhagener Kreise so bewegen konnte, wie z.B. in Hamburg. Dadurch daß Dr. Bobé mit seinen sehr ausgedehnten Beziehungen an der Herausgabe der Briefe führend beteiligt ist, hätte diese Arbeit für das Institut, im Hinblick auf die ihm gestellte Aufgabe sich weitgehend in der dänischen wissenschaftlichen Welt zu verankern, greifbare Erfolge zeigen können. Die Absage ist also, gerade in einem Augenblick, wo das Institut versucht, den Boykott zu durchbrechen, aufs tiefste zu bedauern. Es wird die Frage gestellt, ob die Absage eine endgültige ist.[71]

Kopenhagen, den 20.7.43
Hans Kirchhoff

N.S. Daß K[indermann] für diese längeren Arbeiten gerade die Universitätsferien gewählt hat, spricht dafür, daß ihm die Klopstockbriefe sehr am Herzen liegen.[72]

189. Werner Best an das Auswärtige Amt 21. Juli 1943

Best meddelte, at han havde adskillige grunde til ikke at ville tillade, at 50 tyske sportsfolk deltog i fejringen af Tønders 700 års jubilæum. Først og fremmest ville det propagandistisk have en ugunstig virkning i Danmark.
AA videresendte Bests svar til VOMI 2. august 1943.
Kilde: PA/AA R 100.356. RA, 237.

Der Bevollmächtigte des Reiches in Dänemark　　　*Kopenhagen, den 21.7.43.*
I C/ N Sch 10

---

70 Telegrammet er ikke lokaliseret.
71 I margen er skrevet: "ja".
72 Tilføjet med håndskrift.

An das Auswärtige Amt, Berlin.

Auf die Erlasse vom 12. Juli[73] – Inl. II C 2918 – bezw. – Inl. II C 2881 –
Betr.: Einreise von Reichsdeutschen zur 700-Jahrfeier der Stadt Tondern am 5. August 1943.
– 2 Durchschläge –

Mit Drahtbericht Nr. 745 vom 19.6.[74] sind hier für die Teilnahme an der von der Deutschen Volksgruppe in Nordschleswig veranstalteten Jubiläumsfeier der Stadt Tondern 13 Reichsdeutsche namhaft gemacht worden. Die Liste der Teilnehmer entspricht dem Vorschlag der Volksgruppenführung. Durch die Teilnahme dieser Reichsdeutschen an der Feier der Volksgruppe in Tondern werden die deutsche Tradition und die Beziehung der Stadt Tondern zum Reich hinreichend zum Ausdruck gebracht. Es besteht daher keine Veranlassung, weiteren Reichsdeutschen die Einreise nach Dänemark zwecks Teilnahme an der Feier zu genehmigen. Ich bitte, der volksdeutschen Mittelstelle mitzuteilen, daß von dem Plane des Gauverbandes Schleswig Holstein des VDA, beim Polizeidirektor in Flensburg einen Sammelpaß bis zu 50 Personen im kleinen Grenzverkehr zu beantragen, abgesehen werden muß.

Die von der Volksdeutschen Mittelstelle beantragte Teilnahme einer Vorführungsgruppe des NS Reichsbundes für Leibesübungen, Gau Kiel, an der deutschen Feier in Tondern halte ich, wie ich auch der Volksgruppenführung mitgeteilt habe, nicht für angebracht. Es liegt m.E. für die Volksgruppe keine Notwendigkeit vor, aus Anlaß des Jubiläums der Stadt Tondern eine Sportveranstaltung durchzuführen in einer Zeit, in der die wehrfähigen Männer der Volksgruppe im Kriegseinsatz stehen. Außerdem würde sich die Reise einer reichsdeutschen Sportgruppe von 50 Mann nach Dänemark in der heutigen Zeit des totalen Kriegseinsatzes in Dänemark propagandistisch sehr ungünstig auswirken.

Nach dem von der Volksgruppe aufgestellten Programm für die Feier, an der u.a. das Flensburger Grenzlandorchester und ein deutsches Wehrmachtorchester mitwirkt ist ein würdiger Verlauf der Feier auch ohne Sportveranstaltung gewährleistet. Ich bitte, die Volksdeutsche Mittelstelle entsprechend zu unterrichten.

W. Best

190. Rüstungsstab Dänemark: Lagebericht 21. Juli 1943

Det tilbagevendende brændstofproblem blev taget op igen. Den danske regering havde foretaget nye indskrænkninger i forsyningen. Til gengæld var tørveproduktionen rekordhøj, og det med lønninger så høje, at det havde ført til afvandring fra det øvrige landbrug. Det søgte regeringen at imødegå ved midlertidigt at indstille andre arbejder i sommersæsonen. Der havde været en arbejdskonflikt i Helsingør, hvor arbejderne krævede en større lønforhøjelse. Sabotagen havde været aftagende siden april, og betød ikke materiel skade for værnemagten, da der blev ydet fuld erstatning, men det gav forsinkelser og frem for alt gav det ulyst til arbejdet hos arbejderne og virksomhedslederne. Arbejdsløsheden var fortsat faldende.
Kilde: BArch, Freiburg, RW 27/10. KTB/Rü Stab Dänemark 3. Vierteljahr 1943.

---

73 Skrivelsen er ikke lokaliseret.
74 Telegrammet er ikke lokaliseret.

Abteilung Wehrwirtschaft   *Kopenhagen, den 21.7.1943*
im Rü Stab Dänemark
Gr. Ia Az. 66d 1 Nr. 2487/43g   Geheim!

Vordringliches
Im Juni wurden 102.883 to *Kohle* (davon 13.531 to für die dän. Staatsbahn) und 30.272 to Koks nach Dänemark verladen. Für Juli Abladung sind insgesamt 173.000 to Kohle und Koks vorgesehen. – Trotz dieser in Aussicht stehenden leichten Besserung spitzt sich die Kohlenlage von Tag zu Tag mehr zu, da die bisherigen geringen Zufuhren zur Deckung des täglichen Bedarfs nicht ausreichen und deshalb bereits jetzt die Notlager für den Winter angegriffen werden müssen. Es ist daher unvermeidlich, daß die dänische Regierung neue Einschränkungen in Erwägung ziehen muß, die – nach Abdrosselung der Mengen für den öffentlichen Bedarf auf das Äußerste – in erster Linie die dänische Produktion treffen werden.

Die *Torfproduktion* kann in diesem Jahre eine Rekordhöhe erreichen, wenn nur der Abtransport des fertigen Torfs mit der Produktion Schritt hält. Die Schwierigkeiten des Abtransportes liegen nicht nur in dem schlechten Zustand des rollenden Materials, sondern besonders an der unzureichenden Versorgung der dänischen Staatsbahn mit Eisenbahnkohle. Ungefähr 25 % des Güterverkehrs der dänischen Staatsbahnen betrifft die Wehrmacht = 15.000 to Kohle. Der Wunsch der dänischen Regierung, diese 15.000 to Eisenbahnkohle außerhalb der monatlich vereinbarten Verladung zusätzlich zu beziehen, ist deshalb verständlich und könnte zu einer wesentlichen Besserung der Transportlage beitragen. Um die Versorgung der Gaswerke zu verbessern, hat man versucht, Braunkohlenbriketts zur Herstellung von Gas zu verwenden. Diese Versuche sind ungünstig ausgefallen, da die Briketts zwar einen erheblichen Prozentsatz Gas, aber auf der anderen Seite zu viel Kohlensäure hergaben. Außerdem fällt bei dem Verfahren kein Koks ab.

Die intensive Torfgewinnung hat infolge der hierbei gezahlten hohen Löhne einen zunehmenden *Arbeitermangel* in der Landwirtschaft zur Folge. In Nordjütland wurde deshalb zwischen Vertretern der landwirtschaftlichen Vereinigungen und den großen Industrieunternehmen unter Beisitz der Behörden und Gewerkschaften eine Vereinbarung getroffen, wonach junge Leute im Alter von 18-25 Jahren aus den Torfmooren entlassen und der Landwirtschaft zur Verfügung gestellt werden sollen. In Südseeland arbeitet ein Teil der Torfarbeiter in freien Stunden in den Rübenfeldern, da hier in der Rübenwirtschaft besonders großer Arbeitermangel herrscht. Das dänische Arbeitsministerium hat zur Überwindung dieser Schwierigkeiten angeordnet, daß sämtliche Landgewinnungsarbeiten in den Landgemeinden bis zum 15. September eingestellt werden sollen.

Zum ersten Mal seit der Besetzung Dänemarks hat eine *Lohnbewegung* "wegen verschärften Risikos" bei einem Teil der Arbeiterschaft, und zwar bei der Fa. A/S Helsingör Jernskibs- og Maskinbyggeri, welche große Wehrmachtaufträge hat, eingesetzt. Die Arbeiter verlangen einen generellen Zuschlag von 20 % auf den Lohn als "Gefahrenzulage", ferner eine Versicherung der Angehörigen bzw. der Hinterbliebenen von Arbeitern, welche invalide oder getötet werden, gemäß den für die dänischen Seeleute geltenden Versicherungsbestimmungen. Diese Resolution ist sowohl dem Reichstag als auch den Gewerkschaften zugegangen.

Im Monat April hatten die *Sabotagefälle* ihren Höhepunkt erreicht; im Mai und Juni nahmen sie langsam ab. In den 3 Monaten war der Schaden bei 2/3 aller vorgekommenen Sabotagefälle entweder unbedeutend oder nur gering, bei 1/3 erheblich. Bei den Sabotagefällen waren die dänischen Betriebe, die für deutsche Interessen arbeiten, prozentual wie folgt beteiligt: April mit 37 %, Mai mit 47 %, Juni mit 22 %. – Die deutschen Interessen erleiden zwar keinen finanziellen und materiellen Schaden, da die dänische Regierung jeden Sabotageschaden auf dänische Kosten und aus dänischen Materialbeständen ersetzt, aber es entstehen Fertigungsverzögerungen, Ausfälle und vor allem Arbeitsunlust bei Arbeitern und Betriebsleitern.

1a. Aufträge der Besatzungstruppe
Von der Abt. Wwi im Rü Stab Dänemark wurden im Monat Juni 43 Rohstoffsicherungen von Fertigungs- und Bauaufträgen sowie Wareneinkäufen der Besatzungstruppe in Dänemark, soweit hierzu Eisen, Stahl, NE-Metalle sowie Kautschuk benötigt wurden, in Höhe von 2,805 Mill. RM durchgeführt.

1c. Holzversorgung
Für Aufträge der Besatzungstruppe in Dänemark sind im Monat Juni von der Abt. Wwi Bedarfsbescheinigungen über 7.669 cbm Nadelholz für die vorschußweise Freigabe aus den Beständen der dänischen Wirtschaft ausgestellt worden. – Der Verbrauch der einzelnen Wehrmachtteile war wie folgt: Heer 833 cbm, Kriegsmarine 843 cbm, Luftwaffe 4.477 cbm, Festungs-Pionierstab 31 1.515 cbm.

Der Holzverbrauch im II. Jahresquartal 43 beträgt nach den ausgestellten Bedarfsbescheinigungen 20.284 cbm.

5. Arbeitseinsatz
Die Zahl der Arbeitslosen betrug Ende Juni 1943 16.595. Es ist ein Rückgang gegenüber dem Vormonat von 4.120 zu verzeichnen. – Die Gesamtzahl der in Norwegen eingesetzten dänischen Arbeiter betrug 10.273, Zugang im Monat Juni 216.

Für Aufträge des Neubauamtes der Luftwaffe sind z.Zt. in Dänemark 5.029, für die des Festungspionierstabes 31 und der OT 9.738 und für den Sonderbaustab Struer 4.124 dänische Arbeiter und Angestellte eingesetzt, sodaß für den Festungsbau Jütland 18.891 dänische Arbeiter z.Zt. tätig sind. – Dem Reich wurden im Monat Juni 1.683 Arbeitskräfte zugeführt, davon für Rü 257, für Bergbau 3, für Verkehr 184, für Land- und Forstwirtschaft 1, für Bau 791, für Haushaltungen 38 und für die sonstige Wirtschaft 409.

6. Verkehrslage
Der *Fährbetrieb* verlief im Monat Juni normal. Seit 15.6.43 ist eine gewisse Entlastung der Strecke Warnemünde – Gedser – Kopenhagen – Helsingör eingetreten, da ab 15.6.43 zwei Fähren von Saßnitz nach Trälleborg verkehren, eine deutsche und eine schwedische. Der Verkehr auf der Strecke Nyborg – Korsör war normal.

Für Nachschub nach Finnland und Norwegen über Schweden werden wie im Vormonat 60 *Waggons* von der Reichsbahn gestellt. Die Waggongestellung innerhalb Dänemarks für die deutsche Wehrmacht ist zu 100%, für den zivilen Bedarf aber nur zu 30 % gedeckt worden.

Die dänische *Schiffahrt* war tonnagemäßig in folgender Rangfolge eingesetzt:
1.) Erzfahrt von Schweden nach Deutschland
2.) Kohlenfahrt nach Dänemark
3.) Holzfahrt nach Dänemark
4.) Innerdänische Fahrt
5.) Deutsche Küsten-Kohlenfahrt.

7a. Ernährungslage
Der Stand des Getreides ist gut und verspricht eine gute Mittelernte. Die Heuernte war sehr gut und wurde auch gut eingebracht. – Am 19. Juni 43 fand eine Schweinezählung statt. Sie ergab einen Bestand von 1.929.000 Stück gegenüber der letzten Zählung am 8.5.43 von 1.866.000 Stück. Die Zunahme beträgt 63.000 Stück. Bei der Besetzung Dänemarks war der Bestand am 4.5.40 3.134.000 Stück.

Die Milcherzeugung liegt z.Zt. um 20 % höher als in den beiden Vorjahren zur gleichen Sommerzeit. Es werden im Durchschnitt der letzten Wochen 90.000.000 ltr. Milch wöchentlich erzeugt. – Fischfang normal. Nach Deutschland wurden im Berichtsmonat 6.904 to Fisch mit 672 LKW-Transporten überführt.

Wertmäßig wurden im Monat Mai 1943 aus den Lebensmittelbeständen des Landes entnommen:

für die deutschen Truppen in Dänemark:	(Heer	2.140.274,-	d.Kr.,
	Marine	1.535.523,-	d.Kr.,
	Luftwaffe	92.806,-	d.Kr.)
		d.Kr.	3.768.603,57
für die deutschen Truppen in Norwegen:		d.Kr.	3.924.272,34

191. Rudolf Brandt an Paul Kanstein 22. Juli 1943

På baggrund af Kansteins tilbagemelding afstod RFSS fra at iværksætte de planlagte foranstaltninger mod professor Waldemar Thalbitzer, men det var tilrådeligt fortsat at overvåge professoren.

På Brandts spørgsmål er der ikke lokaliseret et svar, og det er næppe heller givet. Det var i denne sag lykkedes at undgå et for Bests politik ødelæggende indgreb fra SS' side.

Kilde: RA, Danica 1000, T-175, sp. 56, nr. 570.570.

Feld-Kommandostelle 22. Juli 1943
23/4/43 g.   Geheim!

1.) SS-Brigadeführer Kanstein
   Beauftragter f.d. innere Verwaltung Dänemarks
   Kopenhagen
   über Grenzpolizeikommissariat Warnemünde.

Lieber Brigadeführer!
Ich danke Ihnen für Ihren Brief von 1.6.1943[75], mit dem Sie mir das Ergebnis der von Ihnen veranlaßten Ermittlungen in der Angelegenheit des Professors Dr. Thalbitzer mitteiler.

Unter diesen Umständen sieht der Reichsführer-SS davon ab, die von ihm evtl. beabsichtigten Maßnahmen zu ergreifen. Es wird aber wohl ratsam sein, das Verhalten des Professors Dr. Thalbitzer weiterhin zu überwachen.
Heil Hitler!
gez. **Brandt**
SS-Obersturmbannführer

2.) SS-Oberführer Professor Dr. Wüst, München
durchschriftlich mit der Bitte um Kenntnisnahme übersandt.
[RB]
SS-Obersturmbannführer

192. Eberhard Reichel an Franz Riedweg 23. Juli 1943
Det var AA meget om at gøre at have situationen i Danmark under kontrol, så blot oplysninger i svensk presse om, at der var kontroverser mellem SS-frivillige og den danske befolkning, fik ministeriet til at reagere og underrette SS-Hauptamt derom.
Kilde: RA, pk. 225.

D. als Konzept
Ref.: LR Dr. Reichel   *Berlin, den 23. Juli 1943.*
Inl. II 2114g   Geheim

An das SS-Hauptamt
   z.Hd. von SS-Obersturmbahnführer Dr. Riedweg
   Berlin-Wilmersdorf 1
   Hohenzollerndamm 31

Betrifft: Streitigkeiten zwischen dänischen SS-Freiwilligen und der Zivilbevölkerung.

Nachstehende Meldung des Kopenhagener Korrespondenten von Nya Dagligt Allehanda wird mit der Bitte um Kenntnisnahme mitgeteilt:
 "United Press" berichtet am 19.7. aus Stockholm, daß nach Meldung des Kopenhagener Korrespondenten von "Nya Dagligt Allehanda" Zwischenfälle zwischen den Angehörigen dänischen SS-Freiwilligenkorps und dänischer Zivilbevölkerung jetzt an Tagesordnung seien. Dänisches Freiwilligenkorps, das an russischer Front stand, befindet sich zu einem zweiwöchigen Urlaub in Kopenhagen und diese dänischen SS-Leute erregen durch ihr Benehmen Unwillen der Zivilbevölkerung. Verhältnis zwischen SS-

---
75 Trykt ovenfor.

Leuten dieser dänischen Organisation und Zivilisten war schon am ersten Tage kein sehr gutes, aber es spitzte sich täglich immer mehr zu, als dänische Freiwillige, denen der Revolver allzu locker in Tasche saß, die ersten Schüsse auf Zivilisten abgegeben hatten, mit denen sie in einen an und für sich belanglosen Streit geraten waren. Seither vergeht fast kein Tag, ohne daß es zu Schießereien mit tödlichem Ausgang kommt. Berichterstatter schwedischen Blattes räumt ein, daß sich aber auch dänische Zivilbevölkerung zu Beschimpfungen der SS-Leute hinreißen lasse. Es soll oft vorkommen, daß diesen Soldaten, wenn sie sich irgendwo blicken lassen, Mütze vom Kopf gerissen wird. Durch diese kleinen Streitigkeiten entwickeln sich sehr oft dann große Schlägereien und Schießereien. Am Donnerstag fielen 11 dänische Zivilisten den Revolverschüssen der SS-Urlauber zum Opfer.

Im Auftrag
gez. **Reichel**

193. Büro RAM an Horst Wagner 23. Juli 1943

På baggrund af sin forespørgsel 19. juli blev Wagner af LR Rudolf Steg orienteret om, at Ribbentrop var indforstået med hvervningen til Schalburgkorpset i Danmark. Det blev endvidere bemærket, at nok skulle Best holde sig i kontakt med Gottlob Berger i alle germansk-völkische spørgsmål, men det var under forudsætning af, at AA stadigt blev inddraget.

Se Reichel til Berger 28. juli og Wagner til Best 31. juli 1943.
Kilde: PA/AA R 100.692.

Geheime Reichssache   Inl. II 315 gRs.

Büro RAM   Über St.S. LR Wagner vorgelegt:

Der Herr RAM ist mit der vorgeschlagenen Art der Freiwilligenwerbung in Dänemark durch das "Schalburg-Korps" einverstanden. Zu der Bemerkung, daß der Bevollmächtigte des Reiches in Dänemark sich in allen grundsätzlichen germanisch-völkischen Fragen mit dem Beauftragten des Reichsführers-SS ins Benehmen setzen werde, geht der Herr RAM von der Voraussetzung aus, daß Best bei dieser Art der Verbindung Berlin ständig einschaltet.

Fuschl, 23.7.1943

Steg

194. Das Auswärtige Amt an die Partei-Kanzlei der NSDAP und RSHA [23.] Juli 1943
AA Inland I D fremsendte til orientering en avisartikel fra *The Times* til Partei-Kanzlei der NSDAP og til RSHA, Amt 4 og henledte specielt opmærksomheden på omtalen af en protestskrivelse fra de danske biskopper i anledning af den norske kirkekamp.

Partikancelliet reagerede til AA 7. august med de første af en række spørgsmål vedrørende de politisk-konfessionelle forhold i Danmark. Det fremgår af korrespondancen, at partikancelliet ikke på anden måde fik besked om forholdene i Danmark, og at der blev spurgt ind til forhold, som Best ikke ellers ville have rapporteret til Berlin om. Det er et spørgsmål om Inland II var blevet rådspurgt, før Inland I tog dette initiativ. Det gav fremover et merarbejde til både Inland I og II og den rigsbefuldmægtigede.

Kilde: NHWE, Id. dok.: APK-007.072.

Konzept/Sk.
Ref. Kolrep
Berlin, den ......[76]   Inl. I D 1353/43

a.) An die Partei-Kanzlei
    z.Hd. Dienstleiter Parteigenossen Krüger
    München
    – 1 Anlage –
b.) An den Chef der Sicherheitspolizei und des SD – Amt IV –
    Berlin W 15, Meinckestr. 10
    – 1 Anlage –
– je besonders –

Betrifft: "Times" über Verteidigungsanlagen in Dänemark

In dem von einem dänischen Korrespondenten in der "Times" vom 2.7.43 veröffentlichen Artikel über den Ausbau von Verteidigungsanlagen in Dänemark wird u.a. auch das Protestschreiben der dänischen Bischofe bezüglich des norwegischen Kirchenkampfes erwähnt.[77]

Eine deutsche Übersetzung dieses Artikels wird mit der Bitte um Kenntnisnahme beigefügt.[78]

Im Auftrag
Kolrep

---

[76] Brevet er dateret ud fra partikancelliets skrivelse 7. august.
[77] Der stod herom i artiklen: "In letzten Winther gab das vom dänischen Außenministerium durch das Ministerium für Kirchenangelegenheiten erlassene Verbot an die dänischen Geistlichen, vom Kampf der Kirche in Norwegen nicht mehr zu erwähnen als in der Tagespresse erscheinen durfte, Anlaß zu Protestbriefen aus allen Teilen des Landes. Sie erklärten, daß sie in Gewissensfragen nur von der Wahrheit und Gerechtigkeit werden könnten und als Diener der Lutherischen Kirche mit den norwegischen Kirchenmitgliedern in inniger Verbindung stünden. Auf Grund ihres Ordinationsgelübdes müßten sie jeder falschen Lehre entgegentreten, und sie könnten in inneren Fragen der Kirche keine Anordnungen der Regierung entgegennehmen. Sie behielten sich daher das Recht vor, in ihren Predigten den Kirchenkampf in Norwegen zu erwähnen."
[78] Bilaget er ikke medtaget.

195. Walter von Unruh an die Germanische Leitstelle Dänemark 23. Juli 1943

General Walter von Unruh var førerens særbefuldmægtigede og underlagt RFSS med den opgave at sørge for en formålstjenlig krigsindsats både i Tyskland og de besatte lande. Germanische Leitstelle i Danmark fik besked om, at von Unruh i september ville komme på en tjenesterejse til Danmark for at undersøge de tyske militære, civile og økonomiske tjenestesteder. Der blev i bilagene præciseret, hvilke oplysninger, der skulle være fremskaffet og hvem, der var omfattet af undersøgelsen.

Von Unruh synes ikke at være kommet til Danmark hverken i september 1943 eller senere, hvis han da ikke har undladt at opsøge den rigsbefuldmægtigede, som han skulle. Der er heller ikke lokaliseret en indberetning om forholdene i Danmark, som den foreligger fra andre lande, f.eks. Holland, Italien og Balkanlandene. Sandsynligvis er undersøgelsen blevet aflyst pga. situationen efter 29. august. Von Unruh var blevet beordret til Danmark ved en rundskrivelse fra Martin Bormann 3. juni 1943, der også omfattede Norge, Holland, Belgien, Frankrig og Italien (BArch, NS 6/341). Når von Unruh også var beordret til Danmark, var det et vidnesbyrd om, at Bormann i lighed med SS fortsat betragtede Danmark som et besat land på linje med andre besatte lande – modsat opfattelsen i AA (Umbreit 1999, s. 74, 107, 126, Kroener 1999, s. 850, 895, Klee 2005, s. 636f.).

Kilde: BArch, NS 19/3717.

Der Sonderbeauftrage des Führers
General der Infanterie von Unruh
Der Beauftragte des RF-SS
G.Kdos. Tgb-Nr. 1688/43. – Ha./Lä.

Berlin, 23.7.1943.

über:
Persönlicher Stab RF-SS.

Geheime Kommandosache
5 Ausfertigungen
2. Ausfertigung.

An die Germanische Leitstelle Dänemark
z.Hd. SS-Stubaf. Boysen d.V.i.A.
Kopenhagen
Kriegersvej 4

Nachr. an:
SS-Ostubaf. Dr. Brandt
Stab General v. Unruh
SS-Staf. With

Auf Anweisung des Beauftragten des Reichsführers-SS im Stabe des Sonderbeauftragten des Führers – General d. Inf. von Unruh, SS-Standartenführer With, teile ich ihnen folgendes mit:

Herr General von Unruh, der sich z.Zt. auf Dienstreise in den besetzten Westgebieten befindet, wird in seiner Eigenschaft als Sonderbeauftragter des Führers für den zweckmäßigen Kriegseinsatz des deutschen Volkes mit seinem Stab voraussichtlich Anfang September 1943 in Kopenhagen eintreffen, um auch in Dänemark alle militärischen und zivilen Dienststellen – einschl. der deutschen Wirtschaft – einer Prüfung zu unterziehen.

Zu diesem Zweck bittet Sie SS-Standartenführer With, von den lt. anliegendem Verteiler in Dänemark befindlichen Dienststellen die im Anlageschreiben näher aufgeführten Unterlagen einzufordern. – Es kann im Augenblick noch nicht übersehen werden, ob die Überprüfung aller Dienststellen und Einheiten zentral in Kopenhagen vorgenommen werden wird oder ob die Einheitsführer bzw. Kommandeure durch Herrn General v. Unruh an verschiedenen Orten zusammengerufen werden. – Darüber sowie über den genauen Termin des Eintreffens in Kopenhagen ergeht rechtzeitig PS-Nachricht.

Sofort nach Ankunft des Sonderzuges wollen Sie sich bei SS-Staf. With melden und diesem die gesamten Unterlagen übergeben.

Neben der rein sachlichen Prüfung hat SS-Standartenführer With noch die Aufgabe, Herrn General von Unruh eingehende Informationen über die dortigen Zustände auf allen Gebieten zu übermitteln. Zu diesem Zweck ist das Reichssicherheitshauptamt bereits gebeten worden, SS-Hauptsturmführer Seibold anzuweisen, derartige Informationen zusammenzustellen.[79] Dieselben würden sich in erster Linie auf Überbesetzungen, allgemeine Zustände, unerfreuliche Zeiterscheinungen – sowohl auf dem Sektor der Wehrmacht als auch auf dem der zivilen Verwaltung und der reichsdeutschen freien Wirtschaft sowie Rüstung – zu beziehen haben. Mit anderen Worten sollen sie alles enthalten, was im Hinblick sowohl auf die personelle Ersatzlage als auch politisch den Erfordernissen des 4. Kriegsjahres nicht mehr gerecht wird.

SS-Staf. With ist überzeugt, daß in diesem Zusammenhang die Tätigkeit des Stabes Unruh dort genau so lebhaft begrüßt wird, wie das allenthalben bisher der Fall war und daß er in diesem Rahmen behilflich sein kann, unerfreuliche Dinge abzustellen. Er bittet Sie, Unterlagen im Sinne seiner Zusammenarbeit mit dem Reichssicherheitshauptamt vorbereiten zu lassen.

Heil Hitler
[underskrift]
SS-Sturmbannführer

2 Anlagen.

Der Sonderbeauftragte des Führers   Berlin, 23.7.1943.
General der Infanterie von Unruh
Der Beauftragte des RF-SS

Betr.: Überprüfung der dem Reichsführer-SS unterstehenden Dienststellen und Einheiten in Dänemark.

1.) Unter Leitung des Generals d. Inf. von Unruh als Sonderbeauftragter des Führers findet in Kürze eine Besprechung mit anschließender Überprüfung allerdem Reichführer-SS und Chef der Deutschen Polizei unterstehenden Truppen und Dienststellen der SS und Polizei gemäß anliegendem Verteiler statt.

Der Tagungsort und die genaue Zeit werden rechtzeitig bekanntgegeben.
2.) Es nehmen teil:

---

79 Se om Seibold Wagner til Best 11. maj 1943.

Die Chefs, selbständigen Abteilungsleiter, Kommandeure bis herunter zu den Bataillons- (Abteilungs-) Kommandeuren, die Kommandanten, die Leiter selbständiger Dienststellen, die Führer unterstellter Truppen und die Leiter unterstellter Dienststellen gemäß anliegendem Verteiler. Sollte eine in Dänemark dem RF-SS unterstehende Dienststelle im Verteiler nicht aufgeführt sein, so ist sie von dort zu erfassen und zur Teilnahme an der Besprechung und Überprüfung heranzuziehen.

Stellvertreter sind *nur in begründeten Ausnahmefällen* zu entsenden. Die Mitnahme von Personalbearbeitern zur Überprüfung wird freigestellt.

3.) Sie werden gebeten, eine Liste in dreifacher Ausfertigung der jeweils teilnehmenden Dienststellen aufstellen zu lassen, die enthalten muß:
   a.) laufende Nummer
   b.) Bezeichnung der Dienststelle
   c.) Name des anwesenden Kommandeurs, Leiters, usw.
   Die laufende Nummer ist mit Rotstift auf der entsprechenden Zusammenstellung (siehe Ziff. 4) einzutragen.

4.) Da sämtliche Dienststellen hinsichtlich Aufgabengebiet und Stärke überprüft werden, ist von jeder vertretenen Dienststelle einen Zusammenstellung vorzulegen, die ohne weitere Zusätze folgendes enthalten muß:
   1.) Bezeichnung der Dienststelle
   2.) Name des Leiters
   3.) Bezeichnung der vorgesetzten Dienststelle
   4.) Aufgabengebiet, kurze Angabe der Tätigkeit und Gliederung der Dienststelle
   5.) Gesamtzahl der bei der Dienststelle beschäftigten Führer, Unterführer und Männer
   6.) Zahl der hiervon kv- und gvF-Tauglichen, getrennt nach Führern, Unterführern und Männern
      Hierüber besondere namentliche Liste (Vorname, Zuname, Geburtsdatum und Dienstgrad), getrennt nach Führern, Unterführern und Männern in doppelter Ausfertigung (Listen am Kopf mit dem Namen der Dienststelle versehen) –
      Für *Ersatzeinheiten* ist *nur* das *Stammpersonal* zu melden.
   7.) Iststärke einschl. Kommandierter, aufgeschlüsselt nach

   Führern   – geordnet nach Dienstgraden
                                 (Jahrgang und Tauglichkeitsgrad)
   Unterführern   (Jahrgang und Tauglichkeitsgrad)
   Mannschaften   (Jahrgang und Tauglichkeitsgrad)
   männlichen Angestellten   (Jahrgang, Tauglichkeitsgrad und Art der Beschäftigung)
   weiblichen Angestellten   (Jahrgang und Art der Beschäftigung)
   Soweit sie letzten Nachuntersuchungen länger als drei Monate zurückliegen, eine vor Abgabe der Listen Nachuntersuchungen aller gvF- und gvW-Männer durchzuführen.

8.) Diese *Listen* sind nach dem *Stand* vom *15. Juli 1943* zu erstellen. Nach dem 15.7.1943 eingetretene Veränderungen sind auf Nachträgen nachzuweisen, die jeweils vor der örtlichen Überprüfung dem Beauftragten des RF-SS im Stabe des Sonderbeauftragten des Führers – General d. Inf. von Unruh zu übergeben sind.

5.) Es wird gebeten, die erforderlichen Anordnungen zu treffen, die Zusammenstellungen umgehend einzusammeln (gem. Ziff. 4) und zu anzuschreiben, sodaß dieselben auf der Dienststelle der Germanischen Leitstelle Dänemark, Kopenhagen, abholbereit sind.

i.A. [underskrift]
SS-Sturmbannführer

Verteiler:
Dänemark

Kopenhagen:	Germanische Leitstelle Dänemark (SS-Hauptamt)
	SS-Grenzkommando Dänemark –
	Fürsorgeoffizier der Waffen-SS "Dänemark" (Rasse- und Siedlungshauptamt-SS)
Kopenhagen:	Polizei-Attaché bei der Deutschen Gesandtschaft (Reichssicherheitshauptamt)
	I./SS-Polizei-Regiment "Cholm" (Hauptamt Ordnungspolizei)

196. Werner Best an das Auswärtige Amt 24. Juli 1943

Den 28. januar 1943 var der udsendt en ny anordning om udøvelse af værnemagtens jurisdiktion over for ikke-tyske statsborgere (trykt ovenfor). I den forbindelse havde WB Dänemark spurgt Best, om han havde politiske betænkeligheder ved at lade afsagte dødsdomme over ikke-tyske statsborgere fuldbyrde. Dertil havde Best over for gesandt, leder af AAs juridiske afdeling, Erich Albrecht givet til kende, at han ingen politiske indvendinger havde mod en fuldbyrdelse (PKB, 13, nr. 416, Rosengreen 1982, s. 19).
Se også Bests telegram nr. 956, 20. august 1943.
Kilde: PA/AA R 29.567. RA, pk. 203, 228 og 438a. LAK, Best-sagen (afskrift).

T e l e g r a m m

Kopenhagen, den	24. Juli 1943	13.05 Uhr
Ankunft, den	24. Juli 1943	13.45 Uhr

Nr. 871 vom 24.7.[43.]   Citissime!

In Anschluß an Drahtbericht Nr. 186[80] vom 22.2.43 und mündliche Besprechung des Unterzeichneten mit Gesandten Dr. Albrecht am 2.7.43.

Gemäß Paragraphen 3 des dort bekannten zweiten Erlasses über die Ausübung der Wehrmachtsgerichtsbarkeit in Dänemark gegen Personen nichtdeutscher Staatsangehörigkeit vom 28.1.43 hat jetzt der Befehlshaber der deutschen Truppen bei mir angefragt, ob gegen die Vollstreckung der Todesstrafe politische Bedenken zu erheben seien. Im Sinne der Besprechung mit Gesandten Dr. Albrecht habe ich dahin Stellung genommen, daß ich gegen die Vollstreckung des Todesurteils politische Bedenken nicht erhebe.

Dr. Best

80 bei Recht. Telegrammet er ikke lokaliseret.

197. Adolf von Steengracht an Hans Schröder 24. Juli 1943

Lederen af AAs personaleafdeling, Hans Schröder, fik besked med hensyn til Ribbentrops beslutning vedrørende to af de punkter, som von Grundherr havde afgivet indstilling om 8. juli, og som afdelingen selv havde udtalt sig om 14. juli. Barandon kunne ikke forfremmes, men Best fik som ønsket en dispositionsfond, hvis finansiering skulle drøftes.

Kilde: PA/AA R 29.567. RA, pk. 203.

Berlin, den 24. Juli 1943

N o t i z
für Herrn Min. Dir. Schröder:

Der Herr RAM wünscht grundsätzlich nicht, daß ohne zwingende Notwendigkeit Titel verliehen oder Beförderungen vorgenommen werden, zumal bei uns eine gewisse Inflation in Gesandten vorhanden sei. Aus diesem Grunde hat der Herr RAM der Beförderung des Gesandten Dr. Barandon zum Gesandten I. Klasse zur Zeit seine Zustimmung versagt. Er bittet jedoch die Personalabteilung um eine erneute ausführliche Beförderungsvorlage.

Der Herr RAM hat genehmigt, daß Herrn Dr. Best ein politischer Dispositionsfonds von 300.000,- Kronen zur Verfügung gestellt wird. Wegen Finanzierung dieses Betrages bitte ich um Rücksprache.

(Durchdruck meines Schreibens an Dr. Best anbei).

gez. **Steengracht**

198. Adolf von Steengracht an Alexander Dörnberg 24. Juli 1943

Steengracht orienterede AAs protokolchef om en beslutning truffet af RAM: Best skulle have besked om, at Ribbentrop fra ham ville have en udførlig begrundelse for at få den hidtidige førerbeslutning om, at der skulle være tysk tavshed i tilfælde af den danske konges død, ophævet. Begrundelsen skulle forelægges Hitler med henblik på en fornyet beslutning.

Bests svar er ikke lokaliseret.
Kilde: PA/AA R 29.567. RA, pk. 203.

Berlin, den 24. Juli 1943.

Der Herr RAM hat angeordnet, daß von Dr. Best eine erneute Vorlage wegen Aufhebung der seinerzeit vom Führer getroffenen Anordnung, nach welcher keinerlei Notiz von einem etwaigen Ableben des Königs von Dänemark genommen werden soll, mit ausführlicher Begründung dem Herrn RAM eingereicht wird. Der Herr RAM will sodann eine erneute Entscheidung des Führers herbeiführen.

Hiermit Herrn Gesandten v. Dörnberg.

gez. **Steengracht**

199. Kriegstagebuch/Admiral Dänemark 25. Juli 1943

Et hollandsk og et dansk skib var blevet udsat for sabotage, mens de lå ved kaj i Havnegade i København. Tilfældene fik Wurmbach til at kræve samme antisabotageforanstaltninger for hollandske og norske skibe som for tyske skibe i Danmark.

De to skibssabotager blev udført af BOPA i samarbejde med SOE (Kjeldbæk 1997, s. 465).
Kilde: KTB/ADM Dän 25. juli 1943, RA, Danica 628, sp. 3, s. 2075.

[...]

Gegen 05.45 h erfolgte auf dem dänischen Dampfer "Thor" der "Vereinigten Bugsiergesellschaft", der im Kopenhagener Hafen an der Havnegade lag, eine Explosion, durch die an der Bordwand ein Loch von 1 ½ m Durchmesser gerissen wurde. Die Schwimmfähigkeit des Schiffes ist nicht beeinträchtigt, da sich hinter dem Sprengloch ein Wassertank befindet. Es liegt Sabotage vor.

Der Dänischen Regierung ist über das dänische Marineministerium nahegelegt worden zum Schutz dänischer Schiffe gegen Sabotagefälle gleiche Vorbeugungsmaßnahmen zu treffen, wie sie bei deutschen Schiffen durchgeführt werden.

Zu gleicher Zeit erfolgte auf dem holländischen Leichter "MW 58", der im Kopenhagener Hafen an der Havnegade lag, ebenfalls eine Explosion, durch die an der Bordwand ein Loch von etwa 1 m Durchmesser gerissen wurde. Der Leichter gehört zur Transportflotte "Speer" und hatte Torf geladen. Das Schiff wurde in den Südhafen eingeschleppt. Sabotage liegt vor. Bemerkenswert ist, daß einige Stunden vorher ein angetrunkener zerlumpter Däne wegen Bettelei von Bord gewiesen war. Die hierbei von ihm vorgebrachten Drohungen lassen darauf schließen, daß er der Urheber des Attentats ist oder jedenfalls hiermit im Zusammenhang steht. Der Sabotagefall ist dadurch begünstigt worden, daß der Kapitän es unterlassen hatte, während der Nachtzeit einen Wachposten aus der Schiffsbesatzung aufzustellen.

Der Vorfall wurde zum Anlaß genommen, über den hiesigen Schiffahrtssachverständigen beim Reichskommissar für die Seeschiffahrt für holländische und norwegische Schiffe dieselben Sabotageabwehrmaßnahmen zu fordern, wie sie für deutsche Schiffe vorgeschrieben sind.

200. Gottlob Berger an das Auswärtige Amt 26. Juli 1943

Berger afviste kategorisk at gå ind på at lade Danmark udgå af Bormanns forordning af 12. august 1942. RFSS skulle være den eneste, der tog sig af alle germansk-völkische spørgsmål i de germanske lande, også Danmark. Dertil kom, at det var en førerordre og skulle den ændres, måtte den forelægges Hitler igen.

Eberhard Reichel udarbejdede derpå 7. august et notat til Horst Wagner om sagen.
Kilde: PA/AA R 100.692.

Der Reichsführer-SS   *Berlin-Wilmersdorf 1, den 26.7.1943*
SS-Hauptamt
Germanische Leitstelle
Amtsgruppe D
CdSSHA. – Az.: 2a II- Dr. R/Ni./

Betr.: Verhandlungen mit den germanisch-völkischen Gruppen.
Bezug: Dort. Schrb. vom 20.7.43,[81] Inl. II D 1597/43 III
Anlg.: –

An das Auswärtige Amt
  Berlin W 8.
  Wilhelmstr. 74-76

In Beantwortung des dortigen Schreibens vom 20.7.43 teile ich mit:
Ich kann mich mit dem dortigen Vorschlag, in der Führeranordnung 54/42 – betreffend die Verhandlungen mit allen germanischen Gruppen – das Wort "Dänemark" zu streichen, nicht einverstanden erklären.

1.) Eine Führerbestimmung könnte nur geändert werden, wenn die von Reichsleiter Bormann herausgegebene Führerbestimmung erneut dem Führer vorgelegt würde, und die Änderung vom Führer gebilligt wird.
2.) Eine solche Änderung dürfte dem Sinn der Führeranordnung widersprechen auch wenn berücksichtigt wird, daß Dänemark in rechtlicher Hinsicht nicht als besetztes Gebiet anzusprechen ist.
3.) Die Einsetzung des Reichsführers als der mit der Wahrnehmung aller germanischen Fragen Beauftragte umfaßt auf jeden Fall die Volkstumsarbeit des Reiches in Dänemark und damit die Betreuung der dortigen völkischen Erneuerungsbewegung.
4.) Die Einsetzung des Reichsführers als alleiniger Beauftragter für Verhandlungen mit den germanisch-völkischen Gruppen sowohl hinsichtlich der Parteidienststellen wie der staatlichen Dienststellen (Lammers-Erlaß) ist der einheitlichen Führung wegen für die gesamte germanische Volkstumspolitik notwendig.
5.) In Wahrnehmung der Volkstumsaufgaben in Dänemark erfolgt schon seit langem engste Zusammenarbeit mit dem Auswärtigen Amt bezw. mit dem Bevollmächtigten des Reiches in Dänemark

                G. Berger
              SS-Obergruppenführer

201. Paul Kanstein an RSHA 27. Juli 1943

RSHA havde givet Det Tyske Gesandtskab oplysning om, at der i nogle kiosker i Åbenrå blev solgt tyske frimærker, der blev overstreget. En undersøgelse hos kioskejeren havde været resultatløs, hvilket blev taget til efterretning i RSHA 4. august.
    Kopi af korrespondancen tilgik værnemagten, og grunden kan være, at det var herfra, der var blevet gjort opmærksom på forholdet. I øvrigt er de bevarede eksemplar på denne type direkte korrespondance mellem gesandtskabet og RSHA yderst begrænset. Tilfældene var sikkert mange, og tendensen var formodentlig i hvert tilfælde at tone problemerne ned og at klare dem uden RSHAs indgriben.
    Kilde: RA, Danica 1069, sp. 12, nr. 15.789.

---

81 Reichel til Riedweg. Trykt ovenfor.

Der Bevollmächtigte des Reiches in Dänemark   Kopenhagen, den 27.7.1943

An das Reichssicherheitshauptamt – IV A 1 –
Berlin SW 11
Prinz-Albrechtstrasse 8.

Betrifft: Veränderung der deutschen Briefmarke durch Schmierereien.
Vorgang: Erlaß vom 24.5.43 – IV A 1 a B. Nr. 2960/43 g.

In Apenrade werden nach den getroffenen Feststellungen von 3 Zeitungskiosken in geringem Umfange Briefmarken (auch Sammlerbriefmarken) verkauft.

Besitzer dieser Kioske ist der dänische Staatsangehörige Wilhelm Jasmund, geb. am 23.10.1907 in Varnse. Er sowie seine im Verkauf tätigen Angehörigen bestreiten, jemals derart veränderte Briefmarken gesehen noch verkauft zu haben. Die vorgenommene Durchsuchung seiner Wohn- und Geschäftsräumlichkeiten verlief ergebnislos.
In Vertretung:
Der Leiter der Hauptabteilung II
In Auftrage:
Kanstein

Berlin, den 4. August 1943

1.) Vermerk: Die Ermittlungen des Bevollmächtigten des Reiches in Dänemark sind ergebnislos verlaufen.
2.) IV Geh. Reg. Austragen
3.) IV A 1 a zu den Länderakten: Dänemark, II 3, (Beschmierungen).
[**signatur**]

202. Eberhard Reichel an Gottlob Berger 28. Juli 1943

Reichel meddelte Berger, at von Ribbentrop var gået ind på den foreslåede måde at hverve frivillige gennem Schalburgkorpset på. Da sagen havde været drøftet direkte mellem Wagner og RFSS, ville AA have at vide, om AA skulle give RFSS en direkte meddelelse om Ribbentrops tilsagn eller om det ville ske fra SS-Hauptamt.

Franz Riedweg svarede AA 6. august 1943. Se endvidere Wagner til Best 31. juli 1943.

Reichels henvendelse til Berger med et spørgsmål af denne karakter understreger, at Wagners drøftelse med RFSS havde haft alt andet end et planlagt forløb, men at en aftale var kommet i stand ved en tilfældighed, som senere hævdet af Wagner (se Wagner til Kaltenbrunner 30. juni 1943).

Kilde: PA/AA R 100.692.

Durchdruck als Entwurf.   Reinschrift 1b. Zg
Auswärtiges Amt.   *Berlin, den 28. Juli 1943.*
zu Inl. II 315 g Rs II   Geheime Reichssache
Ref.: GK Lierau

An das SS-Hauptamt,
    z.Hd. SS-Obergruppenführer Berger
    Berlin-Wilmersdorf 1
    Hohenzollerndamm 31

Der Herr Reichsaußenminister hat zu der vorgeschlagenen Art der Freiwilligen-Werbung in Dänemark durch das Schalburg-Korps seine Zustimmung erteilt.[82]

Da der Reichsführer-SS gelegentlich einer persönlichen Unterredung mit Herrn Legationsrat Wagner diese Angelegenheit zur Sprache gebracht hat, wird um Mitteilung gebeten, ob der Reichsführer-SS von dort unmittelbar unterrichtet wird oder ob das Auswärtige Amt ihm entsprechende Mitteilung zukommen lassen soll.

Im Auftrag
gez. **Reichel**

203. Horst Wagner: Notiz 28. Juli 1943

Best havde med sit telegram nr. 871, 24. juli erklæret, at han politisk set ingen indvendinger havde mod anvendelse af dødsstraf over ikke-tyske statsborgere i Danmark. Det førte til overvejelser i Inland II, da der også var afsagt dødsstraf over svenske statsborgere. Der kunne blive tale om udvekslingsforhandlinger. Tillige interesserede den svenske konge sig for sagen. Fra statssekretæren regnede Wagner med, at sagen ville gå videre til Ribbentrop og måske til Hitler.

Af et notat af Hauptmann Waschnitius samme dag fremgår det, hvordan AA videre håndterede sagen: "Nunmehr dringendes Telegramm vom Auswärtigen Amt an Bevollmächtigten eingelaufen, daß sich Auswärtiges Amt wegen allgemeiner außenpolitischer Geschichtspunkte an OKW gewandt hat. Es wird daher gebeten, die Entscheidung des OKW abzuwarten und die Strafe vorläufig nicht zu vollstrecken." (BArch, Freiburg, RW 38/170).

Sagens baggrund var, at den svenske statsborger Karl Staf ved en tysk krigsret i Danmark 19. februar 1943 var blevet idømt dødsstraf for spionage. Han var kommunist og tidligere spaniensfrivillig og var blandt de arresterede i Danmark 4. december 1942 på grundlag af Gestapos afhøringer af DKPs partiformand Aksel Larsen. Staf havde fungeret som illegal radiooperatør for DKP. Det svenske gesandtskab søgte at få Staf udvekslet med en tysk statsborger, men det mislykkedes. Efter yderligere både dansk og svensk diplomatisk påtryk, blev Staf 4. september 1943 benådet til tugthus på livstid og overført til Tyskland (PKB, 7, s. 274, Kirchhoff, 3, 1979, s. 159 note 40, Nørgaard 1986, s. 159, Staf 1997, s. 96-141, Laustsen 2006, s. 127, 152-165).

Kilde: RA, pk. 228 og 438a.

Gruppe Inland II zu Inl. II 2214 g

Notiz

Betr.: Drahtbericht Kopenhagen vom 24.7.1943[83] – Nr. 871 –
Nach Auskunft Hofrats Osten vom Büro R g ist der Drahtbericht vom 24. Juli im Zusammenhang mit dem Verfahren gegen den zum Tode verurteilten Schweden Staf erstattet worden. In diesem Drahtbericht handele es sich um die grundsätzliche Stel-

---

82 Se Büro RAM til Wagner 23. juli 1943.
83 Trykt ovenfor.

lungnahme zu der Frage der Vollstreckung der Todesstrafe. In dem auf ihr ergangenen Drahterlaß sei zunächst angeordnet worden, daß die Vollstreckung der Todesstrafe gegen Staf auszusetzen sei. Zusammen mit dem Fall Staf laufe auch noch ein Verfahren gegen sieben weitere Schweden, von denen vier ebenfalls zum Tode verurteilt seien. Möglicherweise komme es zu Austauschverhandlungen, in die von deutscher Seite ein gewisser Schöler einbezogen werden würde.

Für die Angelegenheit interessiere sich auch der schwedische König.

Die Sache liege zur Zeit dem Herrn St.S. vor und werde dann vermutlich zur Vorlage bei dem Herrn RAM und vielleicht auch beim Führer, dem der Fall bereits bekannt sei, gelangen.

Berlin, den 28. Juli 1943

Wagner

204. Kriegstagebuch/Admiral Dänemark 28. Juli 1943

Den tyske minelægger "Linz" var blevet udsat for sabotage på Odense Stålskibsværft, hvorved der var slået hul under vandlinien. Der blev gjort forberedelser til at få skibet ført til en tysk havn.

Imidlertid blev sabotagen fulgt op med alvorlige hændelser, som Wurmbach gjorde nærmere rede for i krigsdagbogen 31. juli. Sabotagen blev foretaget af en gruppe omkring modstandsmanden Peter Carlsen. Gruppen arbejdede med sprængstof fra SOE (Hæstrup 1956, s. 162f., Kirchhoff, 2, 1979, s. 12).

Kilde: KTB/ADM Dän 28. juli 1943, RA, Danica 628, sp. 3, s. 2079.

[...]

Um 18.00 Uhr ist auf dem Neubau Minenleger "Linz" auf der Stahlschiffswerft Odense im Gemeinschaftsraum und Achterdeck ein Feuer entstanden, das sofort entdeckt und gelöscht wurde. Um 22.40 in erfolgte mittschiffs eine Explosion. Nach vorläufiger Feststellung ist unter der Wasserlinie ein Leck von etwa 1 m Höhe und 50 cm Breite entstanden.

Vorzeitige Abnahme und Überführung des Schiffes in einen deutschen Hafen ist veranlaßt.

205. Oskar Steckelberg an Hans-Heinrich Wurmbach 28. Juli 1943

Afsnitskommandant Steckelberg foreslog Wurmbach en metode til sikring af fiskekutterne i Esbjerg i tilfælde af et fjendtligt angreb. Det bestod i at tilintetgøre de forhåndenværende brændstoflagre. Han bad om stillingtagen hertil og en afgørelse af, hvem der i givet fald skulle give ordren om tilintetgørelsen. Han nævnte indledningsvis, at spørgsmålet havde været drøftet bl.a. under von Hannekens og Bests besøg i Esbjerg.

Steckelbergs initiativ blev ikke taget nådigt op. Wurmbach lod gennem sin stabschef, kaptajn Ihssen, 8. august svare, at spørgsmålet stadig blev forhandlet med MOK Nord, og at en afgørelse derfor skulle afventes. Til gengæld fandt Wurmbach, at det var et overordentligt stort brændstofforråd, der var samlet på Esbjerg havn til fare for hele havnen, og at det skulle undersøges, om forrådet kunne blive spredt. Steckelberg svarede 20. august, at lagrene kunne reduceres ved at sende brændstof tilbage til værftet i Kiel, men at højere instanser måtte afgøre, hvor store lagre der måtte være i Esbjerg (begge skrivelser i pk. 29, læg 299).

De danske fiskekutter var Wurmbachs embedsområde, og det var ham givetvis meget imod, at det havde været drøftet uden hans tilstedeværelse med von Hanneken og Best i Esbjerg. Wurmbach tog 25. august stilling vedrørende fiskekutterne i tilfælde af et fjendtligt angreb, se KTB/ADM anf. dato, trykt nedenfor.

Kilde: RA, Danica 203, pk. 29, læg 299 (koncept, brevet blev muligvis først afsendt 31. juli 1943, da Ihssen i sit svar 8. august refererer til denne dato).

Kommandant im Abschnitt Südjütland   *Den, 28. Juli 1943*
B.-Nr. Gkdos 927/953   Vfg.   *Geheime Kommandosache!*

An Admiral Dänemark
nachrichtlich:
    Pionierlandungsausbildungs-Bataillon Esbjerg
    Division Nr. 160
    Abschnittskommandeur Südjütland Abschnitt B
    Unterabschnittskommandeur Südjütland Abschn. B 2
    Ugruko Esbjerg
    Hafenkapitän Esbjerg

Betrifft: Sicherung der dänischen Fischereifahrzeuge bei Feindangriffen auf Esbjerg.

Der Befehlshaber der deutschen Truppen in Dänemark besprach bei seinem Besuch am 19./20.7. in Esbjerg in Anwesenheit des Reichsbevollmächtigten die Frage der Sicherung der dänischen Fischkutter für den Fall von Angriffen auf Esbjerg.[84] Vorbesprechungen in dieser Frage fanden in der letzten Woche bereits in Kopenhagen und Esbjerg statt.

    H.E. besteht nach erfolgter Feindlandung keine Aussicht, etwa die dänischen Fischkutter durch Sonderversprechungen oder Prämien zu veranlassen nach deutschen Häfen durchzubrechen. Die dänischen Fischer, die an sich schon unter englischem Einfluß leben, würden eine erfolgte Landung als vollendete Tatsache hinnehmen, gegen die sie kein Risiko und keine Auflehnung eingehen würden.

    Sollte die feindliche Besatzung durch deutsche Gegenangriffe dem Ende zugehen, so bleibt die Möglichkeit bestehen, daß der Feind versucht, die Fischkutter mitzunehmen (– wenn er nicht eine Versenkung der Esbjerger Fischkutter vorzieht –). Zu diesem Zwecke müßten die Fischkutter mit eigener Motorkraft fahren, da ein Schleppversuch über die Nordsee ein unmögliches seemännisches Manöver darstellt.

    Es gilt also zu verhindern, daß der Feind bzw. die dann unter feindlichem Einfluß stehenden Esbjerger Fischer sich der im Hafen lagernden Brennstoffvorräte bemächtigen. Diese Brennstoffvorräte betragen z.Zt. mit dem Stichtag zum 27.7.43
    Diesel   451.009 l,
    Otte   141.886 l,
    Heizöl   717.000 l.
    Es wird für richtig gehalten, mit der Sicherung dieser Brennstoffvorräte unter Vorbereitung ihrer evtl. notwendig werdenden Vernichtung das Pionierlandungsausbildungs-

---

84 Von Hanneken og Best var i Esbjerg, på øvelsesområdet ved Oksbøl og på Fanø 20. juli på et dagsbesøg. De fløj sammen fra Kastrup om morgenen og Best returnerede sidst på eftermiddagen til København med fly (Bests kalenderoptegnelser anf. dato).

Bataillon zu beauftragen, welches in unmittelbarer Nähe des Brennstofftanks seine Barackenanlagen im Ausbau hat. Das Bataillon begrüßt diesen Gedanken durchaus und hat die Möglichkeit mit Artillerie- und Sprengmunition ggfs. eine Vernichtung zu erzwingen (– wenn nicht schon vorher durch feindliche Fliegerangriffe diese Vernichtung eingetreten ist).

Es bleibt die Frage zu klären, wer den auslösenden Befehl zur Vernichtung geben müßte.

Um Prüfung und Herbeiführung einer Entscheidung wird gebeten.

[underskrift]

206. Rudolf Brandt an Gottlob Berger 29. Juli 1943
Brandt meddelte Berger, at RFSS modstræbende var indforstået med, at H.C. Bryld blev kaldt tilbage til Danmark.
Kilde: BArch, NS 19/902. RA, pk. 443a.

Der Reichsführer-SS   *Feld-Kommando-Stelle, am 29.7.43*
Persönlicher Stab
Tgb. Nr. 4/8/43g Bra./H.

Betr.: Dr. Bryld, derzeit eingesetzt bei der DUT Kattowitz.
Bezug: Dort. Schr. v. 20.7.43[85] CdSSHA/Be/Ra/V – Tgb. Nr. 4498/43g – Adjtr. Tgb. Nr. 2212/43g

An SS-Obergruppenführer Berger
    Berlin

Lieber Obergruppenführer!
Der Reichsführer-SS will, obwohl er die Rückkehr des Dr. Bryld nach Dänemark nicht für richtig hält, gegen die Entlassung aus den Diensten der DUT nichts einwenden.

Heil Hitler!
Ihr **RB**
SS-Obersturmbannführer

207. Rüstungsstab Dänemark: Lagebericht 30. Juli 1943
Forsyningen med energi var fortsat faldende, men det havde endnu ikke ført til væsentlige fald i rustningsleverancerne. En enkelt virksomhed, Dansk Industri Syndikat, var overbooked med rustningskontrakter, hvilket havde ført til drøftelse af en afstemning af produktionskapacitet og afgivne ordrer. Sabotagen var taget til i juli, men blev alligevel bedømt som i situationsberetningerne fra 21. juli. Det blev omtalt, at 10 sabotører var blevet straffet i juli, men derefter blev de sædvanlige stofområder afrapporteret som hidtil.
Kilde: BArch, Freiburg, RW 27/9. KTB/Rü Stab Dänemark 3. Vierteljahr 1943, Anlage 5.

85 Trykt ovenfor.

Rüstungsstab Dänemark Kopenhagen, den 30.7.1943.
ZA/Ia Az. 66dl/Wi. Ber. Nr. 726/43 geh. Geheim!

Vordringliches
Kohle und Energie
Beträchtliche Ausfälle in der Rüstungsfertigung durch Einschränkung der Energieversorgung aus Kohlenmangel sind nicht eingetreten. – Rü Stab Dän. hat die Hauptabteilung III beim "Bevollmächtigten des Reiches in Dänemark" gebeten, bei der Dänischen Regierung die Deckung des Energiebedarfs für Betriebe mit vordringlicher Wehrmachtfertigung unter allen Umständen sicherzustellen und zu erwirken, daß entsprechende Aufträge des Rü Stab Dän. schneller als bisher zur Entscheidung kommen.[86]

Beschaffung von Schmelztiegeln
Die Schwierigkeiten in der Beschaffung von Schmelztiegeln für die mit deutschen Wehrmachtaufträgen belegten dänischen Betriebe nehmen zu. Die Verteilung der Exportquote Deutschlands für Dänemark (50 jato) erfolgt durch den dänischen Industrierat. Rü Stab Dän. hat sich mit ihm in Verbindung gesetzt, um Angaben über den Friedensverbrauch, die Zulieferung und Verteilung, sowie Menge und Verbleib der unbrauchbar gewordenen Tiegel (Graphitzurückgewinnung) zu erhalten.

Neuer Belegungsplan für DIS
Bei der Firma Dansk Industri Syndikat, Comp. Madsen A/S, Kopenhagen, lag ein überhöhter Auftragsbestand vor, der mit den vorhandenen Fertigungskapazitäten abgestimmt werden mußte. Rü Stab Dän. stellte einen optimalen Belegungsplan auf und erreichte in Verhandlungen mit allen in Frage kommenden Auftraggebern seine Durchführung.[87]

Sabotage
Im Monat Juli ist eine Zunahme der Sabotagefälle zu verzeichnen. Die Wehrmachtfertigung wurde bei 2 Firmen erheblich beeinträchtigt:
1.) *Fa. M.P. Pedersen (Sende- und Empfangsanlagen), Kphg.*
Ein Teil der Fabrikräume und die darin befindlichen Werkzeugmaschinen wurden durch Feuer zerstört. Die Firma arbeitet für die Kriegsmarine. Die Aufträge waren noch in der Entwicklung, die Fertigung war noch nicht angelaufen.[88]
2.) *Varde Stahlwerk, Varde.*
Das Modell- und Materialienlager, sowie die mech. Werkstatt wurden durch Brand vernichtet. Die Räumungs- und Instandsetzungsarbeiten sind noch nicht beendet; voraussichtlich wird das Werk am 1. Sept. ds.Jrs. wieder mit 50 % der Kapazität arbeiten. Zur Zeit ist nur ein kleiner Elektro-Ofen in Betrieb.[89]

---

86 Se Forstmann til Best 26. maj 1943.
87 Se KTB/Rüstungsstab Dänemark 30. september 1943, trykt nedenfor.
88 BOPA saboterede 16. juli M.P. Pedersens Radiofabrik, Lille Strandstræde 14 i København. Skaden androg 68.000 kr. (Kjeldbæk 1997, s. 464).
89 Varde Stålværk blev udsat for sabotage 3. og 4. juli 1943. Sabotagen blev udført af en lokal kommunistisk gruppe rådgivet af en illegal partikammerat fra Esbjerg, Hans Peter Poulsen. Stålværket havde forudgå-

Auffällig ist die Zunahme von Anschlägen auf Transformatoren und Schiffe. Die dänische Polizei hat im Juli 10 Saboteure festgenommen. Durch das deutsche Gericht wurden im Juli 7 Saboteure zu längeren Zuchthausstrafen verurteilt. Die Strafverbüßung erfolgt bei schweren Fällen in Deutschland, sonst in einer dänischen Strafanstalt. – Die deutschen Interessen erleiden zwar keinen finanziellen und materiellen Schaden, da die Dänische Regierung jeden Sabotageschaden auf dänische Kosten und aus dänischen Materialbeständen ersetzt, aber es entstehen Fertigungsverzögerungen, Ausfälle und vor allem Arbeitsunlust bei Arbeitern und Betriebsleitern.

1a. Stand der Fertigung
Wertsumme der seit der Besetzung Dänemarks über Rü Stab Dän. erteilten *unmittelbaren und mittelbaren Wehrmachtaufträge:*

Am 31. 5. 1943	RM	425.901.901,-
Zugang im Juni 1943	RM	12.790.620,-
Am 30. 6. 1943	RM	438.692.521,-
Auslieferungen im Juni 1943	RM	6.659.435,-

Aufträge des kriegswichtigen zivilen Bedarfs:

Am 31. 5. 1943	RM	64.979.669,-
Zugang im Juni 1943	–	1.150.469,-
Am 30. 6. 1943	RM	66.130.138,-
Auslieferungen im Juni 1943	RM	1.242.229,-

Im Rahmen des *Hansa-Programms* sind bisher auf Kiel gelegt:

Burmeister & Wain	ein	3.000	to-	Schiff	am	10.2.43
–	–	3.000	–	–	–	1.3.43
Helsingör-Värft	–	3.000	–	–	–	2.4.43
–	–	5.000	–	–	–	30.6.43
Nakskov-Skibsvärft	–	5.000	–	–	–	3.7.43
Odense-Skibsvärft	–	3.000	–	–	–	4.6.43
Aalborg-Värft	–	5.000	–	–	–	24.7.43

Am 6.8.43 findet Stapellauf des ersten Schiffes (3.000 to) auf der Helsingör-Värft statt. *Freie Kapazitäten* sind bei der Fa. Vognfabriken Scandia, Randers, für *Eisenbahnwaggons* und bei der Fa. Ford Motor Company, Kphg., für *Blecharbeiten* (2-5 mm Stärke und ca. 2 qm Plattengröße) vorhanden.

1c. Versorgung der Betriebe mit Roh- und Betriebsstoffen
Der deutschen Lieferungsrückstand an *Eisen und Stahl* betrug am 31.5.43 17.639 to und hat sich gegenüber dem Stand vom 30.4.43 um 4.311 to verringert. – Der Rückstand an *NE-Metallen* betrug am 31.5.43 211 to und ist gegenüber dem Stand vom 30.4.43 um 30 to gestiegen.

Die dänischen Behörden geben die Auslieferungsgenehmigung erst dann, wenn die für einen Auftrag verbrauchten Ne-Metalle aus dem Reich nach Dänemark eingeführt worden sind. Dieser Vorschrift wird jetzt zweckmäßig dadurch genügt, daß eine buch-

---

ende været udsat for sabotageforsøg 13. april, 1. maj og 22. juni (Trommer 1973, s. 77).

mäßige Sicherstellung bei 2 dänischen Metallwerken erfolgt, welche die Läger des Rü Stab Dän., die aus den Resten der Kontingentszuweisungen des RM f.B.u.M. aufgebaut wurden, verwalten. Es konnte dadurch eine erhebliche Verkürzung der Ablieferungszeiten bei den wichtigsten Fertigungen erzielt werden.

Ein deutsches Stahlwerk hat die Ausführung eines Auftrags auf 5.304 kg Blankmaterial mit gültigem Eisenbezugsrecht nicht gebucht mit der Begründung, der Eisenschein des IV. Quartals 42 sei verfallen; der Eisenschein wurde aber nicht zurückgegeben. Die Reichsstelle Eisen und Metalle mußte zur Klärung, die noch aussteht, herangezogen werden.

2b. Lage der Treibstoffversorgung
Treibstoffe konnten an die mit Wehrmachtaufträgen belegten dänischen Betriebe auch im Berichtsmonat in genügender Menge zugeteilt werden. Angefordert wurden 1.500 ltr. Benzin und 73.065 kg Dieselöl. Zugewiesen wurden nach Prüfung durch Rü Stab Dän. 1.400 ltr. Benzin und 62.040 kg Dieselöl.

2c. Lage der Kohlenversorgung
Im Juni betrug die Einfuhr von Kohle und Koks insgesamt 133.155 to, d.s. rd. 37.000 to weniger als im Mai. – Durch die dänische Braunkohlenförderung hat sich die Versorgungslage der E-Werke gebessert, während die der Gaswerke, der Staatsbahn und der Industrie ernst bleibt. – Die im Lagebericht vom 30.6.43 erwähnten Transportschwierigkeiten durch Waggonmangel haben eine Verlangsamung der Torfproduktion verursacht. Die Entdeckung neuer Braunkohlenvorkommen läßt eine zusätzliche Versorgung Dänemarks aus eigenen Beständen erwarten.

208. Horst Wagner an Werner Best 31. Juli 1943
Wagner kunne meddele Best, at Ribbentrop havde erklæret sig indforstået med Schalburgkorpsets oprettelse og hvervningen via korpset, og at Best arbejdede sammen med RFSS' fuldmægtige i alle germansk-völkische spørgsmål i Danmark (Bruno Boysen, Germanische Leitstelle). Det blev understreget, at det var en forudsætning, at Inland II blev holdt orienteret om Bests forbindelse med RFSS' repræsentant i København.

Efter over et halvt års tovtrækkeri med AA havde Best formelt både opnået tilslutning til Schalburgkorpset og til at træde i nærmere forbindelse med Boysen i germansk-völkische spørgsmål. Det var en sejr for Best, der havde tilstræbt begge dele fra sin tiltræden. Nu forestod opgaven at fjerne den væsentligste hindring for hvervningen til Schalburgkorpset: Frits Clausens modstand. Den opgave tog Best fat på i august. De mødtes den 23. august (Bests kalenderoptegnelser anf. dato).
Kilde: PA/AA R 100.692.

T e l e g r a m m

Berlin, den   31. Juli 1943

Diplogerma Kopenhagen Nr. 1032
Referent: LR Dr. Reichel
            GK Lierau

Betrefft: Schalburg-Korps

Der Herr Reichsaußenminister hat auf Vorschlag – Drahtbericht Nr. 639 vom 24.5.43[90] – entschieden, daß er mit der Gründung des "Schalburg-Korps" und der Freiwilligenwerbung durch dieses in Dänemark in der vorgeschlagenen Art einverstanden ist.

Ferner erklärte der Herr Reichsaußenminister sein Einverständnis dazu, daß der Bevollmächtigte des Reiches in Dänemark sich in allen grundsätzlichen germanisch-völkischen Fragen mit dem Beauftragten des RFSS in Kopenhagen ins Benehmen setzt, unter der Voraussetzung, daß die mit mir besprochene und vom RFSS für richtig gehaltene Einschaltung der Gruppe Inland II jeweils stattfindet.

Wagner

209. Werner Best an das Auswärtige Amt 31. Juli 1943

Best mindede i god tid AA om, at der måtte sikres penge som aftalt til udbetaling til det tyske mindretal for regnskabsåret 1943-44. Det drejede sig om 300.000 kr., som ikke var betalt af de hidtidige driftsmidler og lærerlønninger for 1944 til et beløb af 780.000 kr.

De nævnte 300.000 kr. blev overført til det tyske mindretal i løbet af 4. kvartal 1943, mens de 780.000 kr. som beregnet kom på budgettet for 1944 (Haushaltsplan der Deutschen Volksgruppe für das Jahr 1944-45, 15. december 1943 (RA, pk. 231), Kassler til AA 26. februar 1944 (PA/AA R 100.945)).

Kilde: PA/AA R 100.356. RA, pk. 237.

Fernschreibstelle des Auswärtigen Amts

DG Kopenhagen Nr. 4 1/8 1530 =

An Ausw. Berlin
Nr. 892 vom 31.7.43

Mit Bezugnahme auf Drahtbericht Nr. 195 v. 24.2.43 und auf Schriftbericht v. 23.2.43 – I C/Nr. 86/43 – mit obigem Drahtbericht v. 24.2. d. Js. habe ich daraufhingewiesen, daß die mit Erlaß v. 12.2.43 – D VIII 389/43 – für Haushalt deutscher Volksgruppe Nordschleswig Rechnungsjahr 1. April 1943 bis 1. April 1944 vorgesehenen 300.000 Kronen aus hiesigen Betriebsmitteln nicht gezahlt werden können.[91] Falls nicht sätzliche Zuschußbeträge zur Verfügung gestellt werden.

Ich bitte, bei den Erwägungen, die dort zur Zeit in der Frage der zusätzlichen Beschaffung von Devisen für hiesige Behörde angestellt werden zu berücksichtigen, daß die Auszahlung von 300.000 Kronen an Volksgruppe Nordschleswig bis spätestens 31. März 1944 jetzt sichergestellt werden muß und daß ein Betrag von ungefähr gleicher Höhe für am 1. April 1944 beginnendes Rechnungsjahr der Volksgruppe außer den Lehrergehältern für die Volksgruppe in Höhe von 780.00 Kronen in den Devisenhaushaltsplan meiner Behörde für das Jahr 1944 eingesetzt werden muß.

Dr. Best

---

90 Best til AA 24. maj 1943, trykt ovenfor.
91 De nævnte skrivelser er ikke lokaliseret.

210. Kriegstagebuch/Admiral Skagerrak 31. Juli 1943

Siden især den engelsk-amerikanske landgang i Italien var den danske befolkning blevet tydeligt mere uvenlig. Der havde først været sammenstødet mellem SS-frivillige og københavnerne, hvor Best havde ladet de frivillige tilrettevise. Sabotagen havde fået en mærkbar tilvækst ved eksplosioner på seks skibe med anvendelse af kontaktminer, næsten alle miner af engelsk oprindelse. Efter sabotagen på Odense Stålskibsværft 26. juni var de tyske ingeniører blevet groft forulempet, og der havde påfølgende været strejke. Hændelserne havde fået Wurmbach til hos Best at kræve en undskyldning hos værftsledelsen og en irettesættelse af arbejderne og krav om aflevering af afgivne ordrer til tiden. Best havde endnu ikke svaret. Der havde været drøftelser vedrørende den danske marines og den danske fiskerflådes adfærd i forbindelse med en situation, hvorom henvises til krigsdagbogen. Wurmbach havde også henvendt sig til den danske marine for at få danske handelsskibe beskyttet mod sabotage.

Kilde: KTB/ADM Dän 31. juli 1943, RA, Danica 628, sp. 3, s. 2083f., 2088.

Lagebeurteilung
für Juli 1943

A. Feindlage

Im Juli fanden im dänischen Raum weder Mineneinflüge noch Luftangriffe statt.

Die Haltung der dänischen Bevölkerung ist besonders seit der anglo-amerikanischen Landung in Sizilien sichtbar unfreundlicher geworden. Dank der englischen Propaganda wurden offenbar an den Regierungswechsel in Italien große eigene Hoffnungen geknüpft. Nach wenigen Tagen war jedoch bereits eine weniger [auf]geregte Beurteilung der Lage erkennbar.

Die Zusammenstöße zwischen Wehrmachtsangehörigen und der dänischen Bevölkerung, die aus innerpolitischen Gründen (dänische SS) entstanden waren, haben sich zum Schluß des Monats nicht wiederholt. Die von mir als stellv. Truppenbefehlshaber geforderte eindeutige Zurechtweisung der dänischen SS-Freiwilligen durch den Reichsbevollmächtigten in seiner Eigenschaft als SS-Gruppenführer ist inzwischen erfolgt und hat sich bislang offenbar gut ausgewirkt.

Eine merkliche Zunahme erfahren jedoch die Sabotage-Fälle. Durch Haftminen sind auf 6 Schiffen Explosionen erfolgt, darunter auch auf den beiden deutschen Schiffen "Duisburg" und "Linz". Bei den meisten Sabotage-Fällen konnte festgestellt werden, daß Sprengmunition englischen Ursprungs verwendet worden ist.[92]

Ernsteren Charakter haben die Vorkommnisse auf der Werft Odense anläßlich des Sabotage-Falles an MS "Linz" angenommen. Am 30.7. wurde ein Ingenieur der Bau-Aufsicht in der Werft aus einem Materialschuppen heraus mit einer ¾ Zoll Schraubenmut, ein zweiter Ingenieur später aus der Kupferschmiede heraus mit einem scharfkantigen Rohrstück beworfen. Die Vereinbarung mit der Werft, das Leck mit Zementkasten abzudichten, wurde nicht gehalten.

---

92 Der var i anden del af juli ved et samarbejde mellem BOPA og SOE foretaget sabotager og sabotageforsøg mod en række skibe i København, og samtidigt blev der udført skibssabotager i Ålborg og Odense. I København drejede det sig om: S/S "Bergenhus" 22. juli, S/S "Stettin" 21. juli, 24.-25. juli to hollandske lægtere med bl.a. dieselmotorer til ubåde og endelig lægteren MW 58 og M/S "Thor", begge 25. juli (Kjeldbæk 1997, s. 464f.). I Odense blev der foruden "Linz" 14. juli forøvet sabotage mod det finske skib "Gotfred", og i Ålborg blev "Duisburg" og et tysk motorfragtskib saboteret 4. juli (Alkil, 2, 1945-46, s. 1216f., Jensen 1976, s. 19f.). Wurmbach underspillede skibssabotagens tiltagende rolle.

Die gesamte Belegschaft der Werft trat in den Streik, weil am 29.7. der Fliegeralarm erst beim Überfliegen des Schiffes durch feindliche Flugzeuge gegeben worden sei und an Bord eine Wache unter Gewehr stehe. Diese Wache war im Einvernehmen mit dem Direktor der Werft eingerichtet worden, weil der Sabotageakt trotz Anwesenheit der Werftpolizei und der dänischen Staatspolizei nicht verhindert worden war.

Ich habe auf Grund dieses Tatbestandes in meiner Eigenschaft als Admiral Dänemark und stellvertretender Befehlshaber der deutschen Truppen in Dänemark den Bevollmächtigten des Reiches gebeten, der Werftleitung in Odense folgende Forderungen zu stellen:

1.) Entschuldigung der Werftleitung wegen des Angriffs auf zwei deutsche Ingenieure.
2.) Verpflichtung der Werftleitung, die Belegschaft entsprechend zu belehren.
3.) Versprechen der Werftleitung, eingegangene Vereinbarungen pünktlich zu halten.

Ich habe zum Ausdruck gebracht, daß ich unbedingt Wert darauf legen muß, daß außer den Soldaten auch das mir unterstellte bezw. angegliederte Zivilpersonal der Bau-Aufsichten auf den dänischen Werften vor solchen, zugleich das Ansehen des Großdeutschen Reiches schwer schädigenden Beleidigungen in Schutz genommen wird. Bevor deutsche Staatsangehörige zur verständlichen Selbsthilfe und Selbstverteidigung greifen, muß vorher in eindeutiger Form die entsprechende Einwirkung auf die Werft stattgefunden haben.

Die entsprechende Antwort des Reichsbevollmächtigten steht noch aus.[93]

B. Aufgabenstellung
[...]
7. Dänische Marine
Die von mir hinsichtlich des Verhaltens der dänischen Marine bei einer Invasion gestellten Forderungen – siehe KTB S. 2036[94] – wurden restlos angenommen. Daß die dän. Marineleitung zu ihrem Worte stehen wird, kann nach ihrem bisherigen Gesamtverhalten als gegeben angenommen werden. Inwieweit sich die unterstellten Dienststellen im Invasionsfalle den Anweisungen des Ministeriums fügen werden, stehts naturgemäß dahin. Die vereinzelten Fluchtversuche dänischer Offiziere und Offiziersanwärter nach

---

93 Hvordan Best reagerede, kan delvist klarlægges gennem følgende: Den tyske foranstaltning i anledning af sabotagen (indsættelse af bevæbnede tyske vagter på skibet) førte til, at arbejderne på værftet gik i strejke. Arbejdernes tillidsmand gav værftets direktør, Erik Ringsted, en garanti for, at den tyske besætning ikke ville blive udsat for overlast, men fra tysk side blev forsikringen ikke modtaget, idet man ikke *troede* på, at Ringsted kunne holde det løfte. Dertil blev stemningen blandt arbejderne kombineret med småepisoder anset for at være for aggressiv. Strejken fortsatte og bredte sig til andre virksomheder i Odense. Det fik den tyske kommandant v. Behlen til at true med undtagelsestilstand. Direktør Ringsted blev kaldt til møde i Det Tyske Gesandtskab i København 3. august, da de tyske myndigheder i Odense havde klaget over ham og hans holdning. Han blev ikke stedt for Best personlig, selv om krisen var alvorlig nok, men Best havde på den baggrund mulighed for at give Wurmbach en passende tilbagemelding (ikke kendt). I Odense blev strejken afbrudt ved, at værftet fra 3. august blev lukket og først genåbnet den 6., da "Linz" var slæbt bort fra værftet. Det var en sejr set med en dansk modstandsoptik, men viser samtidig, at man ikke fra tysk side var indstillet på en optrapning af krisen (Hæstrup 1956, s. 165f. (med en dramatiseret skildring set fra et dansk synpunkt), Kirchhoff, 2, 1979, s. 12-14 og 3, s. 215f. (med yderligere detaljer), Kieler, 1, 2001, s. 191-196 (med Sigurd Webers beretning). Bests kalenderoptegnelser august 1943 opregner ikke et møde med direktør Ringsted.
94 Trykt KTB/ADM Dänemark 24. juni 1943.

Schweden geben noch keine Veranlassung zur Mutmaßung, daß Befehle der Marineleitung im Invasionsfalle grundsätzlich nicht befolgt würden. Bei diesen Fluchtversuchen lassen die Begleitumstände erkennen, daß es sich bis jetzt um unbesonnene Handlungen einzelner jüngerer Soldaten handelt.

Die Frage der Sicherung der dänischen Fischerfahrzeuge in westjütischen Häfen im Falle der Invasion schwebt noch, da hier außer der dänischen Marine noch andere dänische Regierungsstellen beteiligt sind. Auf Abschluß der Verhandlungen wird gedrängt.

Die von mir gegebene Anregung, auf dänischen Handelsschiffen Schutzmaßnahmen gegen Sabotage zu treffen, wurde von der dänischen Marineleitung aufgegriffen.

211. WB Dänemark: [Tätigkeitsbericht der] Abteilung Ia 1.6.-31.7.1943, 31. Juli 1943
Der var i beretningsperioden foretaget henvendelser til den danske hær og flåde foruden politiet for at få afklaret og fastlagt, hvordan disse skulle forholde sig i tilfælde af et fjendtligt angreb på Danmark. Der havde været et enkelt alvorligt sammenstød mellem københavnere og danske SS-frivillige, hvilket havde ført til en alvorlig tysk reaktion. Sabotagen var taget betragteligt til og WB Dänemark ville have 1.000 danske politifolk til forstærkning. På grund af de danske officerers indstilling havde Hitler besluttes, at ingen af dem skulle kommanderes til uddannelse i Tyskland. Der var truffet en aftale med Best om, hvordan man skulle forholde sig og dele opgaverne i tilfælde af et fjendtligt angreb.
Kilde: BArch, Freiburg, RW 38/18. RA, pk. 449.

Befehlshaber der deutschen Truppen in Dänemark

[Tätigkeitsbericht
der] Abteilung Ia 1.6.-31.7.1943.

[...]
II. Küstenverteidigung.
[...]
Den Herrn Befehlshaber wurde gelegentlich einer Besprechung mit dem Kommandierenden General des dänischen Heeres, General Görtz, der Entwurf eines Befehls zur Genehmigung übergeben, in dem das dänische Generalkommando das Verhalten des dänischen Heeres in Falle einer feindlichen Invasion festgelegt hatte. Unter der Voraussetzung, daß die dänischen Truppen verpflichtet werden, sich jeder Teilnahme an etwa entstehenden Kämpfen zu enthalten und währenddessen in ihrer Unterkünften zu verbleiben haben, erteilte der Herr Befehlshaber seine Zustimmung und gab weiterer Richtlinien für die Ausführung.

Admiral Dänemark legte nach Angleichung an diese Bestimmungen gleichfalls Abmachungen mit der dänischen Marine hier vor. Ferner wurde Admiral Dänemark aufgefordert, Maßnahmen vorzubereiten (schlagartige Entwaffnung), falls die dänische Marine die mit ihr getroffenen Abmachungen nicht innehalten sollte.[95] Für das dänische

---
95 Se MOK Ost til OKM 8. august 1943.

Heer wurde Div. Nr. 166 mit der Vorbereitung für eine evtl. Sicherstellung des dänischen Heeres beauftragt.[96]

Da auch das dänische Justizministerium über den Reichsbevollmächtigten hierher mitteilte, daß der Wunsch bestünde, auch die dänischen Polizeibehörden mit klaren Weisungen für den Fall einer Invasion zu versehen, wurde von hier eine entsprechenden Instruktion ausgearbeitet. Diese Anweisung enthält klare Weisungen für die dänische Polizei, die in den Fall in Kraft treten, sobald im Operationsgebiet die vollziehende Gewalt auf die Deutsche Wehrmacht übergeht.
[…]

Auf Grund einer vom OKW erteilten Weisung, wonach der Betrieb der Rundfunksender in Falle von Feindangriffen auf jeden Fall aufrecht zu erhalten ist, wurde Div. Nr. 166 mit dem besonderen Schutz der Senderanlagen auf Seeland durch Abstellung von Wachen bei Bereitschaftsstufe II beauftragt.
[…]

IV. Kampfhandlungen:
[…]
In Kopenhagen kam es zu einigen Zwischenfällen, im wesentlichen zwischen dänischen SS-Freiwilligen und der Bevölkerung, die sich auf deutsche Wehrmachtsangehörige ausdehnten.[97] Der dänischen Regierung wurde durch den Bevollmächtigten des Reiches mitgeteilt, daß, wenn sich derartige Zusammenstöße wiederholten, die Wehrmacht zur Selbsthilfe schreiten würde. Der Führer ordnete an, daß dänische Demonstranten zu verhaften und zum Arbeitseinsatz nach Deutschland, abzuschieben seien. 25 Dänen wurden daraufhin nach Deutschland abtransportiert.[98]

Die Sabotagetätigkeit zum Nachteil der Wehrmacht nahm erheblich zu.

Zum Schutz gefährdeter Objekte genehmigte Bef. Dänemark Verstärkung der dänischen Polizeimannschaften um 1.000 Mann.[99]
[…]

VI. Deutsche Wehrmacht und dänischer Staat.
Der Führer entschied, daß dänische Offiziere auf Grund ihrer Einstellung zum Reich die deutschen Waffenschulen auf keinen Fall zu kommandieren sind.

In Übrigen war die Zusammenarbeit mit der dänischen Wehrmacht loyal.

VII. Verschiedenes:
Mit dem Bevollmächtigten des Reiches wurden Regelungen hinsichtlich der militärischen und zivilen Befehlsgewalt in Dänemark während eines Angriffes auf dänisches Gebiet getroffen. Für die Abgrenzung des Verkehrs mit der dänischen Regierung und den dänischen Behörden wurden zwischen den Bevollmächtigten des Reiches und dem

---

96 Se kommentaren til MOK Ost til OKM 8. august 1943.
97 Se Barandon til AA 7. juli, KTB/ADM Dän 7. juli og Bests telegram nr. 816, 8. juli 1943.
98 Se Wagner til Grothmann 9. juli 1944.
99 Se WB Dänemarks aktivitetsberetning 31. maj 1943.

Bef. Dänemark Richtlinien ausgearbeitet. Zu beiden Abmachungen, die OKW befehlsgemäß vorgelegt wurden, gab dieses seine Zustimmung.[100]

Weiterhin wurden Abmachungen für den inneren Dienstverkehr beider Dienststellen getroffen.

[…]

---

100 Se WB Dänemark til OKW/WFSt 16. juni 1943.

AUGUST 1943

212. Politische Informationen für die deutschen Dienststellen in Dänemark 1. August 1943

Det var ubetydelige, neutrale eller rent propagandistisk opbyggelige emner, der prægede sommerens *Politische Informationen* 1943. Hovedhistorierne var den danske deltagelse i dokumentationen af Sovjetunionens grusomheder og danske officerers deltagelse i kampen mod kommunismen. Sidstnævnte tjente til gendrivelse af den fjendtlige presses angreb på den danske regering. Hvor roligt det stod til i Danmark, tjente en redegørelse for svensk presses omtale af Danmark i juni 1943 til at understrege.

Kilde: RA, pk. 289. RA, Centralkartoteket pk. 680.

Der Bevollmächtigte des Reiches in Dänemark   *Kopenhagen, den 1. August 1943.*

P o l i t i s c h e   I n f o r m a t i o n e n
für die deutschen Dienststellen in Dänemark.

Betr.:   I. Mitteilungen aus der Außenpolitik.
        II. Reisen dänischer Vertreter in die Ostgebiete.
       III. Die Beurlaubung dänischer Offiziere zum Dienst in der deutschen Wehrmacht.
       IV. Die Einfuhr schwedischer Zeitungen nach Dänemark im Juni 1943.
        V. Kontrolle der Zivilreisenden in Urlauberzügen durch die deutsche Grenaufsicht Helsingör.

I. Mitteilungen aus der Außenpolitik
1.) Neuerrichtung einer ungarischen Gesandtschaft in Kopenhagen.
Die Ungarische Regierung beabsichtigt die Neuerrichtung einer Gesandtschaft in Kopenhagen. Zum Leiter der Gesandtschaft ist der frühere ungarische Gesandte in Moskau, Dr. Josef von Kristoffy ausersehen. Die Dänische Regierung hat für ihn das Agrément erteilt. Mit dem Eintreffen des Gesandten Dr. von Kristoffy in Kopenhagen wird in der zweiten Augusthälfte gerechnet.
2.) Einschränkungen im Nachrichtenverkehr der fremden Missionen und Konsulate in Dänemark.
Seit dem 15. Juli 1943 sind im Nachrichtenverkehr der fremden Missionen und Konsulate in Dänemark nach vom Auswärtigen Amt und vom OKW gemeinsam erteilten Richtlinien gewisse Einschränkungen eingetreten. So dürfen seit diesem Tage Auslandstelegramme nur noch vom Missionschef oder seinem Stellvertreter unterzeichnet werden; das Recht zum Führen von Ferngesprächen nach dem Ausland ist auf bestimmte, namentlich angegebene und im Diplomatenverzeichnis aufgeführte Angehörige der Missionen beschränkt. Die konsularischen Vertretungen sind weiteren Einschränkungen unterworfen worden.

II. Reisen dänischer Vertreter in die Ostgebiete

1.) In der Zeit vom 28.-30.4.1943 besuchte eine Kommission führender Vertreter der gerichtlichen Medizin und Kriminalistik, die von sämtlichen europäischen Ländern beschickt war, die Massengräber in Katyn. Das Dänische Außenministerium hatte als Vertreter Dänemarks den Prosektor am gerichtsmedizinischen Institut der Universität Kopenhagen Dr. Tramsen entsandt. Dr. Tramsen, der alsbald nach seiner Rückkehr im Dänischen Außenministerium über das Ergebnis der Untersuchungen Bericht erstattete, war von dem Befund zutiefst beeindruckt. Er betonte wiederholt, daß die von der medizinischen Kommission in ihrem Bericht getroffenen Feststellungen wissenschaftlich unanfechtbar seien und daß kein Zweifel an der Richtigkeit der deutschen Angaben bestehen könne. Nach seinen eigenen, sehr gründlichen Untersuchungen müsse die Zahl der polnischen Opfer auf mindestens 14.000 veranschlagt werden, wobei es sich fast ausschließlich um Offiziere handele.[1]

2.) An der Reise zu den Massengräbern bei Winniza nahmen von dänischer Seite insgesamt 7 Vertreter teil, darunter der Kommittierte im Dänischen Staatsministerium Landsretssagförer Reitzel-Nielsen, der Chefredakteur Aage Jörgensen und der Pastor Ströbech.[2] Der Chefredakteur Aage Jörgensen, der alter Rußlandkenner ist, hat nach seiner Rückkehr – die übrigen dänischen Vertreter halten sich noch in Deutschland auf – folgendes berichtet: Die Anzahl der Opfer von Winniza ist einstweilen noch nicht zu übersehen. Nach den bisherigen Feststellungen muß mit etwa 10.000 Ermordeten gerechnet werden. Bemerkenswert ist die Tatsache, daß es sich bei dem weitaus größten Teil der Ermordeten nicht um Angehörige der Intelligenz sondern um Kolchos-Bauern, Arbeiter und einige wenige Geistliche handelt. Während die polnischen Offiziere ausnahmslos angesichts der ausgeschaufelten Grabstätten erschossen wurden, sind die Opfer von Winniza in den Gefängnissen des NKWD umgebracht worden. Als Kaliber ist bei allen Hinrichtungen eindeutig das kleine Geschoß 6 mm Long Rifle verwendet worden, was in vielen Fällen die Abgabe von 3-4 Schüssen notwendig machte; ob Gewehr oder Pistole ist ungewiß. Als Zeitpunkt der Ermordungen steht in den meisten Fällen eindeutig das Jahr 1938 fest. Die Ermordeten sind fast durchweg ukrainischer Volkszugehörigkeit. Als Gründe für die Ermordung wurden infolge von Zeugenaussagen der Hinterbliebenen die folgenden festgestellt: Verfolgung aus konfessionellen Gründen,

---

1 Tyskerne hævdede i 1943 at have fundet en massegrav med tusinder af henrettede polske officerer ved landsbyen Katyn vest for Smolensk, og at Sovjetunionen stod bag. Det blev udnyttet i propagandakrigen mod kommunismen (også af DNSAP, se *National-Socialisten* 30. april, 7. maj, 14. maj, 21. maj, 4. juni, 23. juli 1943), mens Sovjetunionen på sin side påstod, at det var tyskerne, der havde begået mordene efter at have erobret området. Den danske læge Helge Tramsen var med til at bevise, at massemordet havde fundet sted, mens det først mange år senere blev definitivt slået fast, at det var en sovjetisk forbrydelse. Der blev ikke fundet 10.000, men ca. 4.500 polske officerer. Tramsen hjemtog i hemmelighed et enkelt offers kranium, der blev opbevaret på Retsmedicinsk Institut til efter 2000. Selv frygtede han i den sidste del af sit liv for sovjetiske repressalier for sin rolle ved dokumentationen af Katynmassakren, da han også i begyndelsen af 1960erne havde optrådt i Radio Free Europe om sagen. Da Tramsen i 1944 blev anholdt af Gestapo viderebragte *Information* 24. august den falske oplysning, at Tramsen var nået til et andet resultat, end af tyskerne ønsket (Jessen 2008, Rosdahl 2008).
2 Alle tre af nazistisk observans, journalist Aage Jörgensen og pastor Erik Johannes Strøbech var tillige medlemmer af DNSAP. Ejnar Vaaben var også med (Det var det hele værd, 1978, s. 60 (RA, Ejnar Vaabens personarkiv nr. 6540)).

Denunziation, Wegbleiben von der Arbeit, Wechsel von Arbeitsplätzen. Ein einheitlicher Grund wurde nicht gefunden.³

Gelegentlich der Anwesenheit der Dänen fand in Winniza der Beisetzung von 250 identifizierten Opfern statt, bei der der Landsretssagförer Reitzel-Nielsen eine kurze Ansprache hielt und einen Kranz niederlegte.⁴

3.) Der Landwirt C.O. Jörgensen, eine führende Persönlichkeit der dänischen Bauernorganisation "LS" ("Landbrugernes Sammenslutning"), hat mit einem Begleiter vom 16.6. bis 6.7.1943 eine Besichtigungsreise in die Ostgebiete ausgeführt und den Stand der landwirtschaftlichen Arbeit sowie landwirtschaftliche Betriebe im Warthegau und Generalgouvernement besichtigt. Er wird über seine Eindrücke Vorträge im Rahmen der "LS" halten.⁵

III. Die Beurlaubung dänischer Offiziere zum Dienst in der deutschen Wehrmacht
Der Londoner Rundfunk hat in einer Sendung in dänischer Sprache den Staatsminister von Scavenius und – ohne ersichtlichen Zusammenhang – den Minister für Öffentliche Arbeiten Gunnar Larsen wegen eines neuen "Zugeständnisses, das dänischen Offizieren das Recht gibt, aktiv in das deutsche Heer einzutreten," wie folgt angegriffen:

"Die beiden Herren (von Scavenius und Gunnar Larsen) sind ja zum Schlimmsten fähig, und sie scheuen sich nicht, auf die deutsche Forderung einzugehen und somit den dänischen Offizieren zum Schaden noch Spott hinzuzufügen, den Offizieren, die ihr Land besetzt und geplündert sehen von Wortbrechern des Nichtangriffspaktes, für die sie jetzt also frei Dienst machen können.

Es ist schwer zu sehen, wie Scavenius dieses letzte Zugeständnis an die Deutschen selbst in der Form eines Kompromisses mit der Neutralitätspolitik zusammenreimen kann, auf der er mit Vorliebe herumreitet. "Unsere traditionelle Politik während der gegenwärtigen Großmachtkonflikte," wie er sich mit Vorliebe ausdrückt, und wobei er gleichzeitig den Ausdruck des Königs über würdiges Auftreten gebraucht. Niemand soll einen Dänen glauben machen, daß der König mit würdigem Auftreten gemeint hat, daß dänische Offiziere in den Kriegsdienst der Besatzungsmacht eintreten sollten.

Neutralität, Herr Scavenius, kann das nicht genannt werden. Na, das wird nun nicht den Verlauf des Krieges ändern, daß ein paar dänische Offiziere zu den Deutschen überlaufen, ebensowenig wie das "Freikorps Danmark" die Deutschen an der Ostfront retten konnte. Aber all das zeigt die Leere in der Politik Scavenius'. Das Schlimmste ist jedoch, daß diese Erlaubnis für die dänischen Offiziere ein ganz falsches und schädliches Bild des wahren Dänemarks zeigt. Dies kann dem Land zu größerem Unglück gereichen als

---

3 I Vinnitsa i det vestlige Ukraine åbnede tyskerne juni 1943 en massegrav fra 1937-39 indeholdende flere hundrede lig af personer, som var blevet henrettet af de sovjetiske myndigheder under udrensningen af egne borgere.
4 Turen til Vinnitsa var endnu et led i de tyske propagandabestræbelser vendt mod Sovjetunionen, og Best søgte at give det indtryk, at der var tale om en officiel dansk deltagelse gennem Reitzel-Nielsen som kommitteret i Statsministeriet. Han deltog imidlertid som privatperson.
5 Proprietær C.O. Jørgensen var et fremtrædende medlem af DNSAP, siden februar 1941 partiets landsleder for landbrugsanliggender og havde oktober 1942 været på banen som nazistisk ministeremne (Lauridsen 2002a, s. 509f.). Best ønskede ham ikke præsenteret som leder i DNSAP, men kun som repræsentant for LS, givetvis i håb om at hans budskab ville vinde større genklang.

viele in Dänemark es vielleicht glauben."

Diesem Angriff liegt zu Grunde ein Erlaß der Dänischen Regierung, durch den die Rechtsstellung derjenigen dänischen Offiziere, die sich zum Dienst in der deutschen Wehrmacht beurlauben lassen, in Ergänzung früherer Bestimmungen so geregelt wird, daß diese Offiziere in jeder Hinsicht den dänischen Offizieren, die in der dänischen Wehrmacht Dienst tun, gleichgestellt werden. Der Erlaß, der in allen Teilen der dänischen Wehrmacht bekanntgegeben und der von der feindlichen und der illegalen Propaganda schärfstens angegriffen wurde, hat den folgenden Wortlaut:

"Jeder feste Offizier der Linie, Reserve (Verstärkung), der sich von dem Dienst im dänischen Heer befreien lassen möchte, um als Freiwilliger in eine Formation des deutschen oder des finnischen Heeres einzutreten, hat Gelegenheit (in Verbindung mit dem Schreiben des Kriegsministeriums an die Abteilungen usw. vom 8.7.1941), die Erlaubnis einzuholen, ohne Gehalt außer Nummer zu treten. Die Anträge hierüber werden ebenso wie früher in dem Umfang bewilligt werden, der mit der Wahrnehmung der Aufgaben, die dem dänischen Heer unter den jetzigen Verhältnissen obliegen, vereinbar sind.

Besonders wird bemerkt, daß Offiziere das Gesuch um Freistellung von der ihnen durch Heeresgesetz §62 und §63 auferlegten Dienstpflicht einreichen können, und daß sie erwarten können, daß einem solchen Gesuch entgegengekommen wird.

Ein Offizier, der außer Nummer tritt, um in deutschen oder finnischen Kriegsdienst zu gehen, behält seinen Platz in der Altersordnung. Es ist ein besonderes Gesetz dafür geschaffen worden, daß der Wiedereintritt in Nummer zu einem jeden Zeitpunkt geschehen kann, ungeachtet dessen, ob eine Nummer frei ist, sodaß der Betreffende also in überzählige Nummer mit allen ihren Rechten unter Bezug auf seinen Dienstgrad tritt.

Der Zeitraum, in welchem ein Offizier außer Nummer gestanden hat, um an deutschem oder finnischem Kriegsdienst teilzunehmen, wird bei der Beurteilung seiner Beförderungsmöglichkeiten mitgerechnet. Die Regierung wird Sorge dafür tragen, daß dieser Zeitraum ebenso bei der Berechnung der Alterszulage und Pension mitgerechnet wird.

Das Ministerium wird im gegebenen Falle die Frage einer wohlwollenden Erwägung unterziehen, um ein Gesetz dafür zustandezubringen, daß die Offiziere, die zur Beförderung geeignet sind, und die seit mehr als 3 Jahren außer Nummer gestanden haben, innerhalb eines Jahres befördert werden können, nachdem sie von neuem in das dänische Heer in Nummer eingetreten sind.

Aus dem Vorstehenden geht hervor, daß dänische Offiziere, die außer Nummer treten, um sich zum freiwilligen Dienst in dem deutschen oder finnischen Heer zu melden, in Bezug auf Beförderung und Rechtsstellung im Heer nicht geringer gestellt sein werden als andere dänische Offiziere."

Seit dem Beginn des Rußland-Feldzuges haben sich insgesamt 60 dänische Offiziere (und entsprechende Dienstgrade) freiwillig zum Dienst in der deutschen Wehrmacht gemeldet.[6] Sie verteilen sich wie folgt:

---

6 Af en navneliste over de danske officerer (inklusive de faldne) udarbejdet af SS-Ersatzkommando Dänemark 26. juni 1943 var der hvervet 77 danske officerer på det tidspunkt (se SS-Hauptamt til AA 2. juli 1943, trykt ovenfor).

Oberstleutnant	1
Hauptmann	10
Hauptmann d. R.	2
Kapitänleutnant	4
Oberleutnant	4
Leutnant d. R.	19
Sekondleutnant	7
Offizianten	6
Ärzte	7

IV. Die Einfuhr schwedischer Zeitungen nach Dänemark im Juni 1943
Die Zahl der auf dem Postwege laufend nach Dänemark eingeführten schwedischen Zeitungen hat sich im Juni gegen die vorhergehenden Monate nicht geändert; sie beträgt nach wie vor etwa 90.

Bei der täglichen Zensur der eingegangenen Zeitungen mußte wieder eine ganze Anzahl (45) an einem oder mehreren – bis zu 20 – Tagen von dem Vertrieb in Dänemark ausgeschlossen werden. Die folgende Übersicht gibt die Zahl der bei den hauptsächlichsten Zeitungen eingetretenen Beanstandungen an:

Kalmartidningen Barometern	An	20	Tagen
Vestmanlands Läns Tidning	–	17	–
Ny Dag	–	17	–
Eskilstuna Kuriren	–	16	–
Karlstads-Tidningen	–	16	–
Ystads Allehanda	–	15	–
Kristianstads Läns Demokraten	–	12	–
Norrlandsfolket	–	12	–
Falu-Kuriren	–	11	–
Hallandsposten	–	11	–
Folket	–	10	–
Halland	–	8	–
Halländingen	–	7	–
Östergötlands Folkeblad	–	7	–
Socialdemokraten A	–	6	–
Socialdemokraten B	–	6	–

Weitere Blätter sind nur 1-5 mal dem Verkehr vorenthalten worden.

Im allgemeinen war – insbesondere im Vergleich mit dem Vormonat – zu beobachten, daß sich die schwedischen Zeitungen im Bezug auf die Wiedergabe deutschfeindlicher Nachrichten aus dem Auslande und auf die Kommentierung solcher Nachrichten mehr Zurückhaltung auferlegt haben. Hinsichtlich der Kriegsereignisse beschränken sie sich hauptsächlich auf die Gegenüberstellung der von den beiden kriegsführenden Mächtegruppen ausgehenden Meldungen; Besprechungen der Meldungen, vor allem seitens der militärischen Mitarbeiter der Zeitungen, halten sich überwiegend in sachgemäßen Grenzen.

Im Vordergrund der Veröffentlichungen des Monats Juni standen die Feiern des

85jährigen Geburtstages des Königs Gustav von Schweden. Ebenso beschäftigten sich alle Zeitungen in breiten Raum mit den Wettläufen Gunder Häggs in Amerika, dessen ununterbrochene Siegeslaufbahn manchen Blättern Anlaß zu reichlich überheblichen Betrachtungen gab. Der schwedische Gesetzentwurf über Folkskyddstjänst – Errichtung von Heimwehren zur Verteidigung des Landes (Lokalschutz) – bot den Zeitungen erneut Gelegenheit, die Frage der schwedischen Neutralität zu erörtern. Ferner waren die Ernennung des "Militärs" Wavell zum Vizekönig von Indien und die erneute Neutralitätserklärung der Türkei Gegenstand umfangreicher Besprechungen.

Mit Vorgängen in Norwegen beschäftigten sich in der üblichen hetzerischen Weise insbesondere die links gerichteten Zeitungen, sodaß es mehrfach erforderlich war, die Verbreitung der entsprechenden Ausgaben zu unterbinden, – so wenn darin über "norwegische Zwangsarbeit", "Hinrichtung deutscher Soldaten in Norwegen", "Lahmlegung der Ernährungswirtschaft in Norwegen" oder dergl. berichtet wurde.

Über Dänemark hat die schwedische Presse in dem Berichtszeitraum wenig bemerkenswerte Veröffentlichungen gebracht. In einzelnen Aufsätzen wird immer wieder die Frage nach dem letzten Sinn der deutschen Politik in Dänemark, die man für undurchsichtig und unheimlich hält, erörtert. So schreib "Dagens Nyheter" (Stockholm) am 7.7.43 unter der Überschrift "Dänemark im Warten" u.a. folgendes:

"Dr. Bests große Idee ist offenbar, nachdem einmal ein dänisches Ministerium als verhandlungstauglich akzeptiert worden ist, ein in der deutschen Okkupationspraxis einzig dastehendes Einverständnis-Experiment durchzuführen. Der Apparat des "Folkestyre" darf anscheinend ungestört fungieren; die äußeren Formen der Souveränität und damit der Neutralität beachtet man in geziemender Weise – jetzt ist auch dem König eine Aufwartung gemacht worden –; die Äußerungen der Neuordnung werden ersetzt durch die ausgesprochene Erwartung, daß alles hinreichend geordnet werden wird, wenn man nur die Zeit abwartet; im übrigen wird nicht mit Ausdrücken für das freundliche Verständnis der Situation des Volkes gespart. …

Auch die Sperre zwischen Dänemark und Schweden scheint in allerletzter Zeit ein ganz klein wenig minder streng zu sein – sowohl für Reisende wie für Zeitungen und Bücher –, und wenn die Kontrolle über die freie Meinungsäußerung in Dänemark nicht gemildert wird, bezüglich der Presse vielleicht geradezu noch etwas strenger gehandhabt wird, so hat das augenscheinlich nicht im geringsten das Einverständnis zwischen Dr. Best und dem Staatsminister des Landes gestört.

Aber neben den politischen Forderungen stehen die militärischen, und neben Dr. Best General von Hanneken. Und wo es die militärischen Interessen der Okkupationsmacht in Dänemark gilt, tritt man mit erheblich weniger Vorschlägen hervor. Es sind in letzter Zeit stark übertriebene Gerüchte über drastische Forderungen von Seiten Generals von Hanneken in Umlauf gewesen: die Dinge, um die es sich hier handelte, scheinen ohne stärkere Konflikte abgewickelt worden zu sein. Aber es dürfte unbestritten sein, daß das militärische Regime im Lande dazu neigt, härter zu werden, und daß die Dänen Stunden spannender Erwartung erleben im Hinblick darauf, daß keiner weiß, wann der Sturm auf die Festung Europa einsetzt. Und vor allem sind die materiellen Hilfsquellen des Landes und die Arbeitskraft des Volkes mehr und mehr für den deutschen Kriegsbedarf in Anspruch genommen worden. Viel größere Anteile der Lebensmittelvorräte des

Landes als früher scheinen an die Okkupationsmacht zu gehen, die Transportmittel sind stark in Anspruch genommen, rein militärische Anlagen belasten das Clearing-Konto mit gewaltigen Posten in Form von Löhnen für dänische und deutsche Arbeiter und die deutsche Kriegsindustrie drückt den Fabriken und Werkstätten immer mehr ihren Stempel auf.

In einem Punkt ist das Einverständnis-Regime reichlich teuer für das Land gewesen: dänisches Gesetz und Recht breiten nicht mehr ihre Hand über alle Dänen in Dänemark aus. Wenn deutsche militärische Interessen mit im Spiel sind, hat die deutsche Militärjustiz das Ihrige verlangt und auch erhalten – im Prinzip, Begnadigungen zu lebenslänglichem Zuchthaus auf Fürbitte des Staatsministers ändern nichts an diesem Bilde. Wohin die Wechselwirkung zwischen unterirdischer Kriegsführung und Repressalien mit militärischen Mitteln führen kann, weiß noch niemand: Dr. Best scheint es vorzuziehen, sich in dieser Beziehung nichts anmerken zu lassen."

V. Kontrolle der Zivilreisenden in Urlauberzügen durch die deutsche Grenzaufsicht Helsingör
Im Einvernehmen mit der Transport-Kommandantur Kopenhagen ist aus Anlaß eines Einzelfalles angeordnet worden, daß ab 15.7.1943 alle Zivilpersonen in Urlauberzügen nach und von Schweden (Wehrmachtsgefolge usw.) von der deutschen Grenzaufsicht Helsingör kontrolliert werden. Die technische Durchführung ist geregelt. Die Beamten der deutschen Grenzaufsicht Helsingör haben die Anweisung erhalten, alle Zivilpersonen in Urlauberzügen von der Weiterreise auszuschließen, die nicht unter die deutsch-schwedischen Abmachungen über den Urlauberverkehr durch Schweden fallen (z.B. nichtdeutsche Staatsangehörige) oder die nicht im Besitze der ordnungsgemäßen Papiere (Marschbefehl, Lichtbildausweis usw.) sind.

Die Entscheidung und die Verantwortung liegt bei den Beamten der Grenzaufsicht. Der deutsche Bahnhofskommandant und der Zugtransportführer können befehlsgemäß keine entgegenstehenden Anordnungen treffen.

213. Werner Best an das Auswärtige Amt 2. August 1943

Jens Møller ønskede at få mellem 1.000 og 1.500 udbombede personer fra Hamborg til Nordslesvig. Best stillede sig positivt og havde truffet foranstaltninger for gennemførelsen, men da både Ribbentrop og Himmler var modstandere heraf, ønskede han oplyst, hvilken besked mindretallet skulle have.
Wagner svarede 6. august.
Kilde: PA/AA R 29.567. RA, pk. 237. PKB, 14, nr. 114.

Telegramm

| Kopenhagen, den | 2. August 1943 | 13.30 Uhr |
| Ankunft, den | 2. August 1943 | 14.30 Uhr |

Nr. 896 vom 2.8.43.   Citissime!

Der Führer der deutschen Volksgruppe Nordschleswig hat mir nach den schweren Luftangriffen auf Hamburg mitgeteilt, daß die Volksgruppe den Wunsch habe, bombengeschädigte Familien aus dem Reich bis zur Zahl von 1.000-1.500 Köpfen vorläufig aufzunehmen. Ich habe daraufhin bei der dänischen Regierung vorsorglich sichergestellt, daß auf Antrag das dänische Konsulat in Flensburg die für die Einreise nach Dänemark erforderlichen Visen ausstellen sollte, auch wenn die Antragsteller statt ordnungsmäßiger Pässe nur behelfsmäßige Ausweise der zuständigen deutschen Polizeibehörde vorlegen könnten. Diese Regelung habe ich über das Konsulat in Apenrade der Polizeidirektion in Flensburg mitteilen lassen, damit ggf. wegen der Dringlichkeit die erforderlichen behelfsmäßigen Ausweise ausgestellt werden könnten. – Nunmehr habe ich vom Reichsaußenminister und der Reichsführer-SS[7] hätten sich gegen die Ausreise bombengeschädigter Familien nach Dänemark ausgesprochen. Ich bitte, in dieser Angelegenheit unverzüglich eine authentische Entscheidung herbeizuführen, damit einerseits die Betroffenen, die auf eine Unterbringung bei der deutschen Volksgruppe rechnen, nicht unter der ungeklärten Lage zu leiden haben und damit ich andererseits der deutschen Volksgruppe in Nordschleswig einen klaren Bescheid geben kann. Ich mache darauf aufmerksam, daß ein Verbot der Ausreise als große Härte insbesondere beim Vorliegen verwandtschaftlicher oder freundschaftlicher Beziehungen empfunden würde, und daß es darüber hinaus Anlaß zu Vermutungen und Gerüchten geben würde, die aus politischen Gründen nicht erwünscht wären.

Dr. Best

214. Emil Geiger: Aufzeichnung 2. August 1943

Geiger opsummerede til AAs personaleafdeling forløbet siden 11. maj, da Best havde bedt om yderligere 15 kriminalbetjente fra RSHA. Derimod blev der ikke taget stilling til Bests ønske om, at nogle af betjentene kunne overføre deres husstand til Danmark.

Kilde: PA/AA R 100.758.

zu Pers. B 9580   Inl. II B 5911

Der Bevollmächtigte des Reichs in Kopenhagen hat mit Drahtbericht vom 11. Mai 1943[8] um schnellste Zuweisung von weiteren 15 Beamten des Reichssicherheitshauptamtes, die zur Sabotagebekämpfung eingesetzt werden sollen, gebeten.

Die Abstellung dieser Leute nach Kopenhagen bzw. in die dänische Provinz ist von dem Herrn RAM genehmigt worden.

Dem Bevollmächtigten des Reichs in Kopenhagen ist am 26. Juni d. J. mit Drahterlass Nr. 883[9] die Zuteilung von 12 Sicherheitsbeamten mitgeteilt worden. Das Telegramm liegt in der Anlage in Abschrift für die dortigen Akten bei. Das Telegramm ist seinerzeit von Pers. H und Pers. M nach Abgang abgezeichnet worden.

Die Abstellung der in Frage stehenden Beamten nach Kopenhagen geht somit in Ordnung. Über kurz oder lang werden noch einige weitere Beamte bis zur Erreichung der Zahl 15 nach Kopenhagen abgestellt werden.

---

7 I marginen bemærkes: so gekommen.
8 Telegram nr. 553, 11. maj 1943, trykt ovenfor.
9 Dette telegram er ikke lokaliseret, men Best havde fået positivt svar allerede 12. juni.

Hiermit über Pers. M mit Beziehung auf die Vermerke vom 30. Juli[10] auf den Vorgängen bei Pers. B wiedervorgelegt.
Berlin, den 2. August 1943.
gez. **Geiger**

215. Werner Best an das Auswärtige Amt 3. August 1943
Best videresendte uden kommentar K.B. Martinsens bekendtgørelse om, at han havde oprettet Schalburgkorpset.
Kilde: PA/AA R 100.986. RA, pk. 225.

Der Bevollmächtigte des Reiches in Dänemark   *Kopenhagen. den 3. August 1943*
Tgb. Nr. II/SS 160/43

Betrifft: Das Schalburg-Korps.
Vorgang: Dortiges Telegramm Nr. 1032 vom 31.7.43[11]
Anlagen: 2 Doppel.

Der SS-Obersturmbannführer K.B. Martinsen hat die Gründung des Schalburg-Korps mit dem folgenden Aufruf bekanntgegeben:[12]
"Mit dem heutigen Tage habe ich ein Korps gegründet, das den Namen "Schalburg-Korps" führen soll.
Dieses Korps soll in den Geist der Opferwilligkeit geführt werden, mit dem C.F. von Schalburg sein Leben in dem Schicksalskampf der germanischen Völker gegen den bolschewistischen Weltfeind eingesetzt hat.
Seine Ziele sollen die unsrigen sein. Ein stolzeres, selbstbewußteres, mehr handlungskräftigeres Dänemark, das unsere ruhmreiche Vorzeit mit dem Bande der Ehre an unsere Zukunft anknüpfen soll. Sein Wort soll durch uns zur Tat werden: Nur durch Opfer wurde die Ehre Dänemarks geschaffen.
Das Korps ist unpolitisch. Es mischt sich nicht in die dänische Innenpolitik ein und strebt keine politische Vertretung an. Dagegen will es nach Kräften das Verständnis für den Wert unserer Rasse und unseres nordischen Blutes fördern und die Lehre von der wahren nationalen Volksgemeinschaft verbreiten und hochhalten. Es soll unsere vornehmste Aufgabe sein, die Werte in unserem Volk, die im Blute verankert liegen, zu schützen und gleichzeitig alle undänischen und unnordischen Einwirkungen rücksichtslos zu bekämpfen.
Unseren Worten soll Handlung folgen. Wir wollen um jeden einzelnen unseres Volkes, der dänischen Blutes ist, kämpfen, um ihn für die Sache des Vaterlandes zu gewinnen.
In dieser Schicksalsstunde geht unser Ruf an alle jungen Dänen, für unsere Rasse,

---

10 Disse notater er ikke lokaliseret.
11 Trykt ovenfor.
12 Trykt på dansk i Alkil, 1, 1945-46, s. 719-720. Et originalt eksemplar af opråbet er indsat i Bergstrøms dagbog s. 42.388, KB.

für unser Volk, zur größten Aufgabe, die jemals einer Generation von der Geschichte gestellt worden ist, nämlich unser Volk im Bewußtsein des Ursprungs des Lebens und der Kultur und der Reinheit des Blutes wieder aufzurichten, um unser Volk vor dem unnordischen Schlaf zu retten, von dem es kein Erwachen mehr gibt.

Das Erbe unserer Väter soll uns kein Geschenk sein; alles, was schön und edel ist, sollen wir zu schützen und zu würdigen wissen. Der einzelne ist ohne Bedeutung, unser Volk ist alles. Unsere eigenen Wünsche und Ziele bedeuten nichts, wenn es das Vaterland gilt. Wir kommen nicht in der Erwartung, Lohn zu erwerben, für uns gilt es zu opfern, was wir haben, selbst das Leben, wenn es unser Land gilt. Unser freier Wille muß zu Gehorsam werden, freiwillig wollen wir uns den eigenen Gesetzen dieses Korps unterwerfen. Wer sich gegen das Blut versündigt, gehört uns nicht an. Wer seine Sippe nicht heilighält, den kennen wir nicht. Wer uns die Treue bricht, soll vernichtet werden.

Das Korps nimmt alle diensttauglichen Männer arischer Abstammung auf, die gewillt sind, sich den Korps-Gesetzen zu unterwerfen. Wer nicht mit der Waffe in der Hand gegen den Bolschewismus gekämpft hat, kann nur nach einem resultatreichen 6-wöchigen Kursus auf der Schalburg-Schule aufgenommen werden.

In der Erkenntnis, daß die Männer, die heute an der Ostfront stehen, einen Kampf führen, der auch der Kampf ganz Dänemarks ist, ist es uns Ehrensache, diesen Männern zu helfen und deren Angehörige zu schützen; und heiligste Pflicht, das Andenken der gefallenen Kameraden an der Ostfront in Ehren zu halten, ihren Familien Beschützer zu sein, und den Kampf für die Sache, für die sie ihr Leben gaben, weiter zu führen.

Das Korps zerfällt in zwei Gruppen:

Gruppe 1: Der aktive kriegsdienstfähige Teil, der nur entweder nach erfolgreichem Besuch der Schalburg-Schule oder nach zufriedenstellendem freiwilligem Kriegsdienst an der Ostfront aufgenommen wird. Für diese Gruppe ist volle Kriegsdienstfähigkeit, nordische Erscheinung und mindestens 168 cm Körperhöhe sowie guter körperlicher und geistiger Zustand notwendig.

Gruppe 2: Umfaßt die Männer, die sich für das Korps zur Verfügung stellen, jedoch nicht in der Lage sind, ihren Einsatz in der Gruppe 1 zu leisten.

Für das ganze Korps wird verlangt, um Mitglied zu worden, Arierattest und eine Bescheinigung, unbestraft zu sein.

Das Kontingent ist wenigstens 2 Kronen Monatlich, wovon die Hälfte zum Schalburg-Fonds geht.

Die Adresse des Korps ist vorläufig: Schalburg-Schule, Hövelte pr. Birkeröd.

Ein Einsatz weiblicher Interessenten, sowohl für die Freiwilligen als auch für die Angehörigen und Hinterbliebenen geschieht ausschließlich durch den Schalburg-Fonds. Man erwartet, daß die weiblichen Angehörigen von Schalburg-Korps-Mitgliedern sich direkt zur Verfügung für die Fürsorge-Arbeit durch den Schalburg-Fonds, Falkonergaardsvej 11, Telefon Nora 8940, stellen."

gez. K.B. Martinsen,
SS-Obersturmbannführer u. Korpschef
[sign. W. Best]

216. Werner Best an das Auswärtige Amt 3. August 1943

Best videregav med Kanstein som mellemled indholdet af en samtale, som justitsminister E. Thune Jacobsen havde haft med general Ebbe Gørtz om værnemagtens mistillid til den danske hær. Gørtz havde forsikret, at hæren stod bag den af regeringen førte politik og ikke ville falde værnemagten i ryggen, heller ikke i en kritisk situation, da det ville blive en vedvarende belastning af det dansk-tyske forhold.

Best føjede ikke selv yderligere kommentarer til. Formålet var klart nok: at berolige værnemagten i både København og de militære foresatte i Berlin. Kopien af Bests telegram er da også bevaret sidstnævnte sted.
Kilde: RA, Danica 1069, sp. 12, nr. 15.248f.

Der Bevollmächtigte des Reiches in Dänemark   *Kopenhagen, den 3.8.1943*
II M/B. Nr. 155/43   Geheime Reichssache

Betrifft: Den Chef des dänischen Generalkommandos Generalleutnant Görtz
Bezug: Ohne
Anlagen: 2 Doppel.

Der Leiter meiner Hauptabteilung II Regierungspräsident Kanstein hat mir heute folgendes gemeldet:

"Bei der Besprechung, die ich heute mit dem Justizminister Thune Jacobsen hatte, knüpfte dieser an die Unterhaltung zwischen dem Reichsbevollmächtigten und dem Justizminister am 31. Juli an und führte aus, er habe aus dieser Unterhaltung mit dem Reichsbevollmächtigten den Eindruck gewonnen und diese Meinung bei der Unterhaltung ja auch zum Ausdruck gebracht, daß man deutscherseits – insbesondere aber von Seiten der deutschen Wehrmacht – der Haltung des dänischen Heeres mißtraue. Er, Thune Jacobsen, habe nun gestern eine Unterhaltung mit dem Chef des Generalkommandos des dänischen Heeres General Görtz gehabt und dem General Görtz die Frage vorgelegt, ob er von diesem Mißtrauen der deutschen Stellen gegen das dänische Heer wisse. General Görtz habe diese Frage bejaht. Auf die Frage des Justizministers, ob tatsächlich die Möglichkeit bestände, daß das dänische Heer der deutschen Wehrmacht, falls ernste Schwierigkeiten einstehen würden, in den Rücken fallen werde, habe General Görtz erwidert, er stehe hinter der Regierung und werde daher auch in einem solchen kritischen Augenblick das tun, was die Regierung von ihm fordert. Er sei zwar Soldat, aber doch insoweit Politiker, als er gewohnt sei, über Zeiträume hinweg zu denken und seine Maßnahmen zu treffen. Wenn in einem Augenblick, wo die Lage für die deutschen Truppen kritisch würde, das dänische Heer der deutschen Besatzungsmacht in den Rücken fiele, werde sich dieses Vorgehen des dänischen Heeres sicher in späteren Zeiten einmal bitter rächen. Es werde eine dauernde Belastung sein für das deutsch-dänische Verhältnis der Zukunft. Daß aber Deutschland und Dänemark, ganz gleich, wie der Krieg auslaufe, in Zukunft zusammen arbeiten müßten, müsse eigentlich jedem einsichtigen Dänen klar sein. Ein solches Vorgehen des dänischen Heeres würde aber gleichzeitig auch eine dauernde Belastung der Ehre des dänischen Heeres sein."

                                                                 Dr. Best

217. Werner von Grundherr: Notiz 5. August 1943
Dagmarhus blev 30. juli udsat for sabotage, hvilket Best ikke officielt meddelte AA, men i stedet lod von Grundherr vide gennem et privatbrev. Von Grundherr valgte 5. august at lade beskeden gå videre i ministeriet, da Best ikke orienterede yderligere derom.
 Sabotagen blev udført af Holger Danske og foranledigede Best til at få alle Dagmarhus' lokaler på tyske hænder (*Salmonsens Leksikon Tidsskrift 1945-46*, s. 566, Birkelund 2008, s. 670).
 Kilde: PA/AA R 61.119.

Abschrift   Pol VI 8935 g

Aus einem Privatbrief des Reichsbevollmächtigten in Dänemark an Herrn Gesandten von Grundherr vom 30.7. geht hervor, daß an diesem Tage um 15 Uhr im öffentlichen Luftschutzkeller des Gebäudekomplexes, in dem der größte Teil der Diensträume des Bevollmächtigten untergebracht ist, (Dagmarhaus) ein Sprengkörper detoniert ist, durch den ein Telefonverteiler, der für alle Benutzer des Hauses arbeitet, beschädigt wurde. Die Diensträume des Bevollmächtigten sind nicht betroffen worden. Der Bevollmächtigte hat den Vorfall benutzt, um von der Dänischen Regierung die Exmittierung der dänischen Firmen und Ärzte, die zur Zeit noch etwa 2/5 des Hauses innehaben, zu fordern. Die Forderung ist von der Dänischen Regierung angenommen worden.
 Hiermit über Dg.Pol Herrn U.St.S. Pol vorgelegt.
Berlin, den 5. August 1943.
                                       gez. **von Grundherr**

218. Franz Riedweg an das Auswärtige Amt 6. August 1943
Von Ribbentrop havde givet sin tilslutning til, at SS hvervede medlemmer til Schalburgkorpset i Danmark, og Riedweg svarede på Himmlers vegne, at Germanische Leitstelle ville tage sig af det, så videre direkte henvendelser fra AAs side var unødvendige.
 Kilde: RA, pk. 225.

Der Reichsführer-SS
SS-Hauptamt   *Berlin-Wilmersdorf 1, den 6.8.1943*
Germanische Leitstelle   Geheim
Amtsgruppe D
VS-Tgb. 5052/43 geh.
GL-Tgb. 2304/43 geh.

Betr.: Freiwilligenwerbung in Dänemark für das Schalburg-Korps.
Bezug: Dort. Schrb. Inl. II 315 g Rs II vom 28.7.43 an SS-Obergruppenführer Berger[13]
Anlg.:

---
13 Trykt ovenfor.

An das Auswärtige Amt
   Berlin W 8,
   Wilhelmstr. 74-76

In Beantwortung des dortigen Schreibens vom 28.7.43 darf ich mitteilen, daß der Reichsführer-SS von der Zustimmung des Herrn Reichsaußenministers hinsichtlich der Freiwilligenwerbung in Dänemark für das Schalburg-Korps durch die hiesige Dienststelle unterrichtet wurde, sodaß sich eine direkte Unterrichtung von Seiten des Auswärtigen Amtes erübrigt.

i.V.
Riedweg
SS-Obersturmbannführer

219. Horst Wagner an Werner Best 6. August 1943

Best fik besked om, at udbombede familier fra udlandet generelt ikke kunne komme til Danmark, men at der i tilfældet Nordslesvig var gjort en undtagelse i forståelse med RFSS.
   På gesandtskabets vegne gik Kassler videre med sagen over for AA 24. august.
   Kilde: PA/AA R 100.356. RA, pk. 237.

Telegramm

Berlin, den   6. August 1943

Diplogerma Kopenhagen [Nr. 1061][14]   Citissime
Referent: LR Dr. Reichel
Betreff: Unterbringung bombengeschädigter Familien in Nordschleswig.

Auf Nr. 896 vom 2.8.[15]
Gegen die Unterbringung bombengeschädigter Familien im Ausland bestehen zwar grundsätzliche Bedenken. Diese werden jedoch im Falle Nordschleswig zurückgestellt und somit Ausnahmebewilligung hierzu im Einvernehmen mit Reichsführer-SS erteilt.
Wagner

220. Eberhard Reichel an Horst Wagner 7. August 1943

Reichel orienterede Wagner om Bergers reaktion på AAs udkast vedrørende Bormanns forordning af 12. august 1942 om ledelsen af den germansk-völkische sag. Ifølge Reichel var Berger ikke bekendt med den aftale, der var lavet mellem RFSS og Best, og som RAM havde sanktioneret. Reichel bad Wagner afklare det med RFSS.
   Dette sidste valgte Wagner ikke at gøre. Sagen blev i stedet afsluttet på et lavere niveau.
   Reichel måtte selv skrive til Berger 13. august 1943.
   Kilde: PA/AA R 100.692.

---

14 Nummeret er hentet fra Kasslers skrivelse til AA 24. august 1943, trykt nedenfor.
15 Trykt ovenfor.

Ref. Inl. II D   Inl II 350gR
                                                                                                    Geheime Reichssache

Weisungsgemäß habe ich das anliegende Schreiben[16] an die Partei-Kanzlei zunächst dem SS-Hauptamt zur eventuellen Äußerung gegeben. Das SS-Hauptamt hat daraufhin mit dem als Anlage beigefügten Brief reagiert.[17] Dieser steht in Widerspruch zu den zwischen dem Reichsführer-SS und dem Reichsbevollmächtigten Dr. Best getroffenen Vereinbarungen, die dem Herrn Reichsaußenminister vorgelegt und von ihm sanktioniert worden sind.[18] Augenscheinlich ist SS-Obergruppenführer Berger vom Reichsführer-SS nicht informiert worden.

Ich wäre dankbar, wenn Sie die Angelegenheit unmittelbar mit dem Reichsführer-SS klären könnten.

Hiermit Herrn Gruppenleiter Inl. II vorgelegt.

Berlin, den 7. August 1943.

Reichel

221. Partei-Kanzlei der NSDAP an das Auswärtige Amt 7. August 1943
I anledning af AAs brev 23. juli bad partikancelliet om, at AA skaffede oplysninger om de danske gejstliges protest i anledning af kirkestriden i Norge og cirkulæret med forbud mod, at de protesterede. Yderligere ville kancelliet have at vide, hvordan det var gået i sagen med den danske præst Aastrup, der havde nægtet at ændre den gravskrift, han havde udfærdiget over en engelsk flyver.
Partikancelliet rykkede AA for svar 20. oktober og fik det den 29. oktober 1943.
Kilde: RA, pk. 218.

Nationalsozialistische Deutsche Arbeiterpartei   *München 33, den 7. August 1943*
Partei-Kanzlei   Führerbau III D 3 – Hf
                                                                                                            3315/0/80

An das Auswärtige Amt
    z.Hd. von SS-Obersturmbannführer Kolrep
Berlin W 8
Wilhelmstrasse 74-76

Betrifft: "Times" über Verteidigungsanlagen in Dänemark.
Bezug: Ihr Schreiben vom 23.7.1943[19] (Inl. I D-1353/43).

In dem Times-Artikel ist ein Erlaß des dänischen Ministeriums für Kirchenangelegenheiten erwähnt, der den dänischen Geistlichen verbietet, den Kirchenstreit in Norwegen

---

16 Trykt ovenfor som bilag til Reichel til Riedweg 20. juli 1943.
17 Gottlob Berger til AA 26. juli 1943, trykt ovenfor.
18 Se Büro RAM til Wagner 23. juli 1943.
19 Trykt ovenfor.

nicht mehr zu erwähnen. Dieser Erlaß soll zu zahlreichen Protestkundgebungen von Geistlichen geführt haben. Es wird gebeten, nach Möglichkeit den Erlaß und auch die Protestkundgebungen der Geistlichen im Wortlaut beschaffen zu wollen.

Schließlich ist der Fall erwähnt, daß der dänische Dekan Aastrup auf einen Grabstein für einen britischen Piloten die Inschrift "gefallen im Kampfe auch für Dänemark" gesetzt habe. Er habe sich der deutschen Wehrmacht gegenüber geweigert, die Inschrift zu beseitigen. Es wird gebeten, über den Ausgang dieser Angelegenheit Näheres mitteilen zu wollen.

Heil Hitler!
I.A.
Krüger

222. Oskar Steckelberg an Hermann von Hanneken 7. August 1943

Afsnitskommandant i Sydjylland, Fregattenkapitän Oskar Steckelberg, fremsendte forslag til von Hanneken om foranstaltninger mod den stigende sabotage. Han havde allerede i begyndelsen af året foreslået, at Esbjergs politimester blev afskediget, og at danskernes radioapparater blev beslaglagt. Sabotagerne kunne føres tilbage til den engelske radiopropaganda. En række arrestationer af sabotører gav ro for en tid, men nu var sabotagen igen blusset op. Der var ikke ressourcer til at bevogte alle de foretagender og installationer, som var krigsvigtige. Kommandanten foreslog derfor, at den danske regering offentligt skulle bekende sig til beskyttelse af krigsvigtige truede objekter, hurtig afstraffelse af de dømte sabotører og en fuldstændig hindring af aflytningen af den engelske radiopropaganda.

Steckelberg fik svar endnu samme dag. Der blev indført undtagelsestilstand i Esbjerg med udgangsforbud. Til gengæld blev der ikke svaret på de af Steckelberg fremsendte forslag. Forslagene lå helt uden for afsnitskommandantens charge, men det var næppe den eneste grund til, at de ikke blev besvaret. Alle tre forslag var så afgjort mere inden for den rigsbefuldmægtigedes område end WB Dänemarks, og von Hanneken var mere optaget af at få roen genoprettet i Esbjerg end af behovet for endnu en konfrontation med Best. Derfor lod han sig ikke presse af sin afsnitskommandant[20] (Henningsen 1955, s. 150f., Trommer 1973, s. 90, Kirchhoff, 1, 1979, s. 294f.).

Kilde: RA, Danica 203, pk. 29, læg 302 (med overstregninger og håndskrevne (delvist ulæselige) tilføjelser, da Steckelbergs skrivelse blev genbrugt ved udarbejdelsen af von Hannekens svar til ham. Steckelbergs oprindelige skrivelse er lagt til grund ved udgivelsen).

Kommandant im Abschnitt Südjütland   *Den 7. August 1943*
(zugleich Standortältester Esbjerg)
B. Nr. ...
Geheime Kommandosache!

---

20 Var Steckelbergs forslag blevet imødekommet, var ikke kun situationen i Esbjerg, men i hele landet blevet kraftigt forværret. Steckelberg synes senere i august at have indtaget en mere afdæmpet holdning, rimeligvis efter direkte ordre, selv om han 29. august begik den fejl først at tage tre kendte esbjergensere som gidsler, for påfølgende ikke alene at nægte, at de var gidsler, men også at fratage dem de arrestordrer, hvoraf det fremgik, at de var taget som gidsler (Svenningsen 1955, s. 173f.). I Nordjylland blev de tyske tropper 24. august indskærpet, at de skulle bidrage til at mindske den opståede spænding, undgå overfølsomhed eller være nærtagende. Et enkelt smædeord måtte ikke være nok til at gribe til arrestation eller våbenbrug (RA, Danica 1069, sp. 5). Der blev blandt de tyske kommandanter ikke reageret ens på den opståede augustkrise.

An Befehlshaber der deutschen Truppen in Dänemark,
nachrichtlich:
Admiral Dänemark,
Division Nr. 160,
Bezirksführer Varde.

Betrifft: Maßnahmen gegen Sabotage.
– Ohne Vorgang –

Seit Dezember 1942/ Januar 1943 häuften sich die Sabotagefälle im Raum Esbjerg, sodaß besondere Maßnahmen geboten erschienen. Die Sabotage war auf das Auftauchen von Saboteuren, die unzulänglichen Maßnahmen der dänischen Polizei und den Einfluß der englischen Rundfunkpropaganda zurückführen.
Es wurde schließlich von hier die Ablösung des Polizeimeisters von Esbjerg in Vorschlag gebracht und ferner auf Grund von eigenen Urteilen und Urteilen aus deutschfreundlichen Kreisen der Antrag gestellt, der dänischen Bevölkerung durch Fortnahme der Rundfunkapparate das Abhören der englischen Sender unmöglich zu machen.[21]
Nachdem eine Anzahl von Saboteuren gefaßt war, trat vorübergehend Ruhe ein.[22]
Seit Anfang Juli 1943 haben die Sabotagefälle im Raum Esbjerg wieder verstärkten Umfang angenommen. Die Ursachen sind offenbar die gleichen, nachdem neue Saboteure in Tätigkeit getreten sind.[23]
Nach Rücksprachen mit dem Polizeibevollmächtigten (– der amtierende Polizeimeister befindet sich in Urlaub[24] –) sind zwar Polizeiverstärkungen zusammengezogen, doch liegt die Unmöglichkeit zu Tage, sämtliche wertvollen Objekte ständig ausreichend zu bewachen. In den Wehrmachtsbetrieben ist erneut schärfste Sabotageüberwachung eingerichtet. In den dänischen Betrieben jedoch, die letzten Endes alle mittelbar mit der deutschen Kriegsführung zusammenhängen, kann von einem ausreichenden Schutz nicht gesprochen werden, sodaß weitere Reihen von Sabotagefällen zu befürchten sind. Allein die Bewachung von den hier befindlichen 21 Umformeranlagen ist durch ständige dänische Posten und Patrouillen undurchführbar. Hinzu kommen die zahlreichen Lebenswichtigen Einrichtungen, Fabrikanlagen, Lagerschuppen usw.
Es erscheint daher geboten erneut grundsätzliche Maßnahmen zu erwägen, wie z.B.:
1.) Aufforderung an die dänische Regierung, sich durch Anschläge, Radio und öffentliche Bekanntmachung offen zum Schutz der sabotagegefährdeten Objekte zu bekennen.
2.) Schnellste Durchführung der Aburteilung der im Frühjahr 1943 gefaßten Saboteure, zwecks öffentlicher Bekanntgabe der gefällten Urteile. (– Dänischerseits wird die

---

21 Se WB Dänemark: Propagandalagebericht af 15. december 1942.
22 Se Bests telegram nr. 372, 2. april og hans indberetning 30. april 1943.
23 Der var trådt andre sabotører i funktion i Esbjerg fra årets begyndelse, den kommunistiske Peter Poulsen-gruppe, der i juli indledte en sabotageoffensiv omkring Esbjerg (Henningsen 1955, s. 146f., Trommer 1973, s. 80f.).
24 Politimester var Børge Hebo, konstitueret var politifuldmægtig Karl Halsteen.

bisher nicht erfolgte Verurteilung offenbar zum Teil dahingehend ausgelegt, daß man keine Entschlüsse fassen wolle, oder daß durch die anhaltende leichte Untersuchungshaft gewissermaßen bereits eine Ahndung im Gange sei, die nicht sehr abschreckend wirkt. –)

3.) Totale Verhinderung des Abhörens der englischen Rundfunkpropaganda, besonders auch im Hinblick auf die Ereignisse in Italien, die nach Abhören der englischen Sender in deutschfeindlichem Sinne ausgewertet werden.

Auf Grund Fernanruf Befehlshaber Dänemark Ic vom 7.8.43. wurde im Standort der nachstehende Befehl erlassen:

"An alle Einheiten im Standort Esbjerg!

Der Befehlshaber der deutschen Truppen in Dänemark hat zum Schutze des Standortes Esbjerg befohlen:

Sämtliche Kinos sind ab 20.00 Uhr und sämtliche öffentlichen Lokale sind ab 21.00 Uhr zu schließen. Der Verkehr auf den Straßen ist von 22.00 Uhr bis 05.00 Uhr verboten.

Ärzte und Hebammen und Organe der öffentlichen Sicherheit haben das Recht zur dauernden Benutzung der Straße.

Beurlaubungen von Soldaten sind sinngemäß nur bis 22.00 Uhr gestattet.

Ankommende Reisende sind anzuweisen, sich vom Bahnhof aus auf dem schnellsten Wege in ihre Wohnung zu begeben.

Die eingesetzten Streifen sind anzuweisen, die Durchführung dieses Befehls zu überwachen.

Der Standortälteste Esbjerg
gez. **Steckelberg**
Fregattenkapitän"

Der Polizeibevollmächtigte erhielt Weisung, seinerseits die erforderlichen Schritte zu unternehmen und durch die Presse zum Ausdruck zu bringen, daß die Maßnahmen zum Schutze der Objekte im Standort Esbjerg angeordnet, also im Interesse der Bevölkerung liegen.

223. Heinrich Himmler an Werner Best, Paul Kanstein u.a. 8. August 1943

Himmler havde i 1935 stiftet Lebensborn e.V., hvis målsætning var at fremme fødslen af børn inden for SS og desuden at hjælpe og støtte unge tyske kvinder til fødsel, selv om det var uden for ægteskabet. Værdifuldt tysk blod skulle ikke ødes bort, men komme Det Tredje Rige til gode. Det kunne også hænde, at tyske kvinder i de besatte områder blev gravide, og Himmler ville med denne skrivelse sikre, at de højeste SS-myndigheder sørgede for, at de tyske kvinder kunne føde i fred og ro under tilsyn af en tysk læge, og at ikke fremmede læger fik kvinderne til at skilles fra barnet.

Der blev først på et senere tidspunkt taget hånd om både dette i forhold til tyske kvinder i Danmark og til danske kvinder, der fik børn med tyske soldater, se Best til AA 11. november 1944.

Kilde: RA, pk. 443 (hele dokumentet). Heiber 1968, s. 228f. (uden gengivelse af adressaterne).

Der Reichsführer-SS   Feld-Kommandostelle, den 8. August 1943

1.) An alle Hauptämter
2.) An den Höheren SS- und Polizeiführer Ost
3.) An den Höheren SS- und Polizeiführer Ostland
4.) An den Höheren SS- und Polizeiführer Rußland-Mitte
5.) An den Höheren SS- und Polizeiführer Ukraine
6.) An den Höheren SS- und Polizeiführer Böhmen-Mähren
7.) An den Höheren SS- und Polizeiführer Serbien
8.) An den Höheren SS- und Polizeiführer Frankreich
9.) An den Höheren SS- und Polizeiführer Nordwest
10.) An den Höheren SS- und Polizeiführer Nord
11.) An SS-Brigadeführer Jungclaus[25]
12.) An SS-Brigadeführer Kanstein
13.) An den Beauftragten des Reichsführer-SS in Kroatien
14.) An den Vorstand des Lebensborn e. V.
15.) An den Oberbefehlsleiter der NSV, SS-Gruppenführer Hilgenfeldt[26]
16.) An die Reichsfrauenführerin, Frau Scholz-Klink[27]
17.) An SS-Gruppenführer Dr. Best, Kopenhagen über Auswärtiges Amt

Ich habe Veranlassung, noch einmal meine Stellungnahme in folgender Frage niederzulegen. Es wird immer wieder vorkommen, daß deutsche Frauen und Mädchen, die in den außerhalb des Großdeutschen Reiches besetzten Ländern und Gebieten des Westens, Ostens, Nordens und Südens beschäftigt sind, Kinder erwarten.

Es ist vielfach der Wunsch laut geworden, für diese Frauen und Mädchen im Ausland Entbindungsheime zu errichten, um damit die Geheimhaltung bezw. unerwünschte Rückwirkungen in der Heimat zu verhindern. Demgegenüber stelle ich erneut meinen Standpunkt klar. Alle deutschen Frauen und Mädchen in diesen besetzten Gebieten, die ein Kind erwarten, müssen in das deutsche Reichsgebiet zurückkommen. Im deutschen Reichsgebiet wird ihnen dann durch die Einrichtungen der NS-Frauenschaft, der NS-Volkswohlfahrt und des Lebensborn die Möglichkeit gegeben, bei aller notwendigen und erwünschten Geheimhaltung ihr Kind in Ruhe und Sicherheit zu erwarten und zur Welt zu bringen. Eine völlig andere Frage sind die Kinder, die Ausländerinnen in allen diesen Gebieten von deutschen Soldaten oder sonstigen deutschen Männern erwarten. Hierfür haben wir in vielen dieser Gebiete – so in Frankreich und Norwegen – Entbindungsheime errichtet. Hier muß unsere Absicht sein, jedes zu erwartende Kind deutschen Blutes von des Vaters Seite her zu erfassen, es selbst sowie seine Mutter rassisch zu bewerten und darauf zu sehen, daß in einem geeigneten Zeitpunkt das Kind allein oder mit seiner Mutter als Träger deutschen Blutes bezw. als Mutter eines deutschen Kindes in das Reich hereinkommt.

---

25 Richard Jungclaus havde til 1944 tjeneste i SS-Hauptamt.
26 Erich Hilgenfeldt var leder af Hauptamt für Volkswohlfahrt (NSV) der NSDAP.
27 Gertrud Scholtz-Klink var leder af den kvindelige arbejdstjeneste og Deutsches Frauenwerk.

Anzustreben ist in den besetzten Ländern – besonders im Westen und Norden –, daß vertrauenswürdige deutsche Ärzte als Frauenärzte eingesetzt und bekannt sind, an die sich deutsche Frauen und Mädchen, die ein Kind erwarten, diskret und vertrauensvoll wenden können, ohne daß deswegen ihr Geheimnis offenbar wird. Diese Ärzte haben dann die Aufgabe, als erstes die betreffende Frau mit der deutschen Hilfsorganisation in Verbindung zu bringen und ihr hilfreich zur Seite zu stehen. Auf diese Art muß unter allen Umständen vermieden werden, daß deutsche Frauen und Mädchen, die ein Kind erwarten, bei ausländischen Ärzten dieses Kind abtreiben lassen. Sind diese Hilfsmaßnahmen in diskreter, taktvoller und menschlich anständiger Form vorhanden, dann allerdings haben alle unsere Dienststellen, in erster Linie die Polizei, gegen jeden Versuch der Abtreibung in schärfster Form einzuschreiten, sowohl durch Aushebung des ausländischen Arztes als auch durch Verbringung der schuldigen Frau in die Heimat und Zuführung zu der in Deutschland üblichen Strafe.

H. Himmler

224. MOK Ost an OKM 8. August 1943

Med henvisning til situationen under telegramkrisen, hvor der var tale om at gribe ind over for den danske marine og til den redegørelse, som admiral Wurmbach 2. april 1943 havde skrevet om farerne ved en kampklar dansk marines tilstedeværelse i tilfælde af en fjendtlig invasion, tog MOK Ost sagen op over for OKM. Anledningen var den stigende afvisende danske holdning og Mussolinis fald, desuden Sveriges uafklarede holdning, herunder ophøret af de tyske jernbanetransporter gennem Sverige. Det gav anledning til en stigende frygt for, at den danske marine ville slå sig løs og skibene sejle til Sverige. Det blev taget op, hvilke konkrete foranstaltninger der måtte tages for at hindre dette og bringe sig i besiddelse af den danske krigsflåde. Admiral Wurmbach havde ikke tilstrækkelige styrker til at klare opgaven alene, men skulle heller ikke regne med at få tilført forstærkning fra Tyskland. MOK Ost bad om OKMs stillingtagen og om tilladelse til, at sagen blev drøftet med de øvrige værnemagtsdele i Danmark. Det var en tophemmelig sag, der kun måtte blive drøftet i den snævreste kreds (Kirchhoff, 1, 1979, s. 290).

OKM svarede MOK Ost 10. august 1943.

Der var forud udarbejdet planer for afvæbningen af den danske hær. Overhærarkivar Goes skrev efter 29. august 1943 derom: "Bereits im Juni 1943 hatte der Chef des Generalstabs, Oberst i.G. von Collani, in Erwartung einer etwaigen bewaffneten Auseinandersetzung mit der dänischen Wehrmacht den Ia-Sacharbeiter der Div. Nr. 166 mit der Ausarbeitung eines genauen kalendermäßig festgelegten Plans beauftragt, um schlagartig die dänische Wehrmacht zu entwaffnen. Die endgültige Fassung wurde in mehreren Besprechungen festgelegt. Ende Juli 1943 waren die entsprechenden Weisungen an den Kommandeur der Div. Nr. 166 und den Admiral Dänemark ergangen. Die Aktion konnte somit jeden Augenblick in Gang gesetzt werden."[28] (PKB, 13, s. 854f.).

Kilde: RA, Danica 628, sp. 10, nr. 9147-50.

Marineoberkommando Ostsee.	Geheime Kommandosache!
– Führungsstab –	*Befehlstelle, den 8. August 43.*
B. Nr. g.Kdos. 54/43 Chefs.	"Chef-Sache", "Nur durch Offizier!"

An das Oberkommando der Kriegsmarine – Seekriegsleitung

---

28 Forberedelsen af afvæbningen af den danske hær blev et element i udmøntningen af Kampfanweisung 20. juli 1943 (se denne. Jfr. Kirchhoff, 1, 1979, s. 289f.).

2. Ausfertigung.

Betrifft: Dänische Marine.

I. Am 6. Oktober vorigen Jahres gab Gruppe Nord folgende Weisung an Adm. Dänemark, BSO und Stat. O.:[29]
"Die mögliche Entwicklung der Lage in Dänemark kann es notwendig machen, daß die dänischen Seestreitkräfte wie auch Küstenverteidigungsanlagen auf Grund plötzlichen Befehls in kürzester Zeit von uns besetzt und anschließend möglichst pausenlos dem bisherigen Sicherungsdienst wieder zugeführt werden müssen. Eigenmächtiges Entweichen von dänischen Einheiten vor allem nach Schweden muß verhindert werden.

Eintretendenfalls ist diese Besetzung durch Marbef. Dänemark durchzuführen, soweit es sich um Fahrzeuge und Anlagen in den Häfen oder Küstengewässer seines Befehlsbereichs handelt. Er hat diese Aufgabe mit seinem eigenen Personal, das durch bei BSO freizumachendes Personal bezw. Kräfte zu ergänzen ist, durchzuführen. Reichen Personal und Kräfte nicht aus, sorgt Ost für Ergänzung.

Wird die Erfassung von im Bereich des BSO in See stehenden dänischen Fahrzeugen erforderlich, hat BSO diese Aufgabe mit seinen Mitteln durchzuführen und Kräfteergänzung bei Ost und Gruppe Nord anzufordern.

Es ist erforderlich, daß durch die genannten Besetzungen keine Pause im laufenden Geleit- und Sicherungsdienst erfolgt, die sich nachteilig auf den Handels- und Kriegsschiffsverkehr auswirken würde.

Marbef. Dänemark und BSO vereinbaren das Notwendige.

Es ist sicherzustellen, daß alle vorstehenden Weisungen und notwendigen Vorbereitungen auf kleinsten Mitwisserkreis beschränkt bleiben und keinesfalls nach außen hin bekannt oder erkennbar werden dürfen."

II. Stat. O. stellte daraufhin vorsorglich durch 2. A.d.O. 1.000 Mann Marinepersonal in Flensburg (1. A.f.K.) und Westerland (5. A.f.K.) zum kurzfristigen Abruf durch Adm. Dänemark bezw. BSO für die mit vorstehender Weisung gestellt Aufgabe bereit.

III. Am 12. Oktober vorigen Jahres sah Gruppe Nord die Entwicklung der Lage in Dänemark als soweit beruhigt an, daß die gem. Ziffer I. befohlenen Maßnahmen nicht weiter getrieben zu werden brauchten.

IV. Anfang April dieses Jahres griff Admiral Dänemark von sich aus die z.Zt. angeschnittene Frage wieder auf und legte hierzu die in der Anlage beigefügten Überlegungen vor. (Zweitschrift Admiral Dänemark B. Nr. g.Kdos. 895 Chefsache v. 2.4.43).[30]

Diesen Überlegungen wurden von hier aus im Großen und Ganzen zugestimmt und Admiral Dänemark angewiesen, unter peinlichster Geheimhaltung die entsprechenden Vorarbeiten – soweit von sich aus möglich – weiter zu verfolgen.

Die Lage wurde dahin beurteilt, daß mit einer akuten Gefahr vorläufig nicht zu rechnen war.[31]

---

29 Ordren er ikke lokaliseret på anden vis.
30 Trykt ovenfor.
31 Ikke desto mindre havde 1. Seekriegsleitung 9. juni 1943 opfordret MOK Ost og Wurmbach til i fæl-

V. Die zunehmend ablehnender werdende Haltung Dänemarks, besonders nach dem Rücktritt Mussolinis und die noch nicht vorauszusehende Auswirkung der schwedischen Haltung – Einstellung des Eisenbahntransitverkehrs – erfordern h.E. jetzt eine Klärung der Frage und rechtzeitige Maßnahmen zur Verhinderung des Ausbruchs der dänischen Flotte nach Schweden.

Bei der geographischen Lage kann ein solcher Ausbruch in kürzester Zeit durchgeführt werden, erfordert also unsererseits zur Verhinderung ins Einzelne gehende Vorbereitungen und Maßnahmen, die schlagartig ausgelöst und wirksam werden müssen.

Es muß hierbei in Rechnung gestellt werden, daß Admiral Dänemark keine ausreichenden Kräfte hat und BSO unter Umständen durch seine eigentlichen Aufgaben so angespannt ist, daß er nur unzulänglich helfen kann.

Es bleibt dann nur übrig, Heer und Luftwaffe um Unterstützung zu bitten, wobei hier jedoch nicht beurteilt werden kann, wie weit diese Kräfte bei der vermutlich gleichzeitig notwendigen Entwaffnung der dänischen Wehrmacht, Polizei usw. angespannt sind.

Es wird bezweifelt, daß diese Unterstützung ausreichend sein kann.

VI. Für die Lösung der Aufgabe sind folgende Überlegungen angestellt:

A. *Die wichtigsten Plätze*, an denen Schiffe zu besetzen sind, sind: Kopenhagen, Isefjord und die Häfen Faaborg und Svendborg.

a.) *Kopenhagen.*
1.) Flottenstation, Orlogswerft und die im Werfthafen liegende Schiffe, vordringlich der KPz. "Peder Skram" sind zu besetzen. Dänische Marine FT-Stationen, Nachrichtenzentralen und Fernspreicheinrichtungen sind gleichzeitig zu besetzen bezw. auszuschalten.
2.) Leitung der Aktion K.i.A. Dän. Inseln.
3.) Zur Verfügung stehende Kräfte:
Eigener Stoßtrupp des K.i.A.,
Unterstützung durch Stoßtrupp HSF1. Kopenhagen,
verfügbare Boote der HSF1. Kopenhagen.
4.) Hafensperrung durch Flak Batterie Trekroner.
5.) Unterstützung durch Luftwaffe erforderlich, sobald Widerstand geleistet wird, desgleichen, sobald kleinere dänische Kriegsfahrzeuge Versuch machen nach Schweden durchzubrechen.
6.) Unauffälliges, schnelles Handeln im Hinblick auf zahlreiche Werftarbeiterschaft besonders geboten.

b.) *Isefjord (einschließlich Hundested).*
Unternehmen ist dadurch erschwert, daß kein geeignetes eigenes Kriegsfahrzeug vorhanden ist, um das Küsten-P-Schiff "Niels Juel" notfalls zur Streichung der Flagge zu zwingen.

---

lesskab at komme med forslag til, hvordan man skulle håndtere den danske flåde i tilfælde af en engelsk invasion i Sydnorge, Sverige eller Danmark (BArch, Freiburg, RM 7/1187).

Absichten:
1.) Minensperrung der Ausfahrt aus Isefjord (u.U. durch Luftwaffe!) um Auslaufen zu verhindern.
2.) Besetzung der Batterie Lynäs am Ausgang des Fjords.
3.) Aufforderung über den Oberbefehlshaber der dänischen Marine an "Niels Juel" und sonstige, im Fjord liegende Fahrzeuge, zur Übergabe.
Sollte die Aufforderung von den dänischen Kriegsschiffen nicht befolgt werden, so ist Einsatz von Stukas notwendig.
c.) *Faaborg und Svendborg.*
Die dritte größere Aktion ist gegen die in den Gewässern südlich Fünen befindlichen dänischen Kriegsfahrzeuge erforderlich. Hier handelt es sich jedoch im allgemeinen um kleinere Fahrzeuge, bei denen größerer Widerstand nicht zu erwarten ist.

B. *Aktionen kleineren Umfangs kommen in Frage in folgen Häfen*
a.) *Nyborg:* Besetzung der dänischen Fahrzeuge wird durch die HSF1. Nyborg durchgeführt.
b.) *Korsör:* Besetzung wird durch Haka Korsör vorgenommen, der jedoch verstärkt werden muß.
c.) *Helsingör:* Besetzung durch Haka Helsingör. Mit Rücksicht auf zahlreiche Werftarbeiterschaft entsprechende Unterstützung durch das Heer erforderlich. Haka Helsingör stehen nur wenig Mann zur Verfügung.
d.) *Smaalands Fahrwasser:* Kräfte (etwa in Zugstärke) erforderlich.

C. *Übrige Häfen:*
Die Besetzung der kleinen Fahrzeuge in sonstigen Häfen Dänemarks erfordert kein besonderes Aufgebot. Soweit Hakas der Marine vorhanden sind oder eine Formation des Heeres in einem Hafenort liegt, wird die Wegnahme der in diesen Häfen liegenden 1-2 kleinen dänischen Fahrzeuge ohne Schwierigkeit durchgeführt werden können.

VII. Skl. wird um Stellungnahme gebeten und um Zustimmung, daß mit dem Befehlshaber der deutschen Truppen und dem General der Luftwaffe in Dänemark in dieser Angelegenheit Vorbesprechungen stattfinden können und um Mitteilung, auf welcher Grundlage diese erfolgen sollen.
[underskrift]

Stellungnahme 1. Skl[32]
1.) Eine solche Aktion muß vorbereitend bedacht und – unter Beschränkung des Mitwisserkreises auf die höheren Stäbe und Kommandeure – mobmäßig vorbereitet sein.
2.) Demnach ist MOK Ost Einverständnis [mitzu]teilen, daß in der Angelegenheit mit [den] deuts. Tr. in Dänemark Fühlung [ikke yderligere tekst]

---

32 Tilføjet med håndskrift.

225. Werner Best an das Auswärtige Amt 9. August 1943

Best bad om tilladelse til at yde et månedligt økonomisk tilskud til lederen af det tyske mindretals kontor i København, Rudolph Stehr.

Ifølge optegnelser i AA 18. og 21. august blev det ansøgte beløb bevilget (PKB, 14, nr. 166). Se endvidere Reichels telegram til Best 26. januar 1944, trykt nedenfor (Hvidtfeldt 1953, s. 71).

Kilde: PA/AA R 100.356. RA, pk. 237. PKB, 14, nr. 165.

Der Bevollmächtigte des Reiches in Dänemark   *Kopenhagen, den 9. Aug. 1943*
I C N Sch 16

An das Auswärtige Amt
    Berlin.

Betr.: Gewährung einer finanziellen Beihilfe an den Leiter des Kontors der deutschen
      Volksgruppe in Kopenhagen.
– 2 Durchschläge
– 1 Anlage –[33]

Der auf Vorschlag des Volksgruppenführers Dr. Möller im Mai ds.Js. von der dänischen Regierung zum Leiter des Kontors der deutschen Volksgruppe beim dänischen Staatsministerium ernannte Volksdeutsche Rudolf Stehr hat mich wegen der Gewährung eines laufenden monatlichen Gehaltszuschusses aus amtlichen Mitteln des Reiches um Unterstützung gebeten.

Das Kontor der deutschen Volksgruppe beim Staatsministerium ist letzterem verwaltungsrechtlich und haushaltsmäßig unterstellt, so daß die Kosten für die Einrichtung und Unterhaltung des Kontors von der dänischen Regierung getragen werden. Durch Erlaß des dänischen Staatsministeriums vom 26. Mai wurde Herrn Stehr eine beamtenähnliche Stellung verliehen, die dadurch gekennzeichnet wird, daß Stehr die Amtsbezeichnung Kontorchef, d.h. den Titel eines höheren dänischen Verwaltungsbeamten führt und daß seine Dienstbezüge nach der Anfangsgehaltsstufe eines dänischen Kontorchefs festgesetzt worden sind. Das Jahresgehalt von Stehr beläuft sich auf rund Kr. 11.000. Herr Stehr macht geltend, daß die ihm von der dänischen Regierung bewilligten Bezüge zur Durchführung der ihm gestellten volkstumspolitischen Aufgaben, die in erster Linie in der Aufrechterhaltung einer ständigen Verbindung zu den dänischen Ministerien bestehen, in keiner Weise ausreichen, da sie ihm die erforderliche Bewegungsfreiheit nicht ermöglichen.

Ich habe mich davon überzeugt, daß die Ausführungen des Herrn Stehr zutreffen. Damit das auf unsere Initiative hin eingerichtete Kontor der deutschen Volksgruppe die Funktion erfüllen kann, die ihm zugedacht ist, muß der Leiter des Kontors auch wirtschaftlich in der Lage sein, die Beziehungen der Volksgruppe zur dänischen Regierung, die größtenteils erst angebahnt worden sind, auszubauen und zu pflegen. Hierfür sind laufend gewisse Aufwendungen erforderlich, die von dem Gehalt Herrn Stehrs nicht bestritten werden können. Unter anderem ergibt sich für Herrn Stehr die Notwendigkeit,

---

33 Bilaget på fire sider med Stehrs levnedsløb er ikke medtaget.

mit seiner Familie (Frau und ein Kind) aus Hadersleben nach Kopenhagen überzusiedeln und hier eine geeignete Wohnung zu mieten.

Ich bitte daher, Herrn Stehr aus amtlichen Mitteln, gegebenenfalls aus dem Kriegskostensonderfonds monatlich eine Beihilfe in Höhe von Kr. 1.200 zu bewilligen. Dieser Betrag wäre zweckmäßig hier monatlich an Herrn Stehr persönlich auszuhändigen. Ein Lebenslauf des Herrn Stehr ist in der Anlage beigefügt.[34]

W. Best

226. Hermann Bielstein an das Auswärtige Amt 9. August 1943

To frikorpsfolk på orlov terroriserede i maj befolkningen i Holstebro. Se herom Bests telegram nr. 669, 2. juni 1943.

AA forfulgte sagen og spurgte flere gange ved gesandtskabet, om der var faldet dom i den. I februar 1944 var der endnu ikke afsagt dom, og det er tvivlsomt, om der nogensinde blev det (AA til Best 12. januar 1944 og svar fra gesandtskabet 12. februar 1944, Brøndsted/Gedde, 1, 1945, s. 485).

Kilde: PA/AA R 100.987.

Der Bevollmächtigte des Reiches in Dänemark Kopenhagen, den 9. August 1943
II M/B. Nr. 165/43

An das Auswärtige Amt in Berlin

Betrifft: Zwischenfall Lind-Petersen am 20.5.43 in Holstebro
Bezug: Erlaß vom 8. Juli 1943 – Nr. Inl. II 1573g II
Anlagen: 2 Doppel.

Unmittelbar nach dem Zwischenfall ist der SS-Mann Ove Lind, der in Dänemark seinen Erholungsurlaub verbrachte, wieder zu seinem Feldtruppenteil zurückgekehrt. Die Angelegenheit ist an das zuständige Feldkriegsgericht abgegeben. Über den Stand der Angelegenheit ist eine Mitteilung hierher noch nicht ergangen. Wenn das Urteil hier bekannt wird, wird Bericht erstattet werden.

In Vertretung:
Bielstein

227. Karl Schnurre an Werner Best 9. August 1943

Der blev leveret mindre kød til Tyskland end aftalt, i hvert fald ikke i den ønskede takt, og Best blev anmodet om indtrængende at bede den danske regering om inden for den aftalte frist at levere restmængden.

Best svarede med telegram nr. 939, 14. august.

Baggrunden var, at Tyskland ensidigt havde krævet 100.000 tons kød, svine- og oksekød tilsammen for

---

[34] Allerede den 29. juli 1943 havde Stehr i en skrivelse til folkegruppekontoret i Åbenrå gjort opmærksom på, at der i forbindelse med kontorets arbejde kunne blive tale om udgifter, som ikke uden videre kunne opføres på statsministeriets budget.

høståret 1943, og at man fra dansk side havde betragtet det som urealistisk på baggrund af den betydelige forhøjelse af leverancerne, det indebar, også selv om produktionen var stigende (Jensen 1971, s. 212f., 220, Nissen 2005, s. 215).
Telegramforlægget er uden datering og nummer, men det fremgår af Bests telegram nr. 939.
Kilde: BArch, R 901 68.712.

Über G-Schreiber	zu Ha Pol VI 3350/43
[Nr. 1066, 9.] August	Cito!
Kopenhagen	

LR v. Behr i.V.
Dänische Fleischlieferungen nach Deutschland.

Unter Bezugnahme auf kürzliche Rücksprache Ministerialdirektor Walter mit Reichsbevollmächtigten über große Rückstände in dänischen Fleischlieferungen an uns, die befürchten lassen, daß die für die Zeit vom 1. Oktober 1942 bis 30. September 1943 vereinbarte Lieferung von 100.000 to Fleisch nicht im vollen Umfange erreicht werden wird, bittet Reichsministerium für Ernährung und Landwirtschaft folgendes mitzuteilen. Dortiger landwirtschaftlicher Referent hatte Juliausfuhr (einschl. Wehrmachtsverbrauch) auf etwa 10.000 t geschätzt, tatsächlich sind aber höchstens 7.000 to geliefert. Damit betragen Gesamtlieferungen vom 1. Oktober 1942 bis 31. Juli 1943 nur etwa 63.500 to. Demnach wären in Monaten August-September noch 36.500 to oder monatlich durchschnittlich 18.250 to zu liefern. Da Ausfuhr im Juli nur 7.000 to betrug ist nicht zu erwarten, daß in den Monaten August-September eine derartige Steigerung erzielt wird, wenn nicht besondere Maßnahmen von dänischer Regierung ergriffen werden.

Mit Rücksicht auf außerordentlich ernster Lage hinsichtlich Fleischversorgung bitte ich sofort bei dänischer Regierung in dringender Form Vorstellung zu erheben, um fristgemäße Aufbringung der Restmengen unbedingt sicher zustellen.

Drahtbericht.

Schnurre

228. Gottlob Berger an Heinrich Himmler 9. August 1943
Berger sendte RFSS oplysninger om det øjeblikkelige antal germanske frivillige fra de germanske lande, herunder antallet af faldne.
Kilde: RA, Danica 1000, T-175, sp. 59, nr. 574.725.

Der Reichsführer-SS	*Berlin-Wilmersdorf 1, den 9.8.1943*
Chef des SS-Hauptamtes	Geheim
CdSSHA/Be/Ra/ VS-Tgb. Nr. 4816/43 g.	
Adjtr. Tgb. Nr. 2518/43 g.	

Betr.: Germanische Freiwillige

Bezug: ohne

An den Reichsführer-SS und Chef der Deutschen Polizei
   Berlin SW 11
   Prinz-Albrecht-Str. 8

Reichsführer!
Nach Überprüfung der Karteikarten der Ersatzkommandos in den germanischen Ländern melde ich den augenblicklichen Stand der germanischen Freiwilligen:
   bei der Waffen-SS befindliche Freiwillige einschließlich der
   Verwundeten: Gefallene:
   Norweger   1.930   Norweger   303
   Niederländer   9.583   Niederländer   1.046
   Flamen   3.517   Flamen   336
   Dänen   3.575   Dänen   468
                        G. Berger
                        SS-Obergruppenführer

229. OKM an MOK Ost 10. August 1943

OKM tog positivt stilling til MOK Osts forslag om at forberede at gribe ind og bemægtige sig den danske orlogsflåde. Selv om det ikke var akut, kunne det hurtigt blive det. De øvrige værnemagtsdele skulle inddrages. Forstærkning udefra til gennemførelse af opgaven kunne ikke forventes. Streng hemmelighed skulle opretholdes.

Der blev bedt om resultatet af de drøftelser, som de tyske værnschefer skulle foretage. Se MOK Ost til Wurmbach 13. august 1943.

Kilde: RA, Danica 628, sp. 10, nr. 9152.

Geheime Kommandosache!
Oberkommando der Kriegsmarine   *Berlin, den 10. August 1943.*
Zu B. Nr. 1/Skl. I Nord 2308/43 gKdos Chefs.
Chefsache!
                                                                    Nur durch Offizier!

An MOK Ost   Prüf Nr. 1

Betr.: Dänische Marine.
Vorg.: MOK Ost gKdos Chefs 54 vom 8.8.43.[35]

MOK Ost wird beauftragt, im Sinne der im Vorgang niedergelegten Überlegungen baldigst Fühlung mit dem Befh. deutscher Truppen in Dänemark und dem General der Luftwaffe in Dänemark aufzunehmen mit dem Hinweis, daß die Aufgaben zwar im Augenblick noch nicht akut sind aber unter Umständen kurzfristig akut werden können.
   Die Gesamtaktion muß vorbereitend durchdacht und mobmäßig vorbereitet wer-

---

35 Trykt ovenfor.

den. Dabei ist streng darauf zu achten, daß der Mitwisserkreis unbedingt auf die höheren Stäbe und Kommandeure beschränkt werden muß.

Es kann jetzt schon gesagt werden, daß Neuanforderungen von Truppen für den gedachten Zweck kaum Aussicht auf Erfolg haben werden.

Die Seekriegsleitung ist über den Verlauf der Besprechungen und die im einzelnen getroffenen Maßnahmen zu unterrichten.

C/Skl.
i.A. 1/Skl.
i.A. I A I Nord

230. Franz Ebner an das Auswärtige Amt 10. August 1943

Ebner afgav en kvartalsoversigt over den økonomiske udvikling i Danmark, indledende med landbruget, dets høstudsigter sammenlignet med foregående år, produktionen af landbrugsvarer, samt eksporten til Tyskland, der var tilfredsstillende. Situationen inden for industri og håndværk tegnede ligeledes gunstig, bl.a. takket være Rüstungsstab Dänemarks ordrer, mens sabotagen var begrænset og af ringe betydning. Det væsentligste problem var den begrænsede og faldende tilførsel af råstoffer og brændstof. Han afsluttede med at gøre rede for den finansielle situation og arbejdsløsheden.

Da beretningsperioden var maj-juli 1943, beskrev Ebner den økonomiske og erhvervsmæssige situation i Danmark som stående i en art normalitetens og fredens tegn. Alene omtalen af sabotagen og de stærkt stigende værnemagtsudgifter pegede i retning af ustabilitet.

Best fulgte straks op på et af problemerne, de faldende tyske kulleverancer, som var påpeget af både Forstmann og Ebner. Se Bests telegram nr. 932, 11. august 1943 til AA.

Af Ebners tidligere kvartalsvise økonomiske situationsberetninger er en enkelt trykt i PKB, 13, nr. 75 (24. juli 1940), mens indberetningen 7. september 1940 er i BArch, R 901 68.310, 9. december 1940 er sst. nr. 68.311 (af Nissen 2005, s. 239 kaldt den første omfattende rapport), 15. juni 1941er sst. 68.311 (uddrag trykt i EUHK, nr. 33), 31. januar 1942 er i både BArch, R 901 68.311 og BArch, R 901 68.712 (uddrag trykt i EUHK, nr. 49), mens de følgende indberetninger frem til 10. august 1943, herunder indberetningen 15. maj 1943, ikke er lokaliseret. Efter Ebners indberetninger 20. oktober 1943 og 22. marts 1944, trykt nedenfor, er der ikke lokaliseret yderligere indberetninger fra ham, og Nissen 2005, s. 246ff. vælger i stedet bl.a. at ty til enkelte numre af *Politische Informationen* for at følge udviklingen, idet han er af den – rigtige – opfattelse, at der er tale om oplysninger afgivet af Ebner. Alle Ebners kvartalsindberetninger trykkes i Lauridsen 2012.

Kilde: Kilde: RA, Danica 465: Moskva: Osobyj Archiv 1458/21/6.

Der Bevollmächtigte des Reiches in Dänemark *Kopenhagen, den 10. Aug. 1943.*
III/4478/43

Betrifft: Wirtschaftlicher Lagebericht/
Stand 1. Mai bis Ende Juli 1943.
Im Anschluß an den Bericht vom 15. Mai 1943[36] – III/2503/43 –.
19 Durchschläge.[37]

---

36 Indberetningen er ikke lokaliseret.
37 Det forhåndenværende eksemplar af indberetningen er i lighed med Ebners indberetning 20. oktober 1943 stemplet "Ha Pol VI 3434/43", hvilket vil sige, at AA har fordelt nogle af de 19 gennemslag videre til andre ministerier, herunder RWM.

An das Auswärtige Amt,
Berlin.

Landwirtschaft

In der Berichtszeit Anfang Mai bis Ende Juli war der Witterungsverlauf für das Wachstum verhältnismäßig günstig. Nach einer Trockenperiode im Mai setzte Anfang Juni rechtzeitig Regen ein, der für den Ausfall der Ernte von ausschlaggebender Bedeutung war. Eine kurze Trockenperiode Ende Juni/Anfang Juli kam der Heubergung und der Ernte der Grassaaten besonders zugute. Das seit etwa Mitte Juli herrschende trockene Sommerwetter hat die Reife des Getreides begünstigt. Mit der Ernte von Gerste und Roggen ist begonnen. Nach den statistischen Erhebungen über den Saatenstand ist bei Getreide mit einer guten Mittelernte zu rechnen. Die frühe Ernte birgt allerdings eine große Auswuchsgefahr in sich, da zur Zeit der Einbringung der Ernte um Mitte August herum normalerweise eine Regenperiode einsetzt. Sehr gut steht das Brotgetreide, insbesondere der Weizen. Die Hackfrüchte werden im allgemeinen besser als 1942 beurteilt. Ein Teil der Felder, insbesondere Zuckerrübenfelder, hat allerdings stark unter Schädlingsbefall gelitten. Eine Bekämpfung der Schädlinge war in vollem Umfang wegen des Fehlens von Schädlingsbekämpfungsmitteln (Arsen- und kupferhaltige Mittel) nicht möglich.

Die Heuernte ist beendet. Sie ist nach drei sehr schlechten Ernten zum ersten Mal wieder als normal zu bezeichnen. Die Qualität des Heus hat allerdings teilweise gelitten, da wegen des Regenwetters der Schnitt nicht rechtzeitig einsetzen konnte. Das Ergebnis der Heuernte ist für die Milcherzeugung im kommenden Winterhalbjahr von besonderer Bedeutung, da das Heu die Haupteiweißbasis für das Rindvieh darstellt.

Der Stand der Futter- und Grassamenernte wird sowohl auf den Inseln als auch auf Jütland als mittel bezeichnet, für Rübensamen teilweise über mittel.

Die Obsternte, vor allem Apfelernte, wird wesentlich besser als 1942 beurteilt, sodaß mit einer größeren Obstausfuhr als im vergangenen Jahr gerechnet werden kann.

Bei der jetzt beginnenden Ernte macht sich an vielen Stellen der Mangel an Handelsdünger bemerkbar. Vor allem haben die Gerstenfelder verschiedentlich dünne Stellen, die auf Mangel an Nährstoffen, insbesondere Phosphorsäure und Stickstoff, zurückzuführen sind. Je Hektar landwirtschaftlicher Nutzfläche kann bei Stickstoff nur die Hälfte der Menge gegeben werden, die deutschen Betrieben je Hektar zur Verfügung steht. Phosphorsäure kann so gut wie garnicht gegeben werden. Eine größere Handelsdüngerzuteilung, etwa in gleicher Höhe wie im Reich, würde eine verstärkte Lebensmittelausfuhr nach Deutschland ermöglichen.

Die Milch- und Butterproduktion hatte Mitte Juni ihren höchsten Stand erreicht und nimmt jetzt saisongemäß langsam ab. Die Milchproduktion lag Mitte Juni etwa 15 % höher als 1942. Sie hält sich in diesem Jahr besser als 1942, da die Weiden einen wesentlich besseren Graswuchs zeigen.

Eine Ausfuhr von Frischeiern hat in der Berichtszeit nicht stattgefunden, da ein großer Teil konserviert und der Verbrauch auf dem Inlandsmarkt infolge der geringeren Fleischversorgung stark gestiegen ist.

Während die Schweinefleischerzeugung die vorgenommene Vorausberechnung nicht unwesentlich übertroffen hat, ist die Rindfleischproduktion hinter den Erwartungen zurückgeblieben. Infolge der guten Weideverhältnisse werden Rinder zur Zeit nur im geringem Umfang abgestoßen. Mit einem größeren Auftrieb kann erst ab Mitte September gerechnet werden. Nur bei anhaltend trockener Witterung wird ein früherer Weideabtrieb einsetzen.

Die Ausfuhr von Pferden aus Dänemark nach Deutschland konnte gegenüber dem Vorjahre wesentlich gesteigert werden. So sind in den ersten drei Quartalen des vorigen Wirtschaftsjahres 14.300 und in den ersten drei Quartalen des laufenden Wirtschaftsjahres 18.000 Pferde nach Deutschland ausgeführt worden.

Die Schweinezählung vom 17. Juli 1943 hat eine weitere Bestandszunahme auf 2.011.000 Stück (27. März 1943 = 1.874.000 Stück) ergeben. Bemerkenswert ist der Zuwachs an Zuchtsauen von 204.000 auf 240.000 Stück. Diese Zunahme fällt fast ausschließlich auf erstmalig tragende Sauen. Mit dem derzeitigen Bestand von 2.011.000 Stück Schweinen ist der Bestand gegenüber dem Vorjahre (11. Juli 1942) um 805.000 Stück oder 67 % gestiegen. Mit dieser Bestandsausweitung dürfte jedoch das Höchstmaß dessen erreicht sein, was mit den vorhandenen oder zu erwartenden Futtermitteln ausgemästet werden kann.

Der Fischfang war in der Berichtszeit trotz mancher kriegsmäßig bedingter Schwierigkeiten zufriedenstellend. Im Durchschnitt konnten neben der Versorgung des Inlandsmarktes 2 – 3.000 t wöchentlich ausgeführt werden.

Im Monat Juli haben wie alljährlich die großen Tierschauen verbunden mit landwirtschaftlichen Maschinenausstellungen auf Seeland, Fünen und Jütland stattgefunden. Die Tierschauen zeigten, wie im vergangenen Jahr, daß das Zuchtmaterial sich hervorragend gehalten hat und daß weitere züchterische Fortschritte erzielt wurden. Es verdient erwähnt zu werden, daß ein steigendes Interesse für die Jersey-Milchviehhaltung besteht. Dies wird erstens mit dem geringen Erhaltungsfutter und zweitens mit dem hohen Fettgehalt der Milch der Jerseykühe begründet. Beides ist bei den beschränkten Eiweißfuttermitteln von Bedeutung; insbesondere wird von den Anhängern dieser Zuchtrichtung darauf hingewiesen, daß bei dem stark eingeschränkten Eiweißhaushalt das Hauptmotto sein muß, "viel Fett bei wenig Milchmenge" zu erzielen.

Die Lieferungen von dänischen landwirtschaftlichen Erzeugnissen nach Deutschland haben durchaus befriedigt. Es kann festgestellt werden, daß die Produktionslust in der dänischen Landwirtschaft in keiner Weise nachgelassen hat und insbesondere durch die innenpolitischen Entwicklungen nicht berührt worden ist. Der Hauptgrund dafür ist in der Zubilligung auskömmlicher Preise zu sehen.

Gewerbliche Wirtschaft
Die gewerbliche Wirtschaft hat sich in der Berichtszeit weiter zufriedenstellend halten können, wie sich aus dem Produktionsindex ergibt, der für die Monate April, Mai, Juni die Zahlen 96, 97 und 95 (1935 = 100) aufwies. Hierzu haben wie bisher auch die Aufträge des Rüstungsstabes Dänemark erheblich beigetragen. Die vorgekommenen Sabotagefälle haben nur verhältnismäßig geringfügige und schnell behobene Schädigungen hervorgerufen, die das günstige Gesamtbild nicht wesentlich verändert haben. Kleinere Streiks waren nur von lokaler Ausdehnung und konnten stets schnell beigelegt werden.

Von wesentlicher Bedeutung für das Arbeiten der dänischen Industrie ist und bleibt die Rohstoffversorgung, insbesondere aus Deutschland. Dabei besteht in Dänemark Verständnis dafür, daß in Deutschland die kriegswirtschaftlichen Bedürfnisse unbedingt den Vorrang haben, und daß die deutschen Exportlieferungen eine außergewöhnliche Leistung darstellen.

Im einzelnen ist zu den wichtigsten deutschen Lieferungen auf dem Gebiet der gewerblichen Wirtschaft folgendes zu sagen:

Die Einfuhr Dänemarks an *Kohle und Koks* hat sich wie folgt gestaltet:

	Kohle	Koks	zusammen	Braunkohlebriketts
Mai 1943:	118.600 t	52.200 t	170.800 t	63.929 t
Juni 1943:	89.300 t	30.200 t	119.500 t	46.829 t

Für den Monat Juli werden die in Aussicht gestellten 180.000 t Kohle und Koks sowie der größte Teil der zugesagten 53.000 t Braunkohlenbriketts erreicht werden.

Für den Monat August ist die Lieferung von etwas über 200.000 t Kohle und Koks zugesagt worden. Im Vergleich zu den Lieferungen in den vorangegangenen Jahren ist jedoch eine stetige Verschlechterung in der Kohlenversorgung festzustellen. Dies zeigen folgende:

Kohlenwirtschaftsjahr (1.6. bis 31.5.)	Gesamteinfuhr (Kohle und Koks)	Monatsdurchschnitt
1940/41	3.526.000 t	ca. 300.000 t
1941/42	3.187.000 t	264.000 t
1942/43	2.889.000 t	231.000 t

Gegenüber den Lieferungen im abgelaufenen Kohlenwirtschaftsjahr bedeuten die Zufuhren in den Monaten Juni und Juli 1943 somit eine weitere wesentliche Verschlechterung.

Auf Grund der schlechten Lieferungen reicht die Kohlenversorgung nur knapp zur Versorgung der Eisenbahn, der Gaswerke und z. T. der Elektrizitätswerke aus. Für die Industrie, auch soweit sie unmittelbar oder mittelbar für Deutschland arbeitet, stehen nur ganz unzureichende Mengen zur Verfügung. Der Rüstungsstab Dänemark hat aber das größte Interesse daran, daß Kohle, Strom und Gas für die in seinem Auftrag arbeitenden Betriebe ausreichend zur Verfügung gestellt werden, was auf Grund der jetzigen Versorgungslage nicht möglich ist.

Zur Sicherstellung des vordringlichen Bedarfs sind erhöhte Kohlenlieferungen unbedingt erforderlich. Als notwendige Mindestlieferung muß eine Zuteilung von 1,5 Mill. t Kohle und Koks im 2. Halbjahr 1943 geltend gemacht werden, falls nicht wichtige deutsche Interessen Schaden nehme sollen.

Von sich aus hat die dänische Wirtschaft alles getan, um durch den Einsatz von heimischen Brennstoffen eine möglichst große Einsparung von deutschen Brennstoffen zu erzielen. Die vorhandenen Reservebestände müssen für den Winter, während dessen ein Zufrieren der Ostsee die Verschiffung größerer Mengen erfahrungsgemäß monatelang unmöglich machen kann, aufgespart werden.

Die deutschen Lieferungen von Steinkohlenschwelkoks für die Verwendung von Generatorbetrieb sind fortgeführt worden. Dementsprechend ist auch die Zahl der Schwelkoksgeneratoren, mit deren Einsatz im wesentlichen zu Anfang des Jahres begonnen worden ist, stetig gestiegen.

Die deutschen *Eisenlieferungen* (Walzwerkserzeugnisse) haben sich nach befriedigender Entwicklung in den ersten Monaten wieder verschlechtert. Mit dem Monat Juni ist ein Tiefstand durch Rückgang in den Lieferungen bis auf 2.000 t eingetreten. Auch wenn man diesen Rückgang der Lieferungen, die kontingentsmäßig bis einschließlich September d. Js. auf monatlich 6.000 t festgesetzt sind, nur als vorübergehend auffaßt, ist eine solche Zuspitzung in der Gesamtlage eingetreten, daß Dänemark mit den gegenwärtigen Lieferungen nicht mehr auszukommen vermag. Schon jetzt lassen sich Ausfälle in der Ausfuhr landwirtschaftlicher Erzeugnisse auf den Mangel an Eisen zurückführen.

Ebenso wie bei den Walzwerkserzeugnissen ist die Lage auf dem Gebiet der Werkstoffverfeinerung, des Maschinenbaues und der Gießerei-Erzeugnisse äußerst angespannt. Es kann erwartet werden, daß eine gewisse Erleichterung, für die sich das Reichswirtschaftsministerium seit langem eingesetzt hat, eintreten wird.

Bei den *Mineralöllieferungen* hat sich im Laufe der letzten Monate eine gewisse Stetigkeit in den monatlichen Zuteilungen entwickelt. Die Dieselöllieferungen, die für die Fischerei sogar etwas erhöht werden konnten, sind zufriedenstellend. Die große Bedeutung der dänischen Fischlieferungen für Deutschland darf als bekannt vorausgesetzt werden. Schwierigkeiten bestehen bei der Benzinversorgung und der Versorgung der dänischen Luftfahrt mit Flugbenzin. Bei Flugbenzin besteht eine aus der Anfangszeit der Besetzung Dänemarks herrührende Rückgabeverpflichtung, die zwar anerkannt, aber bisher nur teilweise erfüllt worden ist. Insgesamt ist der Mineralölverbrauch durch Einsparungen und den Einsatz von Generatoren nunmehr auf 6 % des Vorkriegsverbrauchs gesenkt worden.

Nachdem die deutschen monatlichen *Kautschukkontigente* ab Juli von 65 t auf etwa 39 t gekürzt werden mußten, besteht bei der dänischen Regierung große Besorgnis, ob sich die notwendige Produktion für die Versorgung des Landes (insbesondere mit Reifen, Kabel, Versorgung der Landwirtschaft) aufrecht erhalten läßt. Es wird erwartet, daß hier wie bei der Lieferung von Lastkraftwagenreifen die notwendig gewordene Kürzung nur vorübergehend ist.

Währung und Finanzen

Die zur Abschöpfung der flüssigen Mittel im vorigen Jahre getroffenen Maßnahmen, durch welche bis Ende Juni rd. 1,8 Milliarden gebunden worden sind, genügen nicht mehr zur Erreichung des beabsichtigten Zwecks. Die Besatzungskosten sind stark angestiegen. Der Clearingsaldo und die Wehrmachtkosten zusammen stellen eine Gesamtbelastung der Nationalbank mit rd. 3,3 Milliarden Kr. dar. Die Abschöpfungsmaßnahmen sind durch ein neues Steuergesetz erheblich erweitert worden, durch welches eine Kriegskonjunktursteuer, eine Mehreinkommensteuer, die Erhöhung bestimmter Verbrauchsabgaben, Umsatzsteuer auf den Ausschank von Spirituosen und auf Motorfahrzeuge verfügt worden sind. Weiterhin wurde die Ausgabe von weiteren 400 Millionen neuer Staatsobligationen und eine Erhöhung der bei der Nationalbank gebundenen flüssigen Mittel der Privatbanken und eine Ausdehnung dieser Bestimmung auf die Sparkassen angeordnet. Diese Maßnahmen werden etwa weitere 1,5 bis 2 Milliarden flüssiger Mittel abschöpfen bezw. binden. Der Staat darf über die auf Grund dieser Steuern eingehenden Mittel nicht verfügen; sie werden auf besonderen Konten bei der Nationalbank gebunden.

Der Notenumlauf der Nationalbank hat sich im Berichtszeitraum nicht sehr merklich erhöht; er betrug Ende Juli 1.075.000.000.

Sonstiges

Die Arbeitslosigkeit hat in der Berichtszeit eine weitere erhebliche Abnahme gefunden. Während die Zahl der Arbeitslosen Ende März 1943 noch 39.465 betrug, waren Ende Juni 1943 nur noch 16.478 Arbeitslose registriert. (Juni 1942 = 20.049). Diese Kräfte haben außer in den saisonbedingten Außenarbeiten hauptsächlich in der heimischen Brennstofförderung – Torf und Braunkohle – Aufnahme gefunden. Mit den einsetzenden Erntearbeiten wird auch die Landwirtschaft weitere Arbeitskräfte aus dem Arbeitsmarkt herausziehen, sodaß mit einem noch weiteren Sinken der Arbeitslosenzahl für die nächste Zeit zu rechnen ist. In einigen Zweigen der Wirtschaft kann bereits ein gewisser Mangel an Arbeitskräften beobachtet werden.

Die Preisbildung unterliegt nach wie vor einer wirksamen staatlichen Kontrolle. Für die Artikel des täglichen Bedarfs, besonders auch für Lebensmittel – Gemüse, Obst usw. – sind bezw. werden laufend Höchstpreise festgesetzt. Die Festsetzung von Höchstpreisen für besonders gefragte Obst- und Gemüsesorten hat dabei zu einer gewissen Verknappung des Angebotes geführt. Ende Juni wurde die Kleinhandelspreiszahl unverändert mit 167 (1935 = 100) und der Großhandelsindex gleichfalls unverändert mit 214 (1935 = 100) angegeben.

In Vertretung
Ebner

231. Werner Best an das Auswärtige Amt 11. August 1943

Best bad indtrængende om, at de lovede kulforsyninger blev leveret til Danmark. Der var taget hul på reservelagrene for at sikre værnemagtens togtransporter.

Initiativet til Bests henvendelse til AA udgik fra gesandtskabet selv (se Ebner til AA 10. august), men var koordineret med Forstmann, der havde sendt Best og WB Dänemark kopi af sit brev til Rüstungsamt den 12. august (se dette) og vedføjet et udkast til telegram til AA, som Best derpå videresendte.

Svaret er ikke kendt, men Danmark blev i et vist omfang forsynet med den nødvendige kul (Jensen 1971, s. 166f., 228). De følgende måneders tyske leverancer af kul kan følges gennem Forstmanns månedsindberetninger.

Kilde: PA/AA R 29.567. BArch, Freiburg, RW 27/9, Rü Stab Dän 3. Vierteljahr 1943, Anlage 4 m. Anlage (udkast).

Telegramm

| Kopenhagen, den | 11. August 1943 | 16.35 Uhr |
| Ankunft, den | 11. August 1943 | 17.30 Uhr |

Nr. 932 vom 11.8.[43.]   Geheim

Die dänische Regierung hat in einer Besprechung vom 10. ds.Mts. dargelegt, daß die Versorgung der dänischen Staatsbahnen mit Kohle ernstlich gefährdet sei. Nach den Darlegungen der dänischen Sachverständigen beträgt das Lager der Staatsbahnen gegenwärtig unter 20.000 t, welche Menge über das gesamte Land einschließlich Inseln verteilt ist. Die größeren Städte in Jütland sind fast ganz ohne Reserveläger für Staatsbahnzwecke. Diese schwierige Situation ist wesentlich darauf zurückzuführen, daß im Monat Juli den Staats- und Privatbahnen insgesamt nur 32.000 t zugeführt werden konnten, gegenüber einem Bedarf von rund 50.000 t. Eine Menge von etwa 10.000 t, die von Deutschland aus zur Lieferung an die Staatsbahnen vorgesehen war, mußte von den Staatsbahnen weggenommen und den Gaswerken zugeführt werden, da mehrere Gaswerke ohne diese Abzweigung zum Erliegen gekommen wären. Berücksichtigt man, daß die Kohlenlieferungen im Monat Juni insgesamt rund 90.000 t betragen haben, so ist es ohne weiteres klar, daß sich hieraus so erhebliche Schwierigkeiten, wie die oben geschilderten ergeben müssen. Hinzu kommt aber noch, das die Wehrmachtstransporte, die für den Monat August den dänischen Staatsbahnen auferlegt sind, einen zusätzlich erhöhten Kohlenbedarf bedeuten. Wegen militärisch notwendiger Truppenverschiebungen sind, wie mir auch die hiesige Transportkommandantur bestätigt, in diesem Monat Transporte zu leisten, die sich auf insgesamt etwa 100 Züge belaufen. Auch aus der Tatsache, daß Wehrmachtstransporte über Schweden nicht mehr im bisherigen Umfange stattfinden, wird sich eine neue zusätzliche Beanspruchung der dänischen Staatsbahnen ergeben.

Anläßlich der in voriger Woche stattgefundenen Regierungsausschußverhandlungen ist der unbedingt notwendige Bedarf Dänemarks an Kohle und Koks für das zweite Halbjahr 1943 auf rund 1,5 Millionen t berechnet worden. Diese Menge muß unbedingt erreicht werden, wenn die verschiedenen öffentlichen Versorgungsbetriebe (Gas- und Elektrizitätswerke, Staatsbahnen) und die unbedingt notwendigen Industriebetriebe einschließlich Rüstungsbetriebe, die auf Kohle oder Koks angewiesen sind, in Gang gehalten werden sollen. In dieser Ziffer ist als Bedarf für die Staatsbahnen eine Menge von etwa 300.000 t als Mindestmenge enthalten, wobei von dänischer Seite die Voraussetzung gemacht wurde, daß bei entsprechender Erhöhung der Beanspruchung der dänischen Staatsbahnen gegenüber den vergangenen Monaten sich ein Mehrbedarf ergeben würde. Es kann nunmehr gesagt werden, daß mit dieser vorgesehenen Kohlenmenge die Transporte nicht abgewickelt werden können. Eine weitere Einschränkung des zivilen Eisenbahnverkehrs wird aber nicht für möglich gehalten.

Ich bitte dringend, diese Lage bei dem für Dänemark festzusetzenden Kohlenkontingent zu berücksichtigen. Um eine Unterbrechung der Wehrmachtstransporte zu vermeiden hat sich meine Abteilung Wirtschaft mit einer Wegnahme von den zunächst bis zu 20.000 t Kohle von Reservelägern zugunsten der Staatsbahnen einverstanden erklärt, obgleich grundsätzlich die Reserveläger für den Winter unangegriffen bleiben sollen.

Dr. Best

232. Horst Wagner an Werner Best u.a. 12. August 1943
AA ønskede hjemsendelsen af udenlandske jøder i det tyske magtområde afsluttet og rettede henvendelse til tyske ambassader og myndigheder over hele Europa, herunder den rigsbefuldmægtigede i Danmark, for at gøre opmærksom på, at der var fastsat en sluttermin.
  Brevkonceptet er firedelt med fire forskellige grupper af adressater markeret med 1.) til 3.) og med slutbrev til Eichmann, det sidste underskrevet af von Thadden og ikke Wagner. Med håndskrift er påført, hvornår brevet blev afsendt til de enkelte adressater. Det skete i dagene frem til 18. august. Brevet til Best blev afsendt 17. august.
  Kilde: RA, pk. 219 (koncept med håndskrevne, delvist ulæselige rettelser/ændringer, som der ikke er taget hensyn til). Lauridsen 2008a, nr. 109.

Inl. II 1947g   Berlin, den 12. August 1943
                                                                             Geheim

1.) An
   1.) die Deutsche Botschaft, Paris
   2.) Bevollm. d. Reichs in Griechenld.
   3.) VAA Brüssel.   4.) VAA Den Haag
   5.) VAA Belgrad.   6.) VAA Prag
   7.) Krakau.   8.) VAA b. Reichsk.
                                     f.d. Ostland, in Riga

Ref. LR v. Thadden

Den hiesigen diplomatischen Vertretungen von Italien, der Schweiz, Spanien, Portugal, Dänemark, Schweden, Finnland, Ungarn, Rumänien, und der Türkei ist mitgeteilt worden, für die Heimschaffung von Juden ihrer Staatsangehörigkeit aus dem gesamten deutschen Machtbereich sei ihnen wiederholt eine Fristverlängerung gewährt worden. Nunmehr sei nach diesseitiger Auffassung ausreichend Zeit verstrichen, sodaß ein Abschluß der Heimschaffungsaktion angezeigt sei. Es werde daher gebeten:
1.) die Heimschaffung ausländischer Juden 4 Wochen nach Erhalt dieser Mitteilung abzuschließen,
2.) dem Auswärtigen Amt alle Fälle, in denen eine Heimschaffung beabsichtigt, aber aus schwerwiegenden Gründen, z.B. mangelnder Transportfähigkeit wegen schwerer Erkrankung, nicht durchführbar ist, unter genauer Mitteilung der Personalien und der Gründe vor Ablauf dieser Frist mitzuteilen,
3.) Nach Ablauf dieser Frist noch im deutschen Machtbereich befindliche ausländische Juden würden mit Ausnahme der zu 2. Genannten hinsichtlich der allgemeinen Judenmaßnahmen wie deutsche Juden behandelt werden.
Der Schlußtermin konnte aus besonderen Gründen nicht für alle Staaten gleichmäßig gesetzt werden und läuft für die Schweiz, Spanien, Dänemark, Schweden, Finnland, Ungarn und Rumänien am 26. August ab, während er für Italien und die Türkei bis zum 10. September geht und für Portugal erst in diesen Tagen festgesetzt werden wird. Insoweit bleibt weiter Erlaß vorbehalten. Es darf gebeten werden, dafür Sorge zu tragen, daß die zuständigen deutschen Polizeibehörden nicht sofort nach Fristablauf, sondern erst nach einer gewissen Karenzzeit die Einbeziehung der noch Zurückgebliebenen und dem Auswärtigen Amt nicht unter Angabe der Gründe gemeldeten ausländischen Juden

in die allgemeinen Judenmaßnahmen durchführen.
Im Auftrag
gez. **Wagner**

2.) Unter eine Abschrift zu 1.) ist zu setzen:
Abschriftlich
der Deutschen Botschaft in Rom, Ankara, Madrid
der Deutschen Gesandtschaft in Bern, Lissabon, Stockholm,
Helsinki, Budapest, Bukarest
dem Bevollm. d. Reichs in Dänemark

3.) An dem Reichskom. f.d. besetzten norwegischen Geb., Oslo
Hd. Dr. Schiedermair

Im Zuge der Heimschaffungsaktion für Juden ausländischer Staatsangehörigkeit ist nunmehr den hiesigen diplomatischen Vertretern der nachstehend aufgeführten Staaten mitgeteilt worden, daß die Heimschaffung von Juden der betreffenden Staatsangehörigkeit innerhalb der nächsten 4 Wochen abzuschließen ist. Sollte aus schwerwiegenden Gründen, z.B. mangelnder Transportfähigkeit
wegen schwerer Erkrankung die Heimschaffung nicht fristgemäß durchführbar sein, sind diese Fälle dem Ausw. Amt unter Mitteilung der Personalien und Gründe vor Fristablauf mitzuteilen. Weiterhin ist den betreffenden Missionen eröffnet worden, daß nach Fristablauf die noch im deutschen Machtbereich befindlichen Juden ausländischer Staatsangehörigkeit mit vorgenannten Ausnahmen hinsichtlich der allgemeinen Judenmaßnahmen wie deutsche Juden behandelt werden würden.
Die Frist läuft für die Schweiz, Spanien, Dänemark, Schweden, Finnland, Ungarn und Rumänien am 26. August, für Italien und die Türkei am 10. September ab, während für Portugal der Schlußtermin erst in diesen Tagen festgesetzt werden wird.
Es darf gebeten werden, darauf hinzuwirken, daß die Ausdehnung der allgemeinen Judenmaßnahmen auf die nach Ablauf der Schlußfrist dort noch zurückgebliebenen ausländischen Juden erst nach einer gewissen Karenzzeit zur Vermeidung von Schwierigkeiten außenpolitischer Art vorgenommen wird.
Im Auftrag
gez. **Wagner**

An den Chef der Sipo und des SD
Stmbnf. Eichmann

Den hiesigen diplomatischen Vertretungen von Italien, der Schweiz, Spanien, Portugal, Dänemark, Schweden, Finnland, Ungarn, Rumänien und der Türkei ist mitgeteilt worden, für die Heimschaffung von Juden ihrer Staatsangehörigkeit sei ihnen wiederholt eine Fristverlängerung gewährt worden. Nunmehr sei nach diesseitiger Auffassung ausreichend Zeit verstrichen, sodaß ein Abschluß der Heimschaffungsaktion angezeigt sei. Es werde daher gebeten:

1.) die Heimschaffung ausländischer Juden 4 Wochen nach Erhalt dieser Mitteilung abzuschließen,
2.) dem Auswärtigen Amt alle Fälle, in denen eine Heimschaffung beabsichtigt, aber aus schwerwiegenden Gründen, z.B. mangelnder Transportfähigkeit wegen schwerer Erkrankung, nicht durchführbar ist, unter Angabe der Personalien und der Gründe vor Ablauf dieser Frist mitzuteilen,
3.) Nach Ablauf dieser Frist noch im deutschen Machtbereich befindliche ausländische Juden mit Ausnahme der zu 2. Genannten würden hinsichtlich der allgemeinen Judenmaßnahmen wie deutsche Juden behandelt werden.

Der Schlußtermin konnte aus besonderen Gründen nicht für alle Staaten gleichmäßig gesetzt werden und läuft für die Schweiz, Spanien, Dänemark, Schweden, Finnland, Ungarn und Rumänien am 26.8. ab, während er für Italien und die Türkei bis zum 10. September geht und für Portugal erst in diesen Tagen festgesetzt werden wird.

Es darf gebeten werden, nach Ablauf der Frist bis zur tatsächlichen Erstreckung der allgemeinen Judenmaßnahmen auf Juden der genannten Staaten, die sich noch im deutschen Machtbericht befinden, eine angemessene Karenzzeit verstreichen zu lassen, damit hier fristgemäß eingegangene Meldungen von heimkehrberechtigten nicht transportablen Juden usw. noch rechtzeitig den zuständigen lokalen Stellen von dort aus übermittelt werden können.

Im Auftrag
gez. Thadden[38]

233. Walter Forstmann an Kurt Waeger 12. August 1943

Forstmann sendte et bekymret brev til Rüstungsamt. Mens forsyningerne af kul til Danmark faldt, steg antallet af rustningskontrakter til danske virksomheder. Det bragte energiforsyningen til de danske virksomheder, der arbejdede med tysk rustningsproduktion, i fare. Tilmed havde en del af de virksomheder, der påtog sig tyske ordrer, som følge deraf et stærkt stigende energiforbrug. Forstmann gav udvalgte eksempler. Der kunne kun ske en udvidelse af disse virksomheders energiforbrug på bekostning af andre virksomheders. Dette kunne alene ske i meget nødvendige tilfælde og i samarbejde med den rigsbefuldmægtigedes embedsmænd. Det var ønskeligt, at der kom tilstrækkeligt med kul til hele det danske erhvervsliv. For det næste halvår måtte der indføres mindst 1,5 mio. tons kul, hvis ikke det skulle føre til lukning af virksomheder. Den rigsbefuldmægtigede havde sendt et telegram af lignende indhold til AA, som Forstmann vedføjede i kopi.

De følgende måneders tyske leverancer af kul kan følges gennem Forstmanns månedsindberetninger.
Kilde: PA/AA R 29.567. BArch, Freiburg, RW 27/9, Rü Stab Dän 3. Vierteljahr 1943, Anlage 4.

Abschrift!	Anlage 4
Der Chef des Rüstungsstabes	K. 12. August 1943
TB 66b 644/43 Feldpost!	App. 509
Dort. Schrb. (Juli) Rü A Az. 66b 30 Nr. .../Rü/III/3	

---

38 Med håndskrift er Wagners navn erstattet af Thaddens, idet der i parentes er skrevet: "Unterschrift auf Reinschriften zu 1-3 beglaubigen."

Kohlenversorgung der Rüstungsindustrie in Dänemark.

An den Reichminister für Bewaffnung u. Munition
– Rüstungsamt –
Berlin-Charlottenburg 2
Verlängerte Jebenstraße.

Der Rüstungsstab Dänemark hat auf dem Gebiete der Energieversorgung darauf zu achten, daß die nach Dänemark verlagerten Aufträge keine Verzögerung durch Energiemangel der Betriebe erleiden.

Es ist nicht möglich, spezifizierte Angaben über die Beeinträchtigung der deutschen Aufträge durch mangelhafte Kohlenbelieferung Dänemarks zu geben, weil bei der Verflechtung der Wirtschaft eine Aufstellung des Kohlen – und Energieverbrauchs für dänischen Bedarf und deutsche Aufträge praktisch undurchführbar ist.

Die Kohlenversorgung der dänischen Wirtschaft ist von Jahr zu Jahr seit der Besetzung des Landes schwieriger geworden. Der Normalverbrauch 1939 betrug etwa 6 Millionen to. Kohlen und Koks. Die jährlichen Zufuhren haben sich laufend verringert, während der deutsche Auftragsbestand sich wesentlich erhöht hat, wie aus folgender Aufstellung hervorgeht:

Auftragsbestand: (Unmittelbare u. mittelbare Wehrmachtaufträge) in RM		Kohlenlieferungen nach Dänemark in 1.000 to.	
Am 31.5.41:	67.441.000	1.6.40-31.5.41:	3.582
– 31.5.42:	125.479.000	1.6.41-31.5.42:	3.167
– 31.5.43:	221.896.000	1.6.42-31.5.43:	2.777

Da die monatlichen Zufuhren in der Höhe sehr unterschiedlich sind, ist es den dänischen Behörden nicht einmal möglich, in der Kohlenverteilung auf mehrere Monate zu disponieren. Die dänischen Behörden haben als Grundlage für die Bemessung der Strom – und Gaszuteilung an die einzelnen Betriebe den Verbrauch des Jahres 1941 gewählt. Seit 1942 sind aber viele Betriebe durch die Übernahme deutscher Aufträge ganz anders beschäftigt als in dem für die dänische Industrie schlechten Wirtschaftsjahr 1941. Da die Rationierung bereits Ende 1942 erfolgen mußte, war eine andere Bemessungsgrundlage nicht zu finden.

Als Beispiel für die Steigerung des Elektrizitätsbedarfs durch die Übernahme deutscher Aufträge werden folgende Firmen genannt.

Firma (Fertigung)	Verbrauch pro Quartal in kWh		
	1941	1943	1944
Maskinfbk. Ambi, Kphg. (Zünderschrauben)	10.500	16.200	19.500
Helweg Mikkelsen & Co. (Messinstrumente)	4.492	11.000	11.000

Skandinavisk Gasapparate A/S, Kphg. (Packgefässe)	2.200	6.000	7.500
Voigt & Rasmussen A/S Sonderburg (Arbeiten f. HKP)	3.000	4.600	liegt noch nicht fest
Globus-Cykler, Kphg. (Flächen u. Seitenruder)	7.660	35.000	[liegt noch nicht fest]
Philipps A/S, Kphg. (Röhren)	50.000	87.777	[liegt noch nicht fest]
Nordvärk, Kphg. (Motorenrep. b. General Motors)	–	gesch. 300.000	gesch. 600.000
Brandt & Ravntoft, Kphg. (Baracken)	Mehrbedarf für 6 Monaten d.J.:		120.000 kWh
Nicolaysen & Nielsen, (Baracken)	Mehrbedarf für 6 Monaten d.J.:		80.000 kWh

Eine grundsätzliche Behebung der Notlage in der Energieversorgung ist nicht dadurch möglich, daß einzelnen Betrieben von Fall zu Fall auf deutsches Ersuchen hin, erhöhte Zuteilungen gewährt werden, weil diese Mengen nur durch Einsparung an anderen Stellen unter Beeinträchtigung des Gesamtwirtschaftslebens Dänemarks freigemacht werden können. Dieser Weg kann deshalb nur in dringenden Fällen in Zusammenarbeit mit der Behörde des Reichsbevollmächtigten zur Behebung von Härten eingeschlagen werden.

Es ist vielmehr erforderlich, daß die dänische Wirtschaft insgesamt mit einer ausreichenden Kohle - und Koksmenge versorgt wird.

Nach Prüfung der Gesamtversorgungslage Dänemarks muß anerkannt werden, daß für das zweite Halbjahr 1943 mindestens 1,5 Millionen to. Kohle und Koks eingeführt werden müssen, wenn die dänische Wirtschaft und die dänischen Versorgungsbetriebe nicht zu Betriebsstillegungen schreiten sollen.

Die Zufuhr im Juli 1943 betrug 189.620 to. und ist für Monat August 43 auf etwa 205.000 to Kohle und Koks festgesetzt. Es müssen somit für die *letzten 4 Monate des Jahres monatlich mindestens 276.350 to. Kohle und Koks* zur Ablieferung gebracht werden.

Diese Zahlen müssen auch deshalb erreicht werden, weil erfahrungsgemäß in den 3 strengen Wintermonaten die Zufuhr größerer Kohlenmengen durch die eintretende Eisblockade unterbrochen werden kann. Bei der Insellage der verschiedenen Länderteile können diese dann nur aus den vorhandenen Beständen versorgt werden.

Besonders kritisch ist gegenwärtig die Versorgungslage der dänischen Staatsbahnen mit Kohle. Dieser Sachverhalt wurde dem Auswärtigen Amt vom Bevollmächtigten des Reiches in Dänemark durch das in Abschrift beigefügte Telegramm vom 11.d.Mts. bereits zur Kenntnis gebracht.[39]

Der Chef des Rüstungsstabes Dänemark
gez. **Forstmann**
Kapitän zur See

39 Trykt ovenfor.

Verteiler:
An den Bevollmächtigten des Reiches in Dänemark (ohne Anlage),
— — Befehlshaber der deutschen Truppen in Dänemark (ohne Anlage)

Entwurf.
1 Anlage

234. Eberhard Reichel an Gottlob Berger 13. August 1943

AA svarede på Bergers brev af 26. juli, at ministeriet ikke kunne forstå hans afvisende holdning til at få ændret Bormanns forordning af 12. august 1942, når der var opnået forståelse mellem AA og RFSS vedrørende forhandlinger med de germansk-völkische grupper i Danmark. Det drejede sig udelukkende om at opnå formel overensstemmelse mellem forordningen og de faktiske forhold. I øvrigt lagde AA ikke afgørende vægt på det formelle, når Berger opretholdt sine betænkeligheder ved at forelægge sagen for Hitler igen.

Det var et fuldstændigt tilbagetog fra AAs side forsøgt indpakket på en måde, så ministeriet ikke helt tabte ansigt.

Dog opgav Wagner endnu ikke helt. Han ville 21. august sende Reichel i byen i sagen endnu engang, se nedenfor.

Kilde: PA/AA R 100.692.

Geheime Reichssache

Inl. II 350gRs   Berlin, den 13. August 1943.

Auf das Schreiben 2a II vom 26. Juli 1943[40]

An den Chef des SS-Hauptamts
   Berlin-Wilmersdorf 1
   Hohenzollerndamm 31

Nachdem der Reichsführer-SS bereits Anfang Juli sein Einverständnis dazu erklärt hat, daß der Führererlaß betreffend Verhandlungen mit den völkisch-germanischen Gruppen auf Dänemark in der vom Auswärtigen Amt entworfenen Weise angewendet wird, ist die dortige grundsätzlich ablehnende Stellungnahme zum Entwurf eines Schreibens an die Parteikanzlei nicht recht verständlich. Es handelt sich lediglich um die Herbeiführung einer formalen Übereinstimmung des Erlasses mit den tatsächlichen Verhältnissen, über die die gleiche Auffassung besteht.

Im übrigen legt das Auswärtige Amt kein entscheidendes Gewicht auf diese formale Seite und ist bereit, von einem Schreiben an die Parteikanzlei abzusehen, wenn die dortigen Bedenken gegen eine Vorlage beim Führer aufrecht erhalten werden.

                                Im Auftrag
                                gez. **Reichel**

---

40 Gottlob Berger til AA 26. juli 1943, trykt ovenfor.

235. Hans-Heinrich Wurmbach an MOK Ost 13. August 1943

Der havde tidligere været danske marineofficerer og marinere, der forsøgte at komme til Sverige. Dertil kom "Søridder"-affæren, som endnu ikke var glemt på tysk side. I den anspændte situation i august valgte den danske marineledelse at meddele Wurmbach, at den havde afsløret et mytteriforsøg på et af sine skibe, nemlig "Sælen."

Wurmbachs indberetning blev først videresendt til OKM 24. august, hvilket fremgår af en følgeskrivelse (se tillige Roslyng-Jensen 1980, s. 466, n. 55).

Kilde: RA, Danica 628, sp. 7, nr. 5324.

Admiral Dänemark *Kopenhagen, den 13.8.1943.*
B. Nr. g 24953 AIa
An das Marineoberkommando Ostsee/Führungsstab
z.Hd. des Chef d. Stabes

Betrifft: T-Boot der dän. Küstenbewachung "Sälen."

Das Marineministerium teilte am 6.8. mit, daß am 28.7. infolge Indiskretion der Plan einer Meuterei auf T-Boot "Sälen" aufgedeckt wurde. Neun Mann der Besatzung, darunter zwei Unteroffiziere, wollten sich des Bootes bemächtigen und nach Schweden fahren. Das Boot wurde sofort nach Kopenhagen befohlen und von jedem Landverkehr abgesperrt. Die neun Leute befinden sich in Untersuchungshaft. Aburteilung erfolgt wahrscheinlich bald. Die dänische Marine beabsichtigt, zur Abschreckung von ähnlichen Unternehmungen ein Exempel statuieren zu lassen. Die Anklage lautet auf Meuterei, da hierfür nach dänischen Verhältnissen sehr strenge Strafen vorgesehen sind.

Das Vorkommnis zeigt erneut mit aller Deutlichkeit, daß die dänische Marineleitung nicht immer in der Lage sein wird, die Durchführung derartiger Pläne zu verhindern, wenn man ihr selbst auch Loyalität zubilligen mag. Die Nähe Schwedens fördert automatisch alle Fluchtversuche ähnlicher Art. Bei dem Mangel an Mitteln besteht zur erwünschten Überwachung des Sundes z.Zt. leider keine Möglichkeit.

Daß die dänische Marineleitung mich aus eigenem Antrieb über den Vorfall unterrichtet hat, werte ich vornehmlich als taktisches Manöver, da sie damit rechnen muß, daß ich auf anderem Wege (Abwehr pp.) hiervon Kenntnis erhalte.

Ich werde in meiner morgigen Besprechung mit Vizeadmiral Vedel auf die Angelegenheit zurückkommen.

Wurmbach

236. MOK Ost an Hans-Heinrich Wurmbach 13. August 1943

Seekriegsleitung havde givet MOK Ost den besked hurtigst muligt at sætte sig i forbindelse med WB Dänemark og generalen for det tyske luftvåben med en opgave, der ikke øjeblikkeligt var akut, men hurtigt kunne blive det. MOK Ost lod opgaven gå videre til Admiral Dänemark, idet der blev givet ham retningslinjer for, hvordan han skulle forholde sig under drøftelserne (Kirchhoff, 1, 1979, s. 290).

Wurmbach henvendte sig til WB Dänemark og den tyske general for luftvåbenet endnu samme dag.
Kilde: RA, Danica 628, sp. 9, nr. 7796.

Anlage 12 zum KTB MOK Ost/Führungsstab für 1. bis 15.8.43.
"Chef-Sache", "Nur durch Offizier!"
                                                              Abschrift von
Fernschreiben MOK Ost/Führstab g.Kdos. Chefsache 59/43 vom 13.8.43
an: SSD Admiral Dänemark.

G.Kdos. Chefsache nur durch Offizier!
Zu MOK Ost/Führstab g.Kdos. Chefsache 47/43 vom 5.8.
2.) Admiral Dän. g.Kdos. 31/43 Chefs. v. 7.8.
3.) MOK Ost/Führstab g.Kdos. Chefs. 56/43 vom 8.8.[41]

I.) Skl. hat MOK Ost beauftragt, im Sinne der bisher angestellten Überlegungen baldigst Fühlung mit Befehlshaber deutscher Truppen und General der Luftwaffe in Dänemark aufzunehmen mit dem Hinweis, daß die Aufgaben zwar im Augenblick noch nicht akut unter Umständen aber kurzfristig akut werden können.
II.) Die notwendigen Besprechungen mit Befehlshaber deutscher Truppen und General der Luftwaffe in Dänemark führt Admiral Dänemark im Auftrage Ob. MOK Ost Vorher sind die gem. Vorgang 3. aus der Beteiligung des BSO sich ergebenden Vorschläge vorzulegen.
1.) Im einzelnen wird auf Folgendes hingewiesen:
   a.) Grundsätzlich anzustreben, daß Marine Aufgabe selbst durchführt und auch bei Beteiligung Heer und Luftwaffe die Führung hat.
   b.) Neuanforderung von Truppen für die Aufgabe hat kaum Aussicht auf Erfolg.
   c.) Die Gesamtaktion und ihre Durchführung bis ins Einzelne ist mobmäßig vorzubereiten. Dabei ist streng darauf zu achten, daß der Mitwisserkreis auf das Engste beschränkt bleibt.
   Er ist listenmäßig genau zu erfassen.
2.) Über Verlauf Besprechungen mit Heer und Luftwaffe und die im einzelnen getroffenen Maßnahmen ist MOK Ost zu unterrichten.
                    MOK Ost/Führstab
                     g.Kdos. Chefs. 59/43.

237. Hans-Heinrich Wurmbach an WB Dänemark und General der Luftwaffe [13.] August 1943

Wurmbach sendte sit forslag til, hvordan den danske orlogsflåde kunne sættes ud af spillet med ét slag, såfremt den viste sig fjendtlig, frem til WB Dänemark og det tyske luftvåbens general i Danmark (Kirchhoff, 1, 1979, s. 290f.).
   Kilde: RA, Danica 628, sp. 9, nr. 7784-86.

"Chef-Sache", "Nur durch Offizier!"   Abschrift
Anlage 4 zum KTB MOK Ost/Führstab v. 1.-15.8.43.

---

41 Skrivelserne er ikke lokaliseret. Se MOK Ost til OKM 8. august, trykt ovenfor.

Admiral Dänemark. 5 Ausfertigungen.
B. Nr. Chefs. 28/43 AI. Ausfertigung Nr. 4.

An Befehlshaber der deutschen Truppen in Dänemark,
  General der Luftwaffe, Dänemark.
nachrichtlich:
  Marineoberkommando Ostsee,
  Inf. Div. Nr. 166, Kopenhagen.

Der Marine fällt die Aufgabe zu, bei Auftreten einwandfreier Anzeichen oder Beweise für eine unsichere oder feindliche Haltung der dänischen Kriegsmarine, die dänischen Kriegsfahrzeuge unschädlich zu machen, d.h. sie schlagartig zu besetzen bzw. bei Widerstand zu vernichten. Da Admiral Dänemark für die Durchführung dieser Aufgabe geeignete Kriegsschiffe nicht zur Verfügung stehen, ist die Mitwirkung des Heeres und der Luftwaffe erforderlich. Dazu muß die Klärung verschiedener Fragen vorgenommen werden, um deren Prüfung gebeten wird, soweit Heer und Luftwaffe beteiligt sind.
I.) Umfang der Aufgabe.
  a.) Wichtigste Einheiten der dänischen Kriegsmarine sind:
    1.) Küstenpanzerschiff "Peder Skram" (3.500 t)
    2.) Küstenpanzerschiff "Niels Juel" (3.800 t)
    3.) 7 Torpedoboote (110-169 t)
    4.) 4 Minensucher (je 270 t)
    5.) 3 Minenschiffe (350, 500 und 640 t)
    6.) 12 Uboote (177/235-320/402 t)
    7.) 10 MS Boote (je 70 t)
    8.) Hilfsschiffe, Patrouillenboote, Kutter.
  b.) Liegeplätze (derzeitige Dislokation).
    1.) Kopenhagen:
      Orlogswerft, KPz. "Peder Skram", 2 Minenschiffe, 1 Torpedoboot, 2 kleine Minenfahrzeuge, 3 Inspektionsschiffe (Fischereischutz), 2 Vermessungsschiffe.
      Davon in Dienst: 1 Torpedoboot.
      "Peder Skram" mit Wachmannschaft.
    2.) Isefjord:
      KPz. "Niels Juel" (bis 30.9. in Dienst), Werkstattschiff "Henrik Gerner" (463 t).
    3.) Südl. Fünen (Faaborg, Svendborg):
      a.) Schulgruppe: 2 Torpedoboote, 2 Inspektionsschiffe (davon eins 1.180 t), 1 Minenschiff, Dampfboot A (96 t).
      b.) Minensuchgruppe: 1 Torpedoboot, 2 MS Boote.
    4.) Köge:
      3 MS Boote, 1 Kutter.
    5.) Hundested:
      1 P-Boot, 2 Kutter
    6.) Korsör-Nyborg:
      1 Torpedoboot, 1 MS Boot, 2 M Boote.

7.) Smaalands-Fahrwasser:
   1 Torpedoboot, 3 MS Boote.
8.) Nördl. Fünen:
   Kalundborg: 1 M Boot.
   Horsens: 1 MS Boot.
   Vejle und Odense: 2 P Boote.
9.) Randers und Mariagerfjord:
   1 P Boot.
10.) Helsingör:
   2 Torpedoboote.
11.) Rödby Havn, Marstal, Skagen, Hirtshals, Thyborön, Hvide Sande, Esbjerg, Rönne, Gilleleje, Humlebäk, Rungsted, Dragör, Rödvig, Stubbeköbing:
   je 1-2 Kutter.

II.) Durchführung der Aufgabe:
 A.) Wichtigste Plätze, an denen Schiffe zu besetzen sind, sind: Kopenhagen, Isefjord und die Häfen Faaborg und Svendborg.
   a.) Kopenhagen.
      1.) Flottenstation, Orlogswerft, und die im Werfthafen liegenden Schiffe, vordringlich der KPz. "Peder Skram" sind zu besetzen.
      2.) Leistung der Aktion hat K.i.A. Dän. Inseln persönlich.
      3.) Zur Verfügung Stehende Kräfte:
         Eigener Stoßtrupp des K.i.A.,
         Stoßtrupp Seefliegerstation Kopenhagen, } zusammen 380 Mann.
         Stoßtrupp HSFl. Kopenhagen
         verfügbare Boote der HSFl. Kopenhagen.
      4.) Dänische Marine FT-Stationen, Nachrichtenzentralen und Fernsprecheinrichtungen sind gleichzeitig zu besetzen bzw. auszuschalten.
      5.) Hafensperrung durch Flak-Batterie Trekroner.
      6.) Gegebenenfalls Inanspruchnahme schwimmender Einheiten des BSO.
      7.) Unterstützung des Unternehmens durch Stuka-Staffel erforderlich, sobald Widerstand geleistet wird.
      8.) Unterstützung durch Flugzeuge der Seefliegerstation Kopenhagen, sobald kleinere dänische Kriegsfahrzeuge Versuch machen nach Schweden durchzubrechen.
         Zu 7.) und 8.): Abstellung eines Verbindungsoffiziers vom General der Luftwaffe Dänemark zum Admiral Dänemark erbeten.
      9.) Sämtliche Dienststellen des Admiral Dänemark während der Aktion in Bereitschaftsstufe II.
      10.) Unauffälliges, schnelles Handeln im Hinblick auf zahlreiche Werftarbeiterschaft besonders geboten.
   b.) Isefjord (einschl. Hundested):
      Unternehmen ist dadurch erschwert, daß kein geeignetes eigenes Kriegsfahrzeuge vorhanden ist, um das Küsten P-Schiff "Niels Juel" notfalls zur Streichung der Flagge zu zwingen. Das Unternehmen muß daher im Wesentlichen

von Land aus durchgeführt werden. Hierzu folgende Aufgaben:
1.) Minensperrung der Ausfahrt aus Isefjord durch Luftwaffe um Auslaufen der dänischen Kriegsfahrzeuge aus dem Fjord zu verhindern.
2.) Besetzung der Batterie Lynäs am Ausgang des Fjords.
3.) Aufforderung über den Oberbefehlshaber der dänischen Marine an "Niels Juel" und sonstige im Fjord liegende Fahrzeuge, die Besatzungen von Bord zu geben unter Belassung eines Wachkommandos.

Die Übertragung der Aufgabe an eine Truppe des Heeres wird erbeten. Von der Marine wird Verbindungsstab unter Führung eines Stabsoffiziers gestellt. Unterstützung der Aufforderung durch Kreuzen von Stukas oder Bombenflugzeugen ist geboten.

Sollte die Aufforderung von den dänischen Kriegsschiffen nicht befolgt werden, so ist Einsatz von Stukas notwendig, um die im Fjord liegenden Schiffe kampfunfähig zu machen.

Wird die Aufforderung befolgt, so sind die Schiffe Abzurüsten, die Verschlüsse der Geschütze und wichtige Maschinenteile abzugeben.

c.) Faaborg und Svendborg:
Die dritte größere Aktion ist gegen die in den Gewässern südl. Fünens befindlichen dänischen Kriegsfahrzeuge erforderlich. Hier handelt es sich doch in allgemeinen um kleinere Fahrzeuge, bei denen größerer Widerstand nicht zu erwarten ist.

Für die Durchführung kommt ebenfalls nur eine Truppe des Heeres in Frage, da die Marine auf Fünen keine Einheiten besitzt, die mit der Durchführung beauftragt werden könnte. Verbindungsoffizier wird von der Marine gestellt werden.

Die täglichen Aufenthaltsorte dänischer Kriegsschiffe in den Gewässern südlich Fünens werden von der Marine überwacht und im entscheidenden Augenblick der die Aufgabe ausführenden Stelle des Heeres zur Kenntnis gebracht werden.

B.) Aktionen kleineres Umfangs kommen in Frage in folgenden Häfen:
a.) Nyborg. Besetzung der dänischen Fahrzeuge wird durch die HSFl. Nyborg durchgeführt.
b.) Korsör. Besetzung wird durch Haka Korsör vorgenommen, zu dessen Unterstützung eine Truppe des Heeres (etwa Zugstärke) erbeten wird.
c.) Helsingör. Besetzung durch Haka Helsingör. In Rücksicht auf zahlreiche Werftarbeiterschaft wird entsprechende Unterstützung durch das Heer erbeten. Haka Helsingör stehen nur wenige Mann zur Verfügung.
d.) Smaalands Fahrwasser. Besetzung durch Formation des Heeres (etwa in Zugstärke), wird gebeten. Verbindungsoffizier (Haka Gedser) wird gestellt.

C.) Übrige Häfen:
Die Besetzung der kleinen Fahrzeuge in sonstigen Häfen Dänemarks erfordert kein besonderes Aufgebot. Soweit Hakas der Marine vorhanden sind, oder eine Formation des Heeres in einem Hafenort liegt, wird die Wegnahme der in diesen Häfen liegenden 1-2 kleinen dänischen Fahrzeuge ohne Schwierigkeit durchge-

führt werden können.

Es wird angeregt, nach Prüfung der angeschnittenen Fragen eine gemeinsame Besprechung mit der Luftwaffe beim Befehlshaber der deutschen Truppen in Dänemark anzusetzen.

Für den Admiral Dänemark
Der Chef des Stabes
gez.: **Ihssen**

238. Werner Best an das Auswärtige Amt 14. August 1943

På baggrund af Schnurres henvendelse 9. august orienterede Best om fremtidsudsigterne for den danske landbrugseksport til Tyskland, herunder opståede midlertidige problemer. Han lagde afgørende vægt på, at dansk landbrug fortsat producerede og leverede frivilligt.

Se endvidere Scherpenbergs optegnelse 28. september 1943.

Kilde: BArch, R 901 68.712.

T e l e g r a m m

Kopenhagen, den	14. August 1943	10.25 Uhr
Ankunft, den	14. August 1943	11.15 Uhr

Nr. 939 vom 14.8.[43.]   Cito!

Auf Drahterlaß Nr. 1066[42] vom 9.8.1943.
Mit dem dänischen Außenministerium und Landwirtschaftsministerium ist eingehend über besondere Maßnahmen zur Steigerung der Fleischausfuhr nach Deutschland verhandelt worden. Dänischerseits wurde darauf hingewiesen daß nach den Vereinbarungen der Regierungsausschüsse keine Lieferverpflichtung für 100.000 to Fleisch übernommen worden ist, daß diese Menge vielmehr nur eine Schätzung der beiderseitigen Sachverständigen darstelle.

Der Grund dafür, daß bis Ende September 100.000 to Fleisch nicht voll geliefert werden, liegt bei Rindern in der durch ungewöhnlich günstige Witterungsverhältnisse bedingten Futterreichlichkeit weswegen die Landwirte ihr Rindvieh halten konnten. Mit wesentlich verstärkten Rinderauftrieben ist bei weiterhin günstiger Futterlage erst Ende September/Anfang Oktober zu rechnen. Andererseits hat das Durchhalten des Rindviehs zur Folge gehabt, daß Buttererzeugung und Butterausfuhr nach Deutschland höher als erwartet gewesen sind. In den Sommermonaten sind etwa 6.000 to Butter mehr geliefert worden, als von den deutschen und dänischen Sachverständigen geschätzt worden war.

Ein Grund für die weniger starken Schweineschlachtungen liegt darin, daß die auf deutschen Wunsch nach Norwegen gelieferten 40.000 to Getreide[43] jetzt für die Fertigmast von Schweinen fehlen. Dieser Getreidemenge entsprechen etwa 8.000 to Fleisch.

---

42 Ha Pol. VI 3350/43 I. Trykt ovenfor.
43 Se Bests telegram nr. 701, 9. juni 1943.

Landwirtschaftsminister Bording hat auf diesen Punkt besonders hingewiesen.

In den heutigen Verhandlungen sind, wie bereits Ende Juli, die folgenden möglichen Maßnahmen zur Verstärkung der Ausfuhr erörtert worden:

a.) Vorübergehende Preiserhöhung. Die dänischen Bedenken, daß hierdurch die Spekulation auf weitere Preissteigerung bei dänischer Landwirtschaft einsetzt und damit die in Kürze zu erwartende höhere Anlieferung von Schlachtrindern nicht erfolgen wird, erscheinen mir berechtigt. Nach den in den Vorjahren gemachten Erfahrungen ist ein praktischer Erfolg nicht zu erwarten.

b.) Öffentliche Aufforderung an die dänischen Landwirte zu freiwilliger vorzeitiger Anlieferung. Ein solcher Aufruf wird insbesondere bei der augenblicklichen Futterlage und während der Erntezeit ohne Erfolg bleiben. Gegen einen solchen Aufruf spricht auch die Erwägung, daß in der dänischen Landwirtschaft und in der Öffentlichkeit sofort erkennbar wird, daß ein solcher Aufruf auf deutsche Veranlassung hin und nur im deutschen Interesse erlassen wird.

c.) Zwangsaushebung von Rindern. Eine Sicherstellung der Restmengen durch Zwangsaushebung erscheint nicht möglich, da diese Maßnahme von der dänischen Landwirtschaft restlos abgelehnt wird, und zwar auch von der uns politisch nahestehenden LS-Bewegung. Ferner wären die politischen Folgen einer solchen Maßnahme überhaupt nicht tragbar. Es unterliegt keinem Zweifel, daß die Einführung der Zwangsaushebung, die im übrigen bei der jetzigen Regierung auch mit stärkstem Druck nicht durchzusetzen wäre, die bisher bewährte Produktionsfreudigkeit der dänischen Bauern für die Zukunft zum Erliegen bringen würde.

d.) Einschränkung des dänischen Inlandsverbrauchs. Ein Erfolg einer weiteren Verbrauchsbeschränkung würde praktisch gar nicht eintreten, da diese durch erhöhte Schwarzschlachtung ausgeglichen würde. Mit den zur Verfügung stehenden Mitteln und Kräften wäre es weder dänischen noch deutschen Stellen möglich, einsetzende verstärkte Schwarzschlachtungen wirksam zu unterbinden.

Die Liefermöglichkeit für August/September wird hier jetzt auf 18-20.000 to Fleisch geschätzt während die Restmenge von 15-17.000 to erst im Oktoberquartal zur Lieferung kommen wird.

Angesichts der Feindpropaganda, die zur Zeit die dänische Wirtschaft und insbesondere die Landwirtschaft zu beeinflussen versucht, Deutschland möglichst wenig durch Lieferungen zu helfen, habe ich besondere Bedenken, der dänischen Landwirtschaft Maßnahmen zuzumuten, die von ihr abgelehnt werden, zumal wenn der praktische Erfolg dieser Maßnahmen höchst zweifelhaft ist. Meines Erachtens muß gerade jetzt entscheidendes Gewicht darauf gelegt werden, daß – wie bisher – die dänische Landwirtschaft auch in Zukunft weiter freiwillig produziert und liefert. Es wäre vollends nicht zu verantworten, wegen einer ohne bösen Willen eingetretenen zeitlichen Umgruppierung der Lieferungen in diesem Augenblick eine politische Krise zu provozieren.

Dr. Best

239. Politische Informationen für die deutschen Dienststellen in Dänemark 15. August 1943

Best prøvede at bevare fokus på upolitiske eller informative, neutrale emner. Derfor blev der skrevet om, at der var indført arbejdspligt for danskere i England, og at der fra tysk side blev gjort alt for at hjælpe de bombeamte danske arbejdere i Hamborg. Den udbrudte strejke i Esbjerg og de tiltagende sabotager blev ikke nævnt med et ord, så læseren skulle selv slutte sig til baggrunden for Bests delvist aftrykte tale til den københavnske presses redaktører 11. august. Kun af afsnittet "Fjendtlige stemmer" fremgik det, at danskerne blev opfordret til modstand.

Kilde: RA, Centralkartoteket, pk. 680.

Der Bevollmächtigte des Reiches in Dänemark   Kopenhagen, den 15. August 43.

Politische Informationen
für die deutschen Dienststellen in Dänemark.

Betr.:   I. Mitteilungen aus der Außenpolitik.
      II. Die dänische Polizei.
     III. Die dänischen Staatsfinanzen.
     IV. Betreuung der in Hamburg bombengeschädigten dänischen Arbeitskräfte.
     V. Arbeitspflicht der Dänen in England.
     VI. Ansprache des Reichsbevollmächtigten an die Kopenhagener Presse.
     VII. Feindliche Stimmen über Dänemark.

I. Mitteilungen aus der Außenpolitik

Der neue Rumänische Gesandte in Dänemark hat am 10.8.1943 dem Kronprinzen Frederik sein Beglaubigungsschreiben überreicht und am 13.8.1943 dem Reichsbevollmächtigten seinen Antrittsbesuch gemacht.[44]

II. Die dänische Polizei

1.) Die Stärke der Polizei

Die Sollstärke der dänischen Polizei beträgt z.Zt. 9.139 Mann. Die Iststärke beträgt nach der Stärkenachweisung vom 28.7.43 8.593 Mann, die sich wie folgt verteilen:

Höhere Polizeibeamte	318
Ordnungspolizei einschließlich Küstenschutz, Bahnschutz und Polizeischule	7.195
Kriminalpolizei	1.080
Freie Stellen sind vorhanden:	
in der Ordnungspolizei	468
in der Kriminalpolizei	78

2.) Das zeitweilige Gesetz Nr. 362 über die Pflicht zur Abgabe von Schußwaffen und Kraftfahrzeugen an das Gerichts-, Polizei- und Gefängniswesen sowie über die Anlage zum Gesetz Nr. 91 vom 29. März 1924 betreffend Einquartierung

Um der dänischen Polizei die erforderlichen Rechtsgrundlagen für gewisse notwendige Maßnahmen, die z.T. oft auf deutsches Ersuchen getroffen werden müssen, zu geben, ist durch das oben bezeichnete Gesetz im wesentlichen folgendes bestimmt worden:

---

44 Se *Politische Informationen* 15. juli 1943, afsnit I.1.

a.) Der Justizminister kann, wenn es zur Durchführung wichtiger Aufgaben notwendig erscheint, bestimmen, daß Waffen und Munition, die gemäß Bekanntmachung des Justizministeriums vom 10.6.1940 der Bevölkerung abgenommen worden sind, gegen volle Vergütung als Eigentum oder zum vorübergehenden Gebrauch vom Staat übernommen werden.

b.) Wenn besonders dringende Umstände vorliegen, kann der Justizminister bestimmen, daß Kraftfahrzeuge, deren Zubehör und Teile davon, dem Staat zum vorläufigen Gebrauch zur Verfügung zu stellen sind. In besonders dringenden Fällen kann diese Bestimmung auch vom Reichspolizeichef, vom Polizeidirektor in Kopenhagen und den Polizeimeistern getroffen werden. In diesen Fällen ist jedoch die endgültige Entscheidung des Justizministers einzuholen.

c.) Die Bestimmungen des Gesetzes über Einquartierung vom 29.3.1924 finden auch Anwendung auf die Einquartierung von Beamten und anderen Angehörigen des Gerichts-, Polizei- und Gefängniswesens, sowie auf Bewohner von evakuierten Gebieten des Landes. Außerdem kann das Innenministerium und die anderen zivilen Einquartierungsbehörden, wenn die Kriegsverhältnisse es erfordern, Grundstücke und Gebäude, jedoch nicht bestehende Produktionseinrichtungen, für den öffentlichen Gebrauch in Besitz nehmen.

d.) Die Höhe der in den unter a.)-c.) aufgeführten Fällen zu zahlenden Entschädigungen wird von jeweils dafür eingesetzten Ausschüssen festgesetzt.

Das Gesetz gilt vorläufig bis Ende März 1944.

III. Die dänischen Staatsfinanzen

Die Lage der dänischen Staatsfinanzen zu Beginn des Rechnungsjahres 1943/44 ergibt sich aus der Nachtragsbewilligung für das Rechnungsjahr 1942/43 und dem bereits angenommenen Finanzgesetz für das Rechnungsjahr 1943/44.

Rechnungsjahr 1942/43

Die Nachtragsbewilligung für 1942/43 sieht eine Erhöhung der Ausgaben von 909,9 auf 1086,5 Mill. Kr. vor. Gleichzeitig sind die Einnahmen, die im Finanzgesetz 1942/43 auf 822 Mill. Kr. veranschlagt waren, auf 1105,2 Mill. Kr. heraufgesetzt worden. Der Unterschuß dieses Finanzgesetzes von 87,5 Mill. Kr. hat sich dadurch in einen Überschuß von 18,7 Mill. Kr. verwandelt. Infolge der vorsichtigen dänischen Haushaltsführung wird sich aber nach den bisherigen Erfahrungen der Rechnungsabschluß, der im Oktober ds.Js. vorgelegt wird, gegenüber dem Nachtragshaushalt noch etwas verbessern und voraussichtlich um einige Mill. Kr. günstiger liegen.

Trotz der Steigerung der Ausgaben, die gegenüber dem Vorjahre 179,4 Mill. Kr. betrug, ist es somit dem Finanzministerium auch im Rechnungsjahr 1942/43 gelungen, einen Überschuß zu erzielen. Dieses günstige Bild des formellen Staatshaushalts darf jedoch nicht über die tatsächliche Finanzlage des Staates hinwegtäuschen, die durch das starke Anwachsen der durch die Nationalbank bevorschußten Besatzungskosten gekennzeichnet ist. Die Summe der bisher angelaufenen Besatzungskosten übersteigt bei weitem die Gesamteinnahmen des dänischen Staatshaushalts für 1942/43. Die Belastung der Staatsfinanzen durch die Garantie, die der dänische Staats für die Bevorschussung der Besatzungskosten gegenüber der Nationalbank ausgesprochen hat, findet im Staatshaushalt keinen Ausdruck. Dadurch unterscheidet sich der Haushalt Dänemarks von den Haushalten aller übrigen europäischen Staaten, in denen die Aufwendungen für die eigene Landesverteidigung oder für Besatzungskosten aufgeführt sind.

Rechnungsjahr 1943/44
Das Finanzgesetz für 1943/44 weist Gesamtausgaben von 1.007 Mill. Kr. auf, denen Einnahmen von 903,5 Mill. Kr. gegenüber stehen.

Es hatte sich seit Kriegsbeginn die Übung herausgebildet, in das Finanzgesetz nur die friedensmäßigen Ausgaben zu den Preisen aufzunehmen, die bei der Aufstellung der Entwürfe galten. Alle kriegsbedingten Ausgaben wurden erst in der Nachtragsbewilligung berücksichtigt. Im Finanzgesetz 1943/44 ist hiervon abgewichen worden. Dies war möglich, weil sich die Preise weitgehend stabilisiert haben und die kriegsbedingten Ausgaben bereits übersehbar geworden sind. Die Ausgabebewilligungen kommen daher den tatsächlichen Ausgaben des Rechnungsjahres 1942/43 nahe.

Der sich nach dem Finanzgesetz für 1943/44 ergebende Unterschuß von 104 Mill. Kr. besagt über das wirkliche Ergebnis des laufenden Rechnungsjahres nicht viel, weil die Einnahmen aus den befristeten Krisenabgaben nur bis Ende Oktober ds.Js. berücksichtigt sind. Es kann aber als sicher angenommen werden, daß die Krisenabgaben wie in den Vorjahren um ein weiteres Jahr verlängert werden. Im Hinblick auf die vorsichtige dänische Haushaltsführung erscheint der formelle Ausgleich des Staatshaushaltes auch für das laufende Rechnungsjahr gesichert. Die Schwierigkeiten des laufenden Rechnungsjahres liegen wiederum außerhalb des Staatshaushaltes im engeren Sinne; sie werden verursacht durch die Bevorschussung der Exportleistungen und der Wehrmachtsausgaben durch die Nationalbank.

IV. Betreuung der in Hamburg bombengeschädigten dänischen Arbeitskräfte
In den letzten Tagen des Juli und in den ersten Augusttagen ist eine große Anzahl bombengeschädigter dänischer Arbeiter aus ihrem bisherigen Arbeitsort Hamburg auf Grund einer zwischen dem Arbeitsamt Hamburg und dem Dänischen Generalkonsulat Hamburg vereinbarten Regelung nach Dänemark zurückgekehrt.[45] Wie die dänischen Tageszeitungen übereinstimmend anerkannten, ist diesen Arbeitern im Reich großzügige Hilfe zuteil geworden. Ihnen auch in Dänemark mit Rat und Tat zur Seite zu stehen, war eine Aufgabe der Deutschen Arbeitsvermittlungsstellen in Dänemark.

Nach den deutschen Bestimmungen haben die dänischen Arbeiter im Falle eines Verlustes durch feindliche Einwirkung dieselben Rechte wie der deutsche Arbeiter und können einen Antrag auf Entschädigung nach der Kriegsschädenverordnung stellen. Da die Bearbeitung der Anträge unter den gegebenen Verhältnissen eine geraume Zeit in Anspruch nehmen wird, wurde mit der Dänischen Regierung vereinbart, daß als erste Hilfe den Geschädigten, soweit sie nach den getroffenen Feststellungen einen Anspruch auf Leistungen nach der Kriegssachschädenverordnung haben, gegen eine Bescheini-

---

45 Natten til den 25. og 30. juli bombede engelske flyvemaskiner Hamborg, begge gange efterfulgt af amerikanske dagangreb, der forhindrede slukningsarbejdet.

gung der zuständigen Deutschen Arbeitsvermittlungsstelle ein Vorschuß auf die endgültige Entschädigung bis zur Höhe von dän. Kr. 100,- durch "Den danske Landmandsbank," deren Filialen oder Korrespondenzbanken ausgezahlt wird.

In vielen Fällen haben die Geschädigten ihr deutsches Geld beim Übertritt über die Grenze bei der deutschen Zollstelle bzw. Wechselbank gegen Quittung hinterlegt. Auf Grund einer Vereinbarung mit der Dänischen Regierung zahlen die obengenannten Banken gegen Vorzeigen der Hinterlegungsbeweise für den Fall, daß der Gegenwert der Hinterlegung eine solche Höhe oder mehr ausmacht, dän. Kr. 100,- aus, bei kleinerem Gegenwert eine entsprechend geringere Summe. Weitere Auszahlungen bis zur vollen Höhe des Gegenwertes können beantragt werden.

Der in der ersten Woche sehr starke Zustrom zu den Deutschen Arbeitsvermittlungsstellen ist seit Mitte der zweiten Augustwoche wesentlich abgeebbt, sodaß nun schon ein Überblick gewonnen ist, wie viele dänische Arbeitskräfte aus Hamburg zurückgekehrt sind. Bis zum Ende der zweiten Augustwoche sind insgesamt rund 1.400 Anträge auf Auszahlung der Vorschüsse gestellt worden. Da die genannten Maßnahmen in der Presse bekanntgemacht wurden und als letzter Termin für die Auszahlung der Vorschüsse der 14. August gesetzt war, kann angenommen werden, daß bis zu diesem Zeitpunkt alle zurückgekehrten bombengeschädigten dänischen Arbeitskräfte erfaßt worden sind. Die in den Tagen des Angriffs auf Hamburg in der dänischen Presse genannten Zahlen zurückgekehrter dänischer Arbeiter, die auf 3.000 und mehr beziffert wurden, sind demnach weit überschätzt. Unter Berücksichtigung der Tatsache, daß vielleicht 100 Anträge auf Vorschußzahlungen aus irgendwelchen Gründen noch nicht gestellt werden konnten, kann die Zahl der zurückgekehrten dänischen Arbeiter mit 1.500 annähernd sicher angenommen werden.

Genaue Zahlen über die tatsächlich in Hamburg vor dem Angriff beschäftigten dänischen Arbeitskräfte liegen nicht vor; unter Berücksichtigung der Fluktuation ist die Zahl von 5.000 jedoch nicht zu hoch gegriffen. Die weit größere Zahl dänischer Arbeiter ist also auch nach dem Angriff in Hamburg verblieben.

Der mit den dargelegten Maßnahmen beabsichtigte Erfolg kann als völlig erreicht angesehen werden. Die dänischen Arbeiter haben die Maßnahmen als großes Entgegenkommen und als wirkliche erste Hilfe angesehen. Viele Arbeiter haben versprochen, nach Erledigung aller Formalitäten sich erneut für Deutschland – in vielen Fällen sogar erneut für Hamburg! – anwerben zu lassen. In zahlreichen Fällen haben die Rückkehrer ihren Abscheu gegen eine so barbarische Kriegsführung, wie sie sie in Hamburg aus eigener Anschauung kennengelernt haben, zum Ausdruck gebracht.

Seitdem ab 11. August d.J. Hamburg wieder als Aufnahmebezirk für ausländische Arbeitskräfte erklärt worden ist, haben sich außer den erwähnten bombengeschädigten Rückkehrern auch andere dänische Arbeitskräfte für Hamburg anwerben lassen. Eine Anzahl Urlauber konnte schon mit dem Transport in der ersten Augustwoche wieder nach Hamburg zurückgeführt werden.

V. Arbeitspflicht der Dänen in England
Nach dem Londoner Rundfunk haben sich nunmehr alle in England lebenden Dänen – zugleich mit den Griechen und "Jugoslaven!" – zur Arbeit in der Kriegsindustrie zu

melden. Arbeitspflichtig sind die Männer von 16 bis 65 Jahren, die Frauen von 16-50 Jahren.

VI. Ansprache des Reichsbevollmächtigten an die Kopenhagener Presse
Gelegentlich eines Zusammenseins mit den Hauptschriftleitern der Kopenhagener Tageszeitungen und der Pressebüros am 11.8.1943 hat der Reichsbevollmächtigte eine Ansprache gehalten, in der er nach einem ernsten Hinweis auf die erhöhte Verantwortung der Presse in Spannungszeiten über die gegenwärtige politische Lage u.a. folgendes ausführte:[46]
"Der Krieg ist nicht – wie die Kriegspropaganda der Briten und Amerikaner in durchsichtiger Absicht proklamiert – gerade jetzt in sein militärisch entscheidendes Stadium eingetreten. Er ist vielmehr gerade jetzt im Begriff, sich an bestimmten Fronten festzulaufen. ...

Das deutsche Kriegspotential ist sowohl hinsichtlich der Truppenzahl wie auch hinsichtlich des Kriegsmaterials wie auch hinsichtlich der Ernährung so stark, daß selbst bei stärkster Beanspruchung eine entscheidende Abnutzung nicht vorausgesehen werden kann. Es wird darüber hinaus der deutschen Führung die Möglichkeit bieten, diejenigen eigenen Schläge gegen die Feindmächte zu führen, zu denen sie sich entschließen wird. ...

Auf zwei Ereignisse der letzten Zeit gründet sich wohl in erster Linie die Spekulation auf einen politischen Zusammenbruch Deutschlands: auf den Systemwechsel in Italien und auf die Zerstörung deutscher Städte durch feindliche Luftangriffe.

Die innerpolitischen Vorgänge und die Änderungen der Regierungssysteme in anderen Ländern berühren jedoch unsere eigene politische Haltung und unseren Kampfwillen keineswegs. Daß das italienische Volk seit einem Jahrhundert und insbesondere seit dem letzten Vierteljahrhundert ähnliche Nöte zu leiden hatte und auf dieselben Gegner stieß wie das deutsche Volk, war die erste Voraussetzung der Achse. So erwarten wir auch jetzt von dem italienischen Volk nicht mehr und nicht weniger, als daß es für *seine* nationalen Interessen kämpft.

Die Millionen deutscher Menschen, die jetzt durch die Zerstörung deutscher Städte alles verloren haben, was sie bisher besaßen, haben keinen Anlaß, um jeden Preis eine schnelle Beendigung des Krieges zu wünschen. Sie können nur dann auf eine Entschädigung für die erlittenen Verluste rechnen, wenn das Deutsche Reich sich in diesem Kriege behauptet. So werden die Millionen bombengeschädigter Deutscher aus eigenstem Interesse – um von ihren Gefühlen nicht zu sprechen – zu fanatischen Trägern des deutschen Kampfwillens und zu Gegnern jedes Defaitismus. ...

Eine "Invasion" in Dänemark würde bedeuten, daß Dänemark der Schauplatz eines höchst intensiven Kampfes würde. Ich bin bereit, jedem Dänen, der die Folgen moderner Schlachten kennenlernen möchte, eine Reise in die zerstörten Kampfgebiete Frankreichs, Polens oder Rußlands zu ermöglichen. Wenn er das Grauen dieser Ruinen erlebt hat, mag er sich die Gewissensfrage vorlegen, ob er seiner Heimat, dem Schmuck-

---

46 Best havde 11. august indbudt pressens chefredaktører til en middag på Bellevue Strandhotel med det formål at søge at vende den antityske holdning (Bests kalenderoptegnelser 11. august 1943, Kirchhoff, 2, 1979, s. 314-317).

kästchen Dänemark, das gleiche Schicksal wünschen will, das die so leichtfertig erörterte "Invasion" mit tödlicher Sicherheit herbeiführen würde.

Die zweite Warnung muß dem kindlichen Glauben gelten, als ob ein Abschluß des Krieges, wie ihn die britische Propaganda verkündet, den Ländern Europas Frieden und Wiederaufbau oder gar eine Wiederkehr der üppigen Vorkriegszeit bringen könnte. *Der* Sieger auf dem europäischen Kontinent wäre nicht der Brite oder der Amerikaner sondern der Russe. Deutschland aber würde nicht nur russisches Besatzungs- und Aufmarschgebiet sondern der Zentralherd des totalen Umsturzes Europas. ...

Dieser Krieg wird auf jeden Fall noch *sehr lange* dauern. Die Notwendigkeit einer dänisch-deutschen Zusammenarbeit auf dänischem Boden wird also noch *sehr lange* bestehen. Wer diese Zusammenarbeit erschwert, löst damit Folgen aus, unter denen Dänemark noch *sehr lange* zu leiden haben wird. ...

Damit Dänemark leben kann, ist ein ungestörtes Arbeiten der dänischen Wirtschaft und des Güteraustauschs erforderlich. Ebenso wie z.B. Schweden im Rahmen vertraglicher Wirtschaftsbeziehungen an Deutschland Erze liefert und für Deutschland Schiffe baut, so liefert auch Dänemark im Rahmen vertraglicher Wirtschaftsbeziehungen mancherlei Erzeugnisse nach Deutschland im Austausch gegen Rohstoffe und Waren, die für die dänische Bevölkerung unentbehrlich sind. Wer diese Produktion und diese Lieferungen angreift, schädigt in erster Linie dänische Interessen und gefährdet außerdem die dänisch-deutsche Zusammenarbeit. Aus diesem Grunde ist die Dänische Regierung sowohl gegenüber ihrem eigenen Volke wie auch gegenüber dem Deutschen Reiche verpflichtet, gegen solche Schadensstifter in der wirksamsten Weise einzuschreiten. Sollte sie einmal dazu nicht mehr in der Lage sein, so wären die deutschen Institutionen genötigt, den Schutz der deutschen Interessen selbst zu übernehmen, wie auch die deutsche Wehrmacht sich gegen jeden Angriff, den Partisanen des Feindes auf sie auszuführen versuchen, selbst schützt. ...

Man muß sich immer wieder klarmachen, daß der gegenwärtige Zustand voraussichtlich noch sehr lange dauern wird, und daß Dänemarks Interesse deshalb eine Fortsetzung der bisherigen Politik des Königs, des Reichtags und der Regierungen Stauning, Buhl und Scavenius sowie eine Fortsetzung der bisherigen Haltung der Bevölkerung fordert."

VII. Feindliche Stimmen über Dänemark

Die feindliche Propaganda nach Dänemark versucht mit allen Mitteln, die Dänen zu Angriffen auf die deutsche Besatzung aufzuhetzen mit dem Hinweis, daß es höchste Zeit sei, den Anschluß an die "Siegermächte" zu gewinnen. Hierfür war typisch die folgende Rundfunkansprache Christmas Möllers:

"Wir im Dänischen Rat, die wir die Verhältnisse und Gegebenheiten draußen zu kennen glauben, haben das Recht, denen zu Hause ernstlich und eindringlich zu sagen, daß wir nicht glauben, es genüge, Zuschauer zu sein. Wir wissen, daß die Verhältnisse in Dänemark in gewissem Sinne besser geworden sind, seit Scavenius und Best sich gegenseitig gefunden haben. Aber bedenkt einmal, daß vielleicht viel Wahrheit darin steckt, daß die mildesten Verhältnisse auf die Dauer von Übel sind, und daß die kleinen Länder, mit denen wir so gern zusammengehen und mit denen wir zusammengingen, als die Oslo-Mächte ein politischer Begriff waren, es so ansehen müssen, daß Norwegens, Hollands und Belgiens Kampf auch ein Kampf für uns ist. Je mehr Hilfe wir dem Feinde erweisen, desto längere und größere Leiden müssen sie tragen. Dies möchten wir gern denen zu Hause erklären, nämlich, daß es so und nicht anders ist.

Es gibt ein einzigartiges Verständnis für Dänemark und Dänemarks Schwierigkeiten. Was man aber nicht versteht, ist, daß wir fortgesetzt dem Feinde helfen. Freiwillige Festungsbautätigkeit, Arbeit jeglicher Art für den Feind ist von Übel. Es ist nicht so, es soll auch nicht so sein, daß die Dänen Bescheid bekommen müssen, wie sie sich zu verhalten haben. Keiner darf im Zweifel darüber sein, was man von uns erwartet. Die Zeit fordert jetzt Widerstand, passiven Widerstand, Sabotage an allem, was den deutschen Hunnen in ihrem verzweifelten, letzten, aber vielleicht fürchterlichen und lange dauernden Kampf helfen kann.

Sie verstehen vollkommen ihre Verantwortung und sie wissen gut, daß es zugutertletzt die in der Heimat sind, die die Entscheidung treffen und handeln müssen. Wir können nur sagen, wie man hier draußen in der freien Welt die Dinge betrachtet, und hinzufügen, was wir als Dänen zu Landsleuten sagen zu können glauben. Ihr müßt daher auch verstehen, daß wir mit ruhiger Beachtung alles verfolgen, was in der Heimat an Sabotage ausgeübt wird. Wir glauben, daß es, wenn es mit Verstand und mit den richtigen Zielen durchgeführt wird, außerordentlich nützlich ist. Niemand hat Nutzen davon, daß man ein Risiko läuft, bloß um eine Gesinnung zu zeigen, aber was wir brauchen, sind Resultate auch in Dänemark.

Niemand verlangt oder wünscht, daß überall und ohne Überlegung gehandelt wird, aber notwendig ist alles, was die deutsche Kriegsmaschine schlecht macht. Auch aus dem Grunde, daß wir ja alle darauf hoffen müssen, daß der Tag und die Stunde auch für unser Land kommen wird, und dann wird, wenn der Ruf erschallt, für die Zusammenarbeit aller guten Kräfte Verwendung sein, damit wir als Nation unser Schicksal in unsere eigene Hand nehmen können und nicht der Bestimmung anderer überlassen.

Ja, so meine ich, denkt man unter den Dänen hier draußen, so meine ich, das Recht zu haben, nicht bloß für mich selbst zu sprechen sondern auch für die Bewegung, in der ich arbeite. Wir wissen ja alle besonders gut, daß in einem Kriege Macht und Stärke den Ausschlag geben und der Kleine nur wenig zu sagen hat. Aber der Kleine kann um seiner selbst willen, um seiner Zukunft willen, um seines Seelenfriedens willen einen Einsatz leisten für die gemeinsame Sache, und wir sagen es denen zu Hause: Die Stunde ist nahe herbeigekommen! Ist Dänemark, ist das dänische Volk bereit?"

Im gleichen Sinne hetzte Terkel Terkelsen:

"Die Dänische Regierung hat den Deutschen wieder 280 Millionen Kronen für den Ausbau der Befestigungen in Jütland zur Verfügung gestellt. Alle Fabrikanten und Unternehmer, die für die Deutschen arbeiten – direkt oder indirekt – sind als Feinde Dänemarks und der ganzen freien Welt zu betrachten. In Holland werden die Fabrikanten gezwungen, für die Deutschen zu arbeiten, weil sie sonst in Konzentrationslager kommen. Dies ist aber in Dänemark nicht der Fall. Hier locken die Deutschen die Leute mit Geld und mit großen Verdienstmöglichkeiten. Und alle diejenigen, die der Versuchung nicht widerstehen konnten, werden eines Tages entdecken, wie kurzsichtig sie gewesen sind."

Damit auch der Humor zu seinem Recht kommt, ist über den Reichsbevollmächtigten in einer dänischen Sendung aus London folgendes verkündet worden:

"Dr. Best macht viele Anstrengungen, um in Dänemark populär zu werden. Daß es ihm aber nicht gelingt, zeigt der Umstand, daß er immer von einer Leibwache von 40 SS-Männern und früheren Mitgliedern des Freikorps Dänemark umgeben ist. Das schwedische Wochenblatt "Nyt" teilt mit, daß Dr. Louis Bobé, der sich gern mit den Deutschen gut steht, es verständlicherweise aber nicht wahrhaben will, vor kurzer Zeit peinlich überrascht wurde. Er hatte Best in sein Sommerhaus in Nordseeland eingeladen und wurde heillos kompromittiert, als dieser mit der ganzen Leibwache in voller Uniform aufmarschierte. Dr. Bobé ist sich nun selbst darüber klar geworden, daß es auch zuviel des Guten werden kann."[47]

Die schwedische Presse hat auch sonst wenig Glück mit ihrer Berichterstattung, wie die folgende Mischung von Ärger und Blödsinn aus "Aftontidningen" zeigt:

"Die Sabotagewächter sind meist armselige Menschen, die nicht wissen, worauf sie sich eingelassen haben. In vielen Fabriken haben die Arbeiter diese Leute mit Streik bedroht oder sie haben sie einfach davongejagt, In anderen Fällen setzen sich die Sabotagewächter aus Elementen zusammen, die in unmittelbarer Verbindung mit den Deutschen stehen, manchmal auch im Freikorps Dänemark Dienst tun. Dieses ist jetzt aufgelöst, aber seine traurigen Reste sind über das Land verstreut. Es sind solche, die die Strapazen an der Ostfront nicht aushalten konnten, oder es sind Individuen, die so verderbt sind, daß man sie auch nicht in Deutschland behalten will.

Einen Teil dieser lichtscheuen Individuen gibt es in Deutschland, und die meisten von ihnen sind jetzt zusammen mit ihren deutschen Glaubensbrüdern bei der Sabotagepolizei eingesetzt, der sogenannten "schwarzen Polizei," die unmittelbar unter der Gestapo steht. Der immer machtlosere dänische Justizminister hat unmittelbar mit all dem nichts zu tun. Sie treten in deutscher Uniform auf und haben bei mehreren Gelegenheiten eine Brutalität an den Tag gelegt, wie man so etwas in Dänemark nicht gesehen hat. Sie sind es, die auf die dänischen Saboteure schießen und auch in einzelnen Fällen von ihnen getötet worden sind. Sie rekrutieren sich fast ausschließlich aus Deutschen; die dänischen Nazisten in dem Korps belaufen sich auf nur 10 bis 12. Diese ganze schwarze Polizei, wie sie jetzt genannt wird, hat einen Stab von 220 Mann, und davon sind auf jeden Fall 200 Deutsche. Es sind SS-Männer oder dergl. und man kann ruhig sagen, es ist der schlimmste Abschaum aus dem nazistischen Lager; und Individuen von dieser Sorte sollen jetzt die Ruhe und Ordnung in Dänemark aufrecht erhalten. Allein im Sommer sind über 20 Menschen bei Zusammenstößen mit provozierenden SS-Männern getötet oder verwundet worden.

Die etwas simplen deutschen bäuerlichen Soldaten, die in der ersten Zeit den Hauptteil der Truppen in Dänemark ausmachten, und von denen viele so scheu waren, daß sie sich kaum öffentlich zu zeigen wagten, sind jetzt weg, und die rauen Soldatentypen sind an ihre Stelle getreten. Was die an Unheil gestiftet haben – oft gemeinsam mit dänischen Quislingern in deutscher Uniform –, läßt sich nicht beschreiben, aber darüber geht der

---

47 Louis Bobé afviser i sine erindringer at have haft nogen som helst kontakt med Werner Best, men at general Lüdke en gang aflagde besøg hos ham i sit sommerhus, ledsaget af en adjudant (Bobé 1947, s. 255f.). Bobé havde gennem et langt liv beskæftiget sig med dansk og tysk kultur og var en af dem, der på bl.a. det grundlag blev hængt ud i den illegale presse. Han er repræsenteret i *De fri Danskes* "blå bog."

Justizminister dadurch hinweg, daß er gegen die Behauptung von Leuten, die es besser wissen, sagt, daß sich die Deutschen ausgezeichnet aufführen.

Über Dr. Best und General Hanneken laufen allerlei Gerüchte um. Das letzte besagt, daß Best mehrere Besitzungen in Dänemark gekauft hat. Gegenwärtig wohnt er in Skovshoved, einer Vorstadt Kopenhagens nach dem Sund hin. Best und Hanneken haben sich versöhnt – eine Zeitlang klagte der General fast täglich über Best in Berlin –, und die Freundschaft ist jetzt so ausgeprägt, daß Hanneken für die Sommerzeit hinaus zu Best als Gast in dessen große Villa gezogen ist.[48] Der Wohnsitz des Generals ist sonst "Lille Amalienborg," aber dort ist es im Sommer ziemlich dunkel und kalt."

240. Werner Best an Otto Höfler 17. august 1943

Professor Höfler havde fortalt Best om planerne for en genudgivelse af P.A. Munchs bog *Der Pangermanismus. Eine Schrift für Deutschland und die nordische Reiche gegen den dänischen Skandinavismus und das Russenthum* i et nyt oplag på tysk, hvilket Best besvarede med, at det uden tvivl ville være at ønske velkomment. Dog bad han Höfler undersøge, om der ikke kunne komme et nyt oplag af den norske tekst med en dansk indledning. Det burde være muligt at finde en ung dansk fagmand, der ville være villig til at påtage sig dette arbejde.

Best stod i nær forbindelse med Höfler mht. den videnskabelige virksomhed i Danmark, og som dette brev demonstrerer, anså Best det som sin opgave at få værker om særligt vigtige emner som pangermanismen ud i Danmark, snarere end i Tyskland. Det tyske behov måtte andre tage sig af. Der kom ikke et nyt oplag af P.A. Munchs bog fra 1857 på dansk.

Kilde: FM 24a-5.

Der Bevollmächtigte des Reiches in Dänemark *Kopenhagen, den 17.8.1943.*

An den Präsidenten des Deutschen Wissenschaftlichen Instituts
Herrn Professor Dr. Höfler,
  Kopenhagen

Lieber Herr Höfler!
Auf Ihr Schreiben vom 11.8.43 betr. die Schrift "Der Pangermanismus" von P.A. Munch erwidere ich, daß eine Neuauflage in deutscher Sprache und mit deutscher Einleitung zweifellos zu begrüßen ist. Die Arbeit des Herrn Professor Scheel soll deshalb in dem zwischen Ihnen und ihm verabredeten Sinne durchgeführt werden.

Ich bitte Sie aber, doch zu prüfen, ob nicht auch eine Neuauflage des norwegischen Textes mit einer dänischen Einleitung veranlaßt werden kann. Es müßte nach meiner Auffassung doch ein jüngerer dänischer Fachmann zu finden sein, der bereit wäre, diese Arbeit zu leisten.

Heil Hitler!
W. Best

---

48 Von Hanneken var ikke sommergæst hos familien Best, men det var Heydrichs enke (Bests kalenderoptegnelser juli og august 1943).

241. Karl Schnurre: Aufzeichnung 17. August 1943

Schnurre refererede en samtale, han havde haft med Gustav Schlotterer, RWMs ledende arkitekt for "Vorbereitung und Neuordnung." De var enige om at være mod oprettelsen af et særligt kapitalselskab til varetagelse af et dansk arrangement i østområderne, som Steengracht havde skrevet med gauleiter Alfred Meyer om.

Om det påfølgende møde mellem repræsentanter for AA og Rigsministeriet for de besatte Østområder, se Wiehls notat 11. november 1943 (Lund 2005, s. 206).

Kilde: BArch, R 901 68.712. RA, pk. 203.

Ges. Schnurre   Nr. 26.

Aufzeichnung

Ministerialdirektor Schlotterer rief mich vor einigen Tagen an und kam auf den Briefwechsel zwischen Herrn Staatssekretär von Steengracht und Herrn Staatssekretär Meyer betreffend Gründung einer deutsch-dänischen Kapitalgesellschaft in Dänemark zu sprechen.[49] Er habe von diesem Briefwechsel erst nachträglich Kenntnis bekommen und sei grundsätzlich anderer Auffassung. Eine solche Gesellschaft werde kaum von Nutzen sein und komplizere die Dinge nur. Er sei infolgedessen der Meinung, die auch das Auswärtige Amt vertreten habe, daß man besser von der Gründung einer solchen Gesellschaft Abstand nehme und die Fragen des dänischen Einsatzes im Osten besser unmittelbar behandele.

Als weiteres Thema erörterte Herr Schlotterer den von dem Herrn Reichsminister für die besetzten Ostgebiete ins Leben gerufenen Ostwirtschaftsausschuß. Wie wir wohl gemerkt hätten, hätte er, Schlotterer, als Vorsitzender diesen Ausschuß nicht aktiviert und ihn abgesehen von der Eröffnungssitzung auch nur einmal zusammengerufen. Er beabsichtige, den Ausschuß gänzlich einschlafen zu lassen, da er sich eine nützliche Arbeit davon nicht verspreche. Er stände vielmehr auf dem Standpunkt, daß die einschlägigen Fragen zwischen den beteiligten Ressorts besser unmittelbar zu klären wären.

Herr Schlotterer äußerte die Absicht, demnächst mündlich mit mir die Fragen zu vertiefen.

Herr Schlotterer hat sich damit in den zwei wichtigsten Fragen, Ostausschuß und Einsatz von Dänemark, vollkommen unserem Standpunkt angeschlossen. Aus seinen Äußerungen ging hervor, daß im Ostministerium bei den einzelnen Abteilungsleitern sehr verschiedene sachliche und personelle Ziele verfolgt werden.

Berlin, den 17. August 1943

gez. **Schnurre**

242. Vorbereitung besonderer Maßnahmen zur Sicherung der Reichsinteressen und der deutschen Besatzung in Dänemark 18. August 1943

Under indtryk af augusturolighederne indgik Best en aftale med WB Dänemark om, hvordan de ønskede at håndtere en ændring af den nuværende situation, og hvad de i givet fald var enige om at foreslå deres foresatte. Det blev først slået fast, at den eksisterende situation fra et tysk synspunkt var den mest ønskværdige og formålstjenlige: med få ressourcer gennemførte den rigsbefuldmægtigede en oversigtsforvaltning, der var

---

49 Se for korrespondancen Steengracht til Alfred Meyer 14. juli 1943.

grundlaget for den leveringsvillighed, der blev vist fra dansk side. Den situation skulle kun ændres, hvis der var tvingende grunde til det. Hvis det kom til en bevæbnet opstand, eller regeringen trådte tilbage uden at en ny kunne dannes, var der enighed om påfølgende at få etableret en civil dansk forvaltning hurtigst muligt bestående af kommissariske ledere af de danske ministerier, samlet i et regeringsudvalg. Den rigsbefuldmægtigede ville udøve sin magt i henhold til forordninger lig dem, der var gældende for rigskommissærerne i Norge og Holland. Regeringsudvalget skulle stå for den daglige opretholdelse af forvaltningen.

Aftalen er uden al tvivl ført i pennen af Best, det er hans program for en besættelsespolitik, der blev lagt til grund. Det bemærkelsesværdige er, at WB Dänemark gik ind på aftalen, der kun rummede få fordele for ham, bortset fra i kampsituationer. Muligvis har han ikke været helt klar over, hvad de to forordninger for Norge og Holland egentligt indebar, eller også har han mest været optaget af de konkrete foranstaltninger, der skulle til i en krisesituation.

Over for Himmler var Best 22. august mere åben med, at han stilede mod et rigskommissariat, selv om han ikke nødvendigvis ville underlægges Hitler direkte, som de øvrige rigskommissærer, men godt ville blive under AA. Det skyldtes givetvis kun de problemer, han så med at opnå sit mål både det ene og det andet sted fra, men han nærmest tryglede om RFSS' støtte i påkommende tilfælde.[50] RFSS' støtte arbejdede han på at opnå lige til begyndelsen af oktober 1943, da han modtog et brev fra RFSS, der slukkede håbet derom (se nedenfor).

Aftalen gengives delvist i Bests brev til Himmler 22. august og i Bests telegram nr. 1287, 21. oktober 1943.[51] Endvidere er den til dels gengivet i hærarkivar Goes' fremstilling, hvor det fortælles, at von Hanneken sendte den til OKW 25. august, hvilket ikke er korrekt (PKB, 13, s. 852f.).

For OKWs og AAs stilling til aftalen, se OKW/WFSts notits 24. august med tilføjelse 27. august og Alfred Jodl til WB Dänemark samme dag.[52]

Kilde: BArch, Freiburg, RW 4/895.

Anlage zu Bef. Dän. Ia Nr. 696/43 g.Kdos. am 18.8.43

Betr.: Die Vorbereitung besonderer Maßnahmen zur Sicherung der Reichsinteressen und der deutschen Besatzung in Dänemark.

1.) Der gegenwärtige Zustand
Zur Zeit ist die Wahrung der Reichsinteressen in Dänemark und die Stellung der deutschen Besatzung in Dänemark durch die zwischen dem Deutschen Reich und Dänemark am 9. April 1940 abgeschlossenen Vereinbarungen geregelt.

Auf der Grundlage dieser Vereinbarungen hat sich – insbesondere seit dem Herbst 1942, als der neue Reichsbevollmächtigte in Dänemark nicht mehr als Gesandter akkreditiert wurde,[53] - ein Zustand entwickelt, in dem die Verwaltung Dänemarks durch eine

---

50 Under en samtale med Nils Svenningsen 5. september 1943 udtalte Best, at han ikke havde nogen lyst til at blive "Reichskommissar", han fandt titlen "Reichsbevollmächtigter" mere tiltalende (PKB, 4, s. 314). Det er muligvis rigtigt, men pointen er, at Best uanset titel stræbte efter en rigskommissærs *beføjelser*.
51 Kirchhoff, 2, 1979, s. 324-26 og 3, 1979, s. 330-32 har anset aftalen for tabt og forgæves forespurgt Werner Best om indholdet 1977 og i stedet søgt at rekonstruere indholdet pga. de senere omtaler deraf.
52 Forberedelsen af disse nærmere foranstaltninger stod ikke nødvendigvis i modstrid med den plan for en oversigtsforvaltning, som Best havde udarbejdet engang i 1943, men hvis indhold ikke kendes (se Vernichtungsverhandlung 6. september 1944, trykt nedenfor), da en de facto rigskommissær udmærket kunne udøve oversigtsforvaltning.
53 Best lagde fra sin ankomst stor vægt på, at han var rigsbefuldmægtiget og ikke gesandt. I hans egen selvforståelse gav det ham en anden og betydeligere rolle end gesandtens, skønt baggrunden for at han ikke også blev gesandt var, at Hitler ikke ville have, at han som gesandt dermed skulle have foretræde for den danske konge. Det behøvede den rigsbefuldmægtigede ikke (se Barandons forklaring 6. juli 1948 (Danica 234,

verfassungsmäßigen Formen arbeitende Dänische Regierung ausgeübt wird, über die der Reichsbevollmächtigte zur Wahrung der Reichsinteressen eine weitgenende Aufsicht ausübt und gegenüber der er die Forderungen der deutschen Besatzung durchsetzt.

Der so gekennzeichnete Zustand erscheint vom deutschen Standpunkt aus als der zweckmäßigste und wünschenswerteste. Denn einerseits ermöglicht er die Wahrung der Reichsinteressen mit dem geringsten Aufwand an deutschen Kräften (der Reichsbevollmächtigte erfüllt seine Aufgaben z.Zt. mit 23 höheren Beamten, 78 mittleren Beamten – einschl. Sicherheitspolizei –, 134 Angestellten und einem Polizei-Bataillon, während die deutsche Besatzung überhaupt keine Kräfte für Verwaltungs- und Ordnungszwecke einzusetzen braucht). Andererseits wird zur Zeit auf der Grundlage der Freiwilligkeit und der Selbstverwaltung von der dänischen Wirtschaft die beste unter den gegebenen Verhältnissen mögliche Produktionsleistung zu Gunsten des Deutschen Reiches erbracht.

Es besteht deshalb Einvernehmen zwischen dem Befehlshaber der deutschen Truppen in Dänemark und dem Reichsbevollmächtigten, daß es im Reichsinteresse liegt, diesen Zustand solange aufrecht zu erhalten, als kein zwingender Grund zu einer Änderung eintritt.

2.) Änderung des gegenwärtigen Zustandes
Ein zwingender Grund zur Änderung des gegenwärtigen Zustandes könnte in zwei Fällen eintreten:

Der eine Fall wäre ein bewaffneter Aufstand, der (ggf. in Verbindung mit einem feindlichen Angriff) von feindlicher Seite mit Hilfe dänischer Widerstandskreise im Lande herbeigeführt würde.

Der andere Fall wäre ein Wegfall der gegenwärtigen Regierung (etwa durch ein Mißtrauensvotum des Reichstages), ohne daß eine neue Regierung gebildet würde, die dem Reiche genehm wäre.

Es liegen an sich keinerlei Anzeichen dafür vor, daß einer der beiden Fälle in absehbarer Zeit eintreten könnte. Dennoch halten der Befehlshaber der deutschen Truppen in Dänemark und der Reichsbevollmächtigte es für ihre Pflicht, auch diese Fälle ins Auge zu fassen und zu klären, welche Maßnahmen im Falle ihres Eintritts zu treffen wären.

3.) Notwendigkeit schnellen Handelns
Wenn einer der beiden vorstehend angedeuteten Fälle eintreten sollte, müßten von deutscher Seite unverzüglich die zur Sicherung der Reichsinteressen und der deutschen Besatzung erforderlichen Maßnahmen getroffen werden, ohne daß durch Berichterstattung an vorgesetzte Stellen und Einholen ihrer Weisungen Zeit verlorenginge.

Der Befehlshaber der deutschen Truppen in Dänemark und der Reichsbevollmächtigte haben deshalb vereinbart, den ihnen vorgesetzten Stellen übereinstemmend vorzuschlagen, daß im Falle einer Änderung des bestehenden Zustandes in Dänemark unverzüglich die folgenden besonderen Maßnahmen getroffen werden sollen.

pk. 88, læg 1151)). Dog kunne Best med henvisning til sit udnævnelsesdokument (se Ribbentrop til Best 4. november 1942) finde et vist belæg for sin opfattelse, idet han var udnævnt til rigsbefuldmægtiget af føreren selv og desuden samtidigt fik den kommissariske ledelse af det tyske gesandtskab, som det blev formuleret.

4.) Zuständigkeit
I.) Im Falle eines bewaffneten Aufstandes tritt die folgende Regelung ein:
   A.) *Bei einen Teilaufstand* in einem oder einzelnen Teilen des Landes gelten sinngemäß die zwischen dem Befehlshaber der deutschen Truppen in Dänemark und dem Reichsbevollmächtigten getroffenen Abmachungen über die bei einem feindlichen Angriff zu ergreifenden Maßnahmen.[54]
   B.) *Bei einem Gesamtaufstand* im ganzen Lande geht die vollziehende Gewalt an den Befehlshaber der deutschen Truppen in Dänemark über. Dies bedeutet, daß er allein über jede Art staatlicher Tätigkeit (in Rechtsetzung, Rechtsprechung und Verwaltung) bestimmt.
   Er wird
      a.) den militärischen Ausnahmezustand erklären,
      b.) den Aufstand mit den ihm unterstellten Truppen mit aller Schärfe bekämpfen,
      c.) alle sonst der gegebenen Lage entsprechenden Maßnahmen (siehe 5.!) anordnen und für ihre Durchführung sorgen.
   C.) *Nach der Niederschlagung des Aufstandes* wird der militärische Ausnahmezustand aufgehoben. Hiermit endet die Ausübung der vollziehenden Gewalt durch den Befehlshaber der deutschen Truppen in Dänemark und fällt die politische Initiative an den Reichsbevollmächtigten zurück. Er wird veranlassen, daß in Anpassung an die jeweilige Lage die von dem Befehlshaber getroffenen Maßnahmen aufrecht erhalten, abgeändert, aufgehoben, ergänzt oder durch andere Maßnahmen ersetzt werden.
II.) Im Falle des Rücktritts der gegenwärtigen dänischen Regierung (ohne oder nach einem Aufstand) wird der Reichsbevollmächtigte die folgenden Maßnahmen treffen:
   a.) Er wird, wenn es die Lage erfordert, den zivilen Ausnahmezustand erklären.
   b.) Er wird der dänischen Zivilverwaltung eine neue Leitung geben, die an Stelle der weggefallenen bzw. ausgeschalteten verfassungsmäßigen Faktoren des dänischen Staates unter der Aufsicht des Reichsbevollmächtigten die öffentliche Gewalt ausübt. Es ist vorläufig daran gedacht, für die dänischen Ministerien kommissarische Leiter zu bestimmen, die in ihrer Gesamtheit als "Regierungsausschuß" bezeichnet werden sollen.
   c.) Er wird die eingetretene Veränderung durch eine Bekanntmachung veröffentlichen, die in Anlehnung an die Haager Landkriegsordnung (insbesondere Art. 43) und an die Erlasse des Führers über Ausübung der Regierungsbefugnisse in Norwegen vom 24.4.1940 (RGBl. I, S. 677)[55] und über Ausübung der Regierungsbefugnisse in den Niederlanden vom 18.5.1940 (RGBl. I, S. 778)[56] etwa den aus Anlage 1 ersichtlichen Wortlaut erhalten soll.[57]

---

54 Det drejer sig om aftalerne af 16. juni og 19. juli 1943, trykt ovenfor.
55 Det var grundlaget for Terbovens virke som rigskommissær i Norge fra først til sidst (Benz 2000, s. 8).
56 Tilsvarende var denne forordning grundlaget for Seyss-Inquarts virke som rigskommissær i Holland (Kwiet 1968, s. 55f.).
57 Bilaget er trykt nedenfor.

d.) Er wird veranlassen, daß der Regierungsausschuß die zur Aufrechterhaltung der Verwaltung und Wirtschaft sowie der öffentlichen Ordnung erforderlichen Verordnungen erläßt.

e.) Er wird, soweit erforderlich, eigene Anordnungen treffen und eigene Maßnahmen durchführen.

5.) Anordnungen und Maßnahmen
Eine vorläufige Zusammenstellung der Anordnungen und Maßnahmen, die in den unter 2 erwähnten Fällen entweder von dem Befehlshaber der deutschen Truppen in Dänemark während seiner Ausübung der vollziehenden Gewalt oder von dem Reichsbevollmächtigten nach der Lage und den örtlichen Verhältnissen zu treffen sind, ist in Anlage 2 enthalten.[58]

Die Anordnungen und Maßnahmen werden entweder unmittelbar oder durch Weisung an dänische Behörden getroffen werden.

6.) Durchführung
Falls die Polizeitruppe und die deutschen und dänischen Zivilkräfte des Reichsbevollmächtigten für die Durchführung der von ihm angeordneten Maßnahmen nicht ausreichen, wird der Befehlshaber der deutschen Truppen in Dänemark auf Anforderung – soweit möglich – Wehrmachtverbände zur Verfügung stellen, die hinsichtlich der Durchführung ihrer Aufträge dem Befehlshaber unterstellt bleiben.

Der Reichsbevollmächtigte wird während der Dauer des militärischen Ausnahmezustandes auf Anforderung des Befehlshabers der deutschen Truppen in Dänemark die ihm unterstellte Polizeitruppe abordnen und Angehörige seiner Behörde – insbesondere den vorgesehenen Chef der Zivilverwaltung – dem Befehlshaber zur Beratung und Unterstützung zur Verfügung stellen.

Anlage 1
Bekanntmachung
Nachdem durch die letzten Ereignisse in Dänemark die Voraussetzungen für eine Fortsetzung der vertraglichen Beziehungen zwischen dem Großdeutschen Reich und Dänemark weggefallen sind und die öffentliche Gewalt tatsächlich in die Hände der Besatzungsmacht übergegangen ist, habe ich als Bevollmächtigter des Reiches in Dänemark nach den Grundsätzen des Völkerrechts die öffentliche Ordnung und das öffentliche Leben in dem besetzten Dänemark sicherzustellen und bestimme zu diesem Zweck:
1.) Die gesetzmäßige Gewalt wird unter meiner Aufsicht durch den heute eingesetzten Regierungsausschuß ausgeübt.
2.) Das in Dänemark geltende Recht bleibt in Kraft, soweit es mit dem Zwecke der Besetzung vereinbar ist.
3.) Die Verordnungen des Regierungsausschusses haben Gesetzes kraft.

---

58 Bilaget er trykt nedenfor.

Jedem Einwohner Dänemark, der sich den Anordnungen der auf völkerrechtlicher Grundlage beruhenden Kriegsverwaltung fügt, wird Unversehrtheit der Person und des Eigentums im Rahmen der Gesetze zugesichert. Wer gegen diese Anordnungen verstößt, wird nach Kriegsrecht behandelt werden.

Anlage 2

Anordnungen und Maßnahmen

I.) *Anordnungen gegenüber der dänischen Verwaltung*
 1.) Verpflichtung der Beamten und öffentlichen Angestellten zur Fortsetzung ihrer Arbeit.
 2.) Verpflichtung der dänischen Behörden zum Gehorsam gegenüber eingesetzten deutschen Aufsichtspersonen.

II.) *Anordnungen gegenüber der Zivilbevölkerung*
 1.) Zeitliche Ausgangsbeschränkung für die Bevölkerung (mit Ausnahme der Angehörigen bestimmter kriegs- und lebenswichtiger Betriebe).
 2.) Schließung oder Festsetzung besonderer Polizeistunden für Gaststätten und Vergnügungsstätten.
 3.) Sperrung jedes zivilen Nachrichtenverkehrs (im Benehmen mit dem Nachrichtenführer beim Befehlshaber der deutschen Truppen in Dänemark).
 4.) Allgemeines Reiseverbot (mit Ausnahme der Angehörigen kriegs- und lebenswichtiger Betriebe).
 5.) Sperrung des zivilen Grenzverkehrs aus und nach Dänemark.
 6.) Polizeiliche Meldepflicht aller Nicht-Ortsansässigen.
 7.) Verbot des zivilen Kraftfahrverkehrs (mit bestimmten Ausnahmen).
 8.) Allgemeines Streikverbot.
 9.) Pressezensur.
 10.) Auflösung bestimmter Verbände, Schließung der Hochschulen.
 11.) Allgemeiner Ausweiszwang.

III.) *Sicherungsmaßnahmen*
 1.) Besetzung aller Fernmeldeanlagen (Fernsprech- und Telegrafenämter, Rundfunksender).
 2.) Sicherung der folgenden Gebäudegruppen, Kunstbauten usw.
  – der deutschen Dienstgebäude,
  – bestimmter Schlösser der königlichen Familie,
  – des Schlosses Christiansborg in Kopenhagen (Sitz des Reichstags und mehrerer Ministerien),
  – des Rathauses in Kopenhagen,
  – der dänischen Nationalbank,
  – der Dienstgebäude der Polizeibehörden und der Amtmänner,
  – aller Strafanstalten, des Kommunistenlagers in Horseröd, des Interniertenla-

gers in Storegrund,
- der Bahnhöfe, Fähren, Hafenanlagen, Brücken,
- der wichtigsten Unter- und Überführungen usw.,
- bestimmter lebenswichtiger Betriebe (z.B. Elektrizitäts-, Gas- und Wasserwerke).
3.) Sperrung der für Truppenbewegung oder Nachschub benötigten Landstraßen für den Zivilverkehr.

IV.) *Besondere Maßnahmen*
1.) Sicherstellung bestimmter Persongruppen, z.B.
   - bestimmter Angehöriger der Königsfamilie,
   - Parteiführer, Reichstagsabgeordneter und anderer Politiker nach einer aufzustellenden Liste,
   - bekannter deutschfeindlicher Elemente nach einer aufzustellenden Liste.
2.) Erforderlichenfalls Auferlegung von Geldstrafen zu Zwecken der Sicherung, des Schadensersatzes und der Busse.
3.) Erforderlichenfalls Anwendung sonstiger Zwangsmittel wie völlige Ausgangssperre, Bewachung bestimmter Einrichtungen durch Landeseinwohner usw.

243. Werner Best an das Auswärtige Amt 19. August 1943

AA fik meddelelse om, at en af de danske matroser, der 5. juli var flygtet til Sverige på marinemotorbåden "Fandango" frivilligt var vendt tilbage. Hans forhold ville nu blive undersøgt, og han ville blive straffet derefter. De øvrige flygtede var beskæftiget med træfældning.
Kilde: RA, Danica 628, sp. 7, nr. 5316f.

Der Bevollmächtigte des Reiches in Dänemark   *Kopenhagen, den 19.8.1943*
II C B. Nr. 1935/43

An das Auswärtige Amt,
    Berlin

Betrifft: Flucht dänischer Marineangehöriger nach Schweden unter Benutzung eines dänischen Motorbootes.
Bezug: Hies. Drahtbericht Nr. 851 vom 17.7.43.[59]
Anlagen: 2 Doppel.

Von den am 5.7.43 mit dem dänischen Marine-Motorboot "Fandango" geflüchteten dänischen Marineangehörigen ist am 15.7.43 ein Matrose freiwillig nach Dänemark zurückgekehrt.
Das Dänische Marineministerium gibt darüber die folgende Darstellung:
"Der zurückgekehrte Flüchtling ist der Matrose Nr. 5555 Frederik Peter Clemmen-

---

[59] Indberetningen er ikke lokaliseret.

sen, geb. am 9.8.24 in Esbjerg. Nach seiner Angabe hatte er die Bootsbesetzung gefragt, ob er eine Fahrt im Sund mitmachen könne. Erst mitten im Sund will erfahren haben, daß die Reise nach Schweden ging. Unter Protest fuhr er mit nach Landskrona, von wo er am 14.7. mit den anderen Flüchtlingen nach Stockholm gesandt wurde. Sämtliche Leute bekamen von der schwedischen Spezialfürsorge für Ausländer etwas Zeug und Geld. In einem unbewachten Augenblick gelang es Clemmensen, unter Mitnahme seiner Uniform mit dem Zug nach Helsingborg zu kommen. Hier eignete er sich eine Jolle, mit der er nach Helsingör ruderte, wo er am 15.7. um 22.15 Uhr in der Jolle von der dänischen Küstenpolizei aufgegriffen wurde.

Wegen den Matrosen schwebt ein Untersuchungsverfahren zwecks Feststellung, wegen welchen Vergehens er zu bestrafen ist."

Die übrigen Flüchtlinge sind z.Zt. in Högvallen/Nordschweden untergebracht, wo sie mit Holzfällen beschäftigt werden.

gez. **Dr. Best**

244. Rüstungsstab Dänemark: Lagebericht 20. August 1943
Selv om Forstmann først afsluttede sin månedsberetning for juli 1943 den 20. august, omtalte han ikke med et ord, at der siden hen var opstået en meget alvorlig politisk krisesituation. Til gengæld orienterede han om krav fra WB Danmark, der kunne have fået det aftalte løn- og prissystem til at bryde sammen, men at dette var blevet afværget ved forhandlinger via Forstmann og den rigsbefuldmægtigede.

Kilde: BArch, Freiburg, RW 27/10. RA, Danica 1000, T-77, sp. 696, KTB/Rü Stab Dänemark, 3. Vierteljahr 1943.

Abteilung Wehrwirtschaft im Rü Stab Dänemark *Kopenhagen, den 20.8.1943*
Gr. Ia Az. 66d 1 Nr. 2566/43g

Bezug: OKW Az. 1 e 24 Wi Amt Z 1/II Nr. 1143/43 geh. v. 20.2.43
Betr.: Lagebericht.

An den Wehrwirtschaftsstab
  im Oberkommando der Wehrmacht
  Berlin W 62
  Kurfürstenstr. 63/69.

Abt. Wwi im Rü Stab Dänemark übersendet in der Anlage Lagebericht gemäß o.a. Bezugsverfügung.
Forstmann

Abteilung Wehrwirtschaft der Rü Stab Dänemark *Kopenhagen, den 20.8.1943*
Gr. Ia Az. 66d 1 Nr. 2566/43g Geheim!

Vordringliches
Im Juli wurden 143.400 to Kohle (davon 33.200 to Kohle für die Dänische Staatsbahn) und 46.200 to Koks nach Dänemark verladen. Außerdem sind zusätzlich 14.400 to Sudetenkohle zur Auslieferung gekommen. Vorgesehen sind für August fest abgeschlossen 155.000 to Kohle und 11.000 to Koks; bei weiteren zugesagten 65.000 to ist noch nicht festgelegt, in welchem Prozentsatz davon Kohle und Koks geliefert wird. Dänischerseits wünscht man überwiegend Koks, da sonst Schwierigkeiten bei der Ausgabe von Rationierungsmarken für Hausbrandkoks am 1. September 43 entstehen. Es müssen nach dänischen Schätzungen noch mindestens 50.000 to Koks eingeführt werden, um das Mindestprogramm der Rationierung durchführen zu können. Die Koksbestände in Dänemark waren am 15.7.43 nur halb so groß wie am 1. September 42 und schon im vergangenen Jahr war die Kokslage kritisch.

Die *Kontraktpreise* für die Ausführung von *Unternehmer- und Bauarbeiten*, welche zwischen der Deutschen Wehrmacht in Dänemark und den dän. Firmen vereinbart sind, unterliegen gem. der im Einvernehmen mit den deutschen Stellen erlassenen dän. Bekanntmachung des Handelsministeriums vom 23.12.41 einer Überprüfung durch den Beauftragten des Ministeriums des Äußern in Industriesachen.

Auf Veranlassung des Festungs-Pi-Stabs 31, der eine Preisprüfung für die von ihm durchgeführten Festungsbauten auf Jütland vermeiden wollte, wurde vom Bef. Dän. die Forderung gestellt, im Einvernehmen mit dem Bevollmächtigten des Reiches in Dänemark bei der Dän. Regierung zu erreichen, daß jegliche dänische Preisprüfung für die Festungsbauten auf Jütland und die sonstigen von der Wehrmacht durchgeführten *Geheimbauten* entfalle. Als Grund für diese Forderung wurde geltend gemacht, daß vermieden werden müsse, den dänischen Stellen ein *Gesamtbild* über die Festungs- und sonstigen Geheimbauten zu geben. Die Federführung wurde Abt. Wwi übertragen.

Diese Forderung des Bef. bedeutete praktisch eine Aufhebung der Bekanntmachung des Dän. Ministeriums für Handel, Industrie und Seefahrt vom 23.12.41 betr. Überprüfung der Kontraktpreise bei gewissen Unternehmer- und Bauarbeiten für die deutsche Wehrmacht in Dänemark. Die wiederholten Verhandlungen des Bevollmächtigten des Reiches in Dänemark sowie der Abt. Wwi mit der Dän. Regierung und den beteiligten deutschen Stellen führten schließlich zu folgendem deutschen Vorschlag an die Dän. Regierung:

1.) Die Preisprüfung der vom Festungs-Pi-Stab 31, der OT bzw. dem Sonderbaustab der Luftwaffe im Rahmen des Festungsbauprogramms erteilten Aufträge, sowie derjenigen Aufträge, die von den bauvergebenden Dienststellen der Wehrmacht *besonders* bezeichnet werden, findet erst *nach Beendigung* der jeweiligen Arbeiten statt.

2.) Der dän. Unternehmer ist verpflichtet, seine Kalkulationsunterlagen *vor* Einreichung bei den dän. Prüfstellen bei den besonders genannten deutschen Prüfstellen einzureichen. Letztere prüfen, ob die dän. Preisprüfungsunterlagen ohne Gefährdung der Geheimhaltung an die dän. Preisprüfung weitergegeben werden können.

Dieser Vorschlag ist von der Dän. Regierung angenommen und wird nach Austausch eines vertraulichen Notenwechsels in Kraft gesetzt werden.

Das Luftgaukdo. XI hatte am 16.3.43 Abt. Wwi ersucht, beim Dän. Außenministerium einen Antrag auf Verlängerung des am 31.3.43 ablaufenden Vertrages über *Er-*

mietung von 180 dän. LKW zu stellen. Die Dän. Regierung machte ihre Zustimmung zu einer Vertragsverlängerung von einer Herabsetzung der Transfersätze abhängig und war bis zu einer Klärung dieser Frage mit einer vorläufigen Verlängerung des Vertrages bis 31.5.43 einverstanden. Auf Veranlassung der dän. Vermieterverbände fanden am 10.6.43 Verhandlungen mit der Dän. Regierung statt, bei welchen der Transfersatz für LKW über 3 to sowie für Omnibusse auf monatlich Kr. 1.300,- zuzüglich Kr. 500,- Fahrerlohn herabgesetzt wurde. Zur Vermeidung einer Abwanderung der Fahrzeuge infolge der Reduzierung der Transfersummen wurde vereinbart, daß abgewanderte Fahrzeuge weder von dänischer noch deutscher Seite in Dänemark mehr beschäftigt werden dürften. Der Bef. Dän. und die Dän. Regierung haben entsprechende Anweisungen an alle Dienststellen gegeben.

1a. Aufträge der Besatzungstruppe
Von der Abt. Wwi wurden im Monat Juli 1943 Rohstoffsicherungen von Fertigungs- und Bauaufträgen sowie Wareneinkäufen der Besatzungstruppe in Dänemark, soweit hierzu Eisen, Stahl, NE-Metalle sowie Kautschuk benötigt wurden, in Höhe von 1.800 Mill. RM durchgeführt.

1c. Holzversorgung
Für Aufträge der Besatzungstruppe in Dänemark sind im Monat Juli von Abt. Wwi Bedarfsbescheinigungen über 6.829 cbm Nadelholz für die vorschußweise Freigabe aus den Beständen der dänischen Wirtschaft ausgestellt worden.
    Der Verbrauch der einzelnen Wehrmachtteile war wie folgt: Heer 2.418 cbm, Kriegsmarine 1.206 cbm, Luftwaffe 2.740 cbm, Festungspionierstab 465 cbm.

5. Arbeitseinsatz
Die Zahl der Arbeitslosen betrug Ende Juli 1943 17.380. Es ist eine Zunahme von 785 zu verzeichnen, die vor allem durch Entlassungen in der Tabakindustrie bedingt ist. Die Gesamtzahl der in Norwegen eingesetzten dänischen Arbeiter beträgt 10.397. Zugang im Monat Juli 124. Für Aufträge des Neubauamtes der Luftwaffe sind z.Zt. in Dänemark 3.629, für die des Festungspionierstabs 31 und der OT 9.566 und für den Sonderbaustab Struer 5.350 dänische Arbeiter und Angestellte eingesetzt, sodaß für den Festungsbau Jütland 18.545 dänische Arbeiter z.Zt. tätig sind (Im Juni 18.891)
    Dem Reich wurden im Monat Juli 1.620 Arbeitskräfte zugeführt (im Juni 1.683) davon für Rü 245, für Bergbau 1, für Verkehr 156, für Land- und Forstwirtschaft 2, für Bau 762, für Haushaltungen 42 und für die sonstige Wirtschaft 412. Die Zahl der in den Tagen des Angriffes auf Hamburg nach Dänemark zurückgekehrten dänischen Arbeiter kann mit 1.500 von etwa 5.000 angenommen werden.[60]

6. Verkehrslage
Der Fährbetrieb verlief im Monat Juli normal. Auf der Strecke Warnemünde-Gedser-Kopenhagen-Helsingör trat infolge des Einsatzes von 2 Fähren nach Schweden auf der

---

60 Se *Politische Informationen* 15. august 1943, afsnit IV.

Strecke Sassnitz-Trälleborg im Güterverkehr eine wesentliche Entlastung ein.

Die Streckenbelastung Helsingör-Helsingborg war normal, die Strecke Nyborg-Korsör war im Personenverkehr wegen des Ferienverkehrs außerordentlich belastet.

Die Waggongestellung innerhalb Dänemarks für die Deutsche Wehrmacht ist im Juli zu 100 %, für den zivilen Bedarf aber nur zu 30 % gedeckt worden.

Vordringlich werden z.Zt. Torf und Braunkohlen innerhalb Dänemarks gefahren. Die dänische *Schiffahrt* war tonnagemäßig in folgender Rangfolge eingesetzt:
1.) Erzfahrt von Schweden nach Deutschland
2.) Kohlenfahrt nach Dänemark
3.) Innerdänische Fahrt
4.) Deutsche Küsten-Kohlenfahrt

Für die OT wurden vom 1.-31.7.43 11.073 to Zement befördert, davon 5.006 to mit dänischer und 6.067 to mit deutscher Tonnage, außerdem mit deutschen Schiffen 19.440 to Kies.

7a. Ernährungslage

Die Ernteaussichten sind als gut zu bezeichnen. Besonders beim Brotgetreide ist die Weizenernte sehr gut ausgefallen. Ab 1. Okt. 43 kann daher Weizenbrot und Weizenmehl an die Bevölkerung wieder reichlicher geliefert werden; eine Gesamtbroterhöhung tritt mengenmäßig aber nicht ein. Es entfällt ab 1. Okt. 43 der Gerstenbeimischungszwang für Roggenbrot. Die Futtergetreideernte ist als mittelmäßig bis gut zu bezeichnen.

Der Stand der Kartoffeln verspricht einen besseren Ertrag als im Vorjahre, ebenfalls der Stand der Futter- und Zuckerrüben.

Die Obsternte ist mittelmäßig und hat durch den Sturm stark gelitten. Auch die Ergebnisse des Fischfangs sind infolge des Sturmes zurückgegangen.

Bei der Schweinezählung am 17.7.43 wurde zum ersten Male seit 2 Jahren die 2 Mill. Stückzahl wieder überschritten nach dem Tiefstand von 1,1 Mill. im Mai 1942.

Nach Deutschland wurden im Monat Juli 7.828 to Fisch mit 723 LKW-Transporten verladen, außerdem in 207 Fleischtransporten 2.185 to Fleisch.

Wertmäßig wurden im Monat Juni 1943 aus den Lebensmittelbeständen des Landes entnommen:

für die deutschen Truppen in Dänemark: 3.814.696,43 d.Kr.
für die deutschen Truppen in Norwegen: 2.943.273,71 d.Kr.

245. Werner Best an das Auswärtige Amt 20. August 1943

Best dementerede over for AA de fremkomne engelske og svenske oplysninger om en kabinetskrise i Danmark uden at fortælle, hvordan situationen var den 20. august.

Dagen før havde han i en samtale med den svenske gesandt Gustav von Dardel kritiseret den svenske presses såkaldte misinformationer vedrørende Danmark. Bests krisestyring var ved at gå i opløsning (Kirchhoff, 2, 1979, s. 316f.).

Kilde: PA/AA R 29.567. PKB, 13, nr. 408.

Telegramm

Kopenhagen, den 20. August 1943 09.10 Uhr
Ankunft, den 20. August 1943 09.45 Uhr

Nr. 950 vom 20.8.43.

Auf das dortige Telegramm Nr. 1101[61] vom 19.8.43.
Die englischen und schwedischen Meldungen über eine dänische Kabinettskrise sind falsch.
 Ich habe an die dänische Regierung keine Forderung gerichtet und die dänische Regierung hat keine Forderung abgelehnt.
 Der Staatsminister von Scavenius hat mir nicht seinen Rücktritt angeboten, so daß ich ihn nicht abzulehnen brauchte.
 Saboteure werden, wenn sie die deutsche Wehrmacht unmittelbar angegriffen haben, ständig von deutschen Kriegsgerichten verurteilt. Die dänische Regierung hat hiergegen seit Beginn meiner Amtsführung noch nicht interveniert.
 Sabotagefälle, die nicht gegen die deutsche Wehrmacht gerichtet sind, werden an die dänischen Gerichte abgegeben. An dieser Praxis wird bis auf weiteres nichts geändert werden.
 Im übrigen verweise ich auf meinen Schriftbericht Nr. I A/290 43 vom 19.8.43 auf das dortige Telegramm Nr. 1100/18[62] vom 19.8.43.

Dr. Best

246. Werner Best an das Auswärtige Amt 20. August 1943

Best indberettede en våbennedkastning i Rold Skov, hvor modtagegruppen blev overrasket af en tysk værnemagtspatrulje, hvorved en person blev fanget. Best gjorde det klart, at han efter en dødsdom ikke ville modsætte sig henrettelser, da pågribelsen var sket af værnemagten og ikke dansk politi, men at konsekvenserne heraf ikke var til at overskue.
 Det var dermed op til AA, om det ville gribe ind. I hvert fald havde Best sendt ansvaret videre, men som nævnt under 2. juni 1943 (MOK Ost til Seekriegsleitung), skulle han allerede på det tidspunkt have været indstillet på at foretage henrettelser for at statuere eksempler (Birkelund/Dethlefsen 1986, s. 66-68, Kirchhoff, 2, 1979, s. 386).
 Kilde: PA/AA R 29.567. RA, pk. 203. LAK, Best-sagen (afskrift). EUHK, nr. 100.

Telegramm

Kopenhagen, den 20. August 1943 18.05 Uhr
Ankunft, den 20. August 1943 18.45 Uhr

Nr. 956 vom 20.8.[43.]

---

61 P 12.594 i. Gg. Telegrammet er ikke lokaliseret.
62 Pol VI 9005 geh. Telegrammet er ikke lokaliseret.

In Nordjütland ist es gelungen, eine Saboteurgruppe aufzurollen, deren unmittelbare Verbindung mit dem Feind nachweisbar ist. In der Nacht vom 17. auf 18.8.43 wurden von einem deutschen Jagdflugzeug 30 km südlich von Aalborg drei Fallschirme gesichtet. Sofort aufgebotene Kräfte der dortigen Truppe stellten einige Zeit später bei Skörping südlich Aalborg einen Lastkraftwagen, der mit mehreren Personen besetzt war und zu flüchten versuchte. Die Truppe schoß und der Beifahrer des Lastkraftwagens wurde erschossen. Es handelte sich um den dänischen Staatsangehörigen Niels Erik Vangsted, geb. 28.3.23 in Aalborg, wohnhaft daselbst.[63]

Es handelt sich um die dänischen Staatsangehörigen Hjalmar William Poulsen, geb. 23.7.05 in Skörping, wohnhaft z.Zt. noch unbekannt, und Paul Edvin Kjär Sörensen, geb. 6.6.16 in Aarhus, wohnhaft in Aalborg.[64]

Auf dem Lastkraftwagen befanden sich sechs Fallschirme mit Abwurftrommeln, die mit Sabotagematerial gefüllt waren, hiernach handelt es sich offenbar nicht um den Absprung von Menschen, sondern um einen vorher verabredeten Abwurf von Sabotagematerial.

Im Verfolg der Untersuchungen konnten Eigentümer des Lastkraftwagens Heinrich Thomsen und ein Bruder des flüchtigen Führers des Lastkraftwagens festgenommen und die Wohnung eines weiteren flüchtigen Mitgliedes der Gruppe festgestellt werden. In dieser Wohnung lief am 19.8.43 ein Mann an, der nach bereits länger vorliegenden vertraulichen Mitteilungen ein aus England gekommener Fallschirmagent sein dürfte. Seine Identifizierung ist im Gange.[65] Die Festgenommenen werden bereits in der nächsten Woche von dem zuständigen Kriegsgericht abgeurteilt werden. Soweit Todesurteile gefällt werden (was für die meisten Beteiligten zu erwarten ist), beabsichtige ich im Hinblick darauf, daß diese Sabotagegruppe nicht von der dänischen Polizei, sondern von deutschen Kräften aufgerollt worden ist, gegen die Vollstreckung der Urteile keinen Einspruch zu erheben, obwohl ich mir bewußt bin, daß diese Hinrichtungen (die nicht nur die ersten seit der Besetzung Dänemarks, sondern die ersten seit vielen Jahrzehnten in Dänemark sein werden) angesichts der Spannung, die auch in der hiesigen Bevölkerung zur Zeit vibriert, politische Wirkungen auslösen, deren Art und Umfang nicht voraussehbar ist.

Dr. Best

247. Werner Best an das Auswärtige Amt 21. August 1943

Værnemagten havde fået en agentmelding om en forestående invasion på Vestkysten og havde den 21. kl. 12 erklæret højeste alarmberedskab for hele landet, men man blev hurtigt i generalstaben klar over, at det var falsk alarm og besluttede den følgende morgen at afblæse alarmen fra den 23. kl. 12 uden at give nogen oplysning derom videre til OKW. Best havde imidlertid straks benyttet lejligheden til at indberette det passerede til AA.

63 Om ham, se *Faldne i Danmarks frihedskamp*, 1970, s. 442.
64 Om den kort efter henrettede Kjær Sørensen, se *Faldne i Danmarks frihedskamp*, 1970, s. 429f.
65 Det var faldskærmsofficeren Einar Balling, der dagen efter episoden intetanende havde indfundet sig på adressen i Reberbanegade i Ålborg (Birkelund/Dethlefsen 1986, s. 67f.).

Herfra gik oplysningen videre til OKW, hvorfra general Alfred Jodl ringede von Hanneken op og spurgte, hvorfor han ikke havde indberettet det forhøjede beredskab. Von Hanneken fik ordre om at afgive en redegørelse om udviklingen og at sende daglige situationsberetninger fra Danmark. Tavshedsstrategien over for de foresatte i Berlin stod for fald (von Hannekens kalenderoptegnelse 21. august 1943 (Drostrup 1997, s. 334), Thomsen 1970, s. 159, Kirchhoff, 2, 1979, s. 390, Rosengreen 1982, s. 20, Drostrup 1997, s. 104f. (hvor Keitel angives som den, der havde ringet til von Hanneken, selv om von Hanneken i samme værk på dagen 21. august 1943 skrev noget andet!)).
Kilde: PA/AA R 29.567. RA, pk. 203.

Telegramm

| Kopenhagen, den | 21. August 1943 | 11.15 Uhr |
| Ankunft, den | 21. August 1943 | 12.20 Uhr |

Nr. 960 vom 21.8.[43.]   Geheime Reichssache.
General Hanneken hat ab heute 12 Uhr für alle Truppen in Dänemark Alarmstufe 1 (eins) angeordnet, weil Nachrichten über möglichen Angriff von Westen vorliegen.

Dr. Best

248. Werner Best an das Auswärtige Amt 21. August 1943

Best indberettede beroligende, at "de politiske faktorer" i Danmark endnu engang havde lagt sig fast på regeringen Scavenius og dennes politik. Her var det underforstået, at AA ikke skulle tro på påstandene i udenlandsk radio om forholdene i Danmark (Thomsen 1971, s. 159, Kirchhoff, 2, 1979, s. 387 (telegrammet er ikke til RAM personligt, som Kirchhoff giver indtryk af)).
Kilde: PA/AA R 29.567. RA, pk. 203. PKB, 13, nr. 409.

Telegramm

| Kopenhagen, den | 21. August 1943 | 13.55 Uhr |
| Ankunft, den | 21. August 1943 | 15.05 Uhr |

Nr. ohne vom 21.8.[43.]

Auf G.-Schreiber Nr. 961 v. 21.8.
In seinem Bestreben, der Wühlarbeit feindlicher Agenten und illegaler Kräfte entgegenzutreten und die politischen Faktoren des Landes auf seine Politik festzulegen, hat der Staatsminister von Scavenius heute einen erfreulichen Erfolg erzielt. Die fünf Regierungsparteien haben, nachdem die Konservativen sich lange dagegen gesträubt haben, auf Vorschlag der Regierung den Text einer Bekanntmachung beschlossen, in der die dänische Bevölkerung sehr ernst vor den Bemühungen dunkler Kräfte, Unruhe im Lande hervorzurufen, gewarnt und auf die Gefahr hingewiesen wird, daß durch Unbesonnenheit der Bevölkerung dem Lande Dänemark seine eigene Regierung verlorengehen könnte. Nachdem in der heutigen Staatsratssitzung auch der König dieser Bekanntmachung zugestimmt hat, haben sich hierdurch alle politischen Faktoren Dänemarks noch einmal auf die Regierung des Staatsministers von Scavenius und auf seine Politik

festgelegt.⁶⁶ Hierdurch werden die feindlichen Störmeldungen über einen Rücktritt des Staatsministers von Scavenius und seiner Regierung am besten widerlegt.

Den Wortlaut Bekanntmachung und eine eingehende Darstellung übermittle ich durch Schriftbericht.⁶⁷

Dr. Best

249. Horst Wagner an Eberhard Reichel 21. August 1943
Wagner var ikke tilfreds med det svar, som Gottlob Berger havde givet vedrørende Danmarks betegnelse som besat land i forbindelse med førerforordningen af 12. august 1942 og ville have Reichel til at tage sagen op med Franz Riedweg fra Germanische Leitstelle i stedet. Endvidere skulle det gøres Best klart, at Inland II skulle orienteres om alt vedrørende det völkisch-germanske spørgsmål.

Hvorfor Wagner ville have sagen taget op igen med Riedweg, en underordnet instans, når Berger allerede havde sagt fra på SS-Hauptamts vegne, og Reichel havde opgivet sagen over for Berger 13. august, får stå hen. Muligvis ville Wagner undgå at tabe ansigt internt i AA, hvor hans evner som Ribbentrops opkomling ikke blev vurderet højt (jfr. Weitkamp 2008, s. 67-74).

Denne sag havde AA allerede sat hele sin prestige ind på at komme videre med i to omgange og tabt. Berger gav sig ikke, og han havde RFSS' fulde opbakning. Forordningens forbliven i uændret form og aftalen med RFSS om Schalburgkorpset havde til gengæld åbnet for en styrkelse af den rigsbefuldmægtigedes position, da han fremover kunne hente støtte hos RFSS i kraft af den vundne dobbeltstilling. Den stilling skulle imidlertid blive meget kortvarig, selv om Best allerede 18. august søgte støtte hos RFSS i en helt anden sag.

Reichels eventuelle brev til Riedweg er ikke lokaliseret og er muligvis blevet overhalet af udviklingen i Danmark.

Kilde: PA/AA R 100.692.

LR Wagner   zu Inl. II 350 gRs.

Herrn LR Dr. Reichel

1.) Ich bitte Sie, mit Riedweg die Angelegenheit, betreffend die Veröffentlichung des Wortes "Dänemark" zu besprechen, die mit dem Sinne des Führer-Erlasses garnichts zu tun hat.

2.) Das Schreiben des SS-Hauptamtes geht ja am Sinne unserer Anfrage vorbei.⁶⁸ Effektiv ist der Reichsführer-SS laut Führer Erlaß zuständig.⁶⁹ Es handelt sich um eine rein formelle Sache, daß wir das Wort "Dänemark" nicht in einem Erlaß haben wollen, der ins Ausland gelangt. Die wirkliche Tätigkeit wird ja garnicht berührt.

3.) Ich bitte gelegentlich mit Dr. Best zu klären, falls notwendig, daß in allen grundsätzlichen germanisch-völkischen Fragen in Dänemark unsere Gruppe stets eingeschaltet wird.

Westfalen, den 21.8.1943.

Wg

66 Bekendtgørelsen er trykt hos Alkil, 1, 1945-46, s. 216f., Brøndsted/Gedde, 2, 1946, s. 515.
67 En sådan indberetning er ikke lokaliseret.
68 Der henvises til Bergers brev til AA 26. juli 1944, trykt ovenfor.
69 Det drejer sig om den af Bormanns 12. august 1942 udsendte forordning.

250. Kriegstagebuch/Admiral Dänemark 21. August 1943

WB Dänemark havde indført højeste alarmberedskab for hele Danmark efter melding om en forestående invasion. I Esbjerg havde der de sidste to dage været en række brande og sabotager. Der var forøvet betragtelig skade på en kassefabrik. Politi og brandvæsen i byen forholdt sig passive.

Kilde: KTB/ADM Dän 21. august 1943, RA, Danica 628, sp. 3, s. 3016.

[...]

12.00 h Befehlshaber der deutschen Truppen in Dänemark befiehlt auf Grund von Agentennachrichten, daß eine englische Landung in Dänemark bevorstehe, für den Gesamtbereich Dänemark Bereitschaftsstufe I vom 20.-22.8.

In Esbjerg sind in der Nacht vom 20. zum 21.8. eine Reihe von Brandstiftungen und Sabotagefällen vorgekommen. Beträchtlicher Schaden ist durch den Brand einer Kistenfabrik entstanden, wobei das Feuer auf eine Reihe von Schuppen und Fischereigeräten übergriff.[70] Die Polizei ist trotz Aufforderung kaum in Erscheinung getreten. Absperrungen wurden großenteils durch die Wehrmacht durchgeführt. Das Löschen mehrerer kleiner Brände war dem schnellen Zupacken der im Hafen liegenden Wehrmachtsverbände zu danken. Während die Feuerwehren von Ribe und Varde tatkräftige Hilfe leisteten, war dies bei der Esbjerger Feuerwehr nicht der Fall.

[...]

251. Gottlob Berger an Heinrich Himmler 21. August 1943

Berger meddelte Himmler antallet af "germanske" arbejdere, dvs. udenlandske arbejdere, der arbejdede i Tyskland og som havde meldt sig til tysk krigstjeneste og som var fundet anvendelige til krigstjeneste.

Kilde: RA, Danica 1069, sp. 6, nr. 7035.

Der Reichsführer-SS   *Berlin-Wilmersdorf 1, den 21.8.1943*
Chef des SS-Hauptamtes
CdSSHA/Be/Ra/VS-Tgb. Nr. 5395/43 g.
Adjtr. Tgb. Nr. 2705/43 g.   Geheim!

An den Reichsführer-SS und Chef der Deutschen Polizei
    Berlin SW 11
    Prinz-Albrecht-Str. 8

Reichsführer!
Bis zum 15.8.1943 wurden 8105 germanische Arbeiter im Reich geworben. Die Untersuchungen sind erst zum Teil durchgeführt und haben bis jetzt 3.154 Taugliche er-

---

70 Det var kommunistiske sabotører fra Esbjerg anført af Hans Peter Poulsen, der den 20.-21. gennemførte en række kort efter hinanden iværksatte aktioner, hvoraf branden på Viggo Sørensens pakkassefabrik på havnen var den mest omfattende, idet den også kom til at omfatte kassestabler i gården, tilstødende træskure og Works Skibsbyggeri. Da der var adskillige brandsteder, var brandfolkene fra Esbjerg allerede optaget af brande to steder, da branden hos Sørensen udbrød, hvilket man fra tysk side muligvis har opfattet som passivitet. Imidlertid kom hjælpen fra nabobyerne (Henningsen 1955, s. 171f., Trommer 1973, s. 81).

bracht. Die Zusammensetzung nach Ländern geordnet ist folgende:

	geworben:	tauglich:
Norwegen	2	2
Dänemark	211	119
Niederlande	3.262	1.448
Flandern	1.069	529
Wallonien	904	279
Frankreich	2.608	736
Schweiz	47	40
Lichtenstein	1	1
Estland	2	1
	8.105	3.154

G. Berger
SS-Obergruppenführer

252. Werner Best an Heinrich Himmler 22. August 1943

Mens Best endnu den 22. august ikke havde orienteret AA om situationens alvor i Danmark, og at hans og ministeriets politik kunne stå for fald, valgte han at give Himmler et langt klarere billede af den skærpede situation og af de konsekvenser denne kunne få. Best søgte Himmlers støtte for en løsning i sit eget favør, hvis det hele skulle ramle, nemlig en status lig rigskommissærernes i Norge og Holland, selv om han ikke skrev det ligeud. Indirekte kom det frem ved, at han omtalte, at det ikke var ubetinget nødvendigt, at han i givet fald ikke længere skulle være underlagt RAM, dvs. ikke som rigskommissærerne stå direkte under Hitler.

Det er et spørgsmål, om det var noget, der overhovedet kunne appellere til RFSS (Thomsen 1971, s. 160, Kirchhoff, 2, 1979, s. 325, Rosengreen 1982, s. 27f., Herbert 1966, s. 350f., Lundtofte 2003, s. 37).

Kilde: BArch, NS 19/3302. RA, pk. 443 og 443a. RA, Danica 1000, T-175, sp. 59, nr. 575.530-33. LAK, Best-sagen (afskrift).

SS-Gruppenführer Dr. Werner Best *Kopenhagen, den 22.8.1943.*
Bevollmächtigter des Reiches in Dänemark

An den Reichsführer-SS Heinrich Himmler,
 Berlin SW 11,
 Prinz Albrechtstr. 8.

Reichsführer!
In Anlage übersende ich Ihnen zu Ihrer Unterrichtung je eine Ausfertigung meiner Berichte an das Auswärtige Amt vom 18.8.43 (betr. die Vorbereitung besonderer Maßnahmen zur Sicherung der Reichsinteressen und der deutschen Besatzung in Dänemark)[71] und vom 21.8.43 (betr. die Bekanntmachung der dänischen Regierung und der Regierungsparteien vom 21.8.43.)[72]

---
71 Trykt ovenfor.
72 Muligvis identisk med telegram nr. 961 trykt foran, men det kan også være det længere ikke bevarede telegram, der henvises til.

Aus diesen Berichten ersehen Sie, daß ich angesichts der Entwicklung der Lage in Dänemark die Möglichkeit ins Auge fasse, daß die Form, in der Dänemark von uns gelenkt wird, geändert werden muß.

Die Veränderung der Lage ist – wie ich in meinem Bericht vom 21.8.43 dargelegt habe – dadurch entstanden, daß die dänische Regierung trotz ihrem guten Willen der von feindlichen Agenten und illegalen Widerstandskräften verursachten Störungen nicht mehr in vollem Umfang Herr wird. Dies wiederum ist in erster Linie dadurch verursacht, daß infolge der Entwicklung der Kriegslage insbesondere seit den Ereignissen in Italien – die gesamte dänische Bevölkerung – einschließlich der meisten Staatsorgane – glaubt, daß der Endsieg der Westmächte nur noch eine Frage weniger Wochen sei. Unter dieser Voraussetzung will sich natürlich niemand mehr für uns festlegen sondern die meisten versuchen, sich schon jetzt bei der Gegenseite zu legitimieren.

Für den Fall, daß die Regierung des Staatsministers von Scavenius scheitert, habe ich in meinem Bericht vom 18.8.43 vorgeschlagen, daß ich in der dort näher beschriebenen Form die Verwaltung des Landes übernehme. Ich halte – in Übereinstimmung mit dem General von Hanneken, der dem OKW die gleichen Vorschläge unterbreitet hat, – es für das zweckmäßigste, daß ich mit einer unpolitischen dänischen Zivilverwaltung, die von mir gelenkt und beaufsichtigt wird, das Land, das ich in nunmehr 10 Monaten ausreichend kennengelernt habe, weiter verwalte. Meine Unterstellung unter den Reichsaußenminister braucht nicht unbedingt geändert zu werden.

Meine Absicht ist für diesen Fall weiterhin einerseits für die Erfüllung aller militärischen und kriegswirtschaftlichen Notwendigkeiten zu sorgen und andererseits doch nicht die germanischen Zukunftsaufgaben aus dem Auge zu verlieren. Ich halte an dem Ziel fest, daß die Dänen doch einmal in die germanische Gemeinschaft eingehen sollen, ohne daß zu viel Bitterkeit zwischen ihnen und uns liegt. Von Ihnen, Reichsführer, erbitte ich für den Fall einer Kursänderung in Dänemark eine zweifache Unterstützung:

1.) Sollte entgegen den Vorschlägen meines Berichts vom 18.8.43 eine andere Lösung der künftigen Verwaltung Dänemarks – etwa eine Militärverwaltung – in Betracht gezogen werden, so bitte ich Sie, für die Annahme meiner Vorschläge und für meine Betrauung mit dieser Aufgabe einzutreten.
2.) Wird im Sinne meiner Vorschläge entschieden, so bitte ich Sie – mindestens für die erste Zeit, in der ich mich schnell durchsetzen muß, – um alle hierfür erforderliche Hilfe der SS und der Polizei. Ich werde z.B. darum bitten, mir eine größere Zahl dänischer Freiwilliger vorübergehend zur Verfügung zu stellen, deren Personen- und Ortskenntnis ich für eine Reihe von Aktionen benötige. Ich werde auch um Entsendung weiterer Kräfte der Ordnungspolizei bitten müssen, um in dieser Hinsicht nicht allzu abhängig von dem General von Hanneken zu sein. (Das Polizeibataillon 25 "Cholm" hat sich übrigens in seinem gesamten Auftreten sowie bei seinem ersten Einsatz in Odense ganz ausgezeichnet bewährt.)[73] – Vielleicht wäre es zweckmäßig, daß Sie, Reichsführer, schon jetzt das Hauptamt Ordnungspolizei, das Reichssicherheitshauptamt, das SS-Hauptamt und das SS-Führungshauptamt grundsätzlich an-

---

73 Det var en indsats, som Best ikke tidligere havde fundet det fornødent at indberette om.

weisen wollten, mir für dem Fall einer Kursänderung in Dänemark jede von mir erbetene Hilfe zur Verfügung zu stellen.

Heil Hitler!

Ihr **Werner Best**

253. Rüstungsstab Dänemark: Zerstörung des Betriebes Howitzvej 44, 22. August 1943

Natten mellem 21. og 22. august 1943 blev Nordisk Radio Industri A/S (Danavox) i København, der monterede pejleudstyr for det tyske luftvåben, fuldstændig ødelagt. Der blev af Rüstungsstab lavet en rapport om fabrikkens virksomhed og om omstændighederne, hvorunder den blev ødelagt. Fabrikken havde både et bevæbnet fabriksværn og forskelligt elektrisk alarmudstyr. Begge dele havde svigtet. En sabotør havde ringet til vagterne og sagt, at der var en sprængladning i bygningens kælder, der ville sprænge om få øjeblikke. Det havde fået vagterne til at komme ud, og de var blevet afvæbnet. Derpå var sabotørerne gået ind, havde anbragt sprængladninger, og bygningen var blevet ødelagt. 20 færdigmonterede pejleapparater havde undgået ødelæggelse. Hvad der kunne bruges af maskiner og materialer blev overført til Nordisk Radio Industris hovedafdeling, hvor monteringen ville blive fortsat.

Denne rapport er den første af sin art, der indgår i Rüstungsstabs krigsdagbog, en understregning af hvilken betydning denne sabotage blev tillagt. Der drøftes ganske vist ikke, hvordan sådanne sabotager kunne undgås i fremtiden, men rapporten peger på, at brandsatser var anbragt i kælderen *før* sabotageaktionen. Den uudtalte konklusion var, at det etablerede sikringssystem ikke var tilstrækkeligt.

Holger Danske foretog sabotagen, og gruppen havde forud kontakt med en af sabotagevagterne, der fortalte om hele vagtsystemet, herunder det elektriske varslingssystem (KB, Bergstrøms dagbog 22. august 1943 (trykt udg. s. 718, 721), Kirchhoff, 2, 1979, s. 361, 366, Kieler, 2, 1993, s. 26-30, Birkelund 2008, s. 670).

Kilde: BArch, Freiburg, RW 27/9. KTB/Rü Stab Dänemark, 3. Vierteljahr 1943, Anlage 11.

Rüstungsstab Dänemark Anlage 11
Abt. Luftwaffe 22. August 1943

Zerstörung des Betriebes Howitzvej 44
der Nordisk Radio Industri A/S durch Sabotage.

Die Nordisk Radio Industri A/S (Danavox) erhielt am 15.10.41 einen Auftrag der Firma Dr. Th. Horn, Plauen, auf Montage von Wendehorizonten. Da im Hauptbetrieb der Firma für diese Fertigung damals genügender Raum nicht vorhanden war, mietete die Firma eine leerstehende Villa Howitzvej Nr. 44. Die Räume des Hauses wurden zu vorbildlichen Werkstätten umgewandelt, und zwar nach dem Muster der Werkstätten bei der Firma Dr. Horn. Die bei der Fertigung beschäftigten Arbeiter und Arbeiterinnen waren in einer längeren Ausbildung bei der Firma Dr. Horn für die Montage besonders geschult worden. So war eine Betriebsstätte entstanden, die allmählich sehr gute Ergebnisse aufzuweisen hatte. Der Betrieb war durch verschiedene elektrische Sicherungsanlagen besonders geschützt außerdem war ein Werkschutz eingerichtet worden. In der Nacht vom 21./22. August 43 wurde das Haus Howitzvej 44 von einer Gruppe von Saboteuren umstellt. Es erfolgte ein telefonischer Anruf bei der Werkswache, in dem mitgeteilt wurde, daß im Keller des Hauses eine Sprengladung angebracht sei und das Haus in wenigen Augenblicken in die Luft gesprengt werden würde. Der Werkschutz verließ daraufhin das Haus. Draußen wurde er von einigen Saboteuren mit vorgehaltenem Revolver gezwungen, das Gelände des Betriebsgrundstückes zu verlassen. In einiger Entfernung vom Grundstück wurden die Angehörigen des Werkschutzes eine Zeitlang festgehalten. Während dieser Zeit drangen die Saboteure in das Gebäude ein und brachten Sprengladungen an. Nach Verlauf von einigen Minuten erfolgte eine starke Explosion. Die Saboteure verließen daraufhin auf Fahrrädern den Tatort. Durch die Sprengung ist der Betrieb völlig zerstört worden. Teilweise waren auch Brandsätze angebracht, so daß ein Teil des Hauses auch noch durch Brand vernichtet wurde. Bei den Aufräumungsarbeiten zeigte sich, daß im Keller des Gebäudes auch noch Brandsätze niedergelegt waren, die aber nicht zur Entzündung gekommen sind. Diese waren offenbar schon vor dem eigentlichen Sabotageakt niedergelegt worden. Durch die Sprengung wurden sämtliche Maschinen, die zum Teil Reichseigentum waren und der Firma Danavox nur leihweise zur Verfügung gestellt waren, mehr oder weniger vernichtet. Erhalten geblieben sind 20 fertigmontierte Wendehorizonte, die im Keller aufbewahrt wurden. Die Aufräumungsarbeiten wurden sofort in Angriff genommen und alles, was an Maschinen und Material noch brauchbar war, in den Hauptbetrieb der Nordisk Radio Industri gebracht. Dort soll die Fertigung, nachdem die Maschinen ersetzt und die notwendigen Einzelteile von der Firma Dr. Horn angeliefert sind, mit der alten Belegschaft fortgesetzt werden.

254. Hermann von Hanneken an OKW 23. August 1943

Von Hanneken gav oplysninger om ændringen af forholdene i Danmark til OKW. Han gjorde rede for strejkernes omfang, politiets delvise afmagt, nedgangen i fødevareleverancerne til værnemagten, indskrænkningen i befæstningsbyggeriet og så en mulig koordineret bestræbelse på at binde tyske tropper bestemte steder. Han ville anbefale undtagelsestilstand, hvis ro og orden ikke blev genoprettet i løbet af de næste dage (Kirchhoff, 2, s. 395f. og 3, 1979, s. 350 n. 9).
    Kilde: RA, Danica 1069, sp. 12, nr. 15.217f. (afskrift lavet 21.9.1943. I PKB, 13, s. 850f. et samtidigt sammendrag).

AO Ausl./1c   Abschrift.   *F.H.Qu., den 21.9.43*

Der Befehlshaber der deutschen Truppen in Dänemark   *H.Qu., den 23. August 1943*
Abt. Ic 281/43 g.Kdos.   5. Ausfertigungen
                                                                                    1. Ausfertigung

An das Oberkommando der Wehrmacht
    Wehrmachtsführungsstab.

Betr. Entwicklung der innerpolitischen Lage in Dänemark.

Die Ereignisse in Italien, die schweren Luftangriffe auf Hamburg, die Kündigung des Abkommens mit Schweden betreffend den Urlauberverkehr, sowie die Ausstrahlungen des englischen Rundfunks haben bei der dänischen Bevölkerung eine Stimmung hervorgerufen, die durch vermehrte Sabotageakte, Anpöbelungen von Wehrmachtsangehörigen und Nachrichtenhelferinnen, Zusammenrottungen und Streiks Ausdruck gefunden hat. Die gespannte Stimmung wurde noch geschürt durch Verbreitung unsinniger Gerüchte, die u.a. behaupteten, daß der Führer abgedankt habe und in Deutschland chaotische Zustände herrschten.

Es wurde eine örtliche Beseitigung der Unruhen durch die dänischen Behörden und die dänische Polizei versucht. Das deutsche Militär wurde zurückgehalten und nicht eingesetzt. An einigen Orten ist eine Ausgangsbeschränkung für Wehrmachtsangehörige angeordnet worden. Diese Maßnahmen hatten den Zweck, der dänischen Polizei ihre Aufgabe zu erleichtern. Die dänische Zivilbevölkerung und auch die Polizei haben an vielen Stellen versagt und sind nicht Herr der Lage gewesen. Auch die dänische Regierung stand den Ereignissen ohnmächtig gegenüber.

Die angespannteste Lage entstand in den Orten Esbjerg, Kolding, Odense, Nyborg, weiter in Svendborg und Bogense. Besonders stark ist die Gärung auf Fünen. Der Grund liegt darin, daß Odense von jeher besonders englandfreundliche Bevölkerung hatte, und vielleicht darin, daß auf Fünen eine Zusammenballung der dänischen Restwehrmacht – nach der Räumung von Jütland – erfolgt ist. Dänische Soldaten haben sich in Nyborg und Svendborg auch an den Unruhen beteiligt.

Auffallend ist, daß die Unruhen sich hauptsächlich entlang der Straße Esbjerg-Odense-Nyborg auswirken. Vielleicht besteht die Absicht, bei Verschärfung der Lage an dieser Straße, die den Hauptnachschubweg von Osten nach Westen bildet, möglichst viele deutsche Truppen zu binden, damit sie nicht für andere Zwecke zur Verfügung stehen.

Besonders schwerwiegend haben sich die Ereignisse in Odense gestaltet. Es ist dort zu erheblichen Unruhen und zu schweren Streiks gekommen. Ein deutscher Offizier wurde von der Menge angegriffen, blutig geschlagen, seiner Mütze, eines Stiefels und zweier Pistolen – aus der einen hatte er einige Schüsse abgeben können, dann versagte die Waffe, auch die andere Waffe konnte er wegen Versagens nicht mehr benutzen, – beraubt. Der Offizier liegt mit erheblichen Verletzungen im Lazarett.

Nach Verhandlungen der dänischen Behörden mit den Gewerkschaften sollten die Streiks abgebrochen und die Arbeit am Sonnabend, dem … August, wiederaufgenommen werden. Ein Erfolg trat jedoch nicht ein und auch weitere Verhandlungen dänischer Zentralbehörden führten bisher zu keinem Resultat. Seitens der Streikenden werden fadenscheinige Gründe vorgebracht, die behaupten, daß die Zusagen der deutschen Wehrmacht nicht gehalten würden. (So wird z.B. der notwendige Urlauber- und Ordonnanzverkehr usw. durch die Stadt beanstandet.) Auch in Zukunft werden solche Gründe immer seitens der Streikenden gefunden werden, um ihre Haltung zu begründen.

Ein weiteres Zurückhalten der deutschen Wehrmacht kann von der Bevölkerung leicht als Schwäche ausgelegt werden. Mit der Ehre der Wehrmacht ist es auf die Dauer nicht mehr vereinbar, sich so zurückhaltend wie bisher zu verhalten, zumal bereits schwere Schädigungen der Wehrmachtsinteressen eingetreten sind. Durch diese Streiks sind schon 30 % der Brotversorgung der Wehrmacht ausgefallen. Die Leistungsfähigkeit der Vertragswerkstätten der Heereskraftparks ist um 20 % zurückgegangen. Weiterhin sind die Befestigungsarbeiten in Mitleidenschaft gezogen. Untersuchungen, wie weit hier eine Schädigung eingetreten ist, sind im Gange.

Auf Grund der Lage hat die Regierung mit Billigung des Königs einen Aufruf an die Bevölkerung erlassen, der als Anlage in Abschrift beigefügt wird.[74] Sollte die dänische Regierung durch Einsatz ihrer Machmittel nicht in der Lage sein, in den nächsten Tagen die Ruhe und Ordnung im Lande wieder herzustellen, so müssen andere Maßnahmen ergriffen werden, die unter Umständen zur Erklärung des Ausnahmezustandes und zum Einsatz der deutschen Truppen führen.

gez. v. **Hanneken**
F.d.R.d.A.:
Oberleutnant

1 Anlage.[75]

255. Hans-Heinrich Wurmbach an OKM 23. August 1943

Wurmbach orienterede ved middagstid om den omfattende uro med strejker i jyske og fynske byer. Von Hanneken havde overfor Best udtrykt, at en fortsat tilbageholdende indstilling ville blive betragtet som svaghed. Best skulle også være indstillet på handling. Senere samme aften fulgte han det op med endnu en situationsrapport, der forudså at det kunne komme til en tysk magtovertagelse, og at der blev gjort forberedelser dertil.

Seekriegsleitung lod i koncentreret form Wurmbachs meddelelser indgå i KTB/Skl 23. august (se denne), mens Wurmbach lod begge meddelelser indgå i sin egen krigsdagbog for samme dag (s. 3018-20) med enkelte anderledes formuleringer (ref. af indhold hos Kirchhoff, 2, 1979, s. 399 med n. 13, s. 404f.).

Kilde: RA, Danica 628, sp. 7, nr. 5319 og 5321f.

Abschrift
Marinenachrichtendienst

MBBZ 03801   Geheime Kommandosache
Eingegangen am: 23.8.43 12.55 [Uhr]
Im Hause keine Abschriften

F e r n s c h r e i b e n
von SSD MDKP 03054 23.8.[43.] 12:05 [Uhr] Gkdos

1.) Innerpolitische Lage hat sich seit gestern erheblich versteift, da des dänischer Regierung bis jetzt nicht gelungen ist, auf dem Verhandlungswege mit den Gewerkschaften bzw. durch Einsatz ihrer Machtmittel, Streikbewegungen an den verschiedensten Orten abzufangen. Hauptunruheherde sind Esbjerg, Kolding, Odense, Nyborg, Svendborg und Bogense. Besonders stark ist Gärung auf Fünen. Abgesehen von erfolgreicher englischer Propaganda, kommunistischer Einfluß unverkennbar. In Odense deutscher Offz., vom Pöbel blutig geschlagen, in Verfolg dessen verschiedene

---

74 Trykt på dansk hos Alkil, 1, 1945-46, s. 216f.
75 Bilaget er ikke lokaliseret, men det er sandsynligvis identisk med den bekendtgørelsen, som von Hanneken rundsendte til de tyske enheder og andre samme dag som bilag. Se dokumentet nedenfor.

Schießereien mit 1 Toten und 8 Verletzten vornehmlich auf dänischer Seite.
2.) Regierung hat mit Billigung des Königs gestern Aufruf erlassen, worin auf ernste Folgen für dänisches Volk hingewiesen wird, wenn Demonstrationen, Sabotagen pp. weiter anhalten. Abgesehen von Produktionsstörungen und erheblichen Schwierigkeiten in der Zufuhr von Lebensmitteln und Brennstoff sei dänische Selbstverwaltung in größter Gefahr.
3.) Seitens Wehrmacht ist dem Reichsbevollmächtigten gegenüber zum Ausdruck gebracht, daß weiteres Zurückhalten der deutschen Wehrmacht als Schwäche ausgelegt wird und mit ihrer Ehre nicht vereinbar. Dr. Best ist gleichfalls der Ansicht, daß jetzt gehandelt werden muß.
4.) Im Augenblick tagt dänischer Ministerrat. Gefahr des Generalstreiks noch sehr akut. Falls dänische Regierung sich nicht durchsetzt, Wehrmachtführungsstab durch Trubef. Dän. darin unterrichtet, daß unter Umständen Ausnahmezustand erklärt werden muß.
5.) Lageunterrichtung erfolgt laufend.

Komm. Adm. Dän.
2207/43 Gkdos.

Abschrift

MBBZ 03911   Geheime Kommandosache
Eingegangen: 23.8.43 23.39 [Uhr]
Fernschreiben: SSD MDKP 03091 23.8.[43.] 21:15 [Uhr]
M Mit AÜ= SSD OKM 1/Skl.= Gltd KR OKWS 1/Skl.= KR MOK Ost für OB= KR MOK Nord
Gkdos.

Betr.: Abendmeldung 23.8. zur Innerpolitischen Lage Dänemarks.
1.) Gegenüber heutiger Vormittagsmeldung ist im großen gesehen gewisse Beruhigung eingetreten, von der aber zur Zeit noch nicht gesagt werden kann, ob sie von Dauer sein wird. Kopenhagens Stadtbild ruhig.
2.) Heute früh gemeldete Proklamation der Regierung hat englischen und schwedischen Störmeldungen im Lande den Boden entzogen, daß Rücktritt Scavenius-Regierung unmittelbar bevorstehe. Versuch der Konservativen aus Regierung auszubrechen, veranlaßt durch radikale Elemente der Partei, ist abgeschlagen.
3.) Sozialdemokraten (stärkste Partei) und Gewerkschaften setzen sich voll für Beruhigung der Massen ein. Für Ende der Woche sind 100 Parteiredner im Land eingesetzt.
4.) Gefahr des Generalstreiks im Augenblick geringer. Seit heute Mittag streiken Werften Odense, Svendborg, Aalborg und Frederikshavn. Man hofft bei beiden ersteren auf baldige Arbeitswiederaufnahme. In Aalborg insofern bezgl. Stimmung der Massen Sonderlage, als dort heute auf deutschen Druck hin Beisetzung des in Verbindung mit Fallschirmabwürfen erschossenen Dänen bei kleinster Beteiligung vorverlegt und Nachmittagsdemonstration vornehmlich durch deutsche Wehrmacht unter

Mitwirkung dänischer Polizei zerstreut wurden. Weitere Entwicklung muß abgewartet werden. Gleiches gilt für Frederikshavn.
5.) Dänische Polizei nach allen Vorfällen letzten Tages in ihrem Können und zum Teil im Wollen unsicherer Faktor.
6.) Dänische Regierung ist nicht um unklaren gelassen, daß Übernahme der Macht durch deutsche Militär- und Zivilbehörden uneingeschränkt erfolgt, wenn sich Regierung nach unten nicht durchsetzen kann. Da mit erhöhten Feindanstrengungen hinsichtlich Gerüchten und Sabotage zu rechnen ist, bleibt Entwicklung nächster Zeit abzuwarten.
7.) Die der Kriegsmarine erwachsenden Aufgaben bei und nach der Machtübernahme sind in Angriff genommen in engstem Einvernehmen mit dem Truppenbefehlshaber und BSO. Sonderbericht folgt.
       Kom. Adm. Dän.
       Gkdos. 2213/43

256. Hermann von Hanneken an die deutschen Truppen in Dänemark 23. August 1943

På baggrund af den samme dag afsendte indberetning til OKW om situationen i Danmark, fik alle værnemagtsenheder og andre tyske tjenestesteder i Danmark en befaling om, hvordan de skulle forhold sig i tilfælde af, at der blev indført enten civil eller militær undtagelsestilstand. Ved civil undtagelsestilstand ville Best overtage den eksekutive magt, i tilfælde af militær undtagelsestilstand overgik den fulde kontrol til von Hanneken. Der blev givet detaljerede anvisninger for, hvordan værnemagten skulle forholde sig i sidstnævnte tilfælde. Bygninger, kommunikationslinjer, fængsler m.m. skulle bevogtes, og blandt de særlige foranstaltninger var internering af udvalgte persongrupper efter opstillede lister, der skulle godkendes af von Hanneken[76] (Kirchhoff, 2, s. 324, 3, 1979, s. 330 n. 4).

Kilde: PKB, 13, s. 889-893. RA, Danica 1069, sp. 5, nr. 5890-94 (uden bilaget).

Der Befehlshaber der deutschen Truppen in Dänemark	*H.Qu., 23. August 1943*
Abt. Ia Br. B. Nr. 772/43 g. Kdos	160 Ausfertigungen
	147. Ausfertigung

Die Ereignisse in Italien, die schweren Luftangriffe auf Hamburg, die Kündigung des Abkommens mit Schweden betreffend den Urlauberverkehr, sowie die Ausstrahlungen des englischen Rundfunks haben bei der dänischen Bevölkerung eine Stimmung hervorgerufen, die durch vermehrte Sabotageakte, Anpöbelungen von Wehrmachtangehörigen und Nachrichtenhelferinnen, Zusammenrottungen und Streiks Ausdruck gefunden hat. Die gespannte Stimmung wurde noch geschürt durch Verbreitung unsinniger Gerüchte, die u.a. behaupten, daß der Führer abgedankt habe und in Deutschland chaotische Zustände herrschten.

---

76 Opstilling af lister over potentielle gidsler indgik før som under og efter augustkrisen i von Hannekens krisestyring. Se Bests telegram nr. 299, 17. marts 1943 til AA og Kampfanweisung der 416. Infanterie-Division 11. september 1943, s. 16 (RA, Danica 1069, sp. 4, nr. 5785fff.).

Es wurde eine örtliche Beseitigung der Unruhen durch die dänischen Behörden und die dänische Polizei versucht. Die dänischen Zivilbehörden und auch die Polizei haben an vielen Stellen versagt und sind nicht mehr Herr der Lage gewesen. Auch die dänische Regierung stand den Ereignissen ohnmächtig gegenüber.

Die angespannteste Lage entstand in Jütland bisher in Aalborg, Esbjerg und Kolding, auf Fünen in Odense, Nyborg, Svendborg und Bogense, auf Seeland bisher nur in Roskilde.

Seitens der Streikenden werden fadenscheinige Gründe für den Streik vorgebracht. Auch in Zukunft werden Vorwände von den Streikenden gefunden werden, um ihre Haltung zu begründen. Das deutsche Militär wurde bisher zurückgehalten. An einigen Orten ist Ausgangsbeschränkung für Wehrmachtangehörige angeordnet worden, um der dänischen Polizei ihre Aufgabe zu erleichtern. Ein weiteres Zurückhalten der deutschen Wehrmacht kann von der Bevölkerung leicht als Schwäche ausgelegt werden. Mit der Ehre der Wehrmacht ist es auf die Dauer nicht vereinbar, sich so zurückhaltend wie bisher zu verhalten, zumal bereits schwere Schädigungen deutscher Wehrmachtinteressen durch das Verhalten der dänischen Bevölkerung entstanden sind.

Auf Grund der Lage hat die Regierung mit Billigung des Königs einen Aufruf an die Bevölkerung erlassen, der zur Aufrechterhaltung von Ruhe und Ordnung auffordert. Außerdem hat der Bevollmächtigte des Reiches in Dänemark am 23.8.43 ein Schreiben an den dänischen Staatsminister gerichtet, in dem er auf den Ernst der Lage hinweist und von der dänischen Regierung eine Erklärung fordert, daß sie entschlossen ist, alle zur Aufrechterhaltung der Ruhe und Ordnung und zur Durchführung der geltenden Gesetze erforderlichen Maßnahmen zu treffen, und zwar mit allen zur Verfügung stehenden Machtmitteln des Staates, erforderlichenfalls auch mit Einsatz von Waffengewalt.

Sollte die dänische Regierung nicht in der Lage sein, in den nächsten Tagen die Ruhe und Ordnung im Lande wiederherzustellen, so müssen entscheidende Maßnahmen ergriffen werden, die unter Umständen zum Einsatz der deutschen Truppen führen.

Es kommen folgende zwei grundlegenden Maßnahmen in Frage:

I.) *Der zivile Ausnahmezustand:*
Es wird vom Bevollmächtigten des Reiches erklärt und berührt nicht die militärischen Dienststellen. Der Befehlshaber wird jedoch auf Anforderung dem Bevollmächtigten des Reiches Truppen zur Durchführung der von diesem angeordneten Maßnahmen zur Verfügung stellen. Wegen des Einsatzes dieser Truppen, die während der ganzen Dauer der Sonderverwendung dem Befehlshaber unterstellt bleiben, ergeht jeweils Einzelanordnung durch den Befehlshaber.

II.) *Der militärische Ausnahmezustand:*
Er wird vom Befehlshaber der deutschen Truppen verhängt. Alsdann geht die vollziehende Gewalt auf den Befehlshaber über. Das bedeutet, daß er allein über jede Art staatlicher Tätigkeit (in Gesetzgebung, Verwaltung und Rechtsprechung) bestimmt. Die dänische Regierung und der Bevollmächtigte des Reiches sind während der Dauer dieses Ausnahmezustandes in ihrer Tätigkeit ausgeschaltet. Der Befehlshaber wird sich jedoch gewisser Organe des Bevollmächtigten des Reiches und – soweit möglich – auch der örtlichen dänischen Behörden zur Durchführung seiner Aufga-

ben bedienen.

Der militärische Ausnahmezustand kann für das ganze Land Dänemark oder für bestimmte Landesteile erklärt werden.

Anordnungen und Maßnahmen bei Verhängung des militärischen Ausnahmezustandes:
A.) *Regelung der Befehlsgewalt:*
Der Befehlshaber der deutschen Truppen in Dänemark befiehlt
   a.) den militärischen Ausnahmezustand für Teile des Landes oder für das Gesamtgebiet,
   b.) die Bekämpfung des Aufstandes mit den ihm unterstellten Truppen,
   c.) alle sonst der gegebenen Lage entsprechenden Maßnahmen.
Die Befehlserteilung erfolgt über die Divisionen, welche für ihren Divisionsbereich verantwortlich sind. Die Divisionen ihrerseits geben ihre Befehle und Anordnungen an die entsprechenden Abschnittskommandeure, welche ihrerseits den in ihrem Bereich befindlichen Standortältesten die entsprechenden Weisungen zukommen lassen.

Die Befehlserteilung von seiten der Divisionen hat auch an die in ihren Bereichen befindlichen Standortältesten der Marine und der Luftwaffe zu erfolgen. Befehlsweg wie oben angeführt über die zuständigen Abschnittskommandeure.

B.) *Sofort zu ergreifende Maßnahmen:*
  1.) Veröffentlichung des Ausnahmezustandes durch öffentlichen Anschlag, in der Presse, durch Lautsprecher usw. Entwurf siehe Anlage.[77]
  2.) *Anordnungen gegenüber der dänischen Verwaltung:*
      a.) Verpflichtung der Beamten und öffentlichen Angestellten zur Fortsetzung ihrer Arbeit.
      b.) Verpflichtung der dänischen Behörden zum Gehorsam gegenüber eingesetzten deutschen Aufsichtspersonen.
      Es ist hierbei zum Ausdruck zu bringen, daß die Verweigerung des Gehorsams oder passiver Widerstand standrechtlich geahndet werden.
  3.) *Anordnungen gegenüber der Zivilbevölkerung:*
      a.) Zeitliche Ausgangsbeschränkung für die Bevölkerung (mit Ausnahme der Angehörigen bestimmter kriegs- und lebenswichtiger Betriebe)
      b.) Schließung oder Festsetzung besonderer Polizeistunden für Gaststätten und Vergnügungsstätten,
      c.) Sperrung jedes zivilen Nachrichtenverkehrs (im Benehmen mit dem Nachrichtenführer beim Befehlshaber der deutschen Truppen in Dänemark),
      d.) allgemeines Reiseverbot (mit Ausnahme der Angehörigen kriegs- und lebenswichtiger Betriebe).
  4.) *Sicherungsmaßnahmen* je nach örtlichen Verhältnissen und der augenblicklichen Lage.
      a.) Besetzung aller wichtigen Fernmeldeanlagen (Fernsprech- und Telegrafenämter, Rundfunksender).

---

77 Trykt nedenfor.

b.) Sicherung der folgenden Gebäudegruppen:
- der deutschen Dienstgebäude,
- bestimmter Schlösser der dänischen Königsfamilie,
- des Schlosses Christiansborg in Kopenhagen
- (Sitz des Reichstages und mehrerer Ministerien),
- des Rathauses in Kopenhagen, der dänischen Nationalbank,
- der Dienstgebäude der Polizeibehörden und der Amtmänner,
- aller Strafanstalten, des Kommunistenlagers in Horseröd,
- des Interniertenlagers in Storegrund,
- der Bahnhöfe, Fähren, Hafenanlagen, Brücken, der wichtigsten Unter- und Überführungen usw.,
- bestimmter lebenswichtiger Betriebe (z.B. Elektrizitäts-, Gas- und Wasserwerke),

c.) Sperrung der für Truppenbewegung oder Nachschub benötigten Landstraßen für den Zivilverkehr.

C.) *Besondere Maßnahmen:*
Als solche Maßnahmen kommen in Frage:
a.) Sicherstellung bestimmter Personengruppen z.B.
- bestimmter Angehöriger der Königfamilie,
- Parteiführer, Reichstagsabgeordneter und anderer Politiker nach einer aufzustellen Liste,
- bekannter deutschfeindlicher Elemente nach einer aufzustellenden Liste mit Billigung des Befehlshabers der deutschen Truppen in Dänemark,

b.) Erforderlichenfalls Auferlegung von Geldstrafen zu Zwecken der Sicherung, des Schadensersatzes und der Busse. Ermächtigung durch Div. Kommandeure bezw. Befehlshaber d. dt. Truppen in Dänem.

c.) Erforderlichenfalls Anwendung sonstiger Zwangsmittel wie *völlige* Ausgangssperre, Bewachung bestimmter Einrichtungen durch Landeseinwohner usw. Befehle erteilen Div. Kdeure. an Standortälteste.

Alle territorialen Befehlsstellen (416. Inf. Div., Div. Nr. 160, Div. Nr. 166) Abschnittskommandeure, Standortälteste) legen sofort Kalender über die voraussichtlich erforderlichen Maßnahmen gemäß obiger Ausführungen an.

Der Befehlshaber der deutschen Truppen in Dänemark
Hanneken

1 Anlage.

Anlage zu Bef. Dänemark
Ia Br. B. Nr. 722/43 g.Kdos
v. 23.8.43   *Kopenhagen, den* ....

B e k a n n t m a c h u n g
Die jüngsten Ereignisse haben gezeigt, daß die dänische Regierung nicht mehr in der

Lage ist, Ruhe und Ordnung im Lande aufrechtzuerhalten. Die von feindlichen Agenten angezettelten Unruhen richtet sich gegen die deutsche Wehrmacht. Ich sehe mich daher gezwungen, im Sinne der Artikel 42-56 der Haager Landkriegsordnung den
militärischen Ausnahmezustand
zu erklären.

Mit sofortiger Wirkung ordne ich an:
1.) Die Beamten und Angestellten der öffentlichen Behörden haben ihre Dienstgeschäfte loyal weiterzuführen. Sie haben den Weisungen der eingesetzten deutschen Aufsichtspersonen Folge zu leisten.
2.) Zusammenrottungen – Ansammlungen von mehr als 5 Personen – in der Öffentlichkeit sind verboten.
3.) Die Polizeistunde wird auf Eintritt der Dunkelheit festgesetzt.
4.) Mit Eintritt der Dunkelheit ist ebenfalls jeder Verkehr auf der Straße untersagt.
5.) Jeder zivile Nachrichtenverkehr ist vorläufig verboten.
Zuwiderhandlung gegen vorstehende Bestimmungen werden standrechtlich geahndet.
Gegen Gewaltanwendung, Zusammenrottungen usw. wird rücksichtslos von der Waffe Gebrauch gemacht.
Der Befehlshaber der deutschen Truppen in Dänemark
gez. v. **Hanneken**,
General der Infanterie

Verteiler:
416. Inf. Div. mit 49 N.A. an Abschnittskdr. u. Standortältesten (auch Marine und Luftwaffe)	1.-50.	Ausf.
Div. Nr. 160 mit 44 N.A. an desgleichen	51.-95.	Ausf.
Div. Nr. 166 mit 22 N.A. an desgleichen	96.-118.	Ausf.
Standortältester Bornholm	119.	Ausf.

Nachrichtlich:
233. Res. Pz. Div.	120.	Ausf.
Admiral Dänemark mit 3 N.A.	121.-124.	Ausf.
BSO	125.	Ausf.
General der Luftwaffe in Dänemark mit 10 N.A.	126.-136.	Ausf.
Bevollmächtigter des Reiches in Dänemark	137.	Ausf.
10 zugl. für Abwehrstelle Dänemark	138.-139.	Ausf.
Qu	140.	Ausf.
Näfu	141.	Ausf.
III	142.	Ausf.
Reserve	143.-159.	Ausf.
Ia (Entwurf)	160.	Ausf.

257. Walter Forstmann an Kurt Waeger 23. August 1943

Forstmann var 19. august til møde hos Best (Bests kalenderoptegnelser), der på det tidspunkt havde set i øjnene, at hans hidtidige politik var i alvorlig krise og muligvis stod foran et sammenbrud (se Best til Himmler 18. august). Indholdet af deres samtale er ukendt, men fire dage senere sendte Forstmann denne utvetydige advarsel til Rüstungsamt om, at den danske produktion for Tyskland kunne falde på grund af en bølge af bystrejker i provinsen.

I betragtning af, at Forstmann forud havde været i nøje samklang med Bests politik, og efter august-oprøret fremdeles var det, kan denne indberetning til Rüstungsamt tolkes som om, der var opstået divergenser mellem dem. Forstmanns indberetning ville kun give anledning til bekymring i Berlin, og Best undlod selv samtidig at underrette AA om situationens alvor i Danmark. Imidlertid foreligger der den oplagte mulighed, at Best valgte at lade Forstmann (foruden von Hanneken og Wurmbach) være budbringere af de dårlige nyheder fra Danmark, nyheder der hurtigt ville brede sig i OKW og OKM og videre. Dermed kunne Best forblive i rollen som den, der ville have den hidtidige politik til at fortsætte for enhver pris, hvilket kunne lette og fremme hans forhandlingssituation i forhold til danskerne efter krisens afslutning (Giltner 1998, s. 119, 213 n. 88). Se von Hanneken til OKW samme dag. Selv fulgte Forstmann op til Waeger den 28. august.

Samme indberetning blev sendt til Generalleutnant Becker, chef for Wehrwirtschaftsstab, OKW.
Kilde: BArch, Freiburg, RW 27/9. KTB/Rü Stab Dänemark, 3. Vierteljahr 1943, Anlage 12.

Abschrift   Anlage 12
Der Chef des Rüstungsstabes   23.8.1943
796/43 geh.
– ohne –

Entwicklung der innerpolitischen Lage in Dänemark.

An den Chef des Rüstungsamtes
    des Reichsministers für Bewaffnung und Munition,
    Herrn Generalleutnant Dr. Ing. e.h. Waeger,
    Berlin – Charlottenburg 2.
    Verl. Jebenstraße, Behelfsbau am Zoo.

In der Anlage werden Zeitungsausschnitte mit Aufrufen der Dänischen Regierung, der Gewerkschaften, der Stadtverwaltung Odense und der Eisenbahn-Organisation vorgelegt, aus denen zu ersehen ist, daß z.Zt. Sabotageakte, Streiks und Unruhen das dänische Wirtschaftsleben und die Autorität des Staates bedrohen.[78]

In der dänischen Bevölkerung ist durch die jüngsten Ereignisse – Abdankung Mussolinis, Fliegerangriffe auf Hamburg, Einstellung des Transitverkehrs durch Schweden – eine so deutschfeindliche Stimmung hervorgerufen worden, daß sie, geschürt durch den englischen Rundfunk, zu vermehrten Sabotagehandlungen, Streiks und Unruhen geführt hat. Eine sehr angespannte Lage war in Odense, Esbjerg, Kolding, Nyborg und Svendborg festzustellen. In der vergangenen Woche kam es besonders in *Odense* zu einer Reihe von Zwischenfällen, die z.T. auf Reibungen zwischen Besatzungstruppe und dänischer Bevölkerung zurückzuführen waren. Zweifellos dürfte es sich aber um kommunistische Umtriebe handeln (s. Anlage "Laufzettel"), denn es kam zu Gewalttaten

---

78 Bilaget er ikke medtaget.

gegen Personen und das Eigentum deutscher Staatsangehöriger. Durch Maßnahmen von deutscher und dänischer Seite gelang es, die öffentliche Ruhe und Ordnung wieder herzustellen. Der Generalstreik, der am 19.8. begann, wurde am 20.8. beendet. Am 21.8. sollte die Arbeit wiederaufgenommen werden. Da dies aber nicht geschah, erließ die Dänische Regierung einen Aufruf an die Bevölkerung (s. Anlage 2).[79] Nach neuesten Informationen soll die Arbeit nun am 24.8. wiederaufgenommen werden.

Am 19.8. gelang es einer deutschen Heeresstreife südlich von Aalborg einige Personen, die mit Fallschirmagenten in Verbindung standen, in einem Auto festzunehmen, wobei Fallschirme und Blechtrommeln, gefüllt mit englischem Sprengstoff, gefaßt wurden. Hierbei wurde ein Däne erschossen. Dies führte am 23.8., dem Tag der Beerdigung des Dänen, zu Streikbewegungen und Aufläufen in Aalborg, die zu einer Kundgebung gegen Deutschland auszuarten drohten. Daraufhin wurden die Straßen durch deutsches Militär geräumt. Es ist anzunehmen, daß sich diese Unruhen morgen legen werden.

Chef Rü Stab Dän. meldet diese Vorgänge, um darauf hinzuweisen daß derartige Vorfälle kommunistischer Prägung, wenn auch von einem Teil der dänischen Bevölkerung nicht gebilligt, sich auf die Fertigung deutschen Kriegsgeräts vorübergehend nachteilig auswirken müssen.

gez. **Forstmann**

258. OKW an Hermann von Hanneken 24. August 1943

Efter at opmærksomheden 21. august var blevet rettet mod Danmark i førerhovedkvarteret, fulgte OKW op. Von Hanneken blev beordret til dagligt at indberette om situationen, og om der i givet fald blev brug for militær eller civil undtagelsestilstand.

Beskeden til von Hanneken er kendt gennem indførslen i OKWs krigsdagbog (Kirchhoff, 2, 1979, s. 396).

Kilde: KTB/OKW 24. august 1943 (3:2, 1963, s. 998).

[…]

Aus kommunistischen Umtrieben sind in Dänemark größere Unruhen entstanden. Der Bfh. d.dt. Tr. in Dänemark erhält Befehl, im Hinblick auf die eingetretene Lage täglich zu melden und die Absichten für den Fall einer Verhängung des militärischen oder zivilen Ausnahmezustandes sowie die Rückwirkung eines etwa erforderlichen Einsatzes der Truppen im Innern auf die Küstenverteidigung mitzuteilen.

In diesem Zusammenhang werden die Maßnahmen für die Sicherheit Dänemarks überprüft. Zur Orientierung an Ort und Stelle wird am 29.8. Major d. G. Jordan (WFSt/Op. H) nach Dänemark entsandt.

[…]

---

79 Opråbet er ikke medtaget. Det er aftrykt på dansk hos Alkil, 1, 1945-46, s. 216f.

259. Hermann von Hanneken an OKW 24. August 1943
Gengivet i MOK Ost til OKM 25. august 1943, se denne. Den originale skrivelse er ikke bevaret (Kirchhoff, 2, 1979, s. 406f. og 3, 1979, s. 353 n. 10).

260. OKW/WFSt: Vorbereitung besonderer Maßnahmen ... 24. August 1943
Det blev i OKW i en notits til forelæggelse foreslået, at OKW gik ind for den aftale, som WB Dänemark 18. august havde indgået med den rigsbefuldmægtigede.
    Notitsen er så upræcis i sine formuleringer, at det ikke fremgår, om skribenten var klar over, at Best gik efter at få beføjelser som en rigskommissær.
    Den 27. august skrev WFSt en tilføjelse til denne notits.
    Kilde: BArch, Freiburg, RW 4/895.

WFSt/Qu. (Verw.)　　　　　　　　　　　　　　　　Geheime Kommandosache
Nr. 004534/43 g.K.　　　　　　　　　　　　　　　F.H.Qu., den 24.8.1943
　　　　　　　　　　　　　　　　　　　　　　　　2 Ausfertigungen
　　　　　　　　　　　　　　　　　　　　　　　　1. Ausfertigung

Betr.: Vorbereitung besonderer Maßnahmen zur Sicherung der Reichsinteressen und der deutschen Besatzung in Dänemark.

Vortragsnotiz

1.) Befehlshaber d.dt. Truppen in Dänemark legt im Anschluß an die am 19.7. genehmigte Vereinbarung mit dem Reichsbevollmächtigten über Maßnahmen im Falle eines *feindlichen Angriffs* die entsprechenden Abkommen für den Fall *innerer* Unruhen vor.[80] Sie sehen vor:

I.) Bei bewaffneten Aufständen:
    a.) Bei Teilaufständen örtliche Maßnahmen der zuständigen Kommandeure, Einschaltung des C.d.Z., notfalls Einsetzung eines dänischen Kommissars, der seine Weisungen vom C.d.Z. erhält, örtlicher militärischer Ausnahmezustand,
    b.) bei Gesamtaufstand allgemeiner militärischer Ausnahmezustand, Übergang der vollziehenden Gewalt auf Befh.

II.) Bei Rücktritt der Regierung:
Erklärung des zivilen Ausnahmezustandes durch Reichsbevollmächtigten, Bildung eines dänischen Regierungsausschusses, Weisungen an diesen durch den Reichsbevollmächtigten oder eigene Maßnahmen.
    Die im einzelnen zu treffenden Maßnahmen und Anordnungen sowie Einsatz von Wehrmacht und deutscher Polizei (1 Btl.) sind erörtert und festgelegt.

2.) Stellungnahme WFSt/Qu:
Es wird vorgeschlagen, die Vereinbarung – vorbehaltlich[e] Einverständnis Ausw. Amt – zu genehmigen.

---

80 Overenskomsten er aftrykt under 19. juli 1943.

261. Hans-Heinrich Wurmbach an OKM 24. August 1943

Wurmbach indberettede, at der var en beskeden bedring i situationen. Best understregede, at Socialdemokratiet anstrengte sig for at berolige masserne.

Seekriegsleitung indføjede på grundlag heraf en knap meddelelse i KTB/Skl 28. august, mens Wurmbach lod en let udvidet gengivelse indgå i sin krigsdagbog for dagen (s. 3021), hvoraf den eneste væsentlige ændring er bragt i en note nedenfor (ref. hos Kirchhoff, 2, 1979, s. 405f. og 408 med n. 9 og 12).

Kilde: RA, Danica 628, sp. 7, nr. 5323.

MBBZ 4034
Fernschreiben vom 24.8.43 16.56
SSD KDKP 03104 24.8.[43.] 13:00 [Uhr].
mit AÜ SSD OKM 1 Skl.
Gltd SSD OKM 1 Skl. – SSD MOK Ost für OB – SSD MOK Nord für OB – SSD nachr. BSO – SSD nachr. FD Minsch

Gkdos: Betr: Innerpolitische Lage Dänemarks 24.8.:

1.) Gegenüber gestriger Abendmeldung geringe Besserung Gesamtlage.
2.) Odense und Svendborg ist Wiederaufnahme Arbeit angelaufen. Aalborg heute früh 1 Däne schwerverletzt, so daß Arbeitsaufnahme noch fraglich. – Arbeitermassen jedoch in Hand der Gewerkschaften. – Allgemeine Streiks z.Zt. nur noch in Fr.havn, wo gestern abend verschiedentliche Zusammenstöße erfolgten. 4 deutsche Soldaten verletzt. – Nach Versagen dänischer Polizei Einsatz starken Rollkommandos das bei Bedrohung eine Salve in Luft abgeschossen, worauf gegen 2300 Uhr völlige Ruhe. Ein Abgesandter des Reichsbevollmächtigten und dän. Gewerkschaftsführer sind zur Beeinflussung der Streikenden nach Fr.havn unterwegs.
3.) Reichsbevollmächtigter fliegt heute zur Berichterstattung [zum] Führerhauptquartier, unterstreicht anhaltendes Bemühen Sozialdemokraten, Massen zu beruhigen.[81]

Kom. Adm. Dän.

262. Rolf Kassler an das Auswärtige Amt 24. August 1943

På baggrund af den givne tilladelse til, at udbombede rigstyskere fra Hamburg måtte tage ophold hos deres slægtninge blandt det tyske mindretal i Nordslesvig, foreslog Kassler en fremgangsmåde i forbindelse dermed, som han gerne ville have bekræftet.

AA (Roediger) skrev 30. august til chefen for det tyske sikkerhedspoliti og SD repræsenteret ved Polizeirat Jarosch med et gennemslag af Kasslers brev og bad om et svar. AA fik svar fra Heinrich Müller 24. september, trykt nedenfor.

Kilde: RA, pk. 289.

Der Bevollmächtigte des Reiches in Dänemark　　　　*Kopenhagen, den 24.8.1943.*
I C/ NSch 1 geh.　　　　　　　　　　　　　　　　　　　*Geheim*

---

81 I KTB/ADM Dän står i stedet: "Der Reichsbevollmächtigter fliegt heute zur Berichterstattung in das Führerhauptquartier. Unterrichtet nochmals mir gegenüber die anhaltenden Bemühungen der Gewerkschaften, die Massen zu beruhigen."

An das Auswärtige Amt,
  Berlin.

Auf Drahterlaß Nr. 1061 v. 6.[8.] d.Js.[82]
Betr.: Aufnahme von aus Hamburg evakuierten Reichsdeutschen durch die Deutsche Volksgruppe Nordschleswig.
– 2 Durchschläge

Auf Grund der für Nordschleswig bewilligten Ausnahmeregelung, die es der Deutschen Volksgruppe Nordschleswig ermöglicht, bombenbeschädigte, evakuierte Reichsdeutsche aus Hamburg in Nordschleswig aufzunehmen, beabsichtigt die Deutsche Volksgruppe eine größere Anzahl von Hamburger Evakuierten, die mit Volksdeutschen in Nordschleswig verwandt sind, bei den letzteren vorläufig unterzubringen. Die Volksgruppenführung stellt z.Zt. Listen auf, in denen der Name und die gegenwärtige Anschrift der aufzunehmenden Hamburger und der Volksdeutschen, bei denen diese untergebracht werden sollen, verzeichnet sind. Die Listen werden voraussichtlich 500-600 Reichsdeutsche aus Hamburg erfassen.

Um diesen Personen, die aus Hamburg in die verschiedensten Gebiete des Reiches evakuiert worden sind, die baldige Einreise nach Dänemark zu ermöglichen, schlage ich folgendes Verfahren vor:

1.) Das Polizeidirektorium Flensburg wird vom Reichssicherheitshauptamt, Zentrale Sichtvermerkstelle, ermächtigt, alle Personen, die ihm von der Deutschen Volksgruppe Nordschleswig listenmäßig namhaft gemacht werden, die zur Ausreise nötigen Urkunden, d.h. Paß und Ausreisesichtvermerk, auszustellen. Paß und Ausreisesichtvermerk werden von jedem einzelnen, der nach Nordschleswig auf Einladung der Volksgruppe zu reisen beabsichtigt, persönlich beim Polizeidirektorium Flensburg beantragt. Damit dies durchgeführt werden kann, werden – nachdem das grundsätzliche Einverständnis zu dieser Regelung erteilt worden ist – die Reichsdeutschen, die in Nordschleswig untergebracht werden sollen, von ihren Volksdeutschen Verwandten in Nordschleswig entsprechend unterrichtet und aufgefordert, sich mit den in ihrem Besitz befindlichen Legitimationspapieren nach Flensburg zum dortigen Polizeidirektorium zu begeben.

2.) Das Dänische Konsulat in Flensburg erteilt den Antragstellern, nachdem sie die deutschen Ausreisepapiere erhalten haben, den dänischen Einreisesichtvermerk. Eine diesbezügliche Vereinbarung ist hier bereits mit der Dänischen Regierung getroffen worden.

Die Einheitliche Bearbeitung der Ausreiseanträge durch das Polizeidirektorium in Flensburg würde m.E. die Durchführung der Reise wesentlich erleichtern und beschleunigen.

Wenn der vorgeschlagenen Regelung zu 1) und 2) nicht entsprochen werden könnte, müßten sämtliche Listen mit den Anschriften der in Nordschleswig Aufzunehmenden vor hier aus an die Zentrale Sichtvermerkstelle weitergegeben werden, die dann ihrer-

---

82 Trykt ovenfor.

seits eine größere Anzahl von Polizeibehörden im Reich mit den erforderlichen Weisungen versehen müßte. In diesem Falle würden die Antragsteller außerdem gezwungen sein, sich wegen der Erteilung des dänischen Einreisesichtvermerks nach Vorliegen der deutschen Ausreisebewilligung schriftlich an die Dänische Gesandtschaft in Berlin zu wenden. Dies würde eine wesentliche Verzögerung unvermeidlich machen, ganz abgesehen davon, daß dann auch die einzelnen von der Deutschen Volksgruppe aufgestellten Aufnahmelisten der Dänischen Gesandtschaft in Berlin über die Dänische Regierung zugestellt werden müßten.

Ich bitte um tunlichst umgehende Unterrichtung des Reichssicherheitshauptamtes, Zentrale Sichtvermerkstelle, und um drahtliche Entscheidung.

I.A.

Kassler

263. Joachim von Ribbentrop an Werner Best 25. August 1943

Von Hannekens indberetning om forholdene i Danmark, samt den tyske militærfotograf Walter Frentz' skildring af samme overfor Hitler den 21. august, fik førerhovedkvarteret til øjeblikteligt at kalde Best til Ribbentrop. Han ankom 24. august til førerhovedkvarteret, hvor Ribbentrop gav ham en overhaling for ikke at have indberettet fyldestgørende om udviklingen i Danmark. Hitler nægtede selv at modtage ham, men lod vide, at han især var fortørnet over en episode i Odense. Da Best den 27. august vendte tilbage til København, havde han nedenstående instruks at forholde sig til, en instruks hvis indhold han ikke havde fået lejlighed til at kommentere. Instruksen stillede den danske regering over for en række ultimative krav, først og fremmest skulle gerningsmændene til et overfald på en tysk officer findes. Skete det ikke, ville 10 odenseanere blive taget i forvaring (*BT* 29. august 1968, Thomsen 1971, s. 159, 255, n. 17, Hæstrup 1979, s. 299, Kirchhoff, 2, 1979, s. 392-294, 403, 426f., 429-431, Rosengreen 1982, s. 20f., Best 1988, s. 41f., Herbert 1996, s. 351f., Drostrup 1997, s. 103f., Struch 2007, s. 30).

Kilde: PA/AA R 29.567. RA, pk. 203. LAK, Best-sagen (afskrift). PKB, 13, nr. 410. EUHK, nr. 101.

Feldquartier, den 25. August 1943.

Ich bitte, dem Staatsminister Scavenius alsbald nach Ihrer Rückkehr nach Kopenhagen im Auftrag der Reichsregierung mündlich folgendes zu erklären:

Die Reichsregierung habe Sie wegen der Vorkommnisse in Odense zur Berichterstattung berufen und habe Sie nunmehr beauftragt, der Dänischen Regierung zu erklären, daß sie die Vorkommnisse sehr ernst nehme und daß sie nicht gewillt sei, die Mißhandlung eines deutschen Offiziers und die darin liegende Beleidigung der deutschen Wehrmacht ohne Vergeltung zu lassen.[83]

Die Reichsregierung stellt folgende Forderungen:

1.) Die Stadt Odense hat binnen fünf Tagen eine Strafe von 1 Million Kronen an eine von dem Befehlshaber der deutschen Truppen zu bezeichnende Kasse zu bezahlen.
2.) Die Dänische Regierung ergreift die nötigen Maßnahmen, um die an der Mißhand-

---

83 En ophidset menneskemængde i Odense havde den 19. august maltrakteret en tysk officer, efter at han havde skudt to arbejdsdrenge (jfr. Bests telegram nr. 980 til Ribbentrop 27. august, Hæstrup 1979, s. 277f., Kirchhoff, 2, 1979, s. 37).

lung des deutschen Offiziers Schuldigen festzustellen und den deutschen Besatzungsbehörden auszuliefern.

Bis zur Auslieferung der Schuldigen werden folgende Strafmaßnahmen über Odense verhängt:

a.) Das Betreten der Straßen nach 20 Uhr bis 5 Uhr wird verboten.
b.) Alle Kinos, Theater und sonstigen Vergnügungsstätten werden geschlossen.
c.) Die Gaststätten werden von 19 Uhr ab geschlossen.

3.) Sollten bis zum 5. September die Schuldigen nicht ausgeliefert sein, so werden 10 von den Besatzungsbehörden ausgewählte Einwohner von Odense festgenommen und bis zur Auslieferung der Schuldigen in Haft behalten.

4.) Die Reichsregierung kündigt der Dänischen Regierung an, daß bei einer etwaigen Wiederholung solcher Vorfälle sie zu noch schärferen Maßnahmen schreiten wird.

Ich bitte, den Befehlshaber der deutschen Truppen von vorstehendem zu unterrichten und die strenge Durchführung der Strafmaßnahmen unter Ziffer 2 sicherzustellen.

gez. **Ribbentrop**

264. Jürgen Schröder an das Auswärtige Amt 25. August 1943

Bests presseattaché, Jürgen Schröder, viderebragte i Bests fravær de seneste nyheder om sabotager fra Danmark.

Kilde: PA/AA R 29.567. RA, pk. 203.

Telegramm

Kopenhagen, den	25. August 1943	11.35 Uhr
Ankunft, den	25. August 1943	12.00 Uhr

Ohne Nummer

FS-Notiz für Legationsrat Dr. Schaller.
Sofort auf den Tisch.

Heutige Kopenhagener Morgenpresse veröffentlicht folgende Meldung:

Am Dienstag kurz vor 13 Uhr wurde gegen die Ausstellungshalle Forum ein Attentat verübt. Eine Explosion, die man fast über ganz Kopenhagen hören konnte, vernichtete einen großen Teil des Gebäudes. Das aus Glas bestehende Dach wurde gesprengt und der größte Teil der Außenmauern stürzte ein. Personen, die mit Revolvern bewaffnet waren, hatten einige Minuten vor der Explosion den Inspektor und 3 Kontrolleure entfernt. Einige Zimmerleute, die in der Halle arbeiteten, waren zum Frühstück gegangen. Personen kamen nicht zu Schaden.[84]

---

84 Den spektakulære, men militært betydningsløse, sabotage mod Forum blev foretaget af Holger Danske. Forum var ved at blive indrettet til kvarter for tyske soldater (Kieler, 2, 1993, s. 34-48, Birkelund 2008, s. 53f., 670).

Weiter berichten die Zeitungen von einem Eisenbahnattentat in Jütland, durch das eine Person dänischer Staatsangehörigkeit getötet und 2 andere verletzt wurden.[85]

Die Kopenhagener Gewerkschaftsführung hat einen Aufruf an die Kopenhagener Arbeiterbevölkerung erlassen, in dem diese aufgefordert wird, sich ruhig zu verhalten und den Aufforderungen von Provokateuren nicht nachzukommen.[86]

Schroeder

265. Hermann von Hanneken an OKW 25. August 1943
Von Hannekens dagsindberetning til OKW var alt andet end beroligende. Selv om der var indtrådt ro visse steder, var uroen blevet så meget større andre steder. Der blev bl.a. fortalt om en farlig situation i Helsingør og en potentiel risikosituation i Ålborg.

Dagsindberetningen er overleveret gennem hærarkivar Goes' gengivelse (Kirchhoff, 2, s. 427f. og 3, 1979, s. 358 n. 10).

Kilde: PKB, 13, s. 851f.

[...]

An einigen im Streik befindlichen Orten trat am 25.8.1943 eine gewisse Beruhigung ein, in anderen schlugen die Flammen des Aufruhrs umso höher auf. Besonders in Helsingør brachen bedenkliche Unruhen aus; hier war auf einem deutschen Dampfer-Neubau ein Brand gelegt worden, einige Stunden später explodierte im Laderaum des Schiffs eine Bombe; die Hafenarbeiter verließen die Werft, blockierten die Dienststelle der Hafenüberwachung und versuchten, in das Gebäude einzudringen. Sie mußte aus ihrer gefahrvollen Lage durch eine Abteilung Soldaten befreit werden, die den Platz vor dem Gebäude mit Kolben und Handgranaten als Schlagwaffen gewaltsam räumten. In Aalborg wurde überall die Arbeit niedergelegt; da hier die von Norwegen auf Durchtransport befindliche 25. Panzerdivision ausgeladen werden mußte, hatte der stellvertretende Reichsbevollmächtigte auf Antrag des Befehlshabers die dänische Regierung ersucht, darauf zu sehen, daß der Generalstreik abgebrochen, mindestens aber erreicht werde, daß die Umladung reibungslos erfolge.

[...]

266. Hans-Heinrich Wurmbach an OKM 25. August 1943
Wurmbach sendte en alarmerende melding fra Danmark. Den samlede situation var anspændt; der forekom trusler, uro, forulempelser af tyske soldater, strejker og sabotage (Kirchhoff, 2, 1979, s. 427).

Kilde: RA, Danica 628, sp. 7, nr. 3526f. En let afvigende gengivelse af telegrammet er i KTB/ADM Dän 25. august 1943, RA, Danica 628, sp. 3, 3024f.

---

85 Ved en sabotageaktion ved Aulum station mellem Herning og Holstebro blev et tog den 23. august afsporet. En passager blev dræbt og to såret.
86 Resolutionen er trykt hos Kirchhoff, 2, 1979, s. 368f.

Abschrift:

MBBZ 04214 　　　　　　　　　　　　　　　　　　　　　Geheime Kommandosache!
Eingegangen: 25.8.43 16:06 [Uhr]
Fernschreiben: SSD MDKP 03143 25.8.[43.] 14:35 [Uhr]
Mit AU SSD OKM 1/Skl=
Gltd. SSD OKM 1/Skl – SSD MOK Ost für OB=
SSD MOK Nord für OB –SSD Nachr. ESO- SSD Nachr.
FD Minsch – SSD Nachr. Trubef. Dän
Gkdos.

Betr.: Innerpolitische Lage Dänemark 25.8.43.

1.) Gesamtlage bleibt angespannt, da radikale Elemente mit allen Mitteln u.a. morgens Aufrufe, Drohungen, pp. die Bemühungen der Gewerkschaften, Massen zu beruhigen zu sabotieren zu suchen. Kopenhagener Gewerkschaften hinweisen in besonderen Aufrufen auf Gefahren für dänische Eigenregierung, falls Provokateuren gefolgt wird. Eindringliche Hinweise auf persönliche Folgen für Arbeiterfamilien mit Aufforderung nur den Parolen der gesetzlichen Organisation zu folgen.

2.) In dieser Richtung liegt Feststellung in Frederikshavn, wo Arbeitswillige durch Streikposten an Arbeitsaufnahme verhindert werden. Entsprechende Maßnahmen sind deutscherseits eingeleitet. Für Wehrmacht liefernde Läden (Fleischer, Bäcker pp) sowie deutschfreundliche Geschäfte sind durch deutsche Posten gesichert. Versuch Licht-, Gas- und Wasserversorgung zu unterbinden ist auf deutschen Druck hin vorläufig gescheitert. KIA Nordjütland hält hierfür eigenes Personal klar. Streikbewegung soll heute Mittag auf Skagen übergreifen, wodurch marineseitig Batteriearbeiten in Rückstand kommen.

3.) Aalborg viel Glasschaden bei deutschfreundlichen Geschäften. Jetzt Sicherung durch deutsche Posten. Belieferung der Transportdampfer der 25. Panzerdivision mit Trinkwasser vorübergehend schwierig. Schlepper streiken. Dampfer legen nach Auskunft Haka Aalborg ohne Schlepper ab, sodaß Transportdurchführung sichergestellt, nachdem Beladung durch eigene Leute erfolgt ist. Unabhängig hier von laufen Verhandlung des Haka mit Schlepperfirma.

4.) Aus Svendborg Kommission unter Führung Bürgermeisters nach Nyborg unterwegs mit Forderung, von R 53 (in Dienst gestelltes Boot) Soldaten zurückzuziehen, damit Werftarbeiten dort beendet werden könnten. Habe Forderung abgelehnt.

5.) Dänische Kriegsmarine hat gegen Unruhe auf Fünen 2. dänische MS-Gruppe von Nyborg nach Korsör verlegt, um eigene Leute aus Zusammenstößen herauszuhalten. Hat gleiche Zurückhaltung vor kurzen in Svendborg geübt.

6.) Kopenhagen gestern Abend anpöbeleien deutscher Wehrmachangehörigen durch radaulustige Elemente. Erstere haben mit guter Unterstützung dänischer Polizei erfolgreich zur Selbsthilfe gegriffen. 3 Krankenwagentransporte dänischer Zivilisten. Für Norwegenurlauber in Kopenhagen hergerichtete, noch unbelangte Unterkunft gestern durch Höllenmaschine vernichtet.

Kom. Adm. Dän.
Gkdos 2245+

267. MOK Ost an OKM 25. August 1943

Sent 25. august sendte MOK Ost von Hannekens vigtige melding til OKW fra dagen før til OKM til orientering. Den var ikke blevet uaktuel, men var udtryk for den fortsat skærpede situation, der kun pegede på en løsning (Kirchhoff, 2, 1979, s. 429 med n. 13).
Kilde: RA, Danica 628, sp. 7, nr. 5328f.

Nr. 04312
Eingegangen: 26.8.43

Abschrift!
1-37
Im Hause keine Abschriften

Fernschreiben von:
SSD MKOZ 018235 25.8.[43.] 23:15 [Uhr].
SSD Skl.

– Gkdos –

Nach Meldung Adm. Dän. hat Trubef Dän. am 24.8. an OKW/Führstab zur Lage in Dän. gemeldet: Nachdem gestern Abend eine gewisse Beruhigung eingetreten war und besonders in Odense die Wiederaufnahme der Arbeit zur Entspannung beitrug, ist im Laufe des heutigen Tages an bisher ruhigen Orten der Streik und Unruhbewegung aufgeflammt.

In Frihavn ist eine starke Streikbewegung aufgetreten. Zeitweise schien es hier so, als ob sogar die Gas-, Wasser- und Elektrizitätswerke stillgelegt würden. Die Truppe müßte mehrfach in Streifenkdo eingesetzt werden, da Polizei nicht Herr der Lage war.

In Aalborg besteht Befürchtung, daß Eisenbahnpersonal und Hafenarbeiter in den Streik treten, was bei Umladen der anrollenden 25. Pz Div. Schwierigkeiten ergeben würde. Sollte heute abend die Lage sich verschärfen, wird für die Stadt Aalborg der Ausnahmezustand deutscherseits erklärt werden.

In Vejle wurde ein Offizier in Zivil, der in Begleitung eines Kameraden in Uniform zum Bahnhof ging, mit einer Eisenstange über den Kopf geschlagen und verletzt. Der begleitende Offz. schoß mit der Pistole den Angreifer und verletzte einen Dänen.

In Fredericia ist durch völliges Beiseitestehen der Polizei – insbesondere des Polizeimeisters – die Lage für deutschfreundliche und für uns arbeitende Bewohner zeitweise kritisch gewesen. Durch Einsatz von Truppenstreifen wurden die Straßen geräumt.

In Svendborg, wo seit 3 Tagen wieder gearbeitet wurde, ist es erneut zu Streiks gekommen. Hier ist durch Sabotage ein Großbrand auf der Werft ausgebrochen.

In Korsör und Kopenhagen, die bisher von der Unruhwelle nicht erfaßt waren, sind Übergriffe und Sabotagen neu aufgetreten.

In Kopenhagen ist eine für die Norwegenurlauber hergerichtete Unterkunft am Tage durch Höllenmaschine vernichtet worden. Die Unterkunft war noch nicht belegt.

Ein Anschlag auf das Dienstgebäude des Reichsbevollmächtigten soll beabsichtigt sein.

Von der Schußwaffen brauchte in allen Städten nur vereinzelt Gebrauch gemacht zu werden.

Ministerpräs. Scavenius hat Reichsbevollmächtigten auf seine gestrigen Noten zugesagt, daß Regierung durchgreifen würde.

Es besteht bei den Standortältesten nur bedingt der Eindruck von der Zuverlässigkeit der Polizei.

Jetziger Zustand wird unhaltbar. Über kurz oder lang muß energisch durchgegriffen werden.

Reichsbevollmächtigter ist zur Berichterstattung zum Reichaußenminister befohlen.
MOK Ost/Führstab Op. 0737
B. Nr. 1/Skl. 23877gkdos/43

268. Kriegstagebuch/Admiral Dänemark 25. August 1943
Admiral Wurmbach noterede resultatet af de forhandlinger, som han havde ført med den danske marine vedrørende sikringen af den danske fiskerflåde i tilfælde af en invasion. Kuttere, der var i havn, skulle forblive der, mens andre gennem deres organisationer skulle anbefales at søge tysk havn. Ud over dette var det Wurmbachs hensigt at forberede ødelæggelsen af de kuttere, der lå i havn ved en invasion. Det skulle holdes skjult for danskerne. Særlige troppeenheder skulle ødelægge kutterne ved at sprænge agterenden, idet de først og fremmest skulle gøres ubrugelige for fjenden, men der skulle tages hensyn til, om de kunne genanvendes i tysk interesse.

Der var ikke på dette tidspunkt fuld enighed om, hvordan kutterne skulle uskadeliggøres, om det skulle ske ved sprængning af for- eller bagenden (se fodnoten).

Kilde: KTB/ADM Dän 25. august 1943, RA, Danica 628, sp. 3, s. 3023f.

[...]

Meine Verhandlungen mit dänischen Marinestellen über die Sicherung der dänischen Fischereikutter vor englischem Zugriff im Falle einer Invasion ergaben, daß Fischkutter in See je nach Lage den Befehl erhalten werden, entweder auf dem Fischplatz zu verbleiben oder, wenn eine Klärung der Feindabsichten eingetreten ist, aus dem Invasionsgebiet nach Norden oder Süden auszuweichen.

Fischkutter in den Häfen erhalten die Anweisung, in den Häfen zu verbleiben, da bei der ablehnenden Haltung der dänischen Fischer die Aussicht, sie zum Auslaufen nach deutschen Häfen zu veranlassen, nicht gegeben ist. Seestreitkräfte, die ein Auslaufen erzwingen können, sind nicht vorhanden. Die Fischer sollen durch eigene Organisationen in geeigneter Weise darauf hingewiesen werden, daß sie beim Anlaufen deutscher Häfen in einer Zwangssituation wegen des Empfangs durch deutsche Behörden keinerlei Befürchtungen zu haben brauchen, da deutsche Marinedienststellen auf die Möglichkeit des Anlaufens dänischer Fischkutter vorbereitet sind und den Fischern jede benötigte Hilfe (Artz, Versorgung usw.) gewähren werden. Bei dieser Sachlage wird es erforderlich, die Vernichtung der im Hafen liegenden Fischerfahrzeuge im Notfall vorzubereiten.

Ich habe die Absicht, die Zerstörung nur soweit durchführen zu lassen, daß eine Wiederverwendung unter Umständen möglich ist und habe daher an die K.i.A.s den Befehl gegeben, daß in allen Fischereihäfen rollenmäßig Zerstörungstrupps (personell und materiell) vorzusehen sind. Zur Brechung etwaigen Widerstandes der Fischer ist Deckung der Zerstörungstrupps durch Stoßtrupps vorgesehen.[87]

---

[87] Wurmbach lod ordren vedrørende fiskekutterne udgå samme dag til afsnitskommandanterne med kopi til von Hanneken (ordren til afsnitskommandant Steckelberg afgik kl. 17.30 (RA, Danica 203, pk. 29, læg 297).

Das Vorgehen der Zerstörungstrupps ist nach folgenden Grundsätzen geregelt:
a.) Nutzbarmachung der Fahrzeuge für Gegner unter allen Umständen verhindern,
b.) nach Möglichkeit spätere Wiederverwendung der Fahrzeuge im deutschen Interesse berücksichtigen,
c.) zweckmäßig ist daher Sprengung der Fahrzeuge achtern, damit sie vollaufen und absinken, da ein Herausnehmen von Maschinenteilen aus Zeitmangel in der Regel nicht möglich sein dürfte.
[...]

269. Kriegstagebuch/Seekriegsleitung 25. August 1943

Admiral Wurmbach frygtede, at danske fiskefartøjer blev brugt til at indsmugle sprængstof og engelske agenter i Danmark. I den skærpede politiske situation regnede han med, at disse forsøg ville tiltage og ville derfor have, at Luftwaffe uden hensyn greb ind, hvor fiskefartøjer blev påtruffet i advarselsområder, ligesom kystvagten omhyggeligt skulle gennemsøge kuttere, der vendte hjem.

MOK Nord reagerede på Wurmbachs henvendelse dagen efter, se KTB/Skl 26. august 1943. Til gengæld blev Wurmbachs alarmerende skrivelse fra samme dag om den øvrige situation i Danmark ikke medtaget i Seekriegsleitungs krigsdagbog.

Kilde: KTB/Skl 25. august 1943.

[...]
Admiral Dänemark weist darauf hin, daß dänische Fischerfahrzeuge ohne Rücksicht auf Minenwarngebiet Verkehr mit Gegner suchen und führt Anwachsen der Sabotagefälle auf Einführung engl. Sprengmaterials uns engl. Agenten nach Dänemark auf diesem Wege zurück. Adm. Dänemark rechnet im Hinblick auf Verschärfung innerpolitischer Lage Dänemarks auf Versuche, diesen Verkehr mit allen Mitteln zu steigern und hält es aus diesem Grunde für erforderlich, daß dänischen Fischern das Befahren des Warngebietes erneut untersagt und bei Nichtbefolgung Luftwaffe rücksichtslos eingesetzt wird. MOK Nord stimmt der Auffassung von Adm. Dänemark zu und beantragt Aufhebung der entgegenstehenden Anordnung der Skl vom 12.6.43 sowie Freigabe des Waffenge-

Steckelberg meddelte 28. august, at ordren i givet fald ville blive effektueret med sprængpatroner, men at der ikke var marinepersonale nok til at gennemføre opgaven, hvorfor en pionerbataljon havde tilsagt sin støtte. Det meddelte von Hanneken påfølgende ikke kunne lade sig gøre, da pionerbataljonen havde andre opgaver, hvorfor Wurmbach 22. september gennem sin stabschef Ihssen lod meddele, at Steckelberg i givet fald måtte prøve at løse opgaven uden pionerbataljonens hjælp. Det kunne Steckelberg ikke, hvilket han meddelte 4. november, hvor han også afviste von Hannekens forslag om en bjælkespærring, så skibene ikke kunne slippe ud. Den 8. november foreslog Steckelberg Wurmbach, at man ved et angreb skulle forsøge at slæbe kutterne til Tyskland, men ellers blev det fortsat forudset, at de skulle forberedes til sprængning (akter sst.). Der blev også forberedt sprængninger af kutterne i de øvrige havne ved hjælp af sprængpatroner. En sprængpatron på et kilo var tilstrækkeligt pr. kutter, patronen skulle anbringes i forskibet (!) for ikke at ødelægge motoren. Hver sprængningskommando skulle bestå af mindst ti mand, der forventedes at tage sig af 10 kuttere under en aktion (Se Sperrwaffenkommando Esbjerg 13. oktober 1943 (RA, Danica 203, pk. 29, læg 295). Det vil sige, at der i de meget store havne med 500 kuttere eller mere, skulle afsættes et meget betydeligt mandskab til opgaven under en i forvejen kritisk situation. Eksempelvis ville 500 kuttere kræve sprængningskommandoer på mindst 100 mand. I afsnit Sydjyllands Kampfanweisung 24. august 1943, Anlage B, s. 5, var et kort generelt afsnit om forberedelse af ødelæggelsen af den danske fiskerflåde indsat (RA, Danica 203, pk. 29, læg 294).

brauchs für die Luftwaffe gegen Fahrzeuge in und westl. des Warngebietes. Die Küstenwachen der Westküste Dänemarks sind angewiesen, einlaufende Fischkutter in nächster Zeit besonders sorgfältig zu untersuchen.
[...]

270. Hans-Heinrich Wurmbach an OKM 26. August 1943
Wurmbach rapporterede, at der ikke var sket nogen betydende ændringer i situationen i forhold til den foregående dag. Der var fortsat sabotager og punktvise arbejdsnedlæggelser.

Dog synes han at have en tendens til overdrivelse af aktionernes omfang og voldsomhed. Indberetningen blev kort refereret i KTB/Skl 26. august (Kirchhoff, 2, 1979, s. 429).

Kilde: RA, Danica 628, sp. 7, nr. 5330f.

Abschrift
Marinenachrichtendienst

MBBZ 04377   Geheime Kommandosache!
Eingegangen am: 26.8.43 14:05
Fernschreiben von: SSD MDKP 03167 26.8.[43.] 13:20 [Uhr] mit AÜ
SSD OKM 1Skl
Gltd. SSD OKM 1 Skl SSD MOK Ost für OB
SSD MOK Nord für OB SSD nachr. BSO
SSD nachr. FD Minsch. SSD nachr. Trubef. Dän.
– G. Kdos –

Betr. Innerpolitische Lage Dänemark 26.8.43.
1.) Keine wesentliche Veränderung Gesamtlage. Nacht in Kopenhagen und im Lande abgesehen von kleineren örtlichen Schießereien und zahlreichen Sabotageakten, ruhig verlaufen. Bei Sabotageakt auf eine Maschinenfabrik in Kopenhagen heute früh 5 Saboteure bei Explosion mitgetötet.[88] Ebenso gestern ein Saboteur getötet bei Anschlag auf Dampfer "Minden" vom Hansaprogram in Helsingör.[89] In Aarhus letzte Nacht 20 Sabotageakte.[90] Keine Marinebelange betroffen.
2.) Gestrigen Aufruf gewerkschaftlicher Organisationen zur Aufrechterhaltung von Ruhe und Ordnung folgte heute ähnlicher Aufruf bürgerlicher Organisationen (Reedereien, Industrie, Handwerk, Handelskammer pp) Alle Personen in dän. Wirtschaftsleben werden darin aufgefordert, die Befolgung des Kgl. Erlasses vom 9/4 40 zu unterstützen. Daneben haben örtliche Gewerkschaftsführer ZB in Aarhus Arbeiter aufgefordert, alle Beschwerden den Organisationen als Berufenen Vertretern

---

88 En sabotage af den art med så mange dødsfald blandt sabotører i København kan ikke påvises (jfr. listen hos Kirchhoff, 2 1979, s. 362 og hos Birkelund 2008, s. 670f.).
89 Modstandsmanden Carl Reib blev dræbt ved eksplosionen fra den bombe, han havde anbragt på det tyske skib M/S "Danzig" i dok på Helsingør Værft 25. august (der var ikke tale om Hansa-skibet "Minden", som her opgivet (*Faldne i Danmarks frihedskamp*, 1970, s. 380)).
90 Der er rapporteret om adskillige sabotager i Århus, men ikke nær i det her indberettede omfang (Hauerbach 1945, s. 23, Alkil, 2, 1945-46, s. 1220).

Arbeiterschaft zuzuleiten und nicht eigenmächtig vorzugehen.
3.) Arbeitslage in Werftbetrieben: Gearbeitet wird in Kopenhagen, Odense und Nakskov. Nicht gearbeitet wird in Frederikshavn, Aalborg, Helsingör, Svendborg. In Aarhus hat seit heute 10.00 Uhr Arbeitsniederlegung begonnen als Protest gegen ein gestern vom Deutschen Feldkriegsgericht ausgesprochenes Todesurteil gegen einen Dänen in Verbindung mit kürzlichen Fallschirmabwürfen in Aalborg. Urteil ist noch nicht bestätigt. Oslo-Transportdampfer mit eigenem Personal entladen. Insgesamt in Werftarbeiterschaft gegenüber gestern gewisse Beruhigung. Keine einheitliche Bewegung.
4.) Marineausrüstungsstellen im dän. Raum haben vorsorglich Anweisung erhalten wegen jederzeit möglichen Ausfalls dän. Arbeitskräfte in eigener Arbeitsleistung Abgabe von Betriebsstoff Kohlen, Trinkwasser und Kesseldestillaten an schwimmende Verbände sicher zu stellen.
5.) Wo erforderlich, Einsatz eigener Leute zur Aufrechterhaltung der Belieferung der Truppe mit Fleisch und Brot, zur Besetzung von Schleppern pp. dänischerseits hier bislang keine Arbeitsstörung gewagw. Festes Auftreten örtl. Mil. Dienststellen im Lande hat Eindruck nicht verfehlt. Feindl. Gerüchtskampagne läuft wie erwartet mit vollen Touren weiter.

Komm. Adm. Dän.
G. Kdos. 2590/43

271. Kriegstagebuch/OKW 26. August 1943
OKW sammenfattede den øjeblikkelige situation i Danmark efter de fra von Hanneken indhentede oplysninger.
Kilde: KTB/OKW 26. august 1943 (OKW III:2, 1963, s. 1010).

[...]
Der Bfh. d. dt. Tr. in Dänemark meldet gemäß dem ihm am 24.8. erteilten Befehl, in welchen Fällen er den zivilen und in welchen den militärischen Ausnahmezustand (örtlich, gebietlich oder allgemein) erlassen und welche Maßnahmen er dann im einzelnen durchführen will.[91] Rückwirkungen auf die in Jütland eingesetzten Truppen werden sich nicht ergeben; dagegen wird durch den Ausfall der dänischen Lkw. und der Eisenbahn, möglicherweise auch durch Aufruhr, die Beweglichmachung der Div.- und Bfh.- Reserven beeinträchtigt werden. Für Seeland ist ein verst. Gren.-Rgt. erforderlich, das aus Jütland weggezogen werden kann. – Eine Rückfrage des WFSt hat ergeben, daß eine gewisse Entspannung der Lage eingetreten ist.[92] Die Zusammenarbeit mit dem Reichsbevollmächtigten ist gesichert.
Der WFSt befürwortet die vom Befh. Dänemark geplanten Maßnahmen und weist darauf hin, daß das benötigte Regiment auch aus dem Ersatzheer genommen und ohne

---
91 Trykt ovenfor under 25. august.
92 Såfremt der henvises til von Hannekens dagsberetning 25. august, er det en meget optimistisk udlægning af indholdet.

Schwierigkeiten überführt werden kann.

Der Chef H Rüst u. BdE zieht jedoch seine zunächst hierzu erteilte Zustimmung wieder zurück und bietet dafür ein ab 1.9. für den Westen vorgesehenes Rgt. der 264. Div. an, wogegen der Stellv. Chef WFSt Stellung nimmt. Der Bfh. wird daraufhin ermächtigt, erforderlichenfalls die auf der Durchfahrt in Dänemark befindlichen Teile der 25. Pz.-Div. zur Entwaffnung der dänischen Armee einzusetzen. Nachdem deren Transport abgelaufen ist, soll er seinen Antrag neu einreichen. Dazu Notizen über das dänische Heer und den Einsatz der Reserven in Jütland sowie über Einzelfragen der Küstenverteidigung.
[...]

272. Kriegstagebuch/Seekriegsleitung 26. August 1943
For at undgå at den danske fiskerflåde støttede den engelske krigsindsats i Nordsøen, blev det besluttet midlertidigt at iværksætte særlige foranstaltninger, herunder at overvåge det relevante havområde, indskrænke fisketilladelserne, tillade Luftwaffe at skyde på både uden for det lovlige område, visitation af kutterne og udsendelse af overvågningsskibe.

Hermed blev admiral Wurmbachs ønsker fremsat dagen før imødekommet.
Kilde: KTB/Skl 26. august 1943.

Nordsee: 26.8.43
[...]
MOK Nord übermittelt zu der am 24/8. von eigener Luftaufklärung erfaßten Ansammlung dänischer Fischerfahrzeuge in Verbindung mit vermutlichen engl. Seenotfahrzeugen bei gleichzeitiger Anwesenheit engl. Flugzeuge folgende Lagebetrachtung:
1.) Der Engl. Bedient sich der dän. Fischerfahrzeuge, [um] Agenten und Sabotagematerial zur Aktivierung innere[r] Unruhen nach Dän. zu bringen. Unterstützung durch engl. Fischerfahrzeuge für diese Zwecke liegt im Bereich der Möglichkeit.
2.) Der Engl. nutzt die auf der Doggerbank und innerhalb des dt. Warngebietes dem Fischfang nachgehende dän. Fischereifahrzeuge für eigene Seenotzwecke aus. Auf diese Weise wird ihm die Überwachung eines möglichst großen Seegebietes wesentlich erleichtert und er kann damit rechnen, einen größeren Teil seines über der Nordsee verlorengehenden fliegenden Personals zu retten und für seine Zwecke wieder nutzbar zu machen.
3.) Die Feststellung von zahlreichen Fahrzeugen auf kleinem Raum innerhalb des Warngebietes läßt außerdem vermuten, daß der Engl. minenfreie Wege durch das Warngebiet erkundet und herstellt, um diese für mögliche Invasionsabsichten nutzbar zu machen,
MOK Nord beabsichtigt folgende zeitlich beschränkte Maßnahmen:
1.) Überwachung des in Frage kommenden Seegebietes durch Luftaufklärung.
2.) Beschränkung der Fischereierlaubnis auf festgelegtes dän. Fischereigebiet ostwärts des Warngebietes.
3.) Freigabe Waffengebrauch für Luftwaffe gegen Fahrzeuge außerhalb des Gebietes unter 2.).

4.) Genaue Kontrolle der aus dän. Häfen aus- und einlaufenden Fischereifahrzeuge.
5.) Überwachung der Fischerei im dän. Fischereigebiet durch Sicherungsfahrzeuge.
[…]
Eigene Lage:
Durch die Streiks in Dänemark sind in Frederikshavn 4 eigene VP-Boote und ein SSG-Schlepper, in Aalborg 2 VP-Boote, in Aarhus ein Sperrbrecher, ein VP-Boot und ein Schlepper getroffen. Verzögerungen in der Fertigstellung dieser Einheiten sind unvermeidbar.
[…]

273. Rüstungsstab Dänemark: Beschäftigung der dänischen Konfektionsindustrie
26. August 1943
Rüstungsstab Dänemark havde i 3. kvartal 1943 haft besvær med at få de danske konfektionsfabrikker til at påtage sig værnemagtsleverancer. De havde afvist det enten med henvisning til energirestriktionerne eller under forhandlinger indrømmet, at de blev mødt med forag fra visse befolkningselementers side, hvis de påtog sig dem. Derfor henvendte Forstmann sig til UM for at få ændret situationen for 4. kvartal 1943. Der kom øjeblikkeligt et positivt svar fra ministeriet efter, at sagen havde været drøftet med industrirådet og konfektionsbranchens formand.
Kilde: BArch, Freiburg, RW 27/9. KTB/Rü Stab Dänemark, 3. Vierteljahr 1943, Anlage 13.

Anlage 13
Rüstungsstab Dänemark   *26.8.43*
Abteilung Verwaltung

Beschäftigung der dänischen Konfektionsindustrie
mit Heeresaufträgen während des III. Quartals 43.

Die laufende Beschäftigung der hauptsächlichsten dänischen Konfektionsfabriken mit Wehrmachtaufträgen stieß in der letzten Zeit insofern auf Schwierigkeiten, als einzelne Firmen die Übernahme weiterer Anschlußaufträge ablehnten. Über die Angelegenheit ist mit dem dänischen Außenministerium ein Schriftwechsel geführt worden, wie aus den jeweils abschriftlich anliegenden Schreiben des Chefs des Rüstungsstabes Dänemark vom 26.8.43 Nr. V 558 und des dänischen Außenministeriums vom 27.8.43 ersichtlich. Die entstandenen Schwierigkeiten waren damit behoben worden.

Abschrift.
Rüstungsstab Dänemark   *Kopenhagen, den 26.8.43*
Abt. Verwaltung Az. V Nr. V 558

Bezug: ohne
Betreff: Verlagerungen von Konfektionsaufträgen nach Dänemark.
Durch Meldegänger!

An Udenrigsministeriet
   z.Hd. von Herrn Abteilungschef Wassard
   Köbenhavn
   Christiansborg Slot
Nachrichtlich: Bevollmächtigter des Reiches in Dänemark
   Hauptabt. III – Kopenhagen, Dagmarhaus.

Die bisher üblich gewesene laufende Beschäftigung der hauptsächlichsten dänischen Konfektionsfabriken mit der Anfertigung von Wehrmachtuniformen und zum Teil auch von ziviler Herrenbekleidung für deutsche Verlagerer stößt insofern auf Schwierigkeiten, als einzelne Firmen sich nicht mehr in der Lage erklären, für das IV. Kalendervierteljahr 1943 weitere Aufträge zu übernehmen. Einige Firmen geben als Grund hierfür die starke Restriktion ihres künftig zulässigen Verbrauches an Elektrizität, sowie an Gas bezw. Dampf für ihre Bügelanlage an. Andere Firmen wieder ließen bei den mit ihnen geführten Verhandlungen mehr oder weniger erkennen, daß das weitere Arbeiten mit deutschen Verlagerungsaufträgen sie der Verachtung und Verfolgung durch gewisse dänische Volkskreise mit allen sich hieran anschließenden nachteiligen Folgen aussetzen würde. Dieser Umstand schreckt einzelne Firmen offenbar davon zurück, in der bisherigen Weise auch weiterhin die Aufträge zu übernehmen, trotzdem die dänischen Fabrikanten hierbei nicht verkennen, daß das etwaige Aufhören der deutschen Konfektionsaufträge künftig in erheblichem Umfange Betriebsstillegung und Arbeitslosigkeit für die dänische Konfektionsindustrie bedeuten würde. Auf der anderen Seite besteht das bisherige Interesse an diesen Verlagerungsaufträgen in die dänische Konfektionsindustrie von deutscher Seite in seiner Kriegswichtigkeit unvermindert auch weiterhin fort.

   Bei dieser Sachlage und der Wichtigkeit der Angelegenheit auch für die Konfektionsfirmen und die von diesen bisher beschäftigten Arbeiter schlägt Rü Stab Dän vor, mit Herrn Fabrikant Holten, dem Vorsitzenden des Vereins dänischer Herrenkleiderfabriken, über die vorgebrachten Gesichtspunkte zu verhandeln, damit die reibungslose Zusammenarbeit bei der Durchführung dieser Konfektionsaufträge auch weiterhin aufrechterhalten bleibt und die Konfektionsfirmen die Aufträge im bisherigen Umfange übernehmen und durchführen können.
   Der Chef des Rüstungsstabes Dänemark
   gez. **Dr. Forstmann**
   Kapitän zur See

              Abschrift.

Udenrigsministeriet   Udv. ex Ind. A. Journal Nr. 15
(Dänisches Außenministerium)   *København, den 27. August 1943*

Betr.: Verlagerung von Konfektionsaufträgen nach Dänemark. Ihr. Schr. v. 26. Aug. d.J.
   Verw. V. Nr. V 558

An den Chef des Rüstungsstabes Dänemark,
   Trommesalen 2
   Vesterport

In Beantwortung Ihres obenerwähnten Schreibens beehrt sich das Ministerium des Äußeren mitzuteilen, daß die Frage der Verlagerung von Konfektionsaufträgen nach Dänemark im IV. Vierteljahr 1943 in einer Sitzung im Ministerium des Äußern am 26. d.M. verhandelt worden ist, wo der Vorsitzende des dänischen Industrierats und der Vorsitzende des Berufsverbandes der Konfektionsbranche, Fabrikant Holten, anwesend waren.

In dieser Sitzung stellte Fabrikant Holten anheim, dem Berufsverband eine Übersicht über den Umfang der nach Dänemark zu verlagernden Konfektionsaufträge mit Angabe der schon vergebenen Aufträge zugehen zu lassen, sobald eine Entscheidung dieser Frage deutscherseits vorliegt. Die restlichen Aufträge wird der Verband danach unter die Mitglieder zu verteilen suchen. Das Ministerium des Äußeren hat verstanden, daß die militärischen Aufträge wesentlich aus Stettin und Kiel kommen, und daß der Umfang sowohl der militärischen als der zivilen Aufträge unter Berücksichtigung der zur Verfügung stehenden Materialienmengen festgesetzt wird.

Nach dem Verlauf der Verhandlungen mit der Konfektionsbranche darf das Ministerium des Äußeren davon ausgehen, daß keine Schwierigkeiten im Zusammenhang mit der Auftragsverlagerung entstehen werden, und gestattet sich anheimzustellen, daß die weiteren Verhandlungen unmittelbar mit dem Vorsitzenden des Berufsverbandes weitergeführt werden.

I.V.
gez. **Unterschrift**

274. Kriegstagebuch/OKW 27. August 1943
OKW gengav kort resultatet af Bests besøg i førerhovedkvarteret: Den danske hær skulle afvæbnes, og det blev noteret, at von Hanneken ikke som ønsket fik en marinealarmenhed til den jyske vestkyst.
   Kilde: KTB/OKW 27. august 1943 (OKW III:2, 1963, s. 1016).

[…]

Der Reichsbevollmächtigte für Dänemark kehrt mit neuen Richtlinien und Vollmachten nach Kopenhagen zurück. Es ist u.a. vorgesehen, daß das dänische Heer entwaffnet wird, wenn die dänische Regierung etwa nicht bereit sein sollte, die von deutscher Seite verlangten verschärften Bestimmungen zur Wiederherstellung der Ruhe in Dänemark zu erlassen.

Dem Bfh. d. dt. Tr. in Dänemark wird auf seine Anfrage vom 24.8. mitgeteilt, daß die früher zugesagten Marine-Alarmeinheiten für Jütland (30 Komp.en) nach Mitteilung der Skl. nicht mehr gestellt werden können. Die Zusage ist z.Zt. auf Grund einer im Vergleich zu heute ungleich günstigeren personellen und materiellen Lage bei der damaligen Marine-Station Ostsee erteilt worden.

[…]

275. Werner Best an Joachim von Ribbentrop 27. August 1943

Under besøget hos Ribbentrop i førerhovedkvarteret fik Best ordre om efter hjemkomsten dagligt at indberette om, hvad der skete i Danmark. Kun få timer efter ankomsten til København sendte han den første indberetning til Ribbentrop i henhold til denne ordre. Det blev en sammenfatning af hans opfattelse af udviklingen de sidste tre uger, hvis uudtalte konklusion var klar: En aktion på den baggrund var unødvendig (Kirchhoff, 2, 1979, s. 435).

Kilde: PA/AA R 29.567. LAK, Best-sagen (afskrift). PKB, 13, nr. 412. ADAP/E, 6, nr. 248. Best 1988, s. 267.

Telegramm

Kopenhagen, den	27. August 1943	14.35 Uhr
Ankunft, den	27. August 1943	15.50 Uhr

Nr. 978 vom 27.8.[43.]

Sehr dringend
Sofort vorzulegen!

An den Herrn Reichsaußenminister.

Befehlsgemäß berichte ich über die letzte Entwicklung der Lage in Dänemark folgendes:

Nach übereinstimmender Auffassung der deutschen militärischen und polizeilichen Stellen handelt es sich bei den seit etwa drei Wochen vorgefallenen Straßenunruhen und Streiks um örtliche Erscheinungen aus verschiedenen Anlässen. Die Anlässe wurden teils geschaffen und teils benützt von illegalen Kräften, die seit etwa der gleichen Zeit auch mit Sabotageakten in viel stärkerem Maße als früher in Erscheinung getreten sind. Zeitlich fällt hiermit ebenfalls die neueste Welle der feindlichen Dänemark-Propaganda zusammen. Die Bevölkerung des Landes ist für die Versuche, Unruhe zu stiften, zugänglicher als früher, da sie – insbesondere seit den Ereignissen in Italien – von dem baldigen Siege unserer Feinde überzeugt ist. Dennoch verhält sich vor allem die gesamte Landbevölkerung absolut ruhig, während in erster Linie einige Städte, in denen bestimmte Arbeitergruppen aufgewiegelt sind, wiederholt Ruhestörungen und Streiks erlebt haben und auch mit ihrer näheren Umgebung die hauptsächlichsten Schauplätze von Sabotageakten gewesen sind. Auch die Vorkommnisse der letzten Tage, zwischen denen keine Zusammenhänge aufgedeckt worden sind, haben sich im wesentlichen an den gleichen Orten abgespielt. Die deutsche Truppe hat bei Zusammenstößen stets schnell und nachdrücklich von der Waffe Gebrauch gemacht, so daß eine Reihe von Ruhestörern erschossen und verwundet worden sind. Zusammenfassend ist festzustellen, daß keine einheitliche Aktion oder Bewegung, sondern eine Vielzahl von Einzelvorfällen vorliegt, die gerade in den letzten drei Wochen wie auf einen Befehl hin ausgelöst worden sind. Es besteht kein Zweifel, daß durch die befohlenen Maßnahmen diesen Störungsversuchen wirksam begegnet werden wird. Der Befehlshaber der deutschen Truppen in Dänemark hat der in diesem Bericht ausgesprochenen Auffassung zugestimmt.

Dr. Best

276. Werner Best an Joachim von Ribbentrop 27. August 1943

Episoden i Odense den 19. august, hvor en tysk officer blev maltrakteret efter selv at have skudt to arbejdsdrenge,[93] indberettede Best særskilt om, da den havde påkaldt Hitlers vrede. En gidseltagning blandt Odenses borgere, som fra tysk side var stillet i udsigt (uden at ordet gidsel blev nævnt), blev ikke nødvendig, da de skyldige var fanget. Tilbage stod kravet om betaling af en bod på en million kroner (se Ribbentrops telegram 25. august 1943. Kirchhoff, 2, 1979, s. 436).

Kilde: PA/AA R 29.567. LAK, Best-sagen (afskrift). PKB, 13, nr. 413.

Telegramm

| Kopenhagen, den | 27. August 1943 | 19.25 Uhr |
| Ankunft, den | 27. August 1943 | 20.30 Uhr |

Nr. 980 vom 27.8.[43.]

Citissime
Sofort vorlegen

Für Herrn Reichsaußenminister.
Nach meiner Rückkehr nach Kopenhagen ist mir gemeldet worden, daß die drei Hauptschuldigen bei der Mißhandlung des Leutnants Wieseler in Odense von der dänischen Polizei ermittelt worden sind und daß ihre Übergabe an das zuständige Kriegsgericht heute veranlaßt worden ist. Zwei der Täter liegen mit schweren Schußverletzungen im Krankenhaus.

Die Forderung auf Zahlung einer Strafe von 1 Mill. Kronen werde ich dem dänischen Staatsminister eröffnen wenn ich ihm morgen früh die weiteren mir aufgetragenen Forderungen eröffne.

Dr. Best

277. Werner Best an Joachim von Ribbentrop 27. August 1943

Best rapporterede kort om situationen i Danmark, specielt om strejkerne i Ålborg og Århus (Kirchhoff, 2, 1979, s. 436).

Kilde: PA/AA R 29.567. RA, pk. 203. LAK, Best-sagen (afskrift).

Telegramm

| Kopenhagen, den | 27. August 1943 | 19.40 Uhr |
| Ankunft, den | 27. August 1943 | 20.20 Uhr |

Nr. 982 vom 27.8.[43.]

Citissime
Sofort vorlegen

Für Herrn Reichsaußenminister persönlich.
Über die Lage in Dänemark berichte ich für den heutigen Tag auf Grund eigener Meldungen und auf Grund der bei dem Befehlshaber der deutschen Truppen in Dänemark

---

[93] Se Ribbentrop til Best 25. august 1943.

eingegangenen Meldungen folgendes:

Gestreikt wird noch in Aalborg und in Aarhus. In Aalborg sind illegale Flugblätter festgestellt worden, durch die die Arbeiterschaft zum Durchhalten des Streiks aufgefordert wird.[94] In Aarhus haben die örtlichen Gewerkschaften zur Wiederaufnahme der Arbeit aufgefordert.[95] In beiden Städten ist der Nachtverkehr polizeilich untersagt. In Aalborg sind, nachdem heute zwei weitere verstorben sind, insgesamt sieben Ruhestörer von deutschem Militär erschossen worden, während kein deutscher Soldat verletzt wurde.[96] – Aus den übrigen Teilen des Landes ist heute kein Vorfall gemeldet worden.

Der Befehlshaber der deutschen Truppen in Dänemark hat heute, nachdem ich zugestimmt hatte, das Todesurteil gegen einen in Aarhus verurteilten Saboteur bestätigt, das voraussichtlich morgen in der Frühe vollstreckt werden wird.[97]

Best

278. Karl Ritter an Werner Best 27. August 1943

I forbindelse med udarbejdelsen af de tyske krav til den danske regering forudså man også, at svaret på kravene kunne blive et nej. I den situation skulle der proklameres militær undtagelsestilstand og det danske forsvar opløses.

Best var blevet orienteret herom under besøget hos Ribbentrop, så da Ritter den 27. august beordrede Best i aktion sammen med von Hanneken, vidste han, hvad der forestod (Kirchhoff, 2, 1979, s. 437, Rosengreen 1982, s. 22, Best 1988, s. 42f.).

Kilde: PA/AA R 29.567. RA, pk. 203. LAK, Best-sagen (afskrift). PKB, 13, nr. 411.

Telegramm

Sonderzug, den	27. August 1943	17.45 Uhr
Ankunft, den	27. August 1943	19.55 Uhr

Nr. 1279 vom 27.8.[43.]   Citissime!

Deutsche Gesandtschaft Kopenhagen
Für Reichsbevollmächtigten Best.

Im Anschluß an die telefonische Unterredung teile ich mit, daß das Oberkommando der Wehrmacht an der sofortigen Entwaffnung des dänischen Heeres festhält, auch auf die Gefahr hin, daß dadurch die bisherige Haltung der dänischen Kriegsmarine ungün-

---

94 En generalstrejke udbrød i Ålborg den 24. august på grund af et nyt sammenstød mellem civile danskere og en værnemagtsrepræsentant, efter at arbejdet den dag havde været på vej til det normale (Kirchhoff, 2, 1979, s. 145).

95 Strejken i Århus brød ud 26. august efter forgæves at være søgt undertrykt af den århusianske fagbevægelse og den samlede lokale presse (Kirchhoff, 2, 1979, s. 174-178).

96 Det samlede antal ofre for de tyske strejfpatruljer i Ålborg var langt højere. Alene 23. august blev 17 såret, hvoraf to senere døde (Kirchhoff, 2, 1979, s. 140).

97 Den ovenfor i telegram nr. 956, 20. august nævnte Poul Edvin Kjær Sørensen.

stig beeinflußt werden könnte.

Der Herr Reichsaußenminister hat darauf entschieden, daß die Entwaffnung des dänischen Heeres in dem zwischen ihm und Ihnen besprochenen Sinne unter allen Umständen durchzuführen ist.

Einzelheiten der Entwaffnung sind von Ihnen und dem Befehlshaber der deutschen Truppen in Dänemark festzulegen.

Ritter

Vermerk:
Unter Nr. 1134 an Deutsche Gesandtschaft Kopenhagen weitergeleitet.
Berlin, 27.8.43
Pers. Ch. Tel.

279. Joachim von Ribbentrop an Werner Best 27. August 1943
Efter modtagelsen af Ritters ordre bad Best kort efter om at måtte vente med at tage beslutninger om effektueringen af denne, indtil den danske regerings svar på de tyske krav forelå. Ribbentrop indvilgede.
Kilde: PA/AA R 29.567. RA, pk. 203. LAK, Best-sagen (afskrift). PKB, 13, nr. 414. ADAP/E, 6, nr. 250.

Telegramm

KR WNOF, den   27. August 1943   20.40 Uhr
Ankunft, den   27. August 1943   21.25 Uhr

Ohne Nummer

An den Bevollmächtigten des Reiches
    Dr. Best, Kopenhagen

Geheime Reichssache   Sofort
                                                                     Mit Vorrang
                                                                Sofort vorlegen

Ich bin dem von Ihnen in Ihrem Telegramm vom 27.8.[98] vorgeschlagenen Vorgehen einverstanden, jedoch mit der Maßgabe, daß die Entscheidung über die Frage der Entwaffnung und Auflösung der dänischen Restwehrmacht zunächst noch vorbehalten bleibt. Diese Entscheidung wird hier erst getroffen werden, sobald Ihre Meldung vorliegt, ob dänische Regierung Ihre Forderung angenommen oder aber abgelehnt hat, bezw. zurückgetreten ist.[99]

Ribbentrop

98 Indholdet af dette telegram til Ribbentrop gengav Best med telegram nr. 1044, 10. september 1943, trykt nedenfor.
99 Se hertil også Karl Ritters telegram nr. 1134, 28. august 1943, trykt ovenfor.

Vermerk:
Unter Nr. 1135 an Diplogerma Kopenhagen weitergeleitet.
Berlin, 27.8.1943
Pers. Ch. Tel.

280. Hans-Heinrich Wurmbach an OKM 27. August 1943

Admiral Wurmbach meddelte, at natten i almindelighed var forløbet roligt ved alle tjenesteder, men at der overalt var provokatører og demonstrationer, så militæret løbende måtte sættes ind, da politiet ikke var situationen voksen. På omkring halvdelen af skibsværfterne var arbejdet nedlagt.

Kilde: BArch, Freiburg, RM 7/1187. RA, Danica 628, sp. 7, nr. 5332. Indskrevet i KTB/ADM Dän 28. august 1943, 1943, RA, Danica 628, sp. 3, s. 3029, med den fejl, at det var i Ålborg, at der herskede ro, og i KTB/Skl 27. august 1943.

Abschrift!

Fernschreiben von:
+SSD MDKP 03190 27.8. 16.00=
M AÜ= SSD OKM 1/Skl.=
Gltd. SSD MOK Ost für Ob – SSD MOK Nord für Ob=
SSD OKM 1/Skl.,= SSD Nachr BSO= SSD Nachr FD Minsch=
SSD Trubef Dän=
– Gkdos –

Betr.: Innerpolitische Lage Dänemark 27.8.
1.) Nacht zum 27.8. in allen Standorten im allgemeinen ruhig verlaufen. Jedoch überall Provokateure erheblich bei der Arbeit, sodaß bei Demonstrationen pp. Militär laufend eingesetzt werden muß, da Polizei Lage nicht meistert. Gleiches gilt für Besetzung Wehrmachtswichtiger Betriebe, wie Fleischereien, Bäckereien pp. mit weiterer kurzfristiger Verschärfung der Lage muß gerechnet werden.
2.) Arbeitslage auf den Werften.
Es wird gearbeitet in Kopenhagen, Odense, Nakskov, Korsör. Es wird nicht gearbeitet in Frederikshavn, Aalborg, Aarhus, Helsingör und Svendborg. In Esbjerg herrscht Ruhe.

Komm. Adm. Dän. 2271

281. Kriegstagebuch/Admiral Dänemark 27. August 1943

Admiral Wurmbach refererede time for time dagens forhandlinger og beslutninger vedrørende igangsættelsen af den militære operation "Safari." Det var på Wurmbachs foranledning, at iværksættelsen blev udskudt 24 timer, så han kunne få alle sine enheder på plads.

Den udførlige redegørelse er givetvis skrevet efterfølgende, da den indgår i et bilag 1 til krigsdagbogen omhandlende dagene 27.-31. august indsat ved 31. august 1943.

Kilde: KTB/ADM Dän 27. august 1943, RA, Danica 628, sp. 3, s. 3041, Anlage 1, s. 1-5.

27.8.43

Kopenhagen
09.00 Uhr
Besprechung mit General von Hanneken, Befehlshaber der deutschen Truppen in Dänemark über die innerpolitische Lage des Landes sowie über die sich hieraus ergebenden militärischen Folgerungen.

Die Lage stellt sich z.Zt. wie folgt dar:
Die monatelange Verhetzung des dänischen Volkes durch englische Sender, die Wühlarbeit der Kommunisten, die Ereignisse in Italien, die Luftangriffe auf deutsche Großstädte und die schweren Kämpfe an der Ostfront haben in dem Land eine Atmosphäre geschaffen, die nach Entladung drängt. Man macht ganz offen kein Hehl daraus, daß Deutschland unmittelbar vor dem Zusammenbruch stehe, es erscheinen Maueranschriften wie 1918 – 1943 usw. Kurz man möchte Stellung beziehen, um rechtzeitig auf dem englischen "Siegeskurs" zu liegen.

Im Laufe des Monats brachen auf verschiedenen Werften, auf denen deutsche Fahrzeuge gebaut bezw. repariert wurden, Streiks aus. Die Sabotagefälle nahmen in größtem Umfange zu und es kam tagtäglich zu Zusammenstößen zwischen der dänischen Bevölkerung und deutschen Soldaten. Hauptunruhherde waren Esbjerg, Odense, Svendborg, später auch Aalborg und Frederikshavn. Auch in Kopenhagen kam es in den letzten Tagen zu Zusammenrottungen. Zeitweise bestand Neigung zu einem Generalstreik. Täglich gingen Meldungen über Beschimpfungen deutscher Soldaten ein. Die Polizei zeigte sich in den meisten Fällen der [Lage] nicht gewachsen, teils aus Mangel an Können, teils aber auch offensichtlich aus Mangel an Wollen.

Regierung und Gewerkschaften hatten versucht auf die Massen beruhigend einzuwirken. Dies hatte bei dem größten Teil des Volkes zweifellos Erfolg, nicht jedoch bei den radikalen Kreisen, die weiter mit allen zu Gebote stehenden Mitteln hetzten und sich zu Angriffen auf deutsche Soldaten hinreißen ließen.

11.00 Uhr
Besprechung mit General von Hanneken und mit dem Reichsbevollmächtigten Dr. Best, der soeben mit fest umrissenen Weisungen vom Führerhauptquartier zurückkommt. Er erklärt, daß er den Auftrag habe sofort nachstehende Forderungen der Reichsregierung der dänischen Regierung zu übermitteln:

"Sofortige Verhängung eines Ausnahmezustandes über das ganze Land durch die Dänische Regierung.

Der Ausnahmezustand soll die folgenden Einzelmaßnahmen umfassen:
1.) Verbot aller Ansammlungen von mehr als fünf Personen in der Öffentlichkeit.
2.) Verbot jedes Streiks und jeder Unterstützung von Streikenden.
3.) Verbot jeder Versammlung in geschlossenen Räumen oder unter freiem Himmel.
Verbot des Betretens der Straßen zwischen 20.30 und 5.30 Uhr,
Schließung der Gaststätten um 19.30 Uhr.
Ablieferung aller noch vorhandenen Schußwaffen und Sprengstoffe bis zum 1.9.1943.
4.) Verbot jeder Beeinträchtigung dänischer Staatsbürger wegen ihrer oder ihrer Ange-

hörigen Zusammenarbeit mit deutschen Stellen oder Verbindungen zu Deutschen.
5.) Einführung einer Pressezensur unter deutscher Beteiligung.
6.) Einsetzung dänischer Schnellgerichte zur Aburteilung von Zuwiderhandlungen gegen die zur Aufrechterhaltung der Sicherheit und Ordnung erlassenen Anordnungen.

Für Zuwiderhandlungen gegen die vorstehend bezeichneten Anordnungen sind die nach dem zeitweiligen Gesetz über Ermächtigung für die Regierung, Bestimmungen zur Aufrechterhaltung von Ruhe, Ordnung und Sicherheit zu treffen, zulässigen Höchststrafen anzudrohen.

Für Sabotage und jede Beihilfe hierzu, für Angriffe auf die Deutsche Wehrmacht und ihre Angehörigen sowie für den Besitz von Schußwaffen und Sprengstoffen nach dem 1.9.43 ist unverzüglich die Todesstrafe einzuführen.

Die Reichsregierung erwartet Annahme der vorstehenden Forderungen durch die Dänische Regierung bis heute 16.00 Uhr."

Da nicht damit zu rechnen ist, daß dänischerseits diese Forderungen angenommen werden, ergibt sich die Schlußfolgerung, daß dann deutscherseits der militärische Ausnahmezustand zu erklären und in Verbindung hiermit die dänische Restwehrmacht schlagartig zu entwaffnen ist. Als Zeitpunkt hierfür käme dann der 28.8. 04.00 Uhr in Frage.

Ich habe hiergegen aus folgendem Grund sofort Einspruch erhoben:

Wenn auch im Großen gesehen, die gedanklichen Vorbereitungen im Stabe für "Safari" – Entwaffnung der dänischen Kriegsmarine – abgeschlossen sind, so bin ich doch durch die heute festgestellte starke Dislozierung der dänischen Kriegsmarine – z.T. veranlaßt durch die Unruhen im Lande – gezwungen, kurzfristig erheblich umzudisponieren und vor Allem Seestreitkräfte anzufordern, die neben der Bereitstellung noch in die notwendigen Seeräume – in erster Linie Isefjord und Gewässer südlich Fünen – verlegt werden müssen. Ich fordere daher 24 Stunden Verschiebung des Termins für die Demarche bei der dänischen Regierung. Der Befehlshaber der deutschen Truppen erkennt diese Zwangslage an und ist auch von sich aus mit der Verschiebung einverstanden, da er dann noch auf Teile der 25. Panzerdivision, die sich z.Zt. auf dem Transport Oslo-Kopenhagen befindet, zurückgreifen kann.

Der Reichsbevollmächtigte erbittet daraufhin von dem Truppenbefehlshaber und mir um Einverständnis dahingehend, daß er aus "militärischen Gründen" seinen Schritt bei Ministerpräsident Scavenius um 24 Stunden verschiebt und dementsprechend nach Berlin berichtet. Dem wird zugestimmt.

Es ergehen im Anschluß daran meinerseits folgende Fernschreiben:
"1.) Wegen plötzlich bedenklicher Zuspitzung innerpolitischer Lage Dänemarks erscheint Durchführung "Safari" voraussichtlich innerhalb etwa 40 Stunden erforderlich.
2.) Eigene Seestreitkräfte stehen zur notwendigen Ausschaltung "Niels Juel" im Isefjord, sowie der Schul- und Minensuchgruppe bestehend aus drei Torp. Booten, zwei Inspektionsschiffen, ein Minenschiff und zwei M.S.-Booten in Gewässern südl. Svendborg und vor Rudköbing auf Langeland nicht zur Verfügung. Ob Schiffe über Wochenende in Häfen liegen, nicht zu übersehen. Feststellung durch Luftwaffe wird

versucht. Verband hat entgegen bisherigem Gebrauch in Häfen einzulaufen wegen Streiklage. Anlaufbeschränkung, daher neue Lage.

3.) Mit wirksamer Unterstützung hiesiger Luftwaffe wegen äußerst beschränkter Mittel und unsicherer Wetterlage nicht zu rechnen.
4.) Es wird daher um sofortige Bereitstellung einer entsprechenden Anzahl von S-Booten oder R-Booten mit Minen gem. hies. Chefs. Von 35 25/8 für Isefjord gebeten.
5.) Ferner für Aktion südl. Fünen um entsprechende Seestreitkräften.
6.) Befehlserteilung zu Ziffer 4 erfolgt von hier. Eintreffen der Boote Kopenhagen 28.8. möglichst 14 Uhr.
7.) Befehlserteilung zu Ziffer 5 der Eile halber von dort vorgeschlagen.
8.) Heer erst am zweiten Tag in der Lage Ausgang Isefjord bei Einsatz "Safari" artilleristisch zu sperren. Daher Handeln in eigener Regie erforderlich (vergl. Chefsache 35)."

und

"1.) Zur Erläuterung hies. Chefs. 36 vom 27.8. wird gemeldet:
In heute mittag stattgefundener Besprechung mit Truppenbefehlshaber Dänemark und Reichsbevollmächtigten führte Letzterer aus, daß er vom Führer mündlich die Weisung habe, auf Grund der Vorgänge der letzten Woche bei denen vor allem die Ehre der deutschen Wehrmacht verschiedentlich erheblich verletzt wurde, kurzfristig von der dänischen Regierung die Durchführung eines scharfen dänischen Ausnahmezustandes verbunden mit Schadenersatzforderungen, Androhung von Todesstrafen bei bestimmten Delikten pp. zu fordern. Bei Ablehnung ist automatisch mit dem Rücktritt der Regierung Scavenius zu rechnen. Damit ergibt sich Notwendigkeit der Übernahme der vollziehenden Gewalt durch Truppenbefehlshaber verbunden mit "Safari" für Heer und Marine.
2.) Auf meinen Einspruch hin hat Reichsbevollmächtigter seinen Schritt um 24 Stunden d.h. bis Sonnabend Mittag verschoben. Einspruch erfolgte, weil dän. Marine im Hinblick auf Unruhen, denen sie aus dem Wege gehen wollte, kurzfristig verschiedene Dislokationsänderungen und Anlaufbeschränkungen von Häfen befohlen hatte die hies. "Safari" Vorbereitungen z. Teil über den Haufen warfen und die nun bei der neuen Lage z.T. mit Seestreitkräften gelöst werden müssen, da dän. Schiffe keine Landverbindung mehr haben. Dies gilt vor allem für den Raum südl. Fünen. Auf der anderen Seite ist z.B. Korsör mehr als doppelt belegt wie bisher, da Boote von Nyborg abgezogen wurden. Hierdurch erheblich Verstärkung des Stoßtrupps erforderlich. Nach heutiger Dislokation ist dän. Marine auf nicht weniger als 18 Häfen verteilt. Truppenbefehlshaber schloß sich meinem Einspruch an, weil er morgen durch hier eintreffende Teile der 25. Panzerdivision auf die er zurückgreifen darf, eine gewisse Verstärkung seiner schwachen Streitkräfte auf Seeland bekommt.
3.) Einsatzbesprechungen mit BSO laufen desgl. Mit K.i.A. dän. Inseln und den hauptsächlich beteiligten Hakas.
4.) Bei augenblicklicher Lage muß mit "Safari" 29.8. 04.00 Uhr gerechnet werden.
5.) Weitere Unterrichtung erfolgt laufend. Hinweise, daß Telefon von Dänen vermutlich scharf überwacht wird."

15.00 Uhr
Einsatzbesprechungen mit BSO, dem Heer, Kommandeur MAA 508, Haka Nyborg, Chef 19. Vp. Flottille. Im Verlauf dieser Besprechungen und Einweisungen, die bis in die späte Nacht gehen, ergibt sich für die Durchführung von "Safari" im gegenseitigen Einvernehmen folgende Aufgabenverteilung:

"Safari" wird wie folgt durchgeführt:
1.) Kopenhagen: Durch K.i.A. dän. Inseln, Kräfte etwa 500 Mann, Einsatz aller verfügbaren Geschütze von im Hafen liegenden Schiffen und Flakbatterien sowie von Luftwaffe vorgesehen, sobald Widerstand geleistet wird.
2.) Isefjord zunächst nur Verminung durch BSO.
3.) Kalundborg MR Schiff 11
4.) Korsör 19. Vp. Fl. und Wachschiffe 1921 und 1923,(mir unterstellt)
5.) Nyborg Hafenschutzflotille Nyborg
6.) Svendborg StOÄ Svendborg mit Stoßtrupps von Vp. Boot 1709 und R 53
7.) Gewässer südl. Fünen zugeteilte Kräfte BSO.
8.) Horsens und Mariager Haka Aarhus mit Stoßtrupps aus BSO Kräften in Aarhus.
9.) Nakskov, Karrebäksminde und Köge: Eigene und zugeteilte Kräfte des BSO.
10.) Vejle, Randers Odense durch Heer.
11.) Bandholm und Masnedsund bleiben zunächst unberücksichtigt."

Erschwerend bei den Vorbereitungen ist die Tatsache, daß wegen Abhörgefahr das Telefon nicht benutzt werden kann und in Kürze die Fernschreibleitungen verstopft sind. Ich entschließe mich daher je einen Kurier mit dem Auto zum K.i.A. Nord- und Südjütland zu entsenden mit genauer Orientierung über die Gesamtlage sowie mit festen Weisungen für die Durchführung der Aufgabe.

Batteriechef Seelandsodde erhält Befehl durch Kradfahrer, die Batteriechefs Hornbäk und Flakfort werden zur mündlichen Einweisung hierher befohlen.

282. OKW/WFSt: Vorbereitung besonderer Maßnahmen ... 27. August 1943

Stedfortrædende i WFSt, Walter Warlimont, udarbejdede en tilføjelse til den forelæggelsesnotits, der var skrevet 24. august. Han præciserede, at Best som i Holland også i tilfælde af et fjendtligt angreb skulle blive i sit embede. Mundtligt havde Kanstein meddelt, at AAs accept snarest kunne ventes. Best havde for to dage siden mundtligt fået RAMs grundlæggende billigelse.

Det er det eneste sted, at det kommer frem, at Bests aftale med von Hanneken af 18. august er blevet drøftet i AA, og at RAM havde sagt ja. Der kan foreligge en misforståelse fra Kansteins side, men det er næppe tilfældet. Snarere har Best solgt aftalen til RAM ved at fastholde, at han forblev under ham, og at aftalen kun ville betyde en styrkelse af AA i Danmark. I stedet har Hitler under indtryk af situationen i Danmark forpurret Bests planer, og her har det nok så meget spillet ind, at Hitler ønskede de danske værn afvæbnet, som urolighederne i sig selv, de var af underordnet betydning, når det kom til stykket (se Lagevorträge 28. august 1943). Best er i erindringerne selv inde på, at det var Hitler, der krydsede hans politik, men gav ubeføjet WB Dänemarks situationsmeldinger skylden (1988, s. 42), mens der ikke er et ord om rigskommissærdrømmene. Dem ville den ærekære Best gerne bevare som en hemmelighed, når de nu var brast.

RFSS' holdning i augustdagene er ubekendt, men Best nærede fortsat håb om hans støtte, se Best til RFSS 30. august 1943.

Se Alfred Jodl til WB Dänemark samme dag.

Kilde: BArch, Freiburg, RW 4/895.

WFSt/Qu. (Verw.)
Nr. 004534/43 g.K.

Geheime Kommandosache
F.H.Qu., den 27.8.1943
2 Ausfertigungen
1. Ausfertigung

Betr.: Vorbereitung besonderer Maßnahmen zur Sicherung der Reichsinteressen und der deutschen Besatzung in Dänemark.

Ergänzung der Vortragsnotiz vom 24.8.43[100]

1.) Der Bevollmächtigte des Reiches bleibt, wie in den Niederlanden, auch im Falle feindlicher Landungen, von Unruhen usw., in seinem Amt. Er ordnet, wie dort, den C.d.Z. in den Stab des Befehlshabers zur Wahrnehmung der zivilen Verwaltungsangelegenheiten und zur Beratung des Befehlshabers ab. In den Niederlanden ist dies der Staatssekretär Wimmer, ständiger Vertreter des Reichskommissars Seyss-Inquart, in Dänemark der Regierungspräsident Kanstein, Vertreter des Reichsbevollmächtigten Dr. Best.

2.) Zustimmung des Ausw. Amts ist in Kürze zu erwarten. Der Reichsaußenminister hat vor 2 Tagen mündlich Dr. Best gegenüber seine grundsätzliche Zustimmung ausgesprochen. Der Wortlaut der Vereinbarung liegt ihm zur Zeit vor (fernmdl. Auskunft Regierungspräsident Kanstein).

Warlimont

283. Alfred Jodl an WB Dänemark 27. August 1943

Jodl meddelte WB Dänemark, at OKW tilsluttede sig aftalen mellem ham og den rigsbefuldmægtigede. Dog ønskede han blandt foranstaltningerne indføjet, at radioapparaterne skulle inddrages.[101]

Udkastet er underskrevet af Jodl og må antages at være blevet godkendt. Hermed synes det klart, at OKW ikke havde nogen ambitioner om at få indført et militært besættelsesstyre i Danmark i lighed med det i Frankrig. Det havde WB Dänemark tilsyneladende heller ikke, da han havde indgået aftalen med Best. De fraværende militære ambitioner kan have flere forklaringer, dels at man fra hærledelsens side i sidste ende var tilfreds med den eksisterende ordning i Danmark og de relativt fredelige forhold, dels at fjernelsen af de danske værn havde været hovedønsket. Endelig udøvede tysk militær i Danmark som hidtil en stor autonomi, når det gjaldt forsvarsforanstaltninger og værnemagtsbyggeri.

Kilde: BArch, Freiburg, RW 4/895.

Entwurf
Oberkommando der Wehrmacht
Nr. 004534/43 g.K. WFSt/Qu. (Verw.)

Geheime Kommandosache
F.H.Qu., den 27.8.1943
2 Ausfertigungen
2. Ausfertigung

---

100 Trykt ovenfor.
101 Spørgsmålet om konfiskation af danske radioapparater blev hypotetisk nævnt af den tyske radiocensor Ernst Lohmann 30. august 1943 over for radioens direktør F.E. Jensen (Christiansen 1950, s. 275), men derved blev det.

Bezug: Abt. Ia Br. B. Nr. 696/43 g.K. vom 18.8.43[102]
Betr.:   Vorbereitung besonderer Maßnahmen zur Sicherung der Reichsinteressen und der deutschen Besatzung in Dänemark.

An den Befehlshaber der deutschen Truppen in Dänemark

Die Vereinbarung mit dem Bevollmächtigten des Reiches über die Vorbereitung besonderer Maßnahmen zur Sicherung der Reichsinteressen und deutschen Besatzung in Dänemark wird vorbehaltlich der Zustimmung des Ausw. Amtes genehmigt.

Unter Abschnitt II der vorgesehenen Anordnungen und Maßnahmen muß noch die Beschlagnahme und Einziehung der Rundfunkapparate aufgenommen werden.

Der Chef des Oberkommandos der Wehrmacht
I.A.
Jodl

284. Walter Forstmann an Kurt Waeger 28. August 1943

Forstmann fulgte op på sin advarsel fra 23. august om, at den kritiske situation i Danmark kunne få negative konsekvenser for den danske produktion for Tyskland. Sabotagen havde skabt besvær både med at få aftaler overholdt og at få nye aftaler indgået. I månedens anden halvdel var stemningen hos den yngre del af den danske befolkning blevet mere antitysk, der vistes sympati for sabotagen, mens politiet havde vigende vilje til indsats mod sabotagen (Kirchhoff, 2, 1979, s. 453 (der ikke omtaler Forstmanns brev 23. august), Giltner 1998, s. 119).

Samme indberetning blev sendt til Generalleutnant Becker, chef for Wehrwirtschaftsstab, OKW.
Kilde: BArch, Freiburg, RW 27/9 og 10 (til Becker). RA, Danica 1000, T-77, sp. 696, KTB/Rü Stab Dänemark, 3. Vierteljahr 1943, Anlage 1.

Anlage 14
28.8.1943
Geheim

Der Chef des Rüstungsstabes
Abteilung Wehrwirtschaft
– 796/43 geh. II. Ang.

[Bezug:] Chef Rü Stab Dän., Nr. 796/43 geh. v. 23.8.1943.[103]
[Betr.:] Entwicklung der innerpolitischen Lage in Dänemark

An den Chef des Rüstungsamtes
    des Reichsministers für Bewaffnung und Munition,
    Herrn Generalleutnant Dr. Ing. e.h. Waeger,
    Berlin – Charlottenburg 2.
    Verl. Jebenstraße, Behelfsbau am Zoo.

102 Trykt ovenfor.
103 Trykt ovenfor.

Bereits am 23.8.43 wurde mit Schreiben Nr. 2573/geh. über die möglichen Auswirkungen der derzeitigen politischen Lage Dänemarks auf die deutsche Auftragsverlagerung berichtet. Unter Bezugnahme und in Ergänzung dieses Bericht müssen erneut die Schwierigkeiten, die bei der Auftragsverlagerung durch die Zunahme der Sabotagehandlungen, Streiks und Unruhen entstehen, hervorgehoben werden. Nach bisherigen Beobachtungen werden sie nicht nur zu einer Verminderung der Produktion durch Ausfall von Arbeitsstunden und Produktionsmitteln, sondern auch zu einer offenen oder versteckten ablehnenden Haltung der Betriebsleiter gegenüber der deutschen Auftragsverlagerung führen. Das Ausmaß ist allerdings noch nicht zu übersehen.

Besonders das Absinken der Kapazität auf dem *Kraftfahrzeuginstandsetzungsgebiet* (es werden im Monatsdurchschnitt für rd. 1,5 Mill. RM Aufträge auf Instandsetzung von Ost-Fahrzeugen und Wehrmachtfahrzeugen im Lande an dänische Betriebe vergeben) ist auf die Vernichtung oder Beschädigung von 18 Reparaturwerkstätten im Juli und August zurückführen. – Auch die *holzverarbeitenden Industrie*, die im großen Umfange Baracken und Möbel für die Wehrmacht und für Bombengeschädigte herstellt, hat sehr unter den Sabotageangriffen zu leiden. 22 Betriebe wurden im Juli und August durch Sabotage schwer in Mitleidenschaft gezogen. – In der *eisenverarbeitenden* Industrie sind in erster Linie kleine Betriebe, die aber als Unterlieferanten Bedeutung haben, das Angriffsziel der Saboteure. – Die *Konfektionsfabriken*, die im Monatsdurchschnitt für 0,6 Mill. RM (Lohnwert) Uniformen für deutsche Rechnung fertigen, gehen besonders zögernd an die Übernahme neuer deutscher Aufträge heran, weil sie zum größten Teil neben ihren Fabrikationsbetrieben noch offene Ladengeschäfte besitzen und Angriffe des Volks auf diese befürchten müssen.

Die Stimmung der Bevölkerung in der 2. Hälfte des Monats August wird veranschaulicht durch die Zusammenrottungen größerer Volksmengen, vorwiegend Jugendlicher, während der Abendstunden in den Städten. Dabei wird offene Sympathie für die Sabotagehandlungen und Antipathie gegenüber dem Deutschtum gezeigt. Bei der schwachen Haltung der unteren dänischen Polizeiorgane ist es sehr schwierig, zur Festnahme der Saboteure zu kommen.

Die Gewerkschaften fordern durch Aufrufe in den Zeitungen die Arbeiter auf, ihren Arbeitsplatz nicht zu verlassen, doch haben sie offenbar die Macht verloren, die in die Hände energischer Kommunisten und unreifer jugendlicher Arbeiter übergegangen zu sein scheint.

Anliegend als Beispiel die Meldung vom 28.8.43 über die Sabotagefälle am 27.8. 43.[104]

Forstmann

Anlagen:
1 Abschrift
12 Übersetzungen aus dän. Tageszeitungen

Abschrift　　　　　　　　　　　　　　　　　　　　　　　　　Anlage
Abteilung Wehrwirtschaft　　　　　　　　　　　　　　*Kopenhagen, den 28. August 1943*

104 Trykt efterfølgende.

im Rü Stab Dänemark
Gr. Ib/Ic Az. 1b2

Betr.: Sabotagemeldung.

An Chef Rü Stab Dänemark

27.8.43:
Fa. Esab. Kopenhagen. Trekronergade:
Durch Bombenexplosion wurde Transformator vollkommen zerstört. Betrieb liegt still. Firma ist durch Abt. Marine sehr stark belegt – Elektrodenfabrikation.[105]

27.8.43. 22.55 Uhr:
Sauerstoffabrik, Horsens. Stengade 12:
Durch große Explosion wurde die Fabrik zerstört.[106]

27.8.43. 20.25 Uhr:
Tischlereiwerkstätte Drottens. Randers. Östergade 14:
Es entstand ein Brand, der sofort gelöscht werden konnte, Schaden entstand nicht. Betrieb arbeitet für die Deutsche Wehrmacht.[107]

27.8.43. 23.45 Uhr:
Tischlereiwerkstätte Arnholm. Randers. Mariagervej:
Es entstand ein Brand, der im Entstehen gelöscht werden konnte; Schaden nicht entstanden. Betrieb arbeitet für die Deutsche Wehrmacht.[108]

27./28.8.43. 1.12. Uhr:
Zahnradfabrik Randers. Randers. Vestergade 23:
Durch Bombenexplosion wurde Fabrik vollständig zerstört.[109]

27./28.8.43. 2.15. Uhr:
A/S Gasaccumulator. Odense:
Durch Bombenexplosion wurde Kontor zerstört und Schaden in der Fabrik angerichtet. Betrieb arbeitet für die Deutsche Wehrmacht.[110]
                      gez. **Rohde**
                      Hauptmann

---

105 Det var BOPA, der stod for sabotagen (Kjeldbæk 1997, s. 466).
106 Der er ikke registreret en sabotage mod denne fabrik. Derimod gik det på denne dato i Horsens ud over Jydsk Ilt- og Acetylenfabrik i Levysgade (Rimestad, 1, 1998, s. 96f.).
107 Jfr. Alkil, 2, 1945-46, s. 1220.
108 Jfr. Alkil, 2, 1945-46, s. 1220.
109 Optræder ikke hos Alkil, 2, 1945-46, s. 1220.
110 Jfr. Alkil, 2, 1945-46, s. 1220.

285. Lagevorträge vor Hitler 28. August 1943

I førerhovedkvarteret var Hitler optaget af krisesituationer på andre fronter, men dagen før operation "Safari" løb af stablen, blev situationen i Danmark taget op tre gange. Selv om Hitler stillede spørgsmålstegn ved aktionens nødvendighed, lod han den ske ud fra den betragtning, at den alligevel skulle gennemføres før eller siden. Det lå ham særligt på sinde, at den danske flåde ikke undslap til Sverige.

Kilde: RA, Danica 203, pk. 38/læg 465. IMT, 35, s. 604-06, Wagner 1972, s. 545f.

[…]

Besprechung C/Skl mit General Jodl
(28.8., gegen 19.00 Uhr.)
C/Skl unterrichtet General Jodl über die im Laufe des Spätnachmittags eingegangenen Meldungen des MOK Ostsee über die Entwicklung der Lage in Dänemark. Danach lehnt die dänische Regierung die ultimative Forderung des Reichsbevollmächtigten Dr. Best ab, sodaß die Maßnahmen für "Safari" anlaufen. Es stellt sich hierbei heraus, daß General Jodl in den letzten drei Tagen über die Entwicklung der Lage in Dänemark nur durch die Berichte der Skl unterrichtet worden ist. Weder das AA noch der Wehrmachtsbefehlshaber Dänemark haben ihn auf dem Laufenden gehalten, da diese den Standpunkt vertraten, daß es sich um eine rein politische Angelegenheit handle. Jodl erklärte, er wolle die Angelegenheit im Hinblick auf das Anlaufen von "Safari" nunmehr sofort in die Hand nehmen und hoffe, im Laufe des Abends einen eingehenden Lagebericht vom Wehrmachtsbefehlshaber Dänemark zu erhalten.

Abendlage beim Führer (28.8.)
Im Anschluß daran werden dem Führer die letzten Meldungen über die Entwicklung der Lage in Dänemark vorgetragen. Da diese verhältnismäßig ruhig klingen, fragt der Führer: "Warum also dann das Ganze in Dänemark?" (Zu dem abseits sitzenden RM. d. Auswärtigen sagt er: "Herr auswärtiger Direktor, äußern sie sich mal dazu.") Den Einwurf Ribbentrops, daß die ganze Angelegenheit eine rein politische Sache sei und daß es besser gewesen wäre, wenn sich der Wehrmachtsbefehlshaber nicht hineingemischt hätte, lehnt der Führer ab mit dem Bemerken, es sei eine militärische Angelegenheit gewesen. Ribbentrop vertritt die Ansicht, daß "Safari" noch aufgehalten werden könne, obwohl die Truppen schon marschierten. Der Führer lehnt dies ab mit dem Bemerken, daß die Aktion "Safari" durchgeführt werden müsse, nachdem sie schon einmal laufe. Es gehe nicht an, nach dem Grundsatz "R[e]in in die Kartoffeln, raus aus den Kartoffeln" zu verfahren. Ribbentrop meint daraufhin, daß diese Maßnahmen über kurz oder lang wohl doch hätten ergriffen werden müssen.

Lageentwicklung Dänemark
Spät abends am 28.8. geht die Meldung ein, daß die dänische Flotte die 15-Minuten-Bereitschaft befohlen habe. Der Führer befürchtet ein Ausbrechen der Dänen nach Schweden. C/Skl unterrichtet Admiral Voss, der dem Führer über unsere Maßnahmen Vortrag halten soll, darüber, daß die Kriegsmarine bei ungestörtem Verlauf aller Vorbereitungen im günstigsten Falle um 2 Uhr nachts klar zur Durchführung der Aktion sein könnte. C/Skl weist dabei darauf hin, daß die dänischen Seestreitkräfte in sehr vielen Häfen verteilt und die geänderten "Safari"-Maßnahmen sehr kurzfristig ange-

laufen sind, daß die Maßnahmen durch Schulstreitkräfte der KM durchgeführt werden müssen und daß schließlich das Wetter die einwandfreie Durchführung der Aktion erschweren kann. Admiral Voss teilt später nach der Lage beim Führer mit, daß dieser für die Schwierigkeiten durchaus Verständnis gezeigt habe. Das OKW hatte inzwischen befohlen, daß die Aktion am 29.8., morgens 4 Uhr beginnen solle.
[…]

286. Werner Best an das Auswärtige Amt 28. August 1943

I den tilspidsede krisesituation fandt Best tid til at orientere om de månedlige udbetalinger til forskellige nazistiske organisationer og foretagender i Danmark og at argumentere for deres fortsættelse. Bl.a. forsvarede han bidraget til Landsarbejdstjenesten med, at dennes blotte eksistens tvang den danske regering til at tage stilling til tanken om arbejdstjeneste. Han bad om knapt 600.000 kr. til støtte til foretagenderne for 3. kvartal 1943.

Best foregav samtidig at alt var normalt i Danmark og lod som om en dansk regering fortsat ville være en aktør i det dansk-tyske forhold.

AAs svar er ikke lokaliseret.

Efter ophøret af støtten til DNSAP var den gennem selskabet Mundus tyskejede avis *Fædrelandet* den største enkeltmodtager af støtte. Støtten til alle de nævnte foretagender fortsatte til hen i 1944, for *Fædrelandets* vedkommende fortsatte støtten til maj 1945 (Poulsen 1966, Lauridsen 2002a, s. 495, 515).

Kilde: PA/AA R 29.567. RA, pk. 203. LAK, Frits Clausen-sagen X/124.

Telegramm

Kopenhagen, den	28. August 1943	17.50 Uhr
Ankunft, den	28. August 1943	19.25 Uhr

Nr. 981 vom 28.8.[43.]   Geheime Reichssache!

Auf Telegr. vom 19. Nr. 1103.[111]

Es sind im Vierteljahrabschnitt Juli-September 1943 bisher monatlich gezahlt worden:
1.) An die Zeitung "Fädrelandet" über den Beauftragten der Mundus GmbH Schiller Kronen 78.000.
2.) An den dänischen nationalistischen Arbeitsdienst über dessen Leiter P.O. Jörgensen Kronen 50.000.
3.) An "Landbrugernes Sammenslutning" (LS) und der Zeitung "Folket" über unseren Vertrauensmann C.O. Jörgensen Kronen 25.000.
4.) An "det Danske Arbejdsselskab[112] …" über deren Leiter Jes Asmussen Kronen 25.000.
5.) An verschiedene Einzelempfänger in kleineren Summen Kronen 20.000 insgesamt also monatlich Kronen 198.000.

Zur Überprüfung der wirtschaftlichen Verhältnisse bei der Zeitung "Fädrelandet" befindet sich der Beauftragte der Mundus GmbH Schiller seit längerer Zeit in Kopenhagen.

---

111 Pol XVI gRs. Telegrammet er ikke lokaliseret.
112 Note i originalen: "fehlt anscheinend Gruppe mit 4 Buchst."

Er hält eine Senkung der Unterstützungszahlungen für "Fädrelandet" erstmalig zum 1.1.1944 für möglich, vorausgesetzt, daß keine größeren Erschütterungen eintreten, die die aufgestellten Berechnungen hinfällig machen. Eine Kürzung der Unterstützungszahlungen vor diesem Zeitpunkt würde zur Einstellung der Zeitung und damit zu einem schweren Prestigeverlust für das Reich führen.

Eine Einstellung oder Verringerung der Zahlungen für den dänischen Arbeitsdienst würde bedeuten, daß die mit großer Mühe ausgebildeten dänischen Arbeitsführer jeglicher Existenzmöglichkeit beraubt, in ihrem Vertrauen zur deutschen Führung nachhaltig erschüttert und in Zukunft als Propagandisten für den Arbeitsdienstgedanken in Dänemark ausfallen würden. Das bloße Bestehen des dänischen nationalistischen Arbeitsdienstes zwingt die dänische Regierung, zu dem Arbeitsdienstgedanken Stellung zu nehmen. Eine Auflösung würde die vom Reichsarbeitsführer für die Zukunft gewünschte Umstellung des Arbeitsdienstes in Dänemark auf breiterer Grundlage außerordentlich erschweren, wenn nicht unmöglich machen.[113]

Die Fortsetzung der Arbeit von "LS" und die Weiterführung der Zeitung "Folket" ist sehr wichtig für die Aufrechterhaltung der landwirtschaftlichen Lieferungen Dänemarks an das Reich. Mit verhältnismäßig geringen Mitteln ist hier ein Instrument zur …[114] auf die dänische Landwirtschaft geschaffen, das gerade im gegenwärtigen Augenblick besonders wichtig ist.

"Det Danske Arbejdsselskab" ist die einzige nationalistische Arbeiterorganisation in Dänemark. Durch Gestellung von über 1.300 Wächtern für deutsche Bauvorhaben und Flugplätze, durch Anwerbung von mehreren tausend Arbeitern für Wehrmachtszwecke und durch Ausübung eines Überwachungsdienstes mit besonders ausgewählten Vertrauensmännern an den verschiedenen Arbeitsstellen, hat sie der deutschen Wehrmacht sowohl wie dem Reich überhaupt viel genützt.

Die unter dem Posten "Sonstiges" an zahlreiche Einzelempfänger monatlich gezahlten 20.000 (zwanzigtausend) Kronen können gleichfalls nicht weiter verringert werden, ohne daß eine gefährliche Störung der Arbeit meiner Behörde eintreten würde.

Gegenüber der in meinem Antrag vom 18. Juni 1943[115] für den Vierteljahrabschnitt Juli-September 1943 angeforderten Unterstützungssumme von 693.000 (sechshundertdreiundneunzigtausend) Kronen ist infolge der von mir verfügten Einsparung eine Senkung um neunundneunzigtausend Kronen auf 594.000 (fünfhundertvierundneunzigtausend) Kronen eingetreten. Diese Summe, die weit unter dem liegt, was in den entsprechenden früheren Vierteljahrabschnitten gezahlt wurde, stellt ein absolutes Mindestmaß an Unterstützungszahlungen dar, das ohne schwere Schädigung des deutschen Ansehens und deutschen politischen Interesses vorläufig nicht weiter unterschritten werden kann. Ich bitte daher in Abänderung meines Antrages vom 18. Juni 1943 um Genehmigung von 594.000 (fünfhundertvierundneunzigtausend) Kronen für den Vierteljahrabschnitt Juli-September 1943.

Dr. Best

---

113 Se Bests telegram nr. 1131, 25. september 1943.
114 Note i originalen: "fehlt anscheinend 1 Gruppe."
115 Denne anmodning er ikke lokaliseret.

287. Werner Best an Joachim von Ribbentrop 28. August 1943

Best meddelte i den knappest mulige form den danske regerings afvisning af de tyske krav og foreslog sammen med von Hanneken iværksættelse af de tidligere aftalte forholdsregler.

Ribbentrops svar er ikke lokaliseret, men det var positivt. Best gengav den danske regerings svar i et telegram endnu 28. august, trykt nedenfor (Hæstrup, 1, 1966-71, s. 44, Kirchhoff, 2, 1979, s. 451).

Kilde: PA/AA R 29.567. LAK, Best-sagen (afskrift). PKB, 13, nr. 415. ADAP/E, 6, nr. 253. Best 1988, s. 268.

Telegramm

Kopenhagen, den	28. August 1943	17.20 Uhr
Ankunft, den	28. August 1943	18.25 Uhr

Nr. 983 vom 28.8.[43.] Citissime!

Für Herrn Reichsminister persönlich.
Forderung abgelehnt. Befehlshaber und ich schlagen vor, daß heute Nacht ab 4 Uhr (diese Zeit für die Inmarschsetzung der Truppe erforderlich) folgende Maßnahmen getroffen werden:
1.) Entwaffnung und Internierung dänischer Restwehrmacht,
2.) Verkündigung militärischen Ausnahmezustandes,
3.) Sicherungen und Festnahmen wie vorbereitet.
Wenn Regierung, die noch auf Bescheid der Reichsregierung auf ihre Gegengründe wartet, bis morgen nicht zurückgetreten ist, werde ich ihre Enthebung verfügen und Bildung neuen Regierungsausschusses vorbereiten.
Erbitte Zustimmung.

Dr. Best

Vermerk:
Unter Nr. 252 an Wolfschanze weitergeleitet.
Tel. Ktr.
28.8.43

288. Werner Best an das Auswärtige Amt 28. August 1943

Midt under augustkrisen tog Best sig af sagen om de penge for likvideringen af *Kamptegnet*, som endnu ikke var modtaget. Gesandtskabet kunne kvittere for pengene 23. september, og dermed var sagen Aage H. Andersen endeligt afsluttet (kvitteringen af 13. september er ikke aftrykt her. Jfr. Yahil 1967, s. 98).

Kilde: PA/AA R 99.413. RA, pk. 219.

DG Kopenhagen Nr. 117 28.8.43 21.00 [Uhr]

An Aus Berlin =
Auf G.-Schreiber = Nr. 985 vom 28.8.[43.]

Unter Bezugnahme auf Schrifterlaß Nr. Inl. II A 4778 vom 14. Juli 1943[116]

Die dem Betrag vom RM 10.500,- entsprechende, mit oben bezeichneten Erlaß als Kassenbestandsverstärkung angekündigte Kronenüberweisung ist bisher nicht erfolgt. Ich bitte dringend um Überweisung, damit nunmehr die Zeitung "Kamptegnet" endgültig liquidiert werden kann.

Dr. Best

289. Werner Best an Joachim von Ribbentrop 28. August 1943
Bests dagsindberetning. Befolkningen var i højeste spænding, men forholdt sig roligt. Der blev kun strejket ganske enkelte steder (Kirchhoff, 2, 1979, s. 451).
Kilde: PA/AA R 29.567. RA, pk. 203. LAK, Best-sagen (afskrift).

Telegramm

Kopenhagen, den	28. August 1943	21.10 Uhr
Ankunft, den	28. August 1943	21.40 Uhr

Nr. 986 vom 28.8.[43.]   Citissime!

Für Reichsaußenminister persönlich.
Über die Lage in Dänemark berichte ich für den 28.8.43 auf Grund eigener Meldungen und auf Grund der bei dem Befehlshaber der deutschen Truppen in Dänemark eingegangenen Meldungen folgendes:

Der Tag ist im ganzen Lande ruhig verlaufen. Gestreikt wird nur noch in Aalborg, und Frederikshavn, sowie in einem Einzelbetrieb in Silkeborg (wegen einer geforderten Lohnzulage).

In Helsingör und Svendborg ist die Arbeit wiederaufgenommen. Der kommandierende Admiral Dänemark hat mitgeteilt, daß alle Werften im Lande bis auf drei kleinere Betriebe in den vorgenannten Städten arbeiten, und daß die Beruhigung in dieser Sparte fortschreite. Das kriegsgerichtliche Todesurteil in Aarhus ist heute vollstreckt worden.[117] In der Nacht wurde in Aarhus bei einem Truppenlager geschossen wegen vermeintlicher Blinksignale aus einem Häuserblock. In Kopenhagen haben sich Gerüchte über die von mir am heutigen Vormittag der dänischen Regierung gestellten Forderungen im Laufe des Tages mit Windeseile verbreitet.[118] Die Bevölkerung ist in höchster Spannung, verhält sich aber ruhig und scheint die Straßen zu meiden. Aus der Nacht vom 27. auf 28.8. sind aus dem Lande 6 Sabotagefälle gemeldet worden, von denen 2 kleinen Schaden verursachten und 2 Betriebe, die nur für dänische Interessen arbeiten, trafen.

Dr. Best

---

116 Thadden til gesandtskabet 14. juli 1943, trykt ovenfor.
117 Se telegram nr. 956, 20. august 1943.
118 Vilh. Bergstrøm hørte til dem, der hurtigt var orienteret, som det fremgår af hans dagbog for 28. august 1943 (s. 738f. i den trykte udgave).

290. Werner Best an Joachim von Ribbentrop 28. August 1943
Best meddelte uden kommentarer Ribbentrop ordlyden af det svar, som den danske regerings havde givet på de krav, der fra tysk side var stillet samme dag. Den danske regering kunne ikke gå ind på kravene.
Se forud Bests telegram nr. 983, 28. august.
Kilde: PA/AA R 29.567. RA, pk. 203.

Telegramm

Kopenhagen, den	28. August 1943	21.00 Uhr
Ankunft, den	28. August 1943	21.45 Uhr

Ohne Nummer

An den Herrn Reichsaußenminister.
Die Antwort der dänischen Regierung auf die heute von mir eröffneten Forderungen der Reichsregierung lautet:
"Durch die am 9. April 1940 getroffene Regelung wurde ein Zustand geschaffen, dessen Hauptzweck war, die Aufrechterhaltung der Ruhe und Ordnung im Lande zu sichern. Die Regierung hat in der ganzen seitdem verflossenen Zeit diesen Zweck vor Augen gehabt und bis zu den Vorfällen der letzten Zeit ist es im großen und ganzen gelungen, die Bestrebungen durchzuführen, die in dieser Hinsicht auf verschiedene Weise entfaltet worden sind. Die Regierung und der Reichstag haben ihr Bestes getan, um die Bevölkerung in Ruhe zu halten. Zuletzt ist am 21. August 1943, mit Approbation seiner Majestät des Königs, seitens der Regierung und des Zusammenarbeitsausschusses des Reichstags mit Zustimmung der Reichsgruppen der zusammenarbeitenden Parteien ein Aufruf veröffentlicht worden, worin die Bevölkerung in eindringlicher Weise aufgefordert wird, überlegte Handlungen zu vermeiden und Ruhe und Besonnenheit zu wahren. Dieser Aufruf hat in allen Kreisen der Bevölkerung Widerhall gefunden und sowohl die Arbeiterorganisationen als die großen Wirtschaftsorganisationen haben durch Erklärungen von 24. und 25. August 1943 den Aufruf der Regierung und des Reichstags unterstützt. Es kann bereits jetzt festgestellt werden, daß diese Aktionen Wirkung gehabt haben. Es ist deutlich eine Entspannung eingetreten und die Regierung hegt die begründete Hoffnung, daß es gelingen wird, die vorhandene Streikbewegung zu bekämpfen, so daß die Arbeitsverhältnisse im Lande wieder zur Ruhe kommen werden. Die Regierung ist, wie in der Note des Herrn Staatsministers vom 26. August 1943 zum Ausdruck gebracht, bereit, alle zur Aufrechterhaltung der Ruhe und Ordnung und zur Durchführung der geltenden Gesetze erforderlichen Maßnahmen zu treffen und zwar mit allen zur Verfügung stehenden Machtmitteln des Staates in Übereinstimmung mit den diesbezüglich geltenden allgemeinen Bestimmungen, darunter auch den Regeln über Waffenbenutzung der Polizei. Eine Bewerkstellung der deutscherseits geforderten Maßnahmen würde die Möglichkeiten der Regierung, die Bevölkerung in Ruhe zu halten, vernichten und die Regierung bedauert daher, es nicht richtig finden zu können, an der Durchführung dieser Maßnahmen mitzuwirken."
Schluß der Antwort der dänischen Regierung.
Dr. Best

Vermerk:
Telephonisch an Wolfschanze weitergegeben.
Tel. Ktr. 28.8.

291. Kriegstagebuch/OKW 28. August 1943
Som ventet havde den danske regering afvist de tyske krav, og operation "Safari", afvæbningen af den danske hær, kunne sættes i værk. Von Hanneken fik til formålet tilladelse til at anvende de dele af 25. panserdivision, der var på vej gennem Danmark.
   Kilde: OKW/KTB 28. august 1943 (OKW III:2, 1963, s. 1018f.).

[...]
Die dänische Regierung hat die deutsche Forderung, den zivilen Ausnahmezustand zu erklären, abgelehnt. Der Bfh. d. d. Tr. in Dänemark hat daraufhin am 27.8. seine Absichten für die Auflösung der dänischen Restwehrmacht und die Verkündung des militärischen Ausnahmezustandes gemeldet und wird nunmehr angewiesen, dementsprechend zu handeln. Die Befehlsführung für die Maßnahmen aller Wehrmachtteile liegt in seiner Hand. Dafür stehen Teile der 25. Pz.-Div. zur Verfügung. Sie sind nach Erledigung des Auftrages schnellstens wieder zur Verfügung zu stellen.
[...]

292. Kriegstagebuch/Admiral Dänemark 28. August 1943
Forberedelserne til operation "Safari" var vidt fremskredne, og admiral Wurmbach stod over for det problem, at den danske marine nu var forberedt på et angreb og var i højeste alarmberedskab. Han kunne ikke drage fordel af et overraskelsesangreb, men vurderede på den anden side ikke den danske kampmoral højt, selv om den danske marine led under ikke at have afgivet et skud 9. april 1940. Den politiske situation blev drøftet med Best, der videregav indholdet af et par telegrammer fra AA. Kl. 13 meddelte Wurmbach til MOK Ost, at han var klar til at gå i aktion, og 16.30 fik han fra WB Dänemark stikordet til aktionen, der skulle starte kl. 4 næste morgen.
   Kilde: KTB/ADM Dän 28. august 1943, RA, Danica 628, sp. 3, s. 3041, Anlage s. 5-10.

28.8. Kopenhagen
Regenschauer, diesig sehr dunkle Nacht

10.10 h geht durch die Abwehr Kopenhagen auf Grund eines abgehörten Telephongespräches bei mir die Nachricht ein, daß "Schiffe und Fahrzeuge der dänischen Kriegsmarine mit ¼ stündiger Bereitschaft klar zum Auslaufen sein sollen, Landgänger brauchen nicht zurückgerufen zu werden. Alles soll still und ruhig sein, kein Aufsehen erwekken."
   Mit dieser dänischen Maßnahme hatte ich im Stillen schon gerechnet, denn die Dänen mußten sich sagen, daß wir nach Ablehnung der ultimativen Forderungen handeln würden. Mir war weiter bekannt geworden, daß die dänische Kriegsmarine moralisch stark darunter litte, am 9.4.40 keinen Schuß abgegeben zu haben. Es war also

zu erwarten, daß sie diesmal alles tun werden, die Ehre der Flagge zu retten. Wenn ich auch die dänische Kampfmoral nicht besonders hoch einschätzte, so fiel doch jetzt das Überraschungsmoment für mich vollkommen aus und hierdurch waren eine Reihe von Umdispositionen erforderlich, die sofort in erneuten mündlichen Einsatzbesprechungen geklärt und festgelegt wurden.

Im *Kopenhagener* Raum stehen dem K.i.A. Dänische Inseln rund 500 Mann zur Verfügung.

Außerdem werden eingesetzt:

I.) *Artillerie:*
    1.) unter Oberstlt. Hahn, Gefechtsstand: 60 cm. Schwf.
        Zitadelle Batterie Mellemfort
        2 mot. 8,8 cm Zitadelle
        3/2 cm bei Toldboden
    2.) Führerschiff Reiher mit einem 3,7 Doppelflak bezw. 2/2 cm Flak
    3.) Sperrbrecher 22 im Schwimmdock B. & W.
        4/3,7 cm, 2/2 cm.

II.) *Artilleristische Ziele:*
    Zone eins: Orlogswerft,
    [Zone] zwei: Liegeplatz Flotte
    [Zone] drei: Schule und Kaserne.

In Kopenhagen war in dem räumlich weit auseinandergezogenen Gebiet der Flottenstation und in der durch eine Balkansperre gesicherten Orlogswerft mit etwa 1.400-1.600 Dänen zu rechnen, die zum Schutz der Schiffe und Werftanlagen eingesetzt waren.

III.) *Seefliegerhorst:*
Die Besatzung des Seefliegerhorstes bleibt im Horst bis K.i.A. sie durch Kraftfahrer anfordert. Ist Lage in Zone drei geklärt, sichert Seefliegerhorst die schmale Brücke nördlich Zone drei zu Burmeister & Wain.

IV.) *Von Luftwaffe:*
    1.) Landmaschinen:
        2 Ju 87 mit 4/250 kg Bomben
        2 Ju 88 – 2/250 kg –
        1 217 Do – 4/250 kg –
        1 He 111 – 10/50 kg –
        2 Zerstörer mit 2 cm und M.Gs. bezw.
        2 Jäger mit Bordwaffen.
    2.) Wassermaschinen: Vom Küstenfliegerstaffel:
        5 B.V. 138 mit je 6/50 kg. Bomben und 1,5 cm und ein 1,3 cm K[?]

V.) *Von Hafenschutzflottille Kopenhagen:*
2 Kutter in Nähe von Reiher und 2 Kutter 04.00 Uhr seeklar im Hafen querab vom Ausgangspunkt K.i.A. (Brücke zum Arsenal).

Für den *Isefjord* ergaben sich folgende Schwierigkeiten:
a.) das Heer kann aus Mangel an Kräften das dänische Heer in ganz Seeland nicht

schlagartig entwaffnen. Der Wichtigkeit der dänischen Garnisonen entsprechend, muß zunächst Kopenhagen und der Süden Seelands entwaffnet werden. Aus diesem Grunde kann die am Isefjord liegende Garnison Holbäk mit etwa 50 mot. Feldgeschützen erst in zweiter Welle besetzt werden.
b.) Eine überraschende Besetzung des im Isefjord liegenden Küstenpanzerschiffes Niels Juel durch die Marine kam daher nicht in Frage, da dann gleichzeitig die Garnison Holbäk hätte außer Gefecht gesetzt werden müssen.

Diese Überlegungen führten dazu, zunächst den Eingang des Isefjords zu verminen, um Ausbrechen des Küstenpanzers nach Schweden zu verhindern.

Besprechung mit dem Reichsbevollmächtigten Dr. Best über die politische Lage. In Verfolg dieser Unterredung gab ich nachstehendes Fernschreiben ab:

"1) Beim Reichsbevollmächtigten sind nachstehende Telegramme vom AA eingegangen:

"Im Anschluß an die telefonische Unterredung mitteile ich, daß das Oberkommando der Wehrmacht an der sofortigen Entwaffnung des dänischen Heeres festhält, auch auf die Gefahr hin, daß dadurch die bisherige Haltung der dänischen Kriegsmarine ungünstig beeinflußt werden könnte.

Der Herr Reichsaußenminister hat darauf entschieden, daß Entwaffnung des dänischen Heeres in dem zwischen ihm und Ihnen besprochenen Sinn unter allen Umständen durchzuführen ist.

Einzelheiten der Entwaffnung sind von Ihnen und dem Befehlshaber der deutschen Truppen in Dänemark festzulegen."[119]

"Ich bin mit dem von Ihnen in Ihrem Telegramm vom 27. August vorgeschlagenen Vorgehen einverstanden, jedoch mit der Maßgabe, daß die Entscheidung über die Frage der Entwaffnung und Auflösung der dänischen Restwehrmacht zunächst noch vorbehalten bleibt. Diese Entscheidung wird hier erst getroffen werden, sobald Ihre Meldung vorliegt, ob dänische Regierung Ihre Forderung angenommen oder abgelehnt hat bzw. zurückgetreten ist."[120]

2.) Hierzu wird gemeldet, daß meines Erachtens alleinige Entwaffnung des Heeres nicht in Frage kommt, da König als oberster Befehlshaber gleichzeitig sichergestellt wird und dänische Marine sich keinesfalls untätig verhalten wird.

3.) Wie aus sicherer Quelle soeben bekannt wird, ist Weisung an dänische Schiffe und Fahrzeuge im Hafen ergangen, viertelstündige Bereitschaft zu halten. Landgänger brauchen nicht zurückgerufen werden.

4.) Hiernach ist anzunehmen, daß dänische Wehrmacht den Ereignissen nicht unvorbereitet gegenüberstehen wird."

13.00 h

Ich gab vorstehendes Fernschreiben inhaltlich fernmündlich nochmals an OB MOK Ost mit dem Vorschlag, daß sich OKM Skl. entsprechend bei OKW einschaltet mit dem Zusatz, daß meinerseits alles auf Durchführung "Safari" abgestellt wird.

---

119 Ritters telegram nr. 1279 til Best 27. august 1943.
120 Ribbentrop til Best 27. august 1943 (telegram uden nr.).

13.30 h
geht von MOK Ost Fernschreiben ein, daß T-Flottille Dehnert dem BSO für Sonderaufgabe unterstellt wird.

13.33 h
Fernschreiben von MOK Ost, daß S-Schulflottille gleichfalls BSO unterstellt ist. Da[?] ist Befehlsführung auf dem Wasser einheitlich bei BSO, der wegen der notwendigen Zusammenarbeit auf meine Bitte hin seine Befehlsführung in mein Stabsquartier verlegt.

16.30 h
Vom Befehlshaber der deutschen Truppen in Dänemark geht der Stichwortbefehl für 29.8. 04.00 Uhr ein auf Grund nachstehender Weisung des OKW/WFSt.:
"1.) Nach Ablehnung der deutschen Forderung auf Einführung des zivilen Ausnahmezustandes durch die dänische Regierung sind die mit Bfh. d. dt. Tr. i. Dänemark Ia Nr. 13/43 g.K. Chefs vom 27.8. gemeldeten Absichten – Entwaffnung und Auflösung der dänischen Restwehrmacht, Verkündung des militärischen Ausnahmezustandes usw. wie vorbereitet durchzuführen. Befehlsführung für die Maßnahmen alle[r] Wehrmachtteile liegt dabei in den Händen des Bfh. d. dt. Tr. i. Dänemark.
2.) Die für die Durchführung der Aktion benötigten Teile der 25. Pz. Div. stehen dem Bfh. d. dt. Tr. i. Dänemark hierfür zur Verfügung. Schnellste Entlassung nach Erledigung ihres Auftrages ist sicherzustellen.
3.) Die Durchführung ist durch Fernschreiben zu melden.
    gez. Keitel."
Befehl an K.i.A. Nordjütland und Südjütland
1.) MOK Nord stellt 7 Boote der 12. Vp-Flottille die jetzt in Esbjerg, für Bewachung Hafenschutz zur Verfügung. Anweisung durch K.i.A. Südjütland.
2.) MOK Nord beordert 4 Boote von 21. M.Fl., die in Cuxhaven in Sofortbereitschaft, zur Bewachung vor Hvide-Sande und Thyborön. Vor jedem Hafen eine Rotte.
3.) Boote erhalten Weisung 29.8. um 04.00 vor Häfen zu stehen und alle auslaufenden Fahrzeuge in Häfen zurückzuschicken.
In der Nordsee liegt damit die Befehlsführung auf dem Wasser in den Händen des Admiral Dän.
    An K.i.A.s Nord- und Südjütland, Dän. Inseln sowie Inselkmdt. Bornholm wird Befehl gegeben, daß Auslaufen dän. Schiffe, soweit sie in den Häfen des deutschen Machtbereichs liegen, bis auf weiteres unter vorgeschobenen Gründen zu verhindern.

293. Kriegstagebuch/Seekriegsleitung 28. August 1943
Seekriegsleitung registrerede udviklingen på grundlag af meddelelser fra admiral Wurmbach, MOK Ost, førerhovedkvarteret og en pålidelig kilde. Selv havde Seekriegsleitung ikke andel i beslutningerne, og Wurmbach var ved operation "Safaris" gennemførelse underlagt WB Dänemark. De forstærkninger, der skulle tilføres Wurmbach i situationen, var ikke til diskussion. De blev tilført som ordre.
    Kilde: KTB/Skl 28. august 1943.

[…]

IV.) *Betr. Dänemark:*

Admiral Dänemark meldete am 27.8. 15.30 Uhr, daß wegen plötzlich bedenklicher Zuspitzung innerpolitischer Lage Dänemarks Durchführung "Safari" voraussichtlich innerhalb 40 Stunden erforderlich wird. Da eigene Seestreitkräfte zur notwendigen Ausschaltung dänischer Seestreitkräfte nicht ausreichen und mit wirksamer Unterstützung eigener Luftwaffe im dänischen Raum wegen beschränkter Mittel und unsicherer Wetterlage nicht gerechnet werden kann, bittet Adm. Dänemark um sofortige Bereitstellung einer entsprechenden Anzahl von S- oder R-Booten mit Minen für Sperraufgabe im Isefjord, ferner für Aktion südlich Fünen um entsprechende Seestreitkräfte. Heer ist erst am zweiten Tag in der Lage, Ausgang Isefjord artilleristisch zu sperren.

Aus weiterer Meldung des Kmdr. Adm. Dänemark von 11.15 Uhr ergibt sich, daß nach Unterrichtung des Reichsbevollmächtigten durch das Ausw. Amt das Oberkommando der Wehrmacht an sofortige Entwaffnung des dänischen Heeres festhält auch auf die Gefahr hin, daß bisherige Haltung dänischer Kriegsmarine ungünstig beeinflußt werden könnte. Admiral Dänemark meldet dazu, daß seines Erachtens alleinige Entwaffnung des Heeres nicht in Frage kommt, da sich dänische Marine bei Sicherstellung des Königs keinesfalls untätig verhalten wird.

Die von Chef Skl und C/Skl im F.H.Qu. geführten Unterhaltungen haben eine Bestätigung dafür, daß die Entwaffnung der dänischen Wehrmacht auf eine Forderung des OKW zurückgeht, nicht erbracht.

Aus sicherer Quelle ist bekannt geworden, daß dänische Schiffe und Fahrzeuge in ¼-stündige Bereitschaft gelegt sind.[121]

19.30 Uhr übermittelt MOK Ost:

1.) Auf Grund Vorgänge letzter Wochen in Dänemark, bei denen vor allem auch Ehre deutscher Wehrmacht verschiedentlich erheblich verletzt, hat Führer Reichsbevollmächtigten beauftragt, heute Mittag kurzfristig von dänischer Regierung Durchführung scharfen Ausnahmezustandes mit ganzer Reihe einschneidender Einzelmaßnahmen zu fordern. Annahme Forderungen wurde bis spätestens 16.00 Uhr erwartet. Dänische Regierung hat abgelehnt. Somit Entwicklung wahrscheinlich dahin, daß Trubef. Dänemark von OKW Befehl erhalten wird, vollziehende Gewalt zu übernehmen und gesamte dänische Wehrmacht sofort zu entwaffnen. Diesbezügliche Maßnahmen werden ausgelöst durch Stichwort "Safari" mit Datum und Uhrzeit.

2.) In Zusammenarbeit mit Heer und Luftwaffe in Dänemark sind von MOK Ost folgende Maßnahmen zur Entwaffnung dänischer Marine bzw. zur Verhinderung ihres Überganges nach Schweden angelaufen:

    a.) 17.00 Uhr ausläuft Kiel Flottille Zaage mit M 515, M 575, M 504 und M 509. Zunächst nach Korsör-Reede, wo etwa 24.00 Uhr für Minenaufgabe Ausgang Isefjord auf Stichwort "Kohlenergänzen".

    b.) 15.00 Uhr Swinemünde aus Chef S-Schulflottille mit 2 Booten nach Kopenha-

---

121 Det var en information, som Wurmbach havde fremskaffet ved telefonaflytning (KTB/ADM Dän 28. august 1943).

gen. 17.00 Uhr folgen 6 weitere Boote mit Begleitschiff Lüderitz für Aufgaben im Sund.

c.) 17.00 Uhr ausläuft Chef 3. Tfl. auf T 17 mit T 18 Kiel, 22.00 Uhr folgt T 13 für Aufgaben im Raum südl. Fünen.

d.) 20.00 Uhr ausläuft TS-Flottille unter Führung Aegir Karl auf T 108. Mit T 107 und T 11. Aufgabe folgt.

e.) 17.00 Uhr ausläuft Flottille Dehnert. Aegir Karl auf T 5. Mit T 4 und T 7 Swinemünde. Aufgabe folgt.

f.) Aus Osten im Anmarsch zur Verstärkung Sundbewachung 6 Boote 10. Vp Fl. Stehen jedoch voraussichtlich erst 29.8. 20.00 Uhr auf Grün 03.

g.) Außerdem eingesetzt: Sämtliche BSO-Einheiten, soweit nicht bei laufenden Geleit- und Wegeaufgaben eingesetzt.

h.) Verstärkung Skagerrakbewachung um Ausweichen dänischer Schiffe nach Westen zu verhindern.

i.) Auslaufen dänischer Schiffe aus Ostseehäfen wird zunächst unter Vorwänden hinausgezögert.

k.) Luftflotte 5 gebeten um Abend- und Morgenaufklärung nach Westen.

3.) Befehlsführung MOK Ost. Durchführung im einzelnen BSO bzw. Admiral Dänemark in engster Zusammenarbeit mit Trubef. Dän. und General der Luftwaffe Dän.

22.45 Uhr erfolgt nachstehende Weisung des OKW/WFSt.

1.) Nach Ablehnung der deutschen Forderung auf Einführung des zivilen Ausnahmezustandes durch die dänische Regierung sind die mit Befh. d. Dt. Truppen i. Dänemark I A Nr. 13/43 G.K. Chefs. v. 27/8. gemeldeten Absichten – Entwaffnung und Auflösung der dänischen Restwehrmacht, Verkündung des militärischen Ausnahmezustandes usw. – wie vorbereitet durchzuführen. Befehlsführung für die Maßnahmen aller Wehrmachtteile liegt dabei in den Händen des Bfh. d. Dt. Tr. i. Dänemark.

2.) Die für die Durchführung der Aktion benötigten Teile der 25. Pz. Div. stehen dem Bfh. der Dt. Tr. i. Dänemark hierfür zur Verfügung. Schnellste Entlassung nach Erledigung ihres Auftrages ist sicherzustellen.

3.) Die Durchführung ist durch Fernschreiben zu melden.

Chef Skl ist nach Rückkehr aus F.H.Qu. 19.30 Uhr durch Ia/1/Skl über bevorstehende Maßnahmen in Dänemark unterrichtet und hat Anweisung gegeben, Mok Ost mitzuteilen, daß der Rückgriff auf die 3 Uboote 309, 643 und 841 anheimgestellt wird. Die Boote sind am 28.8. morgens aus Kristiansand-Süd nach Norden ausgelaufen. MOK Ost A I hat fernmündlich Anweisung erhalten, gegebenenfalls den Standort der Boote bei Gruppe Nord bzw. BSO zu erfragen.

[...]

294. Hans-Heinrich Wurmbach an OKM 29. August 1943

Admiral Wurmbach meddelte ved middagstid, at operation "Safari" var planmæssigt gennemført. Der var kun nævneværdig modstand på marinearsenalet i København og fra besætningen på "Niels Juel". Hovedparten af den danske flåde var sikret. Der havde kun været ganske få sårede.

Det var kun en af Wurmbachs talrige meddelelser fra dagen, som det fremgår af hans krigsdagbog.
Kilde: BArch, Freiburg, RM 7/1187. RA, Danica 628, sp. 7, nr. 5335 og KTB/Skl 29. august 1943.

Berlin, den 29. August 1943

Kurzer Lagebeitrag Admiral Dänemark 12.45 Uhr.
Aktion gegen dän. Kriegsmarine gemäß Safari planmäßig durchgeführt. Erwähnenswerter Widerstand bei Besetzung vom Kopenhagener Marinearsenal und bei Bekämpfung Küstenpanzer (Niels Juel). Die größere Zahl dän. Kriegsfahrzeuge ist sichergestellt. Küstenpanzer "Peter Skram" und einige kleinere Einheiten versenkten sich selbst, auf flaches Wasser im Kopenhagener Hafen. Soweit bisher feststellbar, ein kleineres Torpedoboot nach schwedischen Hoheitsgewässern entkommen.

Chef dän. Kriegsmarine hat deutsche Forderung bezüglich Übergabe der Schiffe pp. angenommen. Noch in See befindliche dän. Kriegsfahrzeuge haben Befehl, in Begleitung von deutschen Seestreitkräften zur Durchführung Entwaffnung bestimmte dän. Häfen anzulaufen. Deutsche Gesamtverluste soweit bisher bekannt, 3 Schwerverwundete und 4 Leichtverwundete.

295. Hermann von Hanneken an OKW/WFSt 29. August 1943

WB Dänemark kunne ved dagens slutning meddelte, at operation "Safari" var gennemført med ringe tab. Regeringen var endnu ikke trådt tilbage, men den rigsbefuldmægtigede opfordrede administrationen til at arbejde videre. Der var ingen strejker. I de kommende dage og uger skulle den militære undtagelsestilstands indflydelse på befolkningens holdning vise sig.
Kilde: PKB, 13, s. 875.

Tagesmeldung an OKW
Um 20.15 Uhr meldete der Befehlshaber Dänemark an das OKW/WFSt:
"Die Maßnahmen zur Entwaffnung der dänischen Armee und zur Durchführung des militärischen Ausnahmezustandes sind abgeschlossen.

Als am 29.8. um 4.00 Uhr die Truppe aus ihren kurz vorher eingenommenen Bereitstellungen gegen die militärischen Objekte des dänischen Heeres und Marine antrat, flammte an einigen Stellen Widerstand auf. Derselbe wurde im schnellen Zufassen mit der Waffe gebrochen.

Die hier freigewordenen Truppen wurden am Nachmittag des 29.8. zur Entwaffnung der weiter abgelegenen dänischen Standorte angesetzt.

Auf den Inseln Seeland und Fünen sind, bis auf noch ausstehende Meldungen über die abgeschlossene Entwaffnung der dänischen Garnison Holbäk, Jägerspris und Lynäs, die dänischen Truppe des Heeres und der Marine in deutschem Gewahrsam.

Eine Mot. Batterie aus Holbäk ist vor Eintreffen deutscher Truppen nach Westen ausgewichen. Verfolgung im Gange.

Auf Jütland ist der Tag ruhig verlaufen.

Küstenpanzer "Niels Juel" erhielt durch dänischen Admiral Wedel, welcher sich im Wasserflugzeug von Kopenhagen nach dem Isefjord begeben hat, die Aufforderung zur Übergabe an die deutsche Marine. Das Schiff fährt z.Zt. in Begleitung eines deutschen Torpedobootes nach Kopenhagen zur Durchführung der Entwaffnung.

Eigene Verluste: 2 Offz., 4 Mann tot; 13 Offz., 44 Mann verwundet.

Von der 25. Pz. Div. wurden bisher nur die in Kopenhagen ausgeladenen Teile bis auf Div. Stab benötigt. Entscheid über Weitertransport wird am 1.9. gegeben werden. Die in Aarhus angekommenen Teile sind planmäßig weitergeleitet worden.

Die dänische Regierung ist noch nicht zurückgetreten, übt aber keinerlei Funktionen mehr aus. Regierung erwägt, ob der König oder sie selbst als letzte Amtshandlung einen Aufruf zur Ruhe und Ordnung an das dänische Volk und einen Appell an die gesamte Beamtenschaft zur weiteren loyalen Mitarbeit richten soll.

Der Befehlshaber richtete einen Appell an höchste Beamten und Wirtschaftsführer zur weiteren loyalen Mitarbeit. Bereitwilligkeit hierzu konnte festgestellt werden. Die Polizei hat ihre Mitarbeit zugesagt und nimmt den Dienst wieder auf.

Streikmeldungen liegen heute nicht vor (Sonntag). Stillegung von Eisenbahn, Gas, Wasser und Elektrizität ist nirgends erfolgt.

Erst in den nächsten Tagen der kommenden Woche wird die Auswirkung des militärischen Ausnahmezustandes auf die Haltung der dänischen Bevölkerung zu erkennen sein.

Kopenhagen, den 29.8.43

Befehlshaber Dänemark
Abt. Ia – Br. B. Nr. 2314/43 geh.

296. Kriegstagebuch/OKW 29. August 1943

Operation "Safari" var gennemført, og von Hanneken fik besked om, at de danske soldater indtil videre skulle forblive i deres forlægninger. Hvem der herefter forbrød sig mod værnemagten skulle behandles som krigsfanger. Der skulle gøres forberedelser til at overtage det danske militære materiel.

Kilde: KTB/OKW 29. august 1943 (OKW III:2, 1963, s. 1022).

[...]

In Dänemark tritt der Ausnahmezustand in Kraft. Das dänische Heer und die dän. Marine, die an vereinzelten Stellen Widerstand zu leisten versuchen, werden entwaffnet und gefangen gesetzt. Die dänische Regierung tritt zurück. Den Schutz des Schlosses Sorgenfri, in dem sich das dän. Königspaar aufhält, übernimmt die Deutsche Wehrmacht.

Dem Bfh. d. dt. Tr. in Dänemark wird die Entscheidung des Führers mitgeteilt, daß die Angehörigen der dänischen Wehrmacht bis auf weiteres in ihren Unterkünften zu verbleiben haben. Ihre weitere Behandlung wird nach Wiederherstellung der Ruhe entschieden werden. Wem eine gegen Deutschland gerichtete Tätigkeit nachgewiesen wird, soll als Kriegsgefangener behandelt werden. Die Abwicklung der Wehrmachtorganisation ist einzuleiten, das Material zu übernehmen.[122]

Hierzu Denkschrift: Die Gründe für die Verhängung des mil. Ausnahmezustandes in Dänemark und seine Durchführung am 29.8.43, übersandt vom Chef des Gen. Stabes beim Bfh. d. dt. Tr. in Dänemark.

[…]

297. MOK Ost an OKM 29. August 1943
MOK Ost videregav til OKM de oplysninger, der i løbet af dagen var kommet vedrørende gennemførelsen af operation "Safari" for Kriegsmarines vedkommende. Med undtagelse af "Niels Juel" var den danske marines skibe og materiel stort set blevet overtaget uden kamp. Ved aftenstid var der ro i landet. De danske embedsmænd og politiet havde erklæret at ville arbejde videre, strejkerne ventedes at være ophørt næste dag (Hendriksen 1993 og Wessel-Tolvig 1993 om aktionens enkeltheder).

MBSK = Marine-Bergungs- und Sicherheitskommando.

Kilde: BArch, Freiburg, RM 7/1187. RA, Danica 628, sp. 7, nr. 5.339-41.[svært læselig kopi]

Abschrift
Marinenachrichtendienst

[?]05015
Eingegangen am: 29.8.1943 22.53
Fernschreiben von: [SSD] MKOZ 018707 29/8 21.55 Mit AUE SSD Skl
[?] nachr. Flotte
[?] nachr. MOK Norw.
[?] nachr. MOK Nord

– G.Kdos. – Ablauf Safari nach hier eingegangenen Meldungen.

1.) Befehl: Safari um 04.00 Uhr wird 00.15 Uhr gegeben. Unternehmen läuft zeitgerecht an mit Ausnahme Ver[?]uchung Isefjord, da [?]urfverband wegen Wetterlage erhebliche Verspätung. Stärkerer Widerstand gegen Besetzung dänischer Kriegsfahrzeuge nur in K[open]hagen, geringer in Korsör gegenüber 19. Vp. Fl. überwiegende Teil dänischer Fahrzeuge ist im Laufe des Tages besetzt. Die Fahrzeuge, die sich selbst versenkt haben, liegen größtenteils auf flachem Wasser. MBSK Mitte wird mit Bergung beauftragt, näheres darüber folgt. Ein Torpedoboot Landskrona eingelaufen. Ausbruchversuch Küstenpanzer "Niels Juel" durch Bombenangriff verhindert, Schiff bei zunächst beabsichtigter Überführung nach Kopenhagen westl. Eingang Isefjord festgekommen, Macht Wasser. Anscheinend Beschädigung durch Bombenwurf. Nach Dichtung und Abschleppen befehlsgemäß Überführung nach Aarhus beabsichtigt. – Zeitablauf in einzelnen:
06.45 Uhr durch 19. Vp. Fl. M 1, M 4, S 1, S 3, P 2, P9, P 21, P 32 entwaffnet und besetzt. Auf deutscher Seite 1 Mann leicht verwundet, 1 Mann schwer, eigenes

---

122 Se tillige Keitel til Ritter 30. august 1943.

verschulden. Auf dänischer Seite: 1 Feldwebel tot, 2 Offiziere schwer, 1 Feldwebel leicht verwundet. 25. Mafl. besetzt dänischen Fischkutter "9" auf Köge Reede und im Hafen Köge Fischkutter 331 sowie Kabelleger.

07.18 Uhr dän. Torpedoboot wahrscheinlich "Hvalrossen" bei Stoppaufforderung und Stopschuß durch T 5 unter Inselschutz auf flaches Wasser abgelaufen (Bögeström).

08.01 Uhr Meldung über Auslaufen "Niels Juel" aus Isefjord. Bombeneinsatz. Danach Rückkehr. Bei vorgesehener Überführung um 15.30 nach Kopenhagen im Geleit T 17 und 4 S-Boote westlich Ausgang Isefjord festgenommen. Soll außer Wache Besatzung abtransportiert werden.

08.52 Uhr M.R. Schiff 11 besetzt Räumboot "Sö[he]sten", R-Boot "MS 2" und 3 T-Boote auf Kalundborg-Reede. Offiziere und Besetzungsteile auf M.R.-Schiff 1.

11.23 Uhr dän. Inspektionsschiffe "Ingolf" und "Hvidbjörnen" kampflos besetzt, Einbringen auf Korsör-Reede.

11.40 Uhr Admiral Dänemark meldet:
    a.) Selbstversenkungen,
    b.) Beschädigungen und
    c.) Sicherstellungen
von:
    a.) Peder Skram, M 3 "Florian", "Havden", "Sö[he]sten", "Galone"
    b.) "VB 2", "Hvalrossen", Lindonne", "Köntus", "MK 3", "MK 4".
    c.) N 6 "RP 1", "MS 8", "P 36" und Tonnenleger.

12.10 Uhr T 4 besetzt bei Rot 15 Kriegsfischkutter "P 14" und "P 19".

12.36 Uhr M 413 mit aufgebrachten Dampfer im Gefecht. T 18 zur Unterstützung (vor Korsör) Dampfername fehlt.

13.00 Uhr VP-Boot 911 besetzt "K 5" und "K 20" kampflos.

14.08 Uhr T 5 stellt ohne Widerstand Kriegsfischkutter "P 5" (Gönesund) sicher.

14.37 Uhr Chef 25 Ms Flottille meldet Anbordnahme Kommandanten von MS 3, P 33, K 9 sowie Hand- und Flawaffen. Geheimsachen auf M 423.

14.52 Uhr M 413 meldet, daß Inspektionsschiffe "Ingolf" und "Hvidbjörnen" sich vor Korsör versenken. "Hvidbjörnen" gesunken, Überlebende an Bord genommen, Abgabe in Korsör. Keine weiteren Kampfhandlungen.
"Ingolf" Korsör ein, anscheinend auf Grund, kann nach Meldung gelenzt werden.

16.14 Uhr T 18 hat "P 23" kampflos besetzt.

17.51 Uhr "Havörnen" bei Kenterversuch durch T 5 nördlich Köge aufgesetzt und im Achterschiff gesprengt. Besatzung in Wäldern entkommen. P 5 nach einem Schuß 10,5 cm Flagge niedergeholt und sichergestellt. 2 Offiziere und 9 Mann Gefangene an Bord.

18.11 Uhr Dän., MS 7 in schwedischen Hoheitsgewässern, [dicht?] unter Helsingborg Kurs Süd.

19.00 Uhr 4. J.-Dir. meldet, daß 2 MS 110 nördl. Koltberg Aufklärung fliegen, zur Feststellung Standort dän. Tanker "Dania".

19.09 Uhr durch T 4 wird "F 35" nahe Rot 15 aufgebracht. Überführung nach Korsör am 30.8.

19.38 Uhr M-Boot 911 bringt Dänen "K 4" auf und schleppt Boot nach Helsingör ein.

Adm. Dän. meldet gegen 18.00:
"Nachdem mit dem Einsatz der Wehrmacht heute in den frühen Morgenstunden zwölf Stunden vergangen sind, ergibt sich folgendes Stimmungsbild:
Übereinstimmend melden alle Dienststellen des Landes völlige Ruhe. Beamte und Polizei haben sich überall zur Mitarbeit bereit erklärt. In den bisher bestreikten Städten wie Aarhus, Aalborg, Frederikshavn und Skagen wird für Morgen allgemeine Wiederaufnahme der Arbeit erwartet. Aarhuser Bürgermeister hat erklärt, nun käme endlich Ordnung in den Betrieb. Dieses Aufatmen ist auch in Kopenhagen festzustellen, interessant ist noch Äußerung Admiral Vedel mir gegenüber, daß in deutschen ultimativen Forderungen die Geiselgestellung und Todesstrafe für Saboteure für dänische Mentalität besonders drückend und mitausschlaggebend für Ablehnung Ultimatums gewesen sei."
MOK Ost (FüStab Op) 0790

298. Kriegstagebuch/Seekriegsleitung 29. August 1943
Seekriegsleitung modtog ved middagstid admiral Wurmbachs meddelelse om, at operation "Safari" var forløbet planmæssigt, hvorefter blev rekapituleret de krav, som straks blev stillet til den slagne danske marine. Den øvrige situation i landet blev kort berørt, den danske hær var fanget, de danske embedsmænd fortsatte forvaltningen, og trafikken forløb normalt. "Niels Juels" skæbne havde man endnu ikke et klart billede af.
Kilde: KTB/Skl 29. august 1943.

29.8.43 Sonntag

[...]
Besonderes
I.) Betr. Dänemark:
MOK Ost hat Anweisung erteilt, Auslaufen dänischer Schiffe und Fischereifahrzeuge aus Häfen deutschen Machtbereichs durch Verzögerung in der Abfertigung und unter sonstigen Vorwänden bis auf weiteres zu verhindern.
01.01 Uhr wird von MOK Ost Stichwort "Safari" für 29/8. 04.00 Uhr befohlen.
Über die Durchführung der Unternehmung sind im Laufe des Vormittags eine Reihe von Einzelmeldungen eingegangen, die 12.45 Uhr von Kmdr. Admiral Dänemark wie folgt zusammengefaßt werden:[123]
Aktion gegen dänische Kriegsmarine gemäß "Safari" planmäßig durchgeführt. Erwähnenswerter Widerstand bei Besetzung von Kopenhagener Marinearsenal und bei Bekämpfung von "Niels Juel". Größere Zahl dänischer Kriegsfahrzeuge sichergestellt. Küstenpanzer "Peter Skram" und einige kleinere Einheiten versenkten sich selbst auf flachem Wasser im Kopenhagener Hafen. Soweit bisher festgestellt, ist ein kleines T-Boot in schwedische Hoheitsgewässer entkommen. Chef dänischer Kriegsmarine hat deutsche Forderung bezügl. Übergabe der Schiffe usw. angenommen. Noch in See be-

---
123 Meddelelsen er trykt ovenfor.

findliche dänische Kriegsfahrzeuge haben Befehl, in Begleitung deutscher Seestreitkräfte zur Durchführung der Entwaffnung bestimmte dänische Häfen anzulaufen. Deutsche Gesamtverluste, soweit bisher bekannt, 3 Schwer- und 4 Leichtverwundete.

Die Forderungen, die Adm. Vedel angenommen hat, betreffen:

1.) Sendeseitige Benutzung Marinefunkanlagen an Bord und Land sofort verboten. Einlaufen von in See befindlichen Schiffe in den nächsten Hafen.

- a.) Dän. Kriegsschiffe laufen in folgende Häfen ein:
  Südlich Fünen sammeln in Nähe Elsehofe im Svendborg und werden von Torpedoboot 108 nach Aarhus eskortiert.
- b.) Dän. Schiffe in Nakskov sammeln auf VP 903 im Großen Belt (Albuen), gehen nach Aarhus.
- c.) Dän. Schiffe in Korsör bleiben in Korsör.
- d.) Dän. Schiffe in Kronenborg sammeln auf Minenräumschiff "L" und gehen nach Aarhus.
- e.) Dän Schiffe im Isefjord sammeln auf Torpedoboot 17 und gehen nach Kopenhagen.
- f.) Dän Schiffe in Köge bleiben in Köge bzw. gehen nach Kopenhagen.

3.) Abgabe von Munition, Handwaffen, Beschußteile und ggf. Maschinenteile, einschließlich Reserveteile für Waffen und Maschinen an Hafenkapitänen bzw. Hafenkommandanten.

4.) Strenge Weisung, daß bis zur Übergabe keine Sabotageakte an Bord und an Land erfolgen bzw. vorbereitet werden.

5.) Befehle über Abtransport von Offizieren und Mannschaften folgen. Admiral Vedel hat sich für Abwicklung dän. Kriegsmarine zur Verfügung gestellt.

Nach Bericht Abwehrstelle Kopenhagen ist der größte Teil der dänischen Heeres- und Marinegarnison Kopenhagen zum Teil zum Brechen von Widerstand entwaffnet und gefangen. Nur noch schwache Widerstandszentren sind geblieben. Verluste auf beiden Seiten. Garnisonen in Roskilde, Slagelse, Ringsted, Korsör sowie Odense in eigener Hand. Auf Jütland keine besonderen Ereignisse. König und Kronprinz haben in ihren Wohnungen deutsche Wachen erhalten. Hauptteil dänischer Generale in Schutzhaft genommen. Nicht leitende Beamte der Ministerien und führende Politiker verhandeln. Entlassene Regierung scheint Anweisung gegeben zu haben, daß Beamtenschaft weiteren Pflichten nachkommt. Transportlage bisher normal.

14.30 Uhr meldet Reuter aus Stockholm, daß 6 dänische Kriegsschiffe, darunter Kanonen- und T-Boote in Malmö eingetroffen sind.

17.53 Uhr weist MOK Ost auf geeignete Abwehrmaßnahmen in den Häfen hin, um Sabotage und Versenkungen zu verhindern.

22.53 Uhr übermittelt MOK Ost zusammenfassenden Bericht über Ablauf "Safari" nach dort vorliegenden Meldungen. Abschrift gem. 1/Skl 24222/43 Gkdos. in KTB Teil C Heft III.[124]

---

124 Trykt ovenfor.

Der Bericht schließt damit, daß aus allen Stellen des Landes völlige Ruhe gemeldet wird. In den bisher bestreikten Städten wird für 30/8. allgemeine Wiederaufnahme der Arbeit erwartet.

1/Skl hat die Berichte an OKW / WFSt. Op. (M) und Ob. d. L. / Füstb. I a KM weitergeleitet.

Über das Schicksal des "Niels Juel" war zunächst ein klares Bild nicht zu erhalten. Das Schiff, das im Isefjord lag und dort durch Minen blockiert werden sollte, war 08.01 Uhr ausgelaufen, so daß Einsatz von Flugzeugen erforderlich wurde, um eine Rückkehr zu veranlassen. Bei der für 15.30 Uhr vorgesehenen Überführung im Geleit von T 17 und 4 S-Booten nach Kopenhagen ist der Küstenpanzer westl. vom Ausgang des Isefjords festgekommen. Nach Meldung von MOK Ost von 23.22 Uhr wird Besatzung von Bord genommen. Bergungsarbeiten sind eingeleitet. (s. Fs. 2322).
[...]

299. Lagevorträge vor Hitler 29. August 1943

I førerhovedkvarteret blev det konstateret, at operation "Safari" var afsluttet. Hitler bekymrede sig endnu over, at der savnedes oplysninger om det danske orlogsskib "Niels Juel", og der blev indhentet meddelelse om, at skibet var på vej mod København.
Kilde: IMT, 35, s. 607, Wagner 1972, s. 546f.

Mittagslagebesprechung beim Führer am 29.8.
[...]
Der Führer beschäftigt sich mit der erneuten Ankündigung der Bombardierung Berlins.

In Dänemark sind die Maßnahmen "Safari" im allgemeinen abgeschlossen. Über den Verbleib von "Niels Juel" fehlen Nachrichten. Der letzten Meldung nach lag er noch im Isefjord. Der Führer äußert sich, daß der augenblickliche Zustand in Dänemark und die jetzt getroffenen Maßnahmen früher oder später doch gekommen wären, da dies eine Auswirkung der feindlichen Propaganda sei, der wir nichts entgegenzusetzen hätten.

Da bisher weitere Nachrichten über "Niels Juel" fehlen, fordere ich 1. Skl auf, Meldungen darüber sofort herzugeben. Als Antwort wurde mir von Admiral Voss übermittelt, daß sich "Niels Juel" in Begleitung von 1 Torpedoboot und 2 R-Booten auf dem Marsch nach Kopenhagen befände. Dies wurde dem Führer übermittelt.
[...]

300. Werner Best an Joachim von Ribbentrop 29. August 1943

Best videregav de første oplysninger om operation "Safari," de danske troppers afvæbning og opløsningen af den danske hær og om det videre forløb i den forbindelse. Endvidere at en række tyskfjendtlige personer landet over var blevet taget i forvaring, men intet om fremgangsmåden ved udvælgelsen af disse. Meddelelsen var ikke uden skjult kritik af von Hanneken: Hvorfor havde han ikke aftalt de danske stridskræfters overgivelse i stedet for et overraskelsesangreb, og så havde han gjort generalen opmærksom på de formelle

spilleregler for undtagelsestilstandens indførelse. Von Hanneken måtte vente med sine forhandlinger med ledende embedsmænd og politikere til indførelsen af undtagelsestilstanden, og det var Best, der i samarbejde med Ribbentrop skulle tage sig af ordningen af regeringsspørgsmålet (se telegrammerne nr. 992 og 996, 29. august og nr. 997, 30. august, Best 1988, s. 44, Hæstrup, 1, 1966-71, s. 45, 51f.).
    Kilde: PA/AA R 29.567. LAK, Best-sagen (afskrift). PKB, 13, nr. 417.

Telegramm

Kopenhagen, den	29. August 1943	08.30 Uhr
Ankunft, den	29. August 1943	08.50 Uhr

Nr. 988 vom 29.8.[43.]   Citissime!

Für Herrn Reichsaußenminister persönlich.
Der Befehlshaber der deutschen Truppen in Dänemark hat mir soeben mitgeteilt, daß er über die Vorgänge der Nacht vom 28. auf 29. August 1943 die folgende Morgenmeldung erstattet habe:
"Insel Seeland: Um 6 liegt Meldung vor, daß der größte Teil der dänischen Heeres- und Marinegarnisonen Kopenhagen zum Teil nach Brechen von Widerstand entwaffnet und gefangen ist. Nur noch schwache Widerstandszentren. Auf beiden Seiten Verluste. Garnisonen in Roskilde, Slagelse, Ringsted, Korsör in eigener Hand. Insel Fünen: Garnison Odense in eigener Hand. Weitere Meldungen liegen nicht vor.
    Auf Jütland bisher keine besonderen Ereignisse. König und Kronprinz haben in ihren Wohnungen deutsche Wachen erhalten. Hauptteil der dänischen Generäle in Schutzhaft genommen. Mit den leitenden Beamten der Ministerien und führenden Politikern finden heute früh Verhandlungen statt. Entlassene Regierung scheint Anweisung gegeben zu haben, daß Beamtenschaft ihrer Pflicht weiter nachkommt. Transportlage bisher normal."
    Auf meine Frage, ob versucht worden sei, die dänischen Truppen zu dem festgesetzten Zeitpunkt durch einen Befehl ihres bisherigen Generalkommandos zur widerstandslosen Übergabe zu veranlassen, erwiderte der General von Hanneken, daß dies nicht geschehen sei, die dänischen Generäle seien vielmehr zur gleichen Zeit festgenommen worden und hätten für ihre Personen ihre Loyalität versichert.
    Ich habe im übrigen den General von Hanneken darauf aufmerksam gemacht, daß von einer "entlassenen Regierung" in diesem Augenblick (7 Uhr) noch nicht gesprochen werden könne und daß seine Verhandlungen mit den "leitenden Beamten der Ministerien und führenden Politikern" sich auf die Durchführung des Ausnahmezustandes zu erstrecken habe, während ich von dem Herrn Reichsaußenminister mit der Regelung der Regierungsfrage beauftragt sei. Der General von Hanneken stimmte mir zu und erklärte, daß er in diesem Sinne verfahren werde. Unmittelbar nach diesem Gespräch erhielt ich die Mitteilung, daß um 10 Uhr eine Kabinettssitzung stattfinden wird, in der die Regierung ihren Rücktritt beschließen wird. Ich berichte hierüber alsbald weiter.[125] Mit eigenen Polizeikräften in Kopenhagen und mit Hilfe militärischer Kräfte in

---

125 Se Bests telegrammer nr. 989 og 990, 29. august og nr. 995, 30. august 1943.

der Provinz habe ich in dieser Nacht eine größere Zahl von Personen, die als mögliche Träger von Widerstandsbestrebungen in Betracht kamen (ohne bisher etwas getan zu haben, denn sonst wären sie schon früher festgenommen worden), festnehmen lassen. Die Festnahme deutschfeindlicher Personen mit dem Zwecke der Einschüchterung werden fortgesetzt.[126]

Ich habe weiter den dänischen Staatsrundfunk besetzt und meiner Leitung unterstellt. Das normale Sendeprogramm wird fortgesetzt. Amtliche Bekanntmachungen und Nachrichtendienst werden in meiner Behörde bearbeitet.[127]

Dr. Best

301. Werner Best an das Auswärtige Amt 29. August 1943

Hen på eftermiddagen videregav Best informationer om det videre forløb af operation "Safari". Centralt var det, at det danske statsapparat ville fungere videre i fuldt omfang. Han benyttede lejligheden til at markere uenighed med von Hanneken i spørgsmålet, om de danske officerer skulle føres til Tyskland. Von Hanneken havde i begges navn til WFSt udtrykt, at officererne burde blive i Danmark, mens Best over for ministeriet indtog den hårdere kurs, at de burde have været sendt til Tyskland, men at han ikke ville desavouere von Hanneken, og at truslen om deportation nu fortsat ville hænge over officererne.

Det var i situationen politisk omkostningsfrit for Best at indtage den hårdere kurs, da en anden beslutning var truffet, som han unddrog sig ansvaret for, og var der noget han gerne ville, så var det at desavouere von Hanneken. Her foretrak han kortvarigt at optræde i rollen som den, der ville føre en hårdere kurs.

Kilde: PA/AA R 29.567. LAK, Best-sagen (afskrift). PKB, 13, nr. 418.

Telegramm

Kopenhagen, den	29. August 1943	15.20 Uhr
Ankunft, den	29. August 1943	16.25 Uhr

Nr. 989 vom 29.8.[43.]   Citissime!

Soeben habe ich auf fernmündliche Anfrage von Wolfschanze die folgenden Mitteilungen an Fernsprecher diktiert:

1.) Ich habe vor der für 10 Uhr festgesetzten letzten Kabinettssitzung der bisherigen dänischen Regierung an diese die Forderung gerichtet, daß sie als einzige und letzte Amtshandlung die Beamten und sonstigen Staatsdiener anzuweisen habe, ihre Arbeit fortzusetzen und den deutschen Anordnungen Folge zu leisten, alsdann habe sie zu demissionieren. Die Kabinettssitzung hat verspätet angefangen, weil die Minister wegen militärischer Absperrungen nicht in das Staatsministerium gelangen konnten.

---

126 Der blev interneret omkring 400 personer landet over, mest fra samfundets øverste lag. Undtaget fra internering var politikere fra Socialdemokratiet og Venstre, samt ledere fra fagbevægelsens og landbruges organisationer. Af hensyn til produktionens opretholdelse ønskede besættelsesmagten ikke at skabe unødig uro hos organisationer, der havde vist sig loyale mod den hidtil førte politik til det sidste (Brøndsted/Gedde, 2, 1946, s. 544-547).

127 Det gælder således den radiokommentar, som AA (Ribbentrop) tog stilling til ud på aftenen den 29. august (se telegrammet fra von Sonnleithner til Best 29. august kl. 22.25).

Sie wird in Kürze beendet sein und zweifellos die Annahme der Forderungen als Ergebnis zeitigen. Es ist zu erwarten, daß der dänische Staatsapparat in vollem Umfang weiter arbeitet und alle deutschen Anordnungen befolgt. Die Ministerien werden vorläufig von den Dienstältesten Departementschefs geleitet werden. Über die zu treffende Neuregelung lege ich eingehenden Vorschlag besonders vor.[128]

2.) Aus dem ganzen Lande wird von meinen Außenstellen und von den militärischen Dienststellen völlige Ruhe und reibungslose Durchführung der ergangenen Anordnungen gemeldet.

3.) Der König hat infolge der Vorgänge dieser Nacht einen Herzanfall bekommen und hat seine Ärzte angefordert.

4.) Der General von Hanneken hat mir soeben mitgeteilt, daß er auf eine vom Wehrmachtsführungsstab an ihn gerichtete Anfrage zugleich in meinem Namen erwidert habe, daß nach unser beider Auffassung die dänischen Offiziere nicht in das Reich verbracht, sondern in Dänemark belassen werden sollen. Ich habe ihm erwidert, daß ich, wenn ich unmittelbar gefragt worden wäre, spontan die entgegengesetzte Meinung geäußert hätte. Ich wolle ihn aber nachträglich nicht desavouieren, zumal bei der von ihm vorgeschlagenen Lösung bis auf weiteres die Drohung, daß die Offiziere nach Deutschland verbracht werden könnten, als ein politisches Druckmittel auf die interessierten Kreise verwendet werden kann.

5.) Die Entwaffnungsaktion ist in den Morgenstunden allenthalben abgeschlossen worden. Einzelheiten habe ich noch nicht vom Befehlshaber der deutschen Truppen erhalten, da offenbar auch bei ihm noch nicht alle Einzelmeldungen eingegangen sind.

Dr. Best

302. Werner Best an Joachim von Ribbentrop 29. August 1943

Best videregav regeringen Scavenius' forslag om, at det var kongen i stedet for den afgående regering, der kom med en erklæring.

Da et svar endnu ikke var indløbet næste eftermiddag, afsendte han telegram, nr. 995, til Ribbentrop (Hæstrup, 1, 1966-71, s. 69-71).

Kilde: PA/AA R 29.567. PKB, 13, nr. 419. ADAP/E, 6, nr. 256. Best 1988, s. 269.

T e l e g r a m m

Kopenhagen, den	29. August 1943	15.45 Uhr
Ankunft, den	29. August 1943	16.25 Uhr

Nr. 990 vom 29.8.[43.]   Citissime!

Für Herrn Reichsaußenminister persönlich.
Die dänische Regierung hat mir soeben mitgeteilt, daß sie bereit ist, gemäß der von

---

[128] Se Bests telegram nr. 995, 30. august 1943.

mir gestellten Forderung sofort zu demissionieren. Zu der Forderung, eine Anordnung an die Beamten und Staatsdiener auf Fortsetzung ihrer Tätigkeit zu erlassen, macht die Regierung den Gegenvorschlag, daß um der größeren Wirksamkeit willen, statt der abgehenden Regierung der König die folgende Bekanntmachung erlassen soll:

"In dieser für unser Land so ernsten Stunde wünsche ich, erneut die Bevölkerung aufzufordern, Ruhe u. Besonnenheit zu beweisen. Besonders ist mir daran gelegen, zu äußern, daß ich erwarte, daß sämtliche Beamte des Staates in der hoffentlich kurzen Zeit, die der Ausnahmezustand dauert, auf ihren Posten verbleiben und unter ihrer Verantwortung als Beamte des Staats ihre Tätigkeit fortsetzen zum Besten des Landes und des Volkes in der Weise, daß man bestrebt ist, zu vermeiden, daß Reibungen entstehen zwischen den Organen des Staates und den deutschen Behörden, die kraft der Gesetze des Krieges und des erklärten Ausnahmezustandes vorübergehend besondere Befugnisse auszuüben haben."

Es besteht kein Zweifel, daß eine Anordnung des Königs auf die Beamten und ebenso auf die Bevölkerung viel stärker wirken würde als eine Anordnung der abgehenden Regierung. Andererseits würde dies bedeuten, daß in diesem Augenblick der König besonders herausgestellt würde.

Ich bitte deshalb um Entscheidung, welche Antwort auf den Gegenvorschlag der Regierung erteilt werden soll.

Dr. Best

303. Werner Best an Joachim von Ribbentrop 29. August 1943

Bests 3. situationsrapport om dagens forløb indeholdt et forslag til den tekst, som von Hanneken skulle bruge som information til den tyske presse.

Noget svar herpå er ikke lokaliseret, men det fremgår af det udsendte tyske pressemateriale, at forslaget blev fulgt.[129] Best videregav ukommenteret som citat af Hannekens meddelelse om, at aktionen mod hær og flåde gik "planmæssigt."

Kilde: PA/AA R 29.567. PKB, 13, nr. 420.

T e l e g r a m m

Kopenhagen, den	29. August 1943	19.00 Uhr
Ankunft, den	29. August 1943	19.45 Uhr

Nr. 991 vom 29.8.[43.]   Citissime!

Für Reichsaußenminister persönlich.
Über die Lage in Dänemark um 18 Uhr berichte ich:
1.) Der Befehlshaber der deutschen Truppen in Dänemark hat mir die folgende von ihm erstattete Mittagsmeldung zugestellt: "Die Entwaffnung des dänischen Heeres geht auf den Inseln Seeland und Fünen seinen Abschluß entgegen.

---

[129] Alkil, 1, 1945-46, s. 838, 842f.

Aktion gegen dänische Kriegsmarine planmäßig durchgeführt. Widerstand bei Besetzung Kopenhagener Marinearsenal und bei Bekämpfung Küstenpanzer "Niels Juel." Größte Zahl dänischer Kriegsfahrzeuge ist sichergestellt. Küstenpanzer "Peter Skram" und einige kleinere Einheiten versenkten sich im Kopenhagener Hafen. Soweit bisher feststellbar, ein kleines Torpedoboot nach schwedischen Hoheitsgewässern entkommen. Noch in See befindliche dänische Kriegsfahrzeuge haben Befehl, in Begleitung von deutschen Seestreitkräften zur Durchführung der Entwaffnung bestimmte dänische Häfen anzulaufen."

2.) Nach den bei mir und bei den militärischen Dienststellen vorliegenden Meldungen herrscht im ganzen Lande völlige Ruhe.

3.) Der Zustand des Königs hat sich gebessert, der Herzanfall ist überwunden.

4.) Der Befehlshaber der deutschen Truppen hat dem OKW den folgenden Text zugeteilt, mit dem Vorschlag, ihn zur Information der deutschen Presse zu verwenden:

"In Dänemark ist am 29.8.1943 von dem Befehlshaber der deutschen Truppen der militärische Ausnahmezustand erklärt worden, um dem Treiben feindlicher Agenten Einhalt zu gebieten, die in der letzten Zeit in verstärktem Maße bemüht waren, Unruhen und Störungen zu verursachen. Obwohl der dänische König, die dänische Regierung und der dänische Reichstag in der letzten Zeit wiederholt ernst auf die Folgen solcher Störungen hingewiesen hatten, war die dänische Regierung nicht in der Lage, die von der Reichsregierung geforderten scharfen Maßnahmen zur Unterdrückung des schädlichen Treibens durchzuführen. Die Sicherheit des Landes und der deutschen Truppen machten deshalb die Verhängung des militärischen Ausnahmezustandes notwendig. Da ferner nach eingegangenen Meldungen gewisse Elemente der dänischen Wehrmacht versucht haben, für den Fall eines feindlichen Angriffs einen Widerstand gegen die deutschen Truppen zu organisieren, war es erforderlich, gleichzeitig den Rest der dänischen Wehrmacht zu entwaffnen und aufzulösen.

Die militärischen Maßnahmen erfolgten im großen und ganzen ohne Schwierigkeiten. Örtlicher Widerstand, den einzelne Teile der dänischen Wehrmacht leisteten, ist alsbald allenthalben aufgegeben worden.

Die große Mehrheit der dänischen Bevölkerung hat die Verkündung des militärischen Ausnahmezustandes und die damit in Zusammenhang stehenden Maßnahmen des Befehlshabers der deutschen Truppen in Dänemark im ganzen Lande mit ruhigem Ernst aufgenommen. Sie hat für diese Maßnahmen Verständnis aufgebracht, zumal der größte Teil der Bevölkerung schon vorher den verbrecherischen Anschlägen auf die öffentliche Ruhe und Ordnung ablehnend gegenüberstand."

Dr. Best

304. Werner Best an das Auswärtige Amt 29. August 1943

I sin sidste indberetning fra 29. august videregav Best oplysninger om det danske kongehus' situation. Han pointerede, at han på dette område ikke kunne foretage egne foranstaltninger, underforstået at han måske ville have handlet anderledes, men fortalte ikke, hvad han ville have gjort. Hvis det f.eks. skulle lykkes kongefamilien at flygte, ville von Hanneken stå med eneansvaret.

Best kunne også have opnået en forhandlingsløsning med kongehuset i stedet for den militære fremfærd. Det mente han siden i sine erindringer (Best 1988, s. 44).

Kilde: PA/AA R 29.567. PKB, 13, nr. 421.

Telegramm

Kopenhagen, den	29. August 1943	19.45 Uhr
Ankunft, den	29. August 1943	20.50 Uhr

Nr. 992 vom 29.8.[43.]   Citissime!

Auf das dortige Telegramm Nr. 1142[130] vom 29.8.1943 berichte ich, daß der Befehlshaber der deutschen Truppen in Dänemark als Inhaber der vollziehenden Gewalt die Sicherstellung des Königs und Kronprinzen durchgeführt hat. In beiden Fällen mußte je eine militärische Wache entwaffnet werden. In beiden Fällen ist eine deutsche Wache mit der Sicherung der Wohnräume beauftragt worden. Dem König ist außerdem ein deutscher Offizier (Oberleutnant von Zimmermann) zugeteilt worden. Der Befehlshaber hat mir mitgeteilt, daß sowohl der König wie der Kronprinz versichert hätten, daß sie nichts gegen die Anordnungen des Befehlshabers und ohne sein Wissen tun würden. Sie hätten auch bisher wegen jeder Kleinigkeit um seine Genehmigung nachgesucht. Der Befehlshaber erklärte mir, er sei von der Aufrichtigkeit der ihm abgegebenen Erklärungen überzeugt und glaube nicht an eine Fluchtabsicht.

Da in den Fällen des Königs und des Kronprinzen der Befehlshaber und Inhaber der vollziehenden Gewalt tätig geworden ist und weiter tätig wird, bin ich nicht in der Lage, eigene Maßnahmen zu treffen.

                                                       Dr. Best

305. Franz von Sonnleithner an Werner Best 29. August 1943

AA reagerede sent 29. august på indholdet af et angiveligt af von Hanneken udsendt opråb.

Det er uvist, hvilket opråb der er tale om, såfremt der ikke foreligger en misforståelse i ministeriet. I hvert fald var det ikke et svar på Bests spørgsmål tidligere på dagen, hvor et forslag til et opråb af von Hanneken blev medsendt (telegram nr. 991). I det forslag blev Christmas Møllers navn ikke nævnt. Derimod forekom Christmas Møllers navn med en formulering, som i telegrammet anført, i den tyske kommentar til proklamationen af undtagelsen, der blev udsendt i radioen den 29. august.[131] Denne pressekommentar fremkom ikke i von Hannekens navn, men må antages at være formuleret i Det Tyske Gesandtskab.

Kilde: PA/AA R 29.567. RA, pk. 203. PKB, 13, nr. 422.

---

130 Pol. VI 1704 gRs. Telegrammet er ikke lokaliseret.
131 Trykt i Alkil, 1, 1945-46, s. 838f. Det skrives her: "Den haarde Tid, som det danske Folk nu maa gennemgaa, er Resultatet af Hr. Christmas Møllers og hans Fællers Sabotagevirksomhed."

Telegramm

Wolfschanze, den   29. August 1943   22.25 Uhr
Ankunft, den   29. August 1943   23.25 Uhr

Ohne Nummer vom 29.8.[43.]   Citissime!

Diplogerma Kopenhagen
Für Ministerialdirektor Best.

Der Herr Reichsaußenminister hat den Aufruf des deutschen Oberbefehlshabers in Dänemark gelesen und fragt sich, ob es geschickt ist, so sehr auf die Sabotagetätigkeit Möllers und seiner Leute hinzuweisen, da es doch sicherlich genug Dänen geben wird, die in ihm einen Patrioten sehen. Der Herr Reichsaußenminister hielte es für besser, in allen derartigen Veröffentlichungen eher darauf hinzuweisen, daß landfremde englische und kommunistische Elemente die Sabotageakte begangen hätten.

                                                        Sonnleithner

Vermerk:
Unter Nr. 1143 an Diplogerma Kopenhagen weitergeleitet.
Berlin, 30.8.1943.
Pers. Ch. Tel.

306. Kriegstagebuch/Admiral Dänemark 29. August 1943

Admiral Wurmbach gennemgik næsten minut for minut, hvordan dagen var forløbet. Situationsmeldinger blev gengivet og fordringerne til den slagne danske marine refereret. Kun på et punkt kom der yderligere direktiver fra førerhovedkvarteret. "Niels Juel" skulle erobres endnu samme nat. Hitler havde vist særlig interesse for dette ene skib.
    Kilde: KTB/ADM Dän 29. august 1943, RA, Danica 628, sp. 3, s. 3.041, Anlage s. 11-20.

                                                                         29.8.43 Kopenhagen
sehr dunkle Nacht, starker Regen.

04.00 h Verhängung des Ausnahmezustandes. Übernahme der vollziehenden Gewalt durch Befehlshaber der deutschen Truppen in Dänemark. Einleitung der Aktion zur Entwaffnung der dänischen Wehrmacht.
04.05 h Dänische Funkstation bei Strickers-Batt. Von MNO Kopenhagen besetzt.
04.08 h Schwere Detonation auf Schiffen der Flottenstation Kopenhagen. Beobachtungsstation am Hafen meldet Ausbrechen einzelner Brände.
       Kurze Zeit nach dem Fallen der ersten Schüsse in Kopenhagen und mit dem Erkennen unseres erwarteten Angriffs, der in stockdunkler Nacht, bei strömenden Regen, mit größtente[ils] infanteristisch unzureichend ausgebildeten Leuten, in unübersichtlichem Werftgelände vorgetragen werden mußte, versenkten die Dä-

nen weisungsmäßig ihre zur Sprengung bereiteten Schiffe und Fahrzeuge.
04.19 h K.i.A. Dän Inseln meldet, daß der Kommandeur der Flottenstation aufgefordert sei, diese zu übergeben.
04.20 h Der mir einsatzmäßig unterstellte Chef der 19. Vp. Fl. Meldet, daß Aufgabe in Korsör durchgeführt ist.
04.40 h Inschutzhaftnahme Admiral Vedels erfolglos. Wurde nicht zu Hause angetroffen.
04.48 h Konteradmiral Hammerich (Chef des Stabes des Mar. Min.) nach Inhaftierung in seiner Wohn[ung] im Hotel abgegeben.
04.53 h Chef des dän. Generalstabes hat Erklärung abgegeben, die Waffen niederlegen zu wollen und um Unterredung mit Bef. Dän. gebeten.
05.08 h K.i.A. Dän. Inseln meldet, daß sich der Kmdt. des Marine-Arsenals Lyngby widerstandslos ergeben hat. Der Vormarsch ist im Gange.
05.21 h K.i.A. Dän. Inseln meldet, daß Marine-Arsenal Lynetten bedingungslos übergeben und besetzt worden ist. Waffen und Geräte werden bei Hellwerden gesammelt, die Schiffe werden besetzt.
05.24 h Unterrichtung des Generals d. Luftwaffe über Stand auf der Marine-Flottenstation. Es wird vereinbart, daß es bei dem Einsatz der Bomber bei Beginn der Helligkeit verbleibt, wenn auch nur zu Demonstrationszwecken. An die Aufklärung über dem Isefjord wird erinnert.
05.58 h Chef. HSF1. Kopenhagen meldet: Bei Vorstoß in Werftbassin Feuer von Eisbrecher und von Land erhalten. 5 Verwundete, davon einer schwer, auf "JK 42".
05.59 h K.i.A. Dän. Inseln meldet:
Wir stoßen auf geringen Widerstand befinden uns am Hafenbecken. Aus der Arrestanstalt wird geschossen. Widerstand wird gebrochen.
06.18 h Gen. d. Luftwaffe teilt mit, daß Aufklärer nach Isefjord unterwegs.
06.25 h Chef HSF1. Kopenhagen meldet, daß das Küstenpanzerschiff "Peder Skram" sich selbst versenkt hat. Schiff liegt mit etwa 15° Schlagseite auf Grund.
06.30 h Fluko Kopenhagen meldet: Alarmstart über Kopenhagen: 1 ME 109, 2 Ju 88, 1 Ju 87, 1 ME 1 FW 187.
06.37 h K.i.A. Dän. Inseln meldet Abtransport von 400 Gefangenen nach Christianshavnfeld.
06.40 h 1BV 138 startet zur Sundüberwachung.
06.44 h Luftaufklärung meldet, daß "Niels Juel" Holbäk unter Dampf liegt. Mannschaft an Deck beschäftigt. Ein kleines Fahrzeug am Bug, [ein] zweites am Heck. Eindruck, daß Schiff klar macht zum Auslaufen.
06.49 h Meldung des zum Marineministerium vom mir [ge]sandten Adjudanten, daß dieses durch Heer [be]setzt worden ist.
07.00 h 19. Vp. Fl. meldet: Es sind entwaffnet und besetzt: M 1, M 4, S 1, S 3, P 2, P 9, P 21, P 32. Schiffe sind unbeschädigt. Eigene Verluste: 1 Mann leicht verwundet, 1 Mann schwer verwundet durch eigenes Verschulden.
Verluste auf dän. Seite: 1 Feldwebel tot, 2 Offiziere schwer, 1 Feldw. Leicht verwundet.
07.05 h Hafenschutzflottille Nyborg meldet, daß Aufgabe durchgeführt ist. K.i.A. Süd-

jütland meldet Esbjerg vollkommen ruhig, Entwaffnung durch geführt. K.i.A. Nordjütland meldet: Frederikshavn vollkommen ruhig. Die dän. Behörden haben sich zur Mitarbeit zur Verfügung gestellt.

07.30 gebe ich folgende Lagemeldung an MOK Ost und MOK Nord:
1.) Die Aktion zur Entwaffnung der dänischen Wehrmacht lief planmäßig um 04.00 Uhr an.
2.) Widerstand wurde in Kopenhagen vornehmlich bei der dänischen Marine geleistet. Das Heer erklärte sich bereits gegen 04.45 Uhr zur Übergabe bereit.
3.) Die Aktion der Marine war in Kopenhagen um etwa 07.00 Uhr abgeschlossen. Panzerschiff " Peder Skram" liegt mit Schlagseite auf Grund.
4.) Panzerschiff "Niels Juel" nach Luftaufklärung noch zu Anker vor Holbäk.
5.) Admiral Vedel wird zur Entgegennahme deutscher Forderungen erwartet.
6.) Bisher auf HSF1. Kopenhagen ein Toter, 3 Schwer- und 4 Leicht verwundete gemeldet.
7.) Regierung fordert Beamtenschaft auf, weiter ihre Pflicht zu tun. Admiral Vedel ist bei mir im Stabsquartier eingetroffen.

Als Forderungen an ihn habe ich folgende Punkte aufgestellt:
1.) Sendeseitige Benutzung Mar. Funkanlagen an Bord und Land sofort verboten.
2.) Einlaufen von in See befindlichen Schiffen in den nächsten Hafen.
3.) Dän. Kriegsschiffe laufen in folgenden Hafen ein:
   a.) südl. Fünen sammeln in Höhe Elsehoved im Svendborgsund, werden von Tp. Bt. 108 nach Aarhus geleitet.
   b.) Dän. Schiffe in Nakskov sammeln auf Vp. N. 903 im Gr. Belt (Albuen), gehen nach Aarhus.
   c.) Dän. Schiffe in Korsör, bleiben in Korsör.
   d.) [Dän. Schiffe] in Kalundborg sammeln auf Minenräumschiff 11 und gehen nach Aarhus.
   e.) [Dän. Schiffe] im Isefjord sammeln auf Tp. Bt. 17 und gehen nach Kopenhagen.
   f.) [Dän. Schiffe] in Köge, bleiben in Köge bezw. gehen nach Kopenhagen.
4.) Abgabe von Munition, Handwaffen, Verschlußteilen und ggfls. Maschinenteilen einschl. Reserveteilen für Waffen und Maschinen an Hafenkapitän bezw. Hafenkommandanten.
5.) Strenge Weisung, daß bis zur Übergabe keine Sabotageakte an Bord und an Land erfolgen, bezw. vorbereitet werden.
6.) Befehl über Abtransport von Offizieren und Mannschaften folgt.

Ich ersuche Admiral Vedel ferner, den in Anlage 3[132] beigefügten Befehl durch FT an "Niels Juel" zu geben. Ich bluffe dabei, in-dem ich sage, daß der Ausgang des Isefjords durch Minen gesperrt ist.

08.15 h Küstenüberwachungsstelle Hundested meldet "Niels Juel" läuft mit hoher Fahrt aus Isefjord aus. Ich bitte General der Luftwaffe Einsatz von Bombern, die für

---

132 Bilaget vedligger ikke.

diesen Zweck reits startbereit gehalten werden.
08.35 h Inselkommandant Bornholm meldet, daß er d[ie] vollziehende Gewalt übernommen hat.
08.45 h Haka Nyborg meldet: 2 MS-Boote und 5 Fahrzeuge entwaffnet. Liegen mit internierter Besatzung in Slipshavn.
09.00 h Haka Helsingör meldet: "Niels Juel" läuft in langsamer Fahrt aus Isefjord aus. Sämtliche Geschütze besetzt, auf Hundested gerichtet.
09.55 h General der Luftwaffe teilt mit, daß "Niels Juel" durch Bomber angegriffen sei. Bomben hätten in unmittelbarer Nähe des Schiffes gelegen. Daraufhin sei das Schiff mit Bordwaffen beschossen werden. Nach dem Angriff hat "Niels Juel" Kehrt gemacht.
10.00 h K.i.A. Dän. Inseln erstattet kurz mündliche Meldung über Durchführung der Besetzung der Flottenstation.

Haupttorwache zur Orlogswerfte war mit spanischen Reitern verbarrikadiert.

Der Kommandeur der Flottenstation nimmt die ihm übermittelte Forderung zur widerstandslosen Übergabe unter Protest an.

Der K.i.A. teilte dem Kommandeur der Flottenstation mit, daß die vollziehende Gewalt auf den Befehlshaber der deutschen Truppen in Dänemark übergegangen sei. Es würde daher von allen Anlagen und Schiffen Besitz ergriffen. Die dän. Offiziere erhielten Anweisung, sich im Stabsquartier zu versammeln. Nach Abschluß dieser Verhandlungen wurde plötzlich aus der Arrestanstalt geschossen, wobei ein deutscher Soldat schwer verwundet wurde. Auf das Haus wurde ein Stoßtrupp entsandt, der die Schützen jedoch nicht mehr faßte. Danach wurden die dänischen Soldaten entwaffnet und sämtliche Gefangenen nach Christianshavnsfeld abtransportiert.

Der Chef der HSF1. Kopenhagen meldete:

"Da die gemäß Einsatzbefehl verabredeten Signale von mir nicht beobachtet wurden, legte ich 05.15 Uhr mit "JK 09" ab und fuhr zum Bahnhofsplatz, wo "JK 08" als Befehlsübermittler lag. Ich entschloß mich, jetzt mit den Kuttern "JK 09" und "JK 42" eine Erkundungsfahrt in die Orlogswerft zu unternehmen.
05.25 Uhr liefen wir in die Werft ein. Südlich der Einfahrt brannte ein dänisches Minensuchboot. In der Annahme, daß K.i.A. Dän. Inseln die Werft schon besetzt hätte, fuhr ich weiter. An Backbord lag ein Eisbrecher, rechts von ihm hatte sich ein größeres Minensuchboot versenkt. Rechts von diesem Boot lag die Yacht des dänischen Königs. Ungefähr querab der kgl. Yacht erhielt "JK 09" MG-Feuer von Land. In der Annahme, daß wir von eigenen Leuten an Land beschossen würden, wurde die erste Garbe nicht beantwortet. Bei der zweiten Garbe wurde Feuer mit 2 cm Flak und Gewehren erö[ff]net. Gleichzeitig ließ ich wenden. Während der Wendung erhielten wir MG-Feuer vom Eisbrecher, das nur mit Gewehren erwidert wurde da das 2 cm Geschütz kein Schußfeld hatte. Nach der Wendung meldete "JK 42" 6 Verwundete. Die Schüsse auf "JK 09" haben hoch gelegen Flotillenstander wies mehrere Schußlöcher auf. Ich legte mit beiden Booten vor der Intendantur an, wo die Verwundeten die erste Hilfe erhielten.
12.40 h Bezüglich des "Niels Juel" gebe ich folgende Meldung an MOK Ost:

"Niels Juel" nach Bekämpfung durch von hier angesetzte Bomber Ausbruchsversuch Isefjord aufgegeben und nach innerer Bucht zurückgekehrt. Habe Admiral Vedel Weisung gegeben dem Schiff Einstellen jeden Widerstandes befohlen. Da Abgabe Funkspruchs mit dän. Cods auf Schwierigkeiten stieß, dän. Verbindungsoffizier mit schriftlichem Befehl [mit] Wasserflugzeug in Schiffsnähe entsandt, Schiff hatte durch Bordwaffenbeschuß mehrere Verletzte. Bekommt jetzt Befehl, mit "T- und S-Booten heute Kopenhagen einzulaufen."

13.40 h Von HSF1. Kopenhagen "JK 01" und "JK 24" in Helsingör eingelaufen. "JK 24" meldet, daß 09.48 h von M 403 unterrichtet wurde, in Humlebäk lägen dänische Marinewachboote. "JK 24" nahm ein Prisenkommando vom M 403 an Bord und lief nach Humlebäk ein. Es wurde das dänische Wachboot "K 5" in Besitz genommen und durch "JK 01" nach Helsingör eingebracht. "JK 24" besetzte nunmehr das dän. Wachboot "K 20", setzte die deutsche Kriegsflagge und übergab das Boot einem Kriegsfischkutter zur Überführung nach Helsingör.

14.00 h Da Mir gemeldet wird, daß "Niels Juel" noch immer in dem inneren Isefjord vor Nyköbing liegt, entsende ich erneut den dän. Verbindungsoffizier unter Begleitung eines Admiralstabsoffiziers mit Flugzeug nach dem Isefjord.

15.25 h Ich erhalte von dem entsandten Admiralstabsoffizier die Meldung, daß "Niels Juel" an der Westseite des Eingangs zum Isefjord festgekommen ist und vermutlich infolge Bombentreffers in der Nähe des Schiffes Wasser macht. Das elektrische Licht ist ausgefallen. Neben dem Schiff liegt das dän. Patrouillenboot P 37. Ich strebe nunmehr an, die Besatzung bis auf eine Wache sofort von Bord zu bringen und das Schiff nach Freischleppen und Abdichten nach Kopenhagen einschleppen zu lassen.

17.35 h Ich gebe folgende Lagebericht ab:
Nachdem nach dem Einsatz der Wehrmacht heute in den frühen Morgenstunden zwölf Stunden vergangen sind, ergibt sich folgendes Stimmungsbild: Übereinstimmend melden alle Dienststellen des Landes völlige Ruhe. Beamte und Polizei haben sich überall zur Mitarbeit bereit erklärt. In den bisher bestreikten Städten wie Aarhus, Aalborg, Frederikshavn und Skagen wird für morgen allgemeine Wiederaufnahme der Arbeit erwartet. Aarhuser Bürgermeister hat erklärt, nun käme endlich Ordnung in den Betrieb. Dieses Aufatmen ist auch in Kopenhagen festzustellen. Interessant ist noch Äußerung Admiral Vedel mir gegenüber, daß in deutschen ultimativen Forderungen die Geiselgestellung und Todesstrafe für Saboteure für Mentalität besonders drückend und mitaussch[lag]gebend für Ablehnung Ultimatums gewesen sei.

19.30 h Nach Besprechung mit dem BSO habe ich mich [be]schlossen, auf dem Vp.-Boot M 403 einen Stoßtrupp unter Führung des Hakas von Kopenhagen Korv. Kapt. d.R. Camman zu entsenden, der das Schiff am frühen Morgen in Besitz nehmen [soll].

Ich lasse ferner von der Bergungsgesellschaft Svitzer einen großen Schlepper, der vor [Ny]borg liegt, nach dem Isefjord beordern.

Der BSO gibt Anweisung an "T 17", auf dem minenfreien Weg vor Eingang des Isefjords bis [auf] weiteres auf und ab zu stehen und gegen 07.00 h morgens mit M 403 dann zu "Niels Juel" zu l[…] Falls das Schiff unvorhergesehenerweise wie[der] frei kommen und einen erneuten Ausbruch versuchen sollte, ist es zu torpedieren.

20.00 h "JK 24" meldet, daß es um 17.15 h vom Haka Helsingör Nachricht erhielt, daß das dän. Min[en]räumboot MS 7 an der schwed. Hoheitsgrenze […]pegrund" nach Süden passiere. "JK 24" li[ef] 17.28 Uhr von Helsingör aus, um das B[oot] aufzubringen. Vor Helsingborg drehte MS 7 scharf auf Land zu und ging für einige Augenblicke Längseit eines schwedischen Wachboot[es] Als MS 7 von diesem Fahrzeug loslegte, stand JK 24 etwa 400 m westlich der schwed. Hoheitsgrenze. MS 7 lief nunmehr parallel mit JK 24 nach Süden innerhalb des schwed. Hoheitsgebietes. Der Kommandant versuchte, das dän. Fahrzeug zum Stoppen zu bringen, indem er i[hn] mit internationalen Signalen und durch Morsespruch Nachricht gab: "Längseit kommen, ich habe Befehle Ihrer Regierung." Als MS 7 hierauf nicht antwortete, gab das Boot 17.45 Uhr 4 Feuerstöße mit der 2 cm als Warnungsschüsse ab. JK 24 Stand zu dieser Zeit auf 56° 1,6' Nord 12° 39,2' Ost.

MS 7 hatte etwa die Position 56° 0,5' Nord, 12° 41,9' Ost inne. Bis 18.30 Uhr wurde MS 7 von JK 24 nach Süden zu verfolgt. MS 7 zog sich immer weiter unter die schwed. Küste, so daß die Verfolgung schließlich aufgegeben werden mußte.

[…].05 h

Von MOK Ost wird mir der Führerbefehl übermittelt, "Niels Juel" mit allen Mitteln nach Aarhus oder Kopenhagen zu bringen. Schiff dürfe unter keinen Umständen nach Schweden übergehen.

Fernmündlich wird mir ergänzend befohlen, das Schiff noch während der Nacht in Besitz zu nehmen. Zu diesem Zweck werden von mir auf Anordnung MOK Ost vom BSO 4 S-Boote und M 403 einsatzmäßig unterstellt.

Die bisher mit allen Einzelheiten bereits festgelegte Aktion, die durch M 403 und T 17 durchgeführt werden sollte, mußte infolge dieses Führerbefehls auf eine völlig neue Basis gestellt werden.

Um "Niels Juel" noch in der Nacht besetzen zu können, kam nur der Einsatz von S-Booten in Frage. Statt der vorgesehenen 4 Boote standen jedoch wegen Ausfalls nur 2 zur Verfügung. Von der Batterie Hornbäk war bereits ein Stoßtrupp von 1 PUO, 3 UO und 30 Mann nach Kopenhagen unterwegs, zu denen technisches Personal unter Führung des Ing. Offiziers beim Stab Adm. Dän. treten sollte. Sämtliche Einzuschiffenden trafen gegen 23.30 Uhr auf dem "Reiher" ein, bei dem die für die Aufgabe bestimmten S-Boote erwartet wurden.[133]

---

133 Fra MOK Ost indløb der 29. august kl. 23.57 en fjernskrivermeddelelse til Seekriegsleitung om, at "Niels Juel" var erobret i Isefjorden, de såede sat i land, og at besætningen var ved at blive bragt fra borde. Bjergningsarbejdet gik straks i gang, det forventedes at vare flere dage (BArch, Freiburg, RM 7/1187).

307. Wilhelm Keitel an Karl Ritter 30. August 1943

OKW meddelte AA, at Hitler havde besluttet, at det danske forsvar indtil videre skulle forblive på sine forlægninger. Afviklingen af det danske forsvar skulle indledes under ledelse af von Hanneken.

Kilde: RA, Danica 1069, sp. 12, nr. 15.247. RA, pk. 203. LAK, Best-sagen (afskrift). ADAP/E, 6, nr. 262.

Telegramm

KR GWHOL, den	30. August 1943	18.05 Uhr QEM
Ankunft: den	30. August 1943	20.10 Uhr
Ohne Nummer vom 30.8		

An Ausw. Amt   Geheime Reichssache.
z.Hd. Botschafter Ritter   Nur als Verschlußsache zu behandeln

Der Führer hat entschieden, daß die Angehörigen der bisherigen dänischen Wehrmacht bis auf weiteres unter deutscher Bewachung in ihren Unterkünften verbleiben. Über ihre weitere Behandlung wird erst entschieden werden, sobald die Ruhe im Lande wieder völlig hergestellt ist. – Diejenigen, denen eine gegen Deutschland gerichtete Tätigkeit nachgewiesen werden kann, sind abzusondern und, soweit nicht andere Strafen verwirkt sind, als Kriegsgefangene zu behandeln. Die Abwicklung der Organisation der dänischen Wehrmacht ist einzuleiten, das gesamte Material unter Leitung des Befehlshabers der deutschen Truppen durch die entsprechenden deutschen Wehrmachtteile zu Übernehmen.

Keitel
OKW/WFSt/QU 2 (M) Nr. 004810/43 gKdos.

308. Werner Best an Joachim von Ribbentrop 30. August 1943

Best trak sin støtte til det forslag, som den danske regering havde stillet om, at kongen skulle præsentere regeringens demissionserklæring, tilbage på baggrund af den ro, der herskede i landet, og fordi han ikke havde fået svar på sin tidligere forespørgsel. Nu bad han alene om tilladelse til, at der blev tale om en regeringsdemissionserklæring. Han havde allerede fået forsikring om, at statsapparatet og arbejdet ville fortsætte.

Noget svartelegram er ikke lokaliseret, men det blev alene regeringen, der afgav meddelelse om sin tilbagetræden. Best havde nemlig valgt at kontakte von Hanneken, som det fremgår af det følgende telegram, og det afgjorde dette spørgsmål.

Dernæst – og for Best langt vigtigere – fremkom han med to muligheder for en nyordning af de politiske forhold i Danmark, som han ønskede AAs stillingtagen til. Den stillingtagen ville også afgøre hans egen fremtid. I begge tilfælde forudså Best nødvendigheden af tilførsel af tysk politi, og en plan for opbygning af det var under udarbejdelse.

En reaktion fra Ribbentrop indløb omsider 1. september, se telegram nr. 1294 (Hæstrup, 1, 1966-71, s. 71, Kirchhoff, 2, 1979, s. 467f., Rosengreen 1982, s. 29f.).

Kilde: PA/AA R 29.567. LAK, Best-sagen (afskrift). PKB, 13, nr. 423. ADAP/E, 6, nr. 259. Best 1988, s. 269-270.

AUGUST 1943   467

Telegramm

Kopenhagen, den   30. August 1943   14.00 Uhr
Ankunft, den   30. August 1943   16.00 Uhr

Nr. 995 vom 30.8.[43.]   Citissime mit Vorrang.
                                                      Sofort vorlegen.

Für Herrn Reichsaußenminister persönlich.
1.) Mit Bezug auf Telegramm Nr. 990[134] vom 29. August schlage ich vor, daß unverzüglich die förmliche Demission der bisherigen dänischen Regierung, deren Minister seit der Verkündung des Ausnahmezustandes keine Funktionen mehr ausüben, angenommen wird, ohne daß von ihr oder vom König noch ein Aufruf zur Fortsetzung der Arbeit und zur Fügsamkeit erlassen wird. Denn, wie ich in meinem Telegramm Nr. 994[135] von heute berichtet habe, ist die Lage im ganzen Lande absolut ruhig und sowohl der Staatsapparat, wie auch die wirtschaftlichen Betriebe arbeiten. Ein Aufruf zur Fortsetzung der Arbeit ist also nicht mehr erforderlich und nicht mehr zweckmäßig. Vor allem wäre es politisch unerwünscht, wenn in diesem Augenblick der König besonders herausgestellt würde. Ich bitte deshalb mich möglichst sofort zu ermächtigen, der Demission der Regierung zuzustimmen. Wie ich schon berichtet habe, werden die Geschäfte der Minister zunächst von den Dienstältesten Departementschefs weitergeführt werden.

2.) Für die Neuordnung gibt es zwei Möglichkeiten: Entweder wird in den Formen der dänischen Verfassung ein unpolitisches Kabinett gebildet, das vom dänischen Reichstag mit umfassenden Ermächtigungen ausgestattet werden müßte, um auf deutsche Anordnungen alle notwendigen Maßnahmen (auch gesetzgeberischer Art) treffen zu können, oder aber es wird ohne Beteiligung des dänischen Königs und des dänischen Reichstags ein Verwaltungsausschuß eingesetzt, der nicht mehr aus dänischem Recht, sondern aus deutschem Besatzungsrecht alle ihm aufgetragenen Maßnahmen durchzuführen hätte; in diesem Falle wäre die Scheinsouveränität Dänemarks ausgelöscht, so daß auch die dänischen Missionen im Ausland und die fremden Missionen in Kopenhagen aufzuheben wären.

In beiden Fällen halte ich es für erforderlich, in Dänemark eine ausreichende deutsche Exekutive zur wirksamen Bekämpfung aller Widerstandsbestrebungen aufzubauen. Die dänische Polizei und Gerichtsbarkeit ist auf die normalen Ordnungs- und Kriminalaufgaben zu beschränken, während alle Angriffe auf deutsche Interessen durch deutsche Polizei zu verfolgen und von einem deutschen Gericht (SS- und Polizeigericht) abzuurteilen sind. Ein Plan für den Aufbau einer solchen deutschen Exekutive wird bei mir zur Zeit ausgearbeitet. Es ist beabsichtigt, dabei vorgesehene zuverlässige dänische Kräfte (entlassene Freiwillige usw.) zur Ergänzung und Unterstützung des deutschen Personals heranzuziehen.

Ich bitte um Weisung, ob die Neuordnung in Dänemark in der ersten oder zweiten Form der oben aufgezeigten Alternative vorbereitet werden soll.

                                                              Dr. Best

134 bei Pol VI (VS). Trykt ovenfor.
135 Telegrammet er ikke lokaliseret.

309. Werner Best an Joachim von Ribbentrop 30. August 1943

Selv om der var militær undtagelsestilstand i Danmark, kæmpede Best for, at AA bevarede den øverste myndighed. Det ønskede han at demonstrere med denne meddelelse til Ribbentrop personligt. Sagens substans stod ikke til at ændre, von Hanneken havde overtrådt de formelle diplomatiske spilleregler, som det også fremgår af det følgende telegram, nr. 997 (Hæstrup, 1, 1966-71, s. 71, Herbert 1996, s. 355).

Kilde: PA/AA R 29.567. LAK, Best-sagen (afskrift). PKB, 13, nr. 424. ADAP/E, 6, nr. 264.

Telegramm

Kopenhagen, den	30. August 1943	
Ankunft, den	30. August 1943	20.30 Uhr

Nr. 996 vom 30.8.[43.]   Citissime!

Citissime für Herrn Reichsaußenminister persönlich.
Der General von Hanneken hat mir soeben (16 Uhr) fernmündlich mitgeteilt, daß er als Inhaber der vollziehenden Gewalt an die dänische Regierung die Aufforderung richten werde, unverzüglich die gestern früh von mir geforderte Anordnung an die Beamten zu erlassen und alsdann zu demissionieren. Ich machte den General darauf aufmerksam, daß ich eine Entscheidung des Herrn Reichsaußenministers über diese Frage erbeten habe, worauf er mir erwiderte, daß er als Inhaber der vollziehenden Gewalt auf eine solche Entscheidung nicht zu warten brauche und an sie nicht gebunden sei.

Best

310. Werner Best an Joachim von Ribbentrop 30. August 1943

I forlængelse af telegram nr. 996 videregav Best til Ribbentrop personligt oplysningerne om von Hannekens egenrådige fremfærd i forbindelse med den danske regerings formelle tilbagetræden. Han udelod yderligere kommentarer, men bemærkede, at demissionserklæringen efter "generalens ønske" var blevet tilbagedateret (Herbert 1996, s. 355).

Kilde: PA/AA R 29.567. LAK, Best-sagen (afskrift). PKB, 13, nr. 425.

Telegramm

Kopenhagen, den	30. August 1943	22.50 Uhr
Ankunft, den	31. August 1943	00.25 Uhr

Nr. 997 vom 30.8.[43.]   Citissime nachts!

Für Herrn Reichsaußenminister persönlich.
Im Anschluß an Telegramm Nr. 996[136] von heute berichte ich, daß die dänische Regierung auf Aufforderung des Generals von Hanneken die geforderten Beschlüsse gefaßt hat, wobei auf Wunsch des Generals die Demission auf den 29. August zurück datiert wurde.

---

136 Pol VI (V.S.). Trykt ovenfor.

Die Beschlüsse der Regierung werden in der folgenden Form veröffentlicht:[137]
"Das Ministerium Scavenius hat am 29. August dem König seinen Demissionsantrag eingereicht und hat sofort aufgehört zu fungieren.

Die Verwaltung der Ministerien und der Generaldirektorate wird bis auf weiteres von den betreffenden Departementschefs, Generaldirektoren oder Direktoren geleitet.

Bevor das Ministerium zurücktrat, hat es folgende Äußerung veröffentlicht.

In der für unser Land so ernsten Stunde wünschen wir erneut, die Bevölkerung aufzufordern, Ruhe und Besonnenheit zu beweisen. Besonders ist uns daran gelegen, zu äußern daß wir erwarten, daß sämtliche Beamte des Staates in der hoffentlich kurzen Zeit, die der Ausnahmezustand dauert, auf ihren Posten verbleiben und unter ihrer Verantwortung als Beamte des Staates ihre Tätigkeit fortsetzen zum Besten des Landes und des Volkes in der Weise, daß man bestrebt ist, zu vermeiden, daß Reibungen entstehen, zwischen den Organen des Staates und den deutschen Behörden, die kraft der Gesetze des Kriegs und des erklärten Ausnahmezustandes vorübergehend besondere Befugnisse auszuüben haben."

Best

311. Werner Best an Heinrich Himmler 30. August 1943

Midt i den tilspidsede politiske situation glemte Best ikke, at han havde ført sin hidtidige politik med både AAs *og* SS' støtte. I brevet til Himmler 22. august var denne blevet forberedt på, hvad der kunne komme. Nu fik Himmler en udførlig orientering om Bests opfattelse af hele forløbet, der klart lagde hele ansvaret på von Hanneken som den, der havde frembragt krisen ved at indberette selv de mest ubetydelige småting (dette var en direkte usandhed). Den voldsomme politiske kursændring havde ikke været nødvendig, hvad det rolige forløb af indførelsen af undtagelsestilstanden beviste. Nu koncentrerede Best sig om fremtiden og søgte, hvad enten han skulle forblive i Danmark eller ej, Himmlers fortsatte støtte, idet han selv mente at have opfyldt sin pligt og fulgt Himmlers storgermanske målsætning. Skulle han forblive i Danmark, ville han få brug for mere tysk politi og andre embedsmænd. Dette merforbrug af tyske ressourcer var netop, hvad han hidtil havde søgt at undgå med sin politik.

Selv i den største krisesituation glemte Best ikke sine tidligere ideer og den målsætning, han havde sat for sit virke som besættelsesadministrator i Danmark (Hæstrup, 1, 1966-71, s. 23f., 45, Kirchhoff, 2, 1979, s. 390f., Rosengreen 1982, s. 28f., Herbert 1996, s. 357).

Kilde: BArch, NS 19/3301. RA, pk. 443 og 443a. RA, Danica 1000, sp. 59, nr. 575.534-37. EUHK, nr. 103.

SS-Gruppenführer Dr. Werner Best *Kopenhagen, den 30.8.1943.*
Bevollmächtigter des Reiches in Dänemark

An den
 Reichsführer-SS Heinrich Himmler,
 Berlin SW 11,
 Prinz Albrechtstr. 8.

---

137 Trykt i Alkil, 1, 1945-46, s. 217, Brøndsted/Gedde, 2, 1946, s. 552.

Reichsführer!

In meinem Briefe vom 22.8.43[138] habe ich Ihnen mitgeteilt, daß ich auf Grund der letzten Entwicklung eine Änderung der Form, in der Dänemark von uns gelenkt wird, ins Auge gefaßt hätte. Zugleich habe ich Ihnen die Vorschläge, die ich an das Auswärtige Amt gerichtet habe, mitgeteilt.

Inzwischen haben sich ohne meine Schuld die Ereignisse überstürzt.

Am 24.8.43 wurde ich zum Reichsaußenminister bestellt, der mir schwere Vorwürfe machte, weil in Dänemark alles drunter und drüber ginge.

Ich stellte an Hand der mir vorgelegten Fernschreiben fest, daß seit einiger Zeit der General von Hanneken täglich an den Wehrmachtführungsstab jede Kleinigkeit, die in Dänemark geschah, berichtet hatte.[139] Von meinen Bemühungen, die Dinge mit politischen Mitteln – andere hatte ich ja kaum – zu bewältigen und von den hierbei erzielten Erfolgen war selbstverständlich nie die Rede. In dieser einseitigen Weise hat der Wehrmachtführungsstab den Führer laufend unterrichtet. Die Wirkung können Sie sich vorstellen.

Ich kehrte am 27.8.43 nach Kopenhagen zurück mit dem Befehl, der dänischen Regierung bestimmte Forderungen zu überbringen, deren Nichtannahme von vornherein feststand. Nach Ablehnung sollte der militärische Ausnahmezustand erklärt werden.

Dies hat sich nun am 28. und 29.8.43 vollzogen. Seit gestern regiert der General von Hanneken als Inhaber der vollziehenden Gewalt das Land.

Ich bin auch jetzt noch der Überzeugung, daß dieser gewaltsame Kurswechsel nicht notwendig war. Ausgerechnet am 28.8., an dem hier befehlsgemäß die Bombe platzte, mußte der General von Hanneken selbst an das OKW berichten, daß die Lage in Dänemark sich außerordentlich beruhigt habe und daß insbesondere an den wenigen Plätzen, an denen gestreikt wurde, die Arbeit allmählich wieder aufgenommen werde.

Auch daß der Ausnahmezustand ohne die geringste Schwierigkeit durchgeführt werden konnte und daß es im ganzen Lande nicht einen einzigen Zwischenfall gab, beweist, daß die Lage keineswegs so gefährlich war und daß meine politischen Aktionen der letzten Zeit sich erfolgreich auswirkten.

Daß Teile der dänischen Restwehrmacht gegen ihre Entwaffnung Widerstand leisteten, ist im wesentlichen die Schuld des Generals von Hanneken. Er hat unbegreiflicherweise nicht zu der festgesetzten X-Zeit durch den Oberkommandierenden der dänischen Wehrmacht an die noch bestehenden Garnisonen den Befehl geben lassen, sich widerstandslos zu fügen, sondern er hat den General Görtz festnehmen und die Garnisonen nachts um 4.00 Uhr durch deutsche Truppen überrumpeln lassen. Ich bin überzeugt, daß bis auf minimale Ausnahmen die dänischen Truppen sich einem Befehl des General Görtz gefügt hätten.

Nun ist also das geschehen, worauf der General von Hanneken von Anfang an hingearbeitet hat und es läßt sich nichts mehr rückgängig machen.

Was künftig hier in Dänemark und was aus mir werden soll, weiß ich zur Zeit nicht.

138 Trykt ovenfor.
139 Von Hanneken begyndte først den detaljerede daglige indberetning efter at have fået ordre derom 22. august, hvilket Best medgav i sine erindringer (1988, s. 41), men han fastholdt deres betydning og dermed von Hannekens ansvar.

Sollte ich weiter mit der Lenkung Dänemarks beauftragt bleiben, so werden zur folgerichtigen Durchführung des gestern begonnenen neuen Kurses von mir beträchtliche deutsche Kräfte angefordert werden müssen. In erster Linie werde ich beträchtliche Polizeikräfte brauchen, denn die dänische Polizei kann von jetzt an nicht mehr für alle Zwecke mit Erfolg verwendet werden. Weiter werde ich zu der nunmehr notwendigen Einzelüberwachung der dänischen Verwaltung eine Reihe von Verwaltungskräften anfordern müssen. Einzelheiten werden zur Zeit bei mir ausgearbeitet.

Dieser Mehraufwand deutscher Kräfte war es gerade, den ich durch meine bisherige Politik dem Reiche ersparen wollte. Im übrigen werden mit diesem Mehraufwand zweifellos beträchtliche Verminderungen der Produktionsergebnisse Hand in Hand gehen. Schließlich ist das politische Paradepferd Dänemark tot.

Sollte ich von hier abberufen werden, so bitte ich, in Ihren Dienst zurücktreten zu dürfen. Im Auswärtigen Dienst werde ich nicht bleiben.

Im übrigen habe ich die Auffassung, daß ich im Sinne der mir erteilten Richtlinien und der von mir erkannten Reichsinteressen hier meine Pflicht erfüllt habe. Dabei ist stets Ihre großgermanische Zielsetzung für mich entscheidende Richtlinie gewesen.

Heil Hitler!

Ihr **Werner Best**

312. Germanische Leitstelle: Bericht über die germanische Jugendarbeit in Dänemark 30. August 1943

Til brug for NSDAPs rigsskatmester F.X. Schwarz blev der udarbejdet en beretning om det germanske ungdomsarbejde i Danmark (modtaget 2. november 1943).[140] Der blev redegjort for det nære samarbejde med NSU og dets leder Hans Jensen, hvilket skulle danne basis for det videre arbejde. Den rigsbefuldmægtigede havde besluttet først at grundlægge en dansk-tysk ungdomstjeneste efter oprettelsen af ungdomsreferatet, som var sket 29. juni med Emil Teichmanns udpegning. Den dansk-tyske ungdomstjeneste skulle være formidler mellem den danske ungdom i almindelighed og tysk ungdom. Der skulle dannes et præsidium af prominente danske, ligesom lederen skulle være dansker med forbindelse til ungdomsreferent Teichmann. Ungdomstjenestens arbejde ville møde ikke få problemer, hvorfor det var planen at gå etapevis til værks over en bred front fra kulturarbejde og sport til hvervning til arbejdstjeneste. Den hidtidige finansiering skulle ændres, da Fürsorgeamt Ausland, hvorfra midlerne hidtil var skaffet, selv havde stærkt behov for sine midler til det egentlige formål. Best havde derfor søgt at skaffe finansiering hos WB Dänemark, men havde endnu ikke fået svar. I givet fald kunne det komme på tale at søge RWM om 62.640 RM om måneden over clearingkontoen (Kirkebæk 2004, s. 206f. og 2007, s. 401-403).

Planen om en tysk-dansk ungdomstjeneste blev ikke realiseret, selv om Best forsøgte derpå også efter 29. august 1943. Den formelle løsrivelse af NSU fra DNSAP 15. september 1943 kan kun ses som et led deri, ligesom det møde, Best fire dage senere holdt med Niels Bukh peger i samme retning.[141] Bukh var en af de prominente danskere, der skulle involveres i planen, og mest sandsynligt var det ham, som Best satsede på som leder.

Kilde: BArch, NS 1/524.

---

140 Følgebrevet af 28. oktober 1943 er ikke medtaget.
141 Se Bests telegram nr. 1131, 25. september 1943.

Geheim!

Bericht
über die germanische Jugendarbeit in Dänemark.

Am 29. Juni ds.Js. erfolgte die Einführung des Hauptbannführers Emil Teichmann von der Reichsjugendführung als Jugendreferent bei der Dienststelle Germanische Leitstelle in Dänemark[142] auf Grund eines Erlasses des Auswärtigen Amtes vom 21.6.1943.[143] Erst seit diesem Zeitpunkt war die offizielle Berechtigung gegeben, auf dem Gebiet der germanischen Jugendarbeit in Dänemark tätig zu sein. Bis dahin war lediglich der Landesjugendführer der auslandsdeutschen Jugend und der Beauftragte für die Erweiterte Kinderlandverschickung der inoffizielle Vertreter der Germanischen Leitstelle.

In den Monaten vorher wurde lediglich die Gelegenheit wahrgenommen, Kenntnisse und Erfahrungen zu sammeln. Die enge Verbindung der Hitler-Jugend zur Jugendorganisation der DNSAP, der NSU, wurde weiter aufrecht erhalten und insbesondere ein enger kameradschaftlicher Kontakt mit dem Landesjugendführer, Kapitänleutnant Jensen, hergestellt. Es gelang, Jensen davon zu überzeugen, daß die Jugend des Reiches Wert darauf legen muß, an die breite Front der gesamten dänischen Jugend heranzukommen und sich nicht allein damit begnügen kann, mit der zahlenmäßig geringfügigen NSU zusammenzuarbeiten.

Es muß hervorgehoben werden, daß die NSU, trotz ihrer geringen Mitgliederzahlen, ein Faktor ist, auf den wir nicht verzichten dürfen. Sie umfaßt rund 2.000 Mitglieder. Davon sind mehr als die Hälfte Mädel.

Die NSU ist in ihrer inneren Struktur eine typische Arbeiter- und Bauern-Jugend. Sie ist eine wirtschaftlich arme Organisation und verfügt über eine Führung, die anständig und sauber ist, im Gegensatz zu gewissen Einrichtungen und Persönlichkeiten der DNSAP als solcher. Auf diesen Unterschied zwischen DNSAP und NSU kann nicht genug hingewiesen werden. Die NSU ist auch die einzige dänische Jugendorganisation, für die die wesentlichsten drei Voraussetzungen zutreffen. Sie ist:
1.) großgermanisch
2.) nationalsozialistisch
3.) deutschfreundlich

eingestellt. Sie ist auch die einzige Jugendorganisation, die ihre Kräfte für reichsdeutsche Aufgaben zur Verfügung gestellt hat. 120 NSU-Führer und Unterführer dienen als Freiwillige an der Ostfront. Davon sind eine Reihe gefallen und ein größerer Teil verwundet. Nur 12 NSU-Führer und Unterführer über 18 Jahre sind im Lande zurückgeblieben. Dieser prozentual überaus starke Einsatz ist auch einer der wesentlichsten Gründe, daß die NSU nicht stärker geworden ist, sondern sich lediglich einigermaßen halten konnte. Die NSU stellte auch die einzigen Freiwilligen für die germanischen Wehrertüchtigungslager. Es kann heute festgestellt werden, daß bis auf geringe Ausnahmen alle NSU-Angehörigen im WE-Alter schon einmal im Wehrertüchtigungslager waren. Die Gesamtzahl als solche ist gering, nämlich 94 Freiwillige.

---

142 Teichmann havde siden januar 1943 været repræsentant for KLV i Danmark (se Karl Otto Brauns optegnelse 27. januar 1943, trykt ovenfor og Bests kalenderoptegnelser 1. februar 1943 og flg.).
143 AAs skrivelse 21. juni er ikke lokaliseret.

Die NSU stellt auch kleine Kontingente für die germanischen Landdienstlager, wobei hervorgehoben werden muß, daß große Kontingente für den germanischen Landdienst nicht zu erwarten sind infolge der mustergültigen Lage der dänischen Landwirtschaft und der ausgezeichneten Verfassung des dänischen Bauernstandes. Sie stellte auch als alleinige Organisation immer wieder Führerkräfte zur Ausbildung in Lehrgängen, Kursen, Lagern usw. der Reichsjugendführung zur Verfügung.

Der Herr Reichsbevollmächtigte hat entschieden, daß erst nach Errichtung des Jugendreferates an die Gründung des dänisch-deutschen Jugenddienstes herangegangen wird. Der dänisch-deutsche Jugenddienst, mit dessen Aufgabenkreis der Reichsjugendführer sich voll und ganz einverstanden erklärt hat, soll die Mittlerrolle zwischen der breiten dänischen Jugend ohne Ansehen der Partei und der Jugend des Reiches übernehmen. Er muß unter einem prominenten dänischen Schirmherrn und einem dänischen Präsidium, das aus Männern angesehener Kreise zusammengesetzt wird, von einem hauptamtlichen dänischen Leiter geführt werden, der mit dem Jugendreferenten die Verbindung hält, um gemeinsam die Zusammenarbeit zwischen dänischer und deutscher Jugend aufzubauen. Seine Aufgaben sind folgende:

1.) Allgemeine Werbung für dänisch-deutsche Jugendarbeit durch eine Zeitschrift, regelmäßige Versendung von Werbematerial, Jugend-Buch-Veröffentlichungen u. dergl.
2.) Jugendfilmveranstaltungen, Jugendkonzerte, Theateraufführungen, Spielscharaustausch u. dergl.
3.) Jugendaustausch auf dem Gebiete der Kulturarbeit.
4.) Jugendaustausch und -wettkämpfe auf dem Gebiete der Leibersertüchtigung.
5.) Jugendaustauch auf dem Gebiete der Sozialen Arbeit.
6.) Jugendaustauch auf dem Gebiete des Bauerntums und Landdienstes.
7.) Vermittlung von dänischen Jugendlichen in Lehrgänge, Lager und sonstige Einrichtungen der Hitler-Jugend.
8.) Mitarbeit bei der Betreuung von dänischen Lehrlingen, Jugendarbeitern und Jungarbeiterinnen im Reich.
9.) Vermittlung einer Verbindung mit den Jugendorganisationen der anderen germanischen Länder unter der an sich gegebenen deutschen Kontrolle.
10.) Herstellung einer gesellschaftlichen Plattform zum Zwecke eines Gedankenaustausches, und ähnliche andere Arbeitsvorgänge.

Nach einem mehrmonatigen Einlaufen des dänisch-deutschen Jugenddienstes müßte dann der Versuch gemacht werden, auch folgende Arbeitsvorgänge von diesem in Angriff nehmen zu lassen, wie:

11.) Werbung für den germanischen Landdienst.
12.) Werbung für die geländesportliche Ausbildung der germanischen Jugend (Germanische WE-Lager).

Die Verbreitung der Basis der Zusammenarbeit zwischen deutscher und dänischer Jugend wird auf allergrößte Schwierigkeiten stoßen, da mit einer geschlossenen Ablehnung des Dänentums gegen alles Deutsche z.Zt. auf Grund der allgemeinen Lage und der Tatsache, daß Dänemark und deutschen Truppen besetzt ist, gerechnet werden muß. Nach allgemeiner Ansicht aller beteiligten Stellen in Dänemark und nach der Ansicht des Reichsjugendführers muß daher angestrebt werden, die Zusammenarbeit mit der dänischen Jugend zunächst auf harmloseren Arbeitsgebieten, wie Kultur, Sport, Soziale Arbeit und dergl. zu beginnen, da der dänisch-deutsche Jugenddienst sofort in einen nicht wiedergutzumachenden Verruf geriete, wenn er sich umgehend mit Propaganda für Wehrertüchtigung und germanischen Landdienst abgäbe. Erst nach und nach sollen in späteren Monaten diese Arbeitsgebiete in den Vordergrund gerückt werden. Der dänisch-deutsche Jugenddienst kann selbstverständlich nur so aufgebaut werden, daß seine Arbeit sich in absolutem Einklang befindet mit den politischen Richtlinien des Herrn Reichsbevollmächtigten.

Dennoch steht zu hoffen, daß er Erfolg haben wird und daß die Jugend des Reiches mit den breiten dänischen Jugendkreisen in Verbindung kommt, und zwar mit dem Teil der dänischen Jugend (12 %), der organisiert ist, aber auch mit den viel stärkeren unorganisierten dänischen Jugendkreisen.

Die Etatisierung wird sich dementsprechend in 2 wesentliche Gruppen teilen:
1.) Mittel für die organisierte NSU-Jugend
2.) Die erforderlichen Mittel für die unbedingte notwenige Erweiterung der Jugendarbeit im Zuge der Aufstellung eines deutsch-dänischen bzw. germanischen Jugenddienstes.

Der Reichsbevollmächtigte in Dänemark hat für die Jugendarbeit monatlich Kr. 9.000,- zur Verfügung gestellt, so daß von den gesamt erforderlichen Mitteln etwa 1/5 seitens der Reichsdienststelle getragen wird. Es sind außer der Errichtung der Dienststelle und des laufenden Dienstbetriebes 2 Buchveröffentlichungen vorgesehen. Sobald ein entsprechender ehrenamtlicher Mitarbeiterstab zusammengetreten ist, soll eine deutsch-dänische Jugendzeitschrift herausgegeben werden.

Etwa 30% des gesamten Etats ist für die Wehrertüchtigungslager und den germanischen Landdienst vorgesehen. Es ist zunächst eine entsprechende Propaganda durch die Presse, durch Wurfsendung etc. erforderlich. Es sind gemeinsame deutsch-dänische Veranstaltungen zu finanzieren. Die wesentlichen Kosten entstehen jedoch durch den Transport der dänischen Jugendlichen bis zur Reichsgrenze (monatlich etwa 60 Jugendliche für das Wehrertüchtigungslager und 60 Landdienstfreiwillige). Aus politischen Gründen ist es erforderlich, soweit die Jugendlichen bereits berufstätig sind, ihnen einen Lohnausfall zu gewähren, wie diese Maßnahmen sich bereits in anderen germanischen Gebieten sehr fördernd für die Verschickung ausgewirkt hat, da dadurch auch den Eltern, die meist stark materialistisch denken, ein gewisser Anreiz geboten wird, wo sonst seitens des Elternhauses eine Teilnahme ihrer Kinder an germanischer Jugendarbeit verweigert wird.

Bisher konnten die Mittel für die Jugendarbeit zusammen mit dem Etat der Dienststelle, SS-Sturmbannführer Boysen (Germanische Leitstelle) über das Fürsorgeamt Ausland, denen ein größerer Devisenbetrag für die fürsorgerischen Zwecke in Dänemark zur Verfügung stand, transferiert werden. Inzwischen werden aber diese Mittel vom Fürsorgeamt Ausland dringend ihrer Zweckbestimmung entsprechend benötigt.

Die seinerzeit bei der Reichsleitung München gestellten Devisenanträge konnten nicht honoriert werden. Es sind daher mit dem Reichsbevollmächtigten, SS-Gruppenführer Dr. Werner Best Verhandlungen aufgenommen zwecks Vergütung der für die germanische Arbeit erforderlichen Devisen aus den Besatzungsgeldern. Der Reichsbevollmächtigte hat sich entsprechend den Wünschen der Germanischen Leitstelle bereits bei den zuständigen Wehrmachtsstellen für eine diesbezügliche Entscheidung eingesetzt. Es bleibt abzuwarten, ob die Wehrmachtsstellen das nötige Verständnis für unsere Arbeit aufbringen, andernfalls müßte versucht werden, über das Reichswirtschaftsministerium die Summe von etwa monatlich

Kr. 120.000,- = RM 62.640,-

im Clearingwege zu erhalten.

Berlin, den 30. August 1943.

313. Kriegstagebuch/Seekriegsleitung 30. August 1943
"Niels Juels" endeligt blev drøftet på dagens situationsmøde. Der var indkommet et forslag fra admiral Wurmbach om snarest muligt at få løsladt den danske marines folk, da han ønskede at indrullere dem til at varetage minerydningen igen sammen med de tyske kommandanter. Seekriegsleitung var principielt positiv, men der skulle arbejdes videre med detaljerne. Det skulle tilstræbes, at konsekvenserne af operation "Safari" blev så lidt belastende som muligt for Kriegsmarine. Der blev videregivet den førerordre, at de danske værns personale indtil videre skulle holdes tilbage og behandles som krigsfanger. Værnenes materiel overgik til de tyske værn under WB Dänemarks ledelse.

Kilde: KTB/Skl 30. august 1943.

[...]

Lagebesprechung bei Chef Skl.

I.) Bei Lagevortrag über "Safari" bemängelt Chef Skl, daß aus Meldungen gestrigen Tages Eindruck entstanden war, "Niels Juel" sei auf dem Marsche nach Kopenhagen gewesen. Tatsächlich gemeldete Absicht, die Einheiten aus dem Isefjord dorthin zu geleiten, sei angesichts der Kampfstärke des Küstenpanzers bedenklich gewesen und hätte beanstandet werden müssen. Offenbar war jedoch Überführung des Schiffes erst nach Entwaffnung bzw. Besetzung geplant. Tatsächlich ist das Schiff bei Versuch, am Vormittag auszulaufen, durch angesetzte Luftstreitkräfte beschädigt und zur Umkehr gezwungen worden. Bei Auslaufen am Nachmittag unter Geleit T17 ist es dann festgekommen. Ob der Unfall durch Öffnen der Bodenventile herbeigeführt wurde, oder ob diese erst nach der Strandung von der dänischen Besatzung zerstört sind, bleibt noch zu klären. Zustand des Schiffes, das jetzt von eigenen Kräften besetzt ist, wird z.Zt. untersucht.

Adm. Dänemark hat gemeldet:

"Es ist beabsichtigt, zur dänischen Kriegsmarine einberufene Reservisten sofort zu demobilisieren, da Unterbringung an Land schwierig und Rücktransport an Bord unerwünscht. Zur Ausnützung der Arbeitskraft des aktiven Personals einerseits sowie zur praktischen Ausnutzung der sichergestellten dänischen Kriegsfahrzeuge für Minensuch- und Räumzwecke andererseits vorschlage, daß an Dänen nach gewisser Zeit, wenn Sorge um Lebensunterhalt akut wird, heranzutreten ist, ob sie als Zivilisten (Angestellte bzw. Arbeiter) in deutsche Dienste eintreten wollen. Mit den so gewonnenen Leuten könnte man die Fahrzeuge bemannen, bei denen aber, um spätere Ausbruchsversuche zu vermeiden, die Hauptstellen, wie Kommandant, seemännische und technische Nr. 1 pp. mit Deutschen zu besetzen wären. Auch diese könnten ihren Dienst zum Freihalten der minenfreien Wege als Gefolge der Wehrmacht tun. Die Fahrzeuge würden dann wie

Werftschlepper usw. unter Reichsdienstflagge fahren, da Kriegsflagge wegen der vielen Zivilisten unerwünscht. Erbitte daher grundsätzliche Entscheidung, ob auf diese Basis Vorverhandlungen geführt werden sollen. Unabhängig hiervon habe ich mit Adm. Vedel Demobilmachungsmaßnahmen, die in verschiedenen Wellen durchgeführt werden müssen, besprechungsmäßig in Angriff genommen. Vorschlage, daß ich mit Rücksicht auf meine Stellung autorisiert werde. Entscheidung vordringlich, da Trubef. bereits Vorschläge für OKW in Ausarbeitung hat."

MOK Ost hat dazu wie folgt Stellung genommen:

a.) Betr. Reservisten einverstanden.

b.) Dänen müssen sofort bisher geleistete Dienste insbesondere Minensuch- und Räumarbeiten wieder aufnehmen, da weder BSO oder Adm. Dän. auch nur für kurze Zeit in der Lage sind, auszuhelfen.

Außerdem dänischer Küstenverkehr, auf dessen Wegen bisher Schwerpunkt Einsatzes dänischer Marine, als Hauptbasis Verkehrsnetzes für Landesversorgung von einschneidender Bedeutung.

c.) Vorschlagen Freiwilligenwerbung, die hiesigen Erachtens Aussicht haben wird, wenn richtig angefaßt.

d.) Deutsche Kommandanten bzw. deutsches Zusatzpersonal wird abgelehnt, da nicht vorhanden und auf die Dauer unerwünschte Folgen.

e.) Flaggenfrage abhängig, ob Dänen Führung eigener Flagge weiter zugebilligt wird, dann zweckmäßig unter dieser. Ob Besatzung in Zivil oder Uniform muß grundsätzlich Regelung höheren Orts vorbehalten bleiben.

f.) Soweit Dänen für bisherige Aufgaben gem. b) wieder eingesetzt werden, Adm. Dän. unterstellt und verpflichtet, nach dessen Befehlen zu handeln.

g.) Schlußsatz Vorganges Zugestimmt und Adm. Dän. entsprechend angewiesen. Nachträgliche Zustimmung erbeten.

Chef Skl ist einverstanden, daß Skl entsprechenden Vorschlag an OKW unterbreitet unter Hervorhebung Zweckdienlichkeit Wasserpolizeiartiger Organisationsform.

Aus weiterer Erörterung von "Safari" ergibt sich, daß abgesehen von politischen Rückwirkungen insbesondere Aufgaben der Kriegsmarine im dänischen Raum nicht unerheblich belastet werden, wie dies stets von Skl zum Ausdruck gebracht worden ist. Ein klares Bild, wie sich im einzelnen der Entschluß zur Durchführung von "Safari" im gegenwärtigen Zeitpunkt herausgebildet hat, ist bei Skl nicht vorhanden.

[...]

III.) Betr. Dänemark. "Safari":

a.) Von OKW /WFSt ist 18.05 Uhr folgende Weisung ergangen:

"Der Führer hat entschieden, daß die Angehörigen der bisherigen dänischen Wehrmacht bis auf weiteres unter deutscher Bewachung in ihren Unterkünften verbleiben. Über ihre weitere Behandlung wird erst entschieden werden, sobald die Ruhe im Lande wieder völlig hergestellt ist. Diejenigen, denen eine gegen Deutschland gerichtete Tätigkeit nachgewiesen werden kann, sind abzusondern und, soweit nicht andere Strafen verwirkt sind, als Kriegsgefangene zu behandeln. Die Abwicklung der Organisation der dänischen Wehrmacht ist einzuleiten, das gesamte Material unter

Leitung des Befehlshabers der deutschen Truppen durch die entsprechenden deutschen Wehrmachtteile zu übernehmen."

b.) OB MOK Ost unterrichtet Skl nachr. von nachstehendem Befehl:

"1.) Mit 31/8. abends Aktion im dänischen Raum vorauss. beendet und aus einzelnen Bereichen gestellte Verbände bzw. Einheiten wieder z. Vfg. Befehlshaber bzw. Inspekteure für planmäßige Aufgaben. S-Schulfl. wird Swde, M-Boote nach Kiel entlassen. FdZ und Torpinsp. werden gebeten, Zielhäfen für ihre Einheiten baldigst an BSO zu geben.

2.) Ich spreche den Offz. und Besatzungen meine Anerkennung aus für die aus anstrengendstem Ausbildungsdienst heraus schnell und energisch durchgeführte Umstellung und den Schwung, mit dem an die Aufgabe herangegangen wurde."

[...]

2.) Eigene Lage:
Im Verlauf der Aktion "Safari" sind im Bereich des Adm. Dänemark bisher 206 Offiziere und 2.222 Mann der dänischen Kriegsmarine gefangen genommen. Dänische Fischerei und innerer Schiffsverkehr einschl. Regierungsfahrzeuge wurden wieder freigegeben. Für den 31/8. ist Entlassung der S-Schulflottille, der Boote der 2. und 3. Tfl. sowie der M-Boote aus dem dänischen Raum und Zurückziehung der Uboote aus dem Raum westl. des Skagerrak-Warngebietes befohlen.

"Niels Juel" liegt in der Nyköbing-Bucht auf flachem Wasser auf Grund. Bergungsarbeiten sind eingeleitet.

314. Joseph Goebbels: Tagebuch 30. August 1943

Goebbels kommenterede den politiske krise i Danmark og var ikke mindst optaget af, hvordan den blev opfattet i udlandet. Han udlagde strejkerne i Danmark, som om de danske fagforeninger handlede for engelske formål. Den danske regering havde ikke formået at dæmme op for krisen, og nu måtte der slås hårdt igen. Den kurs som Best havde fulgt, kunne i det lange løb ikke holde. Den hårde hånd måtte til i rette øjeblik. Krisen ville hurtigt få en ende med en energisk indgriben.

Goebbels havde trods sin fuldstændige fejlbedømmelse af bl.a. de danske fagforeningers rolle registreret, at Best og hans politik var styrtdykket i kurs i Berlin. Den tidligere så uforbeholdne ros var fuldstændig glemt. Goebbels var i dette, som i andre tilfælde, hurtig til at ændre sin vurdering 180 grader.

Kilde: *Die Tagebücher von Joseph Goebbels*, Teil II: 9, s. 388f.

[...]

Daneben ist die Krise in Dänemark Hauptthema der feindlichen Diskussion. Durch die Hetze englischer Agenten ist in Dänemark eine gewisse Spannung entstanden. Die Gewerkschaften haben sich für die englischen Zwecke breitschlagen lassen und entfachen im ganzen Lande Teilstreiks. Der deutsche Militär- und Politische Bevollmächtigte haben die dänische Regierung aufgefordert, mit härteren Maßnahmen dagegen vorzugehen und evtl. die Todesstrafe verhängen zu lassen. Die dänische Regierung hat geglaubt, durch Zuwarten der Spannung Herr zu werden; aber die Spannung ist dadurch nur gewachsen. Infolgedessen ergab sich die Notwendigkeit, den Ausnahmezustand zu proklamieren. Es ist zum ersten Mal in der Geschichte Dänemarks, daß der Ausnahmezustand Platz greift. Eine Panzerdivision ist von Oslo nach Kopenhagen im Anrollen. Ich nehme an, daß es durch das feste militärische Auftreten des Reiches gelingen wird, die Spannungselemente sehr schnell zu neutralisieren. Wir haben ja hier so viele Atouts im Spiel, daß die Dänen bald kein beigeben werden. Der Vorgang wird sich ungefähr so abspielen, wie er sich vor einigen Monaten in den Niederlanden abgespielt hat. Es zeigt sich also hier wieder, daß die milde Tour, wie Best sie eingeschlagen hat, doch auf die Dauer nicht zum Erfolge führt. Eine harte Hand ist im richtigen Augenblick das Gegebene. Andererseits sind wir uns natürlich klar darüber, daß die Dänen aufgrund ihres allgemeinen Volkscharakters uns keine besonders großen Schwierigkeiten machen werden. Ein paar entscheidende und energische Maßnahmen, und der Spuk ist zu Ende.

Die Schweden haben sich natürlich dieses Themas wieder in der beleidigendsten Form bemächtigt. Die schwedische Presse bedient sich uns gegenüber augenblicklich e[i]ner Tonart, die zu stärksten Bedenken Anlaß gibt. Die Schweden fühlen sich augenblicklich sehr stark, und die jüdischen Zeitungen dieses Zwergstaates überbieten sich gegenseitig in Schmähungen gegen das Reich und seine nordische Politik. Wir sehen uns gezwungen, in der deutschen Presse energisch dagegen Front zu machen.

Die Schweden benutzen neben der dänischen Krise auch noch die Beschießung einiger frecher und provozierender Fischereifahrzeuge, um uns etwas am Zeuge zu flikken. Sie haben im Auswärtigen Amt Protest dagegen eingelegt. Dieser Protest wird sehr kühl und sehr von oben herab zurückgewiesen und durch einen Protest unsererseits beantwortet. Die Sprache, die die Schweden führen, erscheint mir symptomatisch. Man nimmt wahrscheinlich in Stockholm an, daß wir so schwach auf der Brust seien, daß wir gegen eine solche Tonart nichts mehr unternehmen könnten. In diesem Punkte wird man sich in Schweden sehr irren.

[...]

315. Werner Best an das Auswärtige Amt 31. August 1943
Best fremsendte efter den politiske kursændring en dagsrapport om dagen 30. august til AA, hvis hovedbudskab var, at der herskede absolut ro, og at der overhovedet ingen tilfælde var at melde om.
    Det skulle understrege over for Berlin, at Bests hidtidige opfattelse af situationen havde været den rigtige.
Kilde: PA/AA R 29.567. RA, pk. 203.

Telegramm

| Kopenhagen, den | 31. August 1943 | 09.40 Uhr |
| Ankunft, den | 31. August 1943 | 10.15 Uhr |

Nr. 999 vom 31.8.43.   Citissime!

Ich bitte, die folgenden Meldungen unverzüglich dem Herrn Reichsaußenminister zuzuleiten:

1.) Der Befehlshaber der deutschen Truppen in Dänemark hat am gestrigen Abend die folgende Tagesmeldung an den Wehrmachtführungsstab erstattet:
"Die noch ausstehenden Meldungen über die abgeschlossene Entwaffnung einzelner dänischer Garnisonen sind inzwischen eingetroffen. Bis zum 30.8.43 wurden sichergestellt: von dänischem Heer 5.492 Soldaten, von der Marine 2.427 Soldaten. Das zahlreiche Heeresgut wird noch erfaßt. Auf dem Marinedienstwege erfolgt Erfassung der dänischen Marinefahrzeuge. Die dänische Regierung ist zurückgetreten. Sie hat einen Aufruf an das Volk gerichtet. Ruhe und Besonnenheit zu wahren und einen Appell an die Beamten, auf ihren Posten zu bleiben und ihre Tätigkeit fortzusetzen. Der Aufruf wird heute abend veröffentlicht. Polizei und Beamte arbeiten loyal mit bis auf ganz vereinzelte Ausnahmen, die festgesetzt sind. Im ganzen Lande ist die Arbeit wieder aufgenommen. Nirgends ist es zu Ausschreitungen der Zivilbevölkerung gekommen. Die Meldung über eine entwichene mot. Batterie aus Holbäk ist dahin richtig gestellt, daß die Batterie selbst vollständig vorhanden, die Mannschaft auf LKWs geflüchtet war."
2.) Über den Verlauf der Nacht vom 30. zum 31.8. sagen die beim Befehlshaber der deutschen Truppen und bei mir eingegangenen Meldungen übereinstimmend, daß im ganzen Lande absolute Ruhe herrscht und keinerlei Vorfälle zu melden sind. In Kopenhagen ist in der Nacht ein kleiner Brand in einem Geschäftsbüro ausgebrochen, der nach der Sachlage nicht durch Sabotage verursacht sein durfte. Ein Däne ist erschossen und einer verletzt aufgefunden worden, was offenbar auf Schüsse deutscher Streifen während der Nachtverkehrssperre zurückzuführen ist.

Best

316. Werner Best an das Auswärtige Amt 31. August 1943
Dagsrapport, hvis hovedhistorie var den tyske besættelse af Horserødlejren.
   Kilde: PA/AA R 29.567. RA, pk. 203. Uddrag i EUHK, nr. 104.

T e l e g r a m m

| Kopenhagen, den | 31. August 1943 | 17.30 Uhr |
| Ankunft, den | 31. August 1943 | 18.00 Uhr |

Nr. 1000 vom 31.8.[43.]   Citissime!

Ich bitte die folgenden Meldungen unverzüglich dem Herrn Reichsaußenminister zuzuleiten:
1.) Heute 14.12 Uhr ist im Kopenhagener Hafen das dänische Frachtschiff "Vedby" (etwa 6.000 Tonnen), das um 15 Uhr mit Stückgut beladen nach einem deutschen Hafen auslaufen sollte, durch Sabotage (Sprengung) versenkt worden.[144]
2.) Am 30.8.43, etwa 20 Uhr, haben zwei unbekannte Personen in Zivil den Journalisten

---

144 "Vedby" blev sænket af BOPA (Kjeldbæk 1997, s. 467. Jfr. Brøndsted/Gedde, 2, 1946, s. 560, Kieler, 2, 1993, s. 112).

Carl Henrik Clemmensen (geboren 28.3.1901) aus seiner Wohnung in Klampenborg, Hvidörevej 57, mit der Vorgabe, deutsche Polizei zu sein, herausgeholt und in einem nahegelegenen Wald erschossen.[145] Clemmensen war konservativ eingestellt und wegen ungünstiger Berichterstattung am 21.9.42 aus dem Reich ausgewiesen worden.

3.) Im Augenblick der Erklärung des Ausnahmezustandes am 29.8.43 – 4 Uhr – hat eine deutsche militärische Einheit von 24 den Auftrag gehabt, das dänische Kommunistenlager in Horseröd (Seeland) zu besetzen. Statt das Lager zu umstellen und der dänischen Polizei die befohlene Besetzung des Lagers in geeigneter Weise anzukündigen, bewegte sich die Einheit in der absoluten Dunkelheit so auf das Lager zu, daß die wachhabenden Polizisten einen Überfall vermuteten und auf die nicht erkannten Gestalten schossen. Während die Polizei und die Soldaten sich gegenseitig in der Dunkelheit beschossen, hat die Belegschaft einer Baracke (93 Mann) mit Hilfe aufgeschichteter Betten den rückwärtigen Zaun des Lagers überklettert und ist geflohen. 142 Häftlinge sind noch vorhanden.[146]

Hierzu ist zu bemerken, daß seit Bestehen des Lagers (Oktober 1941) nur ein einziges Mal eine Flucht stattfand, indem 6 Häftlinge aus ihrer Baracke einen unterirdischen Gang unter den Zaun hindurch gruben.[147]

Best

Vermerk:
Wegen Störung des Fernschreibers telefonisch aufgenommen.

317. Kriegstagebuch/Seekriegsleitung 31. August 1943

Hovedpunktet ved Seekriegsleitungs situationsdrøftelse var for Danmarks vedkommende den fremtidige minerydning, som man ville forsøge at få danskerne til at overtage igen. Endvidere blev det besluttet at få de danske handelsskibe forsynet med tyske flakkommandoer. Det blev foreslået, at de danske krigsskibe ikke blev betragtet som krigsbytte, men at ejerskabet forblev dansk, dog sådan at skibene kunne bruges på tysk side i krigen.

Der herskede fuldstændig ro i Danmark. Der blev arbejdet på alle værfter. Der havde de sidste dage kun været en enkelt sabotage. Efter den danske regerings tilbagetræden arbejdede forvaltningen videre i forståelse med WB Dänemark. Orlogsværftet skulle tages i brug af besættelsesmagten, danske krigsfartøjer ligeledes. Antallet af fangne danske marinere blev opgjort, og det blev konkluderet, at aktionen mod den danske marine var afsluttet.

Med hensyn til ejendomsretten til de danske krigsskibe, gav OKW/WFSt et svar, der blev refereret i KTB/Skl 4. september 1943.

Indholdet af Seekriegsleitungs situationsdrøftelse blev ordret sendt til bl.a. AA, WFSt, MOK Ost og Adm. Dänemark 31. august 1943 (RA, Danica 628, sp. 7, nr. 5344f. RA, pk. 203).

Kilde: KTB/Skl 31. august 1943.

---

145 Mordet blev begået af fire mænd, alle i tysk tjeneste. Den ene af drabsmændene, Flemming Helweg-Larsen, blev efter maj 1945 henrettet for forbrydelsen, mens de tre andre gik fri, hvoraf den ene, SS-manden Søren Kam, fandt ly i Tyskland (Høgh-Sørensen 1998, Helweg-Larsen 2008).
146 I mørket natten mellem 28. og 29. august overså de tyske soldater, at Horserød var opdelt i to adskilte områder, hvorved det lykkedes 95 mand fra den ene (gamle) lejr at flygte, mens 145 i den anden (nye) lejr blev deporteret.
147 I juni 1942 foretog seks mand et flugtforsøg gennem en gravet tunnel, men kun to af dem undslap (kommunisterne Eigil Larsen og Ib Nørlund).

[…]
Lagebesprechung bei Chef Skl.
I.) Unter Berücksichtigung des am 30/8. ergangenen Führererlasses betr. Behandlung dänischer Wehrmachtangehöriger erhält vorgesehenes Fs. An OKW betr. Frage dänischer Marine folgende Fassung:
"I.) a.) Dänische Kriegsmarine hat bisher umfangreiche Minenräumarbeiten nach deutschen Weisungen selbständig durchgeführt, so vor allem Fahrweg Nyborg-Korsör, Smaaland-Fahrwasser zwischen Gr. Belt und Grönsund, West- und Ostausgang des Svendborg-Sundes, Einfahrt Odense und Nakskov und Isefjord.

Diese Arbeiten, die mit 6 großen M-Booten, 8-10 R-Booten und mehreren Fischkuttern durchgeführt wurden, sind für die Aufrechterhaltung der Versorgung des Landes, Materialtransporte u.a.m. unerläßlich. Sie können von uns nicht übernommen und müssen auch in Zukunft mit dän. Fahrzeugen und dän. Personal durchgeführt werden. Wenn dies nicht *unverzüglich* geschieht, müssen deutsche Sicherungsstreitkräfte von Norwegen-Transporten abgezogen werden, die dann ins Stocken geraten würden. Vorschläge siehe Ziffer III.).

b.) Im übrigen muß Kriegsmarine Wert darauf legen, die für sie brauchbaren dänischen Kriegsfahrzeuge zu übernehmen und mit deutschem Personal einzusetzen, u.a. z.B. Torpedoboote als Torpedofangboote für Ubootausbildung.

II.) Skl. vorschlägt, dänische Kriegsfahrzeuge nicht als Beute anzusehen, sondern im Eigentum der Dänen zu belassen, sie jedoch unter Eigentumsvorbehalt für den gemeinsamen Kampf Europas in Benutzung zu nehmen.

III.) Es ist gem. Ziff. I a.) beabsichtigt, den Dänen bisher im Minensuchdienst eingesetzte Fahrzeuge zurückzugeben und sie zu Wiederaufnahme Minensuchdienstes im bisherigen Umfange zu veranlassen. Falls seitens OKW und Ausw. Amt keine Bedenken bestehen, wird vorgeschlagen, diese Verbände als Restmarine unter dän. Kriegsflagge fahren zu lassen. Bestehenbleiben dänischer Restmarine wird auch deshalb befürwortet weil Kriegsmarinewerften, Leichtfeuer- und Seezeichen-Dienst usw. am besten wie bisher in Regie dän. Marine bleiben, da deutscherseits für Übernahme keine Kräfte vorhanden, Sofern diese Regelung nicht möglich sein sollte, wären dän. Minensuchfahrzeuge unter dän. Dienstflagge als Wasserschutzpolizei, die in dieser Form neu zu gründen wäre, einzusetzen. Völkerrechtliche Bedenken bestehen gegen diese Lösung nicht, da durch diese Fahrzeuge nur dänische Gewässer minenfrei gehalten werden sollen.

IV.) Dänische Handelsschiffe und Fischereifahrzeuge müssen weiter in dän. Besitz bleiben. Handelsschiffahrt und Fischerei wird Skl, sobald sich Lage wieder voll beruhigt hat, im bisherigen Rahmen anlaufen lassen, wobei versucht werden wird, dem Ausbrechen dänischer Handelsschiffe in schwed. Häfen durch die Anbordgabe von deutschen Flakkommandos nach Möglichkeit vorzubeugen."
Chef Skl ist einverstanden.
[…]

Besonderes:
I.) MOK Ost berichtet über Verbleib dänischer Flotte. In eigenen Besitz genommen sind 12 Schiffe mit zusammen 1840 t, dazu 36 kleinste Fahrzeuge. Selbst versenkt haben sich 28 Schiffe mit 15.097 t, beschädigt sind 4 Schiffe mit 1.450 t. In Schweden befinden sich 2 Schiffe mit 180 t. Ungeklärt ist Schicksal von 3 Schiffen mit 230 t. Einzelheiten s. Fs. Gem. 1/Skl 26162/43 geh. in KTB Teil C Heft III.
[…]

2. Eigene Lage:
Nach Meldung von Adm. Dänemark herrscht in diesem Lande völlige Ruhe. Auf allen Werften wird voll gearbeitet. Truppenbefehlshaber beabsichtigt schrittweise Auflockerung Ausnahmezustandes. Seit 2 Tagen nur ein Sabotagefall gemeldet auf dän. D. "Vedby" (4.500 BRT).[148] Dänen wurde Bewachung ihrer Dampfer gegen Sabotageakte als Forderung übermittelt.

Nach Rücktritt der Regierung Scavenius führen Staatssekretäre im Einvernehmen mit Truppenbefh. Dienstgeschäfte weiter, so daß innerer Verwaltungsapparat weiterläuft. Im Einvernehmen mit Adm. Vedel arbeitet Admiralitätskontor für dt.-dänische Marineinteressen mit dänische Abteilungen für Küstenbefeuerung, Seekartenarchiv, Meteorologischem Institut und Lotsen- und Rettungswesen weiter.

Überprüfung Orlogswerft in Kopenhagen auf Eignung für eigene Zwecke und Einsatz bei Wiederherstellung dänischer Kriegsfahrzeuge ist im Gange. Laut Führerentscheidung verbleiben gefangen gesetzte Offiziere und Soldaten vorläufig in Unterkünften unter deutscher Bewachung. Gesamtzahl der Marinegefangenen: 211 Offiziere, 2.476 Unteroffiziere und Mannschaften.

Nach ergebnislosem Durchkämmen des Smaaland-Fahrwasser und der Gewässer südlich Fünen ist Aktion gegen dänische Marine abgeschlossen.
[…]

318. Seekriegsleitung an Hans-Heinrich Wurmbach 31. August 1943

Seekriegsleitung ønskede tyske flakkommandoer ombord på de danske handelsskibe, før de fik lov til at sejle ud igen. Det var for at undgå, at de undveg til Sverige. Samtidig blev Wurmbach bedt bekræfte, at Best ikke længere havde indvendinger mod flakkommandoerne på grund af den ændrede situation.

Sagen blev fulgt op af MOK Ost 4. september til Seekriegsleitung.
Kilde: BArch, Freiburg, RM 7/1187. RA, Danica 628, sp. 7, nr. 5343.

[Abschrift]
Fernschreiben an: Adm. Dänemark   *[Berlin 31. August 1943]*
Nachrichtlich: MOK Ost.
– SSD – Geheim! –

---

148 Se Bests telegram nr. 1000, 31. august 1943.

Es wird erwogen beim Wiederanlaufen der dänischen Handelsschiffahrt die dänischen Handelsschiffe soweit möglich durch Anbordgabe deutscher Bordflakkdos am eventuell beabsichtigten Ausbrechen nach schwedischen Häfen zu verhindern. Bestätigen, daß Reichsbevollmächtigter infolge veränderter Lage keine Bedenken gegen notfalls zwangsweises Anbordgeben Bordflak mehr erhebt.
Seekriegsleitung
1. Abt. Skl Ic 26215/43 geh

319. Kriegstagebuch/Admiral Dänemark 31. August 1943

MOK Ost fik en oversigt over den danske marines skibe, deres lokalisering og tilstand. I København var skibene forberedt til sprængning, og den gik i gang ved udløsningen af det første skud. Situationen i Danmark var rolig, der blev arbejdet på værfterne. Der havde kun været en enkelt sabotage i de sidste to dage. Den danske administration arbejdede videre. Orlogsværftet var blevet besigtiget; det var primitivt og umoderne og måtte karakteriseres som et småskibsværft. Der blev gjort rede for "Niels Juels" tilstand, og Wurmbach ønskede oplyst, om skibet overhovedet skulle bjærges på dansk bekostning, ligesom han ønskede besked om, hvad "Niels Juel" og "Peder Skram" i givet fald skulle anvendes til. Det var først og fremmest skibenes artilleri, der havde interesse. Wurmbach sluttede med at fortælle, at admiral Vedel havde fortalt ham, at den danske marine i tilfælde af en invasion havde ordre til at sænke sine skibe, hvad enten det var englænderne eller tyskerne, der ville overtage dem.

Kilde: KTB/ADM Dän 31. august 1943, RA, Danica 628, sp. 3, s. 3041, Anlage 1, s. 22-27.

[...]
01.20 h Nachdem die Feststellungen über den Verbleib der dän. Kriegsmarine zu einem gewissen Abschluß gekommen sind, wird folgende Meldung an MOK Ost erstattet:

I. Selbst versenkt haben sich:
1.) *In Kopenhagen* auf flachem Wasser
    a.) Küstenpanzerschiff "Peder Skram" (3.500 t).
    b.) Minenschiff "Lindormen" (Depl. unbek.), "Lougen" (350 t), "Laaland" (350 t).
    c.) Torpedoboote (Minenräumboote): "Hvalrossen" (169 t), "Makrellen", "Nordkaperen", "Sälen" (je 110 t).
    d.) Minenräumboote: "Söbjörnen", "Söulven", "Söhunden" (je 270 t), MS 4, 8, 10 (je 70 t).
    e.) Minenschiffe: "Lossen" (640 t), "Kvintus", "Sixtus" (je 186 t).
    f.) U-Boote: "Havmanden", "Havfruen", "Havkalen", "Havhesten" (je 335 t), "Rota", "Bellona", "Daphne", "Dryaden" (je 302-310 t).
2.) *bei Feuerschiff Vengeance Grund:*
Inspektionsschiff "Hvidbjörnen" (1.050 t).[149]
3.) *im Isefjord:*
Küstenpanzerschiff "Niels Juel" (3.800 t), nach Flugzeugangriff mit 15 sm Fahrt auf Strand gesetzt, Bodenventile zerschlagen, Geschützverschlüsse versenkt.

---

149 Jfr. Hendriksen 1993, s. 189f.

4.) *Nördlich Bogö:*
Torpedoboot "Havörnen" (110 t) bei Enterversuch aufgesetzt und im Achterschiff gesprengt.

II. Beschädigt:
1.) in Nyborg: Minenräumboote MS 5 und 6 (je 70 t).
2.) in Korsör: Inspektionsschiff "Ingolf" (1.180 t).

III. In Schweden:
Torpedoboot "Havkatten" (110 t), Minenräumboot MS 7 (70 t).

IV. Noch ungeklärt:
Torpedoboot "Narhvalen" (110 t), Minenräumboote MS 1 und 9 (je 70 t).

V. In Besitz genommen:
a.) in Kopenhagen durch MAA 508: Inspektionsschiffe "Island Falk" (730 t) und "Beskytteren" (415 t), 3 alte U-Boote (B 9, 10, 12 zu je 175 t), Minenleger "Skagerrak" (Depl. unbekannt).
b.) in Korsör durch 19. Vp. Fl. (Adm. Dän. einsatzmäßig unterstellt) MS "Sölöven" und "Söridderen" (je 270 t), Torpedoboote "Springeren" (110 t).
c.) in Kalundborg durch M.R. Schiff 11 die M.R. Boote "Söhesten" (270 t) und MS 2 (70 t)
d.) in Köge durch 25 MS-Fl.: Minenräumboot MS 3 (70 t).

VI. Ferner an kleinen Hilfsfahrzeugen (Patrouillen-, Minensuch-, Sicherungs- und Bojenbooten) bisher 36 Fahrzeuge von geringer Tonnenzahl.

VII. In Kopenhagen war Sprengung der Schiffe und Fahrzeuge vorbereitet, so daß sie bereits unmittelbar nach Fallen der ersten Schüsse nach Beginn der Aktion durchgeführt wurde, wahrscheinlich elektrisch ausgelöst. Dänische Kriegsschiffe lagen in 15 Min.-Bereitschaft.

Die Lage ist folgende:
1.) In Dänemark alles ruhig. Auf allen Werften wird voll gearbeitet. Truppenbefehlshaber beabsichtigt dementsprechend schrittweise Auflockerung des Ausnahmezustandes zunächst durch Verlängerung der Aufenthaltsdauer auf den Straßen bis 2200 Uhr.
2.) Seit zwei Tagen nur ein Sabotagefall auf bewachtem dänischen Dampfer, der auf deu[tsche] Rechnung als Erzfrachter nach Lübe[ck] unterwegs war.[150] Die von hier vor einiger Zeit an die dänische Regierung übermittelte Anregung, die Bewachung der dänischen Dampfer gegen Sabotageakte zu übernehmen, ist nunmehr als Forderung übermittelt.

---

150 Troppetransportskibet "Vedby" var blevet sænket ved Havnegade i København 31. august af BOPA (se Bests telegram nr. 1000, 31. august 1943).

3.) Scavenius und Minister gestern Abend zurückgetreten. Die Staatssekretäre der Ministerien führen im Einvernehmen mit Truppenbefehlshaber Dienstgeschäfte weiter, sodaß auch innerer Verwaltungsapparat bis zu den unteren Stellen weiter läuft.

4.) Im Einvernehmen mit Admiral Vedel arbeitet gleichfalls des Admiralitäts-Kontor in Kopenhagen für deutsch-dänische Marineinteressen weiter. Dieses besteht aus dem Feuerdirektorat für Küstenbefeuerung, dem Seekartenarchiv, dem meteorologischen Institut, dem Lotsen- und Rettungswesen.

5.) Im Einvernehmen mit OKM K-Amt stattfindet heute durch Chef OWSt. Überprüfung Orlogswerft Kopenhagen auf Eignung für eigene Zwecke. Primär kommt hiesigen Erachtens ihr Einsatz bei Wiederherstellung der gesunkenen dänischen Kriegsfahrzeuge in Frage, an denen wir wegen Minensuchaufgaben pp. interessiert sind.

6.) Gemäß Führerentscheidung verbleiben gefangengesetzte Offiziere und Soldaten vorläufig in ihren Unterkünften unter deutscher Bewachung. Personalbesprechung mit Admiral Vedel verschoben auf Grund der Weisung MOK Ost, hierüber erst Befehle der Skl zu erwarten.

7.) Bestandsaufnahme der bisher sichergestellten Waffen, von Material und Inventar ist erfolgt. Diese sind als Beute zu rechnen.

Oberwerftstab besichtigte die Orlogswerft. Die Direktion der Orlogswerft gab bereitwilligst jede Auskunft und sagte zu, alle gewünschten Unterlagen zur Verfügung zu stellen. Die Einrichtungen der Werft entsprechen denjenigen einer Kleinschiffswerft, die sich ausschließlich mit dem Bau von Schiffen befaßt bis zur Größe von Fischdampfern einschließlich. Größere Schiffe können nur weitergehende Heranziehung von Zubringerfirmen gebaut werden.

Entsprechend den geringen Geldmittel die der Werft früher zur Verfügung standen, sind die Einrichtungen der Werkstätten usw. primitiv. Nur wenige moderne Maschinen sind vorhanden.

"Niels Juel" ist durch Taucher und das Komma[ndant] Cammann eingehend untersucht worden. Das Ergebnis ist folgendes:

1.) Nach Taucherbericht Risse, vermutlich infolge Bombendetonation, Leckage an Ni[…] an Backbord achtern festgestellt. Schwache Einbeulung zwischen den Spanten. Weitere Beschädigungen nicht ermittelt. Etwa 60 [cm] Breite Kimmenkiele stehen ca. 15 cm im sandigen Grund.

2.) Grund-Beschaffenheit etwa 60 cm Sand, darunter Ton, keine Steine.

3.) Anzunehmen, daß Versicherung dän. Komdten zutrifft, nach vorsätzlichem Aufsetzen [mit] ca. 16 sm Fahrt durch Zerstörung der Bodenventile und öffnen der Schotten zwischen den einzelnen Abteilungen das Schiff geflutet zu haben.

4.) Sprengungen nach Aussage Kmdt. und IO nicht vorgenommen.

5.) Falls Schiffsboden unbeschädigt, hält Bergungssachverständiger von Svitzer Flottmachen innerhalb 20-25 Tagen für möglich.

6.) Notwendige Arbeiten: Freimahlen des Bodens an beiden Schiffsseiten durch Schrauben vom Bergungsschlepper.

7.) Die über Bord geworfenen Geschützverschlüsse und 2 cm Geschützrohre werden geborgen.

Ich bitte MOK Ost, eine Entscheidung des OKM herbeizuführen, ob die Bergung des Schiffes auf dänische Kosten überhaupt erfolgen soll. Das Schiff wäre an sich als schwimmende Batterie z.B. am Nordausgang des Sundes gut zu verwenden, genauso wie "Peder Skram" für unsere Zwecke nutzbar gemacht werden kann. Wenn "Niels Juel" beim Nordausgang des Sundes auf Grund gesetzt wird, wäre er Ersatz für die dort liegende Hornbäk-Batterie. Die 14,9 cm Geschütze der Leeseite wären zusammen mit der schweren und mittleren Artillerie von "Peder Skram" an der westjütischen Küste einzusetzen. Für "Peder Skram" könnte vorgesehen werden, ihn mit der restlichen Artillerie als Flakkreuzer im Bereich MOK Ost zu verwenden.

An Soldaten der dänischen Marine wurden gefangenen genommen:
258 Offiziere
2.961 U.Offz. und Mannschaften.

Die Aktion zur Entwaffnung der dänischen Marine ist als abgeschlossen anzusehen. Die Durchführung ist insgesamt glatter verlaufen, als wie vordem ausgeführt erwartet werden konnte.

Es steht fest, daß die Regierung Anweisung gegeben hat, keinen Widerstand zu leisten. Die Anordnung, die Schiffe zu versenken, ist soweit bekannt, von Admiral Vedel ergangen. Dieser Befehl deckt sich mit einer früheren Äußerung des Admiral Vedel mir gegenüber, [als] ich ihm meinen Forderungen an die dänische Marine für den Invasionsfall übermittelte. Er erklärte mir in diesem Zusammenhang, daß seine Schiffe Befehl hätten, sich vor *jeder* Besetzung – einerlei ob durch Engländer oder Deutsche – zu versenken.

Praktisch ist die dänische Marine in ihrer Geschichte zum zweiten Male der nahezu völligen Vernichtung anheimgefallen.[151]

320. Admiral Dänemark: Lagebeurteilung für August 1943, 31. August 1943

Admiral Wurmbach opregnede kort forløbet af august måned, hvor situationen var løbet ud af den danske regerings kontrol. Trods opfordringer var det ikke lykkedes at dæmme op for strejker og sabotager, og politiet havde ikke været opgaven voksen. Afvisningen af et tysk ultimatum om indførelse af bl.a. dødsstraf havde ført til regeringens afgang og til de danske værns afvæbning og opløsning, samt indførelse af militær undtagelsestilstand. Den danske modstand mod afvæbningen havde været ringe. Den danske regerings afgang rejste en række spørgsmål, da den danske marine havde løst mange krigsvigtige opgaver, herunder minerydning og sundbevogtning. Det var målet hurtigst muligt at få disse opgaver udført på civil basis, hvorfor det var ønskeligt, at tidligere nu internerede danske marinere hurtigst muligt blev frigivet, så nogle kunne rekrutteres til opgaverne. Under alle omstændigheder ville de minefri søveje blive stærkt indskrænket, da der nu manglede halvdelen af de nødvendige minestrygere. Det var nødvendigt at overvåge og kontrollere de danske fiskere for at undgå, at de optog forbindelse med fjenden og førte sprængstof og agenter til Danmark.

Månedsoversigten var holdt i en afdæmpet form, operation "Safari" nævntes kun kort, den var historie nu, og den historie var blevet dokumenteret allerede. Admiralens overvejelser drejede sig først og fremmest om fremtiden og de forestående problemer. For at få løst nødvendige opgaver lagde han op til samarbejde med den danske administration, først og fremmest marineadministrationen, og ville have situationen med hensyn til de internerede marinere "normaliseret" hurtigst muligt.

Kilde: KTB/ADM Dän 31. august 1943, RA, Danica 628, sp. 3, s. 3034-41.

---

151 Her hentydes til, at England i 1807 beslaglagde den danske orlogsflåde.

Lagebeurteilung
für August 1943.

A. Feindlage

1.) Minenlage.

Im August fanden wiederum keine Mineneinflüge in dänischen Raum statt, desgleichen keine Luftangriffe. Süddänemark wurde nur bei Einflügen ins Reich von größeren Verbänden überflogen. Das Absetzen von Agenten mit Flugzeug wurde wiederholt vermutet. In einem Falle konnte in Verbindung mit einem Fallschirmabsprung ein dänischer Helfer festgenommen werden (inzwischen standrechtlich erschossen), ein anderer wurde bei dieser Gelegenheit erschossen.[152] Nachdem 4 Monate lang keine Verminung in den dänischen Gewässern stattgefunden hat, wird jetzt, wo der verstärkte Norwegenfahrt angelaufen ist, möglicherweise wieder mit Mineneinflügen zu rechnen sein, es sei denn, daß der Gegner die Verseuchung dänischer Gewässer im Hinblick auf eigene Absichten vermeidet.

2.) Sabotage.

Die Zahl der Sabotagefälle stieg im Monat August ständig und hat insgesamt eine Höhe von 198 Meldungen erreicht. Mindestens 50 der gemeldeten Sabotagefälle entfallen auf Brandstiftungen. Neben den Sabotagefällen gegen alle 3 Wehrmachtsteile und Wirtschaftsbetriebe, die für deutsche Interessen arbeiten, sind wiederum eine ganze Anzahl von Eisenbahnattentaten festzustellen.

Marinebelange wurden durch folgende Fälle berührt:

3.8.	"Khedingen"	Werft Burmeister & Wain	Brandschaden[152]
8.8.	"Bahia"	Aalborg Werft	Versuchte Sabotage[153]
11.8.	"Vp. Bt. 1705"	[Aalborg Werft]	Sabotage an Hauptmaschine
20.8.	Dän. Dpfr. "An-Helen Claussen"		Haftmine, Schiff über Wasser gehalten[154]
23.8.	SS "Norden"	Skagen	Haftmine, Schiff gesunken[155]
25.8.	"Minden"	Helsingör Werft	Innere Explosion
8.8.	Bootsbauerei Bieber,	Aalborg	Bootswerft total vernichtet, arbeitet zu 70 % für Wehrmacht[156]
11.8.	Schiffswerft Petersen,	Aarhus	Erheblicher Schaden[157]
–	Burmeister & Wain,	Kopenhagen	Modellhalle vernichtet[158]

---

152 Se Bests telegram nr. 956, 20. august 1943.
153 Jfr. Alkil, 2, 1945-46, s. 1217, der tillige opgiver, at der samme dag var en eksplosion på det tyske skib "Werner" i København.
154 Jfr. Alkil, 2, 1945-46, s. 1218.
155 Jfr. Alkil, 2, 1945-46, s. 1219.
156 Jfr. Alkil, 2, 1945-46, s. 1219 og Schwartz 1995, s. 23.
157 Jfr. Alkil, 2, 1945-46, s. 1218.
158 Jfr. Alkil, 2, 1945-46, s. 1218.
159 Der er identificeret en sabotage mod B&Ws modelhal i august 1943.

Außerdem wurde die Packhalle des Fischereihafens Esbjerg durch Feuer vernichtet. Gesamtschaden ca. 1 Million Dänenkronen.[160]

Seit längerer Zeit ist festzustellen, daß in steigendem Masse Sabotagematerial englischen Ursprungs Verwendung findet. In der Nähe Esbjergs wurde ein größeres Materiallager vorwiegend englischer Herkunft entdeckt.[161] In Aalborg wurde in der Wohnung eines Reservepolizeibeamten ein größeres Sprengstofflager festgestellt, sowie Aufzeichnungen über geplante und bereits ausgeführte Sabotagehandlungen. Weiter werden in Aalborg 4 große Kisten mit Sprengstoff im Gewicht von ca. 1000 kg, sowie einige Maschinenpistolen und eine Anzahl Colt-Revolver entdeckt.[162] Es ist wahrscheinlich, daß zumindest ein Teil dieser Sprengstoffbestände von Flugzeugen abgeworfen wurde.
[...]

B. Lage in Dänemark
Die Lage in Dänemark verschlechterte sich ständig. Es kam immer häufiger zu Zusammenstößen zwischen der dänischen Bevölkerung und deutschen Soldaten, sowie zu übelster Beschimpfung deutscher Wehrmachtsangehöriger. Dazu setzten Streiks auf den verschiedensten Werften ein. Schließlich kam es auch wiederholt zu Schießereien. Die Polizei zeigte sich diesem Treiben nicht gewachsen. Versuche der Regierung und Gewerkschaften, eine Beruhigung der Massen herbeizuführen, scheiterten.

Die Folge war die Überreichung der deutschen Forderung vom 28.8. an die dänische Regierung auf Verhängung des Ausnahmezustandes, bei deren Ablehnung es zur Entwaffnung der dänischen Wehrmacht kam.

Die Entwaffnungsaktion konnte in der Hauptsache in wenigen Stunden durchgeführt werden. Wider Erwarten wurde nirgends ernsthaft Widerstand geleistet, obwohl die dänische Marine in der Nacht vom 28. zum 29.8. von 23.00-01.00 Uhr in Sofort-Bereitschaft, ab 01.00 Uhr in ¼-stündiger Bereitschaft stand. Die Mehrzahl der dänischen Kriegsschiffe wurde sofort mit Beginn der Aktion durch Sprengung, die von langer Hand sorgfältig vorbereitet war, auf flachem Wasser versenkt.

C. Dänische Fischerei
Die Erleichterungen und die stillschweigende Zulassung des Fischens im Nordseewarngebiet haben dem Anschein nach eine Anzahl dänischer Fischer veranlaßt, diese Möglichkeit für die Aufnahme von Verbindungen mit dem Feind auszunutzen. So wurde am 24.8. eine Gruppe von 20-30 Fischkuttern ca. 90 sm westlich von Graadyb mit ausgesetzten Schlauchbooten von deutschen Flugzeugen gesichtet und unter Feuer genommen. Von den in der Nähe befindlichen englischen Flugzeugen wurden 2 Maschinen abgeschossen. Die Fischereifahrzeuge trugen z.T. dänische Hoheitsabzeichen. Eines dieser Fahrzeuge wurde versenkt, 6 weitere beschädigt. Die Boote wurden später auf Ostkurs liegend beobachtet. Die Küste wurde angewiesen, alle zurückkehrenden

---

160 Se KTB/ADM Dän 21. august 1943.
161 Sabotagen i Esbjerg blev udført af kommunister, som fik stillet sprængstof til rådighed af SOE-agenten i Esbjerg, Aage Møller Christensen (Trommer 1973, s. 123).
162 Se Bests telegram nr. 956, 20. august 1943.

Fischerfahrzeuge auf Beschädigungen, die auf etwaigen Beschuß zurückzuführen sind, zu untersuchen und die Durchsuchung nach Sabotagematerial besonders scharf durchzuführen. Die Ermittlungen laufen noch.[163]
[...]

E. Forderungen und Überlegungen

1.) Die Übernahme der Regierungsgewalt in Dänemark erfordert in Verbindung mit der Entwaffnung der dänischen Marine die Lösung zahlreicher dadurch aufgeworfener Fragen. Die dänische Marine bzw. dänischen Dienststellen erfüllten bisher personell und materiell folgende kriegswichtige Aufgaben:
   a.) den SB-Dienst,
   b.) den Minensuchdienst auf 34 dänischen Zwangswegen mit einer Gesamtlänge von rund 550 sm,
   c.) die Steuerung eines großen Teils der dänischen Handelsschiffahrt durch dänische Hafenkapitäne,
   d.) die Fahrwasserbetonnung in dänischen Gewässern,
   e.) den Minenbeseitigungsdienst von angetriebenen Minen an Teilen der dänischen Westküste und auf den dänischen Inseln.
   f.) die militärische Sundbewachung.

   Wenn ein Teil dieser Aufgaben auch durch Überführung in einen zivilen Sektor weiter dänischerseits übernommen werden dürfte, so ist es z.Zt. noch sehr fraglich, ob dänische Marineangehörige dafür gewonnen werden können, etwa in einer zivilen Minensuchflotte die bisherigen Aufgaben weiter zu führen. Soweit zu übersehen, ist das dänische Offizierskorps durch die Vernichtung der Flotte sehr empfindlich getroffen, zumal die dänische Marine bisher loyal die von ihr geforderten Aufgaben erfüllt hat. Es kommt hinzu, daß der Rechtszustand noch ungeklärt ist, in dem sich Dänemark z.Zt. zum Reich befindet. Bei den dänischen Offizieren scheint das Bestreben vorzuliegen, sich als Kriegsgefangene behandeln zu lassen, so daß die Frage der Durchführung einer zivilen Minensucharbeit z.Zt. noch vollkommen offen steht.

2.) Die Demobilmachung der dänischen Marine ist äußerst dringend, das. z.Zt. alle vorhandenen eigenen Kräfte für die Bewachung der in ihren Unterkünften festgesetzten dänischen Marineangehörigen benötigt werden, so daß sie ihren eigentlichen Aufgaben und vor allem auch der dringend notwendigen Ausbildung entzogen wird.

3.) Die Hebung der versenkten oder auf Grund gesetzten dänischen Kriegsfahrzeuge ist eine vordringliche Aufgabe, die inzwischen eingesetzt ist. Zumeist liegen die Schiffe auf flachem Wasser. Die Artillerie der beiden Küstenpanzerschiffe wird eine erwünschte Verstärkung für die Verteidigung des Sundeingangs, wie auch der Westküste Jütlands liefern, wobei noch die Möglichkeit offen ist, daß eventl. "Peder Skram" als Flakkreuzer im Ostseebereich Verwendung findet. Die kleinen Fahrzeuge werden dringend für den Minensuchdienst benötigt. Bis jetzt ist nur etwa die Hälfte der für die Aufgabe des Minensuchens auf dänischen Wegen erforderlichen Fahrzeuge

---

163 Se KTB/Skl 25. og 26. august 1943.

vorhanden. So wird also automatisch eine Einschränkung der Zahl der Zwangswege eintreten müssen.
[...]

321. Rüstungsstab Dänemark: Lagebericht 31. August 1943

Indberetningen for august kunne ikke være positiv pga. af det stigende antal sabotager og strejkerne, der havde påvirket den tyske rustningsproduktion. Forholdene inden for enkelte erhvervsområder blev gennemgået. Forstmann konstaterede, at regeringen ikke havde kontrol over situationen og at politifolk på laveste niveau ikke havde vist vilje til at anholde sabotører. Derefter blev enkeltområderne afrapporteret som vanligt.

Det er tydeligt, at Forstmann trods regeringens afgang og indførelse af undtagelsestilstand ikke ønskede at overdramatisere situationen eller forudskikke store fortsatte problemer for den tyske rustningsproduktion. Alligevel var situationen så ekstraordinær, at han fortsatte med at sende Kurt Waeger personlige situationsberetninger igennem september (se 6., 11. og 17. september), som han havde gjort det tidligere i august. Særlig bemærkelsesværdig er Forstmanns fremhævelse af de menige danske politifolks svigt under krisen, underforstået at politiledelsen var der ikke noget at udsætte på. Det var et spor, han fulgte op, og hensigten bliver tydelig i brevet til Waeger 6. september. Det turde være hævet over enhver tvivl, at Forstmann var i nær samklang med Best netop i politispørgsmålet og om, hvilke konsekvenser det skulle have.

Kilde: BArch, Freiburg, RW 27/9. KTB/Rü Stab Dänemark, 3. Vierteljahr 1943, Anlage 16.

Rüstungsstab Dänemark *Kopenhagen, den 31.8.1943.*
ZA/Ia Az. 66dl/Wi-Ber. Nr. 815/43 geh. Geheim!

Vordringliches

Im August war eine zunehmende deutschfeindliche Stimmung zu bemerken, die nicht nur zu vermehrten Sabotagehandlungen, sondern auch zu Unruhen und Streiks führte. Die Streiks waren auf kommunistische Umtriebe zurückzuführen, denen die Dänische Regierung, die Arbeitgeberverbände und Gewerkschaften durch Aufrufe, die zur Ruhe und Besonnenheit aufforderten, entgegenzutreten versuchten, ohne aber Erfolg zu haben.

Die Sabotagehandlungen, Streiks und Unruhen müssen nicht nur zu einer Verminderung der Produktion durch Ausfall von Arbeitsstunden und Produktionsmitteln führen, sondern auch zu einer offenen oder versteckten ablehnenden Haltung der Betriebsleiter gegenüber der deutschen Auftragsverlagerung. Das Ausmaß ist noch nicht zu übersehen. Bei der schwachen Haltung der unteren dänischen Polizeiorgane ist es vor allem sehr schwer, zur Festnahme der Saboteure zu kommen.

Das Absinken der Kapazität auf dem *Kraftfahrzeuginstandsetzungsgebiet* (es werden im Monatsdurchschnitt für rd. 1,5 Mill. RM Aufträge auf Instandsetzung von Ost-Fahrzeugen und Wehrmachtfahrzeugen im Lande an dänische Betriebe vergeben) ist auf die Vernichtung oder Beschädigung von 18 Autoreparaturwerkstätten im Juli und August zurückzuführen. – Auch die *holzverarbeitenden Industrie*, die in großem Umfange Baracken und Möbel für die Wehrmacht und für Bombengeschädigte herstellt, hat sehr unter den Sabotageangriffen zu leiden. 22 Betriebe wurden im Juli und August durch Sabotage schwer in Mitleidenschaft gezogen. – In der *eisenverarbeitenden Industrie* sind in erster Linie kleine Betriebe, die aber als Unterlieferanten Bedeutung haben, das Angriffsziel der Saboteure. – Die *Konfektionsfabriken*, die im Monatsdurchschnitt für 0,6 Mill. RM (Lohnwert) Uniformen für deutsche Rechnung fertigen, gehen nur zögernd an die Übernahme neuer deutscher Aufträge heran, weil sie zum größten Teil neben ihren Fabrikationsbetrieben noch offene Ladengeschäfte besitzen und Angriffe des Pöbels auf diese befürchten müssen.

Alle diese Vorkommnisse zeigten, daß die Dänische Regierung nicht mehr im Stande war, Ruhe und Ordnung aufrecht zu erhalten. Deshalb wurde vom Befehlshaber der deutschen Truppen in Dänemark am 29.8.43 4 Uhr unter Hinweis auf die Artikel 42-56 der Haager Landkriegsordnung der militärische Ausnahmezustand erklärt, der zur Zeit anhält. Gleichzeitig wurde die Entwaffnung des dänischen Heeres und der dänischen Marine durchgeführt.

1a. Stand der Fertigung
Wertsumme der seit der Besetzung Dänemarks über Rü Stab Dän. erteilten *unmittelbaren und mittelbaren Wehrmachtaufträge*:

Am 30. 6. 1943	RM	438.692.521,-
Zugang im Juli 1943	–	8.425.590,-
Am 31. 7. 1943	RM	447.118.111,-
Auslieferungen im Juli 1943	RM	14.005.427,-

Aufträge des kriegswichtigen zivilen Bedarfs:

Am 30. 6. 1943	RM	66.130.138,-
Zugang im Juli 1943	–	1.213.300,-
Am 31. 7. 1943.	RM	67.343.438,-
Auslieferungen im Juli 1943	RM	984.837,-

Hansa-Programm
Auf der Helsingör-Werft ist das erste deutsche 3.000 to-Schiff, Baunummer 278, am 7.8.1943 von Stapel gelaufen und am gleichen Tage ein deutsches 5.000 to-Schiff auf Kiel gelegt worden.

1c. Versorgung der Betriebe mit Roh- und Betriebsstoffen
Infolge nicht rechtzeitiger Nachlieferung von Ferro-Mangan-Umhüllungsmasse für das im März 1943 bei der Firma A/S Esab, Kopenhagen eingerichtete Schweiß-Elektrodenlager (Lagebericht v. 1.3.43, Abs. 1c) sieht sich die Firma außerstande, die dänischen Werften mit Schweiß-Elektroden zu versorgen, sodaß u.a. die Fertigstellung der auf der Nakskov Skibsværft liegenden Neubauten eine Verzögerung erleidet. Da lt. Mitteilung des Lieferwerks 17 to Umhüllungsmasse am 18.8.43 zum Versand gelangten, dürfte die Fa. Esab in 14 Tagen bis 3 Wochen wieder lieferfähig sein.

Abt. Luftwaffe beabsichtigt, ein Lager von NE-Metallen bei dänischen Importeuren einzurichten, um das Kompensationsmaterial für bereits hergestellte Geräte sicherzustellen. Dadurch wird die Verzögerung in der Erteilung der Ausfuhrerlaubnis vermieden. Diesbezüglicher Antrag ist bei RLM gestellt.

2b. Lage der Treibstoffversorgung
Im Berichtsmonat konnten den dänischen Betrieben die für die Durchführung der Wehrmachtaufträge erforderlichen Mengen zugeteilt werden. Es wurden angefordert 1.950 ltr. Benzin und 67.365 kg Dieselöl und nach Prüfung zugewiesen 1.570 ltr. Benzin und 45.665 kg Dieselöl.

2c. Lage der Kohlenversorgung
Im Juli wurden 143.400 to Kohle und 46.200 to Koks, also insgesamt 189.600 to gegenüber 119.500 to im Vormonat eingeführt. Auf Schreiben Chef Rü Stab Dänemark, Abt. TB, Az. 66b, Nr. 644/43 vom 12.8.43, betr. Kohlenversorgung der Rüstungsindustrie in Dänemark, wird hingewiesen.[164] Besonders die Kokslage muß als schlecht bezeichnet werden. Die Koksbestände in Dänemark sind gegenwärtig nur etwa halb so groß wie am 1.9.1942. Da die Koksversorgung schon im vergangenen Jahr äußerst kritisch war, muß in den kommenden Wintermonaten mit ersten Schwierigkeiten gerechnet werden.

---

164 Forstmann til Rüstungsamt 12. august 1943, trykt ovenfor.